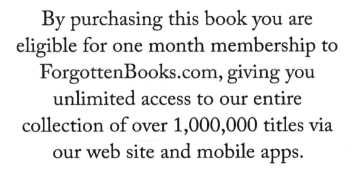

ISBN 978-0-331-23825-9
PIBN 11038664

HANDBUCH FÜR EISENBETONBAU

ZWEITE AUFLAGE

HANDBUCH FÜR EISENBETONBAU

ZWEITE AUFLAGE

HANDBUCH

FÜR

EISENBETONBAU

ZWEITE NEUBEARBEITETE AUFLAGE

IN ZWÖLF BÄNDEN
UND EINEM ERGÄNZUNGSBANDE

HERAUSGEGEBEN VON

DR. INGENIEUR F. VON EMPERGER

K. K. OBERBAURAT, REGIERUNGSRAT IM K. K. PATENTAMT IN WIEN

SECHSTER BAND
:: BRÜCKENBAU ::

BERLIN 1911
VERLAG VON WILHELM ERNST & SOHN

BRÜCKENBAU

SECHSTER BAND DES HANDBUCHES FÜR EISENBETONBAU

ZWEITE AUFLAGE

BALKENBRÜCKEN :: BOGENBRÜCKEN :: ANWENDUNGEN
DES EISENBETONS IM EISENBRÜCKENBAU

BEARBEITET VON

W. GEHLER :: TH. GESTESCHI :: O. COLBERG

MIT 1695 TEXTABBILDUNGEN

BERLIN 1911
VERLAG VON WILHELM ERNST & SOHN

KURZE INHALTSÜBERSICHT
der ersten Auflage des
HANDBUCHES FÜR EISENBETONBAU.

———

Erster Band: Entwicklungsgeschichte. Theorie des Eisenbetons. *(Vergriffen, siehe unter 2. Aufl. I. Band.)*

Zweiter Band: Der Baustoff und seine Bearbeitung. *(Vergriffen, siehe unter 2. Aufl. II. Band.)*

Dritter Band: Bauausführungen aus dem Ingenieurwesen.

1. TEIL: Grund- und Mauerwerksbau. Wasserbau und verwandte Anwendungen. (Uferbefestigungen. Wehre und Staumauern. Schleusen. Leuchttürme und Leuchtbaken. Hellinge und Schiffahrtszeuge.) *(Vergriffen, siehe unter 2. Aufl. III. und IV. Band.)*

2. TEIL: Wasserbau und verwandte Anwendungen. (Flüssigkeitsbehälter. Röhrenförmige Leitungen und offene Kanäle. Aquadukte und Kanalbrücken.) Bergbau. Tunnelbau. Stadt- und Untergrundbahnen. *(Vergriffen, siehe unter 2. Aufl. V. und VII. Band.)*

3. TEIL: Brückenbau. Eisenbahnbau. Anwendungen im Kriegsbau. *(Vergriffen, siehe unter 2. Aufl. VI. und VII. Band.)*

Vierter Band: Bauausführungen aus dem Hochbau und Baugesetze.

1. TEIL: Hochbaukonstruktionen.

2. TEIL: Gebäude für besondere Zwecke.

3. TEIL: Bestimmungen für die Ausführung von Eisenbetonbauten. Bauunfälle.

Zur ersten und zweiten Auflage:

Erster Ergänzungsband:

Die künstlerische Gestaltung der Eisenbetonbauten. Bearbeitet von E. von Mecenseffy, Professor an der Technischen Hochschule in München.

———

Folgende Neueinteilung

ist für die zweite Auflage vorgesehen, deren einzelne Bände erscheinen sollen, nachdem die entsprechenden Bände der ersten Auflage vergriffen sein werden.

Erster Band: Entwicklungsgeschichte und Theorie des Eisenbetons.
(Erscheint im Jahre 1912.)

I. Kapitel. Die Grundzüge der geschichtlichen Entwicklung des Eisenbetons. Bearbeitet von M. Foerster, Professor an der Kgl. Sächs. Technischen Hochschule in Dresden.

II. Kapitel. 1. Druckfestigkeit des reinen, bewehrten und umschnürten Betons. 2. Versuche mit Säulen und ihre Berechnung. Bearbeitet von Dr. Max R. v. Thullie, k. k. Hofrat, Professor an der Technischen Hochschule in Lemberg.

III. Kapitel. Versuche auf dem Gebiete des Eisenbetonbaues namentlich mit Balken und Platten. Bearbeitet von Ingenieur O. Graf in Zuffenhausen bei Stuttgart.

IV. Kapitel. Theorie des Eisenbetonbalkens. Bearbeitet von Dr. Ing. Ph. Völker. Dozent für Eisenbeton an der Großherzoglich Technischen Hochschule in Darmstadt.

V. Kapitel. Versuche mit Gewölben. Bearbeitet von Dr. Ing. Kleinlogel, Oberirgenieur in Dresden und J. A. Spitzer, Ingenieur, Direktor der Firma G. A. Wayss u. Cie. in Wien.

VI. Kapitel. Theorie des Gewölbes und des Eisenbetongewölbes im besonderen. Bearbeitet von J. Melan, k. k. Hofrat, o. ö. Professor an der Deutschen Technischen Hochschule in Prag.

Zweiter Band: Der Baustoff und seine Bearbeitung. *(Erschien im Jahre 1911.)*

I. Kapitel. Baustoffe. Bearbeitet von Dipl.-Ing. K. Memmler und H. Burchartz, Ingenieur, ständige Mitarbeiter am Königl. Materialprüfungsamt in Groß-Lichterfelde-West.

II. Kapitel. Betonmischmaschinen. Bearbeitet von H. Albrecht, Ingenieur in Berlin.

III. Kapitel. Transportvorrichtungen. Bearbeitet von R. Janesch, beh. aut. Bauingenieur in Wien.

IV. Kapitel. Vorrichten und Verlegen des Eisens. Bearbeitet von R. Janesch, beh. aut. Bauingenieur in Wien.

V. Kapitel. Betonierungsregeln. Bearbeitet von R. Janesch, beh. aut. Bauingenieur in Wien.

VI. Kapitel. Schalung im Hochbau. Bearbeitet von O. Rappold, Regierungsbaumeister in Stuttgart.

VII. Kapitel. Schalung bei Balkenbrücken. Bearbeitet von O. Rappold, Regierungsbaumeister in Stuttgart.

VIII. Kapitel. Schalung bei Bogen. Bearbeitet von Dr. techn. A. Nowak, Professor an der Deutschen Technischen Hochschule in Prag.

Dritter Band: Grund- und Mauerwerksbau. *(Erschien im Jahre 1910.)*

I. Kapitel. Grundbau. Bearbeitet von Dr. Ing. F. v. Emperger, k. k. Oberbaurat, Regierungsrat im k. k. Patentamt in Wien.

II. Kapitel. Mauerwerksbau. Bearbeitet von Dozent Dr. techn. A. Nowak; k. k. Oberingenieur im Eisenbahnministerium in Wien.

Vierter Band: Wasserbau. (*Erschien im Jahre 1910.*)

I. Kapitel. **Uferbefestigungen.** Bearbeitet von F. W. Otto Schulze, Professor an der Technischen Hochschule in Danzig.

II. Kapitel. **Schleusen.** Bearbeitet von F. W. Otto Schulze, Professor an der Technischen Hochschule in Danzig.

III. Kapitel. **Leuchttürme und Leuchtbaken, Hellinge, Schiffsgefäße.** Bearbeitet von F. W. Otto Schulze, Professor an der Technischen Hochschule in Danzig.

IV. Kapitel. **Wehre.** Bearbeitet von F. W. Otto Schulze, Professor an der Technischen Hochschule in Danzig.

V. Kapitel. **Staudämme und Talsperren.** Bearbeitet von Dipl.-Ing. L. Kauf, techn. Bureauchef der Firma Wayss & Freytag A.-G. in München.

Fünfter Band: Flüssigkeitsbehälter, Röhren, Kanäle. (*Erschien im Jahre 1910.*)

VI. Kapitel. **Flüssigkeitsbehälter.** Bearbeitet von Ingenieur R. Wuczkowski in Wien.

VII. Kapitel. **Röhrenförmige Leitungen und offene Kanäle, Aquadukte und Kanalbrücken.** Bearbeitet von Regierungsbaumeister a. D. Lorey, Stadtbaurat in Zeitz.

Sechster Band: Brückenbau. (*Erschien im Jahre 1911.*)

I. Kapitel. **Balkenbrücken.** Bearbeitet von Regierungsbaumeister W. Gehler, stellvertretender Direktor der Firma Dyckerhoff u. Widmann A.-G., Privatdozent an der Kgl. Sächs. Technischen Hochschule in Dresden.

II. Kapitel. **Bogenbrücken.** Bearbeitet von Dipl.-Ing. Th. Gesteschi, Zivilingenieur in Berlin.

III. Kapitel. **Die Anwendung des Eisenbetons im Eisenbrückenbau.** Bearbeitet von O. Colberg, Regierungsbaumeister a. D., Dozent für das technische Vorlesungswesen zu Hamburg und Lehrer am staatlichen Technikum daselbst.

Siebenter Band: Eisenbahnbau, Tunnelbau, Stadt- und Untergrundbahnen, Bergbau. (*Erschien im Jahre 1911.*)

I. Kapitel. **Eisenbetonbalkenbrücken.** Bearbeitet von Homann, Regierungsbaumeister im Ministerium der öffentlichen Arbeiten in Berlin, und O. Colberg, Regierungsbaumeister a. D.

Mit Anhang: Über einige auf Grund der „Vorläufigen Bestimmungen der Kgl. Eisenbahndirektion Berlin" ausgeführte Bauten. Bearbeitet von J. Labes, Geheimer Baurat im Ministerium der öffentlichen Arbeiten in Berlin.

II. Kapitel. **Eisenbahnschwellen.** Bearbeitet von Dr.-Ing. R. Bastian in Biebrich a. Rh.

III. Kapitel. **Leitungen.** Bearbeitet von Dr.-Ing. R. Bastian in Biebrich a. Rh.

IV. Kapitel. **Sonstige Anwendungen des Eisenbetons im Eisenbahnwesen.** Bearbeitet von Dr.-Ing. R. Bastian in Biebrich a. Rh.

V. Kapitel. **Tunnelbau.** Bearbeitet von Dr. techn. A. Nowak, Professor an der Deutschen Technischen Hochschule in Prag.

VI. Kapitel. **Stadt- und Untergrundbahnen.** Bearbeitet von Dr. techn. A. Nowak, Professor an der Deutschen Technischen Hochschule in Prag.

VII. Kapitel. **Bergbau.** Bearbeitet von B. Nast, Ingenieur in Frankfurt a. M.

Achter Band: Feuersicherheit. Bauunfälle. Bestimmungen.

I. Kapitel. **Feuersicherheit.**

II. Kapitel. **Bauunfälle.** Bearbeitet von Dr. Ing. F. v. Emperger, k. k. Oberbaurat, Regierungsrat im k. k. Patentamt in Wien.

III. Kapitel. **Bestimmungen.** Bearbeitet von O. Natorp, Geheimer Baurat im Ministerium der öffentlichen Arbeiten in Berlin.

VIII

Neunter Band: Hochbaukonstruktionen. I.

    I. Kapitel. Innerer Ausbau. Bearbeitet von Professor P. Bastine in Karlsruhe.

    II. Kapitel. Treppen. Bearbeitet von Dipl.-Ing. E. Elwitz in Düsseldorf.

    III. Kapitel. Kragbauten. Bearbeitet von R. Heim, Oberingenieur der Firma N. Rella & Neffe in Wien.

Zehnter Band: Hochbaukonstruktionen. II.

    I. Kapitel. Dachbauten.

    II. Kapitel. Kuppelgewölbe. Bearbeitet von R. Kohnke, Professor an der Technischen Hochschule in Danzig.

Elfter Band: Gebäude für besondere Zwecke. I.

    I. Kapitel. Geschäftshäuser. Bearbeitet von O. Neubauer, Regierungsbaumeister in Berlin.

    II. Kapitel. Saal- und Versammlungsbauten. Bearbeitet von R. Thumb, Dipl.-Ing. in München.

    III. Kapitel. Fabrik- und Lagerhäuser. Bearbeitet von F. Boerner, Ingenieur in Düsseldorf.

Zwölfter Band: Gebäude für besondere Zwecke. II.

    I. Kapitel. Silos. Bearbeitet von S. Sor, Oberingenieur der Firma Wayss & Freytag A.-G. in Berlin.

    II. Kapitel. Landwirtschaftliche Bauten. Bearbeitet von Dr. Ing. L. Hess, k. k. Professor in Brünn.

    III. Kapitel. Schornsteine.

Zur ersten und zweiten Auflage:

Erster Ergänzungsband: (*Erschien im Jahre 1911.*)

    Die künstlerische Gestaltung der Eisenbetonbauten. Bearbeitet von E. von Mecenseffy Professor an der Technischen Hochschule in München.

Jeder Band besitzt ein **Sachverzeichnis**, das von Stadtbaurat a. D. E. Brugsch, Professor an der Technischen Hochschule in Hannover, bearbeitet ist.

VORWORT ZUR ZWEITEN AUFLAGE
DES SECHSTEN BANDES.

————

Das Kapitel „Balkenbrücken und Überdeckungen", bearbeitet von ·Regierungsbaumeister, Privatdozent W. Gehler, Dresden, hat in der zweiten Auflage eine fast vollständige Um- und Neubearbeitung erfahren. Dabei bot die große Zahl der inzwischen neu ausgeführten Brücken Anlaß, auch auf die in der ersten Auflage mehr nebenbei behandelten Einzelheiten weiter einzugehen. Diese Erweiterung führte zu einer etwas anderen, schärferen Gliederung dieses Stoffes, der nunmehr in einem besonderen Abschnitt „Entwurfsbearbeitung" alle früher mehr verstreuten Angaben übersichtlicher zusammengefaßt enthält und durch die Hinzufügung der Abschnitte über die Ausbildung der Stützen und Lager sowie über die architektonische Ausgestaltung ergänzt worden ist.

Der frühere Abschnitt „Belastungsangaben" wurde mit den dahin gehörigen Erörterungen über Lastverteilung und Belastungsgleichwerte vereinigt und in den Abschnitt „Statische Berechnung" verwiesen.

Die in neuerer Zeit häufiger ausgeführten Kragbrücken sowie die reiche Literatur über Pfostenfachwerke haben dazu geführt, auch die statische Berechnung dieser beiden Grundformen aufzunehmen, während die Berechnung der Platte und der einfachen Balken vollständig neu bearbeitet worden sind.

In den Abschnitt „Besprechung ausgeführter Bauwerke" wurde eine größere Zahl neuer Beispiele aufgenommen, die zum Teil der neuesten Literatur entstammen, zum größten Teil aber von namhaften Firmen zur Verfügung gestellt und hier erstmalig veröffentlicht worden sind. Ähnlich wie in der ersten Auflage wurden auf Grund dieser Unterlagen und weiterer zur Verfügung gestellter Angaben ausführender Firmen sowie auf Grund der in- und ausländischen Literatur für die einfacheren Grundformen die Grundmaße übersichtlich zusammengestellt und deren Grenzwerte und Mittelwerte erörtert. Der Verfasser hofft, durch diese Angaben sowie durch die möglichst übersichtliche Anordnung des Stoffes dem ausführenden Ingenieur ein brauchbares Werkzeug für das Entwerfen, die Berechnung und die Ausführung der Balkenbrücken aus Eisenbeton darzubieten.

Das Kapitel „Bogenbrücken und Überwölbungen", welches in erster Auflage Professor Dr. A. Nowak, Prag, und Ingenieur Jos. Ant. Spitzer, Direktor der Firma G. A. Wayss u. Cie. in Wien, zu Verfassern hatte, wurde in der vorliegenden zweiten Auflage von Dipl.-Ing. Th. Gesteschi, Zivilingenieur, Berlin, bearbeitet.

Das Kapitel erfuhr eine vollständige Umarbeitung, verbunden mit einer Neueinteilung des Stoffes, wobei von der ersten Auflage der Hauptsache nach nur ein Teil der Ausführungsbeispiele verwendet worden ist; wo erforderlich, wurden die letzteren noch gekürzt oder ergänzt.

Die Fortschritte der letzten Jahre im Bau von Betonbogenbrücken ohne und mit Eiseneinlagen brachten es mit sich, daß auch der Umfang des Kapitels wesentlich vergrößert werden mußte.

So wurden u. a. die neueren Erfahrungen und Versuche mit Gelenken in einem größeren Abschnitt ausführlich besprochen und die hierauf gegründeten Berechnungsweisen allgemein und zahlenmäßig gezeigt. Die aufgenommenen Beispiele der verschiedenen Gelenkausführungen lassen die Fortschritte auf diesem Sondergebiete klar erkennen

Die Lehrgerüste wurden nur ganz kurz, soweit es für den Zusammenhang wünschenswert erschien, behandelt, da hierfür im zweiten Band (2. Aufl., S. 279 u. f.) ein besonderes Kapitel vorhanden ist.

Die Berechnung der Bogenbrücken wurde durch eine Reihe größerer, eingehend durchgeführter Zahlenbeispiele erläutert, wobei sowohl einfachere als auch strengere Verfahren, wie z. B. die Untersuchung des gelenklosen Bogens nach der Elastizitätstheorie, Berücksichtigung gefunden haben.

Einen größeren Raum nehmen die Beschreibungen ausgeführter Brücken ein, die eine notwendige Ergänzung des Vorangehenden und zugleich einen wertvollen Schatz von guten Vorbildern darstellen. Die zum größten Teil mustergültigen Einzelheiten sind in guten Abbildungen deutlich zu erkennen. Auf die letzteren wurde besonderer Wert gelegt, da erfahrungsgemäß zweckmäßige Abbildungen schneller und besser die Gestaltung eines Bauwerks ersehen lassen als bloße Beschreibungen, mögen diese noch so genau über die Einzelheiten unterrichten.

Die den Schluß des Kapitels bildenden Zusammenstellungen der wichtigsten bisher ausgeführten Betonbogenbrücken aller Bauweisen mit den Hauptangaben gestatten eine Übersicht über die für die einzelnen Ausführungsarten ungefähr erforderlichen Abmessungen und geben zugleich auch ein allgemeines Bild von dem jetzigen Stande des behandelten Gebietes.

Die Behandlung des Kapitels „Die Anwendungen des Eisenbetons im Eisenbrückenbau", bearbeitet von Regierungsbaumeister, Dozent O. Colberg, Hamburg, erfuhr insofern eine grundsätzliche Änderung, als mit der neuen Auflage des Handbuches für Eisenbetonbau unter Anderem eine weitere Unterteilung stattfand in Gestalt des neuen Kapitels „Eisenbahnbalkenbrücken". Aus diesem Grunde wurden die einschlägigen Beispiele von Eisenbahnbalkenbrücken aus der vorliegenden Neubearbeitung ausgeschieden und dem genannten neuen Kapitel überwiesen. Ein Rückblick auf die namhaftesten technischen Zeitschriften deutscher und fremder Sprachen zeigt die hervorragenden Fortschritte, die auf dem im vorliegenden Kapitel behandelten Gebiete im Laufe der allerletzten Jahre gemacht wurden. Während in den ersten Jahren der gemeinsamen Anwendung des Eisenbaues und Eisenbetonbaues jede dieser Bauweisen mehr oder weniger organisch für sich allein wirkend im Bauwerke auftrat bezw. berechnet wurde, so zeigen neuere Ausführungen, welche beträchtlichen wirtschaftlichen Vorteile einem System innewohnen, bei dem wechselweise, je nach dem Baufortschritt, dieselbe Eisenkonstruktion für sich, dieselbe Eisenkonstruktion gemeinsam mit dem Eisenbetonkörper und endlich letzterer für sich allein wirkend angenommen und berechnet werden. Einen gewissen Hinweis nach dieser Seite enthielt unter den älteren Systemen allein die Melansche Fahrbahntafel. Aus der großen Zahl neuester einschlägiger Konstruktionen wurden die lehrreichsten Beispiele dieser Bearbeitung neu angefügt, wobei eine teilweise Neugliederung des Stoffes sich als notwendig erwies. Unter dem Gesichtspunkte, daß lehrreiche Schlüsse gerade aus Fehlern gezogen werden können, sind auch Beispiele angeführt worden, welche das Gegenteil eines Musters bilden. Eine wesentliche Bereicherung bildet ferner die Behandlung der nachträglichen Einbetonierung eiserner Stützwerke, wobei der ausführliche Bericht des Oberbaurats Dr. v. Emperger über „Eine neue Verwendung des Gußeisens bei Säulen und Bogenbrücken" nur auszugweise erörtert werden konnte.

Um die Lücke, welche sich durch das Fehlen eines Sachverzeichnisses in der ersten Auflage bemerkbar machte, auszufüllen, wurde die neue Auflage mit einem solchen in ausführlicher und umfangreicher Bearbeitung durch Stadtbaurat a. D., Professor E. Brugsch abgeschlossen.

Bei diesem Sachverzeichnis sind die Stichworte, die in übersichtlicher Weise auf die einzelnen Angaben hinweisen, sowie die letzteren selbst über geographische Lage, Konstruktionsart, Darstellung, Beschreibung und Bedeutung von ausgeführten Bauwerken, ferner über Leitsätze, deren Beachtung bei neuen Entwürfen auf Grund der bisher gemachten Erfahrungen empfohlen wird, Einzelheiten der statischen Berechnung, wie Rechnungsgang, Belastungsannahmen, Beanspruchungen der verschiedenen Baustoffe und Bauwerkteile, Zusammensetzung und Behandlung des Betons, Arbeitszeiten und Bauvorgänge für die Ausführung, Kosten und dergl., so gewählt worden, daß es die Benutzung des vorliegenden Werkes als Lehr- und Lernbuch sowie als Ratgeber bei Entwurfsbearbeitungen wesentlich erleichtert.

Berlin, im September 1911.

Der Herausgeber.

Inhalts-Verzeichnis des VI. Bandes, zweite Auflage

Brückenbau.

I. Kapitel: Balkenbrücken und Überdeckungen.

Bearbeitet von Regierungsbaumeister **W. Gehler**, stellvertr. Direktor der Firma
Dyckerhoff u. Widmann, A.-G. und Privatdozent an der Kgl. Technischen Hochschule in Dresden.

Seite

A. Einleitung 1
   I. Die Grundformen im Brückenbau 1
   II. Unterschied zwischen Balken und Bogen 2
   III. Balken und Bogen aus Eisenbeton 5
B. Die Grundformen der Balkenbrücken aus Eisenbeton 9
   I. Die Platten 11
   II. Rippenplatten oder Plattenbalken 14
      1. Einfache Träger 15
      2. Durchlaufende Träger 18
      3. Kragträger 25
      4. Eingespannte und Rahmenträger 28
      5. Der Bogenbalken 30
   III. Tragwerke mit versenkter Bahn 33
      1. Vollwandige Tragwerke mit versenkter Bahn 35
      2. Durchbrochene Tragwerke, Pfosten- und Dreieckfachwerkträger 36
         a) Durchbrochene Tragwerke und Pfostenfachwerkträger 37
         b) Dreiecksfachwerkträger 40
C. Die Entwurfsbearbeitung 47
   I. Allgemeine Entwurfsbedingungen 47
      1. Die Lage der Brücke im Grundriß und Aufriß 48
      2. Der Längs- und Querschnitt der Brückenbahn 50
      3. Die Versteinung oder Oberflächenbefestigung der Brücke 52
      4. Die Entwässerung und Dichtung der Brückenoberfläche 54
      5. Der Einfluß der Wärme, die Trennungsfugen 56
   II. Die Ausbildung des Tragwerks 60
      1. Die Wahl der Grundform und die architektonische Gestaltung 60
      2. Der Brückenquerschnitt 68
      3. Die Grundgrößen 73
         Übersicht Ia. Einfache Träger auf zwei Stützen 82
         Übersicht Ib. Durchlaufende Träger 84
         Übersicht II. Brücken mit versenkter Bahn 86
         Übersicht III. Mittelwerte der Grundgrößen 88
      4. Beispiel für die Wahl der Abmessungen 89
      5. Die Widerlager, Zwischenstützen und Lager 95
         a) Die Widerlager 95
         b) Die Zwischenstützen 97
         c) Die Lagerausbildung auf Widerlagern und Pfeilern 101
         d) Die Lagerausbildung auf Eisenbetonzwischenstützen 105
D. Die Ausführung der Balkenbrücken 108
   1. Die Rüstung 108
   2. Die Eiseneinlagen 112
   3. Die Betonierungsarbeiten 116
   4. Die Prüfung der Eisenbetonbrücken 116
E. Die statische Berechnung der Balkenbrücken 118
   I. Bedeutung und Form der statischen Berechnungen 118
   II. Die Belastungsannahmen 121

Seite

1. Die ständige Last 121
    a) Gewichte der Versteinung der Brückenoberfläche und der Aufbauten 122
    b) Das Eigengewicht der Eisenbetonbalkenbrücken 123
        Berechnung der ständigen Balkenlasten 124
2. Die Verkehrslast 126
    a) Menschengedränge 127
    b) Fahrzeuge 128
    c) Ergebnis 134
    d) Stoßwirkungen der Verkehrslast 135
    e) Lastverteilung 135
    f) Belastungsgleichwerte 140
        α) für kleine Stützweiten unter Berücksichtigung der Lastverteilung 141
        β) für Balken größerer Stützweite 142
3. Sonstige äußere Kräfte 146
    a) Die Schneebelastung 146
    b) Der Winddruck 147
    c) Geländerdruck 148
    d) Brems- und Reibungskräfte 148
    e) Fliehkräfte 150
III. Die Berechnung der Platte 150
    1. Die Wirkungsweise der Platte 150
    2. Der Einfluß der elastischen Balkensenkung 152
    3. Die Berechnung der Platte ohne Berücksichtigung der Balkensenkung . 157
        a) Die Platte auf zwei Stützen 157
        b) Die Platte auf mehreren Stützen 158
        c) Die allseitig eingespannte Platte 161
    4. Die Berechnung der lastverteilenden Querträger 162
IV. Die Berechnung des einfachen Trägers auf zwei Stützen 165
    1. Feststehende Einzellast 165
    2. Wandernde Einzellast 167
    3. Zwei ortsveränderliche Einzellasten 167
    4. Reihe ortsveränderlicher Einzellasten 168
    5. Gleichförmig verteilte Vollbelastung 169
    6. Gleichförmig verteilte Teilbelastung 169
    7. Stetig zunehmend verteilte Belastung 170
    8. Streckenweise gleichförmig verteilte Belastung 171
    9. Zwei ortsveränderliche Streckenlasten 171
    10. Zug von Einzellasten 172
    11. Einzellasten mit anschließenden Streckenlasten 173
    12. Zeichnerische Bestimmung der Biegungsmomente und Querkräfte . . 173
    13. Eine Einzellast bei mittelbarer Lastübertragung 174
    14. Mehrere Einzellasten bei mittelbarer Lastübertragung 175
    15. Gleichförmig verteilte Belastung bei mittelbarer Lastübertragung . . 175
V. Die Berechnung der Kragträger 175
    1. Einzellast auf dem Kragarm 176
    2. Gleichförmig verteilte Last auf dem Kragarm 177
    3. Gleichförmig verteilte Last auf dem ganzen Träger 177
    4. Günstigste Länge des Kragarmes 178
VI. Die Berechnung des durchlaufenden Trägers 183
    1. Bestimmung der Festpunkte 185
        a) Zeichnerisches Verfahren 186
        b) Rechnerisches Verfahren 186
    2. Bestimmung der Biegungsmomente 187
        a) Einzellast 187
        b) Gleichförmig verteilte Last 189
        c) Streckenweise verteilte Last 190

Seite

    d) Unbelastete Felder 191
    e) Zusammensetzung der Biegungsmomente 191
  3. Bestimmung der Querkräfte und Auflagerdrücke 192
  4. Sonderfall des durchlaufenden Trägers mit durchweg gleicher Feldweite . 194
    a) Biegungsmomente 194
    b) Stützendrücke 195
  5. Anordnung der Stützen bei gegebener Belastung 197
  6. Rechnungsbeispiel für eine gleichförmig verteilte Last 200
    a) Die ständige Last 205
    b) Die Verkehrslast 206
    c) Die Gesamtbelastung 209
  7. Rechnungsbeispiel für die Verwendung von Einflußlinien 209
    a) Die Einflußlinien der Biegungsmomente 209
    b) Die Einflußlinien der Querkräfte und Auflagerdrücke 217
    c) Die Auswertung der Einflußlinien 219
VII. Die Berechnung des durchlaufenden Trägers mit fest verbundenen Zwischenstützen 222
  1. Durchlaufender Träger über zwei Öffnungen mit fester Mittelstütze . . . 224
  2. Durchlaufender Träger über drei Öffnungen mit zwei festen Mittelstützen 225
  3. Durchlaufender Träger über vier Öffnungen mit drei festen Mittelstützen . 226
  4. Durchlaufender Träger über unendlich vielen fest verbundenen Stützen . 227
  5. Rechnungsbeispiel 227
  6. Der Einspannungsgrad 230
VIII. Die Berechnung des Rahmenträgers 232
  1. Biegungsmomente einer dreiseitigen Rahmenbrücke bei gelenkiger Lagerung 234
  2. Rechnungsbeispiel für eine dreiseitige Rahmenbrücke mit gelenkiger
    Lagerung 236
  3. Der Einspannungsgrad 240
IX. Die Berechnung der Pfostenfachwerkträger 243
  1. Betrachtung der statischen Grundform 243
  2. Genaue Rechnungsverfahren 245
    a) Vereinfachte Verfahren von Vierendeel 245
    b) Verfahren von Frandsen 247
    c) Verfahren von Ostenfeld 248
    d) Verfahren von Marcus 249
    e) Verfahren von Mann 250
  3. Angenähertes Verfahren (nach Podolsky) 251
    a) Parallelträger 251
    b) Träger mit gebrochenem Gurt 254
X. Die Berechnung des Bogenbalkens 256
XI. Die inneren Spannungen der Balkenbrücken 261
F. Besprechung ausgeführter Bauwerke 264
  I. Einfache Träger: Beispiel 1 bis 10 264
  II. Durchlaufende Träger: Beispiel 11 bis 27 279
  III. Kragträger: Beispiel 28 bis 32a 297
  IV. Rahmenträger: Beispiel 33 bis 42 306
  V. Bogenbalken: Beispiel 43 bis 45 315
  VI. Tragwerke mit versenkter Bahn: Beispiel 46 bis 55 319
    Schlußbemerkung 329

II. Kapitel: Bogenbrücken und Überwölbungen.

Bearbeitet von Dipl.-Jng. **Th. Gesteschi,** Zivilingenieur, Berlin.

A. Einleitung . . . .
    1. Die ersten Anfänge des Brückenbaues in Beton und Eisenbeton . . . .
    2. Merkmale der Betonbogenbrücken ohne und mit Eiseneinlagen . . . .
    3. Bezeichnungen der Brücken im allgemeinen 338
B. Die Grundformen der Betonbogenbrücken ohne und mit Eiseneinlagen 338
    1. Betonbogenbrücken ohne Eiseneinlagen 338

II. Eisenbetonbogenbrücken mit voll durchgehenden Gewölben 344
    1. Brücken mit schlaffen Eiseneinlagen 344
        Bauweise Monier 345
           „   Johnson 349
           „   Thacher 350
           „   Luten 351
           „   Kahn 353
    2. Brücken mit steifen Eiseneinlagen 354
        Bauweise Wünsch 354
           „   Melan 355
           „   v. Emperger 359
           „   Ribera 359
           „   Möller 360
           „   mit Eisenbahnschienen 360
    3. Brücken mit schlaffen und steifen Eiseneinlagen 362
III. Eisenbetonbogenbrücken mit Rippengewölben 364
IV. Eisenbetonbogenbrücken mit Rippenplattenquerschnitt (Bauweise Hennebique) . 367
V. Eisenbetonbogenbrücken mit einzelnen Hauptträgern 370
    1. Brücken mit obenliegender (gestützter) Fahrbahn 370
    2. Brücken mit untenliegender (angehängter) Fahrbahn 377
C. Bauliche Einzelheiten der Betonbogenbrücken 382
  I. Gelenke. Ausbildung und Berechnung derselben 382
    1. Zweck der Gelenke 382
    2. Gelenke aus Stein, Beton und Eisenbeton 383
        a) Festigkeit der Gelenke, Versuchsergebnisse 383
            Übersicht der Druckproben mit Betongelenksteinen 390
        b) Ausbildung der Gelenke aus Stein, Beton und Eisenbeton 392
        c) Berechnung der Gelenke aus Stein, Beton und Eisenbeton 395
    3. Gelenke aus Blei- und Asphaltplatten 400
    4. Gelenke aus Eisen 403
        a) Wälzgelenke 403
        b) Zapfengelenke 405
        c) Federgelenke 409
  II. Landanschlüsse und Bewegungsfugen 410
D. Ausführung der Betonbogenbrücken 415
E. Die statische Berechnung 422
  I. Belastungsannahmen 422
    1. Ständige Belastung 422
    2. Verkehrsbelastung 425
    3. Wärmeeinfluß 426
  II. Berechnung des gelenklosen Gewölbes mittels Stützlinien 426
    Beispiel 1: Berechnung der Wegeüberführung in km 97,8 + 80 der Strecke
             Neustettin—Konitz 428
    Beispiel 2: Berechnung der Eisenbahnbrücke über die Ulster in km 7,0 + 83 432
  III. Berechnung des gelenklosen Gewölbes als beiderseitig eingespannter Bogen . 439
    Beispiel 3: Berechnung der Wegeüberführung in km 85,692 der Strecke
             Neuekrug—Langelsheim—Goslar 439
    Beispiel 4: Berechnung der Stubenrauchbrücke in Oberschöneweide bei
             Berlin 448
  IV. Berechnung des Gewölbes mit drei Gelenken 454
    Beispiel 5: Berechnung der Straßenbrücke über die Spree bei Neu-Hart-
             mannsdorf 455
    Beispiel 6: Berechnung der Unterführung der Prinz-Regentenstraße in
             Wilmersdorf bei Berlin 460
F. Beschreibung ausgeführter Brücken 479
  I. Betonbogenbrücke ohne Eiseneinlagen Nr. 1 bis 17 479

Seite

II. Eisenbetonbogenbrücken mit voll durchgehenden Gewölben Nr. 18 bis 48 522

  1. Brücken mit schlaffen Eiseneinlagen Nr. 18 bis 31 522

    Bauweise Monier Nr. 18 bis 26 522

      „   Johnson „ 27 „ 28 546

      „   Thacher „ 29 „ 30 549

      „   Luten   „ 31 551

  2. Brücken mit steifen Eiseneinlagen Nr. 32 bis 39 552

    Bauweise Wünsch Nr. 32 552

      „   Melan   „ 33 bis 37 555

      „   Ribera „ 38 570

      „   Möller   „ 39 572

  3. Brücken mit schlaffen und steifen Eiseneinlagen Nr. 40 bis 41 574

III. Eisenbetonbogenbrücken mit Rippengewölben Nr. 42 bis 52 577

IV. Eisenbetonbogenbrücken mit Rippenplattenquerschnitt (Bauweise Hennebique) Nr. 53 bis 56 608

V. Eisenbetonbogenbrücken mit einzelnen Hauptträgern Nr. 57 bis 75 617

  1. Brücken mit obenliegender (gestützter) Fahrbahn Nr. 57 bis 69 617

  2. Brücken mit untenliegender Fahrbahn Nr. 70 bis 75 644

G. Zusammenstellung bemerkenswerter Betonbogenbrücken ohne und mit Eiseneinlagen . 661

III. Kapitel: Die Anwendungen des Eisenbetons im Eisenbrückenbau.

Bearbeitet von **O. Colberg**, Regierungsbaumeister a. D., Dozent für das technische Vorlesungswesen zu Hamburg und Lehrer am staatlichen Technikum daselbst.

A. Verbundkonstruktionen von Eisen und Stampfbeton 675

  Straßenbrücken mit Betoneisenüberbau

    Tabelle 1. α) Staats- und Distriktsstraßen 677

    Tabelle 2. β) Gemeinde- und Ortsstraßen 678

B. Brücken mit Eisenbeton 678

  1. Melansche Fahrbahntafel 678

  2. Die Eisenbahnbrücke der Wabash Railroad 681

  3. Brücke über den Whitewater-Fluß der Eisenbahnlinie Chicago—St. Louis 681

  4. Straßenüberführung der Schwarzwaldbahn in Baden 682

  5. Kanalbrücken im Zuge des Illinois- und Mississippikanals 684

  6. Die Durchlässe im Zuge der neuen Lastenlinie des Stahl- und Eisenwerks Schoeller in Ternitz 690

  7. Hochlegungsbrücke der Chicago, Burlington and Quinci R. R. in Chicago 690

  8. Straßenbrücke über die Passer bei Meran 691

  9. Straßenbrücke in Indianapolis 693

  10. Straßenbrücke in Obernhof bei Nassau 694

  11. Überführung des Landstraßer Gürtels über die Stadtbahn in Wien . . . 696

  12. „Ferroinclave"-Konstruktion 697

C. Verstärkungen alter eiserner Brücken durch nachmalige Umhüllung mit Beton oder Eisenbeton 698

D. Verstärkungen neuer eiserner Brücken durch Eisenbeton 700

  1. Straßenbrücke in Brookland 700

  2. Straßenbrücke in Philadelphia 702

  3. Eiserne Straßenbrücke in Toulouse 705

  4. Brücke bei Tréguier 715

E. Stützwerke eiserner Brücken in Verbindung mit Eisenbeton 718

  1. Umwandlung der stählernen Gerüstpfeiler in Eisenbetonpfeiler bei der Brücke über den Missouri bei St. Charles 718

  2. Rekonstruktion der Verankerungspfeiler der Poughkeepsie-Brücke . . . 723

    Schlußbetrachtung 723

Sachverzeichnis 727

Bearbeitet von Stadtbaurat a. D. **E. Brugsch**, Professor an der Technischen Hochschule in Hannover.

Brückenbau.

I. Kapitel. **Balkenbrücken und Überdeckungen.**

Bearbeitet von Regierungsbaumeister **W. Gehler**, stellvertr. Direktor der Firma Dyckerhoff & Widmann, A.-G. und Privatdozent an der Kgl. Technischen Hochschule in Dresden.

A. Einleitung.

I. Die Grundformen im Brückenbau.

Die Brücken dienen bekanntlich dazu, einen Verkehrsweg über ein Hindernis, auf welches dieser stößt, hinwegzuführen. Es ist daher bei ihnen eine Richtung, die Längsrichtung des Verkehrsweges, besonders ausgeprägt. Den Abschluß in dieser Längsrichtung bilden die beiden Widerlager, zwischen welche sich die Brücke spannt.

In der geschichtlichen Entwicklung des Brückenbaues kann man deutlich abgegrenzte Zeiträume unterscheiden, die durch die Ausnutzung der jeweilig zur Verfügung stehenden Baustoffe, des Holzes und Steines, des Eisens und endlich des Eisenbetons, gekennzeichnet werden. Holz und Stein sind die beiden Baustoffe, welche die Natur dem Menschen seit den Urzeiten unmittelbar darbot. Das Eisen wurde erst seit dem Ende des 18. Jahrhunderts in größeren Mengen gewonnen, als Baustoff in den Hüttenwerken erzeugt und in den Walzwerken geformt. — Unser Jahrhundert brachte die Verbreitung des Eisenbetons, des einzigen Baustoffs, der im Bauwerk selbst aus seinen einzelnen Bestandteilen hergestellt und geformt wird.

Die ersten Kunstformen des Brückenbaues sind die Holzbrücken, einfache, biegungsfeste Balken auf zwei Stützen, deren Vorbild in der Natur in dem zur Überbrückung eines Wasserlaufes dienenden Baumstamm zu finden war. Darauf folgten bei den ältesten Kulturvölkern die Kragsteinbrücken, die durch Aufeinanderlegen großer ausladender Steinplatten entstanden, jedoch wie ein Steinwall mit höchstens ⅓ Durchflußöffnung wirkten. Allmählich zwang aber die Lehrmeisterin Natur durch die zerstörende Wirkung der Wasserkräfte den Menschen zur Vergrößerung des freien Querschnitts und führte ihn damit zur Erfindung des Steingewölbes, und zwar besonders an solchen Orten, wo sie diesem nur kleine plattenförmige Steine darbot. Mit dieser bedeutsamsten Erfindung im Brückenbau war die Aufgabe gelöst, die Druckfestigkeit des Steines möglichst auszunutzen. Nach der Blütezeit der Wölbbrücken im Verkehrszeitalter der Römer, deren Gewölbe durch die Halbkreisform und daher durch die begrenzten Spannweiten (bis zu 36 m), ferner durch die im ganzen Bogen gleiche Gewölbestärke und schließlich durch die Ausbildung aller Pfeiler als Gruppenpfeiler besonders gekennzeichnet sind, folgte im frühesten Mittelalter zunächst der Verfall und endlich im 12. Jahrhundert die Wiederbelebung des Brückenbaues durch die Übertragung der Gewölbebaukunst aus dem Kirchenbau.

Ein neuer Aufschwung trat aber erst im 17. Jahrhundert mit der Begründung der Ingenieurwissenschaften in Frankreich unter Ludwig XIV. ein. Die Errungenschaften der Mathematik und der Naturwissenschaften wurden in der Statik der Baukonstruktionen und in der Kenntnis der Baustoffe für die Technik nutzbar gemacht.

Sie führten zu dem Bestreben größter Materialausnutzung, besonders im 19. Jahrhundert, dem Zeitalter der eisernen Brücken, die dem Holzbalken oder dem Steingewölbe nachgebildet wurden und weiter die dritte Grundform, die der gigantischen Hängebrücken, brachten.

Um die letzte Jahrhundertwende endlich kam zu den bisherigen Bauweisen noch die der Eisenbetonbrücken hinzu, und zwar durch die Übertragung der Erfahrungen, die bei den Deckenkonstruktionen im Hochbau gewonnen worden waren. Der Grundgedanke beim Eisenbeton ist bekanntlich die Vereinigung der Vorteile des druckfesten künstlichen Steines, des Betons, und des zugfesten Eisens. Noch sind die Eisenbetonbrücken zu jung, um eine Geschichte derselben schreiben zu können. Ihre Entwicklung gleicht naturgemäß vielfach der der älteren Schwestern, der eisernen Brücken; es mußten jedoch neue Lösungen gefunden werden, die der Eigenart des neuen Baustoffs Rechnung tragen. Zunächst wurden von hervorragenden Ingenieuren rein erfahrungsgemäß für den neuen Baustoff geeignete Bauformen, besondere „Systeme", ausgebildet. Mit Freuden ist es aber zu begrüßen, daß die Kinderkrankheit der Systeme nunmehr überwunden ist und die führenden Firmen es als ihre Aufgabe ansehen, ihre Geheimnisse und Erfahrungen preiszugeben gegen den Vorteil, das Gebiet der Anwendungen zu erweitern.

Von den drei Hauptgrundformen des Brückenbaues, die durch die Ausnutzung der Festigkeitseigenschaften der einzelnen Baustoffe entstanden sind, nämlich den Balkenbrücken, den gewölbten oder Bogenbrücken und den Seil- oder Hängebrücken, kommen für den Eisenbetonbau naturgemäß nur die beiden ersten in Frage, da der Hauptbestandteil unseres Verbundstoffs, der Stein, Bauformen ausschließt, die nur große Zugfestigkeit voraussetzen. Bei den Bogenbrücken aus Eisenbeton wird vor allem die Druckfestigkeit des Betons ausgenutzt, während das Eisen nur zur Sicherung gegen außergewöhnliche Beanspruchungen dient und daher schlankere und leichtere Bogenformen als beim reinen Steinbau ermöglicht. Die vollkommene Ausnutzung der hervorragendsten Eigenschaft des Eisenbetons, der Biegungsfestigkeit, wird erst im Balken erreicht, der den Gegenstand des vorliegenden Kapitels bildet.

II. Unterschied zwischen Balken und Bogen.

Für die Einteilung und Benennung der Grundformen, die naturgemäß nach den verschiedensten Gesichtspunkten erfolgen kann, soll hier in erster Linie die Art und Weise der Stützung maßgebend sein, wogegen die äußere Form des Tragwerks dafür nur untergeordnete Bedeutung hat.

Der Balken ist ein Tragwerk, das bei senkrechter Belastung nur senkrechte, jedoch keine wagerechten Stützkräfte hervorruft, zu denen bei fester Verbindung mit den Widerlagern noch Einspannungsmomente treten können. Das Seil und der Bogen (Abb. 1 u. 2) dagegen üben an ihre Stützpunkte auch bei lotrechter

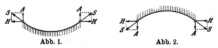

Abb. 1.   Abb. 2.

Belastung stets schiefgerichtete Stützkräfte aus. Diesen verschiedenen Stützkräften entsprechend soll hier zwischen Balkenwirkung einerseits, sowie Seil- und Bogenwirkung anderseits unterschieden werden.

Um sich die in einem Balken wirkenden inneren Kräfte zu veranschaulichen, kann man ihn auch als ein Seil auffassen, dessen Enden durch eine druckfeste Ver-

bindung abgesteift sind (Abb. 3), oder als einenBogen, dessen Kämpfer durch ein Spann-
seil zusammengehalten werden (Abb. 4), oder aber endlich auch als die Vereinigung
eines Seiles und eines Bogens mit gleichgroßen wagerechten Seitenkräften (Abb. 5).
Dabei ist jedoch eine Verbindung dieser beiden Hauptglieder, des Ober- oder Druckgurtes und des Unter- oder
Zuggurtes, durch eineWand-
füllung erforderlich, der die
Aufgabe zufällt, die Be-
lastung des auf diese Weise
entstandenen Tragwerks so
zu verteilen, wie es die
gewählte Form der Haupt-
glieder verlangt. Diese
Auffassung der inneren

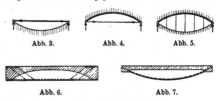

Abb. 3.   Abb. 4.   Abb. 5.

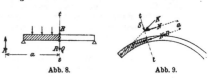

Abb. 6.   Abb. 7.

Kraftwirkung eines Balkens ist besonders beim Eisenbetonbalken naheliegend. Die
Eiseneinlagen stellen das zugfeste Seil dar, dessen Enden in dem druckfesten
Betonkörper verankert sind, während der mit Eisenbügeln bewehrte Steg die Wand-
füllung bildet (Abb. 6 u. 7).

Ein deutlicher Unterschied zwischen Balken und Bogen bezüglich der Wirkungsweise der inneren Kräfte ergibt sich ferner aus folgender Betrachtung.

Bestimmt man in Abb. 8 u. 9 die Mittelkraft aller Kräfte, die auf das links vom
Schnitt t-t liegende Stück wirken, also R bezw. K, zerlegt ferner K in S und N
und bringt schließlich im Schwerpunkte des Querschnitts zwei sich aufhebende Kräfte
von der Größe R bezw. N an, so erkennt man folgende Kraftwirkung:

Im Querschnitt des Balkens wirkt das Moment $M_1 = R \cdot a$, in dem des Bogens
$M_2 = N \cdot a$. Da der Hebelarm a beim Balken verhältnismäßig groß ist, beim Bogen
dagegen klein, so ist das Biegungsmoment beim Balken im Verhältnis groß, beim
Bogen jedoch klein.

Von den äußeren Kräften bleibt sodann beim Balken noch die Scher- oder
Querkraft $Q = R$ übrig, beim Bogen die Druckkraft $D = N$ und die Scherkraft S.
Beim Balken wirkt somit
außer dem großen Moment
M_1 vor allem die Querkraft
$Q = R$, welche gleich der
Summe aller Kräfte links
vom Schnitt t-t ist und
folglich mit der Stützweite
und der Belastung beständig

Abb. 8.   Abb. 9.

wächst. Beim Bogen dagegen verläuft die Kraft $D = N$ infolge der Auflagerbedingungen
in der Längsrichtung des Gewölbes nach der sogenannten „Stützlinie". Das Biegungsmoment $M_2 = N \cdot a$ und vor allem die Scherkraft S werden um so kleiner, je enger
sich die Stützlinie der Mittellinie des Bogens anschmiegt, so daß als hauptsächlichste
äußere Kraft die Druckkraft N verbleibt.

Beim Bogen kommt als weiterer günstiger Umstand in Betracht, daß besonders
bei einem weitgespannten flachen Gewölbe die Druckkraft im Verhältnis zu den lotrechten Lasten sehr groß ist. Sie bedingt demnach einen erheblichen Druckquerschnitt, also ein hohes Eigengewicht. Wenn daher einmal die Mittellinie des Bogens
richtig gekrümmt ist, so wird die Abweichung der Stützlinie von derselben, selbst

bei ungünstigster Stellung der im Verhältnis zum Eigengewicht kleinen Verkehrslasten, nur gering sein. Bei einem hohen Gewölbe von geringer Spannweite sind die
Druckkräfte beträchtlich kleiner, die Abweichung der Stützlinie von der Mittellinie
daher infolge der dann verhältnismäßig hohen Verkehrslasten größer. Nun schmiegt
sich aber nach der Elastizitätslehre die Stützlinie der Mittellinie umsomehr an, je
schwächer, also je elastischer das Gewölbe ist, und zwar müssen sich beide mindestens
dreimal schneiden; bei dünnen Gewölben ergeben sich oft bis zehn solcher Schnittpunkte. Das Gesetz von der kleinsten Formänderungsarbeit oder auch des kleinsten
Zwanges, welches sich in dieser Erscheinung äußert, bewirkt somit bei einem Bogen,
daß sich die Stützlinie der Mittellinie möglichst anpaßt, so daß in der Regel die
Scherkräfte S vollständig vernachlässigt werden können. Diese Anschmiegung des
Kraftstroms an die Form des Trägers ist jedoch nur beim Bogen zu erwarten, beim
frei aufliegenden Balken dagegen nicht möglich.

Das Ergebnis dieser Betrachtung ist daher, daß der Balken jedenfalls biegungsfest, vor allem aber auch scherfest, d. h. starr oder steif, der Bogen dagegen vor allem
druckfest sein muß, vorausgesetzt, daß er richtig gekrümmt ist. Diese notwendige
Forderung der Steifigkeit für den Balken ist umsomehr zu beachten, je größer die
Stützweite ist. Wenn auch für kleinere Stützweiten die Wirkung der Querkraft auf
Grund zahlreicher Erfahrungen weniger Berücksichtigung erfordert, so muß doch bei
größeren Stützweiten auf dieselbe besonderes Gewicht gelegt werden.

Nach diesen Erörterungen sind Balken und Bogen dadurch bestimmt gekennzeichnet, daß der Balken ein in der Regel wagerecht gelagerter, gerader Stab ist,
dessen Stützkräfte bei senkrechter Belastung lotrecht wirken, wogegen der Bogen
einen meist nach der Stützlinie ge-
krümmten Stab darstellt, der auf
seine Stützen außer den lotrechten
Auflagerdrücken noch wagerechte
Schubkräfte ausübt (Abb. 10 u. 11).

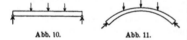

Abb. 10.   Abb. 11.

Neben diesen beiden klaren Bauformen gibt es aber noch einige Übergangsformen,
bei denen diese Unterscheidungsmerkmale nicht ohne weiteres deutlich zu erkennen
sind. Solche Übergangsformen sind die folgenden.

a) Der Rahmenträger (Abb. 12) besteht aus einem Balken und den beiden
mit diesem fest verbundenen Rahmenpfosten, an deren Fuße bei der Belastung des
Balkens infolge der Verbiegung wagerechte Schubkräfte entstehen. Die Rahmenpfosten

werden außerdem in der Regel durch die wagerecht wirkenden Seitenkräfte des Erddrucks beansprucht. Da der von
außen sichtbare Hauptteil des Rahmenträgers aus dem wagerechten Balken besteht und die Stützlinie nicht in der Stabachse verläuft, wird diese Grundform in der Regel den Balken-

Abb. 12.   brücken zugezählt und soll daher hier behandelt werden, obwohl ihre statische Untersuchung mit der des Bogens grundsätzlich übereinstimmt. Von dem reinen Balken unterscheidet sich der Rahmenträger
somit dadurch, daß wagerechte Schubkräfte auf die Widerlager ausgeübt werden.
Mit dem reinen Bogen oder dem Gewölbe hat er zwar diese wagerechten Stützkräfte
gemein; der Unterschied zwischen beiden besteht jedoch darin, daß beim Bogen die
in der Regel stetig gekrümmte Stabachse sich der Stützlinie möglichst anschmiegt,
wogegen beim Rahmen die Mittellinie des meist aus mehreren geraden Stäben bestehenden Tragwerks stark von der Stützlinie abweicht.

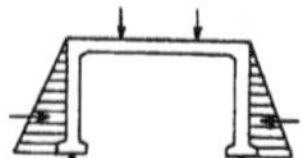

b) Der Bogen mit Zugband (Abb. 13) erscheint nach außen als ein Bogen, dessen Schub jedoch nicht von den Widerlagern, sondern von einem die Kämpfer verbindenden Zugstab aufgenommen wird. Obgleich in diesem Falle, bei senkrechter Belastung, ebenfalls nur lotrechte Stützkräfte auf die Wider- lager wirken, so ist doch die Achse des Haupttragteils nach der Stützlinie gekrümmt. Diese Grundform wird daher meist den Bogenbrücken zugezählt und soll deshalb auch aus der Betrachtung in diesem Kapitel ausscheiden, obwohl auf die Widerlager eine reine Balkenwirkung ausgeübt wird.

Abb. 13.

c) Der sogenannte Bogenbalken (Abb. 14) ist dagegen eine Zwischenform, die mit gleichem Rechte sowohl zu den Balken als auch zu den Bogen gerechnet werden kann. Er stellt einen Bogen dar, dessen Widerlager nicht genügende Standfestigkeit besitzen, um den bei reiner Bogenwirkung auftretenden wagerechten Schub aufnehmen zu können. Ein

Abb. 14.

Teil der Lasten muß vielmehr durch die Biegungsfestigkeit des gekrümmten Stabes übertragen werden. Da aber infolge der Unzuverlässigkeit des wagerechten Stützen- widerstandes die Bogenwirkung nur als eine Entlastung der Balkenwirkung anzusehen ist, soll der Bogenbalken in diesem Abschnitt mitbehandelt werden. Schon an dieser Stelle muß aber darauf hingewiesen werden, daß solche Bauformen mit nicht klar ausgesprochener Kraftwirkung keinesfalls zu empfehlen sind, um so weniger, als sie bei genügend vorsichtiger Ausbildung keinerlei wirtschaftliche Vorteile bieten.

III. Balken und Bogen aus Eisenbeton.

Im Anschluß an die Betrachtung dieser statischen Eigenschaften, die allgemein für die Balken- und Bogenbrücken gelten ohne Rücksicht auf den Baustoff, sollen noch kurz die wichtigsten Fragen erörtert werden, die für und gegen die Ausführung von Eisenbetonbrücken im Vergleich mit steinernen und eisernen Brücken in Betracht kommen. Zugleich sollen hier noch einige für die sachgemäße Ausführung von Eisenbetonbrücken wesentliche Vorbedingungen angefügt werden.

Für massive Bogenbrücken kann die Ausführung in Eisenbeton den wesentlichen Vorteil der freieren Gestaltung des Gewölbes bieten, da die infolge der Biegungs- momente etwa auftretenden Zugspannungen vor allem durch die Eiseneinlagen auf- genommen werden und sich daher die Gewölbeform nicht so ängstlich der Stützlinie anzupassen braucht. Ferner gewährt ein Eisenbetonbogen gegenüber den Stein- oder Betongewölben besonders bei kleineren Spannweiten den Vorteil der geringeren Gewölbestärke und wird demnach bedeutend dünner und damit auch ungleich elastischer als diese, so daß die unberechenbaren Nebenspannungen infolge der Wärmewirkung und der sonstigen statisch unbestimmbaren Kräfte in unschädliche elastische Formänderungen umgesetzt werden.

Die Vorstellung der weitgehenden Materialausnutzung, die man allgemein mit dem Begriff „Moniergewölbe" verbindet, verleitet aber oft zu der fälschlichen Annahme, daß man auch Balkenbrücken in Eisenbeton außerordentlich dünn ausführen könne. Nun bietet zwar der Zusammenhalt aller Teile einer wie aus einem Guß her- gestellten Brückentafel aus Eisenbeton eine erhebliche Sicherheit gegen örtliche Über- anstrengungen, auch wird durch das verhältnismäßig große Eigengewicht die gefähr- liche Wirkung der Stöße und der periodischen Schwingungen verringert, die bei eisernen Balkenbrücken von geringer Trägerhöhe oft bedenkliche Beanspruchungen sowie eine Lockerung der Nietverbindungen herbeiführen kann. Die zulässige Verminderung der Trägerhöhe einer Eisenbetonbrücke ist aber doch hauptsächlich wegen der Wirkung der Scher- und Druckkräfte begrenzt. Wie bei den eisernen Brücken in ihrer ersten Entwicklung wurden auch bei den Eisenbetonbrücken in der Berechnung anfangs nur die Biegungsmomente berücksichtigt, und erst später wurde auch der Wichtigkeit der Scherkräfte größere Beachtung geschenkt.

Ein wesentlicher Unterschied zwischen der Berechnungsweise von eisernen und Eisenbeton-Brücken liegt in der bei jenen erreichbaren größeren Schärfe der Rechnung, wodurch zugleich das Anwendungsgebiet beider Baustoffe gekennzeichnet wird. Während im Eisenbrückenbau allenthalben das Bestreben nach möglichst vollkommener statischer Klarheit und Bestimmtheit in den Anschlüssen der Stäbe, in der Stützung und Lagerung, z. B. der Fahrbahntafel auf den Gurten, zu erkennen ist, um Nebenspannungen nach Möglichkeit zu vermeiden und den Baustoff möglichst auszunutzen, ist die Eisenbetonbauweise durch die Art der Herstellung. die es als ein Stück aus einem Gusse erscheinen läßt, auf statisch unbestimmte Verbindungen der einzelnen Teile angewiesen. Diese erschweren die klare Berechnung, bieten aber den Vorteil eines innigen Zusammenhaltes der einzelnen Teile. Die Ausführung in Eisenbeton empfiehlt sich daher besonders bei verwickelter Grundrißanordnung der Fahrbahntafel und dadurch bedingter statisch unbestimmter Verbindungen der Tragwerkteile, weil dann auch bei der Ausführung in Eisen eine volle Ausnutzung des Materials nicht möglich ist und der Zusammenhalt des Eisenbetons einen hohen Sicherheitsgrad gewährt (siehe u. a. Beispiel Nr. 10, Abschnitt F.).

Eine besondere Bedeutung haben schließlich noch die Balkenkonstruktionen aus Eisenbeton für Bogenbrücken größerer Spannweite, und zwar für die Ausbildung der auf Einzelstützen ruhenden Fahrbahntafel. Hierdurch ist ein Mittel gegeben, das Eigengewicht auch der Wölbbrücken beträchtlich herabzusetzen, wodurch die Grenze der Ausführbarkeit weitgespannter massiver Bogenbrücken erheblich erweitert wird.

Zum Schluß sollen noch kurz die Vorteile der Eisenbetonbrücken denen der eisernen Brücken gegenübergestellt werden.

Ein wesentlicher Vorteil der eisernen Brücken ist die Möglichkeit, sie mit weniger Rüstung und verhältnismäßig rasch aufstellen oder sie auch einschieben und einfahren zu können. Dieser Zeitgewinn ist oft, z. B. in dem Eisenbahnbetriebe, von Bedeutung. Dagegen hemmt bei den üblichen Eisenbetonbrücken leider die für das Abbinden und Erhärten notwendige Schonzeit sowie oft auch die Rücksichtnahme auf Frostwetter einen raschen Baufortschritt. Ferner ist für die Eisenbetonbrücken ein weit größerer Aufwand an Rüstungen nötig, der bei Überbrückungen von Flußläufen das Durchflußprofil einschränkt. Bei Eisenbetonbrücken über Verkehrswegen, z. B. Eisenbahngleisen. geht hierbei durch den für die Schalung erforderlichen Raum zwischen dem Lichtraumprofil und der Fahrbahntafel ein Teil der verfügbaren Bauhöhe verloren.

Weiter ist als Vorteil der eisernen Brücken hervorzuheben, daß alle wichtigeren Teile, besonders die Stabverbindungen, stets zugänglich bleiben, so daß eine Prüfung ihres Zustandes fast jederzeit ohne weiteres möglich ist. Ebenso kann eine nachträgliche Verstärkung des Tragwerkes verhältnismäßig leicht vorgenommen werden, falls bei der Abnahme vorgefundene Mängel oder eine wesentliche Erhöhung der Verkehrslasten dies erforderlich machen sollte. Bei Eisenbetonbrücken erscheint dagegen eine solche Maßregel fast vollkommen ausgeschlossen.

Diesen Vorteilen der Eisenbauten gegenüber sind folgende Vorzüge der Eisenbetonbrücken hervorzuheben:

1. **Geringere Unterhaltungskosten**, da die bei eisernen Brücken notwendigen, teuren, wiederholten Anstriche und Nietauswechslungen wegfallen und zumeist eine öfter wiederholte Beobachtung etwa auftretender Rißbildung genügt;

2. **Größere Lebensdauer**, da bei sachgemäßer Ausführung der Entwässerung und Oberflächendichtung ein Rosten der Eiseneinlagen nach den bisherigen Erfahrungen ausgeschlossen erscheint und die Festigkeit des Betons infolge der fortschreitenden Erhärtung, also mit dem Alter, beständig wächst, wogegen Eisenbrücken durch Rost und Rauchgase stark gefährdet erscheinen;

3. **Geringere Herstellungskosten**, besonders bei verwickelter Grundrißgestaltung, die bei Eisenbauten häufig schwierige Anschlüsse mit teurer Nietarbeit erforderlich macht;

4. **Geringere Empfindlichkeit** gegen die schädliche Wirkung der Erschütterungen und Stöße der Verkehrslasten infolge des größeren Eigengewichts. Auch wird das Geräusch beim Befahren der Brücke vermieden, da das ganze Tragwerk einen vollkommen zusammenhängenden Körper darstellt;

5. **Vollkommene Feuersicherheit**, da der Beton nicht nur feuerfest ist, sondern infolge seiner geringen Wärmeleitung die Eiseneinlagen vor rascher Erhitzung und damit vor schädlichen Formänderungen bewahrt;

6. Der **volkswirtschaftliche Vorteil**, daß in der Regel der größte Teil der Baustoffe, nämlich Kiessand, Feinschlag und Klarschlag, unter Umgehung des Großhandels von kleineren Gruben- und Bruchbesitzern in der Nähe der Baustelle bezogen werden, daß ferner zumeist ein großer Teil der Hilfskräfte in Handarbeitern aus der nächsten Umgebung bestehen kann;

7. Die **Möglichkeit einer wirkungsvollen architektonischen Gestaltung**, die oft ohne Hinzutun besonderer Zierglieder durch geeignete Ausbildung der Flächenwirkung der monolithisch wirkenden Massen erzielt werden kann.

Sollen diese Vorzüge der Eisenbetonbrücken zur Geltung kommen, so müssen jedoch als Hauptforderungen erfüllt sein: zunächst eine vollständige, bis auf alle Einzelheiten sich erstreckende Durcharbeitung des Entwurfs, ferner eine Auswahl der Baustoffe, die große Sachkenntnis voraussetzt und endlich eine äußerst sorgfältige Ausführung und Überwachung derselben auf der Baustelle.

Mit Rücksicht darauf, daß im Vergleich zu den Hochbauten aus Eisenbeton die Brücken in der Regel dem öffentlichen Verkehr dienen und den Unbilden der Witterung sowie starken Erschütterungen durch die Verkehrslasten ausgesetzt sind, muß auf ihre Ausführung eine erhöhte Sorgfalt verwendet werden. Ein Brückenbau aus Eisenbeton sollte daher nur erfahrenen und vertrauenswürdigen Bauunternehmungen übertragen werden, die sowohl über tüchtige Konstrukteure als auch über einen gut geschulten Arbeiterstamm verfügen und schon durch ihren Ruf eine zuverlässigere Gewähr für eine einwandfreie Ausarbeitung des Entwurfs und für die sachgemäße Ausführung bieten als durch irgendwelche vertragliche Bindungen erreicht werden kann.

Da nach der Herstellung der Eisenbetonkörper eine Prüfung der einzelnen Teile des Bauwerks, wie sie bei eisernen Brücken z. B. durch Abklopfen der Niete usw. erfolgt, nicht mehr möglich ist, muß von dem entwerfenden und bauleitenden Ingenieur die Bauausführung sorgfältig überwacht werden. Um zu prüfen, ob die Ausführung allenthalben zeichnungs- und sachgemäß erfolgt, empfiehlt es sich, für die Abnahme folgende Bauzustände festzusetzen:

1. den Zeitpunkt nach Vollendung der Rüstung und Schalung;
2. den Zeitpunkt, nach dem die Eisen vollständig verlegt sind.

Ein Zeitverlust für den Baufortschritt ist mit diesen notwendigen Sicherheitsmaßregeln kaum verbunden, da im Gegensatz zu den Hochbauten aus Eisenbeton das Betonieren sich in der Regel nicht in stetigem Fortschritt auf einen größeren Zeitraum erstreckt, sondern jeweilig nur ein einzelner Bauabschnitt, z. B. die Ausführung der Pfeiler oder die einer Öffnung, ununterbrochen in möglichst kurzer Zeit hergestellt werden muß.

Betreffs der Betonierungsarbeiten muß auf die im Band II, 2. Auflage 1911 angegebenen allgemeinen Grundsätze verwiesen werden.   Da statisch einheitlich wirkende Teile, wie z. B. die Balken oder die Platte, in einem Zuge, d. h. ohne Unterbrechung, betoniert werden müssen, so wird bei Brücken häufiger als im Hochbau die Einrichtung von Nachtbetrieb mit hinreichend guter Beleuchtung erforderlich.   Auch das Umbauen der Brücke mit einem heizbaren hölzernen Schuppen hat sich des öfteren bei Eintritt von Frostwetter als notwendiges Hilfsmittel erwiesen, um den Bau ohne Unterbrechung fertigstellen zu können.[1]

Wichtig für den guten Bestand der Brücken ist hauptsächlich auch die sorgfältige Behandlung der Außenflächen, welche den Einflüssen der Atmosphäre, den Rauchgasen usw. ausgesetzt sind.   Ein dichtes Schließen der Poren des Betons durch Einschlämmen, ein Glattstrich oder Putz ist daher ein wesentliches Erfordernis. Betreffs der Ausführung der Ansichtsflächen mit sogenanntem Vorsatzbeton und der nachträglichen Bearbeitung aus architektonischen Gründen sei auf Band II (2. Auflage) und Ergänzungsband I (Berlin 1911) verwiesen.

Das „Ceterum censeo" aller Betrachtungen über Eisenbetonbauten ist und bleibt demnach ganz besonders für Brücken die Notwendigkeit sorgfältigster Ausführung, die daher nur vertrauenswürdigen Spezialfirmen übertragen werden sollte, zumal da es nach Fertigstellung der Betonierungsarbeiten kaum möglich ist, innere schadhafte Stellen zu erkennen oder eine Verstärkung zu schwacher Bauteile vorzunehmen.

Die Baukosten der Eisenbetonbrücken lassen sich sehr schwer allgemein angeben, da sie nicht nur von den Belastungsannahmen, der Stützweite, Bauhöhe, Gründungsart und Bauweise, sondern auch von der Jahreszeit, Güte der Ausführung, von den Materialpreisen, Anfuhrkosten und Arbeitslöhnen, den Rüstkosten u. dergl., sowie von der mehr oder minder reichen Ausstattung abhängen. Beispielsweise schwanken die Angaben über Ausführungskosten von rd. 500 Brücken in der Veröffentlichung „Les ponts Hennebique, Paris 1906" zwischen 27 und 140 Fr. für 1 m² Grundfläche.

Die Unterhaltungskosten für Eisenbetonbrücken werden im Vergleich zu hölzernen und eisernen Brücken in der Regel als äußerst niedrig angenommen oder überhaupt völlig unberücksichtigt gelassen.   Über die wirkliche Größe solcher Kosten fehlen bei dem geringen Alter der Eisenbetonbrücken zur Zeit noch genügende Erfahrungen.

Immerhin ist zu betonen, daß bei einer Brücke gewisse Unterhaltungsmaßnahmen, zum mindesten öftere Durchsichten doch notwendig sind, schon aus dem Grunde, weil es sich um ein dem öffentlichen Verkehr dienendes Bauwerk handelt.   Es sind daher die Brücken nach gewissen Zeiträumen regelmäßig, außerdem aber auch jeden-

[1] Vergl. die Nonnenbrücke in Bamberg, Deutsche Bauztg. 1905, Zementbeilage Nr. 1.

falls nach Eintritt besonderer Ereignisse, welche die Brücke außergewöhnlich beanspruchen, wie z. B. Hochwasser, starke Überlastungen durch ungewöhnlich schwere Fahrzeuge, zu untersuchen, etwa entstandene Beschädigungen der Oberflächen im Brückenbuch aufzuzeichnen und sodann sorgfältig auszubessern. Besonders eingehenden regelmäßigen Untersuchungen müssen natürlich die Bauwerke unterzogen werden, die den Einwirkungen von säurehaltigen Gasen, den Rauchgasen der Lokomotiven u. dergl. ausgesetzt sind.[1]

Bei dem voraussichtlich langen Bestand der Eisenbetonbrücken und angesichts der Unmöglichkeit, nach Fertigstellung den Bestand der inneren Teile ohne Zerstörung des Bauwerks nachzuprüfen, ist es unerläßlich, einen genauen Nachweis über alle mit der Herstellung und Unterhaltung des Bauwerks zusammenhängenden Ereignisse zu führen und die für die jederzeitige Beurteilung seiner Tragfähigkeit erforderlichen Unterlagen zu sammeln. Zu diesem Zweck ist es dringend zu empfehlen, für jedes Bauwerk ein Brückenbuch anzulegen, das über alle im Laufe der Zeit auftauchenden Fragen Aufschluß zu geben vermag und folgende Angaben enthalten sollte:

1. kurze Vorgeschichte des Brückenbaues und die für den Bau und Betrieb der Brücke etwa behördlicherseits gestellten Bedingungen, Oblasten u. dergl., sowie die Verträge mit den ausführenden Unternehmern;

2. genaue Ausführungszeichnungen nebst statischen Berechnungen aller einzelnen Teile des Bauwerks;

3. genaue Angaben über Zeit der Herstellung und Witterungsverhältnisse während der Ausführung, über die verwendeten Baustoffe und deren Mischungsverhältnisse sowie die Ergebnisse der Materialprüfungen;

4. Angaben über die Zeit der Inbetriebnahme und Ergebnis einer etwaigen Belastungsprobe des fertigen Bauwerks sowie Zusammenstellung der Baukosten;

5. Ergebnisse der in regelmäßigen Zeitabschnitten vorzunehmenden Untersuchungen sowie Höhe der etwa entstandenen Unterhaltungskosten u. dergl.;

6. Angaben über etwa vorgenommene Umbauten, Ergänzungs- und Erweiterungsbauten sowie über außergewöhnliche Beanspruchungen des Bauwerks durch selten vorkommende Verkehrslasten, durch Hochwasser oder Erschütterungen.

Es wäre zu wünschen, daß seitens der ausführenden Bauunternehmungen für jeden Brückenbau derartige ausführlicher Brückenbücher angeregt würde, umsomehr, als dadurch auch ein willkommener statistischer Nachweis der für Eisenbetonbrücken aufzuwendenden Unterhaltungskosten und der Lebensdauer solcher Brücken ermöglicht würde.

B. Die Grundformen der Balkenbrücken aus Eisenbeton.

Die Brücken werden im allgemeinen nach ihrer Zweckbestimmung eingeteilt in:

1. Straßenbrücken und Fußgängerstege, die der Überführung des Straßenverkehrs über einen Wasserlauf oder einen anderen Verkehrsweg dienen;

2. Eisenbahnbrücken, worunter Brücken zu verstehen sind, die Eisenbahngleise tragen;

3. Kanalbrücken, durch die ein Kanal oder eine Wasserführung über eine Bodensenkung oder einen Verkehrsweg geleitet wird.

[1] Vergl. auch Labes, Zentralbl. d. Bauverw. 1906, Nr. 52, S. 327 bis 333.

Die letzte Art wurde bereits in Band V (2. Auflage) behandelt, die zweite Art ist dem Kapitel Eisenbahnbau angegliedert. Wir haben uns hier somit nur mit der ersten Art zu beschäftigen, welche die bei weitem größte Zahl der ausgeführten Eisenbetonbrücken umfaßt, also mit den dem reinen Straßenverkehr dienenden Straßenbrücken, Fußgängerstegen und den sogenannten Überdeckungen.

Die Überdeckungen unterscheiden sich von den Brücken und Stegen fast nur durch ihre Breitenausdehnung und die Richtung des Verkehrs. Während nämlich die Brücken und Stege hauptsächlich der Fortführung eines ausgesprochenen Längsverkehrs über ein Hindernis dienen und in ihren Breitenabmessungen meist den beiderseits anschließenden Straßenstrecken, häufig aber auch nur der gegenwärtig zu bewältigenden Verkehrsstärke entsprechen, dienen die Überdeckungen zur Durchführung kleinerer Wasserläufe oder einzelner Eisenbahngleise unter platzartigen Verkehrsflächen, Fabrikhöfen und dergl., wobei eine ausgesprochene Verkehrsrichtung meist nicht vorliegt. Häufig tragen sie sogar Gartenanlagen oder leichte Bauwerke, wie es gerade die Bestimmung der Platzfläche mit sich bringt, die zu untertunneln oder

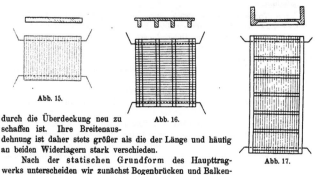

Abb. 15.   Abb. 16.

Abb. 17.

durch die Überdeckung neu zu schaffen ist. Ihre Breitenausdehnung ist daher stets größer als die der Länge und häufig an beiden Widerlagern stark verschieden.

Nach der statischen Grundform des Haupttragwerks unterscheiden wir zunächst Bogenbrücken und Balkenbrücken, von denen jene in einem besonderen Kapitel behandelt werden, so daß hier nur die Balkenbrücken mit ihren verschiedenen Übergangsformen (S. 4) in Frage kommen.

Hinsichtlich der Gestaltung des Brückenquerschnitts sind die Balkenbrücken einzuteilen in:

I. Platten (Abb. 15);

II. Plattenbalken oder Rippenplatten mit obenliegender Fahrbahn (Abb. 16) und

III. Tragwerke mit versenkter Fahrbahn (Abb. 17).

Die Platten[1] sind durch die ebene Unterfläche gekennzeichnet, die Plattenbalken oder Rippenplatten dagegen, welche statisch in Platte und Balken zu zerlegen sind, durch die Rippen an der Unterfläche, endlich die Tragwerke mit versenkter

---

[1] Die Begriffe für die oft verschieden angewendeten Worte Träger, Platte, Balken und Rippe wollen wir folgendermaßen gebrauchen. Unter Träger soll der statische Begriff eines tragenden Stabes mit quer zur Stabachse wirkenden Kräften, jedoch ohne Rücksicht auf seine Querschnittsform verstanden werden. Im Gegensatz hierzu wollen wir mit Platte einen angegliederten Träger mit weit überwiegender Breitenabmessung, mit Balken einen solchen mit überwiegender Höhenabmessung und mit Rippe einen mit einer Platte untrennbar verbundenen Balken bezeichnen.

Bahn durch die über die Fahrbahnoberfläche reichenden Haupttragwände, welche durch Querträger verbunden werden. Die Platte ist in den Fällen I und III in der Längsrichtung des Verkehrsweges, im Falle II quer zu diesem gespannt. Die Brückenträger zwischen den beiden Widerlagern werden im Falle I durch die Platte selbst, im Falle II durch die Tragrippen oder Hauptbalken, dagegen im Falle III durch die Tragwände mit den sie verbindenden Querträgern gebildet.

Jede der obengenannten, durch die Ausbildung des Tragwerkquerschnitts gekennzeichneten Grundformen kann durch die Gestaltung des Brückenlängsschnitts

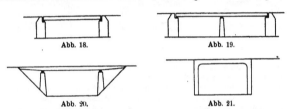

Abb. 18.   Abb. 19.

Abb. 20.   Abb. 21.

in statischer Beziehung in Unterabteilungen gegliedert werden, und zwar sind mit Rücksicht auf die Art der Stützung des Tragwerks, d. i. seiner Verbindung mit den Widerlagern, zu unterscheiden:

a) der einfache Träger, welcher als Balken auf zwei Stützen frei auf den beiden Widerlagern ruht (Abb. 18);

b) der durchlaufende oder kontinuierliche Träger, der auf mehreren Stützen gelagert ist (Abb. 19);

c) der Kragträger, d. i. ein einfacher oder durchlaufender Träger, dessen Enden über die Endstützen hinaus verlängert, aber dort nicht nochmals besonders abgestützt sind (Abb. 20);

d) der eingespannte Träger und der Rahmenträger, d. s. Träger, welche mit den Widerlagern starr verbunden sind und mit diesen einen festen Rahmen bilden (Abb. 21), und

e) der Bogenbalkenträger, ein eigenartiges Mittelding zwischen Bogen und Balken, bei dem außer der Einspannung der Trägerenden auch die infolge der lotrechten Belastung entstehenden wagerechten Auflagerwiderstände ausgenutzt werden (Abb. 22).

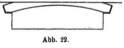

Abb. 22.

Endlich ergeben sich durch die Art, in welcher die Wandfläche des Trägers ausgebildet wird, die Unterabteilungen der vollwandigen, der durchbrochenen und der Fachwerkträger, von denen diese bisher fast nur als einfache Träger ausgeführt worden sind.

I. Die Platten.

Bei Stützweiten von 1,5 bis ungefähr 5 m, für welche sich die Trägerhöhe in der Regel zu nur 0,15 bis 0,40 m gibt, lohnt es sich meist noch nicht, den Brückenquerschnitt in Rippen und Platten aufzulösen. Man wählt daher für diese kleinsten Balkenbrücken die Form der einfachen Platte mit ebener Unterfläche.

Zahlreiche Anwendung findet diese Anordnung besonders für Durchlässe in
Straßen- oder Eisenbahndämmen. Bei gutem Baugrund und ausreichender Über-
schüttungshöhe — die allerdings meist vorhanden ist, weil der Durchlaß in der Regel
an der tiefsten Stelle des Dammes liegt — wird zwar ein gewölbter Durchlaß aus
Stampfbeton fast stets wirtschaftlicher sein. Dagegen tritt die Eisenbetonplatte in
erfolgreichen Wettbewerb bei beschränkter Bauhöhe und bei unsicherem Baugrund,

| Abb. 23. | Abb. 24. | Abb. 25. |

der z. B. bei der Führung von Dämmen über sumpfige Wiesen häufig den Bau eines
gewölbten Durchlasses erschwert oder unmöglich macht.

Für die statische Grundform der Platten aus Eisenbeton ist vor allem die Wahl
des Baustoffs der Widerlager von Bedeutung. Widerlager aus Ziegel oder Bruchsteinmauerwerk werden meist dann bevorzugt, wenn der Betonkiessand schwer zu
beschaffen ist oder die Gründungs- und Widerlagerkörper gleichzeitig mit der Damm-

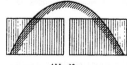

Abb. 26.

schüttung von dem Tiefbauunternehmer hergestellt werden sollen. Solche gemauerte Widerlager, auf denen die Eisenbetonplatte als Balken
auf zwei Stützen ruht, wie Abb. 23 in der einfachsten Anordnung zeigt, empfehlen sich jedoch
nur bei einigermaßen zuverlässigem Baugrund.
Bei weniger günstigen Bodenverhältnissen können zur gleichmäßigeren Verteilung des Druckes
beide Widerlager auf eine gemeinsame Betonplatte gestellt werden (Abb. 24). Führt
man schließlich die Widerlager in Beton aus und unmittelbar danach die Eisenbetonplatte, so empfiehlt es sich, die Platte nicht frei zu lagern, sondern den Vorteil der
Einspannung oder Verankerung ihrer Enden zur Verminderung der Plattenstärke
und zur Versteifung der Widerlager zu benutzen, so daß ein dreiseitiger Rahmen

 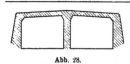

| Abb. 27. | Abb. 28. |

entsteht. Falls auf die Sohle ein Auftrieb infolge des Grundwassers wirkt, ist diese
vorteilhaft in der Form eines umgekehrten Betongewölbes auszuführen.

Bei unsicherem Baugrund gewährt die Ausführung des Durchlasses in Eisenbeton den großen Vorteil, daß auch die Grundplatte mit den Widerlagern fest
verbunden werden kann, wodurch sich ein vierseitiger Rahmen ergibt (Abb. 25).
Die Platte ist dann als ein teilweise oder vollständig eingespannter Träger aufzufassen, der eine geringere Bauhöhe und weniger Eiseneinlagen erfordert als der

einfache Träger. Eine solche allseitig geschlossene Röhre aus Eisenbeton wird sich besonders dann eignen, wenn auf die Widerlager wagerechte Kräfte wirken, die ein Gleiten auf der vielleicht schlüpfrigen Bodenfuge hervorzurufen drohen.

Bei großer Breite des Durchlasses wird derselbe wohl auch durch eine Zwischenwand in zwei Öffnungen geteilt. Diese Grundform empfiehlt sich jedoch nur bei sehr beschränkter Bauhöhe oder auch bei sehr schwierigen Bodenverhältnissen, da andernfalls ein gewölbter Betondurchlaß mit gleich großem Durchflußprofil (Abb. 26) in der Regel wirtschaftlicher ist.

Die Oberflächen der Plattenbrücken sind gewöhnlich, wie Abb. 23 bis 25 zeigen, sattelförmig nach den Widerlagern zu abgedacht, um eine gute Entwässerung zu erzielen. Gleichzeitig erhält man dadurch in der Plattenmitte eine größere Trägerhöhe. Bei Durchlässen mit zwei Öffnungen und frei gelagerten Platten wird diese Abschrägung zumeist durch Ausgleichung mit einem mageren Beton über der Mittelstütze hergestellt (Abb. 27), bei Rahmenbrücken (Abb. 28) wird dagegen häufig die parallelflächige Platte in die Neigung gelegt.

Nach diesen Erörterungen sind bei den Platten sowohl in statischer als auch in konstruktiver Beziehung alle die Formen möglich, die bei den Rippenplatten oder

Abb. 29. Stampfformen der Visintiniträger.   Abb. 30. Verladen von Siegwartbalken.

Plattenbalken vorkommen, so daß sich ein weiteres Eingehen darauf hier erübrigt. Auch betreffs der sonstigen Einzelheiten wird auf die folgenden Abschnitte verwiesen.

Außer den vollen Eisenbetonplatten, die an Ort und Stelle herzustellen sind und dem besonderen Zweck entsprechend ausgebildet werden können, finden für Platten mit ebener Unterfläche auch die hohlen Siegwartbalken[1]) und die fachwerkartigen Visintiniträger Anwendung. Beide Systeme sind dadurch gekennzeichnet, daß die Balken, in besonderen Formen fabrikmäßig hergestellt (Abb. 29), vom Lagerplatz nach der Baustelle befördert (Abb. 30) und sodann als einfache Balken, einer dicht neben dem anderen, auf den in beliebigem Baustoff hergestellten Widerlagern verlegt werden können, wodurch die Schalung an der Baustelle gespart wird. Zur besseren Verteilung der Radlasten auf eine größere Fläche ist bei der in Abb. 31 dargestellten Plattenbrücke in Breitenau (Kgr. Sachsen) mit 4,50 m l. W. auf den 0,30 m hohen und 0,20 m breiten Balken eine rd. 0,15 m starke Betonschicht nachträglich aufgebracht worden. Wie bei den im Hochbau verwendeten Visintinibalken wird für diese kleinen Plattenstützweiten in der Regel das gleichseitige Strebenfachwerk gewählt, an dessen Stelle bei größeren Brücken das Ständerfachwerk tritt. Wie aus Abb. 29 ersichtlich ist, verläuft die Stampfrichtung bei der Herstellung dieser Balken parallel zu

---

¹) Die Siegwartbalken werden z. B. in Kroatien seit 1904 von der Landesbauabteilung für Straßendurchlässe bis zu 5 m l. W. verwendet (Ausführung: Grahor u. Sinor in Agram).

ihrer Ober- und Unterfläche. Während der Anwendung solcher fabrikmäßig hergestellter Träger für größere Stützweiten noch mancherlei Bedenken entgegenstehen, ist doch nicht zu leugnen, daß sie für die kleineren Stützweiten der Plattenbrücken

Abb. 31.
Plattenbrücke mit Visintiniträger.

den großen Vorteil eines schnellen und leichten Verlegens und einer baldigen Verwendbarkeit der Brücke bieten. Die Verwendung dieser Träger als Teile dreiseitiger oder vierseitiger Rahmen, ähnlich den oben beschriebenen Eisenbetonkonstruktionen, ist naturgemäß nicht ohne weiteres möglich. Näheres über die Visintiniträger siehe bei den Fachwerkbrücken, S. 44.

Zum Schluß sei noch der Verwendung von Walzeisenträgern, Bulbeisen und Eisenbahnschienen als Einlagen gedacht, die mit Beton umstampft werden und ebenfalls den Vorteil des raschen Verlegens und der Ersparnis an Rüstung bieten. Der Beton dient hierbei hauptsächlich als Verbindungsmittel der Träger, sowie zum Rostschutz derselben und wirkt bei größeren Trägerabständen ähnlich wie ein Kappengewölbe.

Als Beispiel hierfür sei die in Abb. 32 u. 33 dargestellte Straßenbrücke angeführt, die in der Art der Pohlmann-Decken Eiseneinlagen aus Bulbeisen mit gelochten

 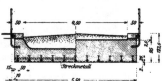

Abb. 32 u. 33. Straßenbrücke über den Vierbach bei Niederreichensachsen bei Eichenberg (Hessen).
(Ausführung: Steffens & Nölle, Berlin.)

Stegen aufweist. Diese Ausführung entspricht allerdings sowohl mit der Anordnung der Eisen, die in der Zugzone liegen, als auch mit den unter 45° geneigten Schleifenbügeln, und den durch die letzten Steglöcher gesteckten Querwinkeln, dem Grundgedanken der eigentlichen Eisenbetonbrücken.

II. Rippenplatten oder Plattenbalken.

Bei Lichtweiten über 5 m bis rd. 20 m wird eine Trägerhöhe von ungefähr 0,40 bis 1,80 m erforderlich. Es empfiehlt sich dann, um das große Eigengewicht zu verringern, den Querschnitt der Eisenbetontafel in Platte und in Rippen oder Hauptbalken aufzulösen, wodurch die Rippenplatten oder Plattenbalken mit obenliegender Fahrbahn entstehen, welche die größte Zahl aller Balkenbrücken umfassen. Eisenbetonbalkenbrücken über 20 m Lichtweite sind bisher nur in geringerer Zahl ausgeführt worden, da die Eigenlast im Verhältnis zu den bei Straßenbrücken vorkommenden Verkehrslasten außerordentlich groß und somit der „Wirkungsgrad“ der Eisenbetonbrücke sehr klein wird. Es ist daher vor allem bei weitergespannten Balken

die möglichste .Verringerung des Eigengewichtes anzustreben. Dies wird erreicht entweder durch eine vorteilhafte Ausbildung der Grundform im Längsschnitt als durchlaufender, eingespannter Rahmen-, Krag- oder Bogenbalkenträger oder aber durch eine
Auflösung der Wandfläche der Träger mittels Durchbrechung und fachwerkartiger Ausbildung des Trägersteges.

Bei den Rippenplatten sind alle Unterabteilungen vom einfachen bis zum Bogenbalkenträger vertreten. Die Auflösung der Trägerwand findet sich aber wegen der
statischen Unklarheit in der Regel nur bei den einfachen Trägern auf zwei Stützen.

1. Einfache Träger.

Die Träger ruhen in einfachster Weise auf den Widerlagern oder Pfeilern, ohne
mit ihnen starr verbunden zu sein. Sie eignen sich somit besonders dann, wenn die
Widerlager und Pfeiler in Ziegel- oder Bruchsteinmauerwerk ausgeführt werden oder
bereits vorhanden sind, wie bei der Montbrillantbrücke in Lausanne (Beispiel 8, Abschnitt F), bei welcher sie vorher zum Tragen eines eisernen Überbaues gedient hatten.

Vor allen anderen Trägergrundformen haben diese einfachen Träger den Vorteil, daß sie durch Ausbildung eines Festlagers und eines Gleitlagers statisch bestimmt gelagert werden können. Wagerechte Stützkräfte infolge der Wärmewirkungen
werden dadurch bis auf geringe
Reibungswiderstände vermieden.
Wesentlich ist aber, daß diese
Träger im Gegensatz zu den
übrigen Grundformen etwaigen
Widerlagersenkungen, die bei
unsicherem Baugrund schon
beim Ausrüsten infolge seiner
plötzlichen Belastung mit dem
großen Eigengewicht zu fürchten
sind, ungehindert folgen können,
ohne daß der Bestand des Trägers gefährdet wird.

Abb. 34. Überführung an der Linie Korneuburg-Ernstbrunn.
(Ausführung: Pittel & Brausewetter, Wien.)

Sobald Setzungen oder Rutschungen zu befürchten sind, empfiehlt
es sich daher, auch für längere
Brücken mit mehreren Zwischenstützen statt eines durchlaufenden
Balkens eine Folge von einfachen
Trägern zu wählen. Abb. 34 zeigt
eine Überführung über die eingleisige
Lokalbahn Korneuburg—Ernstbrunn
mit drei einfachen Trägern auf
Betonpfeilern und Widerlagern von
5,45, 6,90 und 5,45 m Stützweite.
Besonders bei Eisenbahnplatten
liegt die Gefahr der Verringerung
rung des Ei..........ens
durch den .... ist
und die .... anders

Abb. 35.
Überdeckung der Wientallinie der Wiener Stadtbahn.
(Ausführung: G. A. Wayss & Cie., Wien.)

wie die Mittelpfeiler setzen. Die einfachen Balkenträger auf zwei Stützen werden
auch häufig bei Überdeckungen von Bahnlinien und Flußläufen angewendet. Abb. 35
zeigt die Überdeckung der Wientallinie der Wiener Stadtbahn, für eine Nutzlast
von 2400 kg für 1 m² oder einen 39 t schweren Wagen bei 8,5 m und 11,5 m Stütz-

Abb. 36. Überdeckung der Touvre in der Nationalgießerei in Ruelle.

weite. Die Ausführung in Eisenbeton eignet sich gegenüber den Eisenkonstruktionen
besonders dann, wenn bei unregelmäßiger Grundrißgestalt statisch verwickelte
Trägeranordnungen entstehen, wie z. B. bei der Überdeckung der Touvre in der
Nationalgießerei zu Ruelle (Abb. 36).

Um das Eigengewicht der einfachen Träger auf zwei Stützen zu verringern,
bleibt nur das Mittel, Öffnungen in der Trägerwand auszusparen oder sie in ein einfaches Fachwerk aufzulösen. Abb. 37 zeigt eine solche Rippenplatte mit durchbrochener Träger-
wand. Die senkrechten
Eisenbetonstege zwi-
schen den einzelnen Öff-
nungen in der Träger-
wand sind den Quer-
kräften entsprechend in
der Nähe der Wider-
lager breiter als in der
Trägermitte bemessen,
während hier den Bie-
gungsmomenten ent-
sprechend die größte
Trägerhöhe vorhanden

Abb. 37. Träger mit durchbrochener Wand.

ist. Die mit abgestumpften Ecken versehenen Aussparungen weisen daher verschiedene Höhen auf. In Abb. 38 ist eine ähnliche 22 m weit gespannte Wegbrücke bei
Krozna in Mähren dargestellt, deren Ansicht durch Konsolen in sechs Felder geteilt
wird. Von diesen sind die vier mittleren in ähnlicher, jedoch viel vorsichtigerer
Weise als in Abb. 37 mit je zwei Öffnungen durchbrochen, die Endfelder dagegen
mit Rücksicht auf die Querkräfte vollwandig ausgebildet. Bei der Ausbildung

solcher Trägerwände mit einer einigermaßen wirkungsvollen, reichlich bemessenen Durchbrechung, wie in Abb. 37, ist es oftmals sehr schwierig, den infolge der wandernden Einzellasten entstehenden Querkräften in ein-
wandfreier Weise Rechnung zu
tragen.

Die Ausbildung der Rippen
als Fachwerkträger ist bisher
nur selten versucht worden. Abb. 39
zeigt eine nach dem System
Hennebique ausgeführte Brücke
in Borek-Blazowa in Österreich-
Ungarn mit 15 m Licht-
weite und 6 m Breite.
Die drei Hauptbalken
sind in ein Fachwerk
mit Streben aufgelöst,
die unter 45° geneigt
sind. Die Breite der
Fachwerkstäbe beträgt
rd. $^1/_5$ ihrer freien
Länge, die Ecken an
den Gurtanschlüssen
sind etwas ausgerundet.

Abb. 38. Wegbrücke bei Krozna in Mähren.

Abb. 39. Fachwerkträger in Borek-Blazowa (Österr.-Ungarn).

Die Berechnung eines solchen Fachwerkträgers aus Eisenbeton wird meist mit Hilfe eines einfachen Kräfteplans durchgeführt, bei welchem reibungslose Gelenke die Voraussetzung bilden. Hiergegen sind zunächst die theoretischen Bedenken zu erheben, welche auf S. 36 näher dargelegt werden. Anderseits ist die Aufgabe, eine konstruktiv einwandfreie Einspannung der Stäbe an den Knotenpunkten zu erzielen, wie sie bei dem eisernen Fachwerk durch vernietete Knotenbleche erreicht wird, im Eisenbetonbau noch
nicht gelöst worden. Es müssen
daher Fachwerkträger aus Eisenbeton zunächst noch als zwar
recht schätzenswerte Versuche
zur Lösung einer der wichtigsten
Aufgaben für die Zukunft der
Balkenbrücken angesehen werden; die ausgeführten Beispiele
bedürfen jedoch wegen der be-
denklichen Unzulänglichkeiten in
der Theorie und vor allem in der
Ausführung stetiger sorgfältiger Überwachung.

Abb. 40 u. 41. Längs- und Querschnitt eines Möllerträgers.

Anhangsweise seien hier noch die für Plattenbalken vielfach verwendeten Träger nach dem System Möller erwähnt, obwohl sie wegen der Verwendung eines geschlossenen Eisengurtes aus genieteten Walzeisen heute nicht mehr zu den eigent-
lichen Eisenbetonkonstruktionen gezählt werden. Wie Abb. 40 u. 41 zeigen, bestehen die Rippen eines solchen fischbauchartigen Trägers aus einem Zuggurt, welcher durch

kräftige Flacheisen gebildet und an den Enden durch angenietete Winkeleisen verankert wird, und aus einem oberen Betondruckgurt. Der Träger wirkt wie ein
Hängewerk, das durch einen Bogen derart versteift ist, daß sich die wagerechten
Schübe dieser beiden Tragwerke am Auflager nahezu aufheben. Es entstehen daher,
abgesehen von den Einflüssen der Lagerreibung, nur senkrechte Stützkräfte, wie bei
jedem anderen einfachen Balken (Abb. 3).

Die Ausführung einer Überdeckung von insgesamt rd. 400 m Breite und 11,0
bis 14,6 m Stützweite nach Möllerscher Bauart zeigt Abb. 42. Auf der rechten Seite
des Bildes sind zwischen den
hölzernen Schalkasten die Flach-
eisengurte mit den aufgenieteten
Winkeleisen zu sehen. Abb. 43
stellt eine Möllerbrücke über die
Selke bei Alexisbad von 15 m
Spannweite dar, deren Druckgurt
durch kräftige Ausrundungen an
den Enden in die Widerlager
übergeführt ist. Abb. 44 zeigt
eine Straßenbrücke über mehreren
Öffnungen mit kräftigen Zwischenpfeilern, bei welcher die Randträger unter den Fußwegen niedriger gehalten sind. In Abb. 45
ist die leichte Eisenkonstruktion der End- und Zwischenpfeiler bemerkenswert sowie
das leichte, gefällige Aussehens des Steges, das durch
die kräftige Auskragung der
den Druckgurt bildenden
Platte erzielt worden ist.

Abb. 42. Ausführung der Pleißenüberdeckung in Leipzig.
(Ausführung: Rud. Wolle, Leipzig.)

Abb. 43. Brücke über die Selke bei Alexisbad.

Abb. 44. Straßenbrücke im Elbtal bei Dessau.
(Ausführung: Drenckhahn u. Sudhop, Braunschweig.)

2. Durchlaufende Träger.

Die über mehrere Stützen
ohne Unterbrechung durch-
laufenden Träger bie-
ten den Vorteil, daß
über jeder Zwischen-
stütze nur ein Lager
erforderlich ist und
daher die Breite der
Pfeiler erheblich ein-
geschränkt   werden
kann. Außerdem wer-
den die positiven Bie-
gungsmomente   um
etwa 20 vH. kleiner
als beim einfachen Bal-
ken auf zwei Stützen

von ebenso großer Stützweite[1])(Abb.46). Dabei ist jedoch eine unerläßliche Voraussetzung, daß die Höhenlage der Stützen unverändert bleibt, weil z. B. eine oft nur kleine Stützensenkung nicht nur den erwähnten Vorteil leicht wieder aufheben, sondern sogar

Abb. 45. Fußgängersteg am Nordbahnhof Braunschweig.
(Ausführung: Drenckhahn u. Sudhop, Braunschweig.)

den Bestand des Trägers ernstlich gefährden kann. Bei Anordnung eines durchlaufenden Trägers muß daher auf eine unbedingt sichere Gründung besonderes Gewicht gelegt und diese Grundform da, wo der tragfähige Boden nicht zu erreichen ist, ferner an Hängen, bei denen Rutschungen zu befürchten sind, überhaupt vermieden werden.

Bei Benutzung vorhandener Pfeiler und Widerlager, z. B. beim Umbau hölzerner oder eiserner Brücken, ist vor allem zu erörtern, ob infolge des erheblich größeren Eigengewichts des Eisenbetonbalkens und des dadurch verursachten größeren Bodendrucks nicht erhebliche Setzungen zu befürchten sind, da in diesem Falle einzelne einfache Balken auf zwei Stützen unbedingt vorzuziehen sind.

In der Eigenart des Baustoffs liegt das Bestreben der Eisenbetonkonstrukteure begründet, nach dem Muster der Eisenbetonbauwerke im Hochbau auch die Eisenbetonbrücken soweit als irgend möglich in einem Stück, also ohne Fugen und Gelenke herzustellen und dafür die erzielte Starrheit und Steifigkeit mit ihren statischen Unbestimmtheiten in Kauf zu nehmen. Eine Grenze ist diesem Bestreben jedoch

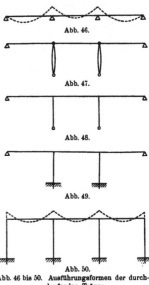

Abb. 46.

Abb. 47.

Abb. 48.

Abb. 49.

Abb. 50.

Abb. 46 bis 50. Ausführungsformen der durchlaufenden Träger.

vor allem durch die Einwirkungen der Wärme und Kälte auf diese statisch unbestimmten Grundformen gezogen. Je nach den klimatischen und örtlichen Verhältnissen wird daher in der Regel der durchlaufende Träger durch Fugen in der Brückentafel in Abschnitte von 25 bis 50 m getrennt, so daß längere durchlaufende Träger nur selten zu finden sind.

---

[1]) Vergl. W. Ritter, Der kontinuierliche Balken Zürich 1900, S. 101.

Dem gleichen Bestreben entspricht auch die fast allgemein übliche feste Verbindung der Pfeiler mit dem durchlaufenden Balken (Abb. 48 bis 50). Dieser wird meist nur dann freibeweglich gestützt, wenn die Pfeiler und Widerlager bereits vorhanden sind oder wesentlich früher als die Eisenbetonfahrbahntafel hergestellt werden müssen, ebenso wie es bei Verwendung eines beliebigen anderen Baustoffs für die Stützen geschehen würde (Abb. 47).

Vom statischen Standpunkt aus betrachtet, ist allerdings der Grundform mit Pendelstützen (Abb. 47) gegenüber denen der Abb. 48 bis 50 in der Regel der Vorzug zu geben, da bei schlanken Eisenbetonpfeilern der günstige Einfluß der Einspannung auf die Balkenmomente nur sehr gering ist. Dagegen kann die Beanspruchung der Pfeiler, besonders dann, wenn nennenswerte wagerechte Verschiebungen in der Balkenachse hinzutreten, bedenklich werden.

Bildet man nach Abb. 50 die Endfelder als Rahmen aus, anstatt wie bei den übrigen Anordnungen die freie Lagerung zu wählen, so erzielt man den beachtenswerten Vorteil, daß die verhältnismäßig großen Biegungsmomente der Endfelder vermindert werden (vergl. Abb. 46).[1]

Denselben Vorteil erreicht man bei der Anordnung freibeweglicher Enden auch dadurch, daß man die Stützweiten der Endfelder kleiner als die der übrigen Öffnungen wählt.

Als Beispiele freigelagerter durchlaufender Balken seien die in Abb. 51 bis 58 dargestellten Bauwerke angeführt.

Die Brücke in Kattowitz (Abb. 51 u. 52) ist auf vorhandenen Pfeilern als Ersatz eines ungenügenden eisernen Überbaues hergestellt und dabei die ganze Pfeilerbreite

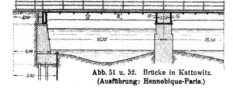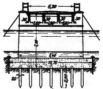

Abb. 51 u. 52. Brücke in Kattowitz.
(Ausführung: Hennebique-Paris.)

zur Auflagerung des Tragwerkes ausgenutzt worden. Diese Anordnung hat den Nachteil, daß bei starker Belastung eines Brückenfeldes unerwünschte Einspannungsmomente auf den Pfeilern oder aber ein Öffnen der Lagerfuge auf der Seite der unbelasteten Öffnung eintreten können. Der Druckmittelpunkt kann sich daher mit wechselnder Belastung der Brücke von der einen Pfeilerkante bis zur andern verschieben, wodurch eine sehr ungünstige, rechnerisch schwer nachweisbare Beanspruchung der Pfeiler hervorgerufen wird.

Im Gegensatz hierzu zeigen die Abb. 54 u. 58 Brücken mit sehr schmalen Pfeilern, die von den Trägern durch Gelenkfugen getrennt sind. Bei der Überführung der Mühlheimer Chaussee in Oberhausen (Abb. 53) sind die Pfeilerwände in einzelne Stützen aufgelöst. Die Höhen der Tragwände sind hier, wie bei den Brücken Abb. 54 u. 57 über den Stützen stark vergrößert, um den negativen Stutzenmomenten Rechnung zu tragen.

---

[1] Diese Grundform kann sowohl als durchlaufender Träger mit Endpfosten, wie auch als Rahmenträger mit Zwischenstützen angesehen werden.

Abb. 53. Überführung der Mühlheimer Chaussee in Oberhausen.
(Ausführung: C. Brandt, Düsseldorf.)

Abb. 54. Fußwegüberführung auf Bahnhof Höhr.
(Ausführung: C. Brandt, Düsseldorf.)

Abb. 55. Brücke über den Pel-Lien-King in Putung, China.
(Ausführung: Corrugated Bar Company.)

Bei der chinesischen Brücke (Abb. 57)[1]) tritt die Anpassung der Trägerhöhe an die Größe der Biegungsmomente noch mehr hervor. Den Verkehrsverhältnissen entsprechend ist der Träger über der Fahrtrinne des Kanals stark gehoben, dafür wird aber dem nur schwachen Straßenverkehr die Überwindung großer verlorener Steigungen zugemutet.

Einen geradlinig über eine größere Anzahl von Öffnungen durchgeführten Träger zeigt die amerikanische Brücke (Abb. 56). Die geringe Pfeilerwandstärke dieser

Abb. 56. Brücke in Texas.

Brücke bietet nicht nur mit Rücksicht auf das Durchflußprofil, sondern auch in statischer Hinsicht einen Vorteil, da die Beanspruchung der Stützen bei der Durchbiegung der Balken um so geringer ist, je schwächer, also je elastischer die Stützwände sind. Bei diesem Beispiel sei auch auf die weite, durch kräftige Konsolen gestützte Auskragung der Fußwege und die große Balkenhöhe hingewiesen, durch welche den erwähnten elastischen Formänderungen möglichst vorgebeugt wird.

Abb. 57. Brücke über den Großen Kanal bei Mexiko.
(Ausführung: M. Rebolledo)

Eine beliebte und häufige Anwendung finden die durchlaufenden Balken mit Eisenbetonstützen vor allem bei der Überführung von Straßen über Kanäle und Eisenbahneinschnitte. Hierbei werden zumeist die Stützen fest mit den Trägerrippen verbunden und so dicht an die Kanalränder bezw. neben die Gleise gestellt, als es das Umgrenzungsprofil des lichten Raumes gestattet. Bei steilen Böschungen ergeben sich dann meist Träger mit einer größeren Mittelöffnung und beiderseits anschließenden kleineren Seitenöffnungen, wie in Abb. 57. Bei flacheren Böschungen werden die Widerlager entweder von dem Böschungsrande nach der

[1]) Beton u Eisen 1910. S. 7 u. 68.

Abb. 58. Straßenüberführung der Linie Langaa – Silkeborg bei Silkeborg.
(Ausführung: Christiani u. Nielsen.)

Abb. 59. Aabybrücke über die Rye-Aa bei Aabybro (Dänemark).
(Ausführung: Christiani u. Nielsen, Kopenhagen.)

Mitte zu hereinge-
rückt, wie bei den
dänischen Brücken
der Abb. 58 u. 59,
oder die längeren
Seitenöffnungen
durch Zwischenstüt-
zen unterteilt und
die Widerlager voll-
ständig verschüttet
(Abb. 60 u. 61). Bei
größerer Brücken-
länge ist die Felder-
teilung den verfüg-
baren Räumen anzu-
passen und die Stüt-
zenzahl danach zu
bemessen, wobei

Abb. 60 u. 61. Brücken über die Big-Four-Bahn (Nord-Amerika).
(Ausführung: Corrugated Bar Company.)

meist eine symmetrische Anordnung der Stützen angestrebt wird (Abb. 62). Die
Höhe der Träger wird meist über die ganze Brückenlänge gleich bemessen. Bei
einer Anordnung wie in Abb. 62 mit erheblich größeren Mittelöffnungen wird die

Abb. 62. Brücke bei Athis-Mons (Linie Paris—Orléans).
(Ausführung: Hennebique, Paris.)

Abb. 63. Gangsteg am Bahnhof Viviez der Orléansbahn.
(Ausführung: Hennebique, Paris.)

Abb. 64. Fußgängersteg in Huy (Belgien).
Ausführung: La Société de Fondation, M. Prax.)

aus den Steigungsverhältnissen sich ergebende größere Höhe in der Brückenmitte für das Tragwerk ausgenutzt oder
auch wie bei dem Gangsteg der Abb. 63
den größeren negativen Biegungsmomenten über den Stützen entsprechend die untere Begrenzungslinie
stark herabgezogen, wodurch sich
eine geschwungene Linie ergibt, die
dem Bauwerk ein sehr leichtes, gefälliges Aussehen verleiht.

Eine besondere Abart des durchlaufenden Trägers bilden die Gangstege mit anschließenden Treppenarmen, bei denen der Träger eine im
Aufriß geknickte Form annimmt. Ein
Beispiel dafür ist Abb. 64, in der
das eine Endfeld des Trägers über vier Stützen den Treppenlauf, das andere Endfeld
den Podest bildet. Bei einer derartigen Anordnung mit unverhältnismäßig kleinen
Seitenöffnungen tritt eine Beeinflussung des Mittelfeldes durch die Belastung der
beiden Seitenöffnungen kaum ein. Diese bieten vielmehr nur eine Einspannung für
die Enden der Mittelöffnung.

8. Kragträger.

Ein vorzügliches Mittel, die oft vielfache statische Unbestimmtheit durchlaufender Träger aufzuheben, ist die Zerlegung des Trägers durch geeignete Schnitte in einzelne einfache Träger mit überkragenden Enden. Dadurch bleibt der bei den durchlaufenden Trägern erzielte Vorteil der Verringerung der Biegungsmomente in der Öffnungsmitte gewahrt, wogegen die Nachteile, die dort bei etwaigen Stützensenkungen zu befürchten sind, vermieden werden.

Die meist gebräuchliche Form des Kragträgers ist die mit einer Öffnung und beiderseits über die Stützen auskragenden Enden. Selteuer findet man die Aufteilung eines Trägers mit mehreren Stützen in lauter statisch bestimmte Einzelträger mit Kragarmen, da es schwierig ist, die freischwebenden Enden der Eisenbetonträger durch wirksame Gelenke zu verbinden.

Eine vorteilhafte Anwendung für die Überführung einer auf geschüttetem Damm liegenden Straße über eine Bahnlinie oder einen Flußlauf bieten die einfachen Kragbrücken, welche nur aus einem Balken auf zwei Stützen mit beiderseits überstehenden Enden bestehen, da bei dieser Anordnung die oft sehr kostspieligen Endwiderlager gespart werden können. Abb. 65 zeigt eine derartige Anordnung, wobei zur Ver-

Abb. 65. Kragbrücke in geschüttetem Damm.

Abb. 66. Raevels Brücke über den Campine-Kanal (Belgien.)
(Ausführung: La Société de Fondation, M. Prax.)

meidung von Biegungsspannungen in den Pfeilern auf einem derselben Rollenlager
vorgesehen sind.

Ein weiteres Beispiel einer einfachen Kragträgerbrücke mit überstehenden Enden
bildet die in Abb. 66 dargestellte 8,5 m breite Kanalbrücke von 29 m Spannweite der

Mittelöffnung mit bei-
derseitigen Kragarmen
von 12 m. Die äußere
Form der Haupt-
öffnung erinnert an
eine Bogenbrücke um-
somehr, als die unten-
liegende Druckgur-
tung an den Pfeilern
der Kraftwirkung ent-
sprechend in der
vollen Brückenbreite
durchgeführt ist.

Abb. 67.

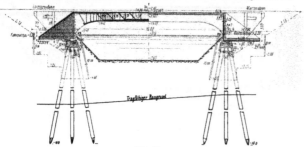

Abb. 68.
Abb. 67 u. 68. Straßenbrücke über den „Kleinen Kiel" in Kiel.
(Ausführung: Weirich & Reinken, Kiel.)

Ein anderes Ausführungsbeispiel eines Kragträgers auf zwei Stützen zeigt die
Abb. 67 u. 68, bei dem die Seitenarme vollkommen verschüttet sind. Sie werden durch den
aufliegenden Erdkörper soweit belastet, daß die positiven Biegungsmomente aus der
ständigen Last in der Brückenmitte Null werden, wodurch die Bauhöhe des Trägers
möglichst verringert wird.

Die reine Balkenwirkung eines solchen Kragträgers kommt im Äußeren klar
zum Ausdruck bei dem Steg in Bayonne (Abb. 69) mit 25 m Stützweite und 4,75 m
beiderseitiger Ausladung.

Ein weiteres ähnliches Beispiel bildet die Übergangsbrücke auf Zeche Julia der
Harpener Bergbau A. G. Dortmund (Abb. 70). Die mittlere Stützweite beträgt hier
13 m, die Ausladung der beiderseitigen Kragarme 6,5 m. Die rund 10,5 m über dem
Erdboden liegende 2 m i. L. breite Brückentafel ist versenkt angeordnet, so daß die
Brüstungen als Hauptträger ausgebildet wurden und das ebenfalls in Eisenbeton aus-
gebildete Dach tragen.

Abb. 69. Steg in Bayonne (Ver. St. N. Am., N. J.).
(Ausführung: Hennebique Construktion Cie.)

Abb. 70. Übergangsbrücke auf Zeche Julia in Herne (Westfalen).
(Ausführung: C. Brandt, Düsseldorf)

Abb. 71. Straßenüberführung am Bahnhof Bochum-Nord.
(Ausführung: C. Brandt, Düsseldorf.)

Ein bemerkenswertes Beispiel einer Folge von Kragträgern ist die Wegüberführung am Ostende des Bahnhofes Bochum-Nord (Abb. 71 und die Skizze Abb. 72).

An die mittlere Auslegergruppe von 26 m Stützweite mit zwei Kragarmen von 9,20 m Länge schließt sich zu beiden Seiten je eine Gruppe von 16 m

Abb. 72. Anordnung der Kragarme
bei der Straßenüberführung auf Bahnhof Bochum-Nord.

bezw. 12,4 m Stützweite mit einem einseitigen Kragarm von 6,7 bezw. 4,3 m Länge an. Die Pfeiler erreichen eine Höhe von rund 13 m über dem Gelände.

4. Eingespannte und Rahmenträger.

Während die bisher betrachteten Grundformen frei gestützte Träger aufwiesen,[1] sind die folgenden beiden letzten Grundformen durch eine Einspannung der Trägerenden gekennzeichnet, welche deren Drehbarkeit beschränkt und dadurch wiederum dem Zwecke dient, die Biegungsmomente in der Trägermitte zu verringern.

Die Einspannung wird in der Regel durch eine starre Verbindung der Balken mit den beiden Widerlagern erzielt. Diese Widerlager werden entweder als volle

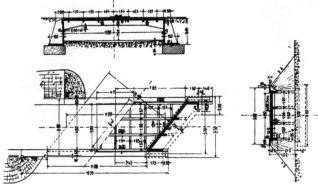

Abb. 73 bis 75. Wegbrücke über die Poprád in Ungarn.
(Entwurf: Professor Zielinsky, Budapest.)

Betonkörper ausgeführt, mit denen die Trägerenden durch Eiseneinlagen fest verankert sind wie bei den eigentlichen eingespannten Trägern, z. B. bei der Klodnitzbrücke in Plawniowitz (Beispiel Nr. 19) oder sie werden als Eisenbetonkörper ausgebildet, die durch die Auflösung in Rippe und Platte gekennzeichnet sind wie bei den Rahmenbrücken. Diese Rahmenbrücken bestehen somit aus einem wagerechten Balken und den beiden damit starr verbundenen senkrechten Pfosten. Abb. 73 bis 75

---

[1] Die mit den durchlaufenden Balken starr verbundenen Zwischenstützen üben meist auf die Träger eine sehr geringe Einspannung aus, sodaß sie in der 2. Gruppe betrachtet worden sind.

zeigen eine schiefe Wegbrücke über die Poprád, die für die Belastung mit einem 20 t schweren Dampfpflug berechnet ist. Sie besitzt bei 11,0 m Lichtweite eine Pfostenhöhe von 2,8 m, so daß das Verhältnis dieser beiden Grundmaße rund 4:1 ist. Die Pfosten sind in der bekannten Form der Winkelstützmauern ausgebildet und ruhen zur Sicherheit gegen Gleiten auf Betonkörpern. Bei diesem Beispiel sei auch auf die zahlreichen Querträger hingewiesen, durch die die Platte in nahezu quadratische Felder geteilt wird.

Ein ähnliches Beispiel ist in Abb. 76 bis 78 dargestellt. Die Tragrippen finden ihre Fortsetzung in den Rippen der Widerlagswände, welche auf einem Rost von

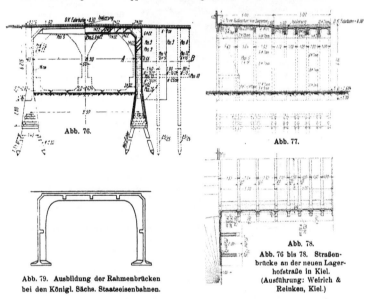

Abb. 76.

Abb. 77.

Abb. 78.

Abb. 79. Ausbildung der Rahmenbrücken bei den Königl. Sächs. Staatseisenbahnen.

Abb. 76 bis 78. Straßenbrücke an der neuen Lagerhofstraße in Kiel. (Ausführung: Weirich & Reinken, Kiel.)

Holzpfählen stehen, wogegen die Flügelmauern auf Eisenbetonpfählen gegründet sind. Auf die Verbreiterung der Pfostenfüße zur Einbindung der Pfahlköpfe sei besonders hingewiesen.

Aus dieser Grundform der Rahmenbrücken, bei denen die Rippen der Pfosten an der Rückseite liegen, wurde bei den Überführungen der Sächsischen Staatseisenbahnen eine besondere Form ausgebildet, die aus den Beispielen Nr. 34 bis 36 zu ersehen ist. Dadurch, daß man die Rippen vor die Platte legte, erhielt man, wie Abb. 79 zeigt, vor allem eine leichter zu dichtende ebene Rückfläche, bei der einspringende Ecken und Wassersäcke vermieden werden. Ferner schmiegt sich die Innenkante der Pfosten dem Normalprofil des lichten Raumes an, so daß eine kräftige Eckversteifung erzielt wird und eine ausgesprochene Rahmenwirkung entsteht. Dagegen verzichtet man bei dieser Anordnung auf die günstige Wirkung des Erdgewichts, welches bei dem Beispiel der Abb. 73 die Fußplatte der Pfosten belastet und die Einspannung

erhöht. Das Verhältnis von Stützweite zur Pfostenhöhe ist bei den genannten zweigleisigen Bahnüberführungen rund 10 m : 5 m = 2 : 1.

Als bemerkenswertes Beispiel einer rahmenartigen Ausbildung sei noch die 316 m lange und 16 m weitgespannte Überdeckung der Moulineaux-Eisenbahn in Paris (Abb. 80) erwähnt, die gelegentlich der Ausstellung vom Jahre 1900 erbaut worden ist.

Abb. 80. Überdeckung der Moulineaux-Eisenbahn in Paris)
(Ausführung: Hennebique, Paris.)

5. Der Bogenbalken.

Während bei den bisher betrachteten Grundformen der Balkenbrücken (Abb. 81) nur mit den senkrechten Stützendrücken gerechnet wird, welche die Belastung des Tragwerks auf dem Boden hervorruft,[1] ist der Bogenbalken dadurch gekennzeichnet, daß außerdem auch noch wagerechte Kräfte zur Mitarbeit herangezogen werden. Ein äußeres Kennzeichen eines Bogenbalkens besteht weiter darin, daß die Trägerunterkante ähnlich wie bei einer Bogenbrücke gekrümmt sein muß, so daß die Schwerlinie des Trägers ebenfalls eine bogenförmige Gestalt besitzt.

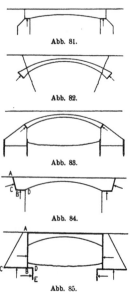

Abb. 81.

Abb. 82.

Abb. 83.

Abb. 84.

Abb. 85.

Der Bogenbalken unterscheidet sich in statischer Hinsicht von einer Bogenbrücke dadurch. daß beim Bogen stets starre Widerlager vorhanden sein müssen, die allen auftretenden wagerechten Kräften sicher zu widerstehen haben. Bei Bogenbalken kann dagegen nur diejenige Standfestigkeit in Rechnung gestellt werden, welche die bedeutend leichter ausgebildeten Widerlager an sich gewährleisten, während die zur vollen Lastübertragung dann noch fehlende Bogenwirkung durch Balkenwirkung ersetzt werden muß. Der für eine reine Bogenbrücke zu geringe Gegendruck der Widerlager bedingt daher eine erhebliche Biegungsfestig-

[1] Die unvermeidlichen wagerechten Kräfte, die infolge der Lagerreibung bei der elastischen Senkung ausgelöst werden, sind so klein, daß sie in der Regel nicht in Betracht kommen.

keit der Brückenträger. Der konstruktive Unterschied besteht darin, daß der Bogen in der Kämpferfuge (Abb. 82 u. 83) stumpf gegen das Widerlager stößt, so daß eine Bewegung des Widerlagers die Gefahr des Abgleitens des Bogens bedingt, wogegen beim Bogenbalken (Abb. 84 u. 85) dieser Möglichkeit durch die Anordnung einer wagerechten Lagerfuge sicher vorgebeugt ist. In dieser wagerechten Fuge wird die gesamte Brückenlast genau in derselben Weise aufgenommen wie bei den bisher besprochenen Balkenbrücken (Abb. 81). Häufig wird auch durch dieselben Mittel wie bei den eingespannten Balken eine wirksame Einspannung des Trägers durch eine biegungsfeste Verbindung mit den Widerlagern erzielt. Außerdem erhält aber der Bogenbalken noch eine stehende Lagerfläche, durch welche alle Widerstände, die sich einer wagerechten Verschiebung der Trägerenden entgegenstellen, zusammengefaßt und für eine Verringerung der Trägerhöhe nutzbar gemacht werden. Die äußeren Kennzeichen des Bogenbalkens sind somit außer der Krümmung der Trägerunterkante die wagerechte Lagerfuge und die stehende Lagerfläche.

Den beiden in Abb. 82 u. 83 angedeuteten Grundformen der Bogenbrücken mit verlorenem Widerlager und mit Standwiderlager entsprechen die beiden Grundformen der Bogenbalken der Abb. 84 u. 85. Beide weisen gemeinsam die kennzeichnenden Flächen A B und C D auf. Dagegen unterscheiden sie sich voneinander genau ebenso wie der einfach gestützte Träger der Gruppe 1 (S. 15) vom eingespannten Träger der Gruppe 4 (S. 28). Während der Träger der Abb. 85 infolge starrer Verbindung von Wandpfosten und Balken eingespannt ist, kann der Träger der Abb. 84, abgesehen von der Wirkung der wagerechten Stützkräfte, als frei beweglich gelagert betrachtet werden. Auch durchlaufende Bogenbalkenträger sind bereits ausgeführt worden (Beispiel 43), so daß alle Grundformen ebenso wie bei den reinen Balkenträgern vorkommen können. Sie unterscheiden sich von diesen eben nur durch die hinzutretenden wagerechten Stützkräfte.

Es besteht kein Zweifel, daß diese wagerechten Stützkräfte, welche im wagerechten Balken Längskräfte hervorrufen, statisch einen günstigen Einfluß auf die Abmessungen des Trägers ausüben. Bedenklich können sie bei Eisenbetonbrücken wohl kaum werden, selbst wenn sie vielleicht durch Wärmewirkungen wider Erwarten wesentlich erhöht würden, da ein knickender Einfluß auf die Träger nicht zu fürchten ist, obwohl dieselben oft sehr schlank, in der Querrichtung also nicht übermäßig steif ausgebildet sind. Auch eine gefahrdrohende Erhöhung dieser Längskräfte ist nicht wahrscheinlich, da die Widerlager wohl selten den entsprechenden· Widerstand zu bieten vermögen, viel eher besteht die Gefahr einer Überschätzung der Größe dieser Stützkräfte und ihrer günstigen Wirkung.

Besonders hervorzuheben ist hierbei, daß die Schildplatte A B der Abb. 84 u. 85 natürlich dicht an dem Erdreich anliegen muß, wenn der Erddruck die der Voraussetzung entsprechenden wagerechten Stützkräfte ausüben soll. Da diese Schildplatte aber mit dem Balken starr verbunden ist, wird sie gezwungen, an dessen Formänderungen teilzunehmen und kann sich mitunter bei überwiegender Balkenwirkung vom Erdreich abheben. Weil nun überdies das Erdreich in der Regel nicht aus gewachsenem Boden, sondern aus Massen besteht, die nach Fertigstellung des Eisenbetonwiderlagers in die Baugrube wieder eingebracht worden sind, so liegt in der Annahme der Größe dieser Stützkraft und ihrer günstigen Wirkung eine Unsicherheit, die man nicht verkennen darf. Als ein günstiger Umstand kommt jedoch die Reibung der Fußplatte C D hinzu, deren Wirkung man oft durch eine Hakenplatte D E (Abb. 85) wesentlich zu verstärken vermag. Mit dieser Reibung kann nur dann gerechnet

werden, wenn die Bodenverhältnisse zuverlässig bekannt sind, da z. B. auf Ton-
schichten ein Gleiten zu befürchten ist, und zwar um so mehr, wenn infolge der
Oberflächenentwässerung der Brücke dem Widerlager Wasser zugeführt wird.

Das Ergebnis der günstigen Längskraftwirkung bei den Bogenbalken zeigt sich
besonders in der gegenüber den reinen Balkenträgern oft außerordentlich geringen
Trägerhöhe in der Brückenmitte. Bei der Fußgängerbrücke am Dutzendteich in Nürnberg (Abb. 86) z. B. beträgt das Verhältnis der Stützweite zur Scheitelstärke 34 : 1,
während es bei den Balkenbrücken höchstens den Wert 20 : 1 erreicht. Bei diesem

Abb. 86. Fußgängerbrücke am Dutzendteich in Nürnberg.
(Ausführung: Mees u. Nees.)

Beispiel war das eine Bogenwiderlager durch den Gründungskörper des Leuchtturmes
gegeben, das andere dagegen mußte mit möglichster Kostenersparnis neu hergestellt
werden. Ein reiner Bogen hätte ungefähr die doppelte Widerlagerlänge erfordert. Der
Größtwert des Horizontalschubes (vergl. die Berechnung Abschnitt E, X) ist durch die
Bedingung gegeben, daß bei dem auf 20 Holzpfählen stehenden Widerlager Zugbeanspruchungen in der Bodenfuge nicht auftreten sollen. Damit ist auch der Anteil der
Bogenwirkung an der Übertragung der gegebenen Lasten bestimmt, der hier rund
40 vH. beträgt. Der Rest der Last von rund 60 vH. wird in reiner Balkenwirkung
des frei gestützten Trägers übertragen. Daraus erklärt sich, daß die erforderliche
Balkenhöhe in der Brückenmitte hier rund zwei Drittel der sonst bei Balken üblichen
Werte betragen kann.

Während der soeben beschriebene Bogenbalken bezüglich der Balkenwirkung
als frei gestützter Träger anzusehen ist, muß die Kanalbrücke in Moulins bei Metz

(Abb. 87) als ein eingespannter Träger gelten. Der wagerechte Bogenschub setzt sich hier zusammen aus der Reibung an der wagerechten Grundplatte, welche durch das Brückengewicht und durch die Erdmassen belastet wird, aus dem Druck auf die anschließende, in den Boden tief eingreifende Hakenplatte und aus dem aktiven Erddruck auf die senkrechte Erdschildplatte, die das sichtbare Widerlager abschließt.

Das Einspannungsmoment des Balkens wird von dem tief angreifenden Horizontalschub und besonders von der Erdauflast gebildet. Das Verhältnis der Lichtweite zur Scheitelstärke beträgt 21 : 0,60 = 35 : 1.

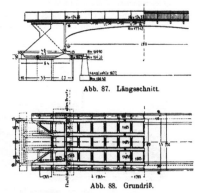

Abb. 87. Längsschnitt.

Abb. 88. Grundriß.

Weitere Ausführungen von Bogenbalken sind in Abschnitt F, Beispiel Nr. 43 bis 45 ausführlicher beschrieben. Hier sei nur auf die eigenartige Ausbildung des Gangsteges der Abb. 90 hingewiesen, bei dem die Bogenkräfte durch die von Zwischenstützen getragenen Treppenläufe nach den Endwiderlagern geführt sind.

III. Tragwerke mit versenkter Bahn.

Alle bisher betrachteten Grundformen sind durch die „oben" liegende Fahrbahn gekennzeichnet, über welche kein tragender Teil der Eisenbetontafel emporragt (Abb. 15 u. 16). Sie gewähren einen völlig freien

Abb. 89.

Abb. 87 bis 89. Kanalbrücke in Moulins bei Metz.
(Ausführung: E. Züblin u. Co., Straßburg.)

Ausblick für den Fußgänger sowie in statischer Hinsicht möglichste Einfachheit der Konstruktion, da die Kräfte auf dem kürzesten Wege nach den Widerlagern geführt und diese möglichst gleichmäßig belastet werden. Da jedoch das Verhältnis der Trägerhöhe zur Stützweite einen gewissen Grenzwert nicht unterschreiten darf, sind bei beschränkter Bauhöhe die bisher betrachteten Grundformen für größere Stützweiten oft nicht mehr anwendbar. Es empfiehlt sich dann zu beiden Seiten der Brückenbahn je eine Trägerwand anzuordnen, deren Höhe beliebig und daher auch wirtschaftlich günstig bemessen werden kann. So entsteht die Grundform der Tragwerke mit versenkter oder „unten" liegender Fahrbahn (Abb. 17), bei welcher als tragende Teile zu der Platte und zu den beiden Hauptträgern oder Tragwänden noch die Querträger, zuweilen sogar auch Längsträger hinzutreten, genau so wie bei den gebräuchlichen eisernen Brücken.

Diese neue Grundform bietet einen wesentlichen Vorteil, wenn die lichte Breite der Brücke beträchtlich kleiner als die lichte Weite ist, und zwar in der Regel nur dann, wenn die lichte Breite kleiner als die halbe Lichtweite ist, also bei schmalen und weitgespannten Brücken.[1]

Betreffs der Ausbildung der beiden Tragwände im Brückenlängsschnitt sind zunächst sämtliche bei den Plattenbalken,

Abb. 90. Gangsteg in Loriant.
(Ausführung: Hennebique, Paris.)

mit obenliegender Fahrbahn betrachteten Grundformen denkbar, vom einfachen Träger bis zum Bogenbalkenträger. Da jedoch bei diesen Tragwerken die Höhe der Tragwände nicht mehr durch die Bauhöhe begrenzt ist, bevorzugt man meist den einfachen Balken auf zwei Stützen, dessen Höhe man möglichst wirtschaftlich wählen kann. Ein eigenartiges Beispiel für einen durchlaufenden Träger mit versenkter Bahn zeigt die Staatsbahnbrücke bei Nymwegen (Holland) (Abschnitt F, Beispiel Nr. 54.)

Mit wachsender Stützweite wird aber auch die tote Last der Tragwände immer größer. Das bereits bei den Plattenbalken vereinzelt angewendete Mittel, durch eine Auflösung der Trägerwand eine Verminderung des Körperinhaltes zu erzielen, gewinnt daher hier eine außerordentliche Bedeutung. Auch in architektonischer Hinsicht ist eine Gliederung in äußerlich sichtbare Gurtungen und Wandfüllungen erwünscht, die entweder durch Vertiefungen oder mittels Durchbrechungen und fachwerkartiger Auflösung der Wand erreicht wird, wobei auf einen möglichst freien Ausblick für die Fußgänger Gewicht zu legen ist.

Unter Bezug auf diese Gliederung der Tragwände ergeben sich die Gruppen:
1. der vollwandigen Tragwerke,
2. a) der durchbrochenen Tragwerke und der Pfostenfachwerkträger,
  b) der Dreieckfachwerkträger.

---

[1] Die Tragwerke mit versenkter Bahn sind wohl zu unterscheiden von den Rippenplatten mit erhöhten Randträgern (Beispiel Nr. 9 u. 10, Abschnitt F). Diese ähneln den hier beschriebenen Tragwerken zwar äußerlich, unterscheiden sich von ihnen jedoch dadurch, daß zwischen den überstehenden Randträgern eine größere Anzahl von niedrigen Hauptträgern unter der Fahrbahn vorhanden ist, die nur durch die lastverteilenden Querträger etwas entlastet werden. Diese Anordnung ist bei schiefem seitlichem Abschluß für die Auflagerung der Hauptträger erforderlich, aber auch dann zu empfehlen, wenn aus anderen Gründen seitliche Brüstungen angeordnet sind, die zur Kraftübertragung mit herangezogen werden können.

1. Vollwandige Tragwerke mit versenkter Bahn.

Bei Stützweiten bis rund 15 m verzichtet man häufig darauf, die zugleich als Brüstung dienenden Tragwände zu durchbrechen, und begnügt sich vielmehr damit, durch rechteckige Nischen an der Außenfläche eine Verringerung des Eigengewichts und zugleich eine architektonische Gliederung zu erzielen, wie Abb. 91 zeigt. Bei dieser Anordnung nimmt in der Regel die Tiefe der ausgesparten Nischen von der Mitte nach den Auflagern zu den wachsenden Querkräften entsprechend von Feld zu Feld ab, so daß das Endfeld meist überhaupt ohne Vertiefung bleibt. Bei der Brücke in Reichenau (Abb. 92 und Beispiel 46, Abschnitt F) ist die Lage der abgebogenen Eisen in den aus der letzten Nische hervortretenden Streben zu erkennen. Die auch architektonisch sehr befriedigende Franzensbrücke in Buchelsdorf (Abb. 93 und Beispiel 49, Abschnitt F) mit 19,5 m Lichtweite und 5,0 m lichter Breite war in der äußeren Trägerform dadurch bestimmt, daß an den Brückenenden wegen des Langholzverkehrs die Tragwände nur 0,70 m über die Fahrbahn hervorragen durften, während in der Brückenmitte die Trägerhöhe mit $^1/_{10}$ der Stützweite wirtschaftlich günstig bemessen werden konnte. Die größte Höhe der durch die Tragwände gebildeten Brüstung beträgt 1,45 m, so daß

Abb. 91. Straßenüberführung über die Kraichgaubahn bei Bretten (Baden).
(Ausführung: Dyckerhoff & Widmann A.-G., Karlsruhe.)

Abb. 92. Brücke in Reichenau.
(Ausführung: Schittenhelm u. Söhne, Zauchtel.)

Abb. 93. Franzensbrücke in Buchelsdorf.
(Ausführung: Ast u. Co., Wien.)

3*

allenthalben für die Fußgänger ein freier Ausblick gewahrt bleibt. Die 0,45 m
starken Tragwände sind nur aus architektonischen Gründen an der Innen- und
Außenseite durch 3 cm tiefe Nischen gegliedert.

2. Durchbrochene Tragwerke, Pfosten- und Dreiecksfachwerkträger.

Diese drei Gruppen sind dadurch gekennzeichnet, daß man die Trägerwände
auflöst, um das Eigengewicht derselben zu verringern. Die Frage, wie diese Auflösung der Wand in wirtschaftlich und konstruktiv befriedigender Weise zu erfolgen
hat, ist eine der schwierigsten Aufgaben bei der Ausbildung reiner Balkenbrücken
aus Eisenbeton von größerer Stützweite. Die Grundlagen, auf denen aufzubauen ist,
bilden die Errungenschaften der Theorie, welche bei der Entwicklung der eisernen
Brücken im vorigen Jahrhundert ausgebildet worden ist, und die Erfahrungen des
Eisenbetonbaues im letzten Jahrzehnt, die uns lehren, in welcher Weise die Bauwerke dem neuen Baustoff entsprechend gestaltet werden müssen.

Ein Blick auf die Entwicklung der eisernen Fachwerkbrücken zeigt, daß man
von den ursprünglichen vollwandigen und mehrteiligen Systemen zu der statisch
klaren und bestimmten Gliederung der Wand mittels des einfachen Dreieckfachwerks
überging. Heute herrscht im Eisenbrückenbau überall das Bestreben, durch möglichste Klarheit im System zu erreichen, daß man die auftretenden Spannungen so
scharf als möglich berechnen und das kostbare Eisenmaterial bis aufs äußerste ausnutzen kann. Wird dabei für die Wandfüllung die konstruktiv einfachste Dreiecksgliederung gewählt und werden die Fachwerkstäbe möglichst dünn und biegsam gestaltet,
so bleiben, wie einzelne Forscher nachgewiesen haben, die mit Recht so gefürchteten
Nebenspannungen innerhalb sehr mäßiger Grenzen.[1] Unbedenklich haben daher im
Eisenbrückenbau unsere ausführenden Ingenieure die einfachen und zuverlässigen
Knotenverbindungen beibehalten im vollen Bewußtsein des Widerspruchs mit der
Annahme reibungsloser Gelenke in der statischen Berechnung.

Wollte man nun diese theoretisch, konstruktiv und wirtschaftlich äußerst befriedigenden Grundformen, welche für die eisernen Brücken ausgebildet worden sind,
ohne weiteres auf die Eisenbetonbrücken übertragen, so stehen dem sowohl schwerwiegende theoretische als auch vor allem konstruktive Bedenken entgegen. Die drei
bekannten grundlegenden Annahmen der Fachwerktheorie, über deren Vernachlässigung
bei der Ausführung eiserner Brücken auch der bedenklichste Konstrukteur durch die
Nebenspannungslehre und durch Formänderungsmessungen beruhigt wird, sind bei
den Fachwerken aus Eisenbeton kaum mehr zutreffend. Statt der reibungslosen
Gelenkverbindungen haben wir hier äußerst starre Knoten, statt der gewichtslos
angenommenen Stäbe schwere Eisenbetonbalken und Säulen, und eine Gewähr dafür,
daß die Lasten nur in den Knotenverbindungen angreifen, ist in Anbetracht der meist
mit den Hauptträgern durchweg fest verbundenen Platte kaum noch vorhanden.

Die Anwendung der beiden oben erwähnten Mittel, die sich im Eisenbrückenbau
bewährt haben, nämlich die einfache Dreiecksgliederung des Fachwerks und die
Verwendung möglichst dünner und biegsamer Stäbe, ist im Eisenbeton nur in sehr
beschränktem Maße möglich.

Vor allem besteht schon in der Ausbildung der Knoten, in denen beim Dreiecks-
fachwerk in der Regel vier Stäbe zusammenstoßen, bei der Eigenart des Baustoffs
eine außerordentlich große konstruktive Schwierigkeit. Die Herstellung schlanker

---

[1] Vergl. W. Gehler, Die Ermittlung der Nebenspannungen eiserner Fachwerkbrücken nebst Anhang mit Rech-
nungsbeispielen von J. Karig, Berlin 1910. Verlag von Wilh. Ernst u. Sohn.

und biegsamer Eisenbetonstäbe ist aber fast ausgeschlossen, da die Biegsamkeit des Baustoffs im Vergleich zum Eisen dem Verhältnis der Elastizitätsziffern entsprechend weit geringer ist. Eine Verminderung der beim Eisenbeton üblichen Stabstärken auf die im Eisenbau vorkommenden Abmessungen ist aber schon mit Rücksicht auf die Herstellungsweise des Eisenbetons, der in hölzernen Formen am Bau gestampft wird, unmöglich, wobei noch zu bedenken ist, daß in den Stärkenabmessungen höchstens eine Genauigkeit von halben Zentimetern erreicht werden kann, im Gegensatz zu den auf Millimeter genau gewalzten eisernen Profilen.

Man hat daher auf zwei verschiedenen Wegen versucht, eine Lösung für das Eisenbetonfachwerk zu finden. Die eine Gruppe von Konstrukteuren, wie Vierendeel und G. A. Wayss u. Co., bewertet die erwähnten konstruktiven Schwierigkeiten so hoch, daß sie auf eine Anlehnung an das eiserne Dreieckfachwerk vollständig verzichtet und unabhängig von dieser Überlieferung ein möglichst materialgerechtes **Pfostenfachwerk** aus Eisenbeton ausbildet. Dabei sind jedoch die Schwierigkeiten der Berechnung der Stabkräfte und Biegungsmomente der statisch. vielfach unbestimmten neuen Grundform in Kauf zu nehmen.

Die andere Gruppe dagegen, wie z. B. Visintini und Considère, behält die statisch einfache Grundform des **Dreieckfachwerks** bei. Dann ergibt sich jedoch vor allem die schwierige konstruktive Aufgabe der Knotenausbildung in Eisenbeton. Aber auch in theoretischer Hinsicht kommt eine neue Schwierigkeit hinzu, nämlich die Berechnung der infolge der großen Steifigkeit der Stäbe sicherlich sehr hohen Nebenspannungen. Wegen der Veränderlichkeit des Elastizitätsmoduls der verwickelten, zusammengesetzten Beanspruchungen der zugleich auf Biegung sowie auf Zug oder Druck beanspruchten Stäbe ist eine befriedigende theoretische Lösung dieser Aufgabe kaum denkbar.

Als **durchbrochene Träger** bezeichnet man die weniger ausgesprochenen Übergangsformen von der vollen Wand zum Pfostenfachwerk. Sie können äußerlich dadurch gekennzeichnet werden, daß bei ihnen die Höhe der Durchlochungen nur einen kleinen Teil der gesamten Trägerhöhe ausmacht und auch die Länge der Durchlochungen im Verhältnis zur Stärke der zwischen letzteren verbleibenden Pfosten klein ist.

a) Durchbrochene Tragwerke und Pfostenfachwerkträger.

Das Idealbild einer reinen Pfostenfachwerkbrücke, wie man es sich wohl in Eisenbeton denken könnte, zeigt die Abb. 94, eine von Vierendeel ausgeführte eiserne Brücke über den Kanal in Beeringen. Diese neue Grundform wird den eisernen Dreieckfachwerkbrücken gegenüber wegen des größeren Eisenverbrauchs und der schwierigen Herstellung voraussichtlich nur bei größeren Spannweiten in erfolgreichen Wettbewerb treten.[1] Die Schwie-

Abb. 94. Eiserne Vierendeel-Brücke über den Kanal in Beeringen.

[1] Im Zentralblatt der Bauverwaltung 1907, S. 558 weist Prof. Patton nach, daß an Stelle des eisernen Versuchsträgers von Vierendeel in Brüssel (1897) mit dem gleichen Eisenaufwand ein vollwandiger Blechträger hätte hergestellt werden können.

rigkeiten, welche den entwerfenden Ingenieur daran hindern, das Eisenmaterial voll
auszunutzen, sind in der vielfachen inneren statischen Unbestimmtheit des Systems
begründet. Da jedes Feld als ein vierseitiger Rahmen aufgefaßt werden kann, ist
es ohne weiteres verständlich, daß außer dem Zug im Untergurt und in den
Pfosten, sowie dem Druck im Obergurt in jedem dieser Stäbe noch starke Biegungsbeanspruchungen auftreten. Überdies sind von allen Stäben des Trägers große Scherspannungen aufzunehmen.

Bei der Ausführung in Eisenbeton bleiben zwar diese theoretischen Schwierig-
keiten vollauf bestehen. Doch liegt es in der Herstellungsart des Eisenbetons
begründet, daß durch die starre Verbindung der einzelnen Teile statisch unbestimmte
Systeme entstehen, bei denen von vornherein auf eine völlige Ausnutzung des
Materials verzichtet werden muß, so daß dieser Nachteil allen Fachwerken aus Eisenbeton gemeinsam ist. Ferner kommt hinzu, daß die Eiseneinlagen im Obergurt mit
Rücksicht auf Wärmewirkungen und die Gefahr des Ausknickens, dem bei offenen
Brücken vor allem auch für die ganze Brückenlänge Rechnung getragen werden
muß, doch nicht vollständig weggelassen werden können, so daß man das einmal
vorhandene Eisen auch für die Biegungsfestigkeit in der Ebene der Tragwand nutzbar
machen kann.

Diese theoretischen Erwägungen sind jedoch unwesentlich gegenüber dem Hauptvorteil des Pfostenfachwerks für Eisenbetonbrücken, der darin besteht, daß es eine
konstruktiv einfache und materialgerechte Ausbildung ermöglicht. An allen Knoten
stoßen nur wagerechte und senkrechte Stäbe zusammen. Durch Eckausrundungen

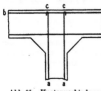

Abb. 95.　Knotenverbindung
beim Pfostenfachwerk.

lassen sich diese Anschlüsse biegungsfest ausbilden, so
daß sie äußerlich den allgemein üblichen Verbindungen
von Säulen und Balken im Hochbau völlig gleichen.
Die Schwierigkeit besteht hier nur darin, daß im Gegensatz zu diesen Säulen nicht Längsdruckkräfte, sondern
Zugkräfte wirken. Doch ist der unvermeidliche Anschluß
der Zugeisen a (siehe Abb. 95) an die Gurteisen b am
einfachsten und sichersten dann zu gestalten, wenn beide
senkrecht zueinander stehen, wogegen bei einem schrägen
Anschluß ein Gleiten in den Punkten c zu fürchten ist.
Für die Schalung und das Betonieren entstehen keine
größeren Schwierigkeiten als bei der Verwendung der üblichen Säulen und Balken
im Hochbau.

Diese konstruktiven Vorteile des Pfostenfachwerks bewirken, daß trotz der
theoretisch schwierigen Berechnung und trotz des Übelstandes, daß das Material nicht
recht ausgenutzt werden kann, diese Grundform für Eisenbetonbrücken als eine
durchaus materialgerechte und entwicklungsfähige angesehen werden muß.

Nach verschiedenen Anwendungen des Pfostenfachwerks mit parallelen und auch mit
gekrümmten Gurten im Hochbau hat besonders Vierendeel, sowie die Firma G. A. Wayss
u. Cie., Wien eine Anzahl Balkenbrücken mit Pfostenfachwerk ausgeführt. Die Abb. 96
bis 98 zeigen drei kleinere Brücken von der Firma G. A. Wayss u. Cie. und Abb. 99 die
größere Béjabrücke der Firma Hennebique, die sich bezüglich der Kühnheit in der
Auflösung der Wand dem Idealbild der Abb. 94 schon etwas mehr nähert. In
Abb. 96 ist durch die sieben Durchbrechungen sowie durch die einfache Gliederung
des kräftigen Ober- und Untergurtes eine erfreuliche Belebung der Tragwände er-

reicht. Durch Konsolen von gleichem Abstande wird die Mitte der Pfosten gekennzeichnet. Bei dem Inundationsviadukt der Ybbsbrücke bei Kemmelbach (Abb. 97) sind die vier Öffnungen mit einfachen Trägern auf zwei Stützen überdeckt, wie aus den Trennungsfugen über den Pfeilern ersichtlich ist. Während die Kante des Unter-

gurtes nur durch eine schwache Fase abgerundet ist, tritt der abgeschrägte und mit einer Wassernase versehene Obergurt wie der Hauptsims eines Gebäudes kräftig hervor. Die übrige Wandfläche ist nur durch die Postamente über den Pfeilern und die sieben Durchbrechungen in jeder Öffnung belebt. Den Querkräften entsprechend nimmt die Stärke der Pfosten von der Brückenmitte bis zu den vollwandig ausgebildeten Endfeldern beständig zu. Im Gegensatz zu diesen beiden Beispielen ist bei der Abb. 98 ein freier Überblick über die hohen Tragwände hinweg nicht möglich. Dafür stellen sich die neun Durchbrechungen nicht mehr als liegende, sondern als stehende Rechtecke dar. An den Außenflächen wurden der hohe Obergurt und die breiten Endfelder durch einen rahmenartigen, einfachen Sims gegliedert.

Abb. 96. Brücke über den Pöttingbach (Oberösterreich).
(Ausführung: G. A. Wayss & Cie., Wien.)

Abb. 97. Inundations-Viadukt der Ybbsbrücke bei Kemmelbach.
(Ausführung: G. A. Wayss & Cie., Wien.)

Abb. 98. Große Labenbrücke bei Kemmelbach.
(Ausführung: G. A. Wayss & Cie., Wien.)

Eine der großartigsten Ausführungen einer Eisenbetonbrücke ist die in Abb. 99 dargestellte Béjabrücke in der afrikanischen Kolonie Tunis, die nach den Entwürfen des Ingenieurs Picard von der Firma Hennebique ausgeführt und im Sommer 1907 fertiggestellt wurde. Die Stützweite beträgt 40 m, die lichte Breite 4,50 m. Die

Tragwand ist durch elf Öffnungen von gleicher Feldweite aufgelöst, während an den
Brückenenden das vorletzte und letzte Feld vollwandig ausgebildet ist. Die Gesamt-
form gleicht dem im Eisenbrückenbau bekannten Halbparabelträger. In äußerst
geschickter Weise ist zugleich mit den maurischen Architekturformen eine konstruktiv
günstige Gestaltung
der Anschlüsse der
Pfosten an die Gurte
erreicht worden. Die-
ses erste große Eisen-
betonbauwerk auf
afrikanischem Boden
dürfte für die Zukunft
ein wertvolles Ver-
suchsobjekt zur Be-
obachtung von Wärme-
wirkungen sein.

Abb. 99. Béja-Brücke in Tunis. 40 m Stützweite.
.(Ausführung: Hennebique, Paris.)

Die in Abb. 100
dargestellte Brücke
über die Larg in
Brünighofen von 17 m
Stützweite kann auf
den ersten Blick, nach
der ausgesprochenen
Bogenform zu ur-
teilen, als eine Bogen-
brücke mit aufgehobe-
nem Schube erschei-
nen. Ein Vergleich

Abb. 100. Larg-Brücke in Brünighofen.
(Ausführung: E. Züblin, Straßburg.)

mit Abb. 99 zeigt jedoch, daß sie auch als ein Pfostenfachwerk mit sehr weiten Öffnungen
aufgefaßt werden kann. Als Bogenbrücke mit aufgehobenem Schube wäre sie dann
anzusehen, wenn die Pfosten Zugstangen bildeten, welche gelenkig an den Obergurt
angeschlossen sind, so daß in diesem nur reine Druckkräfte, im Untergurt dagegen
eine in allen Feldern gleich große Zugkraft übertragen würde. Da aber die Pfosten
sehr steif ausgebildet und rahmenartig mit den Gurten verbunden sind, so werden
auf diese auch Biegungsbeanspruchungen übertragen. Es stellt somit diese Brücke
ein Mittelding zwischen einem Pfostenfachwerk und einem Bogen mit aufgehobenem
Schube dar, das jedoch als reine Balkenbrücke anzusehen ist.

b) Dreiecksfachwerkträger.

Die Vorbilder für alle Dreiecksfachwerke aus Eisenbeton sind die bekannten
eisernen Fachwerkträger mit vernieteten Knoten oder Bolzengelenken. Es empfiehlt
sich jedoch nicht, Formen, welche sich für einen bestimmten Baustoff als sehr vorteilhaft
erwiesen haben, ohne weiteres auf ein anderes Material zu übertragen. Die Haupt-
schwierigkeit für die Ausbildung von Dreiecksfachwerken in Eisenbeton besteht in
einem materialgerechten Anschluß der Stäbe, besonders der Wandglieder an die
Gurtungen.

Von den beiden in Abb. 101 u. 102 dargestellten Möglichkeiten, die Wand, z. B.
eines Parallelträgers, zu gliedern, verdient die der Abb. 102 für die Ausführung in

Eisenbeton den Vorzug, da die durch schwächere Linien angedeuteten Stäbe, welche in der Hauptsache nur Zugkräfte aufzunehmen haben, senkrecht zu den Gurten stehen und somit ähnlich wie in Abb. 95 in zuverlässiger Weise angeschlossen werden können. Eine sichere zugfeste Verbindung der Streben mit den Gurten ist nach Abb. 101 weniger leicht zu erreichen als durch den Anschluß der Druckstreben nach Abb. 102. Im übrigen entspricht die sprengwerkartige Gestaltung der Abb. 102 u. 104 für die schwierig auszubildenden Streben auch der Eigenart des Eisenbetonbaustoffes, der sich, ähnlich wie das Holz, vor allem durch seine Druckfestigkeit auszeichnet, während die hängewerkartige Gestaltung der Abb. 101 u. 103 sich hauptsächlich für Eisenkonstruktionen eignet.

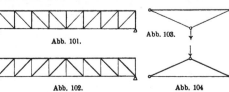

Abb. 101.   Abb. 103.

Abb. 102.   Abb. 104

Der beachtenswerte Grundsatz, die Zugstreben möglichst senkrecht zu den Gurten zu stellen, ist

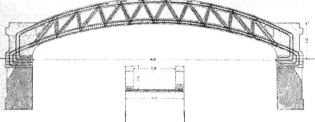

Abb. 105 bis 107. Gangsteg über den Naviglio Grande in Mailand.
(Ausführung: F. Leonardi in Mailand.)

in der Ausbildung der Wand bei dem Gangsteg über den Naviglio Grande in Mailand[1]) mit 14,5 m Lichtweite und 2,5 m lichter Breite zu finden (Abb. 105 bis 107). Eine kleine eigenartige Abweichung ergab sich, offenbar nur aus architektonischen

[1]) Siehe Jl Cemento, Mailand 1906, Nr. 8.

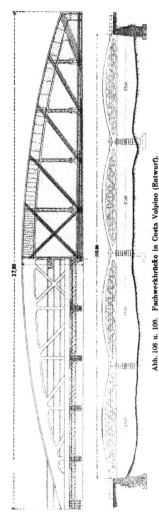

Abb. 108 u. 109. Fachwerkbrücke in Costa Volpino (Entwurf).

Gründen dadurch, daß die lotrechte Stellung der Pfosten nach der Mitte zu aufgegeben wurde und die Pfosten allmählich in die Streben der Gegenseite übergehen. Trotz der gekrümmten Form der Gurte ist diese Brücke, wie aus der wagerechten Lagerfuge im Längsschnitt hervorgeht, als eine reine Balkenbrücke anzusehen.

Ein weniger nachahmenswertes Gegenbeispiel hierzu bildet der in Abb. 108 u. 109 dargestellte Entwurf für eine Straßenbrücke von 27 m Stützweite und 5,5 m lichter Breite über den Oglio bei Costa Volpino (Provinz Bergamo). Die stark geneigten Streben müssen bei der Abb. 101 entsprechenden, für Eisenbeton ungünstigen Fachwerkgliederung sehr große Zugkräfte aufnehmen und bedürfen außerordentlich reichlicher Eiseneinlagen, z. B. in den Endfeldern bei 133 000 kg Zugkraft 24 Rundeisen von 27 mm Durchmesser. Hätte man jedoch die Gliederung der Abb. 102 gewählt, so wären die sodann in den Pfosten auftretenden Zugkräfte wesentlich kleiner ausgefallen und die Anschlüsse an die Gurte günstiger geworden. Dabei wären die Streben dem druckfesten Betonmaterial entsprechend vorteilhafter als Druckstreben auszubilden und anzuschließen gewesen, da bei Betonstreben eine Knickgefahr in der Regel ausgeschlossen ist. Auch aus der Anwendung gekreuzter Gegendiagonalen in den mittleren Feldern geht hervor, daß dieses Beispiel eine ausgesprochene Kopie einer eisernen Fachwerkbrücke darstellt.

Eine materialgerechte Lösung des Problems der Knotenverbindungen wurde durch Considère in dem umschnürten Beton gegeben. Wie die Abb. 110 u. 111 eines Obergurt- und eines Untergurtknotens zeigen, werden die Zug- und Druckeisen der Wandglieder mit einer Spirale aus 10 mm starkem Rundeisen vollständig umschnürt.

Die Vorzüge des umschnürten Betons bestehen nach Versuchen von Considère in der Erhöhung der Druckfestigkeit und der Elastizität oder Dehnbarkeit.

Wie die vom Deutschen Ausschuß für Eisenbeton im Jahre 1910 veröffentlichten Säulenversuche[1]) ergeben haben, beruht die Erhöhung der Druckfestigkeit, die in gleicher Weise durch Ringbügel erzielt werden kann, darauf, daß durch die Zugfestigkeit der umschnürenden Spiralen oder Ringbügel die Querdehnung und damit die Zusammendrückung des Betons in der Längsrichtung möglichst behindert wird.

Diese Kräftewirkung kann man sich am deutlichsten an den Sandtöpfen veranschaulichen, die häufig zum Absenken von Lehrgerüsten verwendet werden. Da infolge des eisernen Mantels dieser Töpfe der Sand in der Querrichtung nicht auszuweichen vermag, kann der Druck bis zur zulässigen Ringbeanspruchung der Umhüllung gesteigert werden.

Die große Dehnbarkeit des umschnürten Betons wurde von Considère durch eingehende Beobachtungen bei der Bruchprobe einer Modellbrücke in Paris am Bahnhof Jvry-Orléans mit 12 Dehnungsmessern nachgewiesen.[2]) Das Versuchsobjekt von 20 m Stützweite war in rund 1/3 der Größe einer geplanten Brücke ausgeführt (Abb. 110 bis 113). Da für den umschnürten Beton eine 2 1/2 mal so große Druckbeanspruchung wie sonst bei der üblichen Würfelfestigkeit zugelassen wurde, so ergaben sich naturgemäß größere Durchbiegungen und Formänderungen als bei ähnlichen

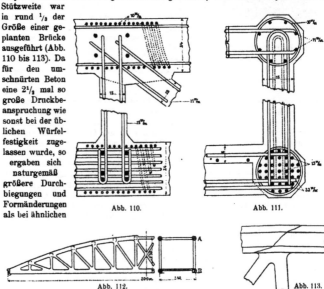

Abb. 110.   Abb. 111.

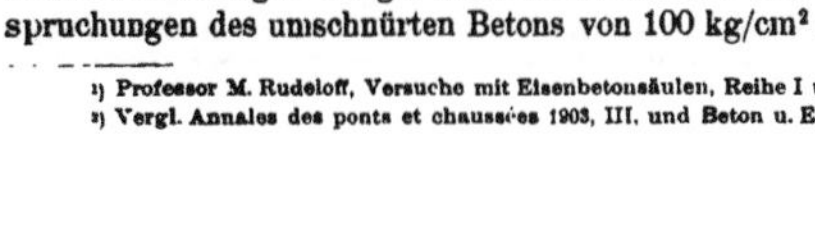

Abb. 112. 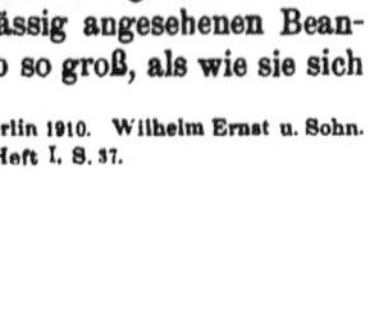   Abb. 113.

Abb. 110 bis 113. Modellbrücke zu den Versuchen Considères.

nicht umschnürten Eisenbetonkonstruktionen. Anderseits waren die gemessenen Zusammendrückungen einiger Fachwerkstäbe bei den als zulässig angesehenen Beanspruchungen des umschnürten Betons von 100 kg/cm² nur halb so groß, als wie sie sich

---

[1]) Professor M. Rudeloff, Versuche mit Eisenbetonsäulen, Reihe I und II. Berlin 1910. Wilhelm Ernst u. Sohn.
[2]) Vergl. Annales des ponts et chaussées 1903, III. und Beton u. Eisen 1904, Heft I. S. 37.

bei den zulässigen Beanspruchungen einer eisernen Fachwerkbrücke mit ähnlichen Verhältnissen ergeben hätten. Bezüglich der Elastizität oder Dehnbarkeit steht somit der umschnürte Beton als Baustoff zwischen dem Eisenbeton und dem Eisen. Der Bruch der Versuchsbrücke ging bemerkenswerterweise von einem Knoten aus (vergl. Abb. 113

Abb. 114. Bruchbelastung der Modellbrücke.

und 114), in welchem eine kleine Unregelmäßigkeit beim Verlegen des Eisens unterlaufen war. Diese Bruchursache ist ein Beweis dafür, daß bei Fachwerkbrücken auf die Ausbildung zuverlässiger Knotenverbindungen das größte Gewicht gelegt werden muß.

Ein Nachteil des durch diese Vorzüge ausgezeichneten umschnürten Betons besteht nur darin, daß wegen der zu engen Zwischenräume der Spiralwindungen ein Stampfen des Betons kaum mehr möglich ist, daß also der Beton in einem breiigen Zustande eingebracht werden muß.[1]

Unter den Fachwerkträgern nehmen die Visintini-Träger[2] eine besondere Stellung ein. Sie sind dadurch gekennzeichnet, daß sie nicht wie sämtliche anderen Eisenbetonträger mittels Schalung und Rüstung in ihrer endgültigen Lage hergestellt, sondern in besonderen Formen liegend auf einem Lagerplatz gestampft zur Baustelle gefördert und daselbst verlegt werden. Da das Einbauen solcher Träger ohne Schalung erfolgen kann, ist über Betriebsgleisen oft auch eine Ersparnis an Bauhöhe gegenüber den sonst üblichen Eisenbetonkonstruktionen oder eine bessere Ausnutzung der verfügbaren Bauhöhe durch entsprechende Vergrößerung der Trägerhöhe zu erzielen. Für kleine Stützweiten bieten diese in der Regel dicht nebeneinander zu verlegenden Balken, ähnlich wie bei Siegwartbalken, besonders bei Überdeckungen (S. 14, Abb. 31), den großen Vorteil der Ersparnis an kostspieliger Rüstung und einer Verkürzung der Bauzeit. Bei größeren Stützweiten, bei denen an Stelle des Strebenfachwerks in der Regel das Ständerfachwerk tritt, kommt die fabrikmäßige Herstellung kaum noch in Betracht, da die örtlichen Verhältnisse und die Verschiedenheit der Grundmaße für jeden einzelnen Fall verschiedene Abmessungen bedingen. Auch wird sodann wegen des großen Eigengewichts, das mit zunehmender Stützweite stark wächst, die Anförderung zur Baustelle und die Verlegung wesentlich erschwert, so daß man die Herstellung der Visintini-Träger in unmittelbarer Nähe der Baustelle vorzieht.

Eines der größten Bauwerke mit Visintini-Trägern ist die 600 m lange Desnabrücke bei Tschernigow, deren Einzelträger 17 m weit gespannt sind. Das Fachwerk weist eisenbewehrte Zugpfosten und Betondruckstreben auf, die nur in den beiden Mittelfeldern mit Eiseneinlagen versehen sind. Die Streben haben im Gegensatz zu den durchweg gleich breiten Pfosten in den Endfeldern eine erheblich größere Stärke, wie aus Abb. 115 hervorgeht. Im Untergurt sind die Zugeisen glatt durchgeführt, im Obergurt dagegen nur Montageeisen angeordnet, an welche zur Einbindung in die nachträglich aufbetonierte Fahrbahnplatte besondere, in Abb. 116 sichtbare Rund-

[1] Beim Viadukt von Avranches (siehe Beton u. Eisen 1907, Heft II, S. 38), der eine Lokalbahn trägt, ist für eine Öffnung von 30 m Stützweite ein der Abb. 112 ganz ähnlicher Träger bereits ausgeführt worden. Von Considère sind Fachwerkträger bis 96 m Spannweite mit Druckstreben von 0,60 m Durchmesser entworfen worden.
[2] Siehe Seite 13 und Beton u. Eisen 1906, S. 220.

eisenbügel angeschlungen sind. Die Herstellung der Träger erfolgte auf dem Werk-
platze am Ufer, von wo aus sie neben dem bereits fertig gestellten Brückenteil an
die Verwendungsstelle eingerollt und sodann hochgekantet werden.

Abb. 115.

Abb. 116.
Abb. 115 u. 116. Straßenbrücke über die Desna in Tschernigow (Rußland).
(Ausführung: Franz Visintini, Wien.)

Das Aufrichten der Träger aus der wagerechten Lage in die senkrechte Stellung
bei einer Brücke mit zwei Öffnungen von 13 m Spannweite ist aus Abb. 117 zu ersehen. Bei diesem Verfahren ist naturgemäß zur Vermeidung unzulässiger Spannungen
die größte Sorgfalt zu beobachten.

Bei der älteren Ausführung einer 73 m langen Straßenbrücke über die Zschopau[1])

[1]) Siehe Beton u. Eisen 1906, Heft IX.

mit der beträchtlichen Lichtweite von 22 m ist im Gegensatz zu Abb. 114 ein Fachwerk mit nicht bewehrten Druckpfosten und gezogenen Streben gewählt worden,
deren Eiseneinlagen in die hochgestellten Flacheisen der Unter-gurtbewehrung einge-hängt sind. Die Fahr-bahn wird von eng-liegenden Visintini-Trägern mit einer 4 cm starken druck-verteilenden Eisenbe-tonplatte gebildet und ruht auf den beiden 1,50 m voneinander entfernten Haupt-trägern.

Ein Tragwerk aus Visintini-Trägern mit versenkter Bahn zeigt Abb. 121 in welcher der besonders kräftige Obergurt, die breiten Endpfosten sowie die im Vergleich zu den Zugpfosten besonders stark er-scheinenden Druckstreben der Endfelder hervortreten. Die in-folge des exzentrischen An-schlusses der Streben an die Obergurtung zweifellos zu er-wartenden Nebenspannungen[1] dürften bei der großen Steifig-keit des Obergurtes unbedenk-lich sein.

Abb. 117. Brücke bei Erdmannsdorf (Sachsen).

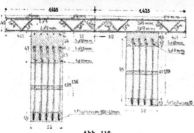

Abb. 118.
Querschnitt der Träger von 22 m und 15 m Lichtweite.

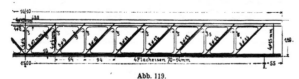

Abb. 119.

Abb. 120.

Abb. 118 bis 120.
Zschopau-Brücke bei
Merzdorf (Sachsen).

[1] Vergl. Beispiel II des in der Fußnote S. 36 angeführten Werkes.

Abb. 121. Straßenbrücke in Walding bei Linz (Oberösterreich).
(Ausführung: Franz Visintini, Wien.)

C. Die Entwurfsbearbeitung.

I. Allgemeine Entwurfsbedingungen.

Die Aufstellung eines Brückenentwurfs setzt zunächst die Kenntnis aller derjenigen Bedingungen voraus, die an die Brücke nach der Natur des zu bewältigenden Verkehrs, nach der Art und örtlichen Lage des zu überbrückenden Hindernisses sowie nach der Beschaffenheit des Baugrundes gestellt werden, um danach die günstigste Anordnung des Tragwerks beurteilen zu können. Es ist demnach zuerst der für das Tragwerk verfügbare Raum durch Auftragen der Abmessungen der Brückenbahn und der Umgrenzung des zu überbrückenden Hindernisses sowie der unter der Brücke freizuhaltenden Verkehrsräume sowohl im Grundriß als auch im Quer- und Längsschnitt zeichnerisch darzustellen. Hiernach erst kann die Form des Tragwerks nach konstruktiven und statischen Grundsätzen sowie auf Grund vorläufiger schätzungsweiser Annahmen festgelegt werden, um so zunächst ein allgemeines Bild der geplanten Brücke zu erhalten.[1] Erst dann, wenn die Hauptabmessungen und damit auch das Eigengewicht bestimmt sind, empfiehlt es sich, eine genaue Berechnung durchzuführen (vergl. Abschn. E), aus der sich die Beanspruchungen für die angenommenen Lasten und Abmessungen ergeben. Je nach dem Ausfall dieser Belastungsprobe auf dem Zeichenbrett sind die gewählten Abmessungen zu verstärken oder zum Zwecke einer Kostenersparnis herabzumindern, wobei die wirtschaftliche Vergleichskalkulation immer Hand in Hand mit der statischen Berechnung gehen soll.

Außer den durch die statischen Verhältnisse bedingten Abmessungen, welche zunächst beim Aufzeichnen des Entwurfs zu ermitteln sind, müssen aber beim Entwerfen auch die Einflüsse der Atmosphäre berücksichtigt werden, in welcher wir bauen. Diese bestehen in den Wirkungen des Wassers, der Wärme und der Luft. Diese physikalischen Einflüsse lassen sich nicht rechnerisch exakt ermitteln und er-

---

[1] Der Fehler, in den die meisten Anfänger verfallen, ist das Bestreben, zu viel zu berechnen und zu wenig zu konstruieren. Unter den alten Römern und vor allem unter den Franzosen zu Perronets Zeiten gab es, wie ihre Bauten beweisen, vorzügliche Ingenieure, ohne daß ihnen unsere Theorie der Statik bekannt war.

scheinen daher dem Neuling oft weniger reizvoll. Sie sind vielmehr nur auf Grund
von Beobachtungen und Erfahrungen zusammenzustellen und hängen von der Eigenart
und der Herstellung des Baustoffs und seinem Verhalten in der Atmosphäre ab. In
Anbetracht des geringen Alters der Eisenbetonbrücken können heute nur Hinweise
auf die Bedeutung dieser Wirkungen gegeben werden, während es als die Aufgabe
der zur Ausführung und Unterhaltung dieser Bauwerke berufenen Ingenieure bezeichnet werden muß, grundlegende Erfahrungen auf diesem neuen Gebiet zu sammeln,
was für die Entwurfsaufstellung ebenso wichtig ist wie die statischen Beziehungen.

Im folgenden sollen zunächst diejenigen Fragen erörtert werden, welche allgemeine Gültigkeit für alle Eisenbetonbrücken haben und deren Kenntnis zum Aufzeichnen der ersten Entwurfsskizze erforderlich ist.

1. Die Lage der Brücke im Grundriß und Aufriß.

Die Grundrißlage hat besonders bei Straßen mit nicht paralleler Begrenzung,
oft auch bei Überdeckungen sowie bei schiefen Brücken einen wesentlichen Einfluß
auf die Wahl der Grundform. Allgemein ist zu wiederholen, daß, je verwickelter der
Brückengrundriß ist, um so günstiger im Wettbewerbe die Aussichten für eine Eisenbetonbrücke gegenüber der Ausführung in Eisen werden, da sodann auch bei den
eisernen Konstruktionen statisch unbestimmte Träger mit schwierigen Anschlüssen
notwendig sind (Abb. 36), die eine vorteilhafte Materialausnutzung nicht gestatten.
Sobald der Winkel zwischen der Brückenachse und den Widerlagern sehr spitz wird,
empfiehlt es sich, bei schmalen Brücken ein Tragwerk mit versenkter Bahn nach
Abb. 122, bei großer Brückenbreite aber eine einfache Plattenbalkenbrücke mit er-

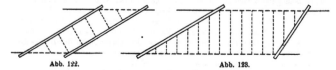

Abb. 122.   Abb. 123.

höhten Randträgern nach Abb. 123 zu wählen. In diesem Falle werden die Hauptträger vorteilhaft rechtwinklig zu den Widerlagern angeordnet, da naturgemäß immer
darauf zu achten ist, daß der Kraftstrom auf dem kürzesten Wege zum Widerlager
geführt wird.

Der freizuhaltende Lichtraum der zu überbrückenden Öffnung ist gleichfalls
von maßgebendem Einfluß für die Wahl der Grundform, da er die ausnutzbare Bauhöhe und die Stellung der Stützpunkte bedingt. Er ist in den meisten Fällen bestimmt festgelegt, z. B. durch einen Wasserlauf oder Verkehrsweg, oft aber auch
beliebig anzunehmen, wie z. B. bei hohen Talbrücken.

Bei Wasserläufen ist vor allem das Durchflußprofil für das Hochwasser freizuhalten. Dieses ergibt sich bei kleineren Flüssen und Bächen zumeist durch Ermittlung
der vorhandenen Durchflußöffnungen benachbarter Brücken desselben Wasserlaufs
unter der Voraussetzung, daß diese ihren Zweck erfüllen, wobei aber auch die benachbarten Ordinaten des gestauten Hochwassers berücksichtigt werden müssen.
Ferner wird bei Flüssen, die als Transport- und Verkehrswege dienen, für das Triften
des Holzes, für das Flößen oder für die Schiffahrt ein den besonderen Verhältnissen
entsprechendes Lichtraumprofil freizuhalten sein. Bei nicht schiffbaren Gewässern ist

die Trägerunterkante mit Rücksicht auf abschwimmende Gegenstände mindestens 0,5 m
über der Hochwasserlinie anzunehmen. Bei Kreuzungen von untergeordneten Verkehrswegen und stillen Wasserläufen wird zuweilen, um eine bewegliche Brücke zu sparen,

nach Abb. 124 in der Brückenmitte ein Spalt angeordnet,
der für gewöhnlich mit einer
Klappe überdeckt ist und nur
im Bedarfsfalle geöffnet wird,
um Schiffen mit Masten die
Durchfahrt zu gestatten (vergl.
Beispiel 29 Abschn. F).

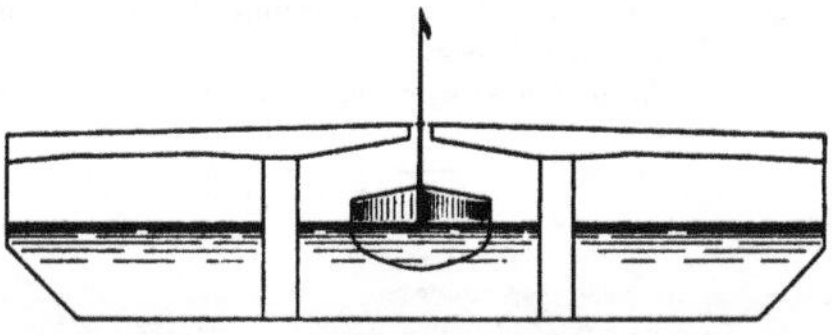

Bei Überbrückung von
öffentlichen Straßen und

Abb. 124.

Wegen ist die lichte Weite in der Regel durch die Straßenfluchten gegeben. Sie
kann während des Baues fast stets unbedenklich eingeschränkt werden, so daß für
die Rüstungen genügend Platz bleibt. Die freizuhaltende lichte Höhe schwankt je
nach den örtlichen Verhältnissen zwischen 2,5 und 4,5 m und ist meist bestimmt festgelegt und auch vollständig ausgenutzt. Über elektrischen Straßenbahnen mit Oberleitung ist besondere Rücksicht auf den Spielraum zur Anbringung des Fahrdrahtes
zu nehmen, der von keinem anderen Fahrzeug berührt werden darf. In solchen
Fällen empfiehlt es sich, die lichte Höhe des Fahrdrahtes über der Straßenoberkante
deutlich sichtbar an das Bauwerk als Warnung anzuschreiben.

Für Brücken über Eisenbahngleisen ist die Umgrenzung des lichten Raumes
(Abb. 125) bestimmt vorgeschrieben, im Deutschen Reiche z. B. durch die bekannte
Eisenbahn-Bau- und Betriebsordnung vom 4. November 1904.
Um etwaige Ungenauigkeiten in der Verlegung der Gleise
auszugleichen, wird von den meisten Eisenbahnverwaltungen
noch eine Erweiterung dieses Mindestraums um 10 cm gefordert, so daß sich bei Vollspurbahnen als Mindestmaß für
die lichte Höhe 4,9 m über Schienenoberkante ergibt, die aber
häufig während des Baues eingeschränkt werden kann.

Für die nutzbare Bauhöhe kommt bei Eisenbetonbrücken
wesentlich die Frage in Betracht, ob während des Baues der
Eisenbahnbetrieb aufrechterhalten werden soll. In diesem
Falle geht als Raum für die Schalung und Rüstung über dem
Normalprofil mindestens das Maß 0,15 m von der verfügbaren
Bauhöhe verloren. Dies könnte wohl vermieden werden durch
wagerechtes Einschieben des neben den Gleisen hergestellten
Tragwerks aus Eisenbeton oder aber durch Absenken der
in höherer Lage betonierten Tafel nach genügender Erhärtung
derselben, ähnlich wie dies bei den eisernen Brücken geschieht,
die meist ohne Schwierigkeit und unter voller Ausnutzung
der verfügbaren Bauhöhe auch im Betriebe zu montieren oder
einzuschieben sind. Dieses Verfahren ist übrigens wiederholt
mit gutem Erfolge angewendet worden unter Benutzung von
Rollvorrichtungen oder auch, besonders in Nordamerika, unter
Verwendung kräftiger fahrbarer Krane bis zu einer Tragfähigkeit von 60 t.

Abb. 125. Umgrenzungs-
linie des lichten Raumes
für Eisenbahngleise der
freien Strecke.

Bei Eisenbahnneubauten fällt der erwähnte Nachteil der Eisenbetonbrücken gegenüber den eisernen Brücken weg. Man kann in diesem Falle ohne weiteres bis dicht an die Umgrenzung des lichten Raumes heran-, in vielen Fällen sogar noch daruntergehen. Die elastische Durchbiegung der Eisenbetonbalken, die bei eisernen Trägern oft nicht vernachlässigt werden darf, kommt infolge der größeren Steifigkeit in der Regel nicht in Betracht, wohl aber ist auf eine etwaige Setzung der Schalrüstung während des Stampfens Rücksicht zu nehmen.

Abb. 126. Straßenüberführung in Böhla (Kgr. Sachsen).
(Ausführung: Joh. Odorico, Dresden.)

Sind zwei Betriebsgleise zu überbrücken, so kann die Einrüstung dadurch wesentlich erleichtert werden, daß man während des Baues die Gleise mindestens um 0,3 m auseinanderzieht und vorübergehend auf die Erweiterung des Lichtraumprofils verzichtet. Es entsteht dann ein genügender Spielraum, um zwischen die beiden Gleise eine hölzerne Stütze von 12 cm Stärke mit den entsprechenden Verschwerungen stellen zu können (Abb. 126).

Zwischen der Umgrenzung der lichten Öffnung und der Unterkante der Versteinung verbleibt der für das Tragwerk verfügbare Raum, dessen Seitenteile von den beiden Widerlagern eingenommen werden, während in dem oberen in der Regel scharf begrenzten Teile das Tragwerk Platz finden muß.

2. Der Längs- und Querschnitt der Brückenbahn.

Um im Längsschnitt der Brückenbahn eine rasch wirksame Entwässerung der Straßenoberfläche zu erzielen, ist der Fahrbahn ein möglichst starkes Längsgefälle zu geben, soweit es die Rücksicht auf die Steigungserschwernisse für den Fußgänger- und den Fahrverkehr gestattet. Innerhalb der Brückenlänge sollte, wenn irgend möglich, der Entwässerung wegen bei chaussierten Straßen ein Längsgefälle von mindestens 1:200 bis 1:100 (0,5 vH. bis 1 vH.) gewählt werden, wogegen bei gepflasterten oder asphaltierten Straßen eine etwas geringere Neigung noch zulässig ist. Anderseits ist als obere Grenze schon mit Rücksicht auf die Ausnutzung der Zugkraft der Tiere zu empfehlen, das Steigungsverhältnis der Straßen nicht größer zu wählen als

1:70 = rd. 1,5 vH. bei Asphaltbelag
1:40 = „   2,5 „   „ Holz- und Steinpflaster
1:20 = „   5   „   „ Beschotterung.

Bei Brücken in wagerechter Strecke oder zwischen beiderseits anschließenden Rampen empfiehlt es sich daher, die Straßenoberfläche von beiden Widerlagern nach der Mitte zu ansteigen zu lassen, bei starken Neigungen aber den Neigungswinkel in der Brückenmitte mit einem Halbmesser von höchstens 100 bis 200 m auszurunden. Bei schwachen Neigungen kann auf eine solche Ausrundung, die bei zweiachsigen Straßenfuhrwerken ohnehin kaum erforderlich ist, verzichtet werden, so daß die Ableitung des Tagewassers schon von der Mitte aus kräftig erfolgt. Ist die Neigung der Fahrbahnoberfläche im Längsschnitt durchaus nicht zulässig, so muß umsomehr Gewicht auf eine kräftige Querneigung derselben und eine sorgfältige Abdichtung der Eisenbetonoberfläche gelegt werden.

Bei Fußwegen ohne jeglichen Fahrverkehr, die über einen Wasserlauf oder einen Verkehrsweg zu führen sind, wird, falls die Steigung der Rampen steiler als

Abb. 127. Gangsteg im Bahnhof Triest.

1 : 100 (1 vH.) ausfällt, meist eine Treppenanlage bevorzugt. Der Treppenlauf schmiegt sich dabei zur Vermeidung überflüssiger Brückenlänge häufig dem Lichtraumprofil möglichst eng an (Abb. 127). Als Steigungsverhältnis der Treppen ist 16/30 bis 16/32 cm zu empfehlen. Nach je etwa 2,5 m Steigung wird in der Regel ein Podest von 1 m Länge angeordnet.

Der Querschnitt der Brückenbahn richtet sich nach den örtlichen Verhältnissen und den Verkehrsanforderungen. Gewöhnlich nimmt man bei beiderseitigen Gangbahnen, die ausschließlich für den Fußgängerverkehr bestimmt sind, die Breite derselben zu $\frac{1}{3}$ der lichten Breite der Brücke, also etwa $\frac{1}{3}$ der Fahrstraßenbreite an. In der Regel wird der Querschnitt der anschließenden Straßenstrecken auch auf der Brücke durchgeführt. Nur im Notfalle schnürt man wohl aus Gründen der Kostenersparnis die Fahrbahnbreite ein oder verzichtet auf einen oder beide Gangstege.

Abb. 128.

Die Mindestbreite der Fahrstraße ergibt sich nach Abb. 128 aus der Bedingung, daß sie zwei sich begegnenden Fahrzeugen ein Ausweichen gestatten möchte, zu $(2,5 + 1,3 + 2 \cdot 0,1)$ m $= 4,0$ m, die der Gangbahnen, damit zwei Personen einander ausweichen können, zu $(2 \cdot 0,7 + 0,1)$ m $= 1,5$ m.

Bei der Anordnung beiderseitiger Gangbahnen mit getrennter Verkehrsrichtung dagegen kann die Fußwegbreite äußerstenfalls auf 1,0 bis 0,7 m beschränkt werden.

Die lichte Breite der Brückenbahn, die durch eiserne Geländer, Brüstungen oder durch die über die Fahrbahn herausragenden Haupttragwände begrenzt wird, soll für den Verkehr von Fahrzeugen nur in einer Richtung mindestens 2,5 m, für sich begegnende Fahrzeuge mindestens 5 m und für Gangsteige ohne Fahrverkehr mindestens 2 m betragen. Wird die Breite zu schmal bemessen, so müssen die Fahrzeuge beständig an derselben Stelle fahren, wodurch sich sogenannte Gleise bilden, die einer fortlaufenden Unterhaltung bedürfen. In solchen Fällen ist die Anordnung besonders befestigter Längsstreifen mittels Steinplatten oder eiserner Schienen an den stark beanspruchten Stellen der Brücke wohl zu erwägen. Ist die Brückenbreite nur für ein Fahrzeug bemessen, so können bei sehr langen Brücken wenigstens an einigen Pfeilern durch eine Verbreiterung der Fahrbahn mittels Auskragungen Ausweichstellen geschaffen werden, wie bei der rund 200 m langen Pyrimontbrücke im Rhônetal.[1]

[1] Schweizerische Bauztg. 1907. Nr. 25, S. 187.

4*

Die Straßenoberfläche muß mit Rücksicht auf eine gute Entwässerung auf jeder Brücke ein Quergefälle enthalten, das von der Fahrbahnachse nach den Straßenrändern zu angelegt wird, um das Wasser auf dem kürzesten Wege nach dem Schnittgerinne zu führen. In der Regel beträgt dieses Quergefälle

> bei chaussierten Straßen 1 : 25 bis 1 : 18 (4 bis 5,5 vH.),
> bei gepflasterten Straßen 1 : 40 bis 1 : 25 (2,5 bis 4 vH.),
> bei asphaltierten Straßen 1 : 80 bis 1 : 50 (1,25 bis 2 vH.).

In der Fahrbahnmitte wird die Querschnittbegrenzung der Versteinung meist durch eine Parabel oder einen Kreisbogen ausgerundet.

Die seitliche Begrenzung der Fahrstraße bildet das Schnittgerinne, das nach den Gangbahnen zu durch die im allgemeinen 0,12 bis 0,15 m hohe Bordkante begrenzt wird.   Zur Bordkante werden entweder Granit- oder Betonsteine verwendet oder Kantenschutzeisen, die aus senkrecht stehenden Flacheisen oder Winkeln bestehen (Abb. 129).

Die Gangbahnen erhalten in der Regel ein Quergefälle nach dem Schnittgerinne zu, und zwar bei gekiesten Wegen von 1 : 30 (3,3 vH.), bei Kleinpflaster 1 : 40 (2,5 vH.)' und bei Asphalt 1 : 50 (2 vH.). Eine unmittelbare Abführung des Tagewassers nach außen über die Brückenränder ist nicht zu empfehlen, um deren Durchnässung und Beschmutzung zu vermeiden, weshalb es auch vorteilhaft ist, die Gangbahnen durch einen erhöhten Rand seitlich abzuschließen. Selbst wenn die Gangbahnen und somit deren Bordkanten fehlen, wird ein Schnittgerinne angeordnet und dadurch das Abfließen des gesammelten Wassers in der Längsrichtung der Brücke bis zur nächsten Entwässerungsstelle gewährleistet (Abb. 130).

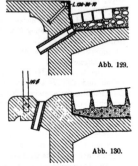

Abb. 129.

Abb. 130.

8. Die Versteinung oder Oberflächenbefestigung der Brücke.

In Anbetracht der hohen Kosten, welche beim Bau einer Straße auf die Strecke einer Brücke infolge des das Tragwerk bildenden teuren Unterbaues entfallen, empfiehlt es sich, an der Güte des Materials zur Oberflächenbefestigung nicht zu sparen, da sonst die Unterhaltungskosten des Bauwerks wesentlich höher werden. Aus diesem Grunde findet man häufig Pflasterung auf Brücken auch dann, wenn sie auf den anschließenden Strecken nicht vorhanden ist. Die Chaussierung ist auf den Brücken viel mehr wie auf den übrigen Straßenstrecken der Zerstörung durch den Fahrverkehr ausgesetzt, da dort in der Regel das aus senkrecht stehenden Steinen hergestellte Packlager fehlt und somit die Klarschlagsteine auf der glatten Oberfläche des Tragwerks keinen so sicheren Halt finden. Außerdem ist auch das Längsgefälle auf den Brücken häufig kleiner als auf den anschließenden Straßenstrecken und daher die Oberflächenentwässerung weniger wirksam, so daß die Chaussierung auch stärker mit Wasser durchtränkt wird und dann an Widerstandsfähigkeit verliert, wodurch sowohl die Abdichtung als auch die Brücke selbst leidet Mit Rücksicht auf die Dauerhaftigkeit und Wasserdurchlässigkeit ist daher eine möglichst feste und nicht zu schwache Versteinung für die Brückenbahn vorzusehen,

wenn man nicht zu dem Aushilfsmittel greift, eine innige Verbindung der Klarschlagsteine durch Mörtel, Asphalt, Teer, Goudron u. dergl. an Stelle des Sandes zu
erzielen. Eine möglichst feste und ebene Oberfläche bietet aber vor allem auch den
Vorteil der Abschwächung der Stoßwirkungen bei der Befahrung.

Für die Wahl der Versteinungsstärke sind folgende Gesichtspunkte hervorzuheben:

Bei einer Eisenbetonbrücke mit ihrer harten, den Unterbau der Straße
ersetzenden Oberfläche ist es zwar möglich, mit einer sehr schwachen Schutzdecke
auszukommen, gegen eine zu weitgehende Verminderung derselben sprechen aber
folgende schwerwiegende Bedenken.

Zunächst ist es vorteilhaft, die der ständigen Unterhaltung und auch der Erneuerung bedürfende Versteinungsschicht von der Konstruktion, die dauernd bestehen
soll, zu trennen. Sie muß daher eine gewisse kleinste Stärke bekommen, um in sich
genügend fest zu sein. Ferner bietet auch die Versteinung einen willkommenen
Wärmeschutz gegen die Bestrahlung der Eisenbetontafel, wodurch der Bildung von
Rissen infolge der Wärmewirkung vorgebeugt wird. Schließlich wirkt die Versteinung
in statischer Hinsicht dadurch besonders günstig, daß sie die Einzellasten der Raddrücke verteilt, so daß die Platten der Fahrbahntafel um so weniger durch die
Verkehrslasten beansprucht werden, je stärker die Versteinung ist, und demnach
um so schwächer gehalten werden können. Diese Verteilung eines Raddruckes, die
naturgemäß nicht nur von der Druckfläche des Rades und der Stärke der Versteinung, sondern auch von der Beschaffenheit derselben abhängig ist, hat man
durch Versuchsbeobachtungen zu bestimmen versucht. Näheres hierüber soll im
nächsten Abschnitt unter „Belastungsannahmen" erörtert werden.

Die genannten Gründe sprechen dafür, die Versteinungsstärke für eine Eisenbetonbrücke nicht zu niedrig zu wählen, anderseits ist aber auch von einer Über-
treibung dringend abzuraten, da hierdurch die tote Last der Brücke wesentlich
erhöht wird. Es könnte daher auch vom statischen Standpunkt aus durch eine Vergleichsrechnung in jedem Falle die günstigste Versteinungsstärke unter Zugrundelegung
verschiedener Materialien festgestellt werden.

Im folgenden sind die wichtigsten Angaben über die straßenbautechnisch erforderlichen Versteinungsstärken zusammengestellt.

Die Chaussierung ruht, zum Schutze der Dichtungsflächen der Brückentafel,
meist auf einer 3 cm hohen Kiessandschicht, worauf dann eine etwa 10 cm starke
untere Schicht von Grobschlag oder auch Packlagersteinen aufgebracht und endlich als Oberflächenüberzug Klarschlagsteine mit reichlichem Sandzusatz eingewalzt
werden. Die Mindeststärke der gesamten Versteinung beträgt 15 cm, besser 20 cm,
da häufig Abnutzungen von chaussierten Straßen bis 7 cm beobachtet worden sind.
Als größte vorkommende Stärke für Brücken kann 35 bis 40 cm angesehen werden.
Das Schnittgerinne wird hierbei in der Regel aus Kleinpflaster (Abb. 129) oder Klinkern
gebildet oder auch aus Betonformstücken, die oft mit den Bordkanten in einem
Stück hergestellt werden.

Das Steinpflaster besteht meist aus 13 bis 16 cm hohen scharfkantigen
Granit-, Grünstein- oder Basaltsteinen mit möglichst quadratischer Oberfläche, ebener
Unterfläche und gleicher Höhe, die auf einem $1^1/_2$ cm starken Mörtelbett oder auf
einem Sandbett von 5 cm Stärke mit Zementmörtelfugen versetzt werden. Laufen
die Reihen senkrecht zur Fahrbahnachse, so bietet sich den Zugtieren ein besserer

Halt als bei der Diagonalpflasterung, die aber anderseits für die Entwässerung etwas günstiger ist, da die Fugen dann angenähert in der Richtung des größten Gefälles liegen. Als Mindeststärke für Pflaster in Beton kann 12 cm angesehen werden (Beispiele Nr. 9 u. 10, Abschnitt F).

Das Holzpflaster besteht mit Rücksicht auf die Härte und das Schwinden meist aus Eichenholz oder australischem Hartholz, das mit Kreosot, Teeröl u. dergl. getränkt wird. Die etwa 10 bis 15 cm hohen Klötzchen mit genau rechtwinkliger Grundrißfläche von meist 8 bis 16 cm Kantenlänge werden unmittelbar auf einer Betonschicht von 6 bis 15 cm Stärke in Asphalt versetzt und die nur sehr kleinen Fugen mit Asphalt vergossen. Da nur die Hirnholzseite befahren wird, ist die Abnutzung gering. Es empfiehlt sich aber dennoch, das fertiggestellte Holzpflaster mit Porphyrgrus zu bestreuen, um die Oberfläche widerstandsfähiger zu machen. Gegenüber dem Steinpflaster und der Chaussierung zeichnet sich das Holzpflaster durch Schalldämpfung und Elastizität aus. Als Mindeststärke ist 12 cm, als Mittelwert 20 cm einschließlich Betonunterlage anzunehmen.

Das Asphaltpflaster. Die etwa 5 cm starke Stampfasphaltschicht wird unmittelbar auf der nach dem Gefälle abgeglichenen Betonschicht von 15 bis 25 cm Stärke hergestellt, so daß man als geringste Versteinungsstärke 20 cm ansehen kann. Wegen der Geräuschlosigkeit und der Möglichkeit, schadhafte Stellen über Nacht rasch ausbessern zu können, gilt die Asphaltierung trotz der starken Abnutzbarkeit immer noch als die geeignetste Pflasterung für Großstädte in unserem Klima.

Bei Fußgängersteigen wird in der Regel Gußasphalt oder ein Belag von Asphalt oder Zementplatten verwendet mit einer Betonunterlage von 10 cm Stärke oder auch nur Klinkern in Sand oder Kalkmörtel. Für Parkbrücken kommen auch bekieste Gangbahnen in Betracht.

4. Die Entwässerung und Dichtung der Brückenoberfläche.

Der größte Feind aller Ingenieurbauten ist das Wasser. Es gilt daher, besonders auch für die Brückenbauten, das atmosphärische Wasser von den tragenden Teilen fernzuhalten, soweit es aber trotzdem durch die Versteinungsschicht einsickert, so rasch als möglich wegzuleiten. Dies geschieht dadurch, daß man der Oberfläche der Eisenbetontafel ein Gefälle nach den Seiten und nach den Widerlagern zu gibt, und dadurch, daß man bei langen Brücken

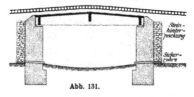

Abb. 131.

das Wasser durch Löcher, welche in der Fahrbahntafel (Abb. 129 u. 130) oder in den Zwischenpfeilern ausgespart werden, unmittelbar ins Freie führt. Diese Neigung der Oberfläche nach den Widerlagern zu kann bei Brücken mit einer Öffnung oder auch bei durchgehenden Balken mit zwei Öffnungen vorteilhaft auch für die in der Brückenmitte aus statischen Gründen erforderliche größere Balkenhöhe ausgenutzt werden (Abb. 131).

Wohl zu beachten ist aber die Forderung, sich nicht damit zu begnügen, daß das Wasser hinter die Widerlager geführt wird, sondern auch für dessen weiteren

Abfluß Sorge zu tragen (Abb. 131), da andernfalls, besonders bei lettigem und tonigem Untergrund, die Standsicherheit der Widerlager gefährdet werden kann. Dies gilt vor allem für diejenigen Grundformen, z B. die Rahmen- und Bogenbalkenbrücken, bei denen, wie bei einer Stützmauer, ein etwaiges Gleiten auf der wagerechten Bodenfläche schädlich ist. Unter besonders schwierigen Verhältnissen hat man sogar eine vollständig ausgebildete Entwässerungsanlage ausbauen müssen, um das Wasser von der Brücke wegzuleiten.

Außer diesen äußerst wichtigen Vorkehrungen zur Entwässerung einer Brücke bedarf es aber noch eines Schutzes der Eisenbetonkörper vermittels der sogenannten „Dichtung", um zu verhindern, daß das Wasser in dieselben eindringt. Denn der Beton selbst ist bekanntlich nicht wasserdicht, sondern vielmehr wasserdurchlässig wie ein allerdings sehr feines Sieb. Die Wasserdurchlässigkeit hängt besonders von dem Gehalt an Zement ab. Je fetter der Beton ist, um so weniger läßt er Wasser durch. Da bei Eisenbetonbauten vor allem die Eiseneinlagen vor dem Wasser zu schützen sind, so empfiehlt es sich, diese in einem möglichst fetten Mörtelbett zu verlegen. Das wirksamste Mittel gegen das Eindringen von Wasser ist ein gut ausgeführter Zementmörtelputz auf der Oberfläche des Eisenbetonkörpers, und zwar von 1 bis 2 cm Stärke. Anstatt dessen wird des öfteren auch ein Anstrich mit Siderosthen oder ähnlichen Präparaten verwendet.

Der sonst zur Dichtung völlig genügende Zementmörtelputz hat nur den einen Nachteil, daß er wegen seines großen Zementgehalts beim Erhärten in der Luft stark schwindet und daher, sowie infolge der durch Wärmewirkungen hervorgerufenen Bewegungen der Brückenteile und infolge der Stoßwirkungen der bewegten Lasten leicht Risse bekommt. Es bedarf daher noch eines zähen Dichtungsmaterials zum Schutze des Zementputzes. Bei der Wichtigkeit dieser Frage seien die bekannten bewährten Mittel hier ausführlich aufgezählt.

Das einfachste und billigste Mittel ist ein mindestens zweimal aufzubringender heißer Anstrich der Oberflächen mit Goudron oder einem der neuen patentierten Asphaltpräparate, die zum Teil, wie z. B. Préeolith, infolge des mit Öl aufgelösten Asphaltes den Vorzug haben, daß sie das Anstreichen im kalten Zustande gestatten. Der zumeist verwendete Goudron, der bekanntlich in einer Mischung zur Hälfte von echtem Goudron und zur anderen Hälfte von künstlichem Goudron besteht, wird dagegen in warmem Zustande aufgebracht und schmiegt sich daher auch bei kaltem Wetter gut an (Preis 0,50 bis 1 Mark für 1 m²).[1]

Einfaches Jutegewebe mit beiderseitigem, heißem Goudronanstrich ist besonders geeignet für senkrechte oder stark geneigte Flächen, an denen Pappe oder Filzbelag schwer haftet und infolge des großen Gewichts leicht abrutscht (Preis 1,0 bis 1,20 Mark für 1 m²).

Das doppelte Jutegewebe mit einer oberen, einer dazwischenliegenden und einer unteren Schicht aus heißem Goudron gewährt natürlich eine noch größere Sicherheit als das vorher genannte Gewebe (Preis 1,50 bis 1,75 Mark für 1 m²).

Der einfache Asphaltfilzbelag, ein mit Asphalt getränkter Filz, der in 2,5 mm Stärke aus Flachs und Wollfasern hergestellt wird, ist empfehlenswert für wenig geneigte Flächen, wogegen für senkrechte Flächen Jute besser geeignet ist (Preis 1,10 bis 1,30 Mark für 1 m²).

---

[1] Die hier angeführten Preisangaben sollen nur zu einem Kostenvergleich der verschiedenen Ausführungsarten dienen. Die Anschlagpreise für einen bestimmten Ausführungsfall sind naturgemäß je nach den örtlichen Verhältnissen, der Lage und dem Umfang des Bauwerks sehr schwankend.

Der doppelte Asphaltfilzbelag in 3 bis 4 mm Stärke (Preis 1,70 bis 2 Mark für 1 m²).

Die einfache ungesandete Asphaltpappe ist gewöhnlich Dachpappe von 1 bis 1½ mm Stärke und verhält sich in der Verwendung und Wirkung genau wie der Asphaltfilz, ist jedoch etwas empfindlicher und weniger fest, klebt aber dafür besonders gut an (Preis 1,0 bis 1,20 Mark für 1 m²).

Die doppelte ungesandete Asphaltpappe desgl. (Preis 1,50 bis 1,80 Mark für 1 m²).

Die Siebelschen Bleiplatten gelten bisher als beste, aber auch teuerste Dichtung. Zwischen den mit Asphaltanstrich versehenen Papplagen befinden sich abwechselnd dünne Bleieinlagen von nur rund 0,2 mm Stärke. Diese sogenannten Bleiplatten müssen ebenfalls aufgeklebt werden. Zu beachten ist besonders, daß an den Stoßstellen die Bleieinlage bloßgelegt, mit 6 cm Überdeckung übereinandergelegt und sodann die Papplagen darauf wieder geschlossen werden (Preis 3,50 bis 6,0 Mark für 1 m²).

Allgemein ist noch zu bemerken, daß es einer besonderen Vorsicht bedarf bei Verwendung von scharfkantigem Klarschlag zur Überfüllung oder von Bruchsteinen zur Hinterpackung. Sobald die scharfen Steine infolge des Setzens und anderer Bewegungen in das Dichtungsmaterial einschneiden, entstehen leicht Risse, so daß dann trotz sonstiger größter Sorgfalt keine dichte Brückenoberfläche zu erzielen ist. Es wird daher in solchen Fällen das Dichtungsmaterial erst sorgfältig mit einer Schicht von nicht scharfkantigen Kiessteinen oder mit einer 2 bis 10 cm starken Schutzschicht aus Magerbeton oder auch mit einem Lattenrost bedeckt.

Da von der Güte der Entwässerung und Dichtung nicht nur das Aussehen, sondern vor allem auch die Lebensdauer einer Brücke abhängt, kann auf eine sorgfältige Behandlung dieser Frage nicht genug Gewicht gelegt werden.

5. Der Einfluß der Wärme, die Trennungsfugen.

Außer dem Wasser sind die Brücken auch dem Einfluß der schwankenden Wärme ausgesetzt. Eine Erwärmung der Brücke findet, abgesehen von Brandunfällen, nur durch die strahlende Wärme der Sonne statt, eine Abkühlung durch Verdunstung und durch die Kälte der Luft. Die Erwärmung während des Tages, der meist eine Abkühlung in der Nacht folgt, erscheint weniger gefährlich als die anhaltende Kälte im Winter, welche oft deutlich sichtbare Risse hervorruft. Der Ausdehnungskoeffizient α des Betons für 100° C. kann bekanntlich auf Grund von Versuchen[1] mit $100\,\alpha = 1:800$ angenommen werden.

Berechnet man nun für einen Stab von beliebiger Länge, der um 1° erwärmt wird, die dabei entstehende Druckbeanspruchung unter der Voraussetzung, daß er mit beiden Enden gegen vollkommen feste Widerlager stößt, so ergibt sich bei einem mittleren Elastizitätsmodul $E = 140000$ kg/cm² nach dem Hookeschen Gesetz

$$\sigma = \alpha E = \frac{1}{100} \cdot \frac{1}{800} \cdot 140000 = 1{,}75 \text{ kg/cm}^2.$$

---

[1] Für Stabeisen fand Bounicoau 1865 $100\,\alpha = 0{,}001235$ oder $1:810$.
Für Flußeisen gilt allgemein $100\,\alpha = 0{,}001176$ oder $1:850$.
Nach Versuchen von Dyckerhoff u. Widmann ergab sich $100\,\alpha$ für Beton von 1 Jahr Alter:

für Wärmeschwankungen	von − 12° bis + 20° C.	und für + 20° bis + 38° C.
bei 1 : 1½ : 2,8 (Kiessteine)	1 : 803	1 : 950
„ 1 : 2½ : 4,6 „	1 : 803	1 : 970
„ 1 : 3,8 : 7 „	1 : 800	1 : 974

Nimmt man an, daß die Herstellung bei einer mittleren Luftwärme von $+ 10°$ C. erfolgt ist und die Schwankungen der Luftwärme für die gemäßigte Zone äußersten Falls zwischen $— 20°$ C. im Winter bis $+ 40°$ C. im Sommer anzunehmen sind, so beträgt der größte Unterschied gegenüber dem Mittelwert ungefähr $\pm 30°$ C. Es würde sich somit nach dieser Rechnungsweise, ähnlich den Berechnungen im Eisenbrückenbau, als größte Druck- bezw. Zugbeanspruchung des Stabes infolge der Wärmeschwankung $\sigma = \pm 52{,}5$ kg/cm² ergeben. Aus der Größe dieser Kraft, die für den ganzen, mehrere Quadratmeter großen Brückenquerschnitt zu berechnen wäre, ersieht man ohne weiteres, daß kein Widerlager einer Balkenbrücke derartigen Kräften zu widerstehen vermag und daher Bewegungen des Widerlagers unausbleiblich sind. Damit wäre aber die Voraussetzung vollkommen fester Widerlager hinfällig. Die berechnete Beanspruchung wird daher niemals auftreten, da sie selbstverständlich nicht größer sein kann, als der Widerstand der Widerlager bedingt. Ferner ist noch zu bedenken, daß infolge der geringen Wärmeleitungsfähigkeit eines Betonkörpers mit diesen äußersten Temperaturen nicht für den ganzen Körper gerechnet werden darf, abgesehen davon, daß an Stelle des Hookeschen Proportionalitätsgesetzes irgend ein Potenzgesetz für die wachsenden Spannungen gilt, wodurch sich ebenfalls etwas kleinere Werte ergeben würden. Das geringe Wärmeleitungsvermögen des Betons ist eine Eigenschaft, die häufig nicht genug gewürdigt wird.

Unter Wärmeleitung kann man sich die Geschwindigkeit vorstellen, mit welcher der Wärmestrom im Körper vorwärtsdringt. Dieser findet, wenn er von außen auf den Eisenbetonkörper trifft, zunächst in dem die Eisen umhüllenden Beton einen erheblichen Widerstand, dringt dann bis zum Eisen vor und wird nunmehr rasch wie das Wasser in einer Rohrleitung durch die Eiseneinlage auf ihre ganze Längege leitet. Je größer der Gesamtumfang der Eiseneinlagen ist, um so größer ist der Widerstand gegen die Wärmeleitung, und um so mehr findet durch den umhüllenden kalten Beton eine Abkühlung des erwärmten Eisens statt, so daß die Wärmewelle, welche z. B. von der bestrahlten Stirnfläche einer Brücke ausgeht, bald im Beton verläuft und nur durch die Eiseneinlagen tiefer in die Tafel eindringt. Nach dieser Betrachtung ist es übrigens auch erklärlich, daß sich bei Brandproben schwache Rundeiseneinlagen, welche den Betonkörper wie dünne Fasern durchsetzen, besser bewähren müssen als Walzeisen mit großem Querschnitt.

Wegen der schlechten Wärmeleitung des Betons ist eine Erwärmung einer größeren Eisenbetontafel, deren Oberfläche gegen unmittelbare Bestrahlung meist noch durch die Versteinung geschützt ist, infolge der nur während weniger Tagesstunden wirksamen Sonnenbestrahlung um $30°$ C. kaum möglich.[1] Dagegen kann bei andauernder Kälte doch eine beträchtliche Zusammenziehung eintreten, die sich, falls keine Vorkehrungen getroffen sind, durch Risse äußert. Leider liegen unseres Wissens derartige sehr wünschenswerte genaue Untersuchungen und Beobachtungen an Eisenbetonbrücken noch nicht vor.

Um diesen Einflüssen der Wärmeschwankungen wirksam zu begegnen und der selbsttätigen Bildung von Rissen an vielleicht ungeeigneten Stellen vorzubeugen, sind bei längeren Bauwerken von vornherein in gewissen Abständen Trennungsfugen anzuordnen, an denen der Ausgleich der Längenänderungen stattfinden kann. Solche Trennungsfugen sind besonders nötig bei Brücken in Talmulden, die, wie die häufigen Klagen der Fußgänger beweisen, viel mehr dem Zugwind und der Kälte ausgesetzt sind,

---

[1] Nach den „Schweizerischen Vorschriften" z. B. ist für Eisenbetonbauten eine gesamte Wärmeschwankung von 35° C. anzunehmen.

als z. B. die geschlossenen Fachwerkbauten aus Eisenbeton, bei denen man übrigens, abgesehen von den Dächern, über die Notwendigkeit und den kleinsten Abstand der Trennungsfugen zur Zeit noch geteilter Ansicht ist. Wichtig ist vor allem die Anordnung von Trennungsfugen bei Brückenbrüstungen und Schutzwänden, welche durch ihre freie Lage über der Fahrbahn weit stärkeren Wärmeschwankungen unterliegen und wegen ihrer meist geringen Stärke von der Wärme und Kälte auch viel rascher durchdrungen werden als die Fahrbahntafel.

Eine zweite Ursache, welche die Anordnung von Trennungsfugen nötig erscheinen läßt, vielleicht noch im höheren Maße als die Wärmewirkung, ist das Schwinden des Betons beim Erhärten an der Luft.

Da die Brücken meist dem raschen Austrocknen durch Luftzug und Erwärmung besonders ausgesetzt sind, wodurch das starke Schwinden befördert wird, müssen die Trennungsfugen auch zur Vermeidung von Schwindrissen vorgesehen werden.

Die allen Mauerwerksarten gemeinsame Eigenschaft, sich im Wasser auszudehnen, beim Erhärten in der Luft sich dagegen zusammenzuziehen, ist besonders auch beim Beton vorhanden, und zwar um so stärker, je mehr Zement er enthält. Nach Versuchen von Dyckerhoff u. Widmann betrug das Schwinden beim Erhärten in der Luft für Betonkörper von 1 Jahr Alter

bei einer Mischung $1 : 1\frac{1}{2} : 2,8$ (Kiessteine) $\beta = 0,000\,055\,7,$
„   „   „ $1 : 2\frac{1}{2} : 4,6$ „ $\beta = 0,000\,079\,4,$
„   „   „ $1 : 3,8 : 7$ „ $\beta = 0,000\,058\,3.$

Dem ungünstigen Umstande, daß man bei Eisenbetonbauten fettere Mischungen verwendet als im Betonbau, steht aber der große Vorteil der Eiseneinlagen gegen-

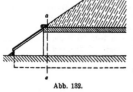

über, der allein schon für ihre Daseinsberechtigung genügen würde, daß sie die Zusammenziehung des Betons mäßigen, ausgleichen und dadurch Risse möglichst verhindern.

Betreffs des größten zulässigen Abstandes der Trennungsfugen können die Erfahrungen im Betonbau einen Anhalt geben. In Amerika führt man heute bei Betonbauten von mehr als 30 m Länge meist Trennungsfugen in einem Abstand von etwa 7,5 m aus. Dies deckt sich mit

Abb. 132.

Abb. 133.

Abb. 134.

Abb. 135.

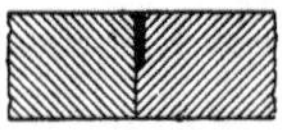

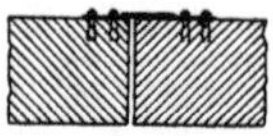

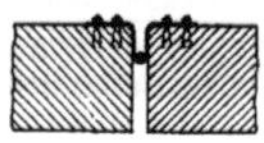

den auch bei zahlreichen Betonbauten in Deutschland gemachten Erfahrungen, nach denen ein Abstand von 10 m selten überschritten wird. Bei den aus Eisenbeton hergestellten Brücken von größerer Länge darf man daher in entsprechender Weise nach den gegenwärtigen Anschauungen als empfehlenswerten Abstand der Trennungsfugen 20 bis 25 m annehmen. Die größten üblichen Längen eines ungeteilten Brückenkörpers aus Eisenbeton von 40 bis 50 m sind bei den durchlaufenden Balken zu finden. Dieses Maß ist natürlich wesentlich von den besonderen klimatischen Verhältnissen abhängig, die durch die mittleren Temperaturen des Sommers oder Winters gekennzeichnet sind. Es wird daher sehr verschieden sein für Gegenden mit ausgesprochenem Landklima, in dem die mittlere Wärme innerhalb weiter Grenzen schwankt, gegenüber solchen mit ausgesprochenem Seeklima, also nahezu gleichbleibender Wärme. Auch der Umstand, ob eine kräftige Versteinung als Wärmeschutz der Fahrbahntafel vorhanden ist oder nicht, kommt in Betracht.

Die Frage, an welchen Stellen die Trennungsfugen anzuordnen sind, hängt oft mit der Wahl der statischen Grundform eng zusammen. Im allgemeinen soll man die Fugen dort anordnen, wo Risse zu befürchten sind, z. B. zwischen statisch verschieden wirkenden Teilen, die auch wesentlich verschiedene Formänderungen erleiden, ferner an einspringenden Ecken auf Grund der Erfahrungen an anderen Körpern von ähnlicher Herstellungsart, wie z. B. bei Gußkörpern, ebenso auch zwischen Eisenbetonkörpern von wesentlich verschiedener Stärke, da diese verschieden stark schwinden und die Wärme verschieden schnell leiten.

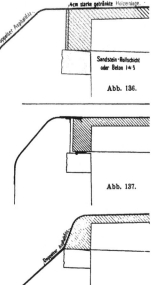

Abb. 136.

Abb. 137.

Abb. 138.

Auch bei Durchlässen von mehr als 20 m Länge ist die Zerlegung in einzelne Abschnitte durch Anordnung von Trennungsfugen zur Verhinderung von Rissebildungen empfehlenswert, um der selbsttätigen Bildung von Rissen an Stellen, wo sie gefährlich werden könnten, entgegenzutreten. Besonders an den Stellen *a—a* (Abb. 132) werden häufig infolge der verschiedenen Belastung und der Sonnenbestrahlung der Stirn und Flügel Risse beobachtet, denen durch Abtrennung des freiliegenden Kopfteiles vorgebeugt werden kann.

Diese infolge der Wärme- und der Luftwirkung erforderlichen Trennungsfugen, denen auch die Lagerfugen an den Enden der Brückenplatte zuzurechnen sind, müssen zum Abhalten der Feuchtigkeit mit besonderer Sorgfalt gedichtet werden. Dies kann durch Einlegen eines Teerstricks (Abb. 133), ferner durch Überdeckung mit zwei einander übergreifenden Zinkblech- oder Eisenstreifen geschehen (Abb. 134) oder durch eine schleifenartige Ausbildung der Zinkblechabdeckung in Verbindung mit einem eingelegten Teerstrick (Abb. 135).

Zuweilen wird, besonders bei kleinen Brücken, in die lotrechte Fuge zwischen Brückentafel und Hintermauerung der Widerlager eine getränkte Bohle aus weichem Holz eingelegt, die genug elastisch ist, um die geringen Bewegungen auszugleichen (Abb. 136). In diesem Falle kann dann die Oberflächendichtung einfach über die Fuge hinweggeführt werden, wogegen bei größeren Spalten oftmals die Dichtung noch eines besonderen Schutzes gegen die mechanischen Einwirkungen der Versteinung bedarf.

Falls ein größerer Spalt zu überdecken ist, wie z. B. bei Trägern mit eisernen Lagern, so behilft man sich durch Anordnung einer kleinen Spaltbrücke (Abb. 137)

in der Form einer 10 bis 20 mm starken Schleifplatte. Diese wird mittels Stein-
zapfen am Brückenträger befestigt und gleitet auf der durch einen Schleifwinkel
gesicherten Kante des Kammermauerwerks. Es empfiehlt sich, die oberen Kanten
des Schleifbleches messerartig zuzuschärfen, damit sie sich unter dem Dichtungsfilz
bewegen können, ohne diesen zu verletzen.

Einfacher gestaltet sich die in Abb. 138 dargestellte Anordnung, bei der auf
das Kammermauerwerk verzichtet, dafür aber ein mit der Brücke in einem Stück
hergestellter Abschlußkörper angeordnet wird, welcher als Fortsetzung der Deckenplatte angesehen werden kann. Die Dichtung der wagerechten Lagerfuge erfolgt
sodann durch eine dachziegel-
förmige Überdeckung des Dichtungsmaterials.

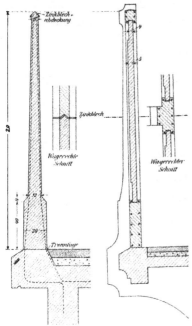

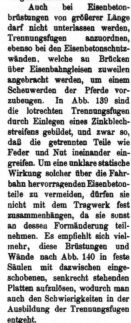

Auch bei Eisenbeton-
brüstungen von größerer Länge
darf nicht unterlassen werden,
Trennungsfugen anzuordnen,
ebenso bei den Eisenbetonschutz-
wänden, welche an Brücken
über Eisenbahngleisen zuweilen
angebracht werden, um einem
Scheuwerden der Pferde vorzubeugen. In Abb. 139 sind
die lotrechten Trennungsfugen
durch Einlegen eines Zinkblechstreifens gebildet, und zwar so,
daß die getrennten Teile wie
Feder und Nut ineinander eingreifen. Um eine unklare statische
Wirkung solcher über die Fahrbahn hervorragenden Eisenbetonteile zu vermeiden, dürfen sie
nicht mit dem Tragwerk fest
zusammenhängen, da sie sonst
an dessen Formänderung teilnehmen. Es empfiehlt sich vielmehr, diese Brüstungen und
Wände nach Abb. 140 in feste
Säulen mit dazwischen eingeschobenen, senkrecht stehenden
Platten aufzulösen, wodurch man
auch den Schwierigkeiten in der
Ausbildung der Trennungsfugen
entgeht.

Abb. 139 u. 140. Trennungsfugen in hohen
Eisenbetonbrüstungen.

II. Die Ausbildung des Tragwerks.

1. Die Wahl der Grundform und die architektonische Gestaltung.

Für die Wahl der Grundform einer Balkenbrücke sind nächst den bereits im
vorigen Abschnitt B. „Grundformen der Balkenbrücken aus Eisenbeton" erörterten

allgemeinen Gesichtspunkten die örtliche Lage und der Umfang des Bauwerks sowie die Form des zu überbrückenden Hindernisses und der freizuhaltenden Lichträume maßgebend, wodurch die Zahl der möglichen Stützpunkte bedingt ist. Für die statische Grundform des Tragwerks selbst ist aber die Beschaffenheit des Baugrundes von grundsätzlicher Bedeutung, insofern als bei einem wenig zuverlässigen Boden Bedenken gegen die Anwendung der statisch unbestimmten Grundformen des durchlaufenden Trägers, des dreiseitigen Rahmens und des Bogenbalkens vorliegen. Dagegen bieten diese Grundformen bei gutem Baugrund mancherlei wesentliche Vorteile, die bereits allgemein angegeben worden sind.

In vielen Fällen sind die örtlichen Verhältnisse derartige, daß von vornherein nur eine bestimmte Grundform für das Tragwerk in Frage kommt. Nur bei größeren Brücken und unter besonders eigenartigen Verhältnissen kann die zweckmäßigste Form zweifelhaft sein. Zunächst muß man sich darüber schlüssig werden, ob ein Überbau mit **obenliegender** oder ein solcher mit **versenkter Bahn** anzuordnen ist. Bei Brücken, deren Breite größer ist als die Stützweite, kommt eine zwischenliegende oder versenkte Fahrbahn nicht in Betracht, da sie in diesem Falle keine wirtschaftlichen und konstruktiven Vorteile bietet. Ebenso ist bei Brücken mit ausreichender Bauhöhe in der Regel ein Überbau mit obenliegender Fahrbahn zu wählen. Die Grundform mit zwischenliegender Fahrbahn wird daher nur für solche Brücken mit beschränkter Bauhöhe angewendet, deren lichte Breite erheblich kleiner als die lichte Weite ist.

Da bei einfachen Trägern mit obenliegender Fahrbahn das günstigste Verhältnis der Stützweite zur Trägerhöhe etwa $l : h = 14$ ist, so erfordern sie eine Bauhöhe

$$BH = \frac{l}{14} + s,$$

wenn s die Versteifungsstärke bedeutet.

Für die Querträger der Brücken mit versenkter Bahn ist mit Rücksicht auf eine genügende Versteifung der frei überstehenden Tragwände die Trägerhöhe etwas reichlicher zu wählen, so daß man sie i. M. etwa zu $\frac{1}{10}$ der Querträgerstützweite annehmen kann. Die erforderliche Bauhöhe ergibt sich dann zu

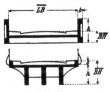

$$BH = \frac{LB + b}{10} + s,$$

Abb. 141.

wenn LB die lichte Breite, b die Breite der Hauptträger bedeuten. Beträgt z. B. die lichte Breite $\frac{1}{2}$ bezw. nur $\frac{1}{4}$ der Hauptträgerstützweite, also $LB = \frac{1}{2} l$ bezw. $\frac{1}{4} l$, so wird, da b i. M. zu $\frac{1}{40} l$ anzunehmen ist und daher hier vernachlässigt werden kann, $BH = \frac{l}{20} + s$ bezw. $BH = \frac{l}{40} + s$, also wesentlich geringer als bei obenliegender Fahrbahn (Abb. 141).

Eine Möglichkeit zur Einschränkung der Bauhöhe bei größeren Brücken mit versenkter Bahn besteht in der Anordnung der Gangbahnen außerhalb der Hauptträger nach dem Vorbild der meisten größeren Eisenbrücken. Bei der Ausführung in Eisenbeton ergibt sich jedoch eine vollkommene Abtrennung der Gangbahnen von der Fahrbahn durch die als volle Steinbrüstung sich darstellenden Hauptträger. Diese für die Fußgänger unangenehme Wirkung kann dadurch gemildert werden, daß der Träger möglichst niedrig gehalten wird und ein freier Überblick über denselben gewahrt bleibt. Andernfalls müßte eine möglichst weitmaschige Durchbrechung der Tragwand vorgesehen und die Gurtung so hoch gelegt werden, daß ein freier Durchblick möglich ist. Bei den Brücken von größerer Länge, die für diese Grundform in Frage kommen, wird überdies meist die Möglichkeit eines Querverkehrs von einer Brückenseite zur anderen gefordert. Hierzu kommt noch, daß die lichte Breite der Fahrbahn bei unmittelbar angrenzenden Hauptträgern größer werden muß als dann, wenn zwischen Hauptträger und Fahrbahn besondere Gangbahnen eingeschaltet sind, da in letzterem Falle (vergl. Abb. 128) ein Teil der Gangbahnbreite für den Verkehr der Fahrzeuge beim Ausweichen nutzbar gemacht werden kann.

Die Zahl der anzuordnenden Zwischenstützen ergibt sich meist ohne weiteres aus der Geländeform und aus der Anordnung der unter der Brücke freizuhaltenden Verkehrsräume. Die verfügbare Bauhöhe ist hierfür nur insofern maßgebend, als es sich aus statischen und wirtschaftlichen Gründen nicht empfiehlt, das Verhältnis der Stützweite zur Trägerhöhe größer als etwa $l : h = 14$ bei schwereren Brücken, bis $l : h = 20$ bei ganz leichten Bauwerken, Gangstegen u. dergl. zu wählen. Danach ergibt sich die zweckmäßigste Stützweite zu

$$l = 14 \, (\bar{B} \, \bar{H} - s) \text{ bis } l = 20 \, (B \, \bar{H} - s).$$

Bei sehr großer Brückenlänge und unbeschränkter Stützenzahl, wie z. B. bei Talübergängen, bei Brücken über nicht schiffbaren Flüssen oder Seen u. dergl., ist eine eingehendere Betrachtung erforderlich, die auf den geringsten Kostenaufwand abzielt. Am zweckmäßigsten ist es dann, zunächst für verschiedene Stützweiten jeweils die Kosten' des Tragwerks sowie die der Zwischenstützen überschlägig zu ermitteln und danach die Entscheidung über die günstigste Anordnung zu treffen.

Von erheblichem Einfluß auf die Wahl der Grundform ist die Frage nach den architektonischen Anforderungen, die an das fertige Bauwerk gestellt werden. Je größerer Wert auf die äußere Erscheinung der Brücke gelegt wird, umsomehr treten die rein wirtschaftlichen Fragen zurück.

Wenngleich eine Balkenbrücke aus Eisenbeton in erster Linie einen Nutzbau darstellt, so sollte doch stets auch das Äußere der Anforderung genügen, daß die Brücke mit ihrer Umgebung in Einklang gebracht und ein befriedigender Eindruck des ganzen Bauwerks erzielt wird. Während eine Bogenbrücke selbst in der schmucklosesten Form fast stets einen monumentalen Eindruck erweckt, weil sie sich in der Regel beträchtlich über das Hindernis erhebt, schmiegt sich eine Balkenbrücke infolge der geradlinigen Erstreckung des Balkens weit mehr dem Gelände an. Sie tritt daher meist sehr wenig hervor, so daß man bei dem an sich schon anspruchslosen Grundzuge der Balkenbrücken bedauerlicherweise häufig auch auf jede wirkungsvolle Formgebung verzichtet.

Bei der architektonischen Gestaltung einer Brücke stehen dem entwerfenden Ingenieur vor allem folgende Mittel zur Verfügung: die Linienführung der oberen und unteren Begrenzung, ferner die Symmetrie, sowie endlich die Gruppierung der Massen oder der Rhythmus. Hierzu kommt bei den Brücken aus Eisenbeton gegenüber der Ausführung in Eisen endlich noch die Behandlung der Ansichtsflächen durch Gliederung und Farbtönung, wodurch eine materialgerechte Körperwirkung zu erzielen ist.

Die Linienführung der oberen Begrenzung, die bei Anwendung eines eisernen Geländers durch den Brückenrand, bei einer massiven Brüstung durch deren Oberkante gebildet wird, kann entweder geradlinig, geknickt oder stetig gekrümmt gewählt werden. Das architektonische Bedürfnis, die Brückenmitte der Fahrbahn möglichst zu heben, deckt sich in der Regel mit der Forderung einer möglichst günstigen Entwässerung der Fahrbahnoberfläche. Auch ist nicht nur mit Rücksicht auf den Wagenverkehr, sondern auch bezüglich der äußeren Wirkung zu empfehlen, bei beiderseits geradlinig ansteigenden Straßen einen scharfen Knick in der Brückenmitte zu vermeiden und ihn durch eine Ausrundung auszugleichen. Den günstigsten Eindruck erweckt eine leicht gekrümmte stetige Linienführung der oberen Brückenbegrenzung nach einem über die ganze Brückenlänge sich erstreckenden Kreisbogen, einem Korbbogen oder einer Parabel, wie sie schon von den Renaissancebaumeistern häufig angewendet worden ist. Eine elliptische Krümmung, wie z. B. bei dem Ponte San Trinita in Florenz, ist zwar sehr wirkungsvoll, leider aber bei den heutigen Verkehrsanforderungen wegen der starken Neigung an den Brückenenden für Straßenbrücken meist kaum durchführbar, wohl aber bei Fußgängerstegen sehr empfehlenswert. Mitunter wird auch eine doppelte Krümmung angewendet, wie bei der Taulowbrücke in Jütland (Abb. 142), wenn bei einer starken Wölbung der oberen Begrenzung ein stetiger Übergang an die wagerechte Auflagertangente der Brückenenden erzielt werden soll. Bei solchen Tragwerken mit versenkter Bahn ist es fast stets möglich, wie auch Abb. 143 zeigt, durch eine Verringerung der Trägerhöhe an den Auflagern und eine stetige Krümmung der oberen Begren-

Abb. 142. Wegüberführung bei Taulow in Jütland.
(Ausführung: Christiani & Nielsen, Kopenhagen.)

Abb. 143. Feldwegbrücke über den Oberwasserkanal bei Freising.
(Ausführung: Edwards & Hummel-Kunz, München.)

Abb. 144. Wertachbrücke in Oberbayern. (Entwurf: Hennebique, Paris.)

zungslinie eine leichtere Gesamtwirkung zu erzielen.

Die Linienführung der unteren Begrenzung, also der Balkenunterkante, kann entweder geradlinig, gewölbt oder nach unten durchhängend angenommen werden.

[1] Beton u. Eisen 1910. S. 388.

Selbst bei wagerechter Unterkante empfiehlt es sich, abgesehen von der notwendigen Überhöhung des Lehrgerüstes, auch in der Trägermitte eine kleine bleibende Erhöhung vorzusehen, da ein Balken, selbst bei genau geradliniger Unterkante, erfahrungsgemäß stets den unbefriedigenden Eindruck des Durchhängens erweckt. Am günstigsten wirkt zweifellos eine leichte Wölbung der Trägerunterkante, die jedoch keinesfalls stärker als mit dem Pfeilverhältnis von etwa 1:25 der Abb. 144 u. 145 angenommen werden sollte, um zu vermeiden, daß die Grundform einer Bogenbrücke vorgetäuscht wird. Im allgemeinen genügt als Pfeilverhältnis der Wölbung 1:50 bis 1:100, wobei zu beachten ist, daß bei durchlaufenden Trägern eine stärkere Krümmung sich dem Verlauf der Biegungsmomente meist günstig anpaßt (Abb. 144). Da im Gegensatz zu einem luftigen Eisenfachwerk jede Eisenbetonbrücke einen steinähnlichen, also weit schwereren Eindruck hervorruft, so erreicht man

Abb. 145. Brücke am Quai Débilly in Paris.
(Ausführung: Hennebique, Paris.)

Abb. 146. Fallerslebertor-Brücke in Braunschweig.
(Ausführung: Drenckhahn & Sudhop, Braunschweig.)

Abb. 147. Gangsteg über die Weißeritz in Dresden-Fr. (Ausführung: Rud. Wolle, Leipzig.)

durch eine schwache Wölbung eine willkommene, scheinbar leichtere Gestaltung. Umgekehrt ergibt ein durchhängender Untergurt (Abb. 146) eine Verschiebung der Flächen und Massen nach der Brückenmitte und damit eine scheinbar stärker belastende, schwerere Wirkung. Diesem architektonisch nachteiligen Einfluß des durchhängenden Untergurtes ist bei der 25 m weit ge- spannten Möller- brücke der Abb. 147 durch eine kräftige Wölbung der oberen Be- grenzung erfolg- reich vorgebeugt, die infolge der starken Auskra- gung besonders hervortritt. Häufig

Abb. 148. Brücke in Kieritzsch.
(Ausführung: Max Pommer, Leipzig.)

wird an Stelle der stetigen Krümmung der Untergurtlinie eine Eckausrundung oder Abbiegung, die sogenannte Voute an den Stützpunkten (vgl. Abb. 148 u. Beispiel Nr. 23 Abschnitt F), oder auch eine gebrochene Linie gewählt, die im mittleren Teil geradlinig und der oberen Begrenzung parallel läuft (Abb. 149), wodurch ebenfalls dem statischen Bedürfnis Rechnung getragen wird.

Für den äußeren Eindruck ist vor allem auch die Gestaltung des Kopfes der Zwischenstützen und ihre Verbindung mit dem Träger von Bedeutung, die von der nüchternsten Form des Gang steges auf Bahnhof Halle (Bei- spiel Nr. 17, Abschnitt F) bis zur reichen Gliederung der konsolarti- gen Köpfe der Straßenbrücke in Kiew (Beispiel Nr. 14) ausgebildet werden kann. Die natürlichste Lösung ist sicherlich diejenige, deren äußere Formgebung sich der statischen Grundform je nach

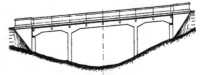

Abb. 149. Schiefe Symmetrie.

der gelenkartigen oder festen Verbindung der Stützen mit dem Träger anpaßt und jede Scheinfuge und Quaderteilung, wie z. B. an den aus Eisenbeton hergestellten Endpfosten der Abb. 142, grundsätzlich vermeidet.

Die zweite Forderung der architektonischen Gestaltung, die Symmetrie, wird meist schon aus statischen Gründen in der Regel naturgemäß erfüllt. Erwähnt sei hier nur, daß auch bei geneigter Brückenbahn die sogenannte schiefe Symmetrie nach Abb. 149 anzustreben ist, unter möglichster Anpassung an die Geländeform.

Die Gruppierung der Massen oder der sogenannte Rhythmus endlich ist eines der wirkungsvollsten Mittel um größere Bauwerke harmonisch zu gliedern. Bei einem durchlaufenden Balken z. B. ist zu bedenken, daß eine ungerade Zahl von Öffnungen stets günstiger wirkt als eine gerade Zahl, bei der jedoch durch eine starke Betonung des Mittelpfeilers wiederum ein befriedigender Ausgleich geschaffen werden kann. Das aus statischen Gründen sich ergebende günstigste Verhältnis der Öffnungsweiten eines durchlaufenden Trägers (vergl. Abschn. E, VI, 5) entspricht meist auch vollständig den architektonischen Forderungen, wie z. B. die kleineren Endfelder der Elsterbrücke bei Meilitz (Abb. 150 und Beispiel Nr. 22) zeigen.

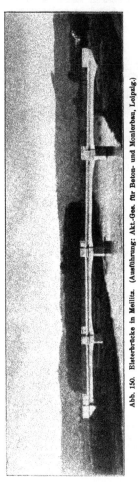

Abb. 150. Elsterbrücke in Meißlitz. (Ausführung: Akt.-Ges. für Beton- und Monierbau, Leipzig.)

Eine der schwierigsten architektonischen Fragen ist die Bemessung der Pfeilerbreite. Bei fest verbundenen Zwischenstützen z. B. steht der statischen Forderung möglichst schlanker, elastischer Pfeiler, die sich mit dem wasserbautechnischen Bedürfnis eines möglichst großen Durchflußprofils deckt, häufig das architektonische Bestreben nach möglichst kräftiger Ausbildung dieser wichtigen Tragteile entgegen. Um ein befriedigendes Verhältnis zwischen Pfeilerbreite und Stützweite zu finden, muß das künstlerische Empfinden darüber entscheiden, wie weit es sich empfiehlt, die Pfeilerbreite zu verringern, wobei jedoch bezüglich der Schlankheit immerhin der Eigenart des neuen Baustoffs auch durch die äußere Form Rechnung getragen werden muß.

Ein weiteres Mittel zur Belebung des Aussehens einer Brücke besteht in der Gliederung der sichtbaren Flächen. In erster Linie empfiehlt es sich, die Höhenlage der Fahrbahn auch nach außen hin zu kennzeichnen. Bei Tragwerken mit versenkter Bahn geschieht dies in der Regel durch Ausbildung eines in der Höhe der Fahrbahn durchgeführten Untergurtsimses, über welchem sich die Nischen oder Aussparungen befinden. Als gelungene Beispiele dieser Art mögen die Abb. 93 sowie 96 bis 98 angeführt werden. Bei Brücken mit obenliegender Fahrbahn wird dieser Forderung in einfacher Weise dadurch entsprochen, daß man die Platte über die Randträger hinaus verlängert, wodurch bei starker Ausladung eine sogenannte Auskragung der Platte entsteht, welche auch hervorragende wirtschaftliche Vorteile bietet (vergl. S. 78). Infolge der hierdurch erzielten Schattenwirkung wird selbst bei der einfachsten Ausführung der Abb. 151 eine wirkungsvolle Belebung der Ansichtsflächen erzielt, die nach Abb. 152 durch darunter befindliche Konsolen gesteigert werden kann. Diese Konsolen sind sinngemäß als Befestigungspunkte des Geländers aufzufassen, oder aber sie bilden bei starker Auskragung der Platte die Unterstützung derselben und sind dann in der Verlängerung der Querträger anzuordnen und dementsprechend zu bemessen. Bei außergewöhnlicher großer Auskragung der Platte werden wohl auch besondere niedrigere Randträger angeordnet, die dazu beitragen können, die übermäßig hohen Hauptträger teilweise zu verdecken, um das Bauwerk dadurch leichter erscheinen zu lassen (Abb. 153 u. 154).

Eine Belebung großer Ansichtflächen kann vor allem auch durch eine verschiedenartige Behandlung der Betonoberfläche erzielt werden, und zwar dadurch, daß einzelne Flächenteile glatt, andere dagegen rauh bearbeitet, z. B. gestockt oder scharriert werden. Zu diesem Zweck ist eine besondere feinkörnigere Mischung, der sogenannte

Abb. 151.

Vorsatzbeton, während des Betonierens an der Schalung anzulegen, wodurch ein steinmetzmäßiges Bearbeiten ermöglicht und dem Baustoff das Aussehen von natürlichem Stein verliehen werden kann.

Schließlich sind als eigentlicher Brückenschmuck die Geländer und Brüstungen mit den Abschlußkörpern auf den Widerlagern anzusehen, die sowohl von der Brückenbahn, als auch von außen her zu sehen sind. Da

Abb. 152. Parkbrücke in Bavillers bei Belfort.

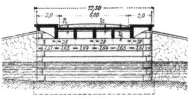
Abb. 153.

sie nicht zu dem eigentlichen Tragwerk gehören, sondern die seitliche Begrenzung der Fahrbahn bilden, die nur ausnahmsweise beansprucht wird und auch dann nur von sehr geringen Kräften, so erscheint es zweckmäßig, diese Teile auch äußerlich von dem Tragwerk zu trennen. Dies geschieht am wirksamsten durch die Verwendung eiserner Stabgeländer, die in einfachster Weise

Abb. 154.

durch kräftige eiserne Pfosten auf den Brückenrändern befestigt werden können (vergl. Abb. 151 bis 154), oder aber durch hervortretende Eisenbetonpfosten, die mit dem Überbau fest verbunden werden (Abb. 155). Auch die Sandsteinbrüstungen der Fallerslebertorbrücke in Braunschweig (Abb. 146), die auf den Ufermauern ihre Fort-

5*

setzung finden, erscheinen von dem Tragwerk losgelöst, ebenso das reichgeschmückte
gußeiserne Geländer der Brücke am Quai Débilly (Abb. 145). Bei der Nonnenbrücke
in Bamberg ist die Eisenbetonbrüstung, welche unmittelbar auf dem Randträger aufgesetzt ist, durch
wellenartige Bänder
als ein nicht zum
Tragwerk gehörender
Teil gekennzeichnet,
während die Kanzel
in der Brückenmitte,
an der Stelle der
größten Trägerhöhe,
sowie die Betonung
des Untergurts durch
eine Simslinie einen
weiteren wirkungs-
vollen Schmuck dieser
eigenartigen Grund-
form bilden (Abb. 156).

Abb. 155. Viadukt über die Südholländische Elektrische Bahn.

2. Der Brücken-
querschnitt.

Im folgenden sollen
die für den Entwurf
wichtigsten Einzelhei-
ten besprochen werden,
die bei der Ausbildung
des Brückenquer-
schnitts zu beachten
sind. Hierbei sei auf
die in den Beispielen
des Abschnitts F mit-
geteilten Sonderheiten
verschiedener ausge-
führter Brücken hin-
gewiesen, da an dieser

Abb. 156. Nonnenbrücke in Bamberg.
(Architekt: Prof. Th. Fischer, Stuttgart. Ausführung: Dyckerhoff u.
Widmann, Nürnberg.)

Stelle naturgemäß nur allgemeine Anhaltspunkte gegeben werden können. Die zweckmäßigsten Abmessungen der Brückenträger sind im nächsten Abschnitt „Grundgrößen"
ausführlich behandelt.

Die meisten Straßenbrücken in Eisenbeton zeigen die Grundform der Rippenplatte mit obenliegender Fahrbahn, deren Querschnitt sich aus der Deckplatte
und zwei oder mehr damit organisch verbundenen Tragrippen zusammensetzt. Die
Anordnung und Verteilung dieser Rippen oder Hauptbalken ist von grundlegender Bedeutung für die wirtschaftliche Gestaltung des Bauwerks, so daß auf diese Frage von
vornherein Gewicht gelegt werden muß.

Die Platte schließt sich in ihrer Querschnittsform mit Rücksicht auf möglichste
Gewichtsersparnis dem Querschnitt der Brückenbahn meist so eng an, als es die gewählte Versteinungsart und die Rücksichten auf die Entwässerung ihrer Oberfläche
irgend gestatten. Sie ruht in der Regel auf einer Zahl paralleler Hauptbalken, die

unter der Fahrbahn in meist gleich großen Abständen von 1,2 bis 1,8, i. M. 1,5 m angeordnet sind. Bei größerem Balkenabstand werden zur ausreichenden Abstützung der
Platte Querträger erforderlich, die rechtwinklig zu den Hauptbalken angelegt werden
und gleichzeitig zur Versteifung der Hauptträger sowie zur gleichmäßigen Verteilung der
Brückenlasten auf alle Hauptträger dienen (Abb. 131). Diese Bedeutung der Querträger
bei den Rippenplatten oder Plattenbalken ist bisher oftmals von den entwerfenden Ingenieuren noch nicht genügend gewürdigt und durch Weglassung dieser wichtigen Teile
der verhältnismäßig schwachen Platte eine Aufgabe zugewiesen worden, der sie in
vielen Fällen nicht gewachsen ist. Sie erscheinen aber aus vorstehenden Gründen auch
bei kleineren Balkenabständen zweckmäßig, und zwar empfiehlt es sich, dieselben in
3 bis 5 m Abstand anzuordnen und möglichst bis zur Höhe der Eiseneinlagen der
Hauptbalken herabzuführen, auch wenn die unmittelbar auf sie entfallenden Brückenlasten dies nicht nötig erscheinen lassen sollten. Über den Widerlagern sind ebenso
zur Aufnahme der wagerechten Seitenkräfte Querversteifungen empfehlenswert, die
häufig als durchlaufende Endquerträger zur besseren Lastverteilung und zugleich als
Abschluß gegen das Erdreich angeordnet werden (vergl. Abb. 138).

Da die Rippenplatte als ein Körper wirkt, der wie aus einem Guß hergestellt
worden und daher innerlich vielfach statisch unbestimmt ist, so erscheint es unbedingt
erforderlich, starken und schädlichen Formänderungen eines Körperteils, z. B. der Durchbiegung einer einzelnen Rippe, dadurch vorzubeugen, daß man die gesamte Eisenbetontafel so steif und starr als irgend möglich ausbildet (vergl. Abschnitt E, 3, Berechnung
der Platte). Hierzu sind vor allem die Querträger geeignet, die bei vielen Rippenplattenbrücken leider vollständig fehlen.

Unter den seitlichen Gangbahnen können die Hauptträger größere Abstände erhalten, in vielen Fällen aber ganz entfallen und durch konsolartige Verlängerungen
der Querträger ersetzt werden, weil die Belastung der Gangbahnen stets geringer als
die der Fahrbahn ist und nicht aus Einzellasten besteht, sondern gleichmäßig verteilt
wirkt. In der Regel ist sogar die Platte allein ohne weitere Unterstützung schon zur
Aufnahme der Gangbahnlasten auf die Länge der Auskragung befähigt.

Diese Auskragung der Platte über die Randbalken hinaus bildet in jedem
Falle ein wertvolles Mittel für die wirtschaftliche Gestaltung der Eisenbetonbrücken, da
sie nicht nur eine Ersparnis an Widerlagerbreite ermöglicht, sondern auch eine gleich-
seitigere Belastung der Randbalken und eine Entlastung der Platte in den benachbarten
Feldern bewirkt. Sie beträgt vorteilhaft 0,3 bis 0,4 des Balkenabstandes und ist
besonders angebracht bei Gangstegen und bei Brücken mit nur zwei Hauptträgern, bei
denen dadurch der Balkenabstand auf etwa 0,6 der lichten Breite eingeschränkt werden
kann (vergl. auch S. 78ff.).

Besonderer Erwägung bedarf die Ausbildung des Plattenrandes, der den seitlichen
Abschluß der Brückenbahn bildet. Er ergibt sich am einfachsten bei Gangbahnen,
deren Befestiguug aus einem schwachen Asphaltbelag oder Zementestrich besteht, da
in diesem Falle der seitliche Abschluß keiner besonderen Vorkehrung bedarf (Abb. 157).

Bei Brücken ohne seitliche Gangbahnen oder bei gepflasterten Gangbahnen ist der
Rand der Eisenbetonplatte bis zur Höhe der Fahrbahnoberkante zu führen, was ent-
weder durch allmäliches Hochziehen der Platte nach Abb. 158 oder durch senkrechte
Abbiegung derselben nach Abb. 159 erfolgen kann. In diesem Falle wird häufig der
Plattenrand nach Abb. 160 als besonderer Randträger ausgebildet und auf die Auskragung
der Platte verzichtet. Von diesen Anordnungen bietet die der Abb. 157 den meist un-

wesentlichen Vorteil der geringsten Eigenlast der Brücke, hat aber anderseits den
Nachteil, daß die Randbalken bedeutend höher werden, als die inneren Hauptträger
und sich daher viel weniger durchbiegen. Sie übernehmen somit einen erheblich größeren
Anteil an der gesamten Brückenlast, als ihnen der örtlichen Lage nach zukommt, so
daß diese Anordnung nur bei Vorhandensein lastverteilender Querträger und einer
großen Auskragung zweckmäßig erscheint. Ein weiterer Nachteil liegt darin, daß bei
dieser Lösung der Druckgurt nur auf einer Seite des Balkens vorhanden ist und durch
die hohe Lage der Schwerlinie des Randbalkens gegenüber der der inneren Balken
notwendig eine Querschnittsverzerrung eintreten wird, die ungünstige Spannungsver-
teilungen in der Platte hervorruft und in einer vorsichtigen Bemessung der Tragquerschnitte berücksichtigt werden muß. Als vorteilhafter in dieser
Beziehung ist der Querschnitt der Abb. 158 zu bezeichnen, bei
dem sich der Spannungswechsel weniger unvermittelt vollzieht,
wenngleich auch hier und ebenso bei den Abb. 159 und 160 auf die
erhöhte Druck-
spannung in den
über die eigent-
liche Platte über-
stehenden Quer-
schnittsteilen hin-
zuweisen ist. Als
statisch einwand-
frei ist daher
nur die Ausbil-
dung des Quer-
schnitts nach
Abb. 161 anzu-
sehen', bei der
der seitliche Fahr-
bahnabschluß
durch eine be-
sonders aufge-
setzte gemauerte
oder aufbeto-
nierte niedrige
Abschlußwand
gebildet wird.
Der davon un-

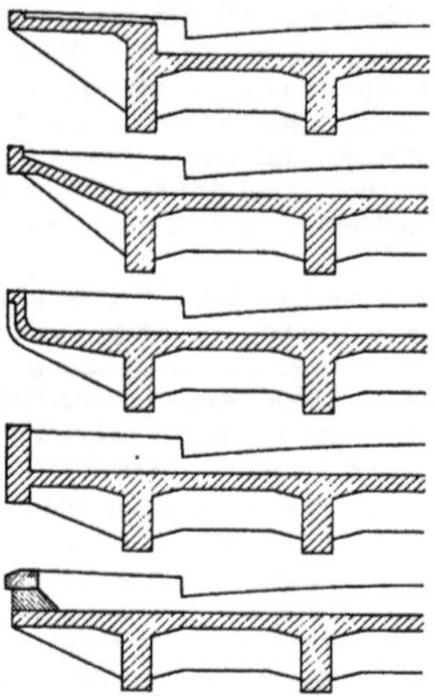

Abb. 157.

Abb. 158.

Abb. 159.

Abb. 160.

Abb. 161.

Abb. 157 bis 161. Seitlicher Fahrbahnabschluß.

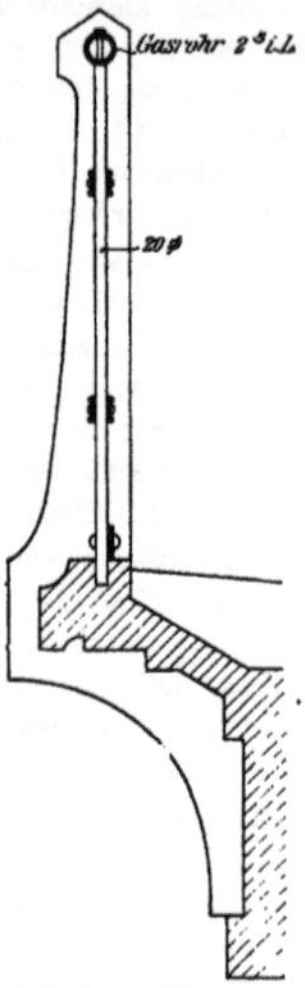

Abb. 162. Eisernes
Geländer mit Eisen-
betonpfosten.

abhängig gestaltete Querschnitt des Tragwerks kann dabei aus lauter vollen, gleich
hohen Plattenbalken zusammengesetzt werden, so daß eine klare Druckgurtwirkung in
der Platte gewährleistet ist.

Eng mit der vorliegenden Frage verknüpft ist auch die des seitlichen Abschlusses
des Verkehrsraums, also der Geländer oder Brüstungen. Werden diese aus Sandstein hergestellt, so sind sie infolge ihrer großen Gewichte genügend standsicher, so
daß die tragende Platte nur entsprechend verbreitert werden muß. Bei Geländern aus
Eisenbeton oder Eisen dagegen ist eine biegungsfeste Verbindung mit dem Tragwerk
vorzusehen, die meist durch einzelne Pfosten erfolgt, zwischen die die eigentlichen
Geländerfüllungen eingesetzt werden.

Die Höhe der Geländer soll nicht unter 1 m, besser zu 1,10 bis 1,20 m angenommen werden. Die Hauptpfosten werden in der Regel über den Querträgern oder den Konsolen angeordnet, möglichst aber nicht über 3 m voneinander entfernt angenommen und zuweilen als unmittelbare Verlängerungen der Konsolen in Eisenbeton ausgeführt (Abb. 162). Zwischen diese Hauptpfosten werden die Geländerfüllungen eingesetzt, die aus Eisen hergestellt werden können und in der Regel eine kräftige Handleiste und schwächere Zwischenpfosten von 1,0 bis höchstens 1,5 m Abstand erhalten.

Häufig wird behördlicherseits zum Schutze spielender Kinder die Forderung gestellt, daß die Maschenweite der Geländer höchstens 0,15 m betragen darf, so daß man oft bei Brücken, die dem öffentlichen Verkehr dienen, als Abstand der Stäbe 0,10 m findet. Als untere Begrenzung des Geländers empfiehlt es sich, eine mindestens 5 cm hohe Stoßleiste zur Abhaltung des Straßenschmutzes von den Brückenstirnen anzuordnen, die auch für die Fußgänger einen angenehm empfundenen Abschluß der Brückenbahn bildet (Abb. 162 u. 165).

Die Befestigung der eisernen Geländerpfosten erfolgt am einfachsten durch Einsetzen derselben in entsprechende Aussparungen der Eisenbetonplatte nach Abb. 163 und Ausgießen der verbleibenden Hohlräume mit Zement. An Stelle dieser Befestigungsweise werden wohl auch nach Abb. 164 Gasrohrstücke einbetoniert, in die die Pfosten mittels zylindrischer Zapfen eingeschraubt werden. Die Ausbildung nach Abb. 165 hat den Vorteil, daß die lichte Breite vollständig ausgenutzt wird.

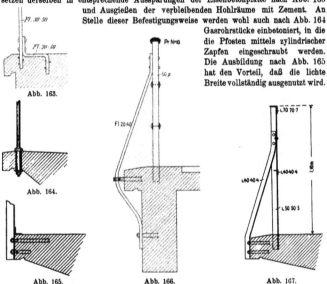

Abb. 163.

Abb. 164.

Abb. 165.   Abb. 166.   Abb. 167.

Abb. 163 bis 167. Geländerbefestigung.

Die Löcher für die Befestigungsteile werden meist sogleich bei der Herstellung der Platte zeichnungsgemäß ausgespart oder die mit Schraubengewinde versehenen Gasrohrstücke mit einbetoniert. Abb. 166 u. 167 zeigen Abstützungen von eisernen Hauptpfosten, um eine größere Seitensteifigkeit nach außen zu erzielen.

Anhangsweise seien hier einige Ausführungsmöglichkeiten für die Befestigung von Leitungsrohren angefügt, deren Überführung häufig bei städtischen Straßenbrücken schon beim Aufskizzieren des Entwurfs zu berücksichtigen ist. Das nach Abb. 168 zwischen den Balken aufgehängte Rohr ist von unten her einzubringen und mittels des unteren Bandeisens an das obere anzuschrauben. Falls die Querträger der Brücke diese Lage des Rohres nicht gestatten, kann dasselbe häufig unter der erhöhten Platte des ausgekragten Fußsteiges untergebracht werden. Dieses Mittel ist auch für

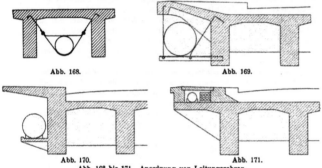

Abb. 168.   Abb. 169.

Abb. 170.   Abb. 171.
Abb. 168 bis 171. Anordnung von Leitungsrohren.

gewölbte Brücken mit ausgekragten Eisenbetongangsteigen empfehlenswert, falls die beschränkte Bauhöhe die Lage des Rohres über dem Gewölbe nicht zuläßt. An Stelle des eisernen Querträgers der Abb. 169, auf dem das von der Seite her einzuschiebende Rohr ruht, tritt in Abb. 170 eine Eisenbetonplatte, die sich mit Konsolen gegen den äußeren Träger stützt. Wird für die Plattenausbildung an den Brückenrändern die Lösung der Abb. 161 gewählt, so kann, wie Abb. 171 zeigt, wohl auch unter der Gangbahn ein mit einer Eisenbetonplatte abzudeckender Kanal ausgespart werden, der die Rohr- und Kabelleitungen aufnimmt.

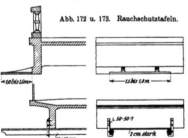

Abb. 172 u. 173. Rauchschutztafeln.

Für Brücken über Eisenbahngleisen ordnet man mitunter auch Rauchschutztafeln zur Verhütung des Anrußens der Ansichtflächen der Brücke an. Diese werden entweder in der Form von Eisenbetonplatten nach Abb. 172 von etwa 1,5 bis 2 m Breite und ebenso hoher Ausladung an den Randträger angesetzt oder als Holztafeln ausgebildet, die unter der ganzen Brückenbreite durchlaufen und an die Balken angehängt werden (vergl. Abb. 148). Die Holztafeln (Abb. 173) bestehen zweckmäßig aus 2 bis 2,5 cm starken, auf der Unterseite gehobelten Brettern, die von zwei Randbalken getragen und mit einem Zementanstrich oder einem sonst geeigneten Feuerschutzmittel versehen werden. Bei genügend glatter Unterfläche ist ein Anbrennen des Holzes kaum zu befürchten, da die von den Lokomotiven bei der Durchfahrt ausgestoßenen Rauchwolken sofort abgekühlt werden, glühende Kohleteilchen aber nicht haften können.

8. Die Grundgrößen.

Sowohl für die Beurteilung eines fertigen Bauwerks, als auch für den Entwurf einer neuen Brücke ist die Kenntnis gewisser Grundgrößen erforderlich, die wir in die Begriffe

1. Grundbedingungen,
2. Grundmaße,
3. Grundverhältnisse und
4. Massengrößen

zusammenfassen möchten.

Die „Grundbedingungen" für den Entwurf einer Brücke sind in der Regel von vornherein gegeben. Es sind dies nach Abb. 174

die lichte Weite $\overline{LW}$ der zu überbrückenden Öffnung, rechtwinklig zu dieser gemessen;

die lichte Breite $\overline{LB}$ des zu überführenden Verkehrsweges;

die Bauhöhe $\overline{BH}$, d. i. der verfügbare und zumeist voll ausgenutzte Abstand von Oberkante der Fahrbahn bis zur Unterkante des Tragwerks, sowie die Verkehrslast, welche von der Brücke getragen werden soll.

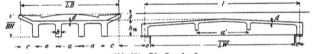

Abb. 174. Die Grundmaße.

Aus den Grundbedingungen ergeben sich die für die Ausführung und die Entwurfsbearbeitung wichtigen Grundmaße (Abb. 174), deren Wahl dem Konstrukteur mehr oder weniger freisteht. Diese sind

die Stützweite l und der Abstand e der Stützpunkte von der Vorderkante der Widerlager;

die Trägerhöhe h_m und die Balkenbreite b;

der Balkenabstand a und die Auskragung c der Brückenplatte, welche die Zahl n der Tragbalken bestimmen;

die Plattenstärke d und schließlich

der Abstand a' der lastverteilenden Querträger.

Diese Grundmaße stehen in gewissen Beziehungen zueinander, die für die Beurteilung des Entwurfs in bezug auf den Grad seiner Wirtschaftlichkeit kennzeichnend sind. Die Beziehungen der Grundmaße zueinander bezeichnen wir als die Grundverhältnisse der Brücke und heben daraus hervor:

$l : h_m$, das Verhältnis der Stützweite zur Trägerhöhe, die sogenannte „Schlankheit" des Balkens;

$l : a$, das Verhältnis der Stützweite zum Balkenabstand;

$c : a$, das Verhältnis der Auskragung zum Balkenabstand;

$h_m : b$, das Verhältnis der Balkenhöhe zur Balkenbreite, und

$h_m : d$, das Verhältnis der Balkenhöhe zur Plattenstärke.

Schließlich sind noch drei Werte anzuführen, die für die Kostenermittlung einer Eisenbetonbrücke von hervorragender Bedeutung sind und die wir als Massengrößen bezeichnen wollen. Diese sind

  der Betoninhalt oder das Volumen V' der Brücke in m³, bezogen auf 1 m² Grundfläche, also die mittlere Betonstärke in m,

  das Schalungsverhältnis S', d. i. die zur Herstellung des Überbaues erforderliche Schalung, bezogen auf 1 m² Grundfläche der Brücke, und

  das Bewehrungsverhältnis A' oder die Eisenbewehrung in Hundertteilen.

Die richtige Wahl der Grundmaße, die von erheblichem Einfluß auf die wirtschaftliche Gestaltung des Bauwerks ist, bietet dem Anfänger naturgemäß gewisse Schwierigkeiten, da es infolge der wechselseitigen Abhängigkeit der einzelnen Größen voneinander und der großen Mannigfaltigkeit der Grundbedingungen wegen unmöglich erscheint, auf theoretischem Wege die günstigsten Werte für die Grundmaße zu entwickeln. Um gleichwohl dem Konstrukteur einen brauchbaren Anhalt bei der Entwurfsaufstellung zu bieten, wurden für eine größere Zahl von ausgeführten Brücken, für welche die erforderlichen Angaben aus den Veröffentlichungen in der Literatur oder aus den von verschiedenen namhaften Firmen zur Verfügung gestellten Unterlagen zu entnehmen waren, die hier angegebenen Werte ermittelt und in den Übersichten I, II u. III auf S. 82 u. f. zusammengestellt.

Es wurde ferner versucht, aus den ausgeführten Beispielen Mittelwerte zu gewinnen, die wenigstens einen ungefähren Anhalt für den Entwurf einer Eisenbetonbrücke bieten und die dem Entwerfenden gleichzeitig die Möglichkeit gewähren, die von ihm angenommenen Grundmaße mit ausgeführten Beispielen zu vergleichen (s. Übersicht III, S. 88).

Diese Übersichten dürften eine gewisse Bedeutung dadurch gewinnen, daß sie eine Anzahl Beispiele von Brücken bieten, die im Wettbewerbe mit den eisernen Brücken von bewährten Firmen ausgeführt worden sind. Man darf daher annehmen, daß sie in bezug auf Wirtschaftlichkeit der Ausführung sowohl, wie auch auf Standfestigkeit und Zuverlässigkeit allen derzeitigen Anforderungen entsprechen.

Allgemein sei noch darauf hingewiesen, daß die in den Übersichten angegebenen Querschnittswerte für die Trägermitte, also für diejenige Stelle angegeben sind, die für die Abmessung des Bauwerks zumeist maßgebend ist. Ebenso sind die Verhältniszahlen durchlaufender Träger für die maßgebende Öffnung berechnet, da die meist kleineren Nebenöffnungen in ihrer Querschnittsausbildung von der Hauptöffnung abhängig sind.

1. Die Stützweite l der Hauptträger ist der in Richtung der Trägerachse gemessene Abstand ihrer Stützpunkte und ergibt sich bei einfachen Trägern über eine Öffnung aus der Lichtweite LW unter Berücksichtigung der etwaigen Schieflage der Brücke dadurch, daß beiderseits das Maß e zugeschlagen wird, um welches die Stützpunkte hinter der inneren Widerlagerflucht zurückstehen (vergl. Abb. 174). Sie ist daher in den meisten Fällen als eine von dem Belieben des Konstrukteurs unabhängige Größe zu erachten, wenn nicht die Anordnung von Zwischenstützen möglich ist.

An dieser Stelle sei darauf hingewiesen, daß als Stützpunkt eines Trägers stets der Schnittpunkt seiner Achse mit derjenigen Ebene zu verstehen ist, in der die Aufnahme und Weiterführung der Stützkräfte erfolgen kann. Für die Querträger von Brücken mit versenkter Bahn z. B. ist diese Ebene durch die Mittelebene der beiden Haupttragwände festgelegt, in der auch die Stützpunkte dieser Querträger anzunehmen sind (Abb. 175). Als Stützweite der Querträger darf daher nur der Hauptträgerabstand a, keinesfalls aber ein kleinerer Wert angesetzt werden. Will man in durchaus berechtigter Weise die feste Verbindung der Querträger mit den Haupt-

tragwänden berücksichtigen, so hat dies durch Einführung eines negativen Einspannungsmomentes zu geschehen, das dem Verdrehungswiderstand der Hauptträger entspricht und die positiven Biegungsmomente verringert, dem aber auch
durch Einlegen ent-
sprechender Eisen Rech-
nung getragen werden
muß.

2. Für den Ab-
stand e der Stütz-
punkte der Träger von
den Vorderkanten der
Widerlager gelten bei
den Eisenbetontrag-

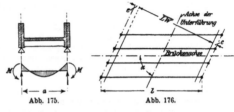

Abb. 175.   Abb. 176.

werken sinngemäß die gleichen Grundsätze wie bei den eisernen Brücken. Um eine zu starke Kantenpressung im Widerlagsmauerwerk infolge der auf eine kleine Fläche zusammengeführten Brückenbelastung zu vermeiden, soll der Druckmittelpunkt des Lagers bei einfachen Plattenbalken mindestens um das Maß

$$e = 0,20 + 0,015\ \overline{L W},$$

in m gemessen, von der Vorderkante des Mauerwerks zurückstehen. Damit ergibt sich das Maß der Stützweite in m zu

$$l = L W + 2 e = 1,03\ \overline{L W} + 0,40$$

oder bei schiefen Brücken (Abb. 176)

$$l = \frac{L W + 2 e}{\cos \alpha},$$

worin unter α der Winkel zwischen Brückenachse und der Achse der Unterführung verstanden wird. Bei Zwischenpfeilern, auf denen die Träger benachbarter Öffnungen zusammenstoßen, darf der Abstand e etwas kleiner gewählt werden, weil bei annähernd gleichen Öffnungen eine exzentrische Beanspruchung des Pfeilers nur durch einseitige Verkehrsbelastung eintritt. Bei einer ungegliederten Platte ist infolge der großen Auf- lagerlänge die Pressung in der Lagerfuge so klein, daß besondere Vorkehrungen für die Aufnahme des Lagerdrucks in der Regel entbehrlich sind. Für die in Rechnung zu stellende Stützweite genügt daher meist ein beiderseitiger Zuschlag von je etwa $e = 0,15$ m zur Lichtweite, also

$$l = \overline{L W} + 0,30.$$

Dagegen muß der Lagerabstand e für die Hauptträger der Brücken mit versenkter Bahn noch weitergehend vergrößert und möglichst nicht unter $e = 0,50$ m, daher

$$l > \overline{L W} + 1,0$$

angenommen werden.

Die Vernachlässigung dieser Forderung kann im Mauerwerk Kantenpressungen von unzulässiger Größe hervorrufen, aber auch eine Gefährdung der Standsicherheit der Widerlager herbeiführen, was sich häufig durch ein Neigen derselben gegeneinander ankündigt. Die Ursache hiervon liegt gewöhnlich darin, daß die Mittelkraft aus dem Eigengewicht des Mauerwerks, dem Erddruck und dem stark exzentrisch wirkenden Lagerdruck in der Bodenfuge zu nahe an die Vorderkante fällt, so daß dort die zulässige Bodenpressung überschritten wird (vergl. Abb. 183). Die Forderung nach reichlicher Be- messung des Abstandes e, welche vielleicht zunächst etwas weitgehend erscheinen mag, ergibt zwar eine Vergrößerung der Stützweite, bietet aber für die Standfestigkeit der Wider-

lager einen Sicherheitsgrad, der bei den oft recht zweifelhaften Annahmen betreffs des
Erddrucks und des Bodendrucks sehr erwünscht ist.

Bei den ausgeführten Brücken der Übersichten schwankt der Abstand e des Lager-
punktes von der Vorderkante der Widerlager zwischen 0,20 und 0,75 m und beträgt
im Mittel 0,38 m. Nur bei der Montbrillantbrücke (Nr. 31, Übersicht Ia, Beispiel
Nr. 8 in Abschnitt F) ist der Abstand kleiner und zwar zu 0,15 m angenommen, was
aber angesichts des Pfeilerkopfes aus Eisenbeton mit sachgemäßer Bewehrung begründet
sein mag. In anderen Fällen ist dem Nachteil des geringen Stützpunktabstandes durch
Anordnung tief eingreifender Quader mit abgeschrägten Kanten abzuhelfen versucht
worden.

3. Die Trägerhöhe h_m ergibt sich aus der gegebenen oder gewählten Bauhöhe
$\overline{BH}$ dadurch, daß man die Versteinungsstärke s und die Stärke der Dichtungsschicht
abzieht. Sie schwankt für Brücken mit obenliegender Fahrbahn im allgemeinen zwischen
$h_m = 0,60$ bis 1,60 m, obgleich unter den Brücken der Übersichten Trägerhöhen von
0,35 bis 1,90 m vorkommen.

Die Balkenschlankheit, also das Verhältnis $l : h_m$, schwankt zwischen den
Grenzwerten 9 und 21, beträgt aber zumeist bei den einfachen und den Kragträgern
$l : h_m = 10$ bis 14, im Mittel 12, bei den durchlaufenden und den Rahmenträgern
$l : h_m = 12$ bis 18, im Mittel 15.

Die Werte bis zu $l : h_m = 20$ kommen zumeist nur bei den Gangstegen vor, wenngleich die als Ausnahme anzusehenden Grenzwerte $l : h_m = 21$ und 21,4 bei einigen
Brücken vorliegen, wie z. B. bei der Fusebrücke in Peine (Nr. 17 der Übersicht Ia,
Beispiel Nr. 7 in Abschnitt F), ferner bei den beiden Niedersedlitzer Brücken (Nr. 11
u. 32, Beispiel 9 u. 10) mit den hohen versteifenden Randhauptträgern und den über
4 Stützen durchlaufenden Trägern mit Kragenden der Granbrücke in Kéménd (Nr. 58,
Beispiel 25). In den Fällen, wo infolge der geringen Bauhöhe für sämtliche Balken
eine größere Schlankheit als 20 erforderlich würde, wendet man, vorausgesetzt, daß die
Breite der Brücke nicht allzu groß ist, Tragwerke mit versenkter Fahrbahn an. Bei
diesen ist mit h_m die Höhe der beiden Hauptträger bezeichnet. Diese ist meist nicht
begrenzt und kann daher beliebig, also aus Gründen der Wirtschaftlichkeit möglichst
reichlich bemessen werden. Wir finden daher für diese Grundform $l : h_m = 7$ bis 11, im
Mittel 8, bei einer Trägerhöhe von $h_m = 1,4$ bis 2,1, im Mittel 1,7 m für die vollwandigen
und $h_m = 1,7$ bis 3,2 m für die durchbrochenen Träger.

Allgemein erkennt man, daß die Werte für $l : h_m$ nur selten über die im Eisenbrückenbau gebräuchlichen hinausgehen.

4. Die Balkenbreite b ist theoretisch zumeist durch die Scher- und Haftspannungen, konstruktiv jedoch dadurch bestimmt, daß die Zugeisen möglichst gedrängt
an der Unterseite der Balken Platz finden müssen. Überdies ist darauf hinzuweisen,
daß es bei hohen Balken sehr schwer hält, die Eisen sorgfältig zu verlegen und zu
umstampfen, und daß $b = 0,40$ m das geringste Maß ist, bei welchem ein Einsteigen in
den Schalungskasten und eine freie Bewegung in demselben noch möglich ist.

Die ausgeführten Beispiele weisen zumeist Balkenbreiten $b = 0,30$ und 0,40 m auf,
vereinzelt bei Gangstegen und leichten Wegbrücken auch kleinere Werte bis $b = 0,20$ m
und nur selten größere Werte als $b = 0,50$ m, und zwar bei schwer belasteten Brücken
mit wenigen Hauptträgern. Bei durchlaufenden Trägern ist wohl auch nach den Stützen
zu mit Rücksicht auf die daselbst auftretenden Druckspannungen im Untergurt eine
weitergehende Verbreiterung der Balken angeordnet.

Für die bequeme Ausführbarkeit kennzeichnend ist das Verhältnis $h_m : b$, für das sich zumeist Werte zwischen 2 und 3, in einzelnen Fällen aber sogar bis zu $h_m : b = 6,3$ ergeben. Diese besonders hohen Werte (Nr. 8, 9, u. 43 der Übersicht) sind aber als Ausnahmen zu bezeichnen, deren Ausführung dadurch möglich ist, daß die Eisen außerhalb des Schalungskastens vollständig montiert und sodann eingehängt werden. Auch in statischer Hinsicht sind die hohen, schmalen Träger sehr wenig günstig, da sodann große Scher- und Betonzugbeanspruchungen auftreten, deren Berechnung häufig unterlassen wird.

Besonders kleine Werte bis zu $h_m : b = 0,85$ finden sich meist bei solchen Brücken, wo gegenüber großen Verkehrslasten nur sehr geringe Bauhöhen zur Verfügung standen, wie z. B. bei Nr. 11, 17, 27 und 32.

Bei den Tragwerken mit versenkter Bahn ergeben sich Werte bis zu $h_m : b = 8,3$ bei einer Balkenbreite von zumeist 0,35 m. Hier ist die geringe Breite bei der Herstellung weniger nachteilig, da es möglich ist, die Schalung der einen Seite zunächst wegzulassen und dem fortschreitenden Stampfen entsprechend nach und nach einzusetzen. Eine statisch hervorragende Bedeutung hat aber bei diesen Tragwerken das Verhältnis $l : b$, das einen Maßstab für die Knicksicherheit der Druckgurtung bietet. Es beträgt zumeist $l : b = 35 \sim 60$, in einem Falle (Nr. 66) allerdings nur $l : b = 15$, entsprechend der außergewöhnlich großen Gurtbreite $b = 0,70$ m.

5. Die Zahl n der Balken, ihr gegenseitiger Abstand a und die Auskragung c, d. i. der Abstand der äußersten Balken vom Brückenrande, sind Werte, die naturgemäß eng miteinander zusammenhängen. Beziehen wir die Abstände a nach Abb. 174 auf die Balkenmitten, die Auskragung c auf die Innenkante des Brückengeländers, so erhalten wir die Beziehung

$$(n-1)\,a + 2\,c = \overline{L\,B}.$$

Die Zahl n ist zumeist bezeichnend für die Unterscheidung der Tragwerke in „Überdeckungen" und „Brücken". Während bei den ersteren die Zahl n ohne Einfluß auf die Wahl des Balkenabstandes ist, beschränkt man sie bei den eigentlichen Brücken nach Möglichkeit und geht selten über die Zahl $n = 5$ hinaus, um die Zahl der Stützpunkte zu beschränken. Besonders bei ausreichender Bauhöhe werden größere Balkenabstände vorteilhaft, da in der Anordnung von Querträgern ein Mittel geboten ist, die Platte genügend zu unterstützen und große Auskragungen anzuwenden. In der Regel ergibt sich die wirtschaftlichste Lösung mit einer möglichst geringen Balkenzahl, deren Verminderung jedoch dadurch begrenzt ist, daß die Stützweite a der Platte 2 m, höchstens 2,5 m nicht überschreiten sollte. Die Begründung dieser aus zahlreichen Versuchsrechnungen des Verfassers hervorgegangenen Regel besteht darin, daß mit dem Fortfall eines Balkens nicht nur die teure Schalung desselben, sondern vor allem auch ein ganzer Binder des Lehrgerüstes gespart wird.

6. Der Balkenabstand a, von Mitte zu Mitte der Balken oder Hauptträger gemessen, ist eines der wichtigsten Grundmaße der Brücke, da er für das Tragwerk in dreifacher Weise von Bedeutung ist. Zunächst wird durch die Wahl des Balkenabstandes die Stützweite der Platte festgelegt, denn diese Stützweite ist gleich a. Dadurch sind die Abmessungen der Platte bestimmt, welche für das Eigengewicht der Brücke von besonderer Bedeutung sind. Ferner ist die Belastungsbreite des Balkens, von Mitte zu Mitte der Platte gemessen, ebenfalls gleich dem Balkenabstand a. Schließlich ist in der Regel bei Brücken im Gegensatz zu den Deckenkonstruktionen auch die Druckgurtbreite des Balkens gleich groß mit a, da infolge der großen Stützweiten und schweren Verkehrslasten die Balken beträchtlich enger liegen als bei den

Decken und es daher nicht möglich ist, wie bei diesen, z. B. $^1/_3$ der Stützweite als Druckgurtbreite auszunutzen.

Der Balkenabstand wird bei Straßenbrücken in der Regel annähernd gleich der Spurweite der Wagen gewählt, weil dann auf jeden Balken höchstens eine Radlastenreihe entfällt, der Balken gleichwohl aber voll ausgenutzt ist, was bei geringerem Abstand nicht der Fall ist. Bei größerem Abstand werden anderseits für die Decke unnötig starke Abmessungen erforderlich, ohne daß an den Balken selbst gespart werden könnte. Der Balkenabstand schwankt bei den ausgeführten Brücken meist zwischen $a = 1,0$ und $2,0$ m und beträgt i. M. 1,5 m. Nur wenige Brücken weisen einen größeren Balkenabstand auf, und zwar sind dies besonders die von der Firma Hennebique-Paris ausgeführten Bauwerke, bei denen zumeist Zwischenquerträger angeordnet wurden, um die Plattendicke genügend klein zu erhalten.

7. Die Auskragung c der Fahrbahntafel über die Randbalken hinaus bildet ein wertvolles Mittel für die wirtschaftliche Gestaltung der Eisenbetonbrücken, da hierdurch oft an Widerlager- und Pfeilerbreite gespart werden kann, was besonders bei durchlaufenden und bei Kragträgern mit sehr hohen Zwischenstützen wesentlich ist. Außerdem bietet die Möglichkeit, die Auskragungen weit hervortreten zu lassen, dem Architekten auch eine willkommene Gelegenheit zur freien Gestaltung der Formen (vergl. S. 66). Diese Vorteile der Eisenbetonbauweise sind so erheblich, daß man häufig selbst bei reinen Betonbauten die Auskragung aus Eisenbeton herstellt.

Die Auskragungen werden fast stets kleiner als die Breite der Fußwege gewählt, um zu vermeiden, daß die Kragarme durch die Radlasten der Wagen beansprucht werden. Der größte Wert der Auskragung ist sodann gleich der Fußwegbreite. Bei Brücken ohne Fußweg läßt man meist nur die Abdeckplatten auskragen.

In statischer Beziehung hat die Verbreiterung der Platte über die Randbalken hinaus die Wirkung, daß in der Platte über dem Randbalken, also der ersten Stütze, ein negatives Biegungsmoment entsteht, welches die positiven Biegungsmomente im ersten Felde verringert, also der Größe der Biegungsmomente in den mittleren Feldern näherbringt. Außerdem wird die' Belastung der Randbalken durch die überkragende Platte vergrößert, die des benachbarten inneren Balkens vermindert und dadurch eine gleichmäßigere Verteilung der Balkenlasten auf alle Hauptträger erzielt. Schließlich erreicht man auch eine Vergrößerung der Druckgurtbreite des Randbalkens, was für diesen ebenfalls eine statische Verbesserung bedeutet.

Um den zweckmäßigsten Wert der Auskragung theoretisch zu ermitteln, ist die Frage zu stellen, welche Wirkung damit erzielt werden soll. Für Fußgängerstege, welche durchgängig gleichförmig verteilte Belastung und in der Regel nur zwei Hauptträger aufweisen, läßt sich das günstigste Maß der Auskragung c in einfacher Weise z. B. aus der Bedingung finden, daß die größten positiven und die größten negativen Momente gleich groß sein sollen.

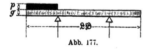

Abb. 177.

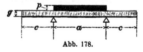

Abb. 178.

Nach Abb. 177 entsteht über der Stütze das größte negative Moment dann, wenn der Kragarm mit p kg/m belastet ist. Es ist dann

$$M_s = \frac{(p+g)\,c^2}{2}.$$

Wird dagegen die Mittelöffnung nach Abb. 178 allein belastet, so ergibt sich daselbst das größte positive Moment

$$M_m = \frac{(p+g)\cdot a^2}{8} - \frac{g\,c^2}{2}.$$

Aus der Bedingung $M_s = M_m$ folgt

$$\frac{p c^2}{2} + \frac{2 g c^2}{2} = \frac{(p+g) a^2}{8},$$

also

$$\frac{c}{a} = \frac{1}{2} \sqrt{\frac{p+g}{p+2g}}.$$

Nimmt man als äußerste Grenzfälle eine Plattenstärke $d = 0{,}10$ m bezw. $d = 0{,}20$ m und einen Gußasphaltbelag von 3 cm Stärke mit 70 kg/m³ Gewicht an, so ergibt sich für eine Belastung durch Menschengedränge von $p = 560$ kg/m³ der Wert

$$\frac{c}{a} = \frac{1}{2} \sqrt{\frac{560 + (240 + 70)}{560 + 2(240 + 70)}} = \frac{1}{2} \sqrt{0{,}74} = 0{,}43 \quad \text{(für } d = 0{,}10 \text{ m)}$$

bezw. $\dfrac{c}{a} = \dfrac{1}{2} \sqrt{0{,}67} = 0{,}41$ (für $d = 0{,}20$ m).

Es ergibt sich somit das Verhältnis $c : a = $ i. M. $0{,}42$. (Dieser Wert wird um so kleiner, je mehr die ständige Last gegenüber der Verkehrslast überwiegt. Für Eigengewicht allein oder für eine über die ganze Breite gleichmäßig verteilte Belastung p erreicht er als unterste Grenze den Wert $c : a = 0{,}355$. Anderseits liegt wegen der neben den Balken zumeist vorhandenen Ausrundung oder Abschrägung der gefährliche Querschnitt in bezug auf das größte negative Biegungsmoment nicht unmittelbar über den Stützen, sondern seitlich davon, so daß eine noch etwas größere Auskragung bis zu $c : a = 0{,}5$ zulässig ist.) Dem Wert $c = 0{,}42 \cdot a$ entspricht sodann, da $\overline{LB} = 2 c + a = 1{,}84 a$, das Verhältnis $a = 0{,}54 \, \overline{LB}$.

Bei wirtschaftlicher Ausnutzung der Auskragung sind daher für einen Gangsteg mit 2 Hauptträgern der Abstand der Balken zu rd. 54 vH., die Auskragungen zu rd. 23 vH. der Gesamtbreite zu wählen.

Für eine Platte über mehreren starren Stützen würde sich die Bedingung ergeben, daß das größte Biegungsmoment im Endfelde nicht größer sei als in einem der mittleren Felder. Es müßte daher unter Bezugnahme auf die Ergebnisse der Erörterungen auf S. 160 sein

$$\frac{2}{3} g \cdot \frac{a^2}{8} + \frac{4}{5} p \cdot \frac{a^2}{8} - \left(\text{rd.} \ \frac{g' c^2}{2} \right) \leqq \frac{1}{3} g \cdot \frac{a^2}{8} + \frac{2}{3} p \cdot \frac{a^2}{8}$$

$$\frac{g a^2}{24} + \frac{p a^2}{60} \leqq \frac{g' c^2}{2}$$

oder

$$\frac{c}{a} \geqq \sqrt{\frac{5 g + 2 p}{60 g'}},$$

wenn mit g' das Gewicht des überkragenden Plattenteils nebst Gangbahnbelag, mit g die ständige Last der inneren Plattenfelder und mit p die Verkehrsbelastung bezeichnet wird. Setzt man z. B. $g = 500$ kg/m, $p = 800$ kg/m und $g' = 300$ kg/m, so wird

$$\frac{c}{a} \geqq \sqrt{\frac{5 \cdot 500 + 2 \cdot 800}{60 \cdot 300}} = 0{,}477,$$

für $g' = g = p$ aber

$$\frac{c}{a} \geqq \sqrt{\frac{7}{60}} = 0{,}342,$$

so daß auch hier als Mittelwert $c : a = 0{,}42$ angenommen werden kann. Für eine gegebene Brückenbreite $\overline{LB}$ und eine bestimmte Balkenzahl n wäre demnach allgemein aus

$$(n-1) \cdot a + 2 c = \overline{LB}$$

der Balkenabstand zu

$$a = \frac{\overline{LB}}{n - 0{,}16}$$

bezw. die Auskragung zu

$$c = \frac{0{,}42 \cdot \overline{LB}}{n - 0{,}16}.$$

anzunehmen.

In der Übersicht schwankt das Maß der Auskragung, soweit eine solche vorhanden ist, zumeist zwischen $0{,}4$ und $0{,}9$ m, beträgt aber in einigen Fällen 1 bis $1{,}5$ m, in zwei Fällen sogar $2{,}2$ m (Nr. 12 und 19).

Das Verhältnis $c : a$ der Auskragung zum Balkenabstand liegt zumeist zwischen $0{,}25$ und $0{,}75$, i. M. $0{,}5$, erreicht aber in einigen Fällen erheblich größere Werte. Bei den beiden vorgenannten Brücken (Nr. 12 und 19) wird sogar $c : a = $ rd. $1{,}8$. Bei dieser Anordnung werden dann Querträger mit kräftigen Konsolen zur Stützung des

ausgekragten Teiles der Platte erforderlich, die in diesem Falle meist in der Längsrichtung der Brücke zwischen die Konsolen gespannt und mit Eisen bewehrt ist.

8. Die Plattenstärke d[1]) ist besonders von dem Balkenabstand a, also der
Stützweite der Platten, ferner von der Größe der Raddrücke, die als Einzellasten
wirken, und schließlich auch von der Versteinungsstärke abhängig. Eng hiermit verknüpft ist die Frage, ob zur Verbindung der Tragrippen besondere
Querträger vorhanden sind oder ob diese Aufgabe allein der Platte zufällt. Unter Hin-
weis auf die ausführlichen Erörterungen bei der Berechnung der Platte (vergl. S. 152) sei
hier nur besonders betont, daß die Zahl der lastverteilenden Querträger nicht zu niedrig
gegriffen werden darf und ihr Abstand a' höchstens zu $1/_3$ bis $1/_4$ der Balkenstützweite l,
beziehentlich gleich dem doppelten bis dreifachen Balkenabstand a angenommen werden
sollte. Unter den ausgeführten Brücken der Übersicht sind in dieser Beziehung besonders hervorzuheben die Nr. 5, 31, 47, 58, 60, 63 und 65, bei denen angenähert $a' = a$,
sowie die Brücken Nr. 41 und 50, bei denen dem großen Balkenabstand $a = 4{,}50$ bezw.
3,2 m der Querträgerabstand $a' = 2{,}08$ bezw. 1,94 m gegenübersteht. Die zumeist vorkommenden Plattenstärken sind nach der Übersicht

bei den Gangstegen und leichten Wegbrücken . . 8 bis 15, i. M. 13 cm,
bei den leichteren Straßenbrücken . . . . . 12 „ 16, „ „ 15 „
bei den gewöhnlichen städtischen Straßenbrücken . 14 „ 20, „ „ 17 „
bei den schweren städtischen Straßenbrücken . . 15 „ 25, „ „ 20 „

Nur ganz vereinzelt (Nr. 26 und 41) kommen noch größere Stärken bis zu 30 cm
vor, die aber teils in den großen Stützweiten, teils auch in den fehlenden Querträgern
ihre Begründung finden. Das Verhältnis der Plattenstärke zum Balkenabstand liegt im
allgemeinen zwischen $a:d = 5$ bis 12, steigt in vereinzelten Fällen aber sogar bis zu
$a:d = 18$ (vergl. Nr. 47 und 57), was besonders in dem Beispiel Nr. 57 ohne Querträger als ungünstig bezeichnet werden muß.

Ähnlich liegen die Verhältnisse auch bei den Brücken mit versenkter Bahn, wobei
natürlich für die Bemessung der Plattenstärke der Abstand der Querträger maßgebend
ist. Außerordentlich groß erscheint die Plattenstärke bei Nr. 68 mit 34 cm, die darin
begründet war, daß die örtlichen Verhältnisse die Anordnung einer größeren Zahl von
Querträgern, die unter die Hauptträgerunterkante herabreichten, nicht zuließen und daher
eine Plattenstützweite von 3,95 m in Kauf zu nehmen war (vergl. Beispiel 48, Abschn. F).

Verhältnismäßig groß erscheint die Plattenstärke von 0,20 m bei den beiden Brücken
Nr. 11 und 32 mit versteifenden Randträgern, bei denen infolge der geringen Bauhöhe
äußerst schlanke Balken ($l : h_m = 20$) angeordnet werden mußten. Die Plattenstärke
wurde deshalb sehr reichlich gewählt, um eine kräftige Versteifung des Bauwerks zu
erzielen, so daß die Eisenbetontafel wie eine einheitliche, mit einigen Rippen versehene
Platte wirkt.

9. Die Massengrößen V', S' und A' zeigen derart unregelmäßige Schwankungen innerhalb weiter Grenzen, daß weder aus den Belastungsverhältnissen, noch aus den Trägerformen eine auch nur angenäherte Gesetzmäßigkeit abgeleitet werden könnte.

Das Betonvolumen V', in m³ für 1 m² Grundfläche angegeben, ergibt die
mittlere Betonstärke des Bauwerks in m und damit einen Maßstab für den Betonbedarf.
Sie hängt zunächst von der Plattenstärke, vor allem aber von der geschickten Ausnutzung der verfügbaren Bauräume ab. Multipliziert man die Werte V' mit dem Raum-
gewicht des Eisenbetons, also mit 2400 kg für 1 m³, so erhält man das Eigengewicht der

---

[1]) Es soll hier mit d die wirkliche Stärke der Eisenbetonplatten, nicht etwa das für die Spannungsberechnung
wichtige theoretische Maß h' bezeichnet werden.

Brücke für 1 m² der Brückentafel. Die Werte V' schwanken bei den ausgeführten Brücken der Übersicht zwischen 0,17 und 0,68 und betragen i. M. 0,45 für die einfachen, 0,39 für die durchlaufenden Träger. Aehnlich ist der Mittelwert für die übrigen Grundformen, woraus zu ersehen ist, daß sowohl die Größe der Verkehrslast als auch die Stützweite von nur sehr geringem Einfluß auf das Eigengewicht des Eisenbetonkörpers ist. Dieses kann daher i. M. zu $0,4 \cdot 2400 = $ rd. 1000 kg für 1 m² der Brückentafel angesetzt werden.

Das Schalungsverhältnis S' gibt an, wie viel m² abgewickelte Schalungsfläche auf 1 m² Grundrißfläche der Brücke entfallen. Für einfache Platten ohne Rippen ist, abgesehen von der geringen Schalung der senkrechten Randflächen $S = 1$. Der diesen Wert übersteigende Betrag bei den Rippenplatten wird in erster Linie durch die Hauptrippen, nur zum kleinsten Teil durch die mittleren und die Endquerträger hervorgerufen. Er schwankt im allgemeinen zwischen 1,3 und 2,5, erreicht bei Brücken mit besonders hohen oder ausnahmsweise eng liegenden Balken höhere Werte, bis zu 3,9, kann aber im allgemeinen für Brücken mit obenliegender Fahrbahn zu $S = 2,2$, für Brücken mit versenkter Bahn zu $S = 2,6$ gesetzt werden.

Die Bewehrung A' ist kennzeichnend für den Aufwand an Eisen, dem kostbarsten Bestandteil der Eisenbetonbauten. Mit diesem Ausdruck wollen wir das Verhältnis des in der Balkenmitte wirklich vorhandenen Eisenquerschnitts F_e zum rechnungsmäßigen Betonquerschnitt F_b' des Balkens in Brückenmitte, also

$$A' = 100 \cdot \frac{F_e}{F_b'}$$

bezeichnen. Besonders hervorgehoben sei jedoch, daß dabei der Betonquerschnitt F_b' nur bis zur Schwerlinie der Eiseneinlage gerechnet wurde, so daß nach Abb. 179

für die Platten $F_b' = b_m \cdot h$,

für die Plattenbalken sinngemäß $F_b' = a \cdot h$

zu setzen ist.

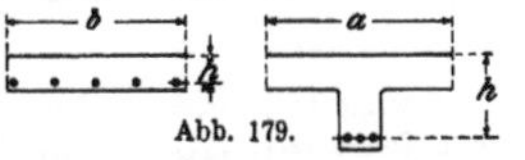

Abb. 179.

In den Werten für A' kommt besonders die Größe der Verkehrslast zum Ausdruck. Während sich z. B. die beiden Rahmenbrücken, Beispiel Nr. 35 und 36 (Abschnitt F), die für einen 6 t bzw. 50 t schweren Wagen berechnet sind, in den Abmessungen der Betonkörper sehr wenig unterscheiden und daher fast das gleiche Betonvolumen aufweisen, beträgt die Bewehrung der Hauptbalken bei Nr. 35 annähernd nur die Hälfte von dem Wert der schwerbelasteten Brücke Nr. 36.

Ferner wird der Wert von A' ungünstig durch die Beschränkung der Bauhöhe beeinflußt, die sich besonders in einer übergroßen Schlankheit der Balken zeigt, wie die Werte $A' = 1,8$ bezw. 2,07 der Nr. 11 und 32 der Übersicht I beweisen (vergl. auch Beispiel Nr. 9 und 10, Abschnitt F). In dem Ausnahmefall Nr. 5 ergibt sich ebenfalls infolge der großen Schlankheit $l : h_m = 19,7$ der hohe Wert $A' = 1,4$ vH., ebenso wird bei Nr. 17 für $l : h_m = 21,0$ die Bewehrung $A' = 1$ vH. Im übrigen schwankt der Wert zwischen 0,3 und 0,9 vH., während die Mittelwerte für die verschiedenen Grundformen zwischen 0,5 und 0,6 vH. liegen, so daß man als brauchbaren Mittelwert für die Eisenbewehrung der Balken $^1/_2$ vH. annehmen darf.

Beträchtlich hoch erscheinen dagegen die Werte für die Träger mit versenkter Fahrbahn, und zwar i. M. rd. 1 vH., wobei jedoch zu bedenken ist, daß hier als Betonquerschnitt die rechteckige Fläche $b \cdot h$ in Rechnung gesetzt ist. Die Eisen im Druckgurt dagegen, die bei den frei überstehenden Trägern mit versenkter Bahn erforderlich sind, wurden bei der Berechnung dieser Werte A' nicht berücksichtigt.

Nr.	Bauwerk	Grundbedingungen				Grundmaße					
		Licht-weite $\overline{LW}$	Lichte Breite $\overline{LB}$	Bau-höhe $\overline{BH}$	Verkehrs-last	Stütz-weite l	Trä-ger-zahl n	Bal-ken-ab-stand a	Aus-kra-gung c	Trä-ger-höhe h_m	Bal-ken-breite b
	a) Gangstege und										
1.	Egarbachbrücke in Oberdorf	4,20	7,50	0,60	.	4,90	7	1,43	—	0,60	0,20
2.	Brücken bei Bialla-Johannisburg (Ostpreußen)	{ 4,50 5,00	4,50	0,65	14 t-D.-W.	5,00 5,60	5	0,93	0,45	0,35	0,30
3.	Aischbrücke in Neustadt a. d. Aisch	9 × 11,0	6,00	1,24	5 t-Wagen	11,70	4	1,50	0,75	1,00	0,30
4.	Schussenkanalbrücke in Ravens-burg	11,0	6,80	1,25	16 t-D.-W.	11,70	5	1,40	0,80	1,00	0,30
5.	Wegbr. in Pezza Vercellese (Ital.)	11,2	2,60	0,80	.	11,80	2	1,44	0,58	0,60	0,34
6.	Gangsteg in Yverdon	13,0	2,00	0,70	400	14,00	2	1,50	0,25	0,70	0,20
7.	Bahnunterführung bei Aßling	16,0	3,00	0,85	.	16,70	3	.	.	0,85	0,35
8.	Übergangsteg in Triest	20,4	2,70	1,90	.	21,10	2	1,00	0,85	1,90	0,30
9.	Gangsteg über die Schwarza in Payerbach (N.-O)	26,0	2,20	1,62	400	27,50	2	1,10	0,55	1,60	0,30
	b) Schwere										
10.	Zilligerbachbr. in Wernigerode	7,00	11,00	0,95	20 t-D.-W.	7,90	8	1,63	—	0,80	0,40
11.	Lockwitzbachbrücke Nieder-sedlitz (Fabrikzufahrt)	8,00	8,70	0,60	20 t-D.-W.	8,60	10	1,00	—	{0,41 0,47	0,40
12.	Angerappbrücke in Angerburg	8,20	8,00	1,20	18 t-D.-W.	9,20	4	1,20	2,20	0,90	0,40
13.	Johannesbrücke in Wernigerode	9,00	13,85-15,0	1,00	20 t-D.-W.	9,70	11	1,47	—	0,80	0,42
14.	Bahnunterführung i. Ruppersdorf	9,40	7,00	1,15	.	9,80	6	1,30	0,25	0,80	0,40
15.	Reichsstraßenbrücke bei Sambor (Galizien)	3 × 10,0	9,00	—	.	3 × 10,60	4	2,18	1,23	1,08	0,30
16.	Bahnunterführung in Guttau	10,00	6,00	1,15	.	10,40	5	1,30	0,40	0,80	0,30
17.	Fusebrücke in Peine	9,4—11,0	6,25—8,45	0,65	20 t-D.-W.	{10,05-11,55 i. M. 10,80	5	{i. M. 1,58	—	0,55	0,65
18.	Quellenbachüberdeckung Würz-burg	12,84	98,00	1,25	.	13,44	.	2,00	—	1,00	0,30
19.	Hornbachbrücke in Zweibrücken	12,07	10,68	1,15	20 t-D.-W.	12,57	6	1,24	2,19	0,96	0,38
20.	Dossebrücke bei Ostpriegnitz	13,00	7,50	1,38	{18 t-D.-W. + 50 vH.	13,75	6	1,18	0,80	1,05	0,35
21.	Weißeritzbrücke in Coßmanns-dorf bei Dresden	16,55	12,00	1,90	.	17,45	8	{1,50 1,90	0,65	1,65	0,35
22.	Zufahrtbrücke über die Bača bei Grahowo	2 × 17,9	5,00	2,00	.	2 × 18,70	2	2,50	1,25	1,60	0,50
23.	Zegliner Kanalbrücke bei Zeglinen	20,0	6,00	2,00	{ 20 t-Lokom.	21,00	4	1,40	0,90	1,70	0,40
24.	Warthebrücke i. Neustadt a. d. W.	10 × 20,0	7,10	2,00	20 t-D.-W.	21,00	5	1,10	1,35	1,70	0,40
25.	Nonnenbrücke in Bamberg	20,95	9,00	2,00	18 t-D.-W.	21,90	7	1,78	—	1,78	0,30
26.	Muldenbrücke bei Aue	23,0	5,00	2,05	18 t-D.-W.	24,30	2	3,00	1,00	1,90	0,60
	c) Außergewöhnlich										
27.	Mühlgrabenbrücke in Chemnitz	7,20	13,80	0,90	{ 30 t-Kesselw.	8,50	9	1,67	—	0,64	0,50
28.	Mühlenfließbrücke bei Ostpriegnitz	7,00	8,00	1,05	{20 t-D.-W. + 50 vH.	7,60	5	1,70	0,60	0,69	0,40
29.	Glownabrücke in Glowno bei Posen	8,80	10,50	1,25	23 t-D.-W.	9,30	7	{1,20 1,35	0,71	0,86	0,38
30.	Steinbecker Torbrücke in Greifs-wald	9,00	13,00	1,10	21 t-Wagen	10,00	9	1,33	0,30	0,75	0,25
31.	Montbrillantbrücke in Lausanne	{2 × 9,00 1 × 8,90	10,00	0,85	20 t-Wagen	{2 × 9,30 1 × 9,20	6	1,45	1,375	0,65	0,30
32.	Lockwitzbachbrücke in Nieder-sedlitz (Güterladestraße)	9,00	24,2—21,8	0,58—0,84	24 t-D.-W.	9,60	15	{1,2 bis 1,8	—	{0,46 0,72	0,40
33.	Straßenbrücke in Rixdorf	11,92	14,00	1,55	23 t-D.-W.	12,92	15	1,00	—	1,10	0,40
34.	Germaniastraßenbrücke in Berlin	11,92	14,00	1,35	.	12,50	12	1,00	—	1,10	0,40
35.	Georgenbrücke über die Brahe bei Prechlau	17,0	7,50	1,80	23 t-D.-W.	18,00	5	1,50	0,80	1,50	0,40

Träger auf zwei Stützen.

in m			Grundverhältnisse					Massengrößen			Ausgeführt von	Literatur
Plattenstärke d	Querträgerabstand a'	Lagerabstand e	$l:h_m$	$l:a$	$c:a$	$h_m:b$	$h_m:d$	Betonvolumen V'	Schalungsverhältnis S'	Bewehrung A'		
eichte Straßenbrücken.												
0,10	—	0,35	12,3	3,4	—	3,0	6,0	0,18	1,5	0,50	Luipold, Kottmann u. Co., Basel	Deutsche Bauztg. 1903, S. 188
0,12	2,50	{0,25 / 0,30}	{14,3 / 16,0}	{5,4 / 6,0}	0,48	1,2	3,0	{0,42 / 0,54}	{1,7 / 2,0}	{0,53 / 0,63}	Windschild u. Langelott, Dresden	—
0,15	4,15	0,55	11,7	7,8	0,50	3,3	6,7	0,38	2,1	0,29	Dyckerhoff u. Widmann, A.-G, Nürnberg	Deutsche Bauztg. 1905, S. 9
0,15	$l:2$	0,35	11,7	8,4	0,57	3,3	6,7	0,41	2,4	0,56	Buchheim u. Heister, Frankfurt a. M.	Beton u. Eisen 1910, S. 258
0,14	1,87	0,30	19,7	8,2	0,40	1,8	4,3	0,26	2,0	**1,41**	A. Maciachini, Mailand	
0,10	—	0,50	**20,0**	9,3	0,17	8,5	7,0	0,23	2,1	0,42	Hennebique, Paris	
0,18	—	0,35	**19.7**	.	.	2,4	4,7	.	.	.		Nowak, Eisenbetonbau, S. 78
0,15	—	0,30	11,1	**21,1**	**0,85**	**6,3**	13,3	0,54	3,6	0,36	.	desgl.
0,20	—	0,75	17,2	**25,0**	0,50	**5,3**	8,0	0,57	3,9	0,90	Ast u. Co., Wien	Beton u. Eisen 1904, S. 7
Straßenbrücken.												
0,20	—	0,45	9,9	4,9	—	2,0	4,0	0,43	2,3	0,45	Mölders u.Co.,Hildesheim	—
0,20	2,00	0,25	{21,0 / 18,3}	8,6	—	{1,0 / 1,2}	{2,0 / 2,4}	0,44	1,9	**1,8**	Max Pommer, Leipzig	—
0,20	$l:3$	0,50	10,2	7,7	**1,83**	2,3	4 5	0,68	1,6	0,49	Windschild u. Langelott, Dresden	—
0,20	—	0,35	12,1	6,6	—	1,9	4,0	0,56	2,3	0,69	Mölders u.Co.,Hildesheim	—
0,14	3,00	0,20	12,3	7,5	0,19	2,7	5,7	0,41	2,2	0,45	Joh. Odorico, Dresden	
0,20	—	0,30	9,8	4,9	0,57	3,6	5,4	0,33	1,9	0,46		Nowak, Eisenbetonbau, S. 77
0,14	3,20	0,20	13,0	8,0	0,31	2,7	5,7	0,31	2,8	0,55	Rud. Wolle, Leipzig	
0,15	—	0,30	{18,3 / 21,0}	i.M.6,8	—	**0,9**	3,7	0,36	1,7	{0,88 / **1,00**}	Mölders u. Co., Hildesheim	—
0,12	—	0,30	13,4	6,7	—	3,3	8,3	0,28	2,2	0,43	Dyckerhoff u. Widmann, A.-G., Nürnberg	
0,16	2,10	0,25	13,1	10,1	**1,78**	2,5	6,0	0,39	2,4	0,56	Wayss u. Freytag, Neustadt a. d. H.	Mörsch, Eisenbetonbau, S. 190
0,15	—	0,37	13,1	11,6	0,68	3,0	7,0	0,46	2,2	0,57	A.-G. f. Beton- u. Monierbau, Berlin	Beton u. Eisen, S. 287
0,15	3,49	0,45	10,6	11,7	0,43	4,7	11,0	0,59	3,4	0,42	Dyckerhoff u. Widmann, A.-G., Dresden	
0,20	—	0,40	11,7	7,5	0,50	3,2	8,0	0,56	2,4	0,55		Nowak, Eisenbetonbau, S. 77
0,15	{3,2 bis / 5,1}	0,50	12,3	15,0	0,64	4,3	11,3	0,66	2,0	.	Windschild u. Langelott, Dresden	
0,15	3,35	0,50	12,3	**19,1**	**1,23**	4,2	11,3	0,55	2,5	.		
0,16	4,23	0,47	12,3	12,7	—	5,9	11,1	0,50	3,5	0,76	Dyckerhoff u. Widmann, A.-G., Nürnberg	Deutsche Bauztg. 1905, S. 1
0,30	—	0,65	12,8	8,1	0,25	3,2	6,3	0,65	2,4	0,31	A.-G. f. Beton- u. Monierbau, Leipzig	
schwere Straßenbrücken.												
0,17	—	0,65	13,3	5,1	—	1,2	3,7	0,33	1,6	.	Gottreich Lohse, Chemnitz	Beton u. Eisen 1910, S. 294
0,22	—	0,30	11,0	4,5	0,35	1,7	3,1	0,41	1,7	0,67	A.-G. f. Beton- u. Monierbau, Berlin	Beton u. Eisen 1908, S. 287
0,15	—	0,25	10,8	{7,8 / 6,9}	0,59	2,3	5,7	0,60	2,1	0,61	Windschild u. Langelott, Dresden	
0,25	—	0,50	13,3	7,5	0,14	3,0	3,0	0,34	1,7	.	„Comet", Stettin	Deutsche Bauztg. 1905, S. 49
0,20	1,375	0,15	14,2	6,4	**0,95**	2,2	3,3	0 35	2,0	0,69	Hennebique, Paris	Beton u. Eisen 1906, Nr. 12
0,30	3,10	0,30	{**20,9** / 13,4}	{8,0 / 5,3}	—	{1,2 / 1,8}	{2,3 / 3,6}	0,40	2,0	{**2,07** / 0,53}	Max Pommer, Leipzig	—
0,30	—	0,50	11,7	12,9	—	2,5	5,0	0,47	2,6	0,85	A.-G. f. Beton- u. Monierbau, Berlin	Zement u. Beton 1907, S. 61
0,20	—	0,30	11,4	12,5	—	2,8	5,5	0,49	2,5	0,92	„ „ „	Kersten, Balkenbrücken, S. 58.
0,15	i.M.4,0	0,50	12,0	12,0	0,58	2,7	10,0	.	.	.	Windschild u. Langelott Dresden	—

Nr.	Bauwerk	Grundbedingungen					Trägerzahl	Balkenabstand	Auskragung	Trägerhöhe	Balkenbreite	Plattenstärke
		Lichtweite $\overline{LW}$	Lichte Breite $\overline{LB}$	Bauhöhe $\overline{BH}$	Verkehrslast	Stützweite l	n	a	c	h_m	b	d
										a) Brücken mit		
36.	Wegbrücke bei Meleschewitz (Bez. Oppeln)	12,7	5,90	.	.	8,50 + 5,00		1,40	0,85	0,88	0,28	0,2?
37.	Wegbrücke über den S. Lorenzo (Italien)	17,8	2,50	0,65	.	2 × 9,10	4	1,15	—	0,45	0,20	0,1?
38.	Wreschnitzabrücke in Gordowo	17,0	6,00	0,95	18 t-D.-W.	2 × 9,00	5	1,30	0,40	0,65	0,40	0,2?
39.	Altwasserbrücke bei Vilsöhl (Niederbayern)	30,0	5,20	1,25	900 kg/m²	2 × 15,75	3	1,85	0,75	1,00	0,30	0,1?
40.	Drewenzbrücke bei Kauernick	31,5	7,00	1,44	18 t-D.-W.	2 × 16,00	5	1,35	0,80	1,14	0,40	0,2?
41.	Straßenbrücke auf Bahnhof Kieritzsch	32,0	12,00	1,30	30t-Dampfpflug	2 × 16,60	3	4,50	1,50	1,05	0,75	0,2?
										b) Brücken mi?		
42.	Unterführung der Silkeborg-Langaa-Bahn (Jütland)	24,8	5,10	0,90	6 t-Wag. od. 6 t-Walze	3 × 8,38	3	2,00	0,55	0,70	0,26	0,1?
43.	Eisenbahnunterführung in Coßmannsdorf bei Dresden	26,5	12,00	1,00	.	9,3 + 9,0 + 9,3	8	1,55	—	0,70	0,30	0,1?
44.	Wegbrücke bei Oelsnitz i. V.	21,6	6,00	0,84	.	6,2 + 10,0 + 6,2	3	2,10	0,90	0,66	0,40	0,?
45.	Fußwegbrücke auf Bhf. Höhr	—	1,50	0,80	.	3 × 11,00	2	1,24	—	0,80	0,36	0,0?
46.	Wegbrücke in Bad Tölz (Oberbayern)	33,7	6,50	1,10	.	11,75 + 11,00 + 11,75	5	1,35	0,55	0,82	0,30	0,1?
47.	Molodiabrücke in Halicz (Galizien)	35,6	5,65	1,10	.	3 × 12,00	3	2,45	0,37	0,89	0,30	0,1?
48.	Amperbrücke bei Esting a. d. Amper	38,5	5,50	0,96	17,5 t-D.-W.	3 × 12,83	4	1,50	0,50	0,73	0,40	0,2?
49.	Straßenbrücke bei Frauendorf (Bez. Oppeln)	31,4	5,05	1,35	.	9,5 + 13,1 + 9,5	5	1,05	0,43	1,10	0,28	0,1?
50.	Havelschleusenbrücke bei Bahnitz	22,0	4,30	0,98	.	4,0 + 14,6 + 4,0	2	3,20	0,55	0,85	0,40	0,1?
51.	Brenzbrücke bei Heidenheim (Württemberg)	30,9	8,00	1,30	16 t-D.-W.	8,28 + 14,95 + 8,28	5	1,35	1,30	1,00	0,40	0,1?
52.	Elsterbrücke bei Bretmühle bei Greiz	40,0	4,00	1,24	15 t-D.-W.	12,7 + 15,4 + 12,7	3	1,35	0,65	0,94	0,50	0,1?
53.	Klodnitzbrücke bei Plawniowitz (O.-Schl.)	34,0	7,25	.	.	9,65 + 15,5 + 9,65	6	1,10	0,75	0,90	0,30	0,?
54.	Straßenbrücke in Rheineck (Kanton St. Gallen)	35,6	8,00	1,25	12 t-Wagen	10,3 + 15,6 + 10,3	5	1,55	1,03	1,00	0,35	0,?
55.	Mülheimer Chaussee in Oberhausen	—	15,00	1,47	30 t-D-W. / 14 t Str.-B.	11,0 + 19,8 + 11,0	8	1,80	1,20	1,31	0,60	0,?
56.	Fußgängersteg auf Bhf. Anklam (Pommern)	60,0	3,00	1,00	.	3 × 20,0	2	2,05	0,48	0,97	0,25	0.
57.	Promenadenweg in Oberhausen	—	4,80	1,36	Berl. Vorschr.	11,4 + 20,7 + 11,4	2	3,30	0,85	1,24	0,60	0,
58.	Granbrücke bei Kéménd	77,5	4,00	1,50	20t-D.-W.+ zwei 16 t-W.	24,0 + 30,0 + 24,0	2	2,50	0,75	1,40	0,30	0,
										c) Brücken mit me?		
59.	Isarbrücke in Grünwald (Oberbayern)	.	8,60	1,33	.	je 9,25	5	1,90	0,60	1,00	0,40	0,
60.	Karawajeffbrücke auf Bahnhof Kiew I	39,0	9,00	1,22	.	8,0 + 12,0 + 8,0	4	2,40	0,90	1,00	0,40	0,
61.	Bormidabrücke bei Ferrania (Italien)	38,0	4,75	1,00	.	8.95 + 3,80 +13,15 + 3,80 + 8,95	3	1,47	0,90	0,80	0,26	0,
62.	Cerfbrücke bei Albenga (Italien)	71,5	6,00	1,20	.	5 × 14,5	4	1,70	0,35	0,95	0,46	0,
63.	Achbrücke bei Wolfurt (Tirol)	112,3	5,80	1,20	6 t-Wagen / 12 t-Str.-B.	7 × 16,12	3	2,05	0,87	0,92	0,35	0,
64.	Elsterbrücke bei Meilitz (S.-Weimar)	80,0	5,00	1,34	15 t-D.-W.	18,5 + 22,0 + 22,0 + 18,5	3	1,80	0,70	1,24	0,50	0,
65.	Oltbrücke bei Felsösebes	85	4,50	1,50	2 W. je 16 t	3 × 22,0 + 16,5 mit beiderseitigen Auskragungen von 5,0	2	2,50	1,00	1,30	0,30	0.

Durchlaufende Träger.

in m		Grundverhältnisse						Massengrößen			Ausgeführt von	Literatur
Quer-träger-ab-stand a'	Lager-ab-stand e	$l:h_m$	$l:a$	$c:a$	$h_m:b$	$h_m:d$	$l:l_1$	Beton-volumen V'	Schalungs-ver-hältnis S'	Beweh-rung A'		
zwei Öffnungen.												
—	0,39	9,6	6,0	0,60	3,1	4,0	1,70	0,35	2,0	.	C. Brandt, Düsseldorf	—
—	0,20	20,2	7.9	—	2,8	5,6	1	0,17	1,7	0,40	A. Maciachini, Mailand	—
2,00	0 50	13,8	6,9	0,31	1,6	3,2	1	0,46	1,9	0,70	Windschild u. Langelott, Dresden	—
$l:3$	—	15,8	8,5	0,41	3,3	6,3	1	0,37	2,3	.	Dyckerhoff u. Widmann, A.-G., Nürnberg	Deutsche Bau-ztg. 1908
$l:3$	0,26	14,5	12,3	0,59	2,9	5,7	1	0,58	2,0	0,53	Windschild u. Langelott, Dresden	
$l:8$	0,60	15,8	8,7	0,33	1,4	4,0	1	0,38	1,6	0,75	M. Pommer, Leipzig	Beton u.Eisen 1910, S. 197
drei Öffnungen.												
—	—	12,0	2,1	0,28	2,7	4,7	1	0,26	1,8	0,29	Christiani u. Nielsen, Kopenhagen	—
$l:3$	0,55	13,3	6,0	—	5,2	10,3	0,97	0,36	1,9	.	Dyckerhoff u. Widmann, A.-G., Dresden	—
$l:3$	0,30	15,2	4,8	0,31	1,7	3,3	1,61	0,37	1,6	0,43	,,	—
—	.	13,8	8,9	—	2,2	10,0	1	.	.	.	C. Brandt, Düsseldorf	—
$l:2$	0,40	14,3	8,7	0,41	2,7	6,8	0,94	0,30	2,2	.	Wayss u. Freytag, Neustadt a. d. H.	Mörsch, Der Eisen-betonbau, S. 194
$l:5$	0,20	13,5	4,9	0,15	3,0	6,4	1	0,27	2,0	.	Hennebique, Paris	
—	.	17,6	8,5	0,33	1,8	3,7	1	0,44	2,1	0,33	Münchener Ges. für Beton- u. Monierbau, G. m. b. H., München	Beton u.Eisen 1908, S. 389
—	0,32	11,9	12,5	0,41	3,9	6,9	1,38	0,45	3,1	0,29	C. Brandt, Düsseldorf	
1,94	.	17,2	4,6	0,17	2,1	5,7	3,65	0,45	2,0	0,65	—	Eisenbeton 1910, S. 156
—	0,30	15,0	11,1	0,96	2,9	7,1	1,80	0,35	2,1	0,33	Luipold, Kottmann u. Co., Basel	Techn.Studienhefte, Stuttg. G. Wittwer
—	0,40	16,5	11,4	0,48	1,9	6,0	1,21	0,48	2,5	0,35	A.-G. für Beton- u. Monierbau, Leipzig	Beton u.Eisen1908, S. 287
$l:2$	0,40	17,2	14,1	0,68	3,0	4,5	1,61	0,35	2,2	0,40	Allgem. Beton- u Eisen-Gesellschaft, Berlin	
$l:2$	0,30	15,6	10,0	0,66	2,9	6,7	1,51	0,36	2,2	0,42	Jac. Merz u. Co., St. Gallen	Armierter Beton 1909, S. 358
—	.	15,1	11,0	0,67	2,2	5,5	1,80	0,60	1,7	0,49	C. Brandt, Düsseldorf	
—	.	20,6	9,8	0,23	3,9	7,5	1	0,28	2,2	.	F. C. Reincke u. Co., Berlin-Stettin	Zentralbl. d. Bau-verw. 1909, Nr. 33
—	.	16,7	6,3	0,26	2,1	6,9	1,82	.	.	.	C. Brandt, Düsseldorf	
3,00	.	1,4	12,0	0,30	4,7	7,4	1,25	0,49	2,8	.	G. A. Wayss u. Co., Budapest	—
als drei Öffnungen.												
—	.	9,3	4,9	0,32	2,5	5,0	—	0,43	2,2	0,31	Wayss u. Freytag, Neustadt a. d. H.	Schweizer. Bau-ztg. 1904, Nr. 23
2,00	—	12,0	5,0	0,38	2,5	6,7	1,50	0,33	1,8	0,92	.	.
—	0,35	16,4	9,0	0,61	3,1	6,7	1,47	0,23	1,8	0,58	A. Maciachini, Mailand	—
—	0,50	15,3	8,5	0,21	2,1	6,0	1	0,39	2,1	0,71	,, ,,	—
$l:8$	0,28	17,5	7,9	0,42	2,6	7,7	1	0,39	2,1	0,29	E. A. Westermann, St. Gallen	Beton u. Eisen 1905, S. 84
—	0,50	17,7	12,2	0,39	2,5	6,2	1,19	0,57	2,5	.	A.-G. für Beton u. Monier-bau, Leipzig	Beton u.Eisen1908, S. 287
$l:8$	.	16,9	8,8	0,40	4,3	6,8	—	0,39	2,4	.	G. A. Wayss u. Co., Budapest	

Übersicht II. Brücken

Nr.	Bauwerk	Grundbedingungen				Grundmaße in m							
		Licht-weite	Lichte Höhe	Bau-höhe	Verkehrs-last	Stütz-weite	Hauptträger			Querträger		Platten-stärke	Lager-ab-stand
							Höhe	Breite	Ab-stand	Höhe	Ab-stand		
		$L\overline{W}$	$L\overline{B}$	BH		l	h_m	b	a	h'	a'	d	e
	1. Vollwandige												
66.	Wegüberführung in Grimmeltingen	9,00	4,50	0,90	450 kg/m² 6 t-Wagen	10,30	1,42	**0,70**	5,20	—	1,53	0,12	0,65
67.	Straßenbrücke in Reichenau	10,00	4,50	0,70	8 t-Walze	10,70	1,70	0,30	4,80	—	0,80	0,10	0,35
68.	Wegüberführung in Borek (Posen)	10,65	4,50	0,64	—	11,45	2,12	0,28	4,78	0,58	3,95	**0,34**	0,40
69.	Weißeritzbrücke in Coßmannsdorf bei Dresden	12,00	4,00	0,65	—	15,00	1,95	0,40	4,40	0,43	2,00	0,13	0,55
70.	Schulbrücke in Ranigsdorf	13,50	4,00	0,60	—	14,00	1,40	0,30	4,30	—	—	0,08	—
71.	Wirtschaftsbrücke in Ranigsdorf	14,70	3,00	0,34	—	15,20	1,40	0,30	3,30	—	—	0,12	—
72.	Verbindungsbrücke der A.-G. für Lager-häuser in Wien	15,00	3,20	0,40	—	15,60	1,44	0,30	3,50	0,40	3,00	0,10	0,30
73.	Franzensbrücke in Buchelsdorf bei Frei-waldau	19,50	5,00	0,55	340 kg/m² 6 t-Wagen	20,20	2,00	0,45	5,45	—	1,00	0,10	0,35
	2. Durchbrochene												
74.	Straßenbrücke in Freudenstadt (Württemberg)	11,50	5,00	0,75	300 kg/m² 10 t	12,50	1,70	0,30	5,30	0,40	1,28	0,12	0,50
75.	Wegbrücke bei Neu-dorf	20,00	4,00	1,00	13 t-D.-W.	20,70	2,20	0,35	4,25	—	1,54	0,09	0,35
76.	Brücke in Hotzenplotz	23,00	6,00	0,70	—	23,60	3,15	0,40	6,40	—	1,82	—	0,30
77.	Bahnhofsüberführung in Freudenstadt	17,00	5,00	1,13	350 kg/m² 12 t-Wagen	18,00	2,60	0,35	5,35	0,50	1,33	0,14	0,50 .
78.	Brücke bei Taulow in Jütland	18,00 (schief)	5,10	0,74	—	18,90	2,90	0,35	5,45	0,50	1,96	0,10	0,45

mit versenkter Bahn.

Grundverhältnisse					Massengrößen			Ausgeführt von	Literatur
$l : h_m$	$l : b$	$h_m : b$	$\dfrac{l}{a}$	$\dfrac{L\,W}{L\,B}$	V'	S'	A'		

Träger.

$l : h_m$	$l : b$	$h_m : b$	$\dfrac{l}{a}$	$\dfrac{L\,W}{L\,B}$	V'	S'	A'	Ausgeführt von	Literatur
7,3	15	2,0	2,0	2,0	0,62	Haupt-träger 2,3	0,79	Wayss u. Freytag, Neustadt a. H.	Beton u. Eisen 1903, S. 72.
6,3	36	5,7	2,2	2,2	0,34	3,3	0,95	Schittenhelm u. Söhne, Zauchtel in Mähren, 1905	
5,4	41	7,6	2,4	2,4	0,57	2,7	0,73	Carl Brandt, Düsseldorf	
7,7	37	4,9	3,4	3,0	0,48	3,4	.	Dyckerhoff u. Widmann, A.-G., Dresden	
10,0	42	4,7	3,3	3,4	0,29	2,6	1,15	Schittenhelm u. Söhne, Zauchtel in Mähren	
10,9	51	4,7	4,6	4,9	0,30	2,6	1,55		
10,8	52	4,8	4,5	4,7	ohne Dach 0,38	3,0	1,83	Ast u. Co., Wien	Kersten „Balkenbrücken".
10,1	43	4,5	3,7	3,9	0,40	2,2	0,95		Beton u. Eisen 1906, S. 83.

Träger.

$l : h_m$	$l : b$	$h_m : b$	$\dfrac{l}{a}$	$\dfrac{L\,W}{L\,B}$	V'	S'	A'	Ausgeführt von	Literatur
7,4	42	5,7	2,4	2,3	0,25	2,6	.	Luipold u. Schneider, Stuttgart	Beton u. Eisen 1906, S. 140.
9,4	59	6,3	4,9	5,0	0,38	2,3	.	Schittenhelm u. Söhne, Zauchtel in Mähren	
7,5	59	7,9	3,7	3,8	.	.	.	„	
6,9	47	7,4	3,3	3,4	0,41	2,7	.	Luipold u. Schneider, Stuttgart	Beton u. Eisen 1906, S. 281.
6,5	54	8,3	3,5	3,5	0,30	2,5	.	Christiani u. Nielsen, Kopenhagen	

Übersicht III. Mittelwerte der Grundgrößen.[1])

Nr.	Grundform	Grundmaße in m						Grundverhältnisse					Massengrößen		
		Träger-höhe h_m	Balken-abstand a	Aus-kragung c	Balken-breite b	Platten-stärke d	Lager-abstand e	$l:h_m$	$l:a$	$c:a$	$h_m:b$	$h_m:d$	Beton-volumen V	Schalungs-verhältnis S'	Be-wehrung A'

a) Brücken mit obenliegender Fahrbahn.

Nr.	Grundform	h_m	a	c	b	d	e	$l:h_m$	$l:a$	$c:a$	$h_m:b$	$h_m:d$	V	S'	A'
1.	Einfache Träger (85 Beispiele)	0,35 bis 1,90 **1,00**	0,93 bis 3,00 **1,47**	0 bis 2,20 **0,85**	0,20 bis 0,65 **0,36**	0,10 bis 0,30 **0,18**	0,50 bis 0,75 **0,39**	9,8 bis 21,0 **13,6**	2,5 bis 25,0 **9,0**	0,14 bis 1,88 **0,61**	0,9 bis 6,3 **2,8**	2,0 bis 13,3 **5,9**	0,18 bis 0,68 **0,45**	1,3 bis 3,9 **2,2**	0,29 bis 0,92 **0,56**
2.	Durchlaufende Träger (30 Beispiele)	0,45 bis 1,40 **0,95**	1,05 bis 4,50 **1,87**	0 bis 1,50 **0,74**	0,20 bis 0,75 **0,37**	0,08 bis 0,26 **0,17**	0,20 bis 0,60 **0,37**	9,1 bis 21,4 **15,2**	2,1 bis 14,1 **8,3**	0,15 bis 0,96 **0,42**	1,4 bis 5,2 **2,8**	3,2 bis 10,3 **6,1**	0,17 bis 0,60 **0,39**	1,6 bis 3,1 **2,1**	0,29 bis 0,92 **0,53**

b) Tragwerke mit versenkter Bahn.

Nr.	Grundform	h_m	a	c	b	d	e	$l:h_m$	$l:a$	$l:b$	$h_m:b$	$LW:LB$	V	S'	A'
3.	Vollwandige Träger (8 Beispiele)	1,40 bis 2,12 **1,70**	3,30 bis 5,45 **4,50**		0,28 bis 0,45 **0,33**	0,08 bis 0,13 **0,11**	0,25 bis 0,65 **0,40**	5,4 bis 10,9 **8,5**	2,0 bis 4,6 **3,3**	96 bis 59 **43**	4,5 bis 7,6 **5,3**	2,0 bis 4,9 **3,3**	0,29 bis 0,62 **0,42**	2,2 bis 3,4 **2,7**	0,7 bis 1,83 **1,10**
4.	Durchbrochene Träger (5 Beispiele)	1,70 bis 3,15 **2,5**	4,25 bis 6,4 **5,35**		0,30 bis 0,40 **0,35**	0,09 bis 0,14 **0,11**	0,30 bis 0,50 **0,40**	6,5 bis 9,4 **7,5**	2,4 bis 4,9 **3,6**	49 bis 59 **53**	5,7 bis 8,3 **7,1**	2,3 bis 5,0 **3,6**	0,25 bis 0,41 **0,34**	2,3 bis 2,7 **2,5**	—

[1]) Die hier angegebenen Mittelwerte sind und als arithmetische Mittel sämtlicher in den Übersichten I und II angeführten Beispiele bestimmt. Bei der Ermittelung der im Text Seite 75 ff. angegebenen Mittelwerte sind gegen die nur als Ausnahme zu betrachtenden Beispiele weggelassen worden.

4. Beispiel für die Wahl der Abmessungen.

a) Vorbedingungen der Aufgabe. Über einen nicht schiffbaren Fluß ist eine Brücke von 16,55 m lichter Weite und 12,50 m lichter Breite zu erbauen, die für die Belastung mit einem Wagen von 32 t Gesamtgewicht und Menschengedränge von 400 kg/m² zu bemessen ist. Die Widerlager sind hier gleichzeitig mit der Dammschüttung aufgeführt worden, und zwar aus den in den Felseinschnitten der neuen Straße gewonnenen Bruchsteinen.

Die Brückenbahn wird im Querschnitt, wie Abb. 180 zeigt, angenommen mit einer Versteinungsstärke der Chaussierung von 0,25 m in der Fahrbahnmitte. Im Längsschnitt ist, wie Abb. 181 darstellt, mit Rücksicht auf die wagerechte Straßenstrecke, in welcher die Brücke liegt, innerhalb der Brückenlänge das Mindestgefälle 1:100 von der Brückenmitte nach den beiden Widerlagern zu eingeschaltet.

Durch diese Grundbedingungen und die notwendigen Annahmen ist die Oberfläche der Eisenbetontafel bestimmt begrenzt. Da für die wichtige Dichtung mittels eines Zementputzes und einer doppelten Asphaltschicht (vergl. S. 54) rd. 2 cm zu rechnen sind und für das durch eine Ausgleichschicht herzustellende Quergefälle der Eisenbetontafel noch 3 cm erforderlich werden, so ergibt sich, wenn die Straßenordinate des Querschnitts in Brückenmitte gleich ± 0 gesetzt wird, nach Abb. 180 für die Oberkante der Eisenbetontafel in Brückenmitte die um $(0,25 + 0,02 + 0,03) = 0,30$ m niedrigere Ordinate — 0,30. Von dieser Kante ab fällt die Eisenbetonoberfläche satteldachförmig nach den beiden Widerlagern zu parallel zu der mit 1:100 geneigten Straßenoberfläche (Abb. 181).

b) Die vorläufige Ermittlung der Grundmaße. Die lichte Weite, zwischen den Widerlagern gemessen,[1] beträgt 16,55 m. Infolge des hohen Straßendammes ist eine lichte Höhe von rd. 2 m über dem höchsten Hochwasserstand vorhanden, während für abschwimmende Gegenstände meist nur 0,50 m gefordert wird. Die Bauhöhe ist daher hier nicht beschränkt, sondern kann beliebig und wirtschaftlich günstig bemessen werden.

Bei der Wahl der Grundform im Längsschnitt[2] scheiden Rahmen-, eingespannte Ausleger- und Bogenbalkenträger ohne weiteres aus, da die Widerlager bereits vorhanden sind. Die Anordnung einer Mittelstütze wäre zwar zur Verringerung der Stützweite sehr erwünscht, ist jedoch mit Rücksicht auf den Gebirgsfluß nicht statthaft. Es bleibt somit als einzige Grundform nur der einfache Balken auf zwei Stützen übrig.

Um das Eigengewicht bestimmen zu können, ist es erforderlich, eine Skizze des Brückenquerschnitts und Längsschnitts aufzutragen. Die hierzu erforderlichen Grundmaße sind unter Berücksichtigung der unter a) gegebenen Grundbedingungen dieser Aufgabe und vor allem der oben erörterten allgemein üblichen Grundgrößen folgendermaßen anzunehmen:

Die Stützweite ergibt sich aus der Lichtweite $\overline{LW} = 16,55$ m mit

$$e = 0,20 + 0,015 \cdot \overline{LW} = 0,45 \text{ m}$$

zu

$$l = \overline{LW} + 2 e = 16,55 + 2 \cdot 0,45 = 17,45 \text{ m}.$$

---

[1] Bei schiefen Brücken empfiehlt es sich, um Verwechslungen zu vermeiden, sowohl die senkrecht zu den Widerlagern als auch die Länge der Fahrbahnachse oder längs der Stirn gemessene Lichtweite anzugeben.

[2] Hierbei sind die im Abschnitt B geschilderten Vorteile und Nachteile der einzelnen Grundformen zu berücksichtigen.

Nunmehr ist die Balkenhöhe h_m im Verhältnis zu l zu wählen. Nach S. 76 schwanken für einfache Träger die Werte $l : h_m$ zwischen 10 und 14 um den Mittelwert 12. Da hier die Bauhöhe nicht beschränkt ist, empfiehlt es sich mit Rücksicht auf die große Stützweite, sogleich eine reichliche Trägerhöhe, und zwar nach dem Verhältnis $l : h_m = 11$ das Maß $h_m = 17,45 : 11 = 1,59$, rd. 1,60 m zu wählen.

Um den Balkenabstand a und die Auskragung c festzusetzen, beachte man, daß nach S. 78 die vorteilhafteste Auskragung $c = 0,45 \cdot a$ ist, während sich die Grenzwerte für a zu 1,25 und 1,80 m und der Mittelwert 1,50 m ergeben. Teilt man nun versuchsweise die lichte Breite $LB = 12,5$ m in $n = 6, 7$ bezw. 8 Felder und dividiert folglich mit Rücksicht auf die Auskragung von $0,45 \cdot a$ durch $(n + 2 \cdot 0,45)$, das ist durch 6,9, 7,9 bezw. 8,9, so erhält man $a = 1,82$, 1,58 bezw. 1,40 m. Welches von diesen drei Maßen in dem vorliegenden Falle die statisch und wirtschaftlich günstigste Anordnung ergibt, ist mit Sicherheit nur durch eine kurze Vergleichsrechnung zu entscheiden, die weiter unten durchgeführt wird, denn das Maß a ist zugleich die Plattenstützweite sowie auch die Druckgurt- und Belastungsbreite des Balkens. Es empfiehlt sich nach S. 77, einen möglichst großen Wert für a zu wählen, also von den drei oben ermittelten Balkenabständen den Wert $a = 1,82$ m. Für die beiderseitige Auskragung bleiben sodann $c = \frac{1}{2} (12,5 - 6 \cdot 1,82) = 0,79$ m übrig.

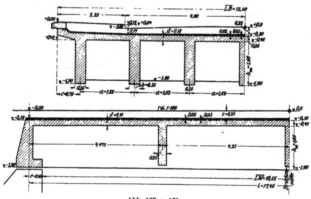

Abb. 180 u. 181.

Die Plattenstärke d liegt nach den üblichen Grundmaßen zwischen 0,10 und 0,20 m mit dem Mittelwert 0,15 m und sei hier zu $1 : 10$, der Balkenabstand $d = 0,18$ m angenommen. Da aber sodann $d : h_m = 1 : 10$, also außerordentlich klein wird, so sind versteifende Querträger unbedingt erforderlich, um möglichst viele Balken zur gleichmäßigen Durchbiegung zu zwingen und somit zur Mitarbeit heranzuziehen sowie um gleichzeitig die Verdrehung derselben zu verhindern. Außer den Endquerträgern seien hier noch drei Querträger von 0,25 m Stärke angenommen, deren Abstand vom mittelsten $17,55 : 4 = $ rd. 4,35 m sein möge.

Die Balkenbreite b wird mit Rücksicht auf das an und für sich sehr große Eigengewicht möglichst klein, und zwar zu $b = 0{,}35$ m, also $b : h_m = 1 : 4{,}6$ gewählt. Wie bereits auf S. 77 erwähnt, ist es allerdings für $b < 0{,}40$ m nicht mehr möglich, in den Schalungskasten der hohen Balken einzusteigen. Die Wände der 1,4 m hohen Balken müssen daher, wie es bei den Säulen allgemein üblich ist, wenigstens auf der einen Seite erst mit fortschreitender Betonierung geschlossen werden.

Nachdem nunmehr die sämtlichen Grundmaße festgelegt worden sind, kann der Brückenquerschnitt, Längsschnitt und Grundriß am besten im Maßstabe 1 : 100 aufgetragen werden (Abb. 180 u. 181).

c) Statische und wirtschaftliche Bemessung der Plattenstärke und Balkenhöhe. Die beiden wichtigen Höhenmaße, nämlich die Plattenstärke d und die Trägerhöhe h_m, hängen vor allem von den Biegungsmomenten ab, und können nach deren Berechnung verhältnismäßig leicht ermittelt werden. Die Bestimmung des in der Nähe der Auflager bedeutsamen Einflusses der Querkräfte auf die beiden Grundmaße d und h_m ist erheblich zeitraubender. Es empfiehlt sich daher, die Erörterung betreffs der Scherspannungen zunächst zu unterlassen und hier bei dieser vergleichenden Betrachtung auf die Bemessung nach den Biegungsmomenten zu beschränken.

α) Berechnung der statisch erforderlichen Plattenstärke mit Rücksicht auf die Biegungsbeanspruchungen. Das Eigengewicht g der i. M. 0,25 m hohen Versteinung und der 0,18 m starken Platte beträgt

$$g = 0{,}25 \cdot 2000 + 0{,}18 \cdot 2400 = 932 \text{ kg/m}^2.$$

Hierzu kommt noch das Gewicht der Dichtungsschicht, so daß $g = $ rd. 950 kg/m² wird.

Die Verteilungsbreite für ein Rad des 32 t-Wagens ist bei $P = 8{,}0$ t Raddruck und bei $t = 0{,}25$ m Felgenbreite nach Formel 1 (S. 136).

$$v = t + 2s = 0{,}25 + 2 \cdot 0{,}25 = 0{,}75 \text{ m}$$

und die Verteilung senkrecht zur Plattenstützweite nach Formel 2 (S. 136).

$$v' = t' + 2s + 2d = 0{,}25 + 2 \cdot 0{,}25 + 2 \cdot 0{,}18 = 1{,}11 \text{ m}.$$

Betrachtet man die Platte als einen einfachen Balken auf zwei Stützen, so ergibt sich für einen Streifen von 1,0 m Breite der Auflagerdruck zu

$$A = \frac{P}{2} \cdot \frac{1{,}0}{v'} = \frac{8{,}0}{2} \cdot \frac{1{,}0}{1{,}11} = 3{,}60 \text{ t}$$

und das Biegungsmoment in der Plattenmitte zu

$$\mathfrak{M}_p = A \cdot \left(\frac{a}{2} - \frac{v}{4} \right) = 3{,}60 \, (0{,}91 - 0{,}19) = 25{,}92 \text{ tm} = 259\,200 \text{ kgcm}.$$

Nach den Erörterungen über die Plattenberechnung (s. Seite 161) ist es für den Fall, daß Querträger in genügender Weise angeordnet werden, durchaus zulässig, für das Biegungsmoment in der Plattenmitte infolge des Eigengewichts volle Einspannung anzunehmen, also

$$M_g = \frac{g a^2}{24} = \frac{0{,}95 \cdot 1{,}82^2}{24} = 0{,}131 \text{ tm} = 13\,100 \text{ kgcm},$$

und für das Biegungsmoment der Verkehrslast zu setzen

$$M_p = \frac{2}{3} \, \mathfrak{M}_p = \frac{2}{3} \cdot 259\,200 \text{ kgcm} = 172\,800 \text{ kgcm}.$$

Das gesamte Biegungsmoment wird daher

$$M = M_g + M_p = 185\,900 \text{ kgcm}.$$

Die Plattenstärke erhält man dann nach der bekannten Dimensionierungsformel bei einer zulässigen Beanspruchung von $\sigma_e = 1000$ kg/cm^2 und $\sigma_b = 40$ kg/cm^2 zu

$$d = 0,39 \sqrt{M} + 1,5 = 0,39 \cdot \sqrt{185\,900} + 1,5 = 18,3 \text{ cm},$$

während oben von uns 18 cm angenommen worden sind.

β) Berechnung der statisch erforderlichen Plattenstärke mit Rücksicht auf die Druckgurtwirkung, sowie der statisch notwendigen und wirtschaftlich günstigsten Balkenhöhe. Für die oben angenommenen Grundmaße $l = 17,45$ m, $h_m = 1,60$ m, $a = 1,82$ m, $d = 0,18$ m und $b = 0,35$ m ergibt sich das auf einen Balken entfallende Eigengewicht

von der Versteinung und Platte: $g \cdot a = 950 \cdot 1,82$ $= 1730$ kg/m

von der Rippe: $2400 \cdot b \cdot (h_m - d) = 2400 \cdot 0,35 \cdot (1,60 - 0,18) = 1195$ „

somit insgesamt zu $g = 2925$ kg/m.

Um das größte Biegungsmoment rasch zu ermitteln, empfiehlt es sich, nach den Erörterungen auf Seite 140 ff. aus Abb. 260 den Belastungsgleichwert p_m abzugreifen. Dieser Wert stellt die Größe der gleichmäßig verteilten Belastung dar, welche beim einfachen Balken auf zwei Stützen das ebenso große Biegungsmoment

$M_m = \dfrac{p_m \, l^2}{8}$ hervorruft wie die betreffenden

Verkehrslasten in der ungünstigsten Stellung.

Für $l = 17,45$ m ergibt sich aus Abb. 260 für den 30 t-Wagen der Wert $p_m = 2510$ kg/m; folglich ist für den 32 t-Wagen von gleichen Abmessungen und Menschengedränge von 400 kg/m^2 neben dem Wagen nach Abb. 182

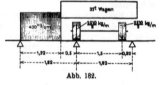

Abb. 182.

$$p_m = \frac{32}{30} \cdot \frac{2510}{2} \cdot \left(1 + \frac{0,32}{1,82}\right) + 400 \cdot \frac{1,32^2}{2 \cdot 1,82} = 1580 + 190 = 1770 \text{ kg/m},$$

somit die gesamte Belastung

$$q = g + p_m = 2925 + 1770 = 4695 \text{ kg/m} = \text{rd. } 4,70 \text{ t/m}$$

und das größte Biegungsmoment

$$M = \frac{q \, l^2}{8} = \frac{4,70 \cdot 17,45^2}{8} = 178,9 \text{ tm} = 17\,890\,000 \text{ kgcm}.$$

Bei der statisch wirksamen Balkenhöhe $h' = 160 - 8 = 152$ cm erhält man unter der Annahme, daß der Abstand von Zug- und Druckmittelpunkt angenähert $\left(h - \dfrac{d}{2}\right)$ beträgt

$$f_e'' = \frac{M}{\sigma_e \cdot \left(h - \dfrac{d}{2}\right)} = \frac{17\,890\,000}{1000\,(152 - 9)} = 124 \text{ cm}^2,$$

das gibt bei drei Schichten von je 5 Rundeisen als erforderliche Eiseneinlage 10 R.-E. 34 mm und 5 R.-E. 30 mm mit einem Eisenquerschnitt $f_e = 126,2$ cm^2.

Berechnet man nun die Beanspruchungen, welche sich bei diesen Abmessungen ergeben, unter „Zugrundelegung der preußischen Bestimmungen für die Ausführung von Konstruktionen aus Eisenbeton bei Hochbauten vom 24. Mai 1907", so erhält man zunächst für

$$x = \frac{n f_e h + \frac{1}{2} a d^2}{n f_e + a d} = \frac{(15 \cdot 126,2) \cdot 153 + (182 \cdot 18) \cdot \dfrac{18}{2}}{(15 \cdot 126,2) + (182 \cdot 18)} = 61,4 \text{ cm}$$

und

$$y = x - \frac{d}{2} + \frac{d^2}{6\,(2x - d)} = 61,4 - 9,0 + \frac{18 \cdot 18}{6\,(122,8 - 18)} = 52.9 \text{ cm.}$$

Es ergeben sich somit folgende Spannungen, und zwar zunächst zur Probe für die Richtigkeit der Rechnung

$$\sigma_e = \frac{M}{f_e\,(h - x + y)} = \frac{17\,890\,000}{126,2\,(152 - 8,5)} = 988 = \text{rd. } \mathbf{990} \text{ kg/cm}^2$$

$$\sigma_b = \sigma_e \cdot \frac{x}{n\,(h - x)} = 988 \cdot \frac{61,4}{15\,(152 - 61,4)} = \mathbf{44,6} \text{ kg/cm}^2.$$

Da im allgemeinen nach den Vorschriften nur $\sigma_b = 40$ kg/cm² als größte Druckbeanspruchung zugelassen wird, müssen die Grundmaße in geeigneter Weise abgeändert werden.[1]) Eine Verringerung der Druckbeanspruchung wird entweder durch eine Vergrößerung des Druckgurtes, also der Grundmaße d und a erreicht oder aber durch Einlegen von Eisen in die Druckzone (doppelt bewehrter Balken).

Um bei diesem Beispiel zu zeigen, welche Wirkung die Veränderung einer jeden dieser Grundgrößen auf die Druckbeanspruchung ausübt, wurden nacheinander h_m und d um rd. 10 vH. erhöht, ferner ein Druckeisenquerschnitt von 10 vH. des Zugeisenquerschnittes angenommen und die Rechnung nochmals durchgeführt. Dabei ergaben sich die nachstehenden Werte:

Lösung	h_m m	d m	a m	f_e cm²	g t/m	p t/m	M tm	σ_e kg/cm²	σ_b kg/cm²	$100 \cdot \frac{\sigma_b - 44,6}{44,6}$
1	1,60	0,18	1,82	126,2	2,93	1,77	178,9	988	44,6	—
2	„	0,20	„	„	3,00	„	181,6	1008	42,2	5,4
3	1,75	0,18	„	„	3,06	„	183,8	919	38,9	12,8
4	1,60	„	„	$\begin{cases} f_e = 126,2 \\ f_e' = 12,6 \end{cases}$	2.93	„	178,9	988	42,4	4,9

durch Vergrößerung der Deckenstärke auf $d = 0.20$ m wird σ_b um 5,4 vH. vermindert,
„ „ „ Balkenhöhe „ $h_m = 1,75$ „ „ „ „ 12,8 „ „
bei einem oberen Eisenquerschnitt
von $f_e' = 0,1\,f_e = 12,6$ cm² „ „ „ 4,9 „ „

Da eine starke Vergrößerung der Balkenhöhe jedoch wirtschaftlich und statisch wenig günstig ist, wird der Vergrößerung der Plattenstärke auf $d = 0,20$ m der Vorzug gegeben und zur Beseitigung der kleinen Überschreitung in der Druckspannung die Balkenhöhe um 0,08 m, also auf $h_m = 1,68$ m erhöht, so daß sich die zulässigen Werte $\sigma_b = 39,7$ kg/cm² und $\sigma_e = 960$ kg/cm² ergeben.

Es ist somit eine Lösung gefunden, welche den statischen Forderungen und auch den üblichen Grundgrößen entspricht. Weiter ist aber noch zu erörtern, ob diese Lösung auch die wirtschaftlich günstigste darstellt. Als eine andere Möglichkeit der Ausführung kommt die Anordnung mit einem Balkenabstand $a = 1,58$ m in Betracht (S. 90). Wählt man diesen Wert und behält $d = 0,20$ m bei, so ergeben sich unter Berücksichtigung der veränderten Lasten g und p für $h_m = 1,72$ m die in der folgenden Zusammenstellung unter 6 angegebenen Spannungswerte.

---

[1]) Bei den hier nach Maßgabe der „Bestimmungen" angewendeten Formeln ist nur die Platte als Druckgurt gerechnet. Berücksichtigt man dagegen bei solchen hohen Balken die Druckspannungen, welche unzweifelhaft im oberen Teile des Steges auftreten (vergl. Abschn. E, XI), so läßt sich für die Werte σ_b eine wesentliche Verminderung erzielen, die unter Umständen über 10 vH. betragen kann.

Als eine dritte Möglichkeit wäre noch der Fall zu erörtern, bei welchem man mit einer möglichst kleinen Deckenstärke, und zwar $d = 0,17$ m, also auch einem entsprechend kleinen Balkenabstand $a = 1,58$ m auszukommen sucht. Es ergibt sich jedoch dann eine ungewöhnlich große Balkenhöhe von 2,0 m, so daß das Verhältnis $d : h_m = $ rd. 1 : 12 wird.

Lösung	n	h_m m	d m	a m	f_e cm²	g t/m	p t/m	M tm	σ_e kg/cm²	σ_b kg/cm²
5	7	1,68	0,20	1,82	126,2	3,03	1,77	182,7	960	39,7
6	8	1,72	„	1,58	109,0	2,82	1,56	166,7	977	40,0
7	8	2,00	0,17	„	94,1	2,96	„	172,0	984	39,0

Vergleicht man die Maßgrößen der beiden Lösungen 5 und 6, so erscheint es zunächst, als ob bei 6 eine Ersparnis an Eisen erzielt würde. Da aber infolge des kleinen Trägerabstandes ein Hauptträger mehr erforderlich ist, so wird die Ersparnis an sieben Trägern $7 \cdot (126,2 - 109,0) = 120,4$ cm² durch den Mehraufwand für den hinzukommenden Träger von 109,0 cm² nahezu wieder aufgehoben. Gegenüber dem erheblichen Mehrbedarf an Betonvolumen und Schalungsfläche kommt die kleine Ersparnis an Platteneisen infolge der geringeren Plattenstützweite nicht in Betracht. Eher könnte die Lösung 7 wirtschaftlich günstiger als 5 erscheinen. Der Mehrbedarf bei 7 an Betonvolumen infolge der Vergrößerung der Balkenhöhe um 0,32 m, also der freien Steghöhe um 0,35 m, und der Balkenzahl von sieben auf acht Stück beträgt für 1 lfd. m der Brücke

$$0,35 [8 (2,00 - 0,17) - 7 (1,68 - 0,20)] = 1,50 \text{ m}^3,$$

die Ersparnis dagegen infolge der um 0,03 m kleineren Plattenstärke $0,03 \cdot 12,5 = 0,38$ m³, so daß sich ein Mehraufwand von 1,12 m³ ergibt. Beim Eisen wird jedoch eine Ersparnis von

$$7 \cdot 126,2 - 8 \cdot 94,1 = 130,6 \text{ cm}^2$$

im Brückenquerschnitt oder angenähert 130 kg für 1 lfd. m Brücke erzielt.[1] Endlich kommt noch hinzu infolge der Erhöhung und Vermehrung der Balken eine Vermehrung der Schalungsfläche um

$$2 (8 \cdot 1,83 - 7 \cdot 1,48) = 8,56 \text{ m}^2.$$

Nimmt man allgemein als Kosten für das Material und den Arbeitslohn für 1 m³ Beton 30 Mark, für 1 kg Eisen 0,25 Mark und für 1 m² Schalung 2,0 Mark an, wobei naturgemäß im besonderen Falle die wirklich maßgebenden Preise, welche von den örtlichen Verhältnissen abhängen, einzusetzen sind, so ergibt sich bei der Lösung 7 für 1 lfd. m Brücke ein gesamter Mehraufwand von

$$1,12 \text{ m}^3 \cdot 30 \text{ Mark/m}^3 + 8,56 \text{ m}^2 \cdot 2,0 \text{ Mark/m}^2 = 50,7 \text{ Mark}$$

gegenüber einer Ersparnis von 130 kg $\cdot$ 0,25 Mark/kg = 32,5 Mark, so daß man eine Verteuerung von rd. 18,2 Mark erhält, wozu noch die Mehrkosten der Unterrüstung für den hinzutretenden achten Balken kommen.

Diese Betrachtung über die Wirtschaftlichkeit dieser verschiedenen Lösungen führt somit zu dem Ergebnis, daß die gewählte Lösung 5, welche den üblichen Grundgrößen am besten entspricht, auch die wirtschaftlich günstigste ist, abgesehen davon, daß sie auch, vom konstruktiven Standpunkt aus betrachtet, der Lösung 7 mit den überaus hohen Balken vorzuziehen sein würde.

---

[1] Für überschlägige Rechnungen ist es empfehlenswert, auf 1 cm² Eisenquerschnitt mit Rücksicht auf die Bügel, die Abbiegungen und den Verschnitt aller Eiseneinlagen anstatt des genauen Wertes von 0,785 kg als erforderliches Eisengewicht rd. 1.0 kg für 1 cm² Eisenquerschnitt und 1 lfd. m Brücke zu rechnen.

5. Die Widerlager, Zwischenstützen und Lager.
a) Die Widerlager.

Die Widerlager der Brücken bilden in erster Linie den Abschluß des anschließenden Erdreichs gegen die Brückenöffnung und werden demnach als volle gemauerte Wände in Beton, Ziegel-, Bruchsteinmauerwerk oder in Eisenbeton ausgeführt, die den Erddruck E (Abb. 183) aufzunehmen haben. Außerdem dienen sie aber auch als Stützen der Trägerenden, an welchen der Auflagerdruck A wirkt. Falls die Stützpunkte des Brückentragwerks weit genug hinter der Vorderkante des Widerlagers liegen, wird durch diesen Stützendruck A eine wirksame Entlastung der Bodenfuge an der vorderen Kante O des Widerlagers herbeigeführt. Eine gleiche günstige Wirkung hat das Eigengewicht G des Widerlagerkörpers selbst, das demnach nicht zu klein gewählt werden darf, um eine dem Bestande der Brücke nachteilige Bewegung des Widerlagers zu verhüten.

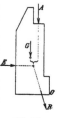

Abb. 183.

Betreffs der für die Herstellung einer sicheren Gründung bei ungünstigem Boden gegebenen Möglichkeiten, die z. B. in der Anwendung einer gemeinsamen Grundplatte aus Eisenbeton oder in der Verlängerung der Gründungskörper bis zum tragfähigen Boden durch Pfahlrost oder Brunnengründung bestehen, wird auf das Kapitel Grundbau (Bd. III) verwiesen.

Bei dem Entwurf der Widerlager ist zunächst zu erwägen, ob für diese Teile Eisenbetonkonstruktion oder aber ein massiver Körper aus Beton, Bruchstein- oder Ziegelmauerwerk verwendet werden soll. Die Widerlager aus Eisenbeton bieten den Vorteil des geringsten Materialaufwandes, sind also besonders dann zu empfehlen, wenn Kiessand und Feinschlag in nächster Umgebung nicht zu beschaffen und daher infolge der kostspieligen Anfuhr teuer sind. Sie können ferner biegungsfest ausgebildet und mit dem Balken fest verbunden werden, wie z. B. bei den Rahmenbrücken, wodurch häufig eine Verringerung der Trägerabmessungen ermöglicht wird, die bei beschränkter Bauhöhe oft willkommen sein kann.

Werden dagegen die Widerlager nicht aus Eisenbeton hergestellt, so sieht man in der Regel von einer biegungsfesten Verbindung mit den Balken ab. Nur bei Betonwiderlagern findet zuweilen eine Verankerung der Balkeneisen und dadurch eine Einspannung der Balkenenden statt. Solche massive volle Widerlagerkörper empfehlen sich besonders dann, wenn das Kiessand- und Steinmaterial sehr billig ist. Oft ist man auch zu ihrer Anwendung dadurch gezwungen, daß die Widerlager beträchtlich früher als die Eisenbetontafel, z. B. gleichzeitig mit der Dammschüttung hergestellt werden müssen, wie es häufig bei Umbauten besonders von Eisenbahnen der Fall ist. Endlich wird man auch bei schlechtem Baugrund, der ein verschieden starkes Setzen der beiden Widerlager befürchten läßt, gegen die Verwendung eines biegungsfesten Rahmens aus Eisenbeton Bedenken tragen und dafür lieber einen statisch bestimmt gelagerten, also von den Auflagerbedingungen unabhängigen Balken wählen.

Den Kopf des Widerlagers bildet die Lagerfläche und die zum Abschluß des Tragwerks dienende Kammermauer, die meist bis zur Trägeroberkante hochgeführt wird (Abb. 184). Die Lagerfläche wird bei gemauerten Widerlagern kleinerer Brücken meist mittels einer durchlaufenden Rollschicht aus Sandsteinwerkstücken mit bearbeiteter Oberfläche gebildet, auf der die Platte bzw. der die Trägerenden verbindende Endquerträger voll aufruht (Abb. 136, S. 59). Bei größeren Brücken werden dagegen in der Regel für jeden Träger besondere größere Auflagerquader angeordnet, die man

vorteilhaft über die Abgleichung der Lagerkammer heraushebt, damit die Lagerfugen
für die Besichtigung stets bequem zugängig bleiben (Abb. 184).

Die Anordnung einer besonderen Kammermauer nach Abb. 183 und 184 erscheint
zweckmäßig, weil sie einen festen, vom Brückentragwerk unabhängigen Abschluß des

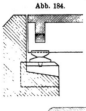

Abb. 184.

Erdreichs gegen die Brücke bietet. Bei kleineren Brücken
wird sie häufig dicht an die Trägerenden herangesetzt und
gewährt diesen dann einerseits einen Halt gegen wagerechte
Verschiebungen, anderseits den Widerlagern selbst eine
sichere Stützung gegen eine Verdrehung nach der Brückenöffnung. Da die Kammermauer aber eine Verstärkung des
Widerlagers bedingt, die unter Umständen statisch nicht
erforderlich ist, so wird sie wohl auch durch die an den
Trägerenden bis zur Lagerfuge herabgeführte Deckplatte nach
Abb. 185 ersetzt, wodurch sich infolge der Einschränkung
der Widerlagerstärken mitunter nennenswerte Ersparnisse
ergeben können.

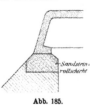

Abb. 185.

Die Breite der Widerlager wird meist so groß ausgeführt, wie die größte Brückenbreite einschließlich der
Abschlußpostamente der Geländer, worauf sich hieran erst
die Flügel zum Abschluß des Erdreichs anschließen, die
entweder gleichlaufend mit der Widerlagerflucht, also rechtwinklig zur Brückenachse stehen, oder rechtwinklig zur
Widerlagerflucht abgebogen sind, als sogenannte Parallelflügel.[1]

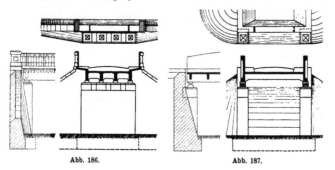

Abb. 186.   Abb. 187.

Da jedoch das Widerlager in seinem vorderen Teil nur der Auflagerung der
Brücke dient, in seinem hinteren Teil dem Abschluß gegen das Erdreich, so erscheint
es zweckmäßig, zur Ersparnis an Material den vorderen Teil nur auf die unbedingt
zur Auflagerung erforderliche Breite (Abb. 186) auszuführen, im übrigen aber als eine
mit Anlauf versehene Stützmauer auszubilden, die in die Kammerabschlußmauer über-

---

[1] Die an die Widerlager anschließenden Flügelmauern und Stützmauern werden im III. Bd., Kapitel II behandelt.

geht und dadurch das Tragwerk vollständig frei hervortreten läßt. Bei Brücken mit versenkter Bahn (Abb. 187) kann dann wohl auch für jeden Hauptträger ein einzelner Pfeiler aufgeführt werden, so daß die durch die überstehenden beiden Haupttragwände verursachte größere Baubreite ohne Einfluß auf die Kosten der Widerlager bleibt. In vielen Fällen ist die Endstütze sogar nur in der Form einzelner Eisenbetonsäulen ausgeführt und sodann mit dem Erdreich des Dammes ganz verschüttet worden. (Vergl. u. a. Beispiel 14 Abschnitt F.)

b) Die Zwischenstützen.

Wie bei den Grundformen Abschnitt B. erörtert wurde, sind die Zwischenstützen entweder Pfeiler, auf welchen einfache Balken frei gelagert sind (Abb. 34, S. 15), oder aber sie bilden die Stützpunkte eines durchlaufenden Balkens, der dann entweder frei drehbar gestützt (Abb. 47, S. 19) oder fest mit den Stützen verbunden ist (Abb. 48 bis 50).

Für die Gestaltung der Zwischenstützen sind ähnliche Erwägungen wie für die Widerlager maßgebend. Sie können

Abb. 188. Wegbrücke über den Lambro (Lombardei).

Abb. 189. Brücke bei Nußbühl zwischen Donauwörth und Treuchtlingen.
(Ausführung: Thormann u. Stieffel, Augsburg.)

als selbständige gemauerte Pfeiler, als volle Wände in Eisenbeton oder endlich als einzelne Betonsäulen ausgeführt werden.

Sind bei Herstellung der Brücke bereits vorhandene Zwischenpfeiler zu benutzen oder erscheinen aus wirtschaftlichen Gründen gemauerte Pfeiler vorteilhafter, so werden die Tragbalken meist wie bei den Widerlagern frei aufgelegt. Die Abmessungen des Pfeilerkopfes sind sodann in erster Linie durch den Raumbedarf für die Lagerkörper,

in zweiter Linie erst durch die Größe der Stützkräfte bedingt, während für die unteren
Pfeilerabmessungen die Größe der angreifenden Seitenkräfte, Hochwasserdruck, Schubkräfte bei stark geneigter Bahn u. dergl. sowie vor allem die Bodenverhältnisse maßgebend sind. Hierbei wird häufig die Länge der Zwischenpfeiler nach Möglichkeit
eingeschränkt und für die Auflagerung der Balken durch Auskragung des Pfeilerkopfes
Platz geschaffen, wie Abb. 188 zeigt. Die gleiche Maßregel ist erforderlich, wenn auf
vorhandene Pfeiler eine neue verbreiterte Brückenplatte aufgelegt werden soll. (Vergl.
Beispiel Nr. 8, Abschnitt F.)

Werden dagegen die Zwischenstützen aus Eisenbeton gleichzeitig mit dem Tragwerk hergestellt, so werden sie meist in der Form einzelner Säulen ausgeführt (Abb. 189),
deren Abmessungen fast nur von der Größe der aufzunehmenden Stützendrücke des

Abb. 190. Molodiabrücke in Halicz (Galizien).
(Ausführung: Hennebique, Paris.)

Abb. 191. Gangsteg über den Taff bei Treforest.

auflastenden Tragwerks abhängig sind. Sie können
daher sehr schlank ausge-
bildet werden, wodurch die
lichte Weite der Durchflußöffnung erheblich ver-
größert und unter Um-
ständen auch an Brücken-
länge gespart werden kann.
Besonders für Brücken über
Eisenbahngleisen ist die
Anordnung von Zwischen-
stützen aus Eisenbeton vorteilhaft, da die Übersicht
über die Gleise durch die
schlanken Eisenbetonsäulen
weniger beeinträchtigt wird
als durch gemauerte Pfeiler.
Häufig wird es überhaupt
erst durch die Ausführung
der wenig Raum bean-
spruchenden Stützen in
Eisenbeton ermöglicht,
Stützpunkte zwischen den
Gleisen zu gewinnen.

Kommen die Eisen-
betonstützen in fließendes
Wasser zu stehen, so wer-
den die einzelnen Stützen-

reihen entweder durch Ausmauerung der Zwischenräume zu einer vollen Wand
ergänzt, die dem Wasser, dem Eisgang und anschwimmenden Gegenständen
weniger Angriffsflächen bietet, wie bei der Molodiabrücke in Halicz (Abb. 190),
oder überhaupt jede Stützenreihe als volle Eisenbetonwand ausgebildet, wie bei der
Brücke in Texas (Abb. 56, S. 22). Zur weiteren Sicherung der Stützen gegen an-
schwimmende Gegenstände werden wohl auch, wie bei dem Gangsteg (Abb 191) und
bei den beiden russischen Brücken (Abb. 192 u. 193), vor die Stützen Eisbrecher in
der Form schief gestellter Endpfosten oder selbständiger Stabwerke angeordnet, die

vorteilhaft ebenfalls aus Eisenbeton hergestellt werden, meist aber wohl eiserne Schutz-schienen zur Aufnahme der unmittelbaren Stoßwirkung antreibender Gegenstände erhalten.

Häufig, und zwar besonders in flachen Gewässern, in den Überschwemmungs-gebieten größerer Flüsse u. dergl., bestehen die Zwischenstützen aus einfachen ge-rammten Eisenbetonpfählen, die durch eine kräftige Kopfschwelle aus Eisenbeton ver-bunden werden, wie z. B. bei der Brücke der Abb. 195, woselbst zur Sicherung gegen antreibende Gegenstände vor die Pfahljoche besondere Pfahlbündel gesetzt sind.

Abb. 192. Brücke bei Alexandrowka (Rußland). (Ausführung: Hennebique, Paris.)

Abb. 193. Brücke bei Feodorowka (Rußland). (Ausführung: Hennebique, Paris.)

In Abb. 194, der 77 m langen und 13 m breiten Südbrücke bei Randers, sind die Trägerenden stark herabgezogen, um den über das Wasser herausragenden Teil der insgesamt 14,5 m langen gerammten Eisenbetonpfähle möglichst zu verkürzen. Dadurch wurde zugleich ein architektonisch günstig wirkender Übergang zwischen Balken und Stützen erzielt.

Eine eigenartige Stützenanordnung zeigt der amerikanische Landungssteg (Abb. 196), bei dem die Pfähle in größerem Abstand wie die Tragbalken angeordnet sind und eine biegungsfeste auskragende Eisenbetonschwelle zur Auflagerung der Balken erhalten haben.

Die Beschränkung der Stützenzahl gewinnt besonders bei sehr großer Lichthöhe des Bauwerks an Bedeutung. So sind z. B. bei der Desnabrücke in Tschernigow (Abb. 115, S. 45) zur Aufnahme von fünf Tragrippen in jeder Stützenreihe drei kegel-förmige Betonpfeiler angeordnet, deren Köpfe durch eine darauf liegende schwere Betonschwelle verbunden sind.

Abb. 194. Südbrücke über die Gudenaa bei Randers, Jütland. (Ausführung: Christiani u. Nielsen, Kopenhagen.)

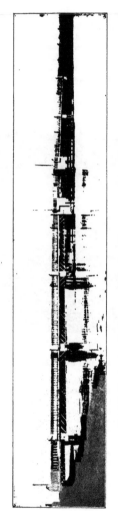

Abb. 195. Brücke über die Diwenow nach der Insel Gristow. (Ausführung: Fr. Visintini, Wien.)

Eine bemerkens-
werte Lösung für die
Auflagerung ein-
facher Träger auf
schmalen Eisenbeton-
zwischenpfeilern zeigt
Abb. 197, wonach
die Trägerenden der
einen Öffnung gabel-
förmig aufgespalten
sind und die Träger-
enden der anderen

Abb. 196. Landungssteg bei Long Beach, Long Island.
(Ausführung: Corrugated Bar Co.)

Öffnung umgreifen, so daß eine unabhängige Lagerung
der Träger nebeneinander möglich ist.[1]

c) Die Lagerausbildung auf Widerlagern und Pfeilern.

Die Überleitung der Brückenlasten nach den
Widerlagern und Pfeilern erfolgt in allen Fällen, in
denen von einer festen Verbindung der Brückentafel
mit ihren Stützen abgesehen wird, durch die Lager,
die vor allem die Aufgabe haben, die lotrechten

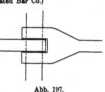

Abb. 197.

Kräfte an fest bestimmten Punkten in die Stützen überzuleiten. Sie müssen ferner bei
der Durchbiegung der Balken, die infolge einer jeden Belastung entsteht, eine Verdrehung der Balkenenden zulassen, und schließlich sollen sie bei größeren Brücken
auch eine wagerechte Verschiebung der Balkenenden infolge der Wärmewirkung gestatten. Es sind daher auf dem einen Ende
der Brücke bewegliche Lager, also Gleit-
oder Rollenlager anzuordnen, die der Verschiebung des Trägerendes einen möglichst
geringen Widerstand entgegensetzen, wogegen die Lager des anderen Brückenendes
so ausgebildet werden müssen, daß sie zur
Aufnahme aller wagerechten Kräfte befähigt
sind. Diese Festlager werden bei geneigten
Brücken stets auf das tieferliegende Widerlager gelegt, da die hauptsächlich in der
Richtung des Gefälles wirkenden wagerechten
Seitenkräfte dann eine Verschiebung des
Widerlagers gegen den Erdkörper anstreben,
also in günstiger Weise aufgenommen werden können.

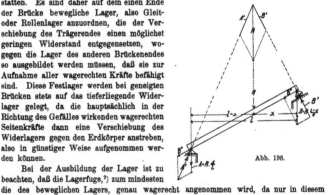

Abb. 198.

Bei der Ausbildung der Lager ist zu
beachten, daß die Lagerfuge,[2] zum mindesten
die des beweglichen Lagers, genau wagerecht angenommen wird, da nur in diesem
Falle die Stützkraft, die stets rechtwinklig zur Lagerfuge wirkt, lotrecht, also gleich-

---

[1] Diese Spaltung der Balkenenden im Grundriß (Abb. 197) ist von Christiani u. Nielsen, Kopenhagen, bei dem
Landungssteg in Hundested ausgeführt worden.
[2] Unter Lagerfuge ist beim Rollenlager die Rollenbahn, beim Gleitlager die Gleitfläche zu verstehen. Flächen,
in denen infolge irgendwelcher Verbindungsmittel eine Verschiebung unmöglich ist, gelten nicht als Lagerfugen, die
für die Beurteilung der Lagerwirkung in Frage kämen, da sie beliebig gerichtete Lagerkräfte aufzunehmen vermögen.

gerichtet mit der Schwerkraft wirkt. Durch diese Anordnung erreicht man, daß von
lotrechten Lasten auf beiden Trägerenden nur lotrechte Stützkräfte ausgeübt werden.
Ist jedoch die Lagerfuge des beweglichen Lagers geneigt, so ergibt sich die aus Abb. 198
ersichtliche Kräftezerlegung, also auch auf dem beweglichen Lager eine schief gerichtete
Stützkraft *B'*, deren in die Richtung der Balkenachse entfallende Seitenkraft ebenfalls
von dem Festlager aufgenommen werden muß.

Über die Ausbildung der Lager selbst ist zu bemerken, daß bei einfachen Plattenbalken sowie bei kleineren Rippenplatten bis zu etwa 10 m von der Anordnung besonderer Lagerkörper meist abgesehen, die Brücke vielmehr in einfachster Weise nach
Abb. 196 auf die Widerlager gelegt wird. Bei den Rippenplatten werden häufig
die Balkenenden durch einen Endquerträger verbunden, der in seiner ganzen Länge
auf dem Widerlager aufruht und die Balkendrücke wie bei einer einfachen Platte auf
die ganze Lagerfläche gleichmäßig verteilt (Abb. 136 u. 138, S. 59). Zur Verhütung
des Anbindens der Platte an die Widerlager in der Lagerfuge empfiehlt es sich, vor
dem Stampfen der Platte eine Papplage auf die mit Zementmörtel gut abgeglichene
und geglättete Lagerfläche zu legen. Ferner ist es ratsam, den vorderen Teil der
Lagerfläche etwas abzuschrägen oder abzurunden, wie Abb. 199 zeigt, um dadurch den
Druckpunkt genügend weit nach hinten zu verlegen und ein Abspringen der Vorderkante
des Lagers, infolge der erhöhten Kantenpressung, bei Durchbiegung der Balken zu verhüten. Die Lagerfläche ist dann vor dem Betonieren der Eisenbetontafel zweckmäßig
mit einem nur wenig druckfesten Baustoff, z. B. mit Kalkmörtel oder Gips, der sich

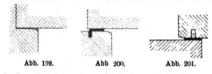

später leicht entfernen läßt
oder von selbst heraus-
gepreßt wird, wagerecht und
eben abzugleichen.

Da bei einer solchen
Lagerung von Beton oder
Stein eine Verschiebung in

| | | |
| Abb. 199. | Abb 200. | Abb. 201. |

der Lagerfuge wegen der großen Reibung schwer eintreten kann, liegt die Gefahr vor, daß
das Widerlager wie ein Körper wirkt, der fest mit dem Balken verbunden ist. Eine
Durchbiegung der Balken führt in diesem Falle eine Verdrehung des Widerlagers herbei
und bewirkt dann eine Erhöhung des Bodendrucks an den Rändern der Grundfläche.
Um die Flächenreibung zu vermindern und gleichzeitig den Druckmittelpunkt von der
Widerlagerkante wirksam abzurücken, werden häufig eiserne Gleitplatten angeordnet,
etwa in der Form der Abb. 200 u. 201. Die Reibung kann noch wesentlich verringert
werden durch Anwendung von je zwei aufeinander schleifenden eisernen Reibplatten,
da sich der Reibungskoeffizient des Festlagers ohne Eisenzwischenlage zu dem des
Gleitlagers mit einer bezw. mit zwei Platten, d. i. der Reibungswinkel von Beton auf
Beton zu dem von Eisen auf Beton bezw. Eisen auf Eisen, ungefähr wie $0{,}75:0{,}45:0{,}15$
$= 5:3:1$ verhält (vergl. S. 150).

Die Lager werden vorteilhaft als Kipplager mit zylindrischen oder kugelförmigen
Berührungsflächen ausgebildet, um die Stützkräfte genau senkrecht an und fest bestimmter Stelle in die Widerlager zu führen, was besonders bei schwachen Pfeilern
und bei gemauerten Widerlagern, vor allem aber bei stark geneigten Trägern, wie
z. B. bei der Montbrillantbrücke in Lausanne (Beispiel Nr. 8, Abschn. F.), von
Bedeutung ist. Dabei erhalten die einander berührenden Flächen verschieden große
Krümmungshalbmesser, damit sich beide Lagerteile ohne Reibung aufeinander abwälzen
können. Falls auf eine äußerst leichte Verschiebbarkeit des Lagers besonderer Wert

gelegt wird, wendet man Rollen- oder Stelzenlager[1]) an, bei denen die gleitende Reibung vollständig ausgeschaltet ist. Da aber die dauernde Wirkung der Rollen in diesen Fällen eine Voraussetzung für die klare Kraftwirkung im Balken bildet, muß auf ihre Ausbildung und Unterhaltung dieselbe Sorgfalt verwendet werden wie bei den eisernen Brücken. Vor allem ist auch auf die bequeme Zugänglichkeit der Lager Gewicht zu legen, zu welchem Zweck es sich stets empfiehlt, die Quader über die eigentliche Kammerabgleichung herauszuheben und die nur zur Versteifung der Platte erforderlichen Endquerträger nicht höher zu machen, als es die Rücksicht auf die Plattenbelastung erfordert (vergl. Abb. 184, S. 96).

Die Lagerplatten werden zumeist aus Gußeisen oder aus gegossenem Stahl, seltener aus Walzeisen hergestellt und alle Berührungsflächen sauber bearbeitet. Eine Schmierung der aufeinander gleitenden Flächen ist nicht nötig. In den meisten Fällen begnügt man sich mit einem mehrmaligen Ölfarbenanstrich, wie er auch auf die freiliegenden Flächen als Rostschutz aufgebracht wird.

Zweckmäßige Formen der Lagerteile zeigen die Beispiele Abb. 202 bis 206, bei denen neben der Forderung bequemer Zugängigkeit aller Berührungsflächen für die Besichtigung vor allem Wert darauf gelegt wurde, daß bei diesen alle schwer zu bearbeitenden Ecken vermieden sind, die Werkzeuge und vor allem die Hobelstähle demnach überall ohne Anstoß über die Arbeitsflächen durchlaufen können.

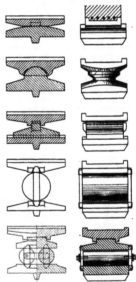

Abb. 202 zeigt ein zweiteiliges Kipplager, dessen Unterplatte eine zylindrisch gekrümmte Oberfläche besitzt, wogegen die Berührungsfläche der oberen Platte eben ist. Zur Verhinderung der seitlichen Bewegung sind an der unteren Platte zwei Nasen angegossen sowie eine in den Auflagerquader eingreifende Querrippe. Bei dem Lager der Abb. 203 sind die Berührungsflächen beider Platten mit verschieden großen Halbmessern kugelförmig gekrümmt, wodurch die freie Drehbarkeit der Balkenenden gewährleistet, trotzdem aber jede Verschiebung behindert ist. In Abb. 204 ist ein dreiteiliges Gleitlager dargestellt, das gegenüber dem Lager der Abb. 202 den Vorteil genau zu bearbeitender Gleitflächen bietet. Das dreiteilige Rollenlager der Abb. 205 besteht aus zwei in der Hauptsache gleichgestalteten Druckplatten und einer Walze von großem Durchmesser, während Abb. 206 ein Rollenkipplager mit zwei Rollen darstellt. Bei diesem ist außer den beiden am Träger bezw. am Auflagerquader anliegenden Druckplatten eine besondere Kippplatte eingefügt, wodurch die Verdrehung des Trägerendes ermöglicht wird. Von den im Grundriß kreisförmigen

Abb. 202 bis 206.

Berührungsflächen der beiden oberen Platten ist die eine eben, die andere schwach kugelförmig gekrümmt. Bei den Rollen (Abb. 205 u. 206) sind an den Enden daumen-

---

[1]) Die erste Brücke mit solchen Rollenlagern ist 1906 in Plochingen von H. Rek, Stuttgart, ausgeführt worden.

artig vorstehende Stäbe angegossen, die an entsprechenden Nasen der Rollenplatten anliegen und daher die zwangläufige Drehung der Rollen bei der Längsbewegung sichern. Gleichzeitig verhindern sie eine seitliche Verschiebung der Lagerteile, obgleich diese Gefahr angesichts des verhältnismäßig großen Gewichtes und der damit erzielten ruhigen, stoßfreien Lage der Eisenbetonbrücken kaum vorliegt.

Die Größe der Grundfläche ergibt sich aus der Bedingung, daß die Druckbeanspruchung in der Mörtelfuge $p = 25$ kg/cm² nicht überschreiten soll, zu $b' l' = \dfrac{A}{p}$.

Das gleiche gilt sinngemäß auch für die obere Platte bei Kipplagern, die demnach meist ebenso groß wie die untere Platte angenommen wird. Zur Verhütung des Gleitens der Platten auf der Mörtelfuge erhalten dieselben angegossene Querrippen, deren Größe den wagerechten Lagerkräften entsprechen muß, gewöhnlich aber zu etwa 5×5 cm im Querschnitt gewählt wird.

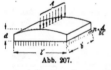

Abb. 207.

Die Stärke d der Platte in der Mitte ergibt sich nach Abb. 207 aus der Beziehung

$$M = W \cdot \sigma \quad \text{oder} \quad \frac{A l'}{8} = \frac{b' d^2}{6} \cdot \sigma$$

und mit $\dfrac{A}{l' b'} = p$ zu $\quad d = l' \sqrt{\dfrac{3}{4} \cdot \dfrac{p}{\sigma}}$,

wenn A den Lagerdruck und σ die zulässige Beanspruchung des Baustoffs auf Biegung, l' die Lagerlänge und b' die Lagerbreite bedeuten. Hierin ist $\sigma = 250$ kg/cm² für Gußeisen bezw. $\sigma = 1000$ kg/cm² für Stahl zu setzen, womit sich $d = 0{,}28\, l'$ bezw. $d = 0{,}14\, l'$ ergibt.

Die Zahl und der Durchmesser der Rollen bei Rollenlagern sind so zu wählen, daß der Druck $p = A : n l$ für 1 cm der Rollenlänge $n \cdot l$ etwa $p = 45 \cdot d$ in kg nicht überschreitet, wenn d den Rollendurchmesser in cm bezeichnet. Die Beanspruchung in der Drucklinie ergibt sich nach Hertz-Weyrauch[1]) zu

$$\sigma = \sqrt{\frac{9}{8} \cdot \frac{A \cdot E}{l\, d\, \pi}} = 0{,}42 \sqrt{\frac{p\, E}{r}},$$

also mit $p < 45\, d$ und $E = 2\,250\,000$ kg/cm² zu $\sigma < 6000$ kg/cm², was in Anbetracht dessen, daß diese Pressung nur in einer sehr kleinen Fläche auftritt und ein seitliches

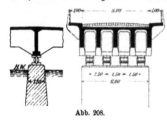

Abb. 208.

Ausweichen des Materials unmöglich ist, bei Verwendung besten Flußstahles für Platten und Rollen noch als zulässig betrachtet werden darf. Bei Verwendung mehrerer Rollen empfiehlt es sich mit Rücksicht auf die ungleichmäßige Lastverteilung, den zulässigen Druck p auf die Längeneinheit entsprechend kleiner anzunehmen.

Betreffs der Anordnung der einzelnen Lager im Brückenquerschnitt ist zu bemerken, daß in der Regel unter jedem Balken ein Lager vorgesehen wird, um den Stützendruck des Balkens auf dem kürzesten Wege in das Widerlager zu leiten. Eine Abweichung von dieser üblichen Ausführungs-

---

[1]) Vergl. Weyrauch. Zeitschr. d. Hannov. Arch.- u. Ing.-Vereins 1894, S. 571, und Hütte, XX. Aufl., III. Teil, S. 438.

weise zeigt Abb. 205, bei der man das Bestreben hatte, die Breite der sehr hohen Pfeiler möglichst einzuschränken. Um zu vermeiden, daß die beiden äußeren Lager hart an die Pfeilerkante zu stehen kommen, wurden sie in der Mitte zwischen den Balken angeordnet und ein genügend steifer Endquerträger zur Lastübertragung vorgesehen. Unter Umständen können wie bei den eisernen Brücken auch Einzellager von noch geringerer Anzahl als bei diesem Beispiel in Frage kommen. Dabei ist zu bedenken, daß eine

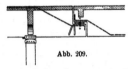

Abb. 209.

Unterstützung auf nur zwei Lagern statisch klarer ist als die Lastübertragung durch eine größere Anzahl von Lagern, deren Wirksamkeit von ihrer Höhenlage, also von der Güte ihrer Ausführung und vom zuverlässigen Untergießen derselben wesentlich abhängt.

Die gleichen Grundsätze sind auch bei den schwebenden Stützpunkten der eingehängten Träger bei Kragbrücken zu beobachten, bei denen zumeist die Träger an den Enden nach Abb. 209 eingezogen werden, so daß für die Anordnung eines Gleitlagers Platz bleibt, ohne daß der gesamte Trägerquerschnitt im Aussehen verändert wird.

d) Die Lagerausbildung auf Eisenbetonzwischenstützen.

Werden die Zwischenstützen eines durchlaufenden Eisenbetonträgers nach Abb. 47, S. 19 als sogen. Pendelstützen ausgebildet, aber nicht starr mit dem Tragwerk verbunden, so ist ebenfalls eine besondere Gestaltung des Kopf- und Fußgelenkes erforderlich, die bei einer starren Verbindung der Stütze mit dem Balken naturgemäß erspart werden, wobei anderseits wieder die Nebenspannungen der Stütze in Kauf genommen werden müssen (vergl. Abschn. E, 7).

Diese Gelenke der Pendelstützen können zunächst durch aufgesetzte Stahlkappen gebildet werden, deren Einzelheiten im wesentlichen denen der Kipplager entsprechen (Abb. 210).

Bei der Staatsstraßenbrücke in Hainsberg (Abb. 214 u. 215) wurden Wälzgelenksteine aus Eisenbeton in besonderen Formen hergestellt und nach hinreichender Erhärtung ähnlich wie die Gelenkquader der Dreigelenkbogenbrücken im Bauwerk verlegt. Gegenüber den folgenden Ausführungsarten ergibt sich hierbei der Vorteil einer sehr sorgfältigen Herstellung der Lagerflächen, jedoch der Nachteil eines größeren Zeit- und Kostenaufwandes. Die Gelenke der Pendelwände für die ähnlich ausgebildete Wegbrücke bei Oelsnitz i. V. (Abb. 212) wurden unmittelbar im Zusammenhang mit den übrigen Eisenbetonteilen des Bauwerks in der Schalung, nur in etwas fetterem Mischungsverhältnis hergestellt (Ausführung: Dyckerhoff u. Widmann, A.-G.).

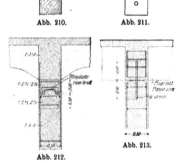

Abb. 210. 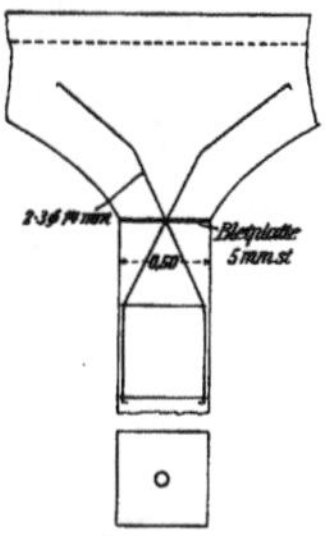   Abb. 211.

Abb. 212.   Abb. 213.

Im mittleren Drittel der Gelenkfuge ist eine Bleiplatte von 5 mm Stärke eingelegt, wogegen der beiderseits freibleibende Fugenspalt mit Gips ausgestrichen wurde. Bei der
Straßenüberführung auf Bahnhof Herzberg (Abb. 211), ausgeführt von C. Brandt u. Co.,
wurde ebenfalls eine 5 mm starke Bleiplatte verwendet, die die ganze Fugenfläche
bedeckt. Zur Verbindung der Pendelsäule mit dem Tragwerk dienen vier Eisen von
14 mm Durchm., die durch ein Loch der Bleiplatte in der Säulenmitte geführt sind,
wobei jedoch eine gewisse Federung dieser Eisen bei der elastischen Formänderung
der Brücke eintreten muß. In einfachster Weise kann die Ausbildung des Gelenkes
auch nach Abb. 213 durch Einlegen eines Pappstreifens in den beiden äußeren
Dritteln der Fugenfläche und eines dübelartig wirkenden Rundeisens von 30 mm
Durchm. erfolgen.

Bei der Bewehrung solcher Pendelwände muß, wie Abb. 214 zeigt, vor allem den
Scherkräften Rechnung getragen werden, welche bei einer verschiedenen Belastung
der Balken oder bei verschiedener Preßbarkeit des Untergrundes auftreten können.

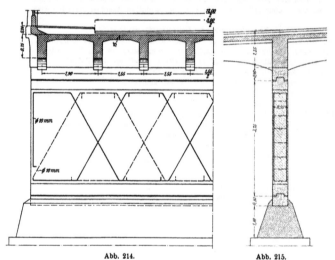

Abb. 214.   Abb. 215.

Abb. 214 u. 215. Pendelwand der Straßenbrücke in Hainsberg.
(Ausführung: Dyckerhoff & Widmann, A.-G., Dresden.)

Hervorgehoben sei ferner, daß bei einer schiefen Brücke, bei welcher die Flucht
der Zwischenstützen nicht senkrecht, sondern schräg zur Brückenachse steht (Abb. 216),
die Ausbildung einer geschlossenen Wand nicht zulässig ist, da die Pendelbewegung
naturgemäß senkrecht zur Balkenrichtung erfolgen, also die Berührungsfläche des Gelenkes jeweilig in der Richtung a—a liegen muß. In diesem Falle müssen einzelne

Pendelsäulen ausgebildet werden, wobei auf eine zuverlässige gemeinsame Gründung derselben besonderes Gewicht zu legen ist, um ein Nachgeben einer einzelnen Stütze und damit eine Überlastung der anderen Stützen zu verhüten.

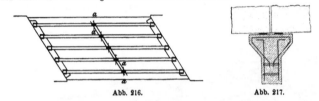

Abb. 216.   Abb. 217.

Eine bemerkenswerte Ausbildung des Kopfes einer schmalen Zwischenstütze aus Eisenbeton, auf welcher zwei Trägerenden gelagert sind, zeigt Abb. 217.

Abb. 218. Gangsteg über die Schwarza in Payerbach bei Wien. (Ausführung: Ast u. Co., Wien.)

Abb. 219. (Ausführung: G. A. Wayss u. Cie., Budapest.)

D. Die Ausführung der Balkenbrücken.

1. Die Rüstung.

Die Herstellung der Schalung und Rüstung ist im II. Band, zweite Auflage, VII. Kapitel, S 241 bis 270 eingehend beschrieben, so daß hier zur Ergänzung nur einige Beispiele hinzugefügt werden. In Abb. 218 ist die Einrüstung des Gangsteges

Abb. 220.
(Abb. 220 bis 224 Lennebrücke bei Husberg. Ausführung: Allgemeine Beton- u. Eisen-Ges., Berlin.)

Abb. 221. Lehrgerüst während der Herstellung.

über die Schwarza in Payerbach bei Wien dargestellt, bei welchem durch Ausbildung von Sprengwerken ein möglichst großes Durchflußprofil erreicht wurde.

In Abb. 219 ist die Rüstung in ähnlicher Weise durch Aneinanderreihen einer Anzahl von Sprengwerken ausgebildet. An den Endpunkten der Pfosten und Streben besteht bekanntlich die Gefahr, daß sich das Hirnholz in die Längsfasern der wage-

rechten Rahmen stark einpreßt. Es sind daher an diesen Stellen Bleche sowie Hart-
holzklötze aus Eiche oder australischem Holz einzulegen. Zur Vermeidung starker Ein-

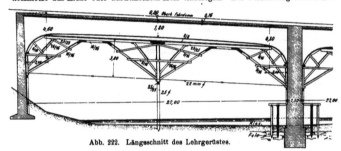

Abb. 222. Längsschnitt des Lehrgerüstes.

senkungen muß diese Vorsichtsmaßregel besonders bei Sprengwerken beachtet werden,
bei denen auch darauf Gewicht zu legen ist,
daß sämtliche Stoßfugen des Lehrgerüstes
von Anbeginn dicht schließen. Für die Standsicherheit eines Sprengwerks ist ferner erforderlich, daß der wagerechte Schub durch die
Zwischenpfeiler oder Widerlager der Brücke aufgenommen wird. Sobald dieses nicht in zuverlässiger Weise zu erreichen ist, sind wie bei der
28,1 m weit gespannten Lennebrücke bei Husberg
(Abb. 222) Spannstangen anzuordnen, deren Stärke
sich aus der Größe des Schubes ergibt. Wie die
Ansichten dieser Brücke (Abb. 220 u. 221) zeigen,
werden häufig zur Versteifung des oft möglichst

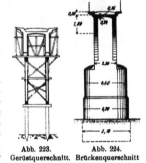

Abb. 223.   Abb. 224.
Gerüstquerschnitt.   Brückenquerschnitt

Abb. 225. Straßenüberführung in Bochum-Nord. (Ausführung: C. Brandt, Düsseldorf.)

sparsam ausgebildeten Lehrgerüstes während der Ausführung zahlreiche Zangen oder Verschwerterungen angebracht, die nicht zum eigentlichen Tragwerk gehören und im Falle eines Hochwassers zur Vergrößerung des Durchflußprofils weggenommen werden können. Im Querschnitt dieser Brückenrüstung (Abb. 223) sei auf die Abstützung der beiderseitigen Auskragungen hingewiesen.

Bei größeren Rüsthöhen empfiehlt es sich, zur Ersparnis an Holz ein kräftiges Standgerüst mit weiteren Zwischenräumen auszubilden, auf welchem das eigentliche Lehrgerüst steht, wie z. B. bei der Straßenüberführung am Bahnhof Bochum-Nord (Abb. 225).

Bei Überbrückungen von Eisenbahngleisen ist, sobald der Betrieb aufrechterhalten werden muß, in der Regel das aus Abb. 226 u. 227 ersichtliche Normalprofil des lichten

Abb. 226.   Abb. 227.

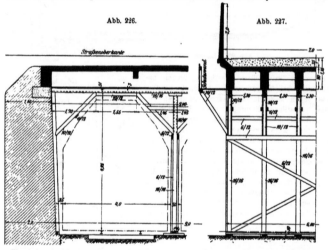

Eisenbahnunterführung in Ruppersdorf (Sachsen.) (Ausführung: Joh. Odorico, Dresden.)

Raumes freizuhalten, wobei als lichte Höhe in der Regel 4,9 m vorgeschrieben werden (vergl. auch S. 49). Bei zweigleisigen Bahnstrecken können häufig während des Baues die Gleise so weit auseinandergezogen werden, daß ein Raum von mindestens 0,30 m zwischen den Lichträumen der beiden Gleise entsteht und eine Zwischenstütze gestellt werden kann. Bei der üblichen Anordnung der Abb. 226 gehen durch die Rüstung und Schalung an der verfügbaren Bauhöhe 0,31 m, also rd. $^1\!/_5$ der Bauhöhe verloren. Im äußersten Falle ließe sich dieses Maß auf 0,15 m beschränken, und zwar dadurch, daß man die durchhängenden Unterzughölzer 16/16 nicht unter, sondern neben den Betonbalken anordnet.

Dieses Mittel wurde auch bei der Promenadenweg-Unterführung in Oberhausen angewendet. Da bei der in der Kurve liegenden Bahnstrecke (Abb. 228) ein Auseinanderziehen der Gleise während des Baues offenbar nicht möglich war, mußte infolge der äußerst beschränkten Bauhöhe die Überdeckung mittels gewalzter I-Träger

N.-P. 38 erfolgen. Soweit es das Durchfahrtprofil gestattet, wurden dieselben mit Streben abgestützt. Diese stoßen an hölzerne Knaggen, welche mit Ϲ-Eisen und

Abb. 228.
Abb. 225 bis 228. Promenadenweg-Unterführung in Oberhausen.
(Ausführung: C. Brandt, Düsseldorf.)

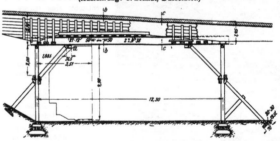

Abb. 229. Längsschnitt des Lehrgerüstes.

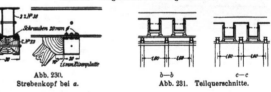

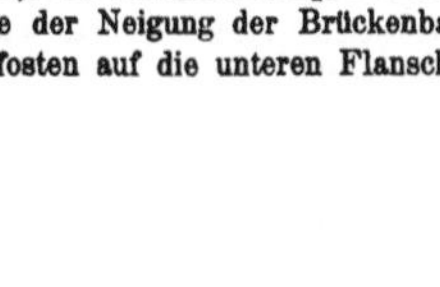

Abb. 230.
Strebenkopf bei a.

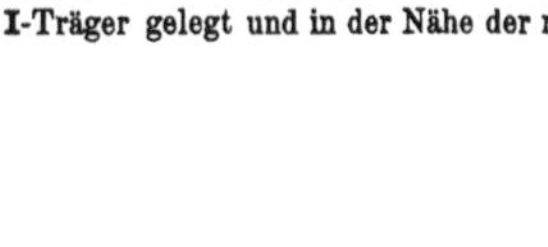

b—b
Abb. 231. Teilquerschnitte.

c—c

einer 1,5 cm starken Eisenplatte bewehrt sind (Abb. 229 u. 230). An den Stellen, wo infolge der Neigung der Brückenbahn die Bauhöhe am meisten beschränkt war, sind die Pfosten auf die unteren Flanschen der I-Träger gelegt und in der Nähe der rechten

Stütze (Abb. 229) sogar durch Eisenbahnschienen ersetzt. Wie aus Abb. 231 ersichtlich ist, werden die Schalwände der Rippen durch Drähte zusammengehalten.

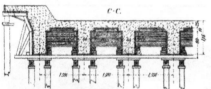

Abb. 232. Brücke am Bahnhof Lecco (Italien).
(Ausführung: Macciachini, Mailand).

Weitere Einzelheiten von Schalungsausführungen zeigt die Abb. 232 einer Brücke am Bahnhof Lecco in Italien mit 11 m Stützweite, bei der besonders auf die Stützung der Auskragung hingewiesen sein möge.

Zum Schluß sei noch darauf hingewiesen, daß ebenso wie den Lehrgerüsten von Bogenbrücken auch denen der Balkenbrücken eine gewisse Überhöhung gegeben werden muß. Es empfiehlt sich, dieses Maß der Überhöhung stets reichlich zu bemessen, da selbst bei einer genau geradlinigen unteren Begrenzung des Tragwerks leicht der Eindruck des Durchhängens entsteht, eine leichte Wölbung dagegen ein Gefühl der erhöhten Standsicherheit erweckt.

2. Die Eiseneinlagen.

Die Ausführung der Eiseneinlagen ist im II. Band, zweite Aufl., IV. Kap., S. 139 bis 146 bereits ausführlich besprochen; hier seien nur noch die Punkte erwähnt, welche für die Balkenbrücken von besonderer Bedeutung sind.

Für die Verlegung der Hauptträgereisen kommen zwei Ausführungsarten in Betracht. Entweder werden die Eisen nach der im Hochbau üblichen Ausführungsart unmittelbar in den Schalkästen einzeln verlegt und daselbst verbunden, oder das Eisen wird außerhalb der Schalkästen montiert, wobei in der Regel zwei besondere obere

Abb. 233. Csernabrücke in Topletz bei Mehadia (Ungarn).
(Ausführung: G. A. Wayss & Cie., Wien.)

Montageeisen verwendet werden, so daß das vollständig abgebundene Eisengerippe nach der Fertigstellung in die Schalkästen eingehängt werden kann. Während diese Montageart bei Hochbauten oft deswegen nicht angewendet wird, weil der Raum in dem geschlossenen Gebäude zu beengt ist, bietet die ebene Schalfläche der Brücken stets reichliche Bewegungsfreiheit. Dieses zweite Verfahren hat den Vorzug einer äußerst gewissenhaften Herstellung der Eiseneinlagen und bietet die Möglichkeit einer leichten Prüfung. Das erste Verfahren erfordert bei größeren Balkenhöhen ein Einsteigen in die Schalkästen, wozu eine Balkenbreite von mindestens 0,40 m erforderlich ist. Bei geringeren Breiten kann man sich dadurch helfen, daß eine der beiden seitlichen Wandungen des Balkens, ähnlich wie bei der bekannten Herstellung der Säulen, erst allmählich mit dem Fortschreiten der Betonierung geschlossen wird.

Abb. 233 zeigt ein fertig verlegtes Eisengerippe der Csernabrücke bei Topletz in Ungarn (vergl. Beispiel Nr. 32) in dem Zustande, in dem die Abnahme erfolgen kann. Bei Brücken mit versenkter Bahn entsteht die Schwierigkeit, daß erst nach Betonierung der Fahrbahn die inneren Schalwände der über dieselben hinausragenden Träger gestellt werden können und somit die Reihenfolge des üblichen Arbeitsvorgangs, der Einschalung, des Eisenlegens und des Betonierens, durch nochmalige Schalarbeit unterbrochen wird. Bei dem in Abb. 234

Abb. 234. Fachwerkbrücke bei Sabarat (Ariège).
(Ausführung: A. Coignet. Paris.)

dargestellten Fachwerkträger von 20 m Spannweite[1]) sind daher nach Aufstellung des unteren Schalbodens und der beiden äußeren Schalwände der Hauptträger zunächst die Eiseneinlagen montiert worden. Erst nach Betonierung der Fahrbahn werden sodann die übrigen Schalwände der Wandglieder eingebaut und abgesteift. Auf die sorgfältige Ausbildung der Eiseneinlagen an den Fachwerkknoten sowie die zahlreichen Bügel in den Querträgern sei besonders hingewiesen.

---

[1]) Concrete and Constructional Engineering. London, 1910. Nr. 9, S. 693.

Handbuch für Eisenbetonbau. VI. Zweite Auflage.

Von wesentlicher Bedeutung ist bei den Balkenbrücken ferner die Verbindung der Eisen, da man die Trageisen der Balken bei größeren Stützweiten häufig nur schwer in der zeichnungsgemäßen Länge vom Eisenwerk erhalten kann, was allerdings stets angestrebt werden sollte. Für die 17,45 m weit gespannte Weißeritzbrücke in Hainsberg sind z. B. von der Firma Dyckerhoff u. Widmann, A.-G., Dresden, ungestoßene Balkeneisen in einer Länge von rd. 18 m verwendet worden. Bei der Verbreiterung der Pausaer Straßenbrücke in Plauen (s. Beispiel Nr. 42), wo die Anfuhr vom Walzwerk besonders günstig war, konnten sogar Rundeisen von 30 m Länge verwendet werden. Da jeder Stoß der Eiseneinlagen im Zuggurt naturgemäß eine schwache Stelle bildet, so muß man wenigstens die Stöße der einzelnen Stäbe so versetzen, daß sie nicht in ein und demselben Balkenquerschnitt zusammenfallen.

Die Verbindung zweier Eisenstäbe im Zuggurt bereitet mitunter erhebliche Schwierigkeiten. Zu einer befriedigenden Lösung dieser Aufgabe sind eingehende Versuche vom Deutschen Ausschuß für Eisenbeton geplant. Die im II. Bande, zweite Auflage, S. 142 angeführten Eisenverbindungen durch Übergreifen der Eisen auf eine Länge vom Dreißigfachen des Durchmessers, sowie durch Umschnürung, wie z. B. bei der Brücke über die Aisne bei Soissons (siehe daselbst Abb. 13), ferner die Hakenausbildungen (s. Abb. 235) empfehlen sich nur für kleine und mittlere Eisendurchmesser. Abgesehen von der exzentrischen Kraftübertragung wird jedoch durch die Verdickung der Stoßstelle, die bei solchen Verbindungen notwendigerweise eintreten muß,

Abb. 235. Hakenverbindung.
(Ausführung: A. Macciachini, Mailand.)

der in der Regel schon äußerst knapp bemessene Zwischenraum der Balkeneisen noch mehr eingeengt und somit die ausreichende Umhüllung der Eisenstäbe mit Beton verhindert. Man versucht daher vielfach, die Verbindung hauptsächlich bei größeren Durchmessern durch Schweißen der Eisen herzustellen. Das für die Eiseneinlagen verwendete Material ist aber in der Regel nicht Schweißeisen, sondern Flußeisen, dessen Schweißung als eine wirkliche Handwerkskunst bezeichnet werden muß und nur von besonders erfahrenen Schmieden unter günstigen Verhältnissen mit einigermaßen sicherem Erfolg ausgeführt werden kann.

Es ist daher meist unmöglich, mit den auf der Baustelle oder in einer beliebigen Schmiede verfügbaren Mitteln und Arbeitskräften eine zuverlässige Schweißung herzustellen, und es liegt die Gefahr vor, daß solche Schweißstellen wegen der großen Länge und der Biegsamkeit der Stäbe während des wagerechten und Höhentransports am Bauwerk wieder brechen.

Durch die Versuche von Professor Guidi (siehe Beton u. Eisen 1907, Heft IV, S. 91) wird auf Grund der Ergebnisse von 52 Versuchen bestätigt, daß die Schweißung nur dann zu empfehlen ist, wenn sie völlig einwandfrei hergestellt wird. Eine Verdickung der Eisenenden vor dem Schweißen erhöht die Sicherheit. Die Schweißung im Azetylengebläse ist bei größeren Durchmessern nicht zu empfehlen, weil das Eisen zu plötzlich und zu wenig gleichmäßig erwärmt wird. Als

Abb. 236. Schraubenverbindung.

bestes Mittel kann für Eisen von größeren Durchmessern eine Verbindung durch
Schraubenmuttern angesehen werden (s. Abb. 236). Der Schwächung des Querschnitts
beim Anschneiden des Schraubengewindes läßt sich durch vorherige Verdickung des
Eisens begegnen.

Ein weiterer wichtiger Punkt ist die Ausbildung der Endhaken,[1] deren Bedeutung vor allem durch die Versuche von Professor Mörsch erwiesen ist (vergl. I. Band,
erste Auflage, S. 159 u. f.) sowie durch die neuesten Versuche von Baudirektor von Bach. [2]

Die einfachste Form der Endhaken bildet die rechtwinklige Abbiegung des Stabendes. Der Festsetzung der kleinsten Länge eines kalt zu biegenden Hakens, welche
hauptsächlich vom Stabdurchmesser abhängt, bedarf es, um die Eisen in der richtigen
Länge schneiden zu können. Eine zu große Bemessung der Länge des Hakens hat
wenig Wert, weil derselbe sodann das entsprechende Biegungsmoment nicht aufzunehmen vermag. Da der theoretische Weg zur Lösung der Frage, welche kürzeste
Hakenlänge zu empfehlen ist, mit Rücksicht auf die elastischen Eigenschaften des Eisens
und des Betons sehr verwickelt erscheint, wurde von Dyckerhoff u. Widmann, A. G.,
in Dresden versucht, in einfacher Weise durch Probieren auf der Biegemaschine die
kürzeste ausführbare Hakenlänge von Eisenstäben verschiedenen Durchmessers zu
bestimmen.

Es ergaben sich hierbei folgende Werte:

Durchmesser in mm . .	5	6	8	10	12	16	18	20	24	26	28	30
Hakenlänge in cm . . .	3	3	3¹/₂	4	5	6	7	7¹/₂	8	8¹/₂	9	9¹/₂
			5 cm				7¹/₂ cm			10 cm		

Für die Ausführung wurde daher von der genannten Firma festgesetzt, bei Durchmessern von   5 bis 12 mm eine Hakenlänge von 5   cm
            16 „ 20   „   „   „   7¹/₂ „
            24 „ 30   „   „   „   10 „
anzunehmen. Diese Längen sind schon bei der Aufstellung der Ausführungszeichnungen
und der Eisenlisten, welche für das Biegen der Eisen maßgebend sind, zu berücksichtigen.

Eine andere empfehlenswerte Hakenform mit halbkreis-
förmiger Umbiegung des Stabendes nach Abb. 237 wurde in der
französischen Sektion des internationalen Verbandes der Materialprüfungen der Technik von Considère vorgeschlagen. Um die zulässige Beanspruchung des Betons nicht zu überschreiten, wird von
Considère das Fünffache des Stabdurchmessers als Krümmungs-
durchmesser empfohlen.

Abb. 237. Rundhaken
nach Considère.

Endlich sei noch auf die Bedeutung hingewiesen, welche von den maßgebenden
ausführenden Unternehmungen der verschiedensten Länder, und zwar bei Brückenbauten
weit mehr als bei Hochbauten, der Anordnung von Bügeln beigemessen wird. Wie
die zahlreichen Beispiele im Abschnitt F zeigen, kann man im wesentlichen zwei Gruppen
von verschiedenen Anordnungen der Eiseneinlagen unterscheiden, und zwar die hängewerkartige Bewehrung nach der Art von Hennebique, Paris, und Maciachini, Mailand, und
die Anordnung von abgebogenen Eisen, wie sie vor allem Wayss u. Freytag in Deutschland
ausgebildet hat. Da für die Brücken außer der ruhenden statischen Belastung auch
starke dynamische Beanspruchungen, und zwar in viel höherem Maße als bei Hochbauten,

---

[1] Über die Ausrundung der abgebogenen Eisen vergl. die Erörterungen am Schlusse des Abschnittes E, XI.
[2] Vergl. Deutscher Ausschuß für Eisenbeton. Heft 9. Versuche mit Eisenbetonbalken zur Bestimmung des
Einflusses der Hakenform der Eiseneinlagen, Berlin 1911, Verlag von Wilhelm Ernst & Sohn.

in Betracht kommen, wird bereits allgemein auf die Ausbildung der Bügel bei Brückenbauten besonderes Gewicht gelegt, um einen möglichst innigen Verbund von Beton und
Eisen herzustellen.

Die Bügelformen sind je nach den Ausführungsarten sehr mannigfaltig, da sie auch
häufig bei der Montierung des Eisengerippes zur Aufhängung der Trageisen verwendet

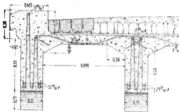

werden. Eine der am meisten üblichen die sogenannten **M**-förmige
Bügelausbildung, im Vergleich zu
welcher man auch von **U**-, **V**- und
W-förmigen Bügeln sprechen kann,
zeigt der Querschnitt der Millstädter
Landstraßenbrücke von 9,0 m Stützweite (Abb. 238), ausgeführt von
Ratzmann in Klagenfurt.

3. Die Betonierungsarbeiten.

Abb. 238. Landstraßenbrücke in Millstadt (Kärnten).
(Ausführung: Ratzmann, Klagenfurt.)

Betreffs der Betonierungsarbeiten
wird auf die im II. Bande angegebenen allgemeinen Grundsätze ver-
wiesen (vergl. auch S. 8). Als erforderliches Mindestalter beim Ausrüsten, das von den
Wärme-, Feuchtigkeits- und örtlichen Verhältnissen wesentlich abhängt, sind nach den
neuen österreichischen Vorschriften[1]) sechs Wochen vorgeschrieben und für den Zeitpunkt der erstmaligen Belastung, z. B. durch die Probelast, mindestens acht Wochen.

Bei durchlaufenden Trägern von größerer Stützweite, wie z. B. bei einigen
Brückenbauten der Firma Wayss u. Co. in Ungarn (vergl. die Beispiele Nr. 25 und 33),

sind über den Stützen während der
Betonierung der Träger in den benachbarten Öffnungen Zwischenräume
(Abb. 239) ausgespart worden, die
erst nach erfolgter Setzung des Lehr-

Abb. 239.
Betonierungsfolge bei der Mühlplatzbrücke in Temesvar.
(Ausführung: G. A. Wayss & Cie., Budapest.)

gerüstes unter der großen Eigenlast
geschlossen wurden, ähnlich wie es
bei den Bogen bereits häufig geschieht.

Wichtig für den guten Bestand der Brücken ist hauptsächlich auch die sorgfältige
Behandlung der Außenflächen, welche den Einflüssen der Atmosphäre, den Rauchgasen usw. ausgesetzt sind. Ein dichtes Schließen der Poren des Betons durch Einschlämmen, einen Glattstrich oder Putz ist daher ein wesentliches Erfordernis. Betreffs
der Ausführung der Ansichtsflächen mit sogenanntem Vorsatzbeton und der nachträglichen Bearbeitung aus architektonischen Gründen sei auf Ergänzungsband I verwiesen.

4. Die Prüfung der Eisenbetonbrücken.

Diese kann sich ebenso wie die der eisernen Brücken nur auf die Messung von
Formänderungen unter einer bestimmten Probebelastung erstrecken, die allerdings nur
selten bis auf die Größe der Rechnungslast gebracht werden kann. Diese Formänderungen
hängen jedoch hauptsächlich von der Spannungsverteilung und von den elastischen
Eigenschaften des verwendeten Baustoffs ab, die zur Zeit noch nicht genügend erforscht
sind. Wenngleich man unter gewissen Annahmen die Durchbiegungen oder Dehnungen

---

[1]) Vorschrift vom 15. Juni 1911 über die Herstellung von Tragwerken aus Eisenbeton oder Stampfbeton bei
Straßenbrücken, Wien 1911.

nach den üblichen Verfahren berechnen kann, so ist doch wegen der vielfachen inneren statischen Unbestimmtheit und der erwähnten Ursachen nur selten eine Uebereinstimmung der gemessenen und der berechneten Werte mit Sicherheit zu erwarten. Nur durch eine sehr sorgfältige Vorbereitung und Ausführung der Beobachtungen sowie auch durch Berücksichtigung der Widerlagerveränderungen während des Belastungsversuchs können einigermaßen befriedigende Ergebnisse erzielt werden.

Daß in gewissen besonderen Fällen eine befriedigende Übereinstimmung der berechneten und beobachteten Werte erreicht werden kann, ist vom Verfasser gelegentlich einer bis zum Bruch geführten Belastungsprobe einer Versuchsbrücke von 10,55 m Stützweite unter Verwendung von 28 Meßapparaten erwiesen worden.[1]

Über den Wert der Messungen bei einer Belastungsprobe für die Beurteilung der Zuverlässigkeit einer Brücke sind die Ansichten allerdings geteilt. Schon bei eisernen Brücken bietet z. B. die Messung von Durchbiegungen häufig keinen unbedingten Maßstab für die Sicherheit des Bauwerks, da ein einzelner fehlerhafter Stab wohl den Bruch des Trägers veranlassen kann, nicht aber das Ergebnis der Messungen in Anbetracht der großen Anzahl von mitwirkenden Einzelteilen nennenswert zu beeinflussen vermag. Bedeutend unzuverlässiger ist naturgemäß das Ergebnis einer Prüfung bei Eisenbetonbrücken, umsomehr, als sich die Wirkung z. B. der einzelnen Eiseneinlagen der genauen Untersuchung völlig entzieht.

Bei Brücken kleiner Stützweite sind die Formänderungen so gering, daß sie sich infolge der Ungenauigkeit der am Bau verwendeten Meßgeräte in der Regel der Beobachtung vollständig entziehen. Nivellierinstrumente sind zur Messung von Durchbiegungen meist schon aus dem Grunde ungeeignet, weil der Einfluß der Schwankungen der Luftwärme häufig das Messungsergebnis vollständig verschleiert, so daß die einfachen Fühlhebel, die höchstens eine fünffache Vergrößerung der Senkungen anzeigen, immerhin noch die zuverlässigsten Werte liefern. Bei Brücken größerer Spannweite treten dagegen erfahrungsgemäß infolge des großen Eigengewichts schon während des Betonierens die hauptsächlichsten Setzungen der Rüstungen und Schalung sowie der Widerlager ein. Bei der Ausrüstung der Brücke, bei der das gesamte Eigengewicht erst zur Wirkung kommen sollte, ergeben sich daher häufig nur geringe Formänderungen. Bei der Probebelastung mit der vollen Rechnungslast, die meist nur einen Bruchteil des Eigengewichts beträgt, sind nur selten brauchbare Senkungsgrößen beobachtet worden.

Bisher sind an ausgeführten Brücken in der Regel nur die Durchbiegungen in der Trägermitte gemessen worden. Um einen richtigen Wert der Durchbiegungen zu erhalten, ist es unbedingt erforderlich, auch die oftmals sehr erheblichen Setzungen der Widerlager zu messen. Zu einem völlig klaren Bild der Formänderungen wird aber auch die Beobachtung der wagerechten Widerlagerbewegungen erforderlich, wodurch sich allerdings, wie bei dem oben erwähnten Versuch, eine beträchtliche Zahl von Meßstellen ergibt.

Vom Brückenbaubureau der Königlich Sächsischen Staatseisenbahnen werden seit einer Reihe von Jahren an Eisenbetonbrücken auch Messungen von Dehnungen vorgenommen. Dabei wurden die Meßapparate an eisernen Marken befestigt, welche bereits bei der Herstellung der Brücke einbetoniert worden sind.

Der genauen Berechnung der Durchbiegung von Eisenbetonbalken steht zunächst das Bedenken entgegen, daß die Elastizitätsziffer E_b des Betons sich mit der Belastung beständig ändert. Aus den Untersuchungen von F. v. Emperger (Beton u. Eisen 1903, Heft III, S. 191) sowie aus dem erwähnten Bruchversuch der Verfassers an einer Hennebique-Brücke[1] ist jedoch zu schließen, daß aber auch

---

[1] Vergl. Deutsche Bauztg. 1904, Zementbeilage Nr. 9, S. 33.

das wirksame Trägheitsmoment nicht gleich bleibt, sondern vielmehr das Produkt $E_b J$ aus beiden Größen, die sogenannte Steifigkeitsziffer des Querschnitts für einzelne Belastungsstadien, einen gleichbleibenden Wert ergibt. Da die Durchbiegung außer von der Belastung und der Stützweite nur von dieser Steifigkéitsziffer abhängt, so ist zu erwarten, daß auf dem Wege des Versuchs brauchbare Formeln zur Berechnung der Durchbiegung von Eisenbetonbalken gefunden werden, wie es mit den Versuchen des Deutschen Ausschusses für Eisenbeton angestrebt wird.

Sind die auf den Träger wirkenden Biegungsmomente, die Stützweite und die Steifigkeitsziffer $E J$ bekannt, so erhält man die Durchbiegung in der Trägermitte am einfachsten aus der Gleichung

$$\delta = \frac{l^2}{384\,E J}\,(5\,\mathfrak{M} - 6\,M).$$

Hierin bedeutet $\mathfrak{M}$ das Biegungsmoment in der Mitte des freibeweglich gestützten Balkens von der Stützweite l und M das arithmetische Mittel der beiden durch eine Einspannung der Trägerenden daselbst erzeugten negativen Biegungsmomente. Dieser für gleichmäßig verteilte Belastung hergeleitete Ausdruck ist mit vollkommen genügender Annäherung auch für jede andere beliebige Belastung anwendbar, da der Fall einer einzigen Last in der Trägermitte bei Brücken ausgeschlossen erscheint, bei einer größeren Anzahl von Lasten aber ein Fehler von höchstens 2 vH. zu erwarten ist.

E. Die statische Berechnung der Balkenbrücken.

I. Bedeutung und Form der statischen Berechnungen.

Die statischen Berechnungen haben entweder die rechnerische Grundlage für die Wahl der für gegebene Belastungen und Grundbedingungen erforderlichen Abmessungen aller einzelnen Teile eines neu herzustellenden Bauwerks zu liefern oder aber die größten Beanspruchungen nachzuweisen, welche in bereits vorhandenen oder in ihren Abmessungen bekannten Bauwerken unter den ungünstigsten Belastungen auftreten. Sie dienen also entweder als „statische Begründung" oder als „Festigkeitsnachweis".

Die rechnerische Bestimmung der inneren Kräfte und der zu ihrer Aufnahme erforderlichen Körperquerschnitte, die z. B. bei den Eisenkonstruktionen mit ihrer meist klaren Gliederung fast stets durchführbar ist, wird bei den Eisenbetonbauwerken wegen der inneren statischen Unbestimmtheit und wegen der verwickelten Elastizitätseigenschaften leider in den meisten Fällen zu umständlich und zu unzuverlässig. Es bleibt uns daher für die Dimensionierung, d. i. für die Wahl der zweckmäßigsten Abmessungen der einzelnen Tragglieder, hauptsächlich nur dasjenige Mittel, mit dem die Ingenieure seit dem Altertum arbeiteten, nämlich ein statisches Gefühl für die Wirkungsweise und Größe der in der Natur auftretenden Kräfte, das sich auf die Erfahrung gründet und uns die Beispiele verwerten läßt, die sich in den Abmessungen bewährter Bauwerke darbieten.

Da die Dimensionierung zum großen Teile vom Gefühl und von der Erfahrung des entwerfenden Ingenieurs abhängt, ist besonders für die ein hohes Maß von Verantwortlichkeit bedingenden Brückenbauten ein Festigkeitsnachweis, eine Belastungsprobe auf dem Zeichenbrett, unbedingt erforderlich. Das Schriftstück, welches diese statische Begründung enthält, soll den bleibenden Nachweis der für die Ausbildung des Bauwerks maßgebend gewesenen Grundsätze und weiter alles das enthalten, was zur Beurteilung des Bauwerks und zur Beantwortung etwaiger im Laufe der Zeit auftauchender Fragen erforderlich ist. Es darf nicht als vorübergehendes Hilfsmittel angesehen werden, das nach Fertigstellung der Entwurfszeichnung vernichtet werden kann, sondern sollte unter allen Umständen sorgfältig aufbewahrt werden, solange das Bauwerk überhaupt besteht, sei es, um z. B. als gerichtlicher Beleg bei Unfällen oder als Grundlage für eine etwa später erforderlich werdende Erweiterung oder Verstärkung der Brücke zu dienen.

Damit nun auch der Fernstehende die gewünschten Angaben jederzeit rasch zu finden vermag, ist sorgfältige Schreibweise und Übersichtlichkeit ein unbedingtes Erfordernis jeder statischen Berechnung. Es empfiehlt sich daher, die folgende Einteilung des Stoffes, die ja auch dem Arbeitsvorgang beim Entwurf entspricht, durch abschnittsweise Gliederung in der äußeren Form einzuhalten.

1. Kurze Beschreibung der Brücke und der für die Wahl der Brückenform maßgebenden Gesichtspunkte.
2. Zusammenstellung der Hauptabmessungen, soweit erforderlich unter Beigabe von maßstäblichen Übersichtsskizzen.
3. Berechnungsgrundlagen:
   a) Ständige Last,
   b) Verkehrslast,
   c) Sonstige Belastungen,
   d) Zulässige Beanspruchungen.
4. Berechnung der Platte, der Balken, der Lagerteile usw.
5. Angaben für eine etwaige Belastungsprobe, Bemerkungen über besonders wichtige Einzelheiten der Konstruktion, des Materials, der Baugerüste usw.

Der Text dieser statischen Berechnung kann so knapp als möglich gefaßt werden. Zu beachten ist jedoch, daß er oft zur Erleichterung des Verständnisses lückenhafter Entwurfszeichnungen und zur Vermeidung von Unklarheiten zu dienen vermag und daß eine zu weitgehende Beschränkung in diesem Sinne eher schaden kann.

Zur leichteren Lesbarkeit der Zahlenangaben dienen die einheitlichen Bezeichnungen oft wiederkehrender Größen, wie sie der Unterausschuß des Internationalen Verbandes für die Materialprüfungen der Technik bearbeitet und herausgegeben hat.[1] Danach sind zunächst folgende Grundsätze zu beachten:

a) Längenmaße und Belastungen für eine Längeneinheit sind mit kleinen lateinischen Buchstaben,
b) Flächen und Kräfte mit großen lateinischen Buchstaben,
c) Koeffizienten und Spannungszahlen (Kräfte für eine Flächeneinheit) mit kleinen griechischen Buchstaben

zu bezeichnen:

Unter Beachtung dieser Festsetzungen sind daher bei Balkenbrücken folgende Bezeichnungen[2] anzuwenden.

$l =$ Stützweite der Träger und Knicklänge der Stützen,

$l_m =$ Gesamtlänge der Träger und Stützen,

$h =$ Nutzhöhe des Querschnitts von der Oberkante der Druckzone bis zur Achse der Zugeisen,

$h_m =$ Gesamthöhe des Querschnitts,

$b =$ Balkenbreite bezw. Rippenbreite bei Plattenbalken,

$b_m =$ Plattenbreite[2] bei Plattenbalken,

$h_1 =$ Plattendicke,[3]

$A =$ Querschnittsfläche der Eisenbewehrung,

---

[1] Vergl. Beton u. Eisen 1910, S. 275.

[2] Abweichend von diesen Bezeichnungen und ergänzend hierzu sollen im folgenden bezeichnet werden: $a =$ Balkenabstand, der bei Balkenbrücken meist gleich der Plattenbreite b_m ist. $100 \frac{A}{B} = A'$, $d =$ Plattendicke, h' und $b' =$ Abmessungen der Querträger.

$B =$ Betonquerschnittsfläche,

$A_t =$ Querschnittsfläche der Querbewehrung für 1 m Brückenlänge,

$100 \dfrac{A}{B} =$ Eisenbewehrung[1]) in Hundertteilen der Betonquerschnittsfläche,

$J_b =$ Trägheitsmoment der wirksamen Betonquerschnittsfläche

$J_a =$ Trägheitsmoment der Eisenbewehrung

$J = J_b + n \cdot J_a =$ gesamtes Trägheitsmoment des Querschnitts

} bezogen auf die Nullinie,

$E_b =$ Elastizitätsziffer des Betons,

$E_a =$ Elastizitätsziffer des Eisens,

$n = \dfrac{E_a}{E'_b}$,

$g =$ Eigengewicht der Tragkonstruktion für 1 lfd. m oder 1 m²,

$p =$ Nutzlast der Tragkonstruktion für 1 lfd. m oder 1 m²,

$G =$ gesamte Eigenlast,

$P =$ gesamte Nutzlast,

$P_1, P_2 \ldots$ Einzellasten,

$N =$ Achsialkraft,

$T =$ Querkraft,

$M =$ Biegungsmoment,

P_r, M_r, N_r, T_r desgl. im Augenblick des Bruches,

$\sigma_a =$ Zugbeanspruchung des Eisens in kg/cm²,

$\sigma_b =$ Druckbeanspruchung des Betons in kg/cm²,

τ_a und $\tau_b =$ Scherspannung

} wirklich auftretende und auch zulässige.

Um ferner eine leichte Übersichtlichkeit der Zahlenausdrücke zu erzielen, wird noch folgendes zur Beachtung empfohlen:

Man schreibe stets benannte Zahlen in der Dezimalform, z. B. 10,00 m und nicht 10 m, um sie in den Gleichungen als Abmessungen usw. zu kennzeichnen. Feste Zahlen und „Stückzahlen" dagegen sind stets als runde Zahlen oder in gemeiner Bruchform zu schreiben, damit der Aufbau der Gleichungen auch ohne genauere Angabe der algebraischen Form leicht zu erkennen ist. Aus dem gleichen Grunde benutze man in den Formeln stets nur Zahlen, die aus den vorhergehenden Ableitungen deutlich zu erkennen oder aus beigefügten Skizzen zu entnehmen sind.

Bei der Anordnung der Gleichungen wähle man stets die Reihenfolge: Festzahlen, Kräfte, Hebelarme und schreibe sie daher z. B. in der Form

$$\frac{1}{8} p \, l^2 \quad \text{und nicht} \quad \frac{P\,p}{8} \quad \text{oder} \quad \frac{p l^2}{8,0},$$

ebenso $\dfrac{1}{8} \cdot \dfrac{300 + 250 \cdot 3,0}{100} \cdot 200,0^2$, jedoch nicht $\dfrac{300 + 250 \cdot 3,0}{800} \cdot 200^2$.

Als Maßstab für die Zahlenrechnung wird gewöhnlich das Kilogramm (kg) und das Zentimeter (cm) benutzt, da das Endergebnis der Rechnung, die Beanspruchung, das ist die Spannung im Material, meist in Kilogramm für das Quadratzentimeter (kg/cm²) verlangt wird. Bequemer ist es aber in vielen Fällen, für die Berechnung der Biegungsmomente und der Querkräfte als Einheit die Tonne (t) und das Meter (m) zu wählen, weil damit kleinere, übersichtlichere Zahlenausdrücke sich ergeben und auch einer übertriebenen Genauigkeit vorgebeugt wird. Wo es sodann nötig wird, ist das Ergebnis leicht durch entsprechende Versetzung des Dezimalstrichs um drei bezw. fünf Stellen (1 t = 1000 kg, 1 tm = 100 000 kgcm, 10 t/m² = 1 kg/cm²) auf den gewünschten Maßstab zu bringen.

Die Genauigkeit der Zahlenrechnung soll nie übertrieben werden. Im allgemeinen genügt es, mit drei Zahlenstellen zu rechnen, die Ergebnisse aber auf zwei Stellen abzurunden, womit eine Genauigkeit von 1 vH. gewährleistet ist, die in Anbetracht der Ungenauigkeiten der Ausführung und der nur schätzungsweisen Richtigkeit der Annahmen unter allen Umständen ausreicht. Größere Zahlen sind daher so anzuschreiben, daß die ersten drei Stellen genau angeben, die weiteren Stellen aber durch Nullen ersetzt werden, die der besseren Übersicht von rechts herein in Gruppen von je drei Ziffern ab-

[1]) Vergl. Fußnote ²) auf S. 119.

geteilt werden (z. B. 1 360 000 kgcm). Die in Österreich übliche Trennung der Zahlengruppen durch zwischengesetzte Punkte und Beistriche empfiehlt sich für statische Berechnungen nicht, da dadurch leicht eine Verwechslung mit den Malpunkten und Dezimalstrichen möglich ist.

II. Die Belastungsannahmen.

Da die häufig verwendeten Bezeichnungen für die Begriffe „Eigenlast und Nutzlast" einer Brücke nicht immer eindeutig gebraucht werden, so sei bemerkt, daß hier als Eigengewicht der Brücke stets das Gewicht der eigentlichen tragenden Eisenbetonkonstruktion verstanden werden soll, also ohne die ständige Auflast, die sich aus der Versteinung, dem Geländer oder der Brüstung und dergl. zusammensetzt. Die Nutzlast dagegen, das gesamte Gewicht, zu dessen Tragen die Eisenbetonkonstruktion „nutzt", setzt sich aus der ständigen Auflast und der beweglichen, zufälligen oder Verkehrslast zusammen.

Für die statische Berechnung sind die Brückenlasten jedoch nach ihrer Wirkungsweise zu gliedern. Danach ist die Belastung einer Brücke zu trennen:

1. in die ständige Last, die aus dem Eigengewicht des Tragwerks und dem Gewicht der ständigen Auflast (Versteinung, Geländer oder Brüstungen und dergl.) besteht,

2. in die bewegliche, zufällige oder Verkehrslast, d. h. das Gewicht der die Brückentafel an beliebigen Stellen belastenden Menschen oder Fahrzeuge,

3. in sonstige äußere Kräfte, die von Schnee und Wind sowie von anderen nicht nur senkrecht wirkenden Einflüssen herrühren.

1. Die ständige Last.

Die ständige Last einer Brücke ist gemäß den vorhandenen Abmessungen und Einheitsgewichten aller Teile des Tragwerks und der Fahrbahn[1]) zu ermitteln und in jedem besonderen Falle eindeutig festgelegt.

Die Einheitsgewichte der für Eisenbetonbrücken und deren Fahrbahnen verwendeten Baustoffe schwanken naturgemäß je nach ihrer Herkunft und ihren Mischungsverhältnissen innerhalb verhältnismäßig weiter Grenzen (und zwar bis zu 8 und 10 vH.), so daß in vielen Fällen behördlicherseits ein besonderer genauer Nachweis der Einheitsgewichte verlangt wird. Als ausreichende und anerkannte Mittelwerte kann man annehmen:

für Eisenbeton	i. M.	2400	kg/m³	für Granit	i. M.	2800	kg/m³	
„ Kiesbeton	„	2300	„	„ Stampfasphalt	„	2400	„	„
„ Klarschlagbeton	„	2350	„	„ Gußasphalt	„	2200	„	
„ Füllbeton	„	2250	„	„ gewalzten Kies	„	2000	„	
„ Schlackenbeton	„	1700	„	„ Sand	„	1600		
„ Bimsbeton[2])	„	1550	„	„ Hartholz	„	1200		
„ Zementmörtel	„	2200	„	„ getränktes Kiefernholz	„	1000	„	
„ Ziegelmauerwerk	„	1800	„	„ naturtrockenes „		700	„	
„ Klinkermauerwerk	„	1900	„					

---

[1]) Da die Gewichte dieser Teile sich im Laufe der Zeit auch durch Abnutzung, Verschmutzung, Ausbesserung und Erneuerung beträchtlich ändern können, so empfiehlt es sich, sie reichlich anzunehmen und zugleich zur Vereinfachung der Zahlenrechnung nach oben abzurunden.

[2]) Dieser Wert für Bimsbeton ergab sich aus zahlreichen Versuchen des Brückenbaubureaus der Kgl. Generaldirektion der Sächsischen Staatseisenbahnen sowie der Firma Dyckerhoff u. Widmann, A.-G., und weicht erheblich von dem sonst häufig angegebenen Werte von 1000 kg/m³ ab.

a) Gewichte der Versteinung der Brückenoberfläche und der Aufbauten.

Auf Grund der vorstehenden Einheitsgewichte ergeben sich für einige der gebräuchlichsten Befestigungsweisen der Fahr- und Gangbahnen die nachstehenden, für 1 m² Grundfläche berechneten Werte;

α) Fahrbahn.

Granit- oder Grünsteinpflaster von 16 cm Würfelgröße in 5 cm starkem Sandbett versetzt, also mit 21 cm Gesamtstärke

$$g = 0,21 \cdot 1600 + \frac{0,16^2}{0,18^2}(2800 - 1600) = 488 = \quad . \text{ rd. } 500 \text{ kg/m}^2,$$

desgl. in 2 cm starkem Mörtelbett versetzt, also mit 18 cm Gesamtstärke

$$g = 0,18 \cdot 2200 + \frac{0,16^2}{0,17^2}(2800 - 2200) = 481 = \quad . \text{ rd. } 500 \text{ kg/m}^2,$$

Kleinpflaster von 12 cm Würfelgröße auf 4 cm starkem Sandbett versetzt, also mit 16 cm Gesamtstärke

$$g = 0,16 \cdot 1600 + \frac{0,12^2}{0,14^2}(2800 - 1600) = 322 = \quad . \text{ rd. } 340 \text{ kg/m}^2, \quad .$$

Hartholzpflaster von 10,5 cm Höhe auf gut geglätteter Betonoberfläche in Asphalt versetzt, also mit 11 cm Gesamtstärke

$$g = 0,11 \cdot 2200 + \frac{0,105^2}{0,11^2}(1200 - 2200) = 146 = \quad . \text{ rd. } 150 \text{ kg/m}^2,$$

Hirnholzpflaster aus getränktem Kiefernholz desgl.

$$g = 0,11 \cdot 2200 + \frac{0,105^2}{0,11^2}(1000 - 2200) = 127 = \quad . \text{ rd. } 130 \text{ kg/m}^2,$$

Stampfasphaltbelag von 5 cm Stärke

$$g = 0,05 \cdot 2400 = \quad . \quad . \quad . \quad . \quad . \quad . \quad 120 \text{ kg/m}^2,$$

Chaussierung von 25 cm Stärke

$$g = 0,25 \cdot 2000 = \quad . \quad . \quad . \quad . \quad . \quad . \quad 500 \text{ kg/m}^2.$$

β) Gangbahnen.

Granitplattenbelag von i. M. 13 cm Stärke auf 5 cm starkem Sandbett versetzt, also bei 18 cm Gesamtstärke

$$g = 0,13 \cdot 2800 + 0,05 \cdot 1600 = 444 = \quad . \quad . \quad \text{ rd. } 450 \text{ kg/m}^2,$$

Asphaltplattenbelag von 3 cm Stärke auf glatt abgeriebener Betonoberfläche = ... rd. 70 kg/m²,
Gußasphalt von 3 cm Stärke desgl. = ... rd. 70 kg/m²,
Bekiesung von 10 cm Stärke = ... rd. 170 kg/m².

γ) Die Dichtung der Oberfläche der Eisenbetontafel (vergl. S. 54) besteht zumeist in einem 1 bis 2 cm starken Zementmörtelputz, der daraufliegenden zähen Dichtungsschicht von Asphaltfilz oder dergl. und einer etwaigen, zum Schutze der Dichtung sowie zum Ausgleich dienenden Überbetonschicht von etwa 10 cm Stärke, die unter Pflaster und Stampfasphalt notwendig erscheint.

Als Gewichte sind für 1 cm starken Zementmörtelputz . . . . . . 25 kg/m²
für 10 mm starkes zähes Dichtungsmaterial . . . . 10 „
und für je 10 cm Überbetonschicht . . . . 225 „
zu rechnen.

Für die Geländer sind die Gewichte von Fall zu Fall nach der gewählten Ausführung besonders zu berechnen. Sie schwanken bei Ausführung in Eisen zwischen 25 und 100 kg/m, bei Ausführung in Beton zwischen 150 und 500 kg/m.

b) Das Eigengewicht der Eisenbetonbalkenbrücken.

Allgemein gültige Formeln zur vorläufigen Ermittlung dieser Eigengewichte, wie sie für eiserne Brücken angegeben sind, lassen sich für Eisenbetonbrücken leider nicht aufstellen, weil das Betonvolumen außer von der Nutzlast und der Stützweite vor allem von der verfügbaren Bauhöhe abhängt. Bei gleicher beschränkter Bauhöhe wird sich eine schwer belastete Brücke von einer sonst gleichen, jedoch für leichtere Lasten bestimmten Brücke im wesentlichen durch die stärkere Eisenbewehrung und vielleicht durch etwas größere Balkenbreite unterscheiden. Das Gewicht wird dagegen nur unwesentlich verschieden sein.

Zur Ermittlung des Eigengewichts der Brückentafel ist daher gemäß Anleitung S. 47 zunächst ein genauer Querschnitt der Brücke einschließlich der von den Abmessungen des Tragwerks unabhängigen Oberflächenbefestigung sowie der Geländer, Brüstungen und der sonstigen Aufbauten erforderlich, wobei die Abmessungen des Tragwerks vorläufig schätzungsweise anzunehmen sind, (vergl. die Angaben des Abschnitts C, 3, „Grundgrößen"). Die auf Grund der vorläufigen Annahmen ermittelten Gewichte des Tragwerks sind im Falle einer Abänderung, die im Laufe der folgenden eingehenden Berechnung der Einzelteile erforderlich werden sollte, stets sofort zu berichtigen, so daß sie mit den in der weiteren Berechnung verwendeten Gewichtszahlen und mit der Ausführung übereinstimmen.

Die für die statische Berechnung wichtige Ermittlung der auf die einzelnen Balken entfallenden Lastanteile erfolgt gewöhnlich einfach derart, daß das gesamte Brückengewicht auf alle Balken gleichmäßig verteilt angenommen wird. Diese Annahme stimmt jedoch nur dann mit der Wirklichkeit überein, wenn die sämtlichen Hauptträger durch genügend viele, kräftige Querverbände so starr miteinander verbunden sind, daß sie zu gleichmäßiger elastischer Durchbiegung gezwungen werden. Sind solche Querverbindungen nicht vorhanden, erfolgt also die Verbindung der Tragbalken nur durch die Platte, so ist die Verteilung der Last von dem elastischen Verhalten der einzelnen Teile des Tragwerks abhängig. Besitzen z. B. einzelne Balken eine wesentlich größere Steifigkeit als ihre Nachbarn, wie es sehr häufig bei den Randbalken unter erhöhten Gangbahnen der Fall ist, vergl. Abb. 240, so übernehmen diese Balken gemäß ihrer größeren Steifigkeit einen größeren Lastenanteil, als er ihnen allein ihrer Lage nach zukäme. Die Berücksichtigung derartiger Einflüsse ist jedoch zu umständlich, als daß in der Praxis darauf allgemein zurückgekommen werden könnte, und es empfiehlt sich in einem solchen Falle, die auf die starken Träger

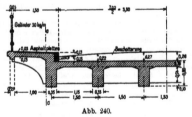

Abb. 240.

entfallende Belastung schätzungsweise reichlicher anzunehmen.

Um einen Anhalt für die Verteilung der Brückengewichte auf die einzelnen Hauptträger zu gewinnen, sei beispielsweise der in Abb. 240 dargestellte Querschnitt einer Brücke von 7,0 m Straßenbreite mit Schotterfahrbahn und beiderseitigen 1,5 m breiten Gangbahnen mit Asphalt-

1	2	3
	Gewicht in kg	
Einzelteile des Brückenquerschnitts	für 1 m Brücke	für 1 m² Platte
Fahrbahn Beschotterung, 0.15 m bis 0.28 m stark .	$7{,}0 \cdot \left(0{,}15 + \frac{2}{3} \cdot 0{,}13\right) 2000 = 3\,310$	$0{,}28 \cdot 2000 = 560$
Randsteine einschl. Randbalken (oberhalb der Plattenoberfläche)	$\left.\begin{array}{l} \\ \\ \end{array}\right\} 2 \cdot \dfrac{0{,}85}{2} \cdot 0{,}28 \cdot 2400 = 570$	—
Platte, 0,16 m stark	$7{,}85 \cdot 0{,}16 \cdot 2400 = 3\,020$	**384**
Querträger in 2,5 m Abstand	$\dfrac{5 \cdot 1{,}15 \cdot 0{,}54 \cdot 0{,}20 \cdot 2400}{2{,}50} = 600$	—
Gangbahnen Platte einschl. Asphaltplattenbelag . .	$2 \cdot 1{,}00 \cdot (0{,}13 \cdot 2400 + 50) = 720$	**362**
Randbalken und Geländer	$2 \cdot (0{,}25 \cdot 0{,}25 \cdot 2400 + 50) = 600$	—
Konsolen	$2 \cdot \left(1{,}1 \cdot 0{,}8 - \dfrac{2}{3} \cdot 0{,}65 \cdot 0{,}94\right) = 450$	—
Hauptträger	$6 \cdot (0{,}35 \cdot 0{,}64 + 0{,}05 \cdot 0{,}20) \cdot 2400 = 3\,360$	—
Zusammen { mit Gangbahnen . .	. . . . **12 630**	
{ ohne Gangbahnen .	. . . . **10 860**	

plattenbelag betrachtet. Der Eisenbetonkörper bestehe aus der 0,16 m starken Deckenplatte mit sechs Tragrippen unter der Fahrbahn, die in Abständen von 2,50 m durch lastverteilende Querträger versteift seien. Die erhöhten Gangbahnen werden durch die konsolartig überstehenden Enden der Querträger getragen.

Durch Weglassung der konsolartigen Auskragungen außerhalb der Linie *aa* in Abb. 240 und der entsprechenden Werte der vorstehenden Übersicht unter „Gangbahnen" ergibt sich das Beispiel einer Brücke ohne seitliche Gangbahnen mit unmittelbar an den Brückenstirnen liegenden Randbalken.

Die Ermittlung des Gewichts der Brücke nebst der Straßenbefestigung erfolgt in der vorstehenden Tabelle unter Benutzung der auf S. 122 gegebenen Einheitsgewichte sowie der aus der Abb. 240 ersichtlichen Maße. In Spalte 2 sind die Gewichte der ganzen Brücke für 1 m Brückenlänge, in Spalte 3 die für die Deckenberechnung maßgebenden Gewichte für 1 m² Brückentafel berechnet.

Für die Verteilung der Gewichte auf die sechs Hauptträger mögen nun vier verschiedene Fälle angenommen werden. In den ersten beiden Fällen erfolgt die Lastverteilung durch die Platte allein, in den letzten beiden Fällen jedoch hauptsächlich unter Mitwirkung der Querträger.

I. Zunächst werde nach der zumeist gebräuchlichen Annahme die lastverteilende Wirkung der Querträger und der Platte vollständig vernachlässigt und die Deckenplatte als einzelnen, über den inneren Hauptbalken durchschnittenen Tafeln bestehend angenommen. Danach ergeben sich die in Spalte 4, 5 und 6 berechneten Anteilslasten der einzelnen Hauptträger zu

$A = 2830$ kg/m, $B = 1420$ kg/m, $C = 2070$ kg/m;

bezw. unter Weglassung der Werte für die „Gangbahnen" zu

$A' = 1440$ kg/m, $B' = 1920$ kg/m, $C' = 2070$ kg/m.

Diese in der Praxis meist übliche Rechnungsweise kann nur als grobe Annäherung gelten, da sie einer hervorragenden Eigenschaft der Eisenbetonbauten, der steifen Verbindung aller Teile, nicht Rechnung trägt.

II. Wird die Platte als durchlaufender Träger auf starren Stützen, also auf Hauptträgern von unendlich großer Steifigkeit, angesehen, ihre Verbindung mit den Rippen aber und auch die ständigen Balkenlasten.

4	5	6	7	8	9
Hiervon entfällt auf 1 m Hauptträger in kg					
nach Rechnungsweise I			nach Rechnungsweise II		
C	B	A	C	B	A
$1,50 \cdot 0,27 \cdot 2000$ $= 810$	$1,50 \cdot 0,22 \cdot 2000$ $= 660$	$\dfrac{3880}{2} - 810 - 660$ $= 470$	$0,97 \cdot 1,50 \cdot 0,27 \cdot 2000$ $= 790$	$1,14 \cdot 1,50 \cdot 0,22 \cdot 2000$ $= 750$	$\dfrac{3880}{2} - 790 - 750$ $= 400$
$1,50 \cdot 3,84 + \dfrac{600}{5}$ $= 700$	$1,50 \cdot 3,84 + \dfrac{600}{5}$ $= 700$	$\dfrac{3620}{2} - 2 \cdot 700$ $= 410$	$0,97\left(1,50 \cdot 384 + \dfrac{600}{5}\right)$ $= 680$	$1,14\left(1,50 \cdot 384 + \dfrac{600}{5}\right)$ $= 800$	$\dfrac{3620}{2} - 680 - 800$ $= 330$
—	$\dfrac{M_c}{a}$*) $= -500$	$\dfrac{1770}{2} + \dfrac{M_c}{a}$ $= 1390$	$0,32\,\dfrac{M_c}{a}$ $= 160$	$-1,58\,\dfrac{M_c}{a}$ $= -790$	$\dfrac{1770}{2} + 1,26\,\dfrac{M_c}{a}$ $= 1520$
560	560	560	560	560	560
2070	1420	2830	2190	1320	2810
2070	1920	1440	2030	2110	1290

*) Es ist $\dfrac{M_c}{a} = \dfrac{1}{1,50}\left(\dfrac{720}{2} \cdot 0,675 + \dfrac{600}{2}\,1,280 + \dfrac{450}{2} \cdot 0,56\right) = \dfrac{748}{1,50} = 496 = $ rd. 500 kg.

lastverteilende Wirkung der Querträger vernachlässigt, so ergeben sich unter Benutzung der Werte in der Übersicht auf S. 195 die in Spalte 7, 8 und 9 berechneten Anteilslasten zu

$$A = 2810 \text{ kg/m}, \qquad B = 1320 \text{ kg/m}, \qquad C = 2190 \text{ kg/m};$$

bezw. unter Weglassung der Gangbahnen

$$A' = 1290 \text{ kg/m}, \qquad B' = 2110 \text{ kg/m}, \qquad C' = 2030 \text{ kg/m}.$$

Diese Annahme einer unendlich großen Steifigkeit der Hauptbalken ist nur für die Strecken unmittelbar über den Auflagern genau, für die in der Brückenmitte liegenden und daher für die Biegungsmomente der Balken hauptsächlich maßgebenden Strecken aber nur wenig zutreffend.

III. Werden nun die Querträger als vollkommen starre Körper angenommen und die Last auf alle Hauptträger gleichmäßig verteilt gerechnet, was bei sehr weit gespannten und verhältnismäßig schmalen Brücken mit gleich starken Hauptträgern nahezu zutreffen dürfte, so ergibt sich

$$A = B = C = \frac{12\,630}{6} = 2110 \text{ kg/m,}$$

bezw.

$$A' = B' = C' = \frac{10\,860}{6} = 1810 \text{ kg/m.}$$

IV. Sind aber die Hauptträger verschieden stark, so verteilt sich die Last unter Annahme vollkommen starrer Querträger — also gleich großer elastischer Durchbiegung der Hauptträger —

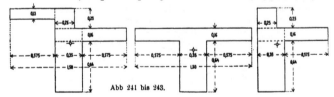

Abb 241 bis 243.

auf die einzelnen Balken im Verhältnis der Trägheitsmomente ihrer wirksamen Querschnitte. Für unser Beispiel berechnen sich dieselben unter Annahme der in Abb. 241 bis 243 dargestellten Querschnittsgrößen zu

$$J_A = 0{,}460 \text{ m}^4, \qquad\qquad J_B = J_C = 0{,}267 \text{ m}^4,$$

bezw. unter Wegfall der Auskragungen zu

$$J_A = 0{,}348 \text{ m}^4, \qquad\qquad J_B = J_C = 0{,}267 \text{ m}^4;$$

demnach ergibt sich die Lastverteilung für den ausgekragten Brückenquerschnitt zu

$$A = 12\,630 \cdot \frac{0{,}460}{2 \cdot 0{,}460 + 4 \cdot 0{,}267} = 2920 \text{ kg/m},$$

$$B = C = 12\,630 \cdot \frac{0{,}267}{2 \cdot 0{,}460 + 4 \cdot 0{,}267} = 1700 \text{ kg/m};$$

bezw. bei Wegfall der Gangbahnen zu

$$A' = 10\,860 \cdot \frac{0{,}348}{2 \cdot 0{,}348 + 4 \cdot 0{,}267} = 2150 \text{ kg/m},$$

$$B' = C' = 10\,860 \cdot \frac{0{,}267}{2 \cdot 0{,}348 + 4 \cdot 0{,}267} = 1640 \text{ kg/m}.$$

Die vergleichende Gegenüberstellung der vier genannten Rechnungsweisen zeigt, daß die gefundenen Belastungs-Werte sehr erheblich voneinander abweichen, denn es ist

nach Rechnungs-fall	die Balkenlast in kg/m beim Querschnitt					
	mit überragenden Enden			ohne Gangbahnen		
	A	B	C	A'	B'	C'
I	2830	1420	2070	1440	1920	2070
II	2810	1320	2190	1290	2110	2030
III	2110	2110	2110	1810	1810	1810
IV	2920	1700	1700	2150	1640	1640

Dabei dürfte die Rechnungsweise IV der Wirklichkeit offenbar am nächsten kommen, ohne allzu großen Arbeitsaufwand zu verursachen, und es erscheint daher angezeigt, in jedem Falle die Rechnung nach I und IV durchzuführen, da der Unterschied der so erhaltenen beiden Werte die Größe der auf den Querträger wirkenden Kräfte darstellt. Für die Berechnung der Hauptträger selbst empfiehlt es sich, zur Sicherheit den größeren der beiden Werte für jeden Hauptträger, mindestens aber den Mittelwert derselben anzunehmen. Keinesfalls darf die Wirkung etwaiger Querverbindungen und verschieden starker Hauptträger ganz vernachlässigt, sie kann vielmehr zwischen den beiden Grenzfällen I und IV angenähert eingeschätzt werden. Die gegen I etwas umständlichere Rechnungsweise II mit Berücksichtigung der Platte als durchlaufender Träger kann unterbleiben, da die Ergebnisse dieser beiden Rechnungsarten nur geringe Verschiedenheit zeigen.

2. Die Verkehrslast.

Die Verkehrslast der Straßenbrücken besteht je nach den für das Bauwerk maßgebenden Bedingungen und Belastungsvorschriften hauptsächlich aus Fahrzeugen mit konzentriert wirkenden größeren Einzellasten, die auf der Fahrbahn zumeist in beliebiger Stellung vorkommen können und daher für die Berechnung stets in der ungünstigsten Anordnung anzunehmen sind. Sowohl die ausschließlich für Fußgänger bestimmten Teile der Brücke, als auch die nicht von Wagen besetzten Flächen der Fahrbahn werden durch Menschengedränge, das als gleichmäßig verteilte Last angesehen werden kann, belastet.

Da die Angaben über Verkehrslasten sich im Laufe der Zeit oftmals geändert haben und auch sehr schwanken, wurde vom Verfasser bei einer Anzahl staatlicher[1])

---

[1]) In den Übersichten sind die Angaben staatlicher Verwaltungen entnommen:
für Österreich: Vorschriften über die Herstellung der Straßenbrücken mit eisernen oder hölzernen Tragwerken (M. Z. 49 898 von 1904) auch für Eisenbeton gültig gemäß Erlaß M. Z. 87 795 von 1907 und den neuesten Vorschriften vom 15. Juni 1911 über die Herstellung von Tragwerken aus Eisenbeton oder Stampfbeton bei Straßenbrücken. Wien, k. k. Hof- und Staatsdruckerei;
für Baden: Vorschriften für die Anordnung und Berechnung eiserner Brücken der Großh. Badischen Staatsbahnverwaltung (vom Febr. 1903). Karlsruhe, Chr. Fr. Müllersche Hofbuchdruckerei;
für Sachsen: Besondere Bedingungen für die Herstellung und Lieferung von eisernen Brücken und Dachkonstruktionen (der Kgl. Sächs. Staatseisenbahnen) vom Jahre 1905;
für Bayern (auch für den Stadtbezirk München gültig): Besondere Vertragsbedingungen für die Ausführung von eisernen Brückenbaukonstruktionen (vom 1. Sept. 1905). Verlag G. J. Manz in München;

und städtischer Behörden eine Rundfrage über die vorgeschriebenen Belastungen veranstaltet, deren Ergebnis in folgendem zusammengestellt ist.[1]) Wenn man bedenkt, daß die Spannungsberechnungen meist auf Hundertteile genau ausgeführt werden, daß man aber oft durch unzutreffende Belastungsannahmen Fehler von 100 vH. begeht, erscheint es berechtigt, auf die Frage der für die Berechnung anzunehmenden Größe der Verkehrslasten ausführlicher einzugehen.

a) Menschengedränge. Unter Menschengedränge versteht man im allgemeinen im Brückenbau eine Anhäufung von Menschen, die so dicht aneinandergedrängt sind, daß sie sich noch eben fortzubewegen vermögen. Es ist zwar nicht ausgeschlossen, daß einzelne Teile der Gangbahnen mit einer so dicht gedrängten Menschenmenge besetzt sein können, daß eine Fortbewegung des einzelnen unmöglich ist, doch dürfte sich eine derartige Anhäufung nur auf sehr geringe Flächen beschränken, für ganze Brücken aber ausgeschlossen sein.

Im allgemeinen kann angenommen werden, daß ein Mann mit einem mittleren Körpergewicht von 80 kg beim ruhigen Stehen eine Grundfläche von etwa $0{,}5 \cdot 0{,}3 = 0{,}15$ m² beansprucht, während ihm für langsame Fortbewegung mindestens $0{,}5 \cdot 0{,}5 = 0{,}25$ m², für lebhafte Gangart mindestens $0{,}5 \cdot 0{,}8 = 0{,}40$ m² zur Verfügung stehen müssen. Hieraus ergeben sich die entsprechenden Belastungen:

$$\text{im Stillstand zu} \quad \ldots \ldots \ldots \quad p = \frac{80}{0{,}15} = 533 \text{ kg/m}^2$$

$$\text{im Gedränge gehen zu} \ldots \ldots \quad p = \frac{80}{0{,}25} = 320 \quad \text{,}$$

$$\text{bei gewöhnlicher Fortbewegung zu} \quad p = \frac{80}{0{,}40} = 200 \quad \text{,}$$

Ausnahmsweise sind bei Versuchen in kleinen geschlossenen Räumen auch schon Belastungen durch Menschen bis zu 700 kg/m² erreicht worden.[2])

Ein ähnlicher Belastungsversuch[3]) wurde von Professor L. Johnson an der Harvard-Universität angestellt, dessen Ergebnis in den Abb. 244 bis 246 ersichtlich ist. Dabei wurden in einen durch eine Tür zugänglichen Verschlag von $6' \cdot 6' = 1{,}83$ m $\cdot 1{,}83$ m $= 3{,}35$ m² Grundfläche

Abb. 244. 10 Pers. = 220 kg/m².   Abb. 245. 24 Pers. = 500 kg/m².   Abb. 246. 40 Pers. = 885 kg/m².
Abb. 244 bis 246. Menschengedränge.

nach und nach so viele Menschen von etwa 70 kg mittlerem Gewicht zusammengedrängt, daß schließlich eine Belastung von 885 kg/m² erzielt wurde. Dabei ist hervorzuheben, daß es sich

---

[1]) Für die vorliegende zweite Auflage wurde diese Umfrage wiederholt und die Zusammenstellungen entsprechend berichtigt.
[2]) Vergl. Zentralbl. d. Bauverw., XXIV. Jahrg., 1904, S. 380, 504 u. 520.
[3]) Vergl. Journal of the Association of Engineering Societies, Boston, Januar 1905, dem die Abbildungen entnommen sind.

im vorliegenden Fall um junge, schlanke Leute handelte, und daß wie aus Abb 245 ersichtlich, selbst in dem Fall mit 500 kg/m² eine Bewegungsfreiheit kaum mehr vorhanden war."

Eine derartige Menschenansammlung erscheint jedoch auf größeren freien Verkehrswegen ausgeschlossen und höchstens auf Flächen von wenigen Quadratmetern möglich, so daß die durchschnittliche Belastung größerer Brückenflächen doch höchstens 400 bis 500 kg/m² betragen dürfte. Die meisten Belastungsvorschriften geben daher diese Zahlen an (vergl. Übersicht I), nur ausnahmsweise findet man 600 kg/m² vorgeschrieben. Am zutreffendsten erscheint die am häufigsten vorkommende Vorschrift, wonach wohl für die Berechnung einzelner Teile der Gangbahnen 560 kg/m², dagegen für die der Hauptträger und der Fahrbahnteile, welche nicht mit Fahrzeugen besetzt sind, 400 kg/m² anzunehmen sind.

Übersicht I.

Menschengedränge nach behördlichen Vorschriften in kg/m².

Vorschrift der staatlichen bezw. städtischen Behörde in	Gangbahnen bei Berechnung		Fahrbahn neben den Fahrzeugen	Bemerkungen
	einzelner Teile	der Brücke selbst		
Österreich . . . . {		460		für Brücken I. Klasse,
		400		„ „ II. „ ,
		340		„ „ III. „ ,
Nürnberg		400		
Stuttgart		400 bis 600		je nach Verkehrsbedeutung der Brücken
Essen, Breslau . . .	500	400	400	für die Hauptträger eiserner Brücken über 60 m = 450 kg/m², für steinerne Brücken über 50 m = 800 kg/m² ohne Wagen,
	500	450	450	für städtische Brücken mit starkem Verkehr,
Baden . . . . . {	400	400	400	für alle übrigen öffentlichen Brücken,
	400	350	350	für Nebenwege,
Berlin	500		400	für die Hauptträger größerer Brücken, die nur mittelbar durch Raddrücke belastet werden, 500 kg/m² ohne Wagen,
Leipzig, Straßburg .	500		500	
Bayern	540		360	
Köln a. Rh.	550		450	
Hamburg	560		—	
Sachsen, Chemnitz .	560		400	
Frankfurt a. M. . .	500 bis 600		400	

b) Fahrzeuge. Die Fahrbahn einer Brücke erhält ihre ungünstigste Belastung durch schwere Lastfuhrwerke, Dampfwalzen und Straßenbahnwagen, denn es wirken in diesen Fällen große Einzellasten auf kleine Teile der Fahrbahntafel, auch ist die Gesamtlast eines solchen Fahrzeuges — bezogen auf die davon beanspruchte Grundfläche — zumeist erheblich größer als bei Menschengedränge.

Die meisten auf städtischen Straßen verkehrenden schwereren Wagen sind Personen- und Lastfahrzeuge von etwa 2000 bis 4000 kg Gewicht, wogegen noch schwerere Fahrzeuge selten vorkommen und selbst auf stark belasteten Straßen wohl nur in größeren Abständen verkehren. Zu den häufiger vorkommenden schwereren Lastwagen zählen z. B. Sprengwagen mit 2 m³ Wassergehalt, das ist 2000 kg Nutzlast, oder Ziegelwagen mit 2 m³ = rund 1000 Stück Ziegeln, das ist etwa 3000 kg Nutzlast. Dagegen kommen

Wagen über 6000 bis 10 000 kg Gesamtgewicht nur selten und nur ganz vereinzelt vor. Noch größere Wagenlasten treten aber wohl nur bei Kesseltransporten auf, für deren Verkehr oftmals selbst auf guten Straßen bereits besondere Vorkehrungen getroffen werden.

Hierzu sei bemerkt, daß in Dresden, wo auf Grund einer ortsgesetzlichen Verfügung Last-wagen von mehr als 10 000 kg Gewicht zur Beförderung auf öffentlichen Straßen besonderer Genehmigung bedürfen, in den letzten Jahren folgende größte Lasten angemeldet worden sind, und zwar:

Schiffsmaschinenteile	12, 15 und 18 t
Dampfkessel	11 „ 24 „
Doppelkessel	36 „
Lokomobile	26 „
Granitplatten von 11,5 t Gewicht, einschl. Wagen 14 t	
Sandsteinblöcke zu Staatsbauten von 17,5 bis 27 t Gewicht.	

In Chemnitz war die größte beförderte Last ein Dampfkessel von 44 t Gewicht einschl. Wagen, wovon auf die Vorderachse 19 t, auf die Hinterachse 25 t entfielen. Früher wurden dort auch Lokomotiven auf Wagen mit einem Gesamtgewicht von 76 t befördert, was aber jetzt nicht mehr vorkommt, da die betreffenden Fabriken Gleisanschluß erhalten haben.

Eine starke Beanspruchung erleiden die Brücken ferner durch die Befahrung mit Straßenwalzen, und zwar mit Pferdewalzen oder Dampfwalzen, die oft schon bei Herstellung der Fahrbahndecke die neue Brücke belasten. Die Gewichte dieser Fahr-zeuge sind wohl sehr groß, verteilen sich aber infolge der großen Felgenbreiten auf eine breite Fahrbahnfläche. Sie sind daher in der Regel für die Bemessung der Fahrbahntafel von geringerem Einfluß, kommen aber für die Bemessung der Hauptträger in Betracht.

Schließlich sind für städtische Straßenbrücken auch die Straßenbahnwagen als erhebliche Belastung zu erwähnen, da sie in der Regel geringe Achsabstände besitzen. Da die Straßenbahnwagen jedoch fast stets auf Schienen laufen, die eine große Steifigkeit aufweisen und daher die Raddrücke auf eine beträchtliche Länge der Brücke verteilen, und da die Gleise eine von vornherein bestimmte Lage erhalten, auf die schon beim Entwurf der Brücke durch entsprechende Anordnung der Hauptträger Rücksicht genommen werden kann, so wird die Belastung durch Straßenbahnen fast nur für die Hauptträger weitgespannter Brücken in Frage kommen.

In den nachstehenden Übersichten II, III und V wurden die in den Belastungs-vorschriften einer größeren Zahl staatlicher und städtischer Behörden enthaltenen Wagen-typen, sowie in Übersicht IV die daraus sich ergebenden mittleren Abmessungen derselben zusammengestellt. Zur besseren Beurteilung der Größe der Wagengewichte sind ferner in Übersicht VI Skizzen einer Anzahl Fahrzeuge des gewöhnlichen Straßenverkehrs in Dresden mit deren Gewichten angegeben.

Die Abmessungen der Lastwagen sind sehr mannigfaltig und ihre Bauart von dem Verwendungszwecke, aber auch von den landschaftlichen Verhältnissen sehr abhängig, so daß eine allgemein gültige Regel für sie nicht aufzustellen ist.

Der in den Belastungsvorschriften angegebene Achsabstand schwankt im allgemeinen zwischen 2,4 und 5,6 m und beträgt im Mittel 3,5 bis 4,5 m. In den Rheingegenden, wo die Lastwagen eine sehr gedrungene Bauart zeigen, ist er dagegen sehr klein, für Essen z. B. bei 24 t Gewicht zu nur 2,0 m angegeben.

Die Spurweite oder der Radstand ist gleichfalls sehr verschieden und für die Vorderräder, also für die Lenkachse, in der Regel kleiner als für die Hinterräder, sie wird aber in den Belastungsvorschriften zumeist für beide Achsen gleich, und zwar mit 1,3 bis 1,6 m angegeben.

Die Breite der Wagen kann gewöhnlich mit 2,0 bis 2,5 m angenommen werden. Dabei genügt es aber im allgemeinen, den seitlichen Abstand der Fahrzeuge, von Mitte zu Mitte gemessen, zu 2,5 m zu wählen, da im Verkehr wegen der Lenkfähigkeit und der Seitenschwankungen der Last eine größere Zusammendrängung wenigstens bei

9

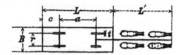

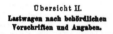

Übersicht II.
Lastwagen nach behördlichen Vorschriften und Angaben.

Vorschriften der Staats- bezw. städtischen Behörde in	Wagengewicht Q	Längenmaße			Breitenmaße			Bespannung			Bemerkungen
		Achsabstand a	Überstand hinten c	Wagenlänge L	Wagenbreite B	Radstand r	Felgenbreite t	Zahl der Pferde	Gewicht Q'	Länge L'	
	t	m	m	m	m	m	m		t	m	
Sachsen . . .	3,0	2,6	1,0	4,6	2,2	1,3	.	2	1,5	2,8	
Österreich . .	3,0	2,4	.	4,8	2,3	1,4	.	2	1,0	3,2	Für Brücken III. Kl.
Bayern . . .	4,0	2,5	1,25	5,0	2,2	1,3	.	.	.	.	Für eiserne Brücken.
Sachsen . . .	6,0	2,6	1,0	4,6	2,2	1,3	.	4	3,0	5,8	
Baden . . .	6,0	2,4	.	4,6	2,3	1,3	.	.	.	.	
Österreich . .	8,0	2,8	.	5,4	2,4	1,5	.	2	1,5	3,6	Für Brücken II. Kl.
Hamburg . .	10,0	8.5	2,0	6,5	2,3	1,4	.	2	0,8	2,3	
Österreich . .	12,0	3,8	.	7,8	2,5	1,6	.	4	3,0	7,2	Für Brücken I. Kl.
Berlin . . .	12,0	3,5	.	7,5	2,2	1,4	.	.	.	.	Laststreifen 2,6 m breit.
Sachsen . . .	12,0	3,5	2,0	7,5	2,2	1,3	.	4	8,0	5,8	
Baden . . .	12,0	8,0	.	6,0	2,4	1,4	.	.	.	.	
Hamburg . .	18,0	4,0	2,0	7,0	2,3	1,4	.	4	1,6	5,3	
Breslau . . .	20,0	4,5	2,0	8,5	2,5	1,5	.	4	1,6	6,3	
Baden . . .	20,0	4,0	.	8,0	2,5	1,5	.	.	.	.	
Berlin . . .	20,0	4,0	.	8,0	2,4	1,5	.	.	.	.	Laststreifen 2,9 m breit.
Straßburg . .	20,0	3,5	2,0	8,0	2,5	1,4	.	4	1,4	6,5	
Köln a. Rh.. .	20,0	3,5	2,0	7,5	2,3	1,5	0,20	4	1,6	6,3	Laststreifen 2,5 m breit.
Berlin . . .	24,0	4,5	.	8.5	2,4	1,5	.	.	.	.	Für gewölbte Brücken.
Leipzig . . .	24,0	4,0	2,0	8,0	2,3	1,6	.	.	.	.	
Essen	24,0	2,6	1,5	4,0	2,0	1,5	0,18	4	3,2	6,0	
Leipzig . . .	24,6	4,24	.	7,0	2,4	1,4	0,20	.	.	.	
Karlsruhe . .	24,8	6,65	.	.	.	1,72	0,20	.	.	.	
Hamburg . .	25,05	4,0	2,0	7,0	2,3	1,4	.	6	2,4	8,3	
Chemnitz . .	30,0	5,5	1,25	7,68	2,28	1,56	0,24	.	.	.	Für gewölbte Brücken mit weniger als 0,5 m Überschüttung.
Berlin . . .	30,0	4,5	.	8,5	2,4	1,5	.	.	.	.	

Vereinzelt vorgekommene außergewöhnlich schwere Fahrzeuge.

	Wagengewicht Q	Achsabstand a	Überstand hinten c	Wagenlänge L	Wagenbreite B	Radstand r	Felgenbreite t	Zahl der Pferde	Gewicht Q'	Länge L'	Bemerkungen
Nürnberg . .	34,5	6,55	1,45	9,0	2,5	v. 0,98 h. 2,14	0,18	.	.	.	Vorderachse 13,8 t. Hinterachse 20,7 t.
Frankfurt a. M.	35,0	2,90	.	.	.	1,41	0,19	.	.	.	
Chemnitz . .	44,3	4,53	4.80	12,0	2,6	2,05	0,32	.	.	.	Vorderachse 17,7 t. Hinterachse 26,6 t.
Krimmitschau .	46,0	5,85	2,00	12,5	.	1,70	0,32	.	.	.	Vorderachse 24,5 t. Hinterachse 21,5 t.
Dresden. . .	50,0	5,0	4,25	12,8	2,8	1,70	0,32	.	.	.	Vorderachse 20,0 t. Hinterachse 30,0 t.

Selbstfahrer

	Wagengewicht Q	Achsabstand a	Überstand hinten c	Wagenlänge L	Wagenbreite B	Radstand r	Felgenbreite t	Zahl der Pferde	Gewicht Q'	Länge L'	Bemerkungen
Lastautomobil Essen	12,0	3,75	2,00	6,0	2,2	1,6	0,30	—	—	—	
	17,0	4,30	.	.	2,7	v. 1,40 h. 2,10	0,40 0,60	—	—	—	Vorderachse 5,9 t. Hinterachse 11,1 t.
Dampfpflug .	21,0	4,55	.	.	.	v. 2,02 h. 2,15	0,41 0,58	—	—	—	Vorderachse 7,0 t. Hinterachse 14,0 t.
desgl.	30,0	5,00	.	6,7	2,0	1,60	0,20	—	—	—	

Übersicht III.
Dampfwalzen nach behördlichen Vorschriften.

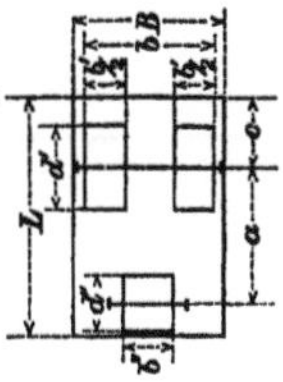

Lastvorschrift bezw. Eigentümer	Gewicht i. t			Längenmaße i. m			Breitenmaße i. m				Durchmesser i. m		
	der Walze	Achsdruck der Lenkwalze	Achsdruck der Triebwalzen	Achsabstand a	Überstand hinten c	Baulänge L	Baubreite B	Reifenbreite der Lenkwalze b''	Reifenbreite der Triebwalzen b'	Baubreite der Triebwalzen b	Lenkwalze d''	Triebwalzen d'	
Dresden . .	12,0	4,8	7,2	3,16	1,40	5,12	2,17	1,14	1,10	2,17	1,12	1,57	
Österreich . .	14,0	6,0	8,0	3,00	1,50	5,90	2,40	1,20	0,80	1,90	.	.	Für Brücken II. Kl.
Nürnberg .	15,2	5,6	9,6	3,23	1,50	4,23	.	1,30	0,84	2,04	1,20	1,68	
Dresden . . {	15,0	6,0	9,0	3,65	1,50	5,75	2,37	1,25	1,16	2,37	1,17	1,78	
	16,0	6,4	9,6	3,63	1,60	5,85	2,40	1,38	1,90	2,40	1,23	1,78	
Baden . .	17,5	7,5	10,0	3,00	.	.	.	1,00	1,00	2,00	1,50	1,50	
Karlsruhe . .	17,5	7,8	9,7	3,00	.	.	.	1,30	1,30	2,40	1,40	1,40	
Chemnitz . .	17,5	6,5	11,0	3,50	1,50	6,00	.	1,20	1,00	2,20	1,20	1,80	
Österreich . .	18,0	8,0	10,0	3,50	1,80	6,10	2,50	1,40	1,00	2,30	.	.	Für Brücken I. Kl.
München . .	20,0	8,0	12,0	3,00	1,75	5,50	2,10	1,34	0,90	2,10	1,30	1,73	
Berlin . .	21,0	10,0	11,0	3,50	.	.	.	1,04	1,04	2,04	1,50	1,50	
Frankfurt . .	23,0	10,0	13,0	2,75	1,25	5,00	.	1,05	1,10	2,10	1,20	1,80	
Baden Breslau Leipzig Straßburg {	23,0	10,0	13,0	2,75	.	.	.	1,06	1,10	2,10	1,60	1,55	
Essen . .	23,0	10,0	13,0	2,75	1,50	6,00	.	1,10	1,10	2,00	1,50	1,50	
Köln a. Rh.. .	23,0	10,0	13,0	2,75	.	.	.	1,00	1,00	2,00	1,60	1,55	

Übersicht IV.
Mittelwerte der Abmessungen für Lastfahrzeuge.

	Wagen-			Achsstand a	Radstand r	Felgenbreite t	Bespannung		
	Gewicht Q	Länge L	Breite B				Pferdezahl	Gewicht Q'	Länge L'
Lastwagen	3	4,8	2,3	2,4	1,3	0,06	2	0,6	3,3
	6	5,6	2,3	2,8	1,3	0,10	2	1,0	3,4
	12	6,7	2,4	3,5	1,4	0,13	4	2,0	6,4
	16	7,6	2,4	4,0	1,4	0,15	4	2,6	6,5
	20	8,5	2,5	4,5	1,5	0,18	6	3,3	9,5
	25	9,5	2,5	5,0	1,5	0,20	8	4,0	12,5
	30	10,5	2,5	5,5	1,6	0,24	8	4,8	13,0

Dampfwalzen

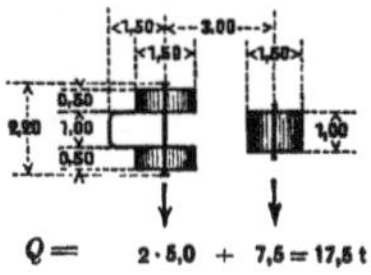

$$Q = 2 \cdot 5,0 + 7,5 = 17,5 \text{ t}$$

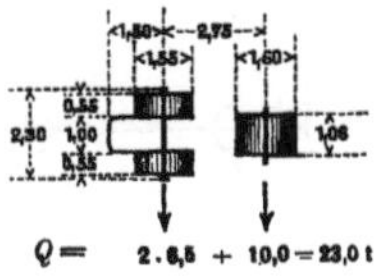

$$Q = 2 \cdot 6,5 + 10,0 = 23,0 \text{ t}$$

Elektrische Straßenbahnen

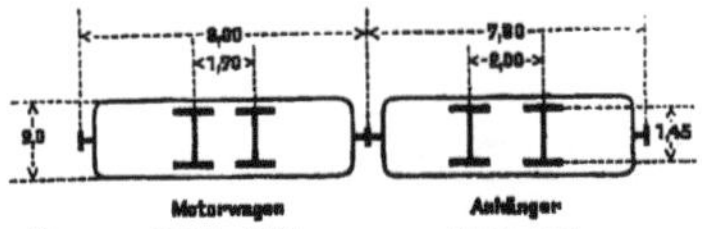

Motorwagen — Anhänger

$$Q = 10,0 \text{ bis } 14,5 \text{ t} \qquad 6,0 \text{ bis } 7,5 \text{ t}$$

9*

Übersicht V.
Lastanordnung von Straßenbahnen.
(Soweit nicht besonders bemerkt: vollspurig.)

		Ge-samt-last	Länge	
	Motor- und Anhängewagen.	P	l	$\frac{P}{l}$
		in t	in m	in t/m
Leipzig	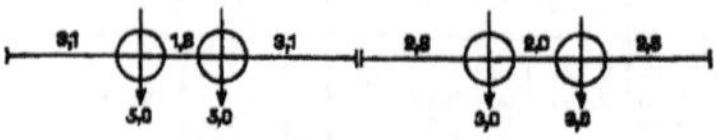	16	15,6	1,03
Berlin	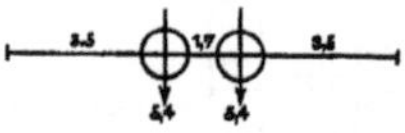	10,8	8,7	1,24
„		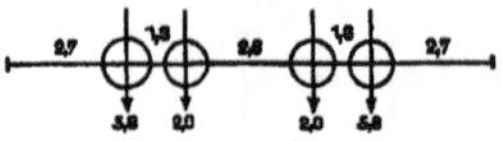 15,6	10,8	1,45
Essen (1 m Spur)	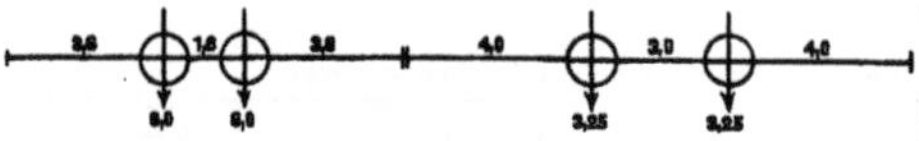	18,5	20,0	0,93
Breslau	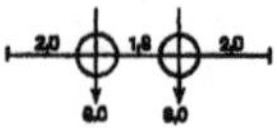	12,0	5,8	2,07
Dresden	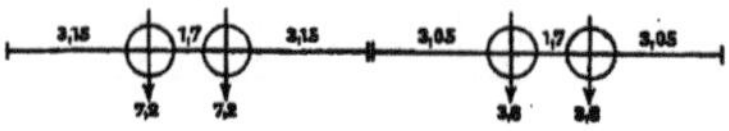	22,0	15,8	1,39
Elektrische Bahn Mainz—Wiesbaden (1 m Spur)	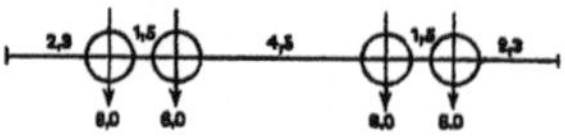	24,0	12,1	1,98
Essener Zechen-Anschluß-bahnen		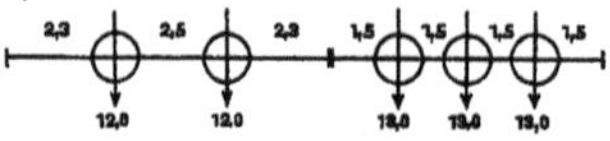 63,0	13,1	4,81
Kruppscher Panzerplatten-zug, Essen		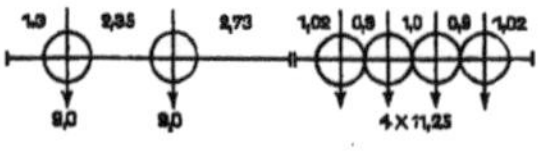 63,0	11,2	5,61

Elektrische Straßenbahn

Übersicht VI.
Fahrzeuge des gewöhnlichen Straßenverkehrs in Dresden.

Belastungen in t: G = Eigengewicht, P = Ladefähigkeit, Q = größte Gesamtlast in t, b = größte Wagenbreite, l = Länge ohne Bespannung in m, $\frac{Q}{l \cdot b}$ = Gewicht in kg/m².

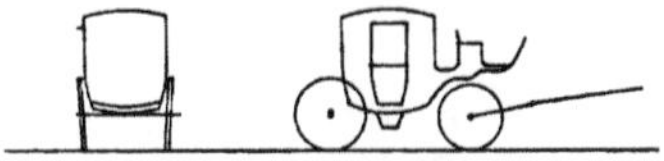

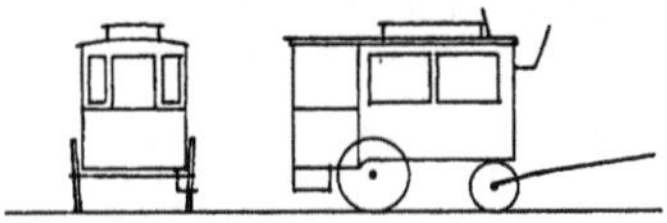

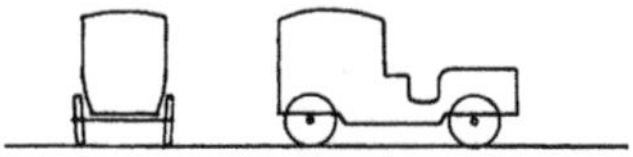

	G	P	Q	l	b	$\frac{Q}{l \cdot b}$
I. Klasse	>0,6	0,3	0,9			
II. Klasse	0,75	0,45	1,2	3,9	1,7	180
Droschke.						
Omnibus.	1,0	1,5	2,5	4,2	2,0	300
Autodroschke.	1,25	0,45	1,7	4,0	1,7	250
Kastenwagen.	1,3 bis 1,6	3,5 bis 4,5	4,8 bis 6,1	4,5	1,8	750
Wasserwagen.	2,0	2,0	4,0	3,5	1,5	760
Möbelwagen.	3,0 bis 3,3	3,0 bis 3,5	6,0 bis 6,8	8,0	2,5	340
Tafelwagen.	1,2 bis 2,0	3,0 bis 6,0	4,2 bis 8,0	5,3	1,7	900

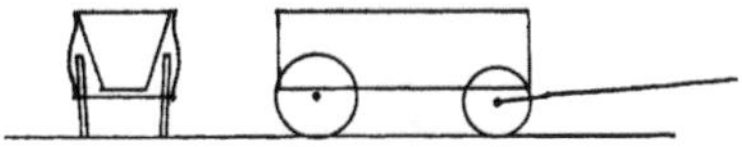

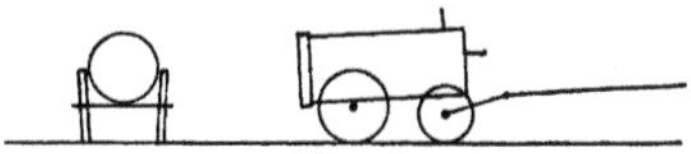

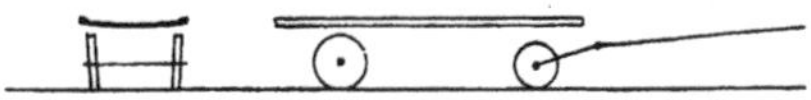

Maßstab der Skizzen 1 : 150.

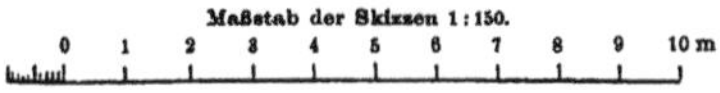

0　1　2　3　4　5　6　7　8　9　10 m

schweren Wagen ausgeschlossen erscheint. Als größte vorkommende Höhe der Fahrzeuge kann für Straßenbahnwagen und Omnibusse 3,20 m, für Erntewagen 3,8 bis 4,5 m
angenommen werden.

Die Breite der Radfelgen ist in der Regel so groß, daß der größte Druck für
1 cm Felgenbreite etwa 200 kg beträgt und selbst bei den schwersten Fahrzeugen und
guter Bahn 300 kg nicht übersteigt.

Die Verteilung der Wagengewichte auf die beiden Achsen ist gewöhnlich eine
derartige, daß auf die Hinterachse 57 bis 65 vH., i. M. 60 vH., auf die vordere, die
Lenkachse, etwa 43 bis 35 vH., i. M. 40 vH. entfallen, um eine leichtere Lenkbarkeit
zu ermöglichen. Obgleich in den meisten Belastungsvorschriften die Last auf beide
Achsen gleich verteilt erscheint, so dürfte es sich doch empfehlen, wenigstens für die
Berechnung der Fahrbahnteile eine einzelne Achslast mit 60 bis 70 vH., also etwa $^2/_3$
vom Gesamtgewicht der schwersten Wagen anzunehmen.

Als Gewicht der Bespannung kann mindestens $^1/_5$ bis $^1/_6$ der Wagenlast gerechnet werden, wobei auf ein Paar Pferde je nach ihrer Größe ein Gewicht von 400
bis 1700 kg, für Lastwagen zumeist von 600 bis 1000 kg und eine Länge von 2,0 bis
2,5 m entfällt, bei einem Abstande der Paare hintereinander von i. M. 3,0 m.

Hierzu ist zu bemerken, daß die zur Beförderung eines Wagens erforderliche Zugkraft mit dem Neigungswinkel der Straße wächst. Da nun für eine größere Zugkraft
auch eine größere Rauhigkeit der Straßenoberfläche mit entsprechend größerem
Reibungswiderstand nötig wird, umgekehrt aber mit der Zahl der zur Überwindung
des Bewegungswiderstandes erforderlichen Zugtiere die anteilige Leistung des einzelnen
Tieres abnimmt, so wird die mögliche Größe der mit Tieren zu bewegenden Wagenlasten
durch die Neigung der Straßen und der Brückenrampen stark begrenzt. Die für ein
mittelstarkes Pferd bei Dauerleistung zu 60 bis 90, also im Mittel zu 75 kg anzunehmende
Zugkraft sinkt bei Verwendung von 2 bezw. 3 und 4 Pferdepaaren auf 60 bezw. 48
und 38 kg für jedes Pferd herab. Dagegen kann ein Pferd beim Anziehen aus der
Ruhestellung unter Umständen und auf wenige Augenblicke eine Zugkraft von 300 kg
bis zu 500 kg ausüben.

c) **Ergebnis.** Nach den vorhergegangenen Erörterungen ist zu empfehlen, falls
nicht besondere Vorschriften für die anzunehmende Verkehrslast vorliegen, den statischen
Berechnungen der Brücken folgende Belastungen zugrunde zu legen:

1. Bei Brücken auf dem Lande, für Feldwege, Nebenstraßen und dergl., falls nicht
Dampfpflüge oder Lokomobilen in Betracht kommen, Menschengedränge von $p = 350$ kg/m²
und eine einzelne Achslast von 2000 kg bezw. eine Pferdewalze von 6000 kg Gewicht bei
1,0 m Walzenbreite.

2. Bei Brücken für Staatsstraßen und Hauptstraßen auf dem Lande, sowie für
städtische Straßen von geringerer Bedeutung $p = 400$ kg/m², einen Wagen von 6000 kg
Gewicht bezw. eine Achslast von 4000 kg oder eine Dampfwalze von 17 500 kg Gewicht.

3. Bei Brücken für städtische Straßen in Hauptverkehrszügen Menschengedränge
von $p = 560$ kg/m² für die Gangbahnen und $p = 400$ kg/m² für die nicht von Wagen
besetzten Teile der Fahrbahnen, für diese aber Wagen von 12 000 kg Gewicht bezw.
eine einzelne Achslast von 8000 kg oder eine Dampfwalze von 23 000 kg.

4. Nur bei Fabrikzufahrten oder bei einzelnen besonders auszuwählenden Brücken
in Fabrikstädten ist auf den Verkehr mit noch schwereren Wagen Rücksicht zu nehmen.
Dabei aber ist zu erwägen, ob für die vielleicht nur einmal oder sehr selten vorkommende Überfahrt eines solchen Fahrzeuges nicht lieber eine bestimmte Stelle der
Brücke besonders stark auszubilden oder aber die Aufbringung eines kräftigen, lastverteilenden Belages vorzuziehen sei.

d) Stoßwirkungen der Verkehrslast. Die statischen Wirkungen der Verkehrslasten auf die Brücke werden dadurch vergrößert, daß bei dem Aufrollen der Wagenlasten und ebenso auch beim Auftreten der Fußgänger und der Pferde Stöße ausgeübt werden, die die Beanspruchungen des Tragwerks unter gewissen Umständen sehr erheblich zu steigern vermögen. Die Stoßwirkungen der rollenden Lasten entstehen hauptsächlich durch die Unebenheiten der Fahrbahn, die besonders bei schlecht unterhaltener Straßenbefestigung sehr meßbare Fallhöhen für jede einzelne Last ergeben. Aber selbst bei vollkommen glatter Bahn entstehen durch die Bewegung der Lasten Stoßwirkungen, die sich in elastischen Schwingungen des Tragwerks äußern. Jede einzelne derartige Schwingung verläuft wellenförmig in Zeitabschnitten, die von der Masse, der Elastizität und der Bauart des Tragwerks abhängig sind und im voraus kaum rechnerisch festgestellt werden können. Es ist aber ohne weiteres zu erkennen, daß die Größe der Schwingungen zunehmen muß, wenn die wiederholten Stöße der Last in gleichen Zeitabschnitten wie die Schwingungsdauer erfolgen, anderseits aber aufgehoben werden kann, wenn eine Aufwärtsschwingung mit einem abwärts gerichteten Stoß zusammentrifft. Die Größe der Stoßwirkung einer bewegten Last ist demnach auch von der Geschwindigkeit der Fahrzeuge abhängig, so daß angesichts der vielen Einflüsse von ihrer zahlenmäßigen Ermittlung abgesehen werden muß.

Bei Eisenbetonbrücken ist nun die Masse des Tragwerks verhältnismäßig groß, die elastische Formänderung dagegen meist so gering, daß die Größe der Schwingungen nur durch sehr empfindliche Meßapparate festgestellt werden kann. Die Ergebnisse derartiger Messungen an eisernen Brücken haben wegen der grundsätzlichen Verschiedenheit des elastischen Verhaltens, insbesondere bezüglich ihrer Schwingungsdauer nur bedingten Wert für die Bemessung des Stoßzuschlags für Eisenbetonbrücken. Dieser bleibt daher auch in der Regel gänzlich außer Betracht und erscheint einerseits durch die sehr reichlich gewählte Größe der Belastungsannahmen ausgeglichen, anderseits durch den hohen Sicherheitsgrad gedeckt, den die Eisenbetonbrücken zumeist besitzen. Zur Herabminderung des Einflusses der Stoßwirkungen ist daher auf eine tunlichst gute Unterhaltung der Straßenbefestigung zu achten und für die Versteinung die Verwendung solcher Baustoffe zu empfehlen, die eine möglichst harte, glatte Fahrbahnoberfläche gewährleisten. Auch ein hohes Versteinungsgewicht kann durch die Abschwächung der Stöße und Dämpfung der Schwingungen vorteilhaft sein.

e) Lastverteilung. Die auf die Brückentafel wirkenden Radlasten werden infolge der Nachgiebigkeit der Fahrbahnbefestigung auf eine Fläche verteilt, deren Größe in der einen Richtung durch die Felgenbreite t des Rades, in der anderen Richtung durch eine Strecke t' des Radumfangs bestimmt ist (Abb. 249 bis 251), die sich aus der Eindrückung des zylindrischen Radkörpers in die eben gedachte Fahrbahn ergibt. Das Maß t' ist vom Raddurchmesser und von der Beschaffenheit der Fahrbahnoberfläche abhängig und kann für Lastwagen zumeist gleich der Felgenbreite, also $t' = t$, für Dampfwalzen etwa $t' = 0,20$ m gesetzt werden.

Durch die Versteinung ergibt sich eine weitere Verteilung auf eine Fläche der Eisenbetontafel, deren Größe von der Beschaffenheit und Befestigungsweise der Straßenoberfläche, von der Gleichmäßigkeit des Füllmaterials und verschiedenen anderen Umständen abhängt und daher nicht genau angegeben werden kann. Überdies ist naturgemäß die Verteilung des Druckes auf die Unterlage keine

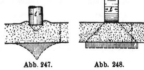

Abb. 247.   Abb. 248.

gleichmäßige, sondern erfolgt nach den schon im Jahre 1879 von Kick und Steiner in Prag angestellten Versuchen (mit einem zylindrischen Stempel von 10 cm Durchm. auf

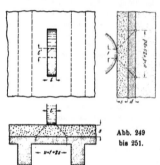

Abb. 249
bis 251.

Sand) etwa nach der in Abb. 247 skizzierten Linie. Allgemein üblich ist die auf Versuchen von Fränkel beruhende, von Winkler angegebene Gleichung, wonach gemäß Abb. 248 der Druck in beliebiger Richtung auf eine Breite

$$r = t + \nu \cdot s$$

angenommen werden darf. Hierin bedeutet t die Breite der Druckfläche des Rades, s die Versteinungsstärke der Brückentafel, ν einen von dem Versteinungsmaterial abhängigen Festwert. Dieser wird in der Regel für gewöhnliche Steinpackung zu $\nu = 1{,}5$, für festgewalztes Straßenbett zu $\nu = 2$ angenommen, bedarf aber zur einwandfreien Benutzung noch eingehender Versuche, die unseres Wissens bisher noch nicht vorliegen.[1] Immerhin erscheint es vollkommen zulässig, wie es auch allgemein üblich ist, in der Richtung der Plattenstützweite mit einer Lastverteilung auf eine Breite

$$\nu = t + 2s \quad \dots \dots \dots \quad 1)$$

zu rechnen (vergl. Abb. 251).

Quer zur Plattenstützweite, also in der Richtung der Tragbalken (vergl. Abb. 245), wird die Last jedoch durch die Scherfestigkeit der Eisenbetontafel selbst auf eine erheblich größere Länge verteilt als die der vom Druck unmittelbar getroffenen Fläche. Da jedoch auch hierüber nichts Genaues bekannt ist, jedenfalls aber eine erheblich größere Plattenbreite zur Mitarbeit herangezogen wird, deren Zuwachs zu beiden Seiten der Laststrecke mindestens gleich der Dicke der Platte gesetzt werden kann, so empfiehlt es sich, die Verteilungslänge, in der Längsrichtung des Wagens gerechnet, zu

$$r' = t' + 2s + 2d$$
$$= t + 2(s + d) \quad \dots \dots \dots \quad 2)$$

anzunehmen. In der Regel ist es zulässig, $v' = 1$ m zu setzen.

Selbstverständlich dürfen v und r' niemals größer angenommen werden als der Abstand der benachbarten Radlasten.

Die lastverteilende Wirkung der Versteinung ist für die Platte von wesentlich günstigem Einfluß, wenngleich sie mit zunehmender Stützweite der Platte rasch abnimmt.

Abb. 252.

Nach Gleichung 8a (S. 171) ist das Biegungsmoment eines einfachen Trägers unter einer Streckenlast

$$M' = \frac{P}{2} \cdot \frac{a}{2} - \frac{P}{2} \cdot \frac{v}{4} = P \cdot \frac{a}{4} - P \frac{v}{8} = \mathfrak{M} - M';$$

demnach die Verminderung infolge der Lastverteilung $M' = \mathfrak{M} \cdot \frac{v}{2\,a}$. Man ersieht, daß die günstige Wirkung der Lastverteilung auf die Beanspruchung direkt proportional der Verteilungsbreite, aber umgekehrt proportional der Stützweite a ist. Es wird z. B. bei einer Verteilungsbreite von $v = 0{,}60$ m eine Verminderung der Biegungsmomente und somit der Beanspruchung durch die Verkehrslast um 30 vH. bei $a = 1{,}0$ m, um 15 vH. bei $a = 2{,}0$ m, um 10 vH. bei $a = 3{,}0$ m usw. infolge der Lastverteilung erreicht, während die entsprechenden Zahlen für $[v = 1{,}20$ m,

---

[1] Vergl. auch Föppl, Vorlesungen über technische Mechanik, sowie R. Bastian, Das elastische Verhalten der Gleisbettung und ihres Unterbaues, Organ für die Fortschritte des Eisenbahnwesens, 1906 S. 289 u. f.

also für die doppelten Verteilungsbreiten 60 vH., 30 vH. und 20 vH. usw. sind. Diese günstige Wirkung der größeren Verteilungsbreite auf den Belastungsgleichwert kann durch eine Erhöhung der Versteinungsstärke erzielt werden.

Dem die Beanspruchung der Platte durch die Verkehrslast vermindernden Einflusse steht jedoch die Erhöhung des Eigengewichts g bei Vergrößerung der Versteinungsstärke gegenüber. Die ständige Belastung der Platte ist für 1.0 m Belastungsbreite in kg/m

$$g = 2000\,s + 2400\,d,$$

wobei die Versteinungsstärke s und die Plattenstärke d in Metern einzusetzen sind.

Setzen wir ferner für die Einzellast vom Raddruck P den Belastungsgleichwert p_m nach Gleichung 3 (S. 141) ein, wobei für v nach Gleichung 1 der Wert $t + 2s$ und statt l die Plattenbreite a gesetzt wird, so erhalten wir

$$p_m = \frac{2\,P}{a} - \frac{P(t + 2s)}{a^2}.$$

Das gesamte Gewicht, welches der Berechnung der Platten zugrunde zu legen ist, wird somit

$$q = g + p_m = 2000\,s + 2400\,d + \frac{2\,P}{a} - \frac{P(t + 2s)}{a^2}.$$

Während sich der günstige, lastverteilende Einfluß der Versteinungsstärke in dem negativen Glied $B = \dfrac{P(t + 2s)}{a^2}$ zeigt, wirkt diesem das positive Belastungsglied $A = 2000\,s$ entgegen. Der Grenzfall ergibt sich für $A = B$ oder, da die Felgenbreite t bei den für die Plattenberechnung zumeist maßgebenden Lastwagen verhältnismäßig klein ist, angenähert für

$$\frac{2\,s\,P}{a^2} = 2000\,s$$

oder

$$P = 1000\,a^2.$$

Für $a = 1,5$ m ist der Grenzwert des Raddrucks $P = 1000 \cdot 1,5^2 = 2250$ kg. Ist der größte vorkommende Raddruck kleiner, z. B. 1500 kg, so wird

$$A = 2000\,s \quad \text{und} \quad B = \frac{2\,s\,P}{a^2} = \frac{2\,s \cdot 1500}{1,5^2} = 1333\,s.$$

Es überwiegt somit der Einfluß des positiven Belastungsgliedes A, also des Gewichtes der Versteinungsstärke.

Bei schweren Wagen dagegen, wenn $P > 2250$ kg, z. B. $P = 5000$ kg ist, wird

$$A = 2000\,s \quad \text{und} \quad B = \frac{2 \cdot s \cdot 5000}{1,5^2} = 4440\,s,$$

folglich ist $B > A$.

Wir kommen somit zu dem bemerkenswerten Ergebnis, daß im allgemeinen für Radlasten

$$P > a^2,$$

wobei a in m und P in t einzusetzen sind, eine Erhöhung der Versteinungsstärke für die Beanspruchung der Platten in der Regel günstig wirkt.

Diese Betrachtung gilt aber nur für die Platten von Plattenbalken und solche Brücken, die nur aus einer einfachen Platte ohne Balken bestehen. Bei den Balken von Plattenbalkenbrücken, die zumeist eine größere Stützweite haben, kommt dagegen nur der lastverteilende Einfluß der maßgebenden Last P_m allein in Frage, nicht auch der der übrigen Lasten. Er wird dann so gering, daß die Lastverteilung durch die Versteinung bei Balken von größerer Stützweite mit mehreren Einzellasten vollkommen vernachlässigt werden kann.

Das Gegenteil ist von der belastenden Wirkung der Versteinung zu sagen. Da diese einen großen Teil der ständigen Last ausmacht und deren Einfluß auf das Biegungsmoment ohnehin mit der Stützweite sehr stark wächst, so ist mit Rücksicht auf die Balken die Versteinung so schwach als möglich anzunehmen, um das tote Gewicht der Brücke möglichst zu verringern, umsomehr, als bei beschränkter Bauhöhe jedes Zentimeter, das für die Versteinung verbraucht wird, für die Trägerhöhe verloren geht und durch kostspielige Verstärkung der Eiseneinlagen ersetzt werden muß.

Wir kommen somit zu folgendem Urteil: Für die Abmessungen der Platte kann unter Umständen eine Vergrößerung der Versteinungsstärke wirtschaftlich günstig wirken, da der Einfluß der Lastverteilung besonders bei großen Radlasten und kleinen

Balkenabständen gegenüber der nachteiligen Erhöhung der Eigenlast überwiegt. Für
die Balken ergibt jedoch, da die lastverteilende Wirkung fast vollständig wegfällt, jede
Erhöhung der Versteinungsstärke nur eine ungünstige Vergrößerung des toten Gewichts.
Da ferner über das Gesetz der Lastverteilung zur Zeit noch keine befriedigenden Versuchsergebnisse vorliegen und man sich daher auf Annahmen stützen muß, deren Zuverlässigkeit nicht einwandfrei erwiesen ist, so muß auch die Ermittlung des Einflusses
der Lastverteilung als eine Schätzung, nicht aber als eine Berechnung bezeichnet
werden. Im allgemeinen empfiehlt es sich daher bei Balkenbrücken, die Versteinungsstärke
so niedrig zu gestalten, als die Rücksicht auf den nicht zu unterschätzenden Wärmeschutz sowie die Ausführbarkeit und die sachgemäße Unterhaltung der Straßendecke
gestattet.

Für die Ermittlung der von der Verkehrslast auf einen Träger entfallenden Anteile gelten sinngemäß die bei der ständigen Last, S. 123, angestellten Erwägungen ebenfalls. Da aber die Berücksichtigung der durch die durchlaufende Platte bewirkten
Lastverteilung bei den ortsveränderlichen Verkehrslasten sehr umständlich ist und zu
Ergebnissen von nur bedingter Richtigkeit führt, wird auch hier als genügend genau
angenommen werden können, daß die Platte aus einer Reihe einfacher Platten besteht,
die über den Balken durchschnitten sind, das heißt, daß sich die Verkehrslasten nach
den einfachen Hebelsgesetzen auf die einzelnen Hauptträger verteilen. Diese Annahme
erscheint umsomehr zulässig, als eine Vollbelastung der ganzen Brücke derart, daß
gleichzeitig jeder Hauptträger seine größte Belastung erhält, fast ausgeschlossen ist.
Es dürfte daher in der Übertragung der Lasten von den vollbelasteten nach den weniger
beanspruchten Balken durch die Steifigkeit der Brückenplatte eine genügende Sicherheit
gegen örtliche Überlastung geboten sein. Aus den sich auf diese Weise ergebenden
Anteilslasten ist sodann für jeden Balken ein Lastenzug zu bilden, der die größten auf
den Balken wirkenden Kräfte in ungünstigster Zusammendrängung zeigt und als Grundlage für die Ermittlung der inneren Balkenkräfte dient.

Für einen inneren Hauptbalken der auf Seite 123 behandelten Brücke (Abb. 240) ergibt
sich der maßgebende Lastenzug wie folgt:

Die Verkehrslast der Brücke bestehe aus einer Dampfwalze von 17,5 t Gewicht oder einem
Wagen von 12 t Gewicht (vergl. Übersicht IV, S. 131) und aus Menschengedränge von 400 kg/m²
für die freibleibenden Flächen. Die Berechnung des Anteils, welcher von den einzelnen Lasten
auf den zu betrachtenden Balken entfällt, erfolgt ohne Berücksichtigung der lastverteilenden
Wirkung der Platte selbst. Die Platte wird daher als einfacher, über dem Balken durchschnittener
Träger angesehen.

Von den Lasten der Dampfwalze, die für die Lenkachse 7,5 t und für die Treibachse
10 t betragen, entfallen auf einen inneren Balken, und zwar:
von der Lenkachse bei der Laststellung nach Abb. 253a und bei einer Verteilungsbreite
$$v = t + 2 \cdot s = 1,00 + 2 \cdot 0,22 = 1,44 \text{ m}$$
eine Last von

$$P_1 = 2 \cdot \frac{7500}{2} \cdot \frac{1,50 - \frac{1,44}{4}}{1,50} = 7500 \cdot \frac{1,14}{1,50} = 5700 \text{ kg,}$$

von der Treibachse nach Abb. 253 b

$$P_2 = 2 \cdot \frac{10\,000}{2} \cdot \frac{0,75}{1,50} = 5000 \text{ kg,}$$

von dem Menschengedränge neben der Walze nach Abb. 253 c

$$p_3 = 2 \cdot 400 \cdot \frac{0,40^2}{2 \cdot 1,50} = 43 \text{ kg/m,}$$

von dem Menschengedränge vor und hinter der Walze
$$p_4 = 400 \cdot 1,50 = 600 \text{ kg/m.}$$

Hiernach ergibt sich der in Abb. 254a dargestellte Lastenzug, der bei einem Balkenabstand von 1,50 m einer 17,5 t schweren Dampfwalze mit dem dieselbe umgebenden Menschengedränge entspricht.

Für den Lastwagen von 12 t Gewicht wären die auf den Balken entfallenden Achslasten nach Abb. 249d

$$P_1 = P_2 = 2 \cdot \frac{6000}{2} \cdot \frac{0{,}80}{1{,}50} = 3200 \text{ kg},$$

das Menschengedränge neben dem Wagen

$$p_2 = 2 \cdot 400 \cdot \frac{0{,}30^2}{2 \cdot 1{,}50} = 24 \text{ kg/m}.$$

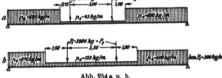

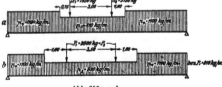

Abb. 254a u. b.

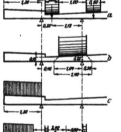

Abb. 253a bis e.

Einen etwas größeren Wert für die Trägerbelastung durch den Wagen erhält man im vorliegenden Falle, wenn die eine Radreihe unmittelbar über den Träger gestellt wird (Abb. 253e). Die Achslasten bleiben dann dieselben wie vorher, und zwar

$$P_1 = P_2 = \frac{6000}{2} \cdot \left(1 + \frac{0{,}10}{1{,}50}\right) = 3200 \text{ kg};$$

dagegen wird der Wert p_3 größer als vorher, und zwar

$$p_3 = 400 \cdot \frac{1{,}00^2}{2 \cdot 1{,}50} = 133 \text{ kg/m}.$$

Der ungünstigste Lastenzug, der dem unbespannten 12 t-Wagen entspricht, ist daher der in Abb. 254b dargestellte, wobei angenommen ist, daß die Zugpferde des Wagens abgespannt seien.

Andernfalls wäre für die Pferde eine mit 2000 kg gleichförmig belastete Strecke von 6,0 m Länge, also an Stelle der Last p_4 auf der einen Seite eine solche von

$$p_5 = p_2 + \text{rd.} \frac{2000}{2} \cdot \frac{1}{6{,}0} = 300 \text{ kg/m auf 6,0 m Länge}$$

anzunehmen, an deren Ende sich bei sehr langen Brücken ein neuer Wagenzug anzuschließen hätte.

Die auf den Randbalken entfallende Belastung von der Dampfwalze nebst Menschengedränge berechnet sich wie folgt:

Abb. 255a bis d.

Abb. 256a u. b.

von der an der Bordkante stehenden Treibachse nach Abb. 255a

$$P_2 = 5000 \cdot \frac{1,12}{1,50} = 3750 \text{ kg},$$

von der Lenkachse nach Abb. 255b

$$P_1 = \frac{7500}{1,40} \cdot \frac{1,04^2}{2 \cdot 1,50} = 1930 \text{ kg},$$

von dem Menschengedränge auf der Gangbahn neben der Walze nach Abb. 255c

$$p_3 = 400 \cdot 1,38 \cdot \frac{1,50 + 1,38}{1,50} = 810 \text{ kg/m},$$

vom Menschengedränge vor und hinter der Walze

$$p_4 = 400 \cdot \frac{(1,50 + 1,38)^2}{2 \cdot 1,50} = 1100 \text{ kg/m}.$$

Somit ergibt sich für die Belastung durch die Dampfwalze nebst Menschengedränge der in Abb. 256a aufgetragene Lastenzug.

Für den 12 t-Wagen erhält man nach Abb. 255d folgende Lasten, und zwar von einer Achse

$$P_1 = P_2 = 3000 \cdot \frac{1,30}{1,50} = 2600 \text{ kg},$$

vom Menschengedränge neben dem Wagen nach Abb. 255d

$$p_3 = 400 \cdot 1,08 \cdot \frac{1,50 + 1,38 - \dfrac{1,08}{2}}{1,50} = 680 \text{ kg/m},$$

vom Menschengedränge vor und hinter dem Wagen wie bei der Dampfwalze

$$p_4 = 1100 \text{ kg/m}$$

und somit den Lastenzug ohne Zugpferde nach Abb. 256b bezw. bei Hinzutritt von Pferden auf einer Seite eine Last von

$$p_5 = p_3 + \frac{2000}{6,0} \cdot \frac{0,60}{1,50} = 680 + 133 = \text{rd. } 810 \text{ kg/m auf 6,0 m Länge.}$$

f) Belastungsgleichwerte. Die Verkehrsbelastung einer Brücke setzt sich nach dem Vorstehenden aus verschiedenen und in stets wechselnder Anordnung verkehrenden Einzellasten zusammen, wogegen der von diesen freigelassene Raum mit Menschengedränge besetzt zu denken ist. Die genaue Berechnung der in den Tragwerken infolge dieser Belastungsweise auftretenden größten Biegungsmomente ist daher häufig sehr umständlich und zeitraubend, so daß es naheliegt, zur Ersparung dieser Arbeit für gewisse, häufiger vorkommende Fälle eine stellvertretende, gleichmäßig verteilte Belastung p_m einzuführen, welche dasselbe größte Biegungsmoment wie jene hervorruft.

Die Verwendung derartiger Belastungsgleichwerte erscheint um so eher zulässig, als schon in der Wahl der Belastungsgrößen sowohl, als auch in der Schätzung der Stoßwirkungen und der sonstigen Nebeneinflüsse eine große Willkür liegt, die eine Vereinfachung der Rechnungsarbeit rechtfertigt. Besonders für Überschlagsrechnungen haben solche Gleichwerte eine hervorragende Bedeutung, da mit deren Benutzung eine rasche und ziemlich zuverlässige Schätzung der erforderlichen Tragquerschnitte ermöglicht wird. In vielen Fällen ist aber selbst behördlicherseits an Stelle von Einzellastzügen eine stellvertretende gleichförmig verteilte Belastung vorgeschrieben oder wenigstens zugelassen worden.

Als „Belastungsgleichwert" p_m wollen wir denjenigen Wert bezeichnen, welcher, als gleichmäßig verteilte Last aufgebracht, dasselbe größte Biegungsmoment hervorrufen würde, wie die wirklich vorhandenen Radlasten auf dem einfachen Balken in der ungünstigsten Stellung. Wird mit g das Eigengewicht in kg/m bezeichnet, so ergibt sich das größte Biegungsmoment des Balkens auf zwei Stützen, falls p_m ermittelt ist, in einfachster Weise zu

$$M = \frac{1}{8} \left(g + p_m \right) l^2.$$

Obgleich die im Nachstehenden angegebenen Werte genau nur für den einfachen Balken gelten, so können sie doch mit ziemlicher Annäherung auch für die positiven Biegungsmomente der durchlaufenden und Rahmenträger benutzt werden. Für die Berechnung der Querkräfte eines Balkens sind diese Werte jedoch nicht verwendbar. Dafür muß vielmehr in jedem Falle der Lastenzug selbst benutzt werden, was aber keine nennenswerte Arbeitserschwernis bedeutet.

α) **Belastungsgleichwerte für Balken kleiner Stützweiten (Platten)** unter Berücksichtigung der Lastverteilung. Für eine auf die Strecke v gleichförmig verteilte Last ergibt sich aus der Beziehung (vergl. Gleichung 8a, S. 171)

$$\frac{1}{8} p_m l^2 = \frac{P}{8}(2l - v)$$

der Belastungsgleichwert

$$p_m = P \frac{2l - v}{l^2} = \frac{2P}{l} - \frac{P \cdot v}{l^2} \quad \ldots \ldots \quad 3)$$

Für $v = 0$ wird $p_m = 2P : l$
„ $v = l$ „ $p_m = P : l$
„ $v > l$ „ $p_m = P : v$.

Diese beiden letzten Grenzfälle können z. B. bei der Belastung einer Platte durch eine Dampfwalze eintreten, für welche die Breite der Räder meist 0,5 und 1.0 m ist, oder auch für Wagenräder bei sehr hoher Versteinungsstärke s.

In Abb. 257 sind zunächst die Belastungsgleichwerte $p_m = 2P : l$ für eine Einzellast von 1000 kg, also ohne Berücksichtigung der Lastverteilung aufgetragen, wobei sich,

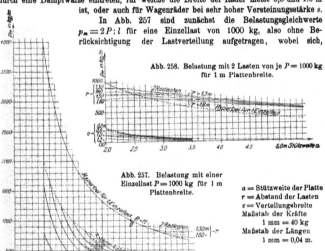

Abb. 258. Belastung mit 2 Lasten von je $P = 1000$ kg für 1 m Plattenbreite.

Abb. 257. Belastung mit einer Einzellast $P = 1000$ kg für 1 m Plattenbreite.

$a =$ Stützweite der Platte
$r =$ Abstand der Lasten
$v =$ Verteilungsbreite
Maßstab der Kräfte
1 mm = 40 kg
Maßstab der Längen
1 mm = 0,04 m.

Abb. 257 u. 258. Belastungsgleichwerte für Platten.

da $l \cdot p_m = 2P =$ const. ist, eine gleichseitige Hyperbel ergibt. Die untere Linienschar entstand durch Auftragung der Werte $Pv : l^2$ für die Verteilungsbreiten $v = 0,2$ bis $v = 1,60$ m an die Grundlinie. Sie schmiegt sich mit wachsendem l immer mehr der Ordinatenachse an und wird in den oberen Werten durch den Grenzfall $v = l$ begrenzt.

Der gesuchte Wert p_m ergibt sich sodann durch die Ordinate, welche zwischen der oberen Hyperbelkurve und der entsprechenden unteren Verteilungslinie liegt. Für $P = 1000$ kg, $l = 2,0$ m und $v = 0,6$ m wird z. B. der Belastungsgleichwert $p_m = \overline{AB} = 0,85 \cdot 1000 = 850$ kg/lfd. m. Die punktierte Linie gibt die Grenze an, bei welcher die Verteilungsbreite v gleich der Stützweite l ist.

Für den Fall, daß zwei gleiche Radlasten P im Abstande a auf den Träger wirken, erhält man aus der Beziehung (vergl. Gl. 9a, S. 172)

$$\frac{1}{8} p_m l^2 = \frac{P}{8} \frac{(2l - a - v)^2}{l - v}$$

den Belastungsgleichwert

$$p_m = P \frac{(2l - a - v)^2}{l^2 (l - v)} \quad \ldots \ldots \ldots \quad 4)$$

Für $v = 0$ wird $p_m = P \dfrac{(2l - a)^2}{l^3}$, demnach die Verminderung infolge der

Lastverteilung $\varDelta p_m = \dfrac{Pv}{l^3 (l - v)} \left[l(2a - v) - a^2 \right]$.

In Abb. 258 sind die für die Radstände $r = 1,3$ m bis 1,6 m berechneten Belastungsgleichwerte p_m in der oberen Linienschar, und zwar zunächst ohne Berücksichtigung der Lastverteilung als Ordinaten eingetragen. Die untere Linienschar, welche die sich aus der Lastverteilung ergebende Verminderung des Belastungsgleichwertes darstellt, schmiegt sich der x-Achse wesentlich mehr an als die entsprechenden Linien in Abb. 257. Man erkennt schon daraus, daß der günstige Einfluß der Lastverteilung auf die Beanspruchung der Platten bei zwei Radlasten verhältnismäßig kleiner ist als bei einer Einzellast.

β) Belastungsgleichwerte für Balken größerer Stützweite, bei denen eine größere Zahl von Einzellasten in Frage kommt. Nach Gleichung 4 auf S. 169 ist das größte Biegungsmoment infolge mehrerer Lasten

$$M = \frac{R}{4l} (l + r)^2 - R'r',$$

somit

$$p_m = \frac{8M}{l^2} = \frac{2R}{l} + \frac{4}{l^2} (Rr - 2R'r') + \frac{2Rr^2}{l^3} \quad \ldots \ldots \quad 5)$$

Diese Gleichung hat die Form

$$p_m = \frac{\mathfrak{A}}{l} + \frac{\mathfrak{B}}{l^2} + \frac{\mathfrak{C}}{l^3}.$$

Das erste Glied ist unabhängig von der Wahl der maßgebenden Last P_m und bleibt daher für eine gegebene Lastgruppe ein Festwert, wogegen sich die beiden anderen Glieder je nach der als „maßgebend" angenommenen Last ändern. Der größte Wert des Biegungsmomentes wird folglich unter derjenigen Last erreicht, für welche diese beiden Glieder, also der mit $\frac{l^2}{8}$ multiplizierte Ausdruck

$$\frac{Rr}{4l}(2l+r)-R'r'$$

am größten werden, was am raschesten durch Probieren gefunden werden kann, falls nicht die maßgebende Last ohne weiteres zu erkennen ist.

Nach diesem Verfahren wurden für die in Abb. 259 zusammengestellten Lastenzüge die Belastungsgleichwerte p_m für die Stützweiten von 0 bis 30 m berechnet und in Abb. 260 als Ordinaten aufgetragen.

Wie aus dieser Darstellung hervorgeht, hat die für eine bestimmte Belastung erhaltene Linie angenähert die Gestalt einer gleichseitigen Hyperbel, ist aber aus einzelnen Stücken zusammengesetzt, deren jedes einer bestimmten Lastgruppe entspricht. Die Brechpunkte kennzeichnen daher jeweilig das Hinzutreten einer weiteren Last bei zunehmender Stützweite. Die Linien sind im ersten Teile oberhalb des scharfen Brechpunktes, das ist solange nur eine Last auf dem Träger wirkt, reine Hyperbeln von der Form $y = \frac{\mathfrak{A}}{x} = \frac{2R}{l}$. In ihrem übrigen Verlaufe sind sie aus Stücken mehrfach gekrümmter Linien von der Form $y = \frac{\mathfrak{A}}{x} + \frac{\mathfrak{B}}{x^2} + \frac{\mathfrak{C}}{x^3}$ zusammengesetzt. Als Beispiel wurde zur Erläuterung dieses Aufbaues die Linie I weiter durchgeführt, als ihr Geltungsbereich erfordert.[1]) Die Linienstücke unterhalb der scharfen Brechpunkte lassen sich mit ziemlicher Annäherung durch hyperbelähnliche Linien von der Form $y = \frac{a-bx}{c+dx}$ umschreiben, von deren Einzeichnung jedoch Abstand genommen wurde, da sie für den Gebrauch der Übersicht ohne Wert sind.

Die Abmessungen der Fahrzeuge, welche den dargestellten Linien zugrunde liegen, entsprechen den in der Übersicht IV auf S. 131 angegebenen Werten. Die für Dampfwalzen von 17,5 t Gewicht berechnete Linie D ist durch Umrechnung auch für alle übrigen Walzengewichte zu benutzen, da die Achsstände der Dampfwalzen verschiedener Gewichte nur geringe Abweichung zeigen. Die Ordinatendifferenz der Linien IV und IVa bezw. D und Da stellt den Einfluß des vor und hinter den Fahrzeugen befindlichen Menschengedränges dar und ist auch den Linien II, III, V und VI gegebenenfalls zuzuschlagen. Dabei muß jedoch beachtet werden, daß das Gewicht des Menschengedränges bei den Lastenzügen IVa und Da der Wagenbreite entsprechend verschieden und zwar für einen Belastungsstreifen von 2,5 m bezw. 2,0 m Breite mit $g = 2,5$ m $\cdot$ 400kg/m² = 1000 kg/m bezw. 800 kg/m eingesetzt worden ist.

Bemerkenswert ist endlich noch, daß nach Abb. 260 die Belastung mit 6,0 t schweren Wagen bei mehr als 11,0 m Stützweite kleinere Werte ergibt als $p_m = 920$ kg/m, d. h. als Menschengedränge von 400 kg/m² auf die Breite von 2,3 m gerechnet. Es ergibt sich somit die Regel, daß für einfache Balkenbrücken von größerer Stützweite, abgesehen von den nur ausnahmsweise vorkommenden schweren Fahrzeugen für die alltäglichen Beanspruchungen, die Annahme einer Vollbelastung durch Menschengedränge für die Berechnung ausreicht.

Wie ein Blick auf die Abb. 260 sowie auf die Bauart der vorstehenden Gleichungen zeigt, nehmen die Werte p_m und somit der Einfluß der Verkehrslast auf das gesamte Biegungsmoment mit wachsender Stützweite rasch ab. Das Eigengewicht g der Brücke, also die tote Last, wächst dagegen bekanntlich mit der Stützweite beständig, und zwar gegenüber eisernen Brücken außerordentlich stark. Um den Nutzwert von Eisenbeton-

---

[1]) Die punktiert eingetragene Linie Ib ist in ihrem linken V-förmigen Teile nur zur Darstellung des gesamten Verlaufs der Gleichung auch in dem Teile vor Eintritt der Möglichkeit der Belastung mit zwei Achsen angegeben, hat also keine praktische Bedeutung.

brücken, der unter anderem durch das Verhältnis der Nutzlast zur toten Last, also
durch den Ausdruck $p_m : g$ gekennzeichnet ist, zu erhöhen, muß es daher unser Bestreben sein, Brücken großer Stützweite aus Eisenbeton möglichst leicht zu gestalten.

Die Belastungsgleichwerte bieten auch ein vorteilhaftes Hilfsmittel zur Berechnung
für den Fall, daß man die außerordentlich hohe Belastung, die durch eine gedrängte
Reihe von Wagen entsteht, auf mehrere Träger der Brücke verteilt annehmen will.
Diese Annahme der Lastverteilung auf eine größere Brückenbreite ist gerechtfertigt bei
Anordnung besonderer lastverteilender Querträger oder einer besonders starken, die
Balken verbindenden Platte, durch welche die benachbarten Träger zur Mitarbeit bei
ungewöhnlich starker Belastung eines einzelnen Balkens herangezogen werden.

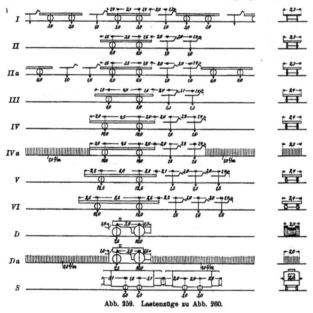

Abb. 259. Lastenzüge zu Abb. 260.

Die Belastung eines einzelnen Balkens ergibt sich bei Benutzung der Belastungsgleichwerte genau allerdings nur für die Belastung mit solchen Wagen, deren Achsen
je zwei Räder gleichen Abstandes besitzen, bei denen somit die Lastverteilung durch
die Versteinung ohne Einfluß auf die Größe der den einzelnen Balken anzurechnenden
Einzellasten ist. Anders wird es aber z. B. mit Dampfwalzen, bei denen die Belastungsbreite der Vorderachse erheblich von der der Hinterachse abweicht. In einem solchen
Falle empfiehlt es sich, den im vorigen Beispiel eingeschlagenen Weg der eingehenden
Berechnung zu beschreiten. Immerhin wird unter Hinweis auf die Erörterungen über

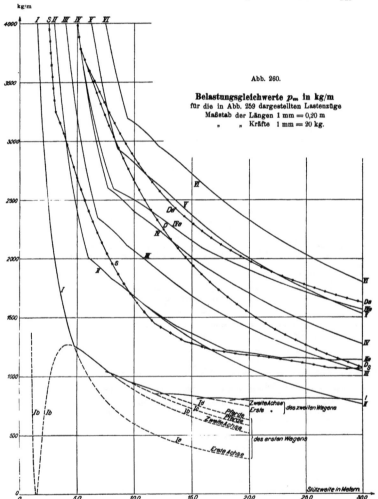

Abb. 260.

Belastungsgleichwerte p_m in kg/m
für die in Abb. 259 dargestellten Lastenzüge
Maßstab der Längen 1 mm = 0,20 m
„ „ Kräfte 1 mm = 20 kg.

den Einfluß der Plattensteifigkeit und des elastischen Verhaltens der Balken (S. 152 ff.) selbst in den meisten Fällen die angenäherte Berechnung des Lastanteils, also die Schätzung auf Grund der Belastungsgleichwerte, ein ausreichend genaues Ergebnis liefern.

Für die bereits mehrfach behandelte Brücke (Abb. 240, S. 123) ergibt sich bei einer Stützweite von $l = 15{,}0$ m und bei einer Belastung durch einen 20 t schweren Wagen, eine Reihe von 6 t schweren Wagen sowie Menschengedränge von 400 kg/m² aus Abb. 260 der Belastungsgleichwert

für den 20 t-Wagen einschl. Menschengedränge vor und hinter demselben
auf einem Streifen von 2,5 m Breite zu . . . . $p_m = 2150$ kg/m
für die 6 t-Wagen einschl. Menschengedränge vor und hinter demselben
auf einem Streifen von 2,3 m Breite zu . . . . $p_m = 830$ kg/m

Da dieser letztere Wert kleiner ist als der für Menschengedränge von 400 kg/m² auf 2,30 m Breite sich ergebende Wert $p_m = 2{,}3 \cdot 400 = 920$ kg/m, so ist sofort zu ersehen, daß die 6 t-Wagen für die Berechnung der größten Beanspruchungen nicht in Frage kommen.

Die ungünstigste Belastung der 10,0 m breiten Brücke ergibt sich daher aus einem 20 t-Wagen mit allseitigem Menschengedränge zu

$$p_m = 2150 + (10{,}0 - 2{,}5) \cdot 400 = 4750 \text{ kg/m}.$$

Daraus erhält man, wenn z. B. die sechs Hauptträger untereinander genügend steif verbunden sind, die auf jeden einzelnen derselben entfallende Last zu

$$p_m = \frac{4750}{6} = \text{rd. } 800 \text{ kg/m}.$$

Für den anderen Fall, daß man die Lastverteilung durch die Querträger und die Platte unberücksichtigt läßt, würde sich die größte Belastung eines inneren Trägers nach Abb. 261 infolge ausschließlicher Belastung durch Menschengedränge zu

$$p_m = 400 \cdot 1{,}50 = 600 \text{ kg/m}$$

berechnen und infolge der Belastung durch den 20 t-Wagen in der gezeichneten Laststellung für den zweiten Hauptträger zu

$$p_m = \frac{2150}{2} + 400 \cdot 1{,}0 \cdot \frac{1{,}0}{2 \cdot 1{,}5} = \text{rd. } 1210 \text{ kg/m}.$$

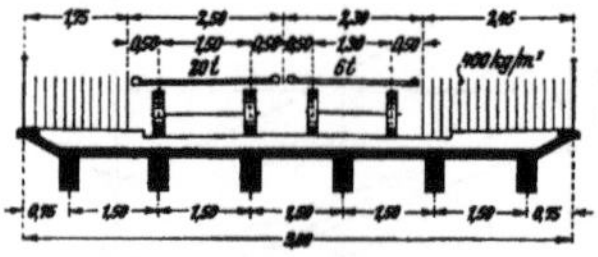

Auf einen äußeren Hauptträger entfallen vom Menschengedränge allein

Abb. 261.

$$p_m = 400 \cdot \frac{2{,}75^2}{2 \cdot 1{,}50} = \text{rd. } 1000 \text{ kg/m},$$

vom 20 t-Wagen, wenn die äußeren Räder unmittelbar an der Bordkante der Gangbahn stehen

$$p_m = \frac{2150}{2} \cdot \frac{1{,}20}{1{,}50} + 400 \cdot 1{,}05 \cdot \frac{2{,}23}{1{,}50} = 860 + 625 = 1490 \text{ kg/m}.$$

Die vollkommen gleichmäßige Verteilung der Last durch die Querträger und die Platte auf alle Hauptträger würde demnach im vorliegenden Falle eine Verringerung der Belastung der inneren Balken infolge der Verkehrslast um $100 \cdot \frac{1210 - 800}{1210} = \text{rd. } 34$ vH., bei den äußeren Balken

sogar eine solche um $100 \cdot \frac{1490 - 800}{1490} = 46$ vH. bewirken. Die Anordnung genügend steifer, lastverteilender Querträger würde also selbst dann noch eine hervorragende wirtschaftliche Bedeutung haben, wenn zur Sicherheit nur eine etwas geringere Entlastung der unmittelbar unter der Last befindlichen Balken angenommen würde.

8. Sonstige äußere Kräfte.

Die sonstigen, zumeist nicht senkrecht auf die Brücken wirkenden äußeren Kräfte bestehen in der Schneebelastung, in dem seitlichen Wind und dem Unterwind, ferner in dem wagerechten Geländerdruck und schließlich in Reibungs-, Brems- und Fliehkräften, die bei stark geneigten oder gekrümmten Straßen auf die Fahrbahn wirken.

a) Die Schneebelastung bleibt bei Brücken in der Regel vollkommen außer Betracht, da auf einer stark belasteten Brücke eine nennenswerte Schneedecke kaum

liegen bleiben kann und gegenüber den zumeist sehr reichlich angenommenen Verkehrslasten auch kaum ins Gewicht fällt. Überdies kann und wird bei dem nur selten ein-
tretenden Fall einer außergewöhnlichen Verkehrsbelastung eine etwa vorhandene stärkere
Schneedecke wohl stets beseitigt werden, bei sehr starkem Schneefall aber der Verkehr stocken.

Nach Dr. Ing. Schaller (Die Belastung der Baukonstruktionen durch Schnee. Berlin 1909,
Wilh. Ernst & Sohn) kann das spezifische Gewicht des Schnees wie folgt angenommen werden:

Frisch gefallener, sehr trockener und nicht weiter belasteter Schnee 0,12
Trockener, durch Lastwagen festgefahrener Schnee 0,45
Sehr nasser, durch Lastwagen festgefahrener Schnee 0,85
Stark verunreinigter, nasser und durch Lastwagen festgefahrener Schnee . . 1,30

b) Der Winddruck kommt sowohl für die Beanspruchung einzelner Teile, als
auch für die Standsicherheit des gesamten Bauwerks in Betracht. Er bewirkt bei einem
Fahrzeug zunächst ein Kippen, wodurch die dem Wind zugekehrten Räder entlastet,
die Raddrücke der Windschattenseite dagegen um den gleichen Betrag erhöht werden.
Diese Erhöhung des Raddrucks kann unter Umständen sehr bedeutend werden; im
Grenzfalle, d. i. im Augenblick des Umkippens, würde sogar die ganze Wagenlast auf
den Rädern einer Seite ruhen. Diese Erhöhung des Raddrucks
ergibt sich aus Abb. 262 zu

$$P'_w = -P'_w = W \cdot \frac{h}{r}.$$

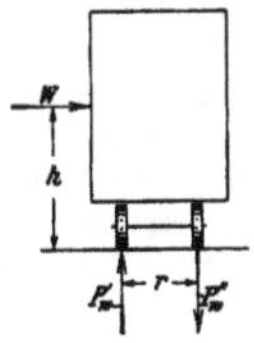

Abb. 262.

In der Regel wird aber diese Wirkung außer Betracht gelassen, da es unwahrscheinlich ist, daß die schwersten Lasten
bei einer Windstärke verkehren, die den übrigen leichteren
Verkehr bereits nahezu verbietet. Aber selbst in diesem ungünstigsten Falle würde sich eine nur rechnungsmäßige Überschreitung der zulässigen Beanspruchung ergeben, die in Anbetracht
der in der Natur der Eisenbetonbauten liegenden statischen
Unbestimmtheit und der damit verbundenen hohen Sicherheit unbedenklich erscheint.
Nur bei sehr schmalen, für eine Fahrzeugreihe bestimmten Brücken muß diese kippende
Wirkung des Winddrucks berücksichtigt werden.

Außer dem Kippmoment ruft ferner der Winddruck eine wagerechte Kraft hervor,
die auf die Verkehrslast und auf die Brücke selbst wirkt und dem Winddruck an Größe
gleich ist. Bei Balkenbrücken mit obenliegender Fahrbahn und eisernem Geländer kann
diese Kraftwirkung in der Regel vernachlässigt werden, da die mit den Balken fest
verbundene steife und schwere Fahrbahntafel den Winddruck unmittelbar aufnimmt und
nach den Lagern überträgt. Dagegen sind hohe Schutzwände aus Eisenbeton, die öfter
an Brücken über Eisenbahngleisen angebracht werden, um das Scheuwerden der Pferde
infolge des Rauches und des Geräusches der Lokomotiven zu verhindern (vergl. S. 60),
jedenfalls auf Winddruck zu berechnen. Ruht eine solche Schutzwand auf einer Auskragung der Fahrbahntafel, so ist das Windmoment auch bei der Berechnung dieser
Teile zu berücksichtigen. Bei Brücken mit versenkter Fahrbahn und hohen Tragwänden, z. B. bei Fachwerkbrücken, ist die durch den Winddruck hervorgerufene Beanspruchung der Wandglieder auf Biegung zu beachten. Wenn es die erforderliche Durchfahrtshöhe gestattet, so ist die Verbindung der beiden Tragwände durch
obere Querriegel an den mittleren Hauptpfosten zu empfehlen. Dadurch ergeben sich
geschlossene Querrahmen, deren Anordnung schon mit Rücksicht auf die Knicksicherheit
der auf Druck beanspruchten Obergurtung wünschenswert erscheint.

10*

Die Standsicherheit der Balkenbrücken aus Eisenbeton ist in Anbetracht des hohen Eigengewichts derselben fast stets eine so große, daß ihr Nachweis sich erübrigt. Dagegen ist bei Brücken auf hohen Pfeilern zu beachten, daß durch den Winddruck eine Belastung der dem Winde abgekehrten Stütze und eine Entlastung der dem Winde zugekehrten Stütze eintreten kann.

Als größter wagerecht oder nur schwach, etwa bis 10° geneigt wirkender Winddruck sind nach den meisten Belastungsvorschriften im allgemeinen bei unbelasteter Brücke 250 kg/m², bei belasteter Brücke 150 kg/m², in Österreich 270 bezw. 170 kg/m² anzunehmen, wobei die von der Verkehrslast gebotene Angriffsfläche schätzungsweise zu ermitteln und zumeist als ein volles rechteckiges Verkehrsband mit 2,0 m mittlerer Höhe anzunehmen ist. Bei freistehenden hohen Brücken ist unter Umständen auch die Einwirkung eines von unten nach oben wirkenden Windes, des sogenannten Unterwindes oder Windauftriebs, mit etwa 60 kg/m² zu berücksichtigen.

Hierbei wäre zu erwägen, daß der Winddruck auf ein Fahrzeug niemals das Gewicht des Fahrzeugs selbst erreichen kann, da dieses sonst, selbst bei Annahme eines Reibungswinkels $\varrho = 1$, fortgeblasen würde.[1] Für Gehstege ist jedenfalls die Annahme eines Winddrucks auf die belastete Brücke von 100 kg/m und eines Laststreifens von 1,50 m Höhe für die Verkehrslast als ausreichend zu betrachten.

Die Angriffsfläche des Windes bei mehreren hintereinander stehenden Tragwänden ist derart zu ermitteln, daß die vom Wind getroffene Fläche der ersten Tragwand voll, die der übrigen Träger nur zu einem Teile in Rechnung gestellt wird. In Österreich ist für diesen Fall vorgeschrieben, daß bei einem Verhältnis der Maschenfläche der ersten Tragwand zu ihrer Umrißfläche von 0,4 bezw. 0,6 bezw. 0,8 die vom Winde getroffene Fläche der zweiten Wand nur mit einem Anteil von 0,2 bezw. 0,4 bezw. 1,0 berücksichtigt zu werden braucht.

c) Geländerdruck. Bei starkem Menschengedränge ist es möglich, daß auf das Geländer oder die Brüstung einer Brücke ein von innen nach außen gerichteter Druck ausgeübt wird, der am Geländerholm angreifend mit 50 bis 100 kg/m, in Österreich mit 40 kg/m anzunehmen ist. Bei Fußgängerstegen kann diese wagerechte Kraft durch die vom Wind herrührende Beanspruchung noch erheblich verstärkt werden. Dabei ist jedoch zu bedenken, daß bei starkem Winde ein Menschengedränge auf einer hohen Brücke wohl ausgeschlossen ist.

d) Brems- und Reibungskräfte. Bei der Fortbewegung von Fahrzeugen mittels Zugtieren oder getrennten Zugmaschinen, z. B. bei Motorwagen mit Anhängewagen, wird, ähnlich wie durch die Lokomotiven einer Zahnradbahn bei der Bergfahrt, eine der Bewegungsrichtung entgegengesetzt wirkende Kraft auf die Fahrbahntafel ausgeübt, welche durch die Brückentafel nach den Widerlagern zu leiten und dort aufzunehmen ist. Sie kommt dann zur Wirkung, wenn nur die Zugtiere bezw. die treibenden Achsen auf der Brücke, die Last selbst jedoch noch vor derselben sich befinden. Die Größe der erforderlichen Zugkraft berechnet sich zu

$$P_1 = Q\,(\varrho_1 \pm \operatorname{tang} \alpha) \pm G \operatorname{tang} \alpha$$

mit folgenden Bezeichnungen:

$Q =$ Gewicht der zu bewegenden Wagenlast,

$G =$ Gewicht der Zugtiere bezw. des treibenden Zugmotors,

$\varrho_1 =$ Reibungswiderstand der Straße für rollende Bewegung, der

---

[1] Vergl. auch Zeitschr. d. österr. Ing.- u. Arch.-V. 1908, S. 157 u. 176.

für Chaussierung zu . . . $\varrho_1 = \frac{1}{40}$,

    „   Steinpflaster zu . . . $\varrho_1 = \frac{1}{50}$,

    „   Holzpflaster zu . . . . $\varrho_1 = \frac{1}{60}$,

    „   Straßenbahngleise zu $\varrho_1 = \frac{1}{100}$ bis $\frac{1}{200}$

angenommen werden kann,

tang α = Steigungsverhältnis, also α der Neigungswinkel der Straße.

Sie erreicht eine nennenswerte Größe bei der Bergfahrt auf geneigten Straßen und ist dann stets nach dem Tiefpunkt gerichtet.

Bei der Talfahrt auf geneigten Straßen wird eine ähnliche, gleichfalls nach abwärts gerichtete Längskraft durch das Bremsen der Wagen ausgeübt. Sie rührt von der lebendigen Kraft des Wagens her, wird daher für die Brücke wirksam, wenn die gebremsten Achsen auf der Brücke sich befinden. Die Größe der Bremskraft ist

$$P_2 = G \cdot \varrho_2$$

wenn mit $G =$ der Druck der gebremsten Achsen, also für Lastwagen etwa $\frac{1}{2}$ oder $\frac{2}{3}$ des Wagengewichts, $\varrho_2 =$ der Reibungswiderstand der Straße für gleitende Bewegung, äußerstenfalls zu 0,25 anzunehmen, bezeichnet wird.

Von einer Berechnung dieser durch die Wagenlasten ausgeübten Kräfte kann bei Untersuchung der Fahrbahntafel stets, bei Untersuchung der Auflager, besonders bei kleineren Brücken, zumeist abgesehen werden. Jedoch empfiehlt es sich, ihrer Wirkung dadurch zu begegnen, daß man die Festlager geneigter Brücken stets auf dem unteren gegen die anschließende Erdmasse sich stützenden Widerlager anordnet.

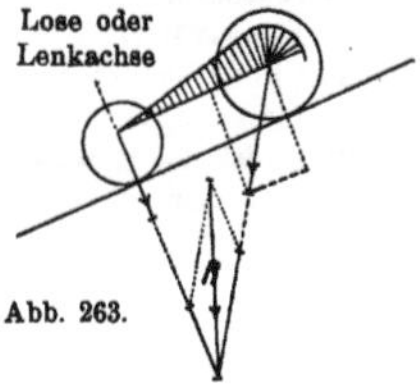

Die Kräftezerlegung bei einem auf geneigter Bahn ruhig stehenden Wagen mit einer gebremsten Achse ergibt sich, wie Abb. 263 zeigt. Da die Richtung des Druckes der ungebremsten, also losen Räder mit dem Gewicht P_1 stets durch den Achsmittelpunkt und den Berührungspunkt des Radumfangs mit dem Boden gehen muß, steht sie stets senkrecht zur Fahrbahn. Die verbleibende, in die Richtung der Fahrbahn entfallende Seitenkraft $P_1 \cdot \sin \alpha$ wird durch das auf Biegung beanspruchte Wagengestell auf die gebremste Achse übertragen, welche diese Kraft mittels der Reibung an die Fahrbahn abgibt. Diese Reibungskraft bildet das Verbindungsglied mit der Brückentafel, wird aber nur in dieser selbst wirksam. Sie kommt für die Lagerung nur dann in Frage, wenn die lose Achse sich außerhalb der Brücke befindet, da beide Lasten zusammen eine lotrecht liegende Mittelkraft ergeben.

Gebremste oder Triebachse

Lose oder Lenkachse

Abb. 263.

Ähnlich ist die Wirkung bei einem durch Zugtiere gezogenen Wagen oder bei der Treibachse eines selbstfahrenden Wagens.

Bei geneigten Brücken ist weiter zu beachten, daß stets die Lagerfugen und Lagerflächen, insbesondere die des beweglichen Lagers, wagerecht liegen, also die von der Brückenlast herrührenden lotrechten Kräfte in genau lotrechter Richtung aufgenommen werden. Falls dies nicht der Fall ist und die Lagerflächen etwa parallel zur Balkenrichtung geneigt liegen, so tritt am festen Lager eine weitere geneigte, gleichfalls nach unten gerichtete Kraft auf, die sich zu

$$P_3 = Q \cdot \text{tang } \alpha$$

berechnet, worin

$Q =$ die gesamte, ständige und zufällige Belastung der Brücke,

tg α den Neigungswinkel der Brücke

bedeutet.

Außer diesen erwähnten, von den Brückenlasten herrührenden Längskräften treten noch Reibungskräfte im beweglichen Lager auf. Diese werden hervorgerufen durch die Streckung der unteren gezogenen Balkenfasern bei der Belastung, ferner bei Wärmeschwankungen infolge der Ausdehnung oder der Zusammenziehung der Brücke.

Die Größe dieser Längskraft ist

$$P_4 = A \cdot \varrho,$$

wenn mit $A =$ der Auflagerdruck des beweglichen Lagers,

$\varrho =$ der Reibungswiderstand

bezeichnet wird. Letzterer ist von der Ausbildung des beweglichen Lagers abhängig und kann

für Auflagerung von Stein auf Stein zu $\varrho = 1{,}00$

„   „   „   Beton „ Eisen „ $\varrho = 0{,}50$

„   „   „   Eisen „ Eisen „ $\varrho = 0{,}25$

„   gut ausgebildete Rollenlager   „ $\varrho = 0{,}05$

angenommen werden.

Die wagerechten Kräfte können auf alle Lagerpunkte gleichmäßig oder im Verhältnis der der Laststellung entsprechenden Stützendrücke verteilt gerechnet werden, da die Fahrbahnplatte im wagerechten Sinne als vollkommen steife Tafel anzusehen ist und infolgedessen alle Lagerpunkte eines Brückenendes die gleichen wagerechten Verschiebungen ausführen. Da aber die wagerechten Kräfte nur von dem dieser Verschiebung entgegenstehenden Widerstand abhängen und dieser zumeist schon wegen des großen Eigengewichts in allen Punkten angenähert gleich ist, ebenso der Widerstand der Stützen auf der ganzen Brückenbreite gleich ist, so kann man alle Lager gleichbelastet annehmen.

e) Fliehkräfte. Die Fliehkraft spielt für Straßenbrücken nur eine sehr untergeordnete Rolle und kann zumeist gänzlich außer Betracht bleiben, da die Geschwindigkeit schwerer Straßenfahrzeuge eine geringe ist. Nur bei Automobilen und Straßenbahnwagen ist die Geschwindigkeit erheblich, so daß bei Brücken, die in Straßenkrümmungen oder vor schiefwinklig anstoßenden Straßenzügen liegen, die Berücksichtigung der Fliehkraft erforderlich werden kann. Sie greift im Lastschwerpunkt an und ist

$$C = \frac{G \cdot v^2}{R \cdot g},$$

wenn $G =$ das Gewicht,

$v =$ die Geschwindigkeit in m/Sek.,

$g = 9{,}81$ m/Sek., die Erdbeschleunigung

und $R =$ den Krümmungshalbmesser der Fahrtlinie

bedeutet.

Sie wirkt im übrigen ähnlich wie der Winddruck; die auf S. 147 angeführten Betrachtungen gelten daher sinngemäß auch hier.

III. Die Berechnung der Platte.

Unter „Platte" soll hier stets die obere wagerechte Deckplatte der Plattenbalken verstanden werden, wogegen die ungegliederten Platten von Brücken kleinerer Stützweite als Balkenträger aufzufassen und zu berechnen sind.

1. Die Wirkungsweise der Platte.

Die Platte hat zunächst die Aufgabe, die auf die Brücke wirkenden Lasten aufzunehmen und nach den Balken zu übertragen. Bei den Balkenbrücken aus Eisenbeton

bildet sie aber gleichzeitig einen Hauptbestandteil der Tragbalken, nämlich den Druckgurt derselben. Sehr häufig ist sie aber auch die einzige Verbindung dieser Tragbalken
und hat dann die weitere Aufgabe, diese gegeneinander abzusteifen und die Belastung
eines einzelnen Balkens auf die benachbarten weiterzuleiten. Bei dieser Aufgabe wird
die Platte wesentlich von den lastverteilenden Querträgern unterstützt, die daher von
großem Einfluß auf die erforderlichen Mindestabmessungen der Platte sind und nicht
wohl von dieser getrennt behandelt werden können.

Die Platte selbst stellt nun entweder einen Träger von großer Breitenausdehnung
dar, der nur auf zwei oder meist mehreren Stützen aufliegt, oder sie hat eine in der
Regel rechteckige Grundrißform mit nur wenig verschiedenen Seitenlängen und bildet
einen Körper, der auf allen vier Seiten gestützt ist. Ihre Beanspruchung erhält sie
zunächst von ihrem Eigengewicht und dem Gewicht der Versteinung, in der Hauptsache
aber von den zufälligen Lasten des Verkehrs, die auf eine größere oder kleinere Fläche
gleichmäßig verteilt angenommen werden können. Da die Platte aber sowohl mit ihren
Stützen, den Tragbalken, als auch mit den angrenzenden Nachbarfeldern starr verbunden
und daher gezwungen ist, die Formänderung dieser Teile mitzumachen, so ist ihre Beanspruchung, abgesehen von dem Einfluß der Abmessungen, nicht nur von der eigenen
Belastung, sondern auch von der Belastung der mit ihr verbundenen Teile abhängig.

Diese gegenseitige Beeinflussung kann unter gewissen Verhältnissen auf die Beanspruchung der Platte infolge der Einspannung günstig wirken; sie kann aber auch
in vielen Fällen eine derart ungünstige Wirkung haben, daß die Platte ihre größte
Beanspruchung sogar dann erleidet, wenn sie selbst nicht unmittelbar belastet ist. Eine
genaue Berechnung der in der Platte auftretenden Beanspruchungen ist angesichts der
vielfachen statischen Unbestimmtheit des aus fest miteinander verbundenen Teilen bestehenden Brückenkörpers unmöglich. Man ist daher gezwungen, für die Berechnung
vereinfachende Annahmen zu machen, deren richtige Schätzung von entscheidendem Einfluß auf das Ergebnis ist.

Die erste Annäherung zur Vereinfachung der Rechnung besteht darin, daß die
Platte nach Abb. 264 von den Tragbalken durch eine wagerechte Fuge losgetrennt
gedacht und bei ihrer Berechnung die Wirkung
als Balkendruckgurt vernachlässigt wird.
Mit dieser Annahme wird der Verdrehungswiderstand der Balken vernachlässigt, der
die freie Drehbarkeit der Platte über den Stützpunkten vermindert und somit in günstigem

Abb. 264.

Sinne wirkt. Da die Größe dieses Verdrehungswiderstandes von dem Schubelastizitäts-
modul abhängt, für den zur Zeit Erfahrungswerte noch nicht vorliegen und die Gesetze
der Verdrehungsfestigkeit von Eisenbetonkörpern noch nicht hinreichend erforscht sind,
so ist diese Vereinfachung auch aus diesem Grunde naheliegend und zweckmäßig.

Die zweite Vereinfachung besteht darin, daß bei mehr als zwei Balken die elastische
Durchbiegung der Balken vernachlässigt und die Berechnung der Platte als durchlaufender Träger auf starren Stützen durchgeführt wird. Diese Annahme erscheint
nur dann zulässig, wenn zur Verbindung der Balken untereinander eine so ausreichende
Zahl lastverteilender Querträger vorhanden ist, daß die Balken durch diese zu möglichst
gleicher Durchbiegung gezwungen werden.

Sind jedoch lastverteilende Querträger nicht vorhanden, so ist die Annahme
starrer Stützung unzulässig, die Platte muß vielmehr die Arbeit der Querträger selbst
übernehmen und daher als Träger auf elastischen Stützen berechnet und ausgeführt

werden. In diesem Falle können in der Platte Biegungsmomente entstehen, die erheblich größer sind als bei einem auf zwei Stützen frei gelagerten Träger gleicher Feldweite, und es erscheint daher gerechtfertigt, auf den Einfluß der elastischen Formänderung der Balken näher einzugehen.

2. Der Einfluß der elastischen Balkensenkung.

Betrachten wir eine auf drei Balken lagernde Platte (Abb. 265), auf welche eine über dem mittleren Balken stehende Einzellast wirkt, so würde diese Last bei Annahme

Abb. 265.

starrer Stützung nur den mittleren Träger beanspruchen, die Platte selbst aber biegungsfrei, also spannungslos anzunehmen sein. Da jedoch der mittlere Balken unter der Last P eine gewisse Durchbiegung erleidet und die Platte infolge ihrer untrennbaren Verbindung mit dem Balken an dieser Durchbiegung teilnehmen muß, so wird dadurch ein Teil der Last nach den äußeren Balken übertragen, der mittlere Balken aber um den gleichen Betrag entlastet.

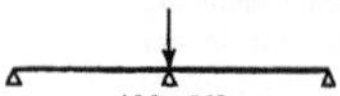

Die Größe des in der Platte entstehenden Biegungsmomentes ist sowohl von der Steifigkeit der Platte selbst, als auch hauptsächlich von der Steifigkeit der Balken abhängig. Je größer die Steifigkeit der Platte gegenüber der der Träger ist, desto größer ist auch der durch die Platte nach den entfernteren Balken übertragene Anteil der Belastung.

Die Momentenlinie des durch eine gleichförmig verteilte Last p belasteten einfachen Trägers ist bekanntlich eine Parabel, die Momentenlinie der Stützendrücke ein Vieleck, das von der unbegrenzten Parabel die wirksame Momentenfläche abtrennt (vergl. Abb. 266). Trägt man

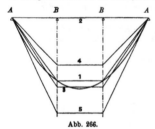

Abb. 266.

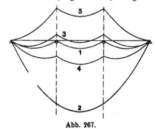

Abb. 267.

die zwischen der Parabel und dem Vieleck abzugreifenden lotrechten Entfernungen dieser beiden Begrenzungen als Ordinaten auf, so erhält man die Darstellung der Abb. 267. Aus der Betrachtung dieser beiden Abbildungen, die einem vollbelasteten Träger auf vier Stützen gleichen Abstandes entsprechen, ergeben sich folgende wichtige Grenzfälle:

1. Ist der Träger über den Stützen durchschnitten (s. Abb. 268), so ist die Momentenfläche der Stützendrücke ein Vieleck, dessen Eckpunkte in den Schnittpunkten der Parabel mit den Stützensenkrechten liegen. Die Steifigkeit der Stützen sowohl als auch die der Trägerstücke ist sodann ohne Einfluß auf die Größe der Biegungsmomente, und es ist daher

der Stützendruck an der äußeren Stütze $A = \dfrac{pa}{2}$,

an der inneren Stütze $B = pa$,

ferner das Stützenmoment $M_B = 0$;

das Biegungsmoment in der Trägermitte $M_m = \dfrac{pa^2}{8}$.

Abb. 268.

2. Die inneren Stützen B seien wirkungslos, d. h. unendlich schwach gegenüber den äußeren Stützen A (s. Abb. 269).

Sie üben also keinen Gegendruck aus; der Träger liegt auf den äußeren Stützen frei auf, und die Schlußlinie der Momentenfläche ist eine Gerade.

Die Stützendrücke sind $A = \frac{3}{2} p a$ und $B = 0$;

die Momente $M_B = p a^2$ und $M_m = \frac{9}{8} p a^2$.

Abb. 269.

Der Vergleichswert $\mu = M : \frac{p a^2}{8}$, gegenüber dem Biegungs-

moment eines einfachen Trägers (Fall 1), wird an den inneren Stützen $\mu_B = 8{,}0$, in Trägermitte $\mu_m = 9{,}0$.

3. Der Träger liege auf vier starren Stützen, d. h. die Steifigkeit der Stützen sei unendlich groß gegenüber der der Platte (s. Abb. 270). Die Schlußlinie durchschneidet die Parabel viermal, und es wird

$$A = \frac{4}{10} p a; \quad B = \frac{11}{10} p a; \quad M_B = -\frac{p a^2}{10}; \quad M_m = \frac{p a^2}{40},$$

folglich

$$\mu_B = -0{,}8; \quad \mu_m = +0{,}2.$$

Abb. 270.

4. Die Steifigkeit der Platte sei unendlich groß gegenüber der der Stützen (s. Abb. 271) Sie verursacht dann eine gleiche Senkung aller vier Stützen, die demnach gleiche Drücke erhalten müssen. Es wird

$$A = B = \frac{3}{4} p a;$$

$$M_B = +\frac{p a}{4}; \quad M_m = +\frac{3 p a^2}{8};$$

$$\mu_B = +2{,}0; \quad \mu_m = +3{,}0.$$

Abb. 271.

5. Die äußeren Stützen A seien wirkungslos, also unendlich schwach gegenüber den inneren Stützen B (s. Abb. 272). Der Träger wirkt demnach als Konsolträger auf zwei Stützen. Die Momentenlinie der Stützendrücke tangiert die Parabel an den Endpunkten, und es ist

$$A = 0; \quad B = \frac{3}{2} p a;$$

$$M_B = -\frac{p a^2}{2}; \quad M_m = -\frac{3}{8} p a^2;$$

$$\mu_B = -4{,}0; \quad \mu_m = -3{,}0.$$

Abb. 272.

Die möglichen Grenzen für einen durchlaufenden Träger auf vier elastischen Stützen, welche sämtlich gleichen Steifigkeitsgrad besitzen, sind durch Fall 3 und 4 gegeben. Zwischen diesen beiden Fällen (Abb. 270 u. 271), denen die Werte

$$\mu_B = -0{,}8 \text{ und } \mu_B = +2{,}0 \qquad \mu_m = +0{,}2 \text{ und } \mu_m = +3{,}0$$

entsprechen, sind demnach je nach dem Verhältnis der Plattensteifigkeit zu der der Balken die wirklichen Werte der Einspannungsgrößen zu suchen. Haben die Stützen jedoch ungleiche Steifigkeit, d. h. ist unter einer beliebigen Last die Senkung der inneren Stützen eine andere wie die Senkung der äußeren Stützen unter der gleichen Last, so bilden die Fälle 2 und 5 (Abb. 269 u. 272) die Grenzen, d. h. die Werte schwanken zwischen

$$\mu_B = +8{,}0 \text{ und } \mu_B = -4{,}0 \qquad \mu_m = +9{,}0 \text{ und } \mu_m = -3{,}0.$$

Im Falle 2 wäre sogar bei Annahme je einer Einzellast P über jeder Stütze das Biegungsmoment im inneren Plattenteil $M = P \cdot a$, wogegen nach den sonst üblichen Annahmen hierbei keine Spannungen auftreten dürften.

Obgleich die Abmessungen, wie sie in der Wirklichkeit vorkommen, naturgemäß die Grenzen sehr erheblich enger stecken, so ist doch ohne weiteres zu sehen, daß die elastische Durchbiegung der Balken einen sehr erheblichen Einfluß auf die Größe der Biegungsmomente in der Platte gewinnen kann, welchem die üblichen angenäherten Rechnungsverfahren kaum annähernd Rechnung tragen, und daß die Vernachlässigung der elastischen Verhältnisse durchaus nicht immer ohne weiteres statthaft ist.

Die Größe des Einflusses der Stützensenkung läßt sich nach Ritter (Graphische Statik III, S. 148 u. f.) ermitteln, wenn das „Maß der elastischen Stützensenkung" für den durchlaufenden Träger, in unserem Falle also für die Platte

$$\varepsilon = \frac{E J' \cdot \delta}{P \cdot a^3} \quad \ldots \ldots \ldots \ldots \quad 1)$$

bekannt ist. In diesem Ausdruck bedeutet δ die Senkung der Stütze unter der Last P, EJ' die Steifigkeitsziffer[1]) des tragenden Körpers, in unserem Falle also der Platte, und a die Plattenstützweite. Setzen wir hierin die Senkung der Stütze, also die Durchbiegung eines bestimmten Tragbalkens unter einer Last 1

Abb. 273.

$$\frac{\delta}{P} = \frac{1}{n}\frac{l^3}{EJ},$$

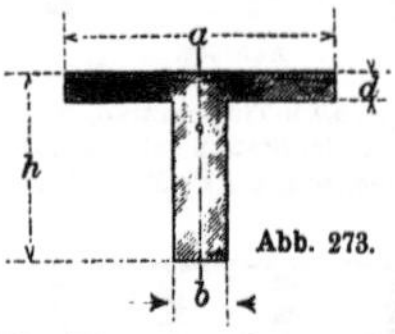

worin l die Stützweite, EJ die Steifigkeitsziffer des Balkens und schließlich n einen von der Belastungsform und der Stützung des Balkens abhängigen Beiwert der Durchbiegungsgleichung bedeuten, so erhalten wir

$$\varepsilon = \frac{1}{n}\frac{EJ'}{EJ}\left(\frac{l}{a}\right)^3,$$

Die Werte n, J' und J dieser Gleichung sind jedoch rechnerisch einwandfrei kaum zu ermitteln.

Da die Elastizitätsziffer E für die Platte und den Balken bei einem bestimmten Belastungsfall angenähert gleich groß angenommen werden kann und J' bezw. J von der dritten Potenz der Balkenstärke d bezw. der Balkenhöhe h sowie von den Breitenmaßen l bezw. a abhängt, kann der Ausdruck für ε auch auf die Form gebracht werden

$$\varepsilon = \frac{1}{100\,\alpha}\cdot\left(\frac{d}{h}\right)^3\cdot\left(\frac{l}{a}\right)^4,$$

wobei α ein von den Querschnittsabmessungen allein abhängiger Wert ist (vergl. die folgenden Erörterungen).

Da zur Zeit die Spannungsverteilung im gebogenen Eisenbetonkörper wissenschaftlich noch nicht genügend erforscht ist und man somit auch die Trägheitsmomente des wirksamen Querschnitts bei Biegungsbeanspruchungen schwer feststellen kann, wollen wir bei diesen und sämtlichen folgenden Berechnungen zur Ermittlung der Trägheitsmomente annehmen, daß der Eisenbetonkörper nur aus einem einzigen homogenen Material bestehen möge. Dabei sollen im Querschnitt die Eiseneinlagen des Zuggurtes und des Druckgurtes sowie sämtliche Bügel vollständig vernachlässigt, dafür aber die Betonzugzone, zu deren Verstärkung und Ersatz bei Rißbildungen die Eiseneinlagen dienen, voll gerechnet werden. Dieses Verfahren scheint in Anbetracht der vielen Ungenauigkeiten und willkürlichen Annahmen bei solchen statisch unbestimmten Grundformen um so mehr empfehlenswert, als in der Regel bei der Dimensionierung die Größe der Eiseneinlagen noch nicht bekannt ist. Auch kommt bei sämtlichen Spannungsberechnungen statisch unbestimmter Grundformen immer nur das Verhältnis der Trägheitsmomente der einzelnen Teile des Bauwerks in Betracht, so daß der hierbei begangene Fehler sich zum größten Teil wieder ausgleicht.

Der Beiwert n, für die Trägermitte freigelagerter Balken aufgestellt, schwankt je nach der Lastverteilung zwischen $n=48$, falls die ganze Belastung in der Balkenmitte vereinigt wirkt, und $n = \frac{384}{5} = 76,8$ bei gleichförmiger Verteilung der Last über die ganze Trägerlänge. Über den Stützpunkten der Hauptträger, also am Auflager der Brücke, wird $n=\infty$, d. h. die Durchbiegung des Trägers und damit das Maß ε der elastischen Stützensenkung wird hier gleich Null. Die Platte wirkt demnach dort als durchlaufender Träger auf starren Stützen.

Der Mittelwert für die aus der Form der elastischen Linie erhaltene Senkung des einfachen Trägers ergibt für die beiden genannten Belastungsfälle, nämlich für eine Einzellast und für gleichmäßig verteilte Last, die Beiwerte $n=96$ und $n=120$, so daß für die meist vorkommenden Fälle verhältnismäßig kurzer Streckenlasten $n=100$ gesetzt werden kann.

---

[1]) In allen Rechnungen der Elastizitätslehre tritt bei Biegungserscheinungen bekanntlich die Größe EJ auf, die wir als Steifigkeitsziffer des Trägerquerschnitts bezeichnen möchten, wobei das Elastizitätsmaß E ein vom Material und J ein von der Querschnittsform abhängender Wert ist.

Übersicht VII.
Stützendrücke durchlaufender Träger auf 3 bezw. 4 elastisch senkbaren Stützen gleichen Abstandes.

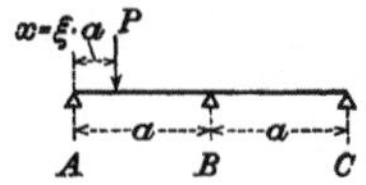

$$\left\{\begin{aligned} B &= \frac{P}{2}\cdot\frac{6\,\varepsilon_a+3\,\xi-\xi^3}{3\,\varepsilon_a+6\,\varepsilon_i+1}\\ A &= \frac{P}{2}\left(2-\xi-\frac{B}{P}\right)\\ C &= \frac{P}{2}\left(\xi-\frac{B}{P}\right)\end{aligned}\right\} \quad 3)$$

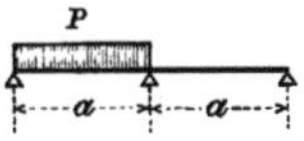

$$\left\{\begin{aligned} B &= \frac{P}{8}\cdot\frac{24\,\varepsilon_a+5}{3\,\varepsilon_a+6\,\varepsilon_i+1}\\ A &= \frac{P}{8}\cdot\frac{6\,\varepsilon_a+36\,\varepsilon_i+3{,}5}{3\,\varepsilon_a+6\,\varepsilon_i+1}\\ C &= P-B-A\end{aligned}\right\} \quad 4)$$

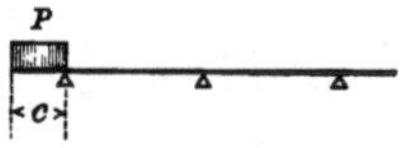

$c=\gamma\cdot a \qquad \gamma=c:a$

$$\left\{\begin{aligned} A &= \frac{P}{8}\left[8-2\,\gamma-\frac{3\,(4\,\varepsilon_a+\gamma)}{3\,\varepsilon_a+6\,\varepsilon_i+1}\right]\\ B &= \frac{P}{4}\cdot\frac{3\,(4\,\varepsilon_a-\gamma)}{3\,\varepsilon_a+6\,\varepsilon_i+1}\\ C &= P-B-A\end{aligned}\right\} \quad 5)$$

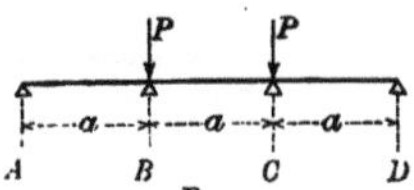

$$B=C=P\cdot\frac{6\,\varepsilon_a+5}{6\,(\varepsilon_a+\varepsilon_i)+5}\,;\; A=D=P-B \quad .\;.\;.\;.\;.\quad 6)$$

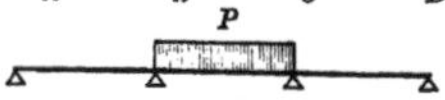

$$B=C=\frac{P}{2}\cdot\frac{12\,\varepsilon_a+11}{12\,(\varepsilon_a+\varepsilon_i)+10}\,;\; A=D=\frac{P}{2}-B \quad .\;.\;.\quad 7)$$

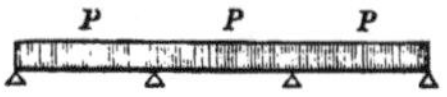

$$B=C=P\cdot\frac{18\,\varepsilon_a+11}{12\,(\varepsilon_a+\varepsilon_i)+10}\,;\; A=D=\frac{3}{2}P-B \quad .\;.\;.\quad 8)$$

Hierin ist $\alpha=4+5\,\varepsilon_a+9\,\varepsilon_i$
$\beta=3{,}5+4\,\varepsilon_a$

$$\left\{\begin{aligned} A &= -\frac{P}{\alpha^2-\beta^2}\left[\frac{\varepsilon_a}{6}(29\,\alpha-25\,\beta)+\frac{1}{8}(17\,\alpha-16\,\beta)\right]+\frac{5}{6}P\\ B &= +\frac{P}{\alpha^2-\beta^2}\left[\frac{\varepsilon_a}{2}(11\,\alpha-7\,\beta)+\frac{1}{8}(18\,\alpha-15\,\beta)\right]\\ C &= -\frac{P}{\alpha^2-\beta^2}\left[\frac{\varepsilon_a}{2}(11\,\beta-7\,\alpha)+\frac{1}{8}(18\,\beta-15\,\alpha)\right]\\ D &= P-A-B-C\end{aligned}\right\} \quad 9)$$

Die Steifigkeitsziffern EJ' und EJ der Platte und der Balken können nach vorstehenden Erörterungen ohne Berücksichtigung der Eiseneinlagen für den vollen Betonquerschnitt berechnet und $E=1$ gesetzt werden. Dann ergibt sich

$$EJ'=\frac{d^3 l}{12} \text{ und } EJ=\alpha\cdot\frac{h^3 a}{12},$$

worin $a\cdot\alpha$ eine gedachte mittlere Querschnittsbreite der Hauptrippen bedeutet, für die sich das gleiche Trägheitsmoment J ergeben würde wie bei der genauen Querschnittsberechnung.

Für den normalen Querschnitt der Rippenplatten (Abb. 273) ist

$$J=\frac{b\cdot h^3}{12}+\frac{(a-b)\,d^3}{12}+\frac{b\,h\cdot(a-b)\,d}{b\,h+(a-b)\cdot d}\left(\frac{h-d}{2}\right)^2=\alpha\cdot\frac{h^3 a}{12}, \quad .\;.\;.\;.\;.\quad 2)$$

setzt man hierin $\frac{h}{d} = \gamma$ und $\frac{a}{b} = \beta$, so ergibt sich

$$\alpha = \frac{1}{\beta}\left[1 + 3\left(\frac{\gamma-1}{\gamma}\right)^2 \frac{\beta-1}{\gamma+\beta-1} + \frac{\beta-1}{\gamma^3}\right] = \frac{(\gamma^3+\beta-1)^2 + 4\gamma(\gamma-1)^2(\beta-1)}{\beta\cdot\gamma^3(\gamma+\beta-1)}\,. \quad . \quad 2a)$$

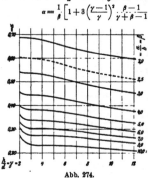

Abb. 274.

Die Werte von α sind für verschiedene Werte von γ und β berechnet und in Abb. 274 eingetragen worden, aus der sie mit für unsere Zwecke genügender Genauigkeit abgegriffen werden können.

Für die einfacheren Fälle eines Trägers auf 3 bezw. 4 Stützen gleichen Abstandes sind in der Übersicht VII auf S. 155 bequeme Gleichungen zur Ermittlung der Stützendrücke angegeben. Sind diese bekannt, so bietet die Berechnung der Biegungsmomente keine Schwierigkeiten mehr.

Zur deutlichen Veranschaulichung des Einflusses der elastischen Stützenmaße wurden in der Abb. 274 die Momentenlinien, also der Verlauf der Werte μ für einen vollbelasteten Balken auf vier Stützen, dargestellt. Darin entsprechen die ausgezogenen Linien 0 bis V gleichen Werten von ε

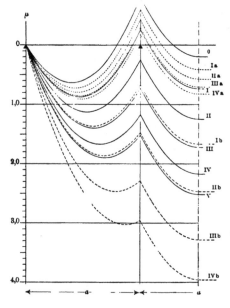

Abb. 275. Biegungsmomente eines Trägers auf vier elastischen Stützen bei gleichförmig verteilter Belastung.

Hierin ist

für Linie Nr.	das Elastizitätsmaß ε_a	ε_i	also
0	0	0	
I	0,1	0,1	
II	0,2	0,2	$\varepsilon_i = \varepsilon_a$
III	0,5	0,5	
IV	1,0	1,0	
V	2,0	2,0	
Ia	0,2	0,1	
IIa	0,5	0,25	$\varepsilon_i = \tfrac{1}{2}\varepsilon_a$
IIIa	1,0	0,5	
IVa	2,0	1,0	
Ib	0,1	0,2	
IIb	0,25	0,5	$\varepsilon_i = 2\varepsilon_a$
IIIb	0,5	1,0	
IVb	1,0	2,0	

für alle Träger, die punktierten Linien dem Falle, daß die äußeren Träger nur halb so steif sind als die inneren, also $\varepsilon_a = 2\,\varepsilon_i$, wogegen die gestrichelten Linien für den entgegengesetzten Fall, also für $\varepsilon_i = 2\,\varepsilon_a$ gelten.[1])

Hieraus ersieht man, wie auch schon eine einfache Erwägung lehrt, daß es vorteilhafter ist, die äußeren Balken schwächer zu halten als die inneren, da dann die Abweichung von der Annahme starrer Stützung (Linie 0) geringer ist als im umgekehrten Falle.

Vergleicht man ferner die Linien des Falles I mit V, des Falles Ia mit IVa, des Falles Ib mit IVb, so erkennt man, daß, je größer die Werte ε, also je größer die Steifigkeitsziffer der Platte EJ' gegenüber der des Balkens EJ, oder je steifer die Platte im Vergleich zum Balken ist, die Berechnung der Platte als durchlaufender Träger auf festen Stützen um so weniger den tatsächlichen Verhältnissen entspricht.

Für die Beantwortung der grundsätzlich wichtigen Frage, bei welchem Maß der elastischen Stützensenkung die Biegungsmomente in der durchlaufenden Platte die Größe der Biegungsmomente in der freiaufliegenden Platte erreichen, betrachten wir eine von vier Balken getragene Platte, die zwischen den beiden inneren Balken belastet ist (Abb. 276). Dieser Fall ist für die Platte am ungünstigsten, da eine Belastung der Nachbarfelder die positiven Biegungsmomente stets verringert.

Für die auf den inneren Balken frei aufliegende Platte ergibt sich die Bedingung, daß $M_m \leqq \mathfrak{M}$ und folglich $B \geqq \dfrac{P}{2}$. Setzt man diesen Wert dem für unseren Belastungsfall in Gleichung 7 der Übersicht VII (S. 155) angegebenen gegenüber, so erhält man, unter der Annahme, daß $\varepsilon_a = \varepsilon_i$ ist

$$B = \frac{P}{2} \cdot \frac{12\,\varepsilon_a + 11}{12\,(\varepsilon_a + \varepsilon_i) + 10} \geqq \frac{P}{2} \quad \text{und daraus die Bedingung } \varepsilon_i \leqq \frac{1}{12}.$$

Aus Gl. 1a ergibt sich damit

$$\varepsilon_i = \frac{1}{100\,\alpha}\left(\frac{d}{h}\right)^3\left(\frac{l}{a}\right)^4 \leqq \frac{1}{12}$$

$$\left(\frac{l}{a}\right)\cdot\left(\frac{d}{h}\right) = \left(\frac{l}{h}\right)\cdot\left(\frac{d}{a}\right) < \sqrt[4]{\frac{100\cdot\alpha}{12}\cdot\frac{d}{h}}.$$

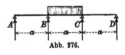

Abb. 276.

Dieser Wurzelwert schwankt für die gebräuchlichen Grundverhältnisse etwa zwischen 0,7 bis 1, so daß also für ein Verhältnis $\dfrac{l}{a} < (0,7$ bis $1,0)\cdot\dfrac{h}{d} = $ etwa 4 bis 7 die als Freiträger berechnete Platte imstande ist, ohne Hilfe von Querträgern die Lastverteilung zu bewirken.

3. Die Berechnung der Platte ohne Berücksichtigung der Balkensenkung.

Wenn die Tragrippen durch genügend viele Querträger zu gleichmäßiger Durchbiegung gezwungen werden, so kann die Berechnung der Platte als Träger auf starren Stützen erfolgen, wobei die für die einfachen und die durchlaufenden Balken aufgestellten Grundsätze anzuwenden sind. Die Platte ist also nach den dort aufgestellten Gleichungen zu berechnen, auf die hiermit verwiesen wird. Hier mögen nur einige Anwendungen dieser Gleichungen für besondere Fälle gezeigt werden.

a) Platte auf zwei Stützen. Bei Brücken mit nur zwei Hauptträgern, also zumeist bei den Gangstegen, ist die Platte als einfacher Träger zu berechnen, dessen

---

[1]) Bemerkenswert ist der Hinweis auf die Werte ε, die sich für die einzelnen Stützungsfälle der Abb. 267 ergeben, und zwar für ε_a bezw. ε_i im zweiten Fall 0 bezw. ∞, im dritten Fall 0 bezw. 0, im vierten Fall ∞ bezw. ∞ und im fünften Fall ∞ bezw. 0.

Stützweite gleich dem Mittenabstand a der Tragbalken zu setzen ist. Die größten Biegungsmomente sind nach S. 167 ff. in Plattenmitte

von gleichförmig verteilter Last (Abb. 277)

$$\mathfrak{M} = \frac{1}{8}\, g a^2$$

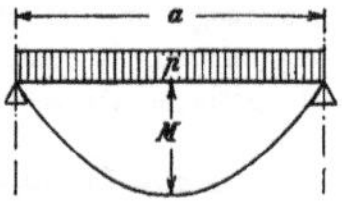

von einer Einzellast in Mitte (Abb. 278)

$$\mathfrak{M} = \frac{1}{4}\, P a$$

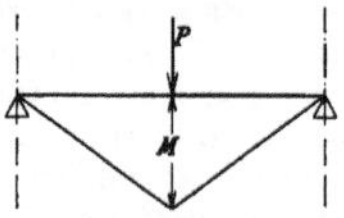

von zwei Einzellasten (Abb. 279)

$$\max M = \frac{P}{8a}\,(2a - r)^2$$

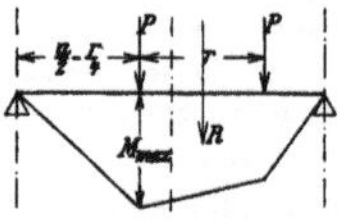

von einer Streckenlast in der Mitte (Abb. 280)

$$\mathfrak{M} = \frac{Pa}{4}\left(1 - \frac{v}{2a}\right).$$

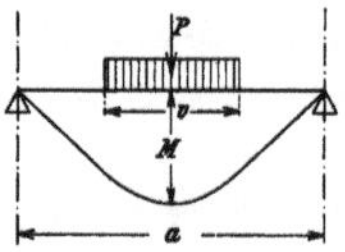

Abb. 277.

Abb. 278.

Abb. 279.

Abb. 280.

b) Die Platte auf mehreren starren Stützen. Bei Brücken mit mehr als zwei Hauptträgern wäre die Platte als durchlaufender Träger zu berechnen nach der auf S. 183 u. f. gegebenen Anleitung. Da jedoch die genaue Berechnung der Biegungsmomente einerseits sehr umständlich ist, andererseits aber Ergebnisse von einer Genauigkeit liefert, die angesichts der sonstigen statischen Unbestimmtheiten keinen Wert hat, so kann man sich in der Regel mit Annäherungswerten begnügen, die den praktischen Anforderungen vollkommen entsprechen.

Die Biegungsmomente eines an den Enden in seiner freien Beweglichkeit behinderten Trägers auf zwei Stützen ergeben sich aus denen eines gleichweit gespannten einfachen Trägers durch Abzug des infolge der Endeinspannung erzeugten Gegenmomentes. Da dieses von Einflüssen herrührt, die außerhalb des betrachteten Feldes wirken, so ist die Momentenlinie der Einspannmomente eine Gerade, die im folgenden als „Schlußlinie" bezeichnet werden möge, weil sie den verbleibenden Teil der positiven Momentenfläche abschließt. Um den Einfluß der Lastverteilung einerseits, andererseits den Einfluß der Einspannung der Trägerenden auf die Größe der Biegungsmomente eines Balkens zu veranschaulichen, werden in der Abb. 281 für einen Balken, der durch eine Einzellast in der Mitte belastet ist, die entstehenden Biegungsmomente dargestellt für den Fall, daß die Last

    I. in einem einzigen Punkte wirkt,

    II. auf die halbe Trägerlänge und

    III. auf die ganze Trägerlänge a gleichmäßig verteilt ist.

Durch Einzeichnung der zugehörigen Schlußlinien ergeben sich in jedem dieser drei Fälle die positiven Biegungsmomente, welche entstehen, wenn der Balken

    a) an beiden Enden frei beweglich gelagert ist,

    b) das allein belastete Endfeld eines durchlaufenden Trägers über mehreren[1] starren Stützen gleichen Abstandes ist,

    c) an einem Ende vollkommen eingespannt, am anderen aber frei beweglich ist, (dieser Fall entspricht dem eines Trägers auf drei starren Stützen gleichen Abstandes, wenn beide Öffnungen symmetrisch belastet sind),

    d) ein mittleres Feld eines durchlaufenden Trägers über mehreren[1] starren Stützen gleichen Abstandes ist,

    e) an beiden Enden vollkommen fest eingespannt ist.

---

[1] Die Zahl der Stützen ist bei gleicher Stützweite l in allen Öffnungen nur von sehr geringer Bedeutung wie aus dem Unterschied der Linien *b* gegenüber den nur durch die Punkte *b'* angedeuteten Stützenmomenten für das erste Feld eines Trägers über unendlich vielen Stützen hervorgeht.

Die gezeichnete Laststellung mit der Last in der Mitte ergibt den größten Wert des positiven Biegungsmomentes nur dann, wenn beide Enden gleichartig eingespannt sind. Bei ungleicher Einspannungsart der beiden Trägerenden aber muß man, um das größte positive Biegungsmoment zu erhalten, die Last nach der Seite des beweglicheren Trägerendes verschieben.

Bezieht man die Werte der nach dieser Erörterung sich ergebenden größten positiven Biegungsmomente auf die des einfachen Trägers, so ergibt sich die Größe des durch die End-einspannung verringerten positiven Biegungsmomentes M_m zu

$$M_m = \mathfrak{M}_m \cdot \mu,$$

wobei $\mathfrak{M}_m$ das größte Biegungsmoment im einfachen Träger für die betreffende Lastanordnung, μ einen aus Abb. 282 zu entnehmenden Wert bedeutet.

Die Linien a bis e in Abb. 282 entsprechen den vorstehend genannten Einspannungsarten, die Linien I, II und III den drei Lastanordnungen der Abb. 281, so daß auch für die Zwischen-formen des Lastenbildes die Werte μ der Abb. 282 entnommen werden können.

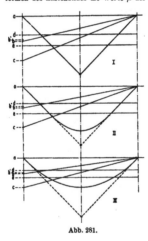

Zur besseren Veranschaulichung des Ver-laufs der Biegungsmomente infolge gleichförmig verteilter Belastung sind in Abb. 283 unter a für die drei ersten Felder eines über eine größere Anzahl von Stützen durchlaufenden Trägers die Biegungsmomente M_0 für die gleich-förmig verteilte Vollbelastung g (also etwa die

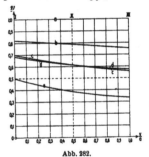

Abb. 281.   Abb. 282.

ständige Last) sowie die Größtwerte $+ M_{max}$ und $- M_{max}$ der Biegungsmomente infolge einer gleichgroßen, aber auf die Strecke eines ganzen Feldes in ungünstigster An-ordnung aufgebrachten Belastung $p = g$ (also etwa der ortsveränderlichen Verkehrslast) dargestellt. Die an die wagerechten gestrichelten Linien geschriebenen Bruchzahlen geben den Bruchteil von dem entsprechenden Biegungsmomente $\mathfrak{M} = \dfrac{p\,a^2}{8}$ eines ein-fachen Trägers an, wogegen die Ordinaten der Momentenlinien in gleichem Maßstab ge-messen unmittelbar für jeden Trägerquerschnitt die Werte $\mu = \dfrac{M}{\mathfrak{M}}$ darstellen.

In gleichem Maßstab sind unter b die Biegungsmomente der einzelnen Felder für den Fall dargestellt, daß sich die Belastung p jeweilig nur auf ein einziges Feld er-streckt. Setzt man diese Werte $+ M_{max}$ und $- M_{max}$ mit den Werten M_0 der Abb. a zusammen, so ergeben sich die Größtwerte der Biegungsmomente eines Brückenträgers für den Fall $g = p$, wie in Abb. c dargestellt. Hierin sind zum bequemeren Vergleich der Größtwerte der Biegungsmomente die positiven Flächen nach oben geklappt worden.

Aus diesen Darstellungen ist zu ersehen, daß der Verlauf der Biegungsmomente die Annahme einer vereinfachten Rechnungsart rechtfertigt. Eine hinreichende Sicherheit wird gewährleistet, wenn man die arithmetischen Mittelwerte der gefundenen größten Momente zugrunde legt, so daß für die Bemessung der Platte in der Feldmitte folgende Werte angenommen werden können:

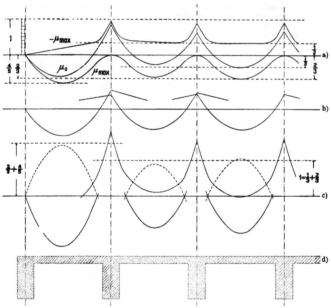

Abb. 283 a bis d.

1. für das Endfeld

infolge der ständigen Last $\mu = \frac{2}{3}$, also $M_g = \frac{2}{3} \frac{g a^2}{8} = \frac{g a^2}{12}$,

infolge der Verkehrslast $\mu = \frac{4}{5}$, also $M_p = \frac{4}{5} \frac{p a^2}{8} = \frac{p a^2}{10}$;

2. für ein mittleres Feld

infolge der ständigen Last $\mu = \frac{1}{3}$, also $M_g = \frac{1}{3} \frac{g a^2}{8} = \frac{g a^2}{24}$,

infolge der Verkehrslast $\mu = \frac{2}{3}$, also $M_p = \frac{2}{3} \frac{p a^2}{8} = \frac{p a^2}{12}$.

Letztere Werte gelten auch für das Endfeld, wenn die Platte den Randbalken konsolförmig um die Länge $c = 0{,}41\,a$ überragt (vergl. S. 79), da dann das Biegungsmoment am Endfelde ebenso groß wird wie in den inneren Feldern. Die Größtwerte der negativen Biegungsmomente über den Stützen erreichen zwar einen größeren Wert als die positiven Biegungsmomente in der Feldmitte. Die Länge dieser stärker beanspruchten Strecken beträgt aber höchstens $0{,}15\,a$, fällt demnach fast aus-

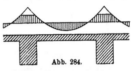

Abb. 284.

schließlich in den Teil der Platte, welcher durch die Balken verstärkt ist, wie ein Vergleich der Momentlinie in Abb. 284 mit dem darunter gestellten Querschnitt zeigt. Es genügt daher in der Regel, wenn bei Berechnung der Platte das größte Biegungsmoment ermittelt wird, das in der freien Feldlänge zwischen den Balken entsteht.[1]

In ähnlicher Weise ist es auch für Einzellasten mit kürzerer Verteilungsbreite zulässig, mit Vergleichswerten μ zu rechnen, die allerdings gemäß dem Verlauf der Linien b bis c in Abb. 283 etwa um 10 bis 15 vH. größer anzunehmen sind, als für gleichförmig verteilte Lasten.

c) **Allseitig eingespannte Platte.** Liegen die Querträger so eng, daß das Verhältnis der Seitenlängen des Plattenfeldes $a : b \geq 1 : 1{,}5$ ist, so darf die Platte als vollkommen eingespannt angesehen werden. Das Biegungsmoment infolge gleichförmig verteilter Last kann sodann sowohl von der ständigen als auch von der Verkehrsbelastung in der Plattenmitte $M_m = \dfrac{p\,a^2}{24}$ und über den stützenden Balken $M_a = \dfrac{p\,a^2}{12}$ gesetzt werden.

Die Annahme eines noch geringeren Biegungsmomentes in Plattenmitte kann nicht empfohlen werden, bevor nicht durch Versuche mit Platten aus Eisenbeton eine einwandfreie Grundlage für deren Berechnung geschaffen ist, umsomehr, als die bisher bekannten Bachschen Versuche nur mit dünnen, eisernen Platten angestellt worden sind.

Eine genaue, einwandfreie Berechnung der in einer Platte auftretenden inneren Kräfte ist selbst bei einfachsten Verhältnissen und homogenem Material kaum durchführbar. In folgendem seien einige bekannte Formeln angeführt, die jedoch sämtlich nicht als Lösung dieser Aufgabe angesehen werden können.

1. Die v. Bachsche oder Föpplsche Formel mit den aus Abb. 285 ersichtlichen Bezeichnungen, wobei d die Plattendiagonale bedeutet:

$$M = \varphi\,\frac{p\,a^2}{12}\cdot\frac{b^2}{a^2 + b^2} = \varphi\,\frac{p\,a\,b\,c}{12\,d},$$

worin $\varphi = 0{,}75$ für eingespannte Ränder,
$\varphi = 1{,}12$ für freibewegliche Ränder gilt.

2. Die Considéresche Formel:

Abb. 285.   Abb. 286.

$$M = \frac{p\,a^2}{32}\ \text{für die Plattenmitte},\qquad M = \frac{p\,a^2}{24}\ \text{für die Plattenränder}.$$

3. Die Stadt Düsseldorf schreibt vor: $M = \dfrac{p}{24}\left(\dfrac{a+b}{2}\right)^2$, wenn $a < b < \dfrac{3}{2}\,a$ ist.

4. Vorschlag von Dipl.-Ing. Abeles in der Deutschen Bauztg. 1909, Betonbeiblatt, Heft 15, unter der Annahme einer Teilung der gekreuzt bewehrten Platte in zwei Scharen von parallelen Streifen, denen die aus Abb. 286 ersichtlichen Belastungen zugeteilt werden.

---

[1] Durch die Ausschaltung der Spitzen der Momentenlinie über den Stützpunkten wird in folgerichtigerer Weise als durch die sonst oft gebräuchliche Annahme einer verringerten Plattenstützweite dem günstigen Einfluß der breiten Auflagerung der Platte auf den Balken Rechnung getragen (vergl. Abb. 284).

a) Je für 1 m Streifenbreite

für an den Rändern fest eingespannte Platten

Querstreifen: $M_{max} = \dfrac{p a^2}{96}\left(4 - 3\,\dfrac{a}{b}\right)$ und $M_S = -\dfrac{p a^2}{96}\left(8 - 5\,\dfrac{a}{b}\right)$,

Längsstreifen: $M_{max} = \dfrac{p a^2}{96} \cdot \dfrac{a}{b}$ und $M_S = -\dfrac{p a^2}{96}\left(4 - \dfrac{a}{b}\right)$.

Für freibewegliche Ränder: Querstreifen: $M_{max} = \dfrac{p a^2}{24}\left(3 - 2\,\dfrac{a}{b}\right)$,

Längsstreifen: $M_{max} = \dfrac{p a^2}{24}$.

b) Für quadratische Platten, also mit $b = a$ erhält man die Momente $\dfrac{p a^2}{96}$ und $-\dfrac{p a^2}{32}$ bezw. $\dfrac{p a^2}{24}$; für $b = \infty$ dagegen $\dfrac{p a^2}{24}$ und $-\dfrac{p a^2}{12}$ bezw. $\dfrac{p a^2}{8}$, also die Werte für einfache bezw. beiderseits eingespannte Träger.

5. Nach den neuesten österreichischen Vorschriften[1]) sind ringsum freigelagerte oder eingespannte Platten mit den Stützweiten a und b und sich kreuzenden Eiseneinlagen derart zu berechnen, daß die Last P auf zwei, je nur zweiseitig aufgelagerte Platten gleicher Art mit der Stützweite a bezw. b wirkt. Der Lastanteil für die Platte mit der Stützweite a bezw. b beträgt $P \cdot \dfrac{b^3}{k a^3 + b^3}$ bezw. $P \cdot \dfrac{k a^3}{k a^3 + b^3}$, wobei $k = f_b : f_a$ das Verhältnis der Querschnittsflächen der zu b bezw. a parallelen Eiseneinlagen auf 1 m bezogen bedeutet. Die Berechnungsweise ist nur zulässig, wenn $b > 1{,}5\,a$ und $f_a > 0{,}3\,f_b$ bezw. $f_b > 0{,}3\,f_a$ ist. Bei durchlaufenden Platten dürfen die positiven Feldmomente nicht kleiner als $^2/_3$ der für die freiaufliegende Platte berechneten angenommen werden.

4. Die Berechnung der lastverteilenden Querträger.

Die Aufgabe der lastverteilenden Querträger ist es, wie bereits oben erwähnt wurde, die von der Last nicht unmittelbar getroffenen Tragbalken zur Mitarbeit heranzuziehen und dadurch sowohl die unter der Last befindlichen Balken, als auch vor allem die Platte selbst zu entlasten.

Die genaue Berechnung der in einem solchen Querträger auftretenden Beanspruchungen ist selbst unter der Annahme eines vollkommen gleichartigen Baustoffs wegen der vielfach statischen Unbestimmtheit sehr schwierig und umständlich. Sie ist aber auch kaum nötig, da es, ähnlich wie bei den Querversteifungen eiserner Brücken, weniger auf die genaue Kenntnis der wirklich auftretenden inneren Spannungen im Querträger ankommt, als hauptsächlich auf die Ermittlung der denkbar größten Beanspruchungen, die unter den ungünstigsten Verhältnissen auftreten können.[2]) Es wird sich stets empfehlen, die Querträger so steif auszugestalten, wie es die verfügbare Bauhöhe nur gestattet, also einen Betonquerschnitt mit großem Trägheitsmoment und reichlicher Scherfläche zu wählen, damit unter jeder beliebigen Laststellung alle Hauptträger möglichst gleiche Durchbiegung erleiden. Dagegen erscheint es ausreichend, die Eiseneinlagen, die an der Steifigkeit der Träger geringeren Anteil haben, nach den größten Biegungsmomenten zu bestimmen, die unter gewissen Annahmen ermittelt werden können.

Ein einfacher Weg hierfür möge im folgenden angedeutet werden, wobei der auf S. 123 behandelte Brückenträger von 10,80 m Stützweite mit dem in Abb. 240 dargestellten Querschnitt ohne Gangbahnen der Berechnung zugrunde gelegt wird. Der Einfachheit halber wird die Formänderung der Querträger vernachlässigt, also eine so große Steifigkeit derselben angenommen, daß im Brückenquerschnitt auch nach der Durchbiegung die Unterkanten der Querträger in einer geraden Linie liegen.

Für die Lastverteilung auf die einzelnen Hauptträger kommen nach S 126 zwei verschiedene Rechnungsweisen in Betracht, und zwar zunächst die Verteilung unter Vernachlässigung der

[1]) S. Vorschrift vom 15. Juni 1911 über die Herstellung von Tragwerken aus Eisenbeton oder Stampfbeton bei Straßenbrücken. Wien 1911.

[2]) Vergl. auch K. Oswald, Beton u. Eisen 1909, Heft VI, S. 151, wo für den besonderen Fall einer Platte auf vier Hauptträgern eine einfache Formel hergeleitet ist.

lastverteilenden Wirkung der Platte und Querträger (Rechnungsweise I) und sodann unter Berücksichtigung der verschiedenen Steifigkeit der Hauptträger und Annahme gleicher Durchbiegung aller Hauptträger (Rechnungsweise IV). Für diese beiden Rechnungsarten ergeben sich, da die ständige Last insgesamt $12630 - 1770 = 10860$ kg/m Brücke beträgt, die auf die Balken entfallenden Drücke zu

$$A = 1440 \text{ bezw. } 2150 \text{ kg/m, so daß der Unterschied} = -710 \text{ kg/m}$$
$$B = 1920 \quad „ \quad 1640 \quad „ \quad „ \quad „ \quad „ = +280 \quad „$$
$$C = 2070 \quad „ \quad 1640 \quad „ \quad „ \quad „ \quad „ = +430 \quad „$$

ist. Der Lastunterschied der Ergebnisse beider Rechnungsweisen ist von den Querträgern aufzunehmen. Die Querträger bilden daher Träger, welche von den in Abb. 287 dargestellten Belastungen beansprucht werden. Hierbei ist der Querträgerabstand zu $\frac{10,80}{4} = 2,70$ m angenommen. Das größte Biegungsmoment in der Querträgermitte ergibt sich somit zu

$$M_{max} = (1,920 \cdot 2 - 0,760 \cdot 1) \cdot 1,50 = 4,62 \text{ tm} = 462\,000 \text{ kgcm.}$$

Von der Verkehrslast wird die größte Beanspruchung im Querträger dann hervorgerufen, wenn möglichst wenige Balken, diese aber möglichst stark belastet werden. Für unser Beispiel

A	B	C	D	E	F	
+ 1440	+ 1920	+ 2070	+ 1920	+ 1440		Belastung
− 2150	− 1640	− 1640	− 1640	− 1640	− 2150	Balkenwiderstand
− 710	+ 280	+ 430	+ 430	+ 280	− 710	Querträgerbelastung
− 1290	+ 760	+ 1160	+ 1160	+ 760	− 1920	desgl. für 2,70 m Querträgerabstand

in kg für 1 m Brücke

Abb. 287.

ergibt sich die stellvertretende gleichförmige Belastung für einen 30 t schweren Wagen ohne Menschengedränge nach Linie VI der Abb. 260 (S. 145), bei einer Stützweite von $l = 10,80$ m zu $p_m = 3090$ kgm, die sich bei symmetrischer Laststellung auf die beiden inneren Hauptträger gleichmäßig verteilt. Bei 2,70 m Querträgerabstand ist dann die Belastung

$$C = D = \frac{3090}{2} \cdot 2,70 = 4170 \text{ kg und } A = B = E = F = 0.$$

Soll die Belastung auf die einzelnen Balken im Verhältnis ihrer Trägheitsmomente verteilt wirken, so müßte

$$B = C = D = E = C \text{ und } A = F = C \cdot \frac{J_a}{J_i} = C \cdot k$$

sein. Für die Werte $J_a = 0,348$ m⁴ und $J_i = 0,267$ m⁴ nach S. 126 wird

$$k = \frac{J_a}{J_i} = \frac{0,348}{0,267} = 1,30,$$

A	B	C	D	E	F	
		+ 4170	+ 4170			kg Belastung
− 1640	− 1265	− 1265	− 1265	− 1265	− 1640	kg Balkenwiderstand
− 1640	− 1265	+ 2905	+ 2905	− 1265	− 1640	kg Querträgerbelastung

und wir erhalten, da die Mittelkraft $R = C \cdot (2k+4) = 6,6 \cdot C = 2 \cdot 4,17$ t ist,

$$B = C = D = E = \frac{2 \cdot 4,17}{6,6} = 1,265 \text{ t}$$

$$A = F = 1,3 \cdot C = 1,640 \text{ t.}$$

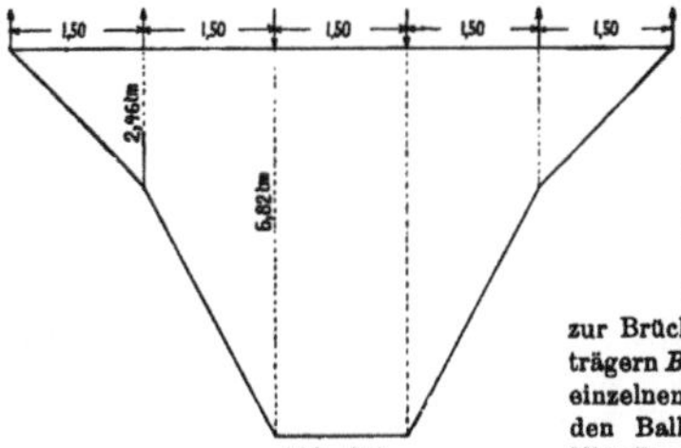

Der Querträger hätte wiederum den Unterschied dieser Werte aufzunehmen, also in der Mitte nach Abb. 288 ein Biegungsmoment

$$M = A \cdot 2a + B \cdot a = (1,64 \cdot 2 + 1,265) \cdot 1,50 = 6,82 \text{ tm} = 682\,000 \text{ kgcm.}$$

Steht die Verkehrslast nicht symmetrisch zur Brückenachse, sondern etwa über den Hauptträgern B und C, so verteilt sich die Belastung auf die einzelnen Balken derart, daß die Mittelkraft der von den Balken aufzunehmenden Belastung mit der Mittelkraft der äußeren Belastung zusammenfällt.

Abb. 288.

11*

Nach unserer Annahme soll die Belastung der einzelnen Balken so groß sein, daß ihre Durchbiegungen nach einer geraden Linie verlaufen. Wählt man als die eine Unbekannte den Druck auf eine beliebige Stütze, z. B. C, und als andere Unbekannte den Zuwachs $\mathit{\Delta}$ des Stützendruckes der Nachbarstütze von C, so ergibt sich, wenn wiederum $\dfrac{J_a}{J_i} = k$ gesetzt wird, nach Abb. 289, wobei C und $\mathit{\Delta}$ zunächst beliebig angenommen sind:

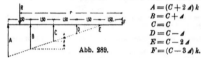

$$A = (C + 2\,\mathit{\Delta})\,k$$
$$B = C + \mathit{\Delta}$$
$$C = C$$
$$D = C - \mathit{\Delta}$$
$$E = C - 2\,\mathit{\Delta}$$
$$F = (C - 3\,\mathit{\Delta})\,k.$$

Abb. 289.

Zur Bestimmung der beiden Unbekannten C und $\mathit{\Delta}$ haben wir die beiden Bestimmungsgleichungen

$$R = A + B + C + D + E + F = (2\,k + 4) \cdot C - (k + 2)\,\mathit{\Delta}$$

und

$$R \cdot r = (5\,A + 4\,B + 3\,C + 2\,D + E) \cdot a = [(5\,k + 10) \cdot C + 10\,k \cdot \mathit{\Delta}] \cdot a,$$

setzen wir hierin

$$R = 2 \cdot 4{,}17\,\text{t} = + 8{,}34\,\text{t}, \quad r = 3{,}5\,a \quad \text{und} \quad k = J_a : J_i = 0{,}346 : 0{,}267 = 1{,}30,$$

so wird

$$8{,}34 = 6{,}6\,C - 3{,}3\,\mathit{\Delta}, \text{ also } C = \frac{8{,}34 + 3{,}3\,\mathit{\Delta}}{6{,}6} = 1{,}265 + 0{,}5\,\mathit{\Delta}$$

$$8{,}34 \cdot 3{,}50 = 16{,}5\,C + 13{,}0\,\mathit{\Delta}, \text{ , } C = \frac{29{,}19 - 13\,\mathit{\Delta}}{16{,}5} = 1{,}763 - 0{,}788\,\mathit{\Delta}$$

und hieraus

$$\mathit{\Delta} = \frac{1{,}763 - 1{,}265}{0{,}788 + 0{,}500} = 0{,}464\,\text{t}$$

$$C = 1{,}265 + 0{,}50 \cdot 0{,}464 = 1{,}497\,\text{t}.$$

Die Einsetzung dieser Werte in die obigen Gleichungen ergibt die Balkenlasten

$$A = (1{,}497 + 2 \cdot 0{,}464) \cdot 1{,}30 = 3{,}15\,\text{t}$$
$$B = 1{,}497 + 0{,}464 \qquad\quad = 1{,}96\,\text{t}$$
$$C = 1{,}497 \qquad\qquad\quad\; = 1{,}50\,\text{t}$$
$$D = 1{,}497 - 0{,}464 \qquad\quad = 1{,}03\,\text{t}$$
$$E = 1{,}497 - 2 \cdot 0{,}464 \qquad = 0{,}57\,\text{t}$$
$$F = (1{,}497 - 3 \cdot 0{,}464) \cdot 1{,}30 = 0{,}14\,\text{t},$$

woraus man endlich die aus Abb. 290 ersichtlichen Biegungsmomente in den Querträgern erhält.

Werden nun die Größtwerte der für die ständige bezw. für die Verkehrslast berechneten Biegungsmomente aus Abb. 287 u. 288 bezw. 290 zusammengesetzt, so ergeben sich die Werte

$$\max M_B = 2{,}88 + 4{,}73 = 7{,}61\,\text{tm} = 761000\,\text{kgcm}$$
$$\max M_C = 4{,}62 + 6{,}82 = 11{,}44\,\text{tm} = 1144000\,\text{kgcm},$$

nach denen die Bemessung der Eiseneinlagen zu erfolgen hat.

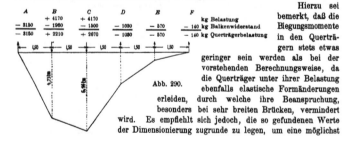

Abb. 290.

Hierzu sei bemerkt, daß die Biegungsmomente in den Querträgern stets etwas geringer sein werden als bei der vorstehenden Berechnungsweise, da die Querträger unter ihrer Belastung ebenfalls elastische Formänderungen erleiden, durch welche ihre Beanspruchung, besonders bei sehr breiten Brücken, vermindert wird. Es empfiehlt sich jedoch, die so gefundenen Werte der Dimensionierung zugrunde zu legen, um eine möglichst

gleichmäßige Lastverteilung anzustreben und damit den ganzen Überbau vor Rissebildung infolge einseitiger Überlastung zu behüten.

IV. Die Berechnung des einfachen Trägers auf zwei Stützen.

Denkt man sich durch einen geraden Balken einen Schnitt rechtwinklig zu seiner
Längsachse gelegt, so sind an der Schnittebene gewisse Kräfte anzubringen, die den am
abgetrennten Balkenstück angreifenden äußeren Kräften das Gleichgewicht zu halten
haben und sich mit einer bestimmten Gesetzmäßigkeit über den Balkenquerschnitt verteilen werden. Diese inneren Kräfte oder Spannungen
stellen die Beanspruchung des Baustoffs dar, aus welchem
der Balken hergestellt ist, und lassen sich in solche
zerlegen, die senkrecht zur Schnittebene, also parallel
zur Trägerachse, wirken, und in solche normal hierzu
(Abb. 291 u. 8). Die ersteren halten dem Biegungsmoment $M = R \cdot a$ das Gleichgewicht, die letzteren
der Scher- oder Querkraft $Q = R$.

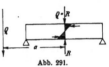

Abb. 291.

Die Berechnung der in den Balken auftretenden Biegungsmomente und Querkräfte
bietet so lange keinerlei Schwierigkeiten, als die Auflagerkräfte nach den Gesetzen
der Statik starrer Körper bestimmbar sind. Dies trifft im allgemeinen nur bei
Trägern auf zwei frei beweglichen und drehbaren Stützen zu, also dann, wenn an den
Stützen keinerlei Beschränkung der Beweglichkeit durch Einspannungsmomente vorhanden ist. Diese Träger sind daher unter dem Begriff der statisch bestimmten
oder einfachen Träger zusammenzufassen, wogegen beispielsweise bei Trägern, die
über mehrere Stützen durchlaufen, die Höhenlage der Stützen gegenüber der ursprünglichen Trägerachse von wesentlichem Einfluß ist. Zur Ermittlung der Auflagerkräfte
dieser Träger ist die Kenntnis des elastischen Verhaltens des Trägers und der Stützen
unter der Belastung notwendig und die Aufgabe nicht mehr allein nach den einfachen
statischen, sondern nur unter Zuhilfenahme der Elastizitätsgesetze lösbar. Solche Träger-
arten gehören daher ebenso wie die mit ihren Stützen fest verbundenen zu der großen
Gruppe der sogenannten statisch unbestimmten Träger.

Die Auflagerdrücke eines einfachen Trägers ergeben sich aus den beiden
Grundbedingungen für den Gleichgewichtszustand, daß die Projektionssumme und die
Momentensumme aller äußeren Kräfte gleich Null sein muß, also

I. die Summe der Projektionen aller äußeren Kräfte P, einschließlich der Auflagerkräfte auf eine beliebige Achse, z. B. eine lotrechte Achse

$$\Sigma P = 0 \quad . \quad . \quad . \quad . \quad . \quad . \quad . \quad . \quad . \quad \text{I)}$$

wobei die Richtung der Kraft durch das Vorzeichen zu berücksichtigen ist;

II. die Summe aller Drehmomente, bezogen auf einen beliebigen Punkt der Kraftebene

$$\Sigma M = 0 \quad . \quad . \quad . \quad . \quad . \quad . \quad . \quad . \quad \text{II)}$$

wobei das positive bzw. negative Vorzeichen für die Drehung im positiven bzw. negativen Uhrzeigersinn anzunehmen ist.

Die Auflagerdrücke werden im folgenden, wie allgemein üblich, als der Richtung
der Schwerkraft entgegenwirkende äußere Kräfte angesehen und
daher dann als positiv (+) bezeichnet, wenn sie nach oben gerichtet
sind, wie Abb. 292 zeigt.

1. Für einen Träger auf zwei Stützen, der durch eine
Einzellast P belastet ist, ergeben sich die beiden Auflagerdrücke
A und B aus den beiden genannten Bedingungen wie folgt:

Abb. 292.

Nach Gl. I ist $\qquad\qquad \Sigma P = P - A - B = 0,$

somit $\qquad\qquad\qquad\quad A + B = P.$

Nach Gl. II mit einem beliebig gewählten Punkt im Abstande r von A als Drehpunkt ergibt sich

$$\Sigma M = - A \cdot r + P\,(r + a) - B\,(r + l) = 0.$$

Setzen wir hierin $r = 0$, d. h. wird der Drehpunkt in das Lot durch Punkt A verlegt, so wird

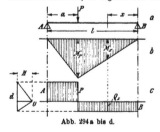

Abb. 293.

$$0 = P \cdot a - B \cdot l,$$

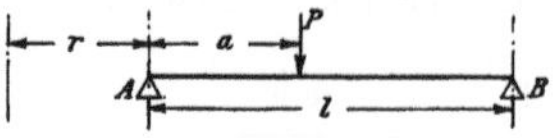

folglich $\qquad\qquad B = P \cdot \dfrac{a}{l}$ und

$$A = P - B = P - P \cdot \frac{a}{l} = P \cdot \frac{l - a}{l},$$

womit die Stützkräfte bestimmt sind.

Zur Bestimmung der im Inneren des Balkens wirkenden Kräfte denken wir uns nach Abb. 294a an einer beliebigen Stelle desselben im Abstand x von B einen Schnitt gelegt und einen der abgetrennten Balkenteile dadurch festgehalten, daß die inneren Spannungen als äußere Kräfte angebracht gedacht werden.

Um nach den beiden Grundbedingungen den Gleichgewichtszustand aufrecht zu erhalten, muß nun an der Schnittstelle zunächst eine Kraft Q wirken, deren Größe sich aus Gl. I:

$$\Sigma P = Q - B = 0 \quad \text{zu} \quad Q = B = P \cdot \frac{a}{l}$$

berechnet. Außerdem muß an der Schnittstelle ein Biegungsmoment M_x auftreten, dessen Größe sich aus Gl. II:

$$\Sigma M = M_x - B \cdot x = 0 \quad \text{zu} \quad M_x = B \cdot x = P \cdot \frac{a}{l} \cdot x$$

ergibt.

Für die ganze Strecke von der Last P bis B, innerhalb deren keine neuen Kräfte hinzutreten, ist die Querkraft unveränderlich, also eine von der Lage des Schnittes unabhängige gleichbleibende Größe, wogegen das Biegungsmoment mit dem Abstand x in gleichem Verhältnis zunimmt, bis dieser den Wert $x = l - a$ erreicht. Das Biegungsmoment daselbst, also im Lastpunkte, ist daher

$$M_P = B \cdot (l - a) = \frac{P\,a\,(l - a)}{l} \quad \ldots \ldots \ldots \ 1)$$

Die gleiche Betrachtung gilt auch für die andere Balkenseite. Demnach erreicht das Biegungsmoment seinen Größtwert an der Stelle des Lastpunktes, woselbst die Querkraft Null wird.

Trägt man die Größe der Biegungsmomente und Querkräfte für alle Trägerschnitte bildlich auf, so ergeben sich die in Abb. 294b u. 294c gezeigten Schaubilder.

Abb. 294a bis d.

Ziehen wir in dem Kräfteplan Abb. 294d an die Endpunkte der Kraftstrecke P Parallelen zu den Begrenzungslinien der Momentenfläche Abb. 294b, so schneiden sich dieselben in einem Punkte O, dem Pol des Kräfteplans, der von der Kraftstrecke eine von den gewählten Maßstäben abhängige Entfernung, den Polabstand H, besitzt. Die aus dem Pol gezogene Parallele zur Grundlinie der Momentenfläche schneidet an der Kraftstrecke die beiden Stützendrücke A und B ab. Das vom Pol auf die Kraftstrecke gefällte Lot ist als eine Hilfskraft H anzusehen, die in einem dem Maßstab des Momentenbildes entsprechenden Maßstab aufzutragen ist.

Die algebraische Größe H des Polabstandes ergibt sich bequem, wenn die Maßstäbe der einzelnen Darstellungen in folgender Form angeschrieben werden:

Maßstab der Längen, Momente, Kräfte

1 cm $= l$ in m $= m$ in tm $= p$ in t,

z. B. 1 cm $= 0,5$ m $= 5$ tm $= 2$ t.

Dann erhält man den Polabstand

als Kraft zu $\qquad H = \dfrac{m}{l}$ in t, $\qquad$ z. B. $H = \dfrac{5}{0,5} = 10$ t,

oder als Streckengröße zu $\qquad H = \dfrac{m}{l \cdot p}$ in cm, $\qquad$ z. B. $H = \dfrac{5}{0,5 \cdot 2} = 5$ cm.

Man erkennt auch aus der Form der Gleichungen für die Biegungsmomente und Querkräfte, daß das Biegungsmoment an irgend einer Stelle gleich ist der Fläche des Querkraftbildes vom Auflager bis zu dem betreffenden Schnitt, was allgemein auch für alle übrigen Belastungsfälle gilt.

2. Für eine wandernde Einzellast ist das Moment im jeweiligen Lastpunkt nach Abb. 295

$$M_x = P \cdot \frac{x(l-x)}{l}.$$

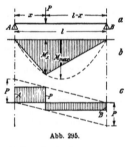

Abb. 295.

Wie aus der Form der Gleichung hervorgeht, ist die Umhüllende aller M_x eine Parabel, deren Scheitel in der Lotrechten durch die Balkenmitte liegt. Daselbst erreicht das Biegungsmoment seinen Größtwert

$$M_{max} = \frac{1}{4} P \cdot l \quad \ldots \quad 2)$$

Die Querkraft in einem Schnitt links der Last ist gleich dem linken Auflagerdruck A, also

$$Q = A = P \frac{l-x}{l},$$

in einem Schnitt e rechts der Last gleich dem rechten Auflagerdruck, also

$$Q = -B = -P \frac{x}{l}.$$

Wie die Form dieser beiden Gleichungen zeigt, sind die Umhüllenden der positiven und der negativen Querkräfte Gerade, die an den Auflagern die Strecken $A = P$ und $B = -P$ anschneiden.

3. Für zwei ortsveränderliche Einzellasten P_1 und P_2 in gleichbleibendem Abstand a voneinander wird das Biegungsmoment unter der größeren Last P_1 mit den Bezeichnungen der Abb. 296

$$M_1 = A \cdot x = \frac{P_1 \cdot (l-x) + P_2 \cdot (l-x-a)}{l} \cdot x.$$

Setzt man hierin $P_1 + P_2 = R$ und $r = \dfrac{P_2 a}{R}$, da $P_2 a = R \cdot r$ ist, so erhält man

$$M_1 = R \cdot \frac{l-x-r}{l} \cdot x = \frac{R \cdot x}{l}(l-x-r).$$

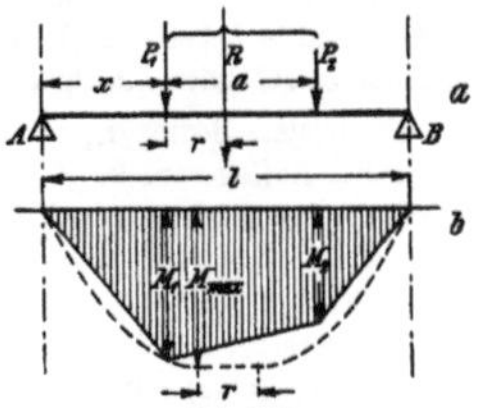

Abb. 296.

Der Größtwert dieses Biegungsmomentes ergibt sich aus der Bedingung $\dfrac{dM}{dx} = 0$ für $x = \frac{1}{2}(l-r)$ und damit auch $l-x-r = \frac{1}{2}(l-r)$, also für diejenige Laststellung, für welche die größere der beiden Lasten und die Mittelkraft R der beiden Lasten den gleichen Abstand von der Balkenmitte haben. Damit wird

$$M_{max} = R \cdot \frac{(l-r)^2}{4\,l} \quad \ldots \ldots \ldots \quad 3)$$

Für zwei gleiche Lasten P wird $R = 2\,P$ und $r = \frac{a}{2}$, demnach

$$M_{max} = \frac{P(2\,l-a)^2}{8\,l} \quad \ldots \ldots \ldots \quad 3\,\mathrm{a})$$

Die Umhüllende der unter der größeren Last P_1 jeweilig entstehenden Biegungsmomente ist, wie man schon aus der Form der Gleichung erkennt, eine Parabel.

Werden die für alle Schnitte ermittelten Werte der Biegungsmomente aufgetragen, so ergibt sich die aus Abb. 296 ersichtliche Momentenlinie, die wegen der beliebigen Lastanordnung für beide Trägerhälften in bezug auf die Mitte spiegelbildlich gleich ist und aus zwei halben, mit ihren Scheitelpunkten im Abstande $^1/_4 r$ von der Mitte ansetzenden Parabeln besteht. Die zwischen den beiden Scheitelpunkten liegende Strecke von der Länge r ist für die praktische Anwendung durch eine wagerechte Gerade zu ersetzen.

Fragt man, wie groß die Stützweite des Trägers mindestens sein muß, damit eine zweite Einzellast überhaupt in Betracht kommt, so erhält man zunächst die Bedingung, daß beide Lasten auf dem Träger in der Anordnung von Abb. 296 Platz finden müssen. Bei gleich großen Lasten also für $R = 2\,P$ muß dann

$$l \geq x + a = \frac{1}{2}\left(l - \frac{a}{2}\right) + a = \frac{l}{2} + \frac{3}{4}\,a \ \text{ oder } \ l \geq \frac{3}{2}\,a$$

sein. Ferner ergibt sich die Bedingung, daß das Moment aus zwei Lasten nach Gleichung (3) größer sein soll als das Moment nach Gleichung (2) mit einer Last im ersten Falle. Demzufolge wird mit $R = 2\,P$ entsprechend der gefährlichsten Laststellung mit $a = 2\,r$

$$\frac{P}{8\,l}\,(2\,l-a)^2 \geqq \frac{P\,l}{4},$$

folglich

$$l > a\left(1 + \sqrt{\frac{1}{2}}\right) = 1{,}707\,a.$$

4. Für eine Reihe ortsveränderlicher Einzellasten ist das Biegungsmoment dann am größten, wenn eine größere Last, die wir als die maßgebende Last P_m bezeichnen wollen, und die Mittelkraft R sämtlicher Lasten den gleichen Abstand von der Balkenmitte haben und gleichzeitig die Querkraft unter der betreffenden „maßgebenden" Last 0 wird.

Die letztere Bedingung wird dann erfüllt, wenn die beiden Auflagerdrücke A und B in gleichem Verhältnis zueinander stehen wie die Längen der durch die maßgebende Last abgetrennten beiden Trägerstücke.

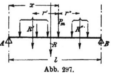

Abb. 297.

Nach Abb. 297 ist:

$$A \cdot l = P_m \cdot (l - x) + R' \cdot (l - x + r') + R'' \cdot (l - x - r'') = R \cdot (l - x) + R' \cdot r' - R'' \cdot r'';$$

$$M = A \cdot x - R' \cdot r' = R \cdot \frac{x}{l} \cdot (l - x) - \frac{R' \cdot r'}{l} \cdot (l - x) - \frac{R'' \cdot r''}{l} \cdot x.$$

Das Biegungsmoment erreicht seinen Größtwert für

$$\frac{dM}{dx} = 0 = R \cdot (l - 2\,x) + R' \cdot r' - R'' \cdot r'' = A \cdot l - R \cdot x.$$

Hiernach ist $R \cdot x = A \cdot l$ und $R \cdot (l - x) = R \cdot l - A \cdot l = B \cdot l$, also

$$\frac{A}{B} = \frac{x}{l - x},$$

was zu beweisen war.

Der Abstand der gesamten Mittelkraft $R = P_m + R' + R''$ von der maßgebenden Last P_m ist

$$r = \frac{R' \cdot r' - R'' \cdot r''}{R}.$$

Da sich der Größtwert des Biegungsmomentes für $x = \frac{l}{2} + \frac{r}{2}$ ergibt, wird nach Abb. 297

$$A = R \cdot \frac{l - x + r}{l} = R \cdot \frac{l + r}{2\,l} \quad \text{und}$$

$$M_{\text{max}} = A \cdot x - R' \cdot r' = \frac{R}{l} \cdot \frac{(l + r)^2}{4} - R' \cdot r' \quad \cdots \cdots \quad 4)$$

(Vergl. S. 142.)

5. Für eine gleichförmig über die ganze Trägerlänge verteilte Belastung p für die Längeneinheit ergibt sich das Biegungsmoment in einem beliebigen Schnitt nach Abb. 298 zu

$$M_x = A \cdot x - p\,x \cdot \frac{x}{2} = \frac{p}{2} \cdot x\,(l - x) \quad \cdots \quad 5)$$

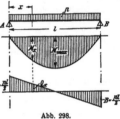

Die Momentenlinie ist wieder eine Parabel mit dem Scheitel in der Lotrechten durch die Balkenmitte, also bei $x = \frac{1}{2}\,l$, demnach ist der Größtwert des Biegungsmomentes

$$M_{\text{max}} = \frac{1}{8} \cdot p \cdot l^2 \quad \cdots \cdots \cdots \quad 5\text{a})$$

Abb. 298.

Die Aufzeichnung der Parabel erfolgt am einfachsten durch Auftragung der Berührenden nach der aus Abb. 299 ersichtlichen Konstruktion. Sie beruht darauf, daß bei einem Parabelstück von der wagerecht gemessenen Länge l und der senkrecht gemessenen Höhe $\mathfrak{M}$ die Tangente an den Scheitelpunkt parallel läuft zu der durch die Endpunkte gezogenen Sehne, wogegen die Tangenten in den Endpunkten des Parabelstückes an der Mittellinie die Stücke $2\,\mathfrak{M}$ anschneiden.

Die Querkraft am Auflager ist gleich der Stützkraft

$$A = p \cdot \frac{l}{2},$$

in den übrigen Punkten gleich der Stützkraft, vermindert um die Belastung von der Stütze bis zu dem betrachteten Schnittpunkt, vergl. Abb. 298, also

$$Q_x = A - p \cdot x.$$

Die Querkräfte nehmen daher vom Auflager an geradlinig ab, bis sie in der Mitte $\left(\text{für } x = \frac{l}{2}\right)$ den Wert 0,

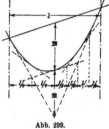

Abb. 299.

am gegenüberliegenden Auflager B den Wert $B = -A$ erreichen. Die von der Querkraftlinie der Grundlinie, der Stützlinie A und der Schnittlinie x eingeschlossene Fläche ist gleich dem Biegungsmoment in dem betrachteten Schnitt x, woraus zu ersehen ist, daß der Größtwert des Biegungsmomentes stets mit dem Kleinstwert der Querkraft zusammenfallen muß.

6. Ist ein Teil des Trägers am Auflager lastfrei, die übrige Strecke von der Länge a dagegen mit p gleichförmig verteilt belastet, so wird nach Abb. 300

$$B = p\,a \cdot \frac{2\,l - a}{2\,l} \quad \text{und} \quad M_x = B\,x - \frac{p\,x^2}{2}.$$

Das größte Biegungsmoment ergibt sich für $x = \dfrac{a}{2l} \cdot (2l - a)$ zu

$$M_{max} = \frac{p}{8} \left[\frac{a(2l-a)}{l} \right]^2 = \frac{px^2}{2} \quad \ldots \ldots \quad 6)$$

Die Auftragung der Momentenlinie erfolgt am bequemsten, indem man nach Abb. 300 im Schwerpunkt der Belastung $P = pa$, d. i. bei $x = \dfrac{a}{2}$, das Moment

$$M_P = \frac{P}{l} \cdot \frac{a}{2} \left(l - \frac{a}{2} \right) = \frac{P \cdot a}{4\,l}(2l - a)$$

aufträgt und über der Laststrecke eine Parabel einzeichnet (vergl. auch Punkt 8). Wie ohne weiteres ersichtlich, sind diese Werte am größten für $a = l$, also für Vollbelastung des Trägers.

Die Größtwerte der Querkräfte treten jedoch, wie sich schon aus der obigen Gleichung $Q_x = A - p \cdot x$ (vergl. Abb. 298) ergibt, erst dann auf, wenn die Strecke zwischen dem Auflager und dem Schnittpunkt unbelastet ist, was bei der ortsveränderlichen Verkehrsbelastung eintreten kann. In diesem Falle erhält man, wenn mit x nach Abb. 298 der Abstand des Beginnes der Laststrecke von der Stütze A bezeichnet wird

$$A = p \cdot \frac{(l - x)^2}{2\,l} = Q.$$

Die Umhüllende der größten positiven Querkräfte ist dann eine Parabel mit dem Scheitel S am rechten Auflager und der Höhe $A = \dfrac{1}{2}\,pl$ am linken Auflager, deren Konstruktion aus Abb. 300c ersichtlich ist.

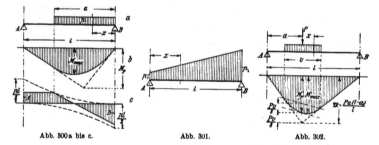

Abb. 300a bis c.   Abb. 301.   Abb. 302.

7. Für eine über den Träger verteilte, von einem Ende zum anderen stetig zunehmende Last, wie sie bei nicht parallel laufenden Hauptträgern von Brücken mit unregelmäßigem Grundriß häufig vorkommt, ist nach Abb. 301

$$A = \frac{p_1 l}{2} + \frac{1}{3}(p_2 - p_1) \cdot \frac{l}{2} = \frac{l}{6}(2 p_1 + p_2).$$

Die Stelle des größten Biegungsmomentes erhält man aus

$$Q_x = A - p_1 x - \frac{p_2 - p_1}{l} \cdot \frac{x^2}{2} = 0$$

bei $x = l \cdot \dfrac{r - p_1}{p_2 - p_1}$, wenn $\sqrt{\dfrac{p_1{}^2 + p_1 p_2 + p_2{}^2}{3}} = r$ gesetzt wird.

Das größte Biegungsmoment ist daselbst

$$M_{max} = \frac{l^2}{6} \cdot \frac{r - p_1}{(p_2 - p_1)^2} \cdot [(2\,p_1 + p_2)\,(p_2 - p_1) - (r^2 + p_1 r - 2\,p_1{}^2)] \ . \quad 7)$$

8. Für eine über eine Strecke v gleichförmig verteilte Last P wird der Auflagerdruck nach Abb. 302

$$A = P \frac{l - a}{l}.$$

Das Biegungsmoment im Lastpunkt ist

$$M_P = P \cdot \frac{a \cdot (l - a)}{l} - P \cdot \frac{v}{8},$$

woraus sich die in Abb. 302 gezeigte Darstellung der Momentenlinie ohne weiteres ergibt.

Das größte Biegungsmoment tritt dort auf, wo die Querkraft $Q_x = 0$, also nach Abb. 302

$$A = \frac{P}{v} \left(\frac{v}{2} + x \right)$$

ist, also bei

$$x = \frac{v}{l} \left(\frac{l}{2} - a \right)$$

und ist dann

$$M_{max} = A\,(a + x) - \frac{1}{2}\,A \left(\frac{v}{2} + x \right)$$

$$= \frac{P\,a\,(l - a)}{l} \cdot \frac{2\,l - v}{2\,l} \quad \cdots \cdots \quad 8)$$

Ist die Laststrecke ortsveränderlich, dann ist die ungünstigste Laststellung die symmetrische, also für $a = \frac{l}{2}$, wobei

$$M_{max} = \frac{Pl}{4} - \frac{Pv}{8} = \frac{P}{8}\,(2\,l - v) \ \text{wird.}$$

9. Für zwei ortsveränderliche Streckenlasten mit dem Abstande a wird gemäß den Bezeichnungen der Abb. 303, wobei

$$P + Q = R; \quad r = \frac{Q \cdot a}{P + Q} = a \cdot \frac{Q}{R},$$

$$A = \frac{R}{l}\,(l - x - r).$$

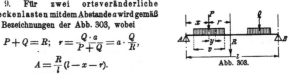

Abb. 303.

Das größte Biegungsmoment tritt an der Stelle auf, wo die Querkraft Null ist. Unter der Voraussetzung, daß $A < P$, ergibt sich demnach aus

$$\frac{P}{v} \left(\frac{v}{2} + y \right) - A = 0$$

$$y = v \left(\frac{A}{P} - \frac{1}{2} \right) = \frac{v}{2\,Pl}\,[2\,R\,(l - x - r) - Pl].$$

Das Biegungsmoment an dieser Stelle ist nun

$$M = A\,(x + y) - A\,\frac{\frac{v}{2} + y}{2} = A \left(x + \frac{y}{2} - \frac{v}{4} \right)$$

$$= \frac{R}{2\,Pl^2}\,(l - r - x)\,[x\,(2\,Pl - Rv) + Qv\,(l - a)].$$

Dieser Wert ergibt einen Größtwert für $\dfrac{dM}{dx} = 0$, also für

$$0 = (l - r)(2Pl - Rv) - 2x(2Pl - Rv) - Qv(l - a)$$
$$x = \frac{l - r}{2} - \frac{v}{2} \cdot \frac{Q(l - a)}{2Pl - Rv}.$$

Setzt man diesen Wert für x in die Gleichung für y ein, so erhält man

$$y = \frac{v}{2Pl}\left\{2R(l - r) - R\left[l - r - v\frac{Q(l - a)}{2Pl - Rv}\right] - Pl\right\} = v \cdot \frac{Q(l - a)}{2Pl - Rv},$$

also
$$x = \frac{1}{2}(l - r - y)$$

und daraus
$$\max M = R\frac{2Pl - Rv}{8Pl^2}(l - r + y)^2. \quad \ldots \ldots \quad 9)$$

Für $P = Q$ wird

$$y = \frac{v}{2} \cdot \frac{l - a}{l - v}; \quad r = \frac{a}{2}; \quad x = \frac{1}{2}\left(l - \frac{a}{2} - y\right)$$

$$\max M = P\frac{l - v}{2l^2}\left(l - \frac{a}{2} + y\right)^2 = \frac{P(2l - a - v)^2}{8(l - v)} \quad \ldots \ldots \quad 9a)$$

Der Einfluß der Lastverteilung v bei mehreren Lasten auf die Biegungsmomente der Hauptträger ist nur sehr gering, was auch aus folgendem Beispiel hervorgeht. Für den nur selten vorkommenden Fall, daß $a = \dfrac{l}{2}$, $v = \dfrac{l}{4}$ und $P = Q$ ist, wird

$y = \dfrac{v}{3} = \dfrac{l}{12}$, $x = \dfrac{l}{3}$ und $\max M = \dfrac{25}{96}Pl = 0{,}2604\,Pl$. Dagegen berechnet sich für den Fall, daß keine Lastverteilung stattfindet, also $v = 0$ und auch $y = 0$ ist, das größte Biegungsmoment zu $\max M = \dfrac{9}{32}Pl = \dfrac{27}{96}Pl = 0{,}2813\,Pl$. Es beträgt somit selbst für diesen Fall die Verringerung des Biegungsmomentes durch die Lastverteilung nur $\dfrac{27 - 25}{27} = \dfrac{2}{27} = 0{,}074$ oder rund 7,5 vH. des ohne Lastverteilung ermittelten Momentes.

10. Für einen Zug von Einzellasten nebst beiderseits anschließender gleichförmig verteilter Belastung p erhält man den Größtwert des Biegungsmomentes folgendermaßen. Bezeichnen wir nach Abb. 304 die maßgebende Last, unter der das größte Biegungsmoment eintritt, mit P_m, die Mittelkraft aller Einzellasten mit R, so ergibt sich die ungünstigste Laststellung aus der Bedingung, daß die Mittelkraft sämtlicher Lasten und die „maßgebende Last" P_m gleich große Abstände von der Trägermitte haben müssen. Mit den aus Abb. 304 ersichtlichen Bezeichnungen wird daher der Abstand der Gesamtmittelkraft von A gleich dem Abstande der maßgebenden Last von B, also

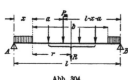

Abb. 304.

$$\frac{R(x + r) + p\left[\dfrac{l^2}{2} - b\left(x + \dfrac{b}{2}\right)\right]}{R + p(l - b)} = l - x - a$$

und daraus
$$x = \frac{R(l-a-r) + p(l-b)\left(\dfrac{l-b}{2} - a\right)}{2R + p(l-2b)}$$

sowie ferner
$$A = \frac{R}{l}(l-x-r) + p \cdot \frac{l}{2} - p \cdot \frac{b}{l}\left(l-x-\frac{b}{2}\right)$$

und damit
$$M_{max} = A(x+a) - p \cdot x\left(\frac{x}{2} + a\right) - \Sigma P \cdot c.$$

wenn c den Abstand der Kräfte links der maßgebenden Last P_m von dieser bedeutet.

Die größten Querkräfte in einem beliebigen Querschnitt sind gleich dem Auflager-druck für den Fall, daß die zwischen dem Auflager und dem betrachteten Querschnitt gelegene Strecke lastfrei, der andere Teil des Balkens aber tunlichst stark belastet ist. Ihre rechnerische Ermittlung begegnet keinerlei Schwierigkeiten und erfolgt nach dem einfachen Hebelgesetz.

11. Für eine Lastengruppe mit einseitig anstoßender, gleichförmig verteilter Last nach Abb. 305 erhält man in gleicher Weise aus

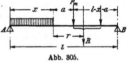

Abb. 305.

$$\frac{R(x+r) + p\dfrac{x^2}{2}}{R+px} = l - x - a$$

den Ausdruck
$$\frac{3}{2}px^2 + x(2R - p(l-a)) - R(l-a-r) = 0$$

$$x = \frac{1}{3p}\left[-(2R - p(l-a)) + \sqrt{(R + p(l-a))^2 + 3R(R - 2pr)}\right].$$

Der Auflagerdruck A und der Größtwert des Biegungsmomentes sind hiernach in ähnlicher Weise zu bestimmen wie vorher.

12. In den meisten Fällen ist es einfacher, das größte Biegungs-moment zeichnerisch zu ermitteln, indem man ohne Rücksicht

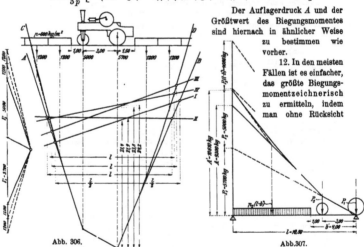

Abb. 306.

Abb. 307.

auf die Stützweite die Seillinie der Lasten zeichnet und durch Verschiebung der Balken-länge die den Größtwert ergebende Laststellung sucht.

Für den in Abb. 306 ersichtlichen Lastenzug, bestehend aus einer Dampfwalze mit beiderseits anschließendem Menschengedränge, ist die Seillinie dargestellt mit den beiden Ästen A und B entsprechend einer Belastung durch die Dampfwalze allein, wogegen der Ast C dem links, der Ast D dem rechts anschließenden Menschengedränge entspricht. Durch die Linien I und II sind die Biegungsmomente angeschnitten für den Fall, daß der Balken mit der Stützweite l durch die Dampfwalze allein belastet wird. Linie I gilt für die Stellung der größeren Last über der Balkenmitte, Linie II für diejenige Stellung, die den größten Wert des Biegungsmomentes liefert. Linie III entspricht der ungünstigsten Stellung bei rechts, Linie IV derjenigen bei beiderseits anschließendem Menschengedränge.

Die Ermittlung der größten Querkräfte geschieht am bequemsten durch Aufzeichnung der sogen. A-Linie oder Stützkraftlinie (Abb. 306 u. 307), indem man z. B. für die linke Seite, d. i. für die positiven Querkräfte, den Lastenzug in umgekehrter Reihenfolge an das rechte Trägerende setzt und die Lasten selbst auf dem linken Stützenlot aufträgt. Indem man dann, von einer Last zur nächsten fortschreitend, die Parallelen zur Verbindungslinie vom rechten Auflager mit dem Endpunkt der betreffenden Last zieht und in der Strecke der gleichmäßig verteilten Last die ausgleichende Parabel einträgt, erhält man eine Linie, die A-Linie, die für jeden Querschnitt die größtmögliche Querkraft angibt.

Die bisherigen Ableitungen unter Punkt 1 bis 12 gelten zunächst nur für unmittelbare Lastübertragung.

13. Bei mittelbarer Lastübertragung, wie sie bei den Hauptträgern der Brücken mit versenkter Bahn vorliegt, die ihre Belastung durch die Querträger erhalten, treten die größten Biegungsmomente an den Anschlußpunkten der Querträger auf.

Für eine zwischen zwei Querträgern stehende Last P ergibt sich nach Abb. 308

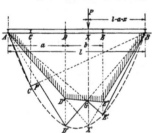

Abb. 308.

für $DX = x$ der Auflagerdruck zu

$$A = P \cdot \frac{l - a - x}{l}$$

und das Biegungsmoment im Lastpunkt X zu

$$M_x = A(a + x) - P \frac{b - x}{b} \cdot x$$

$$= P \cdot \frac{(a + x)(l - a - x)}{l} - P \cdot \frac{x(b - x)}{b} \, .$$

Dieses entspricht daher dem Biegungsmoment des unmittelbar belasteten Balkens vermindert um das Biegungsmoment, das durch die Platte selbst aufgenommen wird. In der bildlichen Darstellung (Abb. 308) wird von der Momentenfläche $A X' B$ des unmittelbar belasteten Balkens das Stück $D'' X' E''$ abgeschnitten.

Die Umhüllende der größten Biegungsmomente ist eine gebrochene Linie, die sich aus Teilen der einzelnen Momentenlinien $A C' B$, $A D' B$ und $A E' B$ für die Stellung der Last P an den Querträgeranschlußpunkten C, D und E zusammensetzt. Aus dem Vergleich der gestrichelten Parabel $A C' D' X' E' B$ mit der gebrochenen Linie $A C' F D' G E' B$ ist der Unterschied zwischen den Umhüllungslinien bei unmittelbarer und bei mittelbarer Belastung durch eine Einzellast zu ersehen.

14. **Bei mehreren Einzellasten** ergeben sich die Biegungsmomente in ähnlicher Weise. Der Weg zur Ermittlung der Umhüllenden aller größten Biegungsmomente, die für die Bemessung des Trägers maßgebend sind, ist etwas einfacher als bei unmittelbarer Belastung, weil die Zahl der möglichen Laststellungen durch die Bedingung eingeschränkt ist, daß stets eine Last, und zwar möglichst die größte Last, über einem Querträgeranschlußpunkt stehen muß. Die übrigen Lasten sind so anzuordnen, daß sie möglichst nach der Mitte gedrängt stehen. Nunmehr zeichnet man für jede solche Laststellung die Momentenfläche nach Abb 309 in der bereits früher angegebenen Weise und schneidet die zwischen die Querträgerlote fallenden Spitzen der Momentenflächen weg. In Abb. 309 ist dieses Verfahren für die Laststellung R_{II} mit der größeren Last P_1 über dem Querträger C und für die Laststellung R_I mit der Last P_1 über dem Querträger D durchgeführt. Aus diesen beiden Momentenflächen, die hier der Symmetrie wegen auch jeweilig für die andere Seite gelten, ergibt sich die Umhüllende der

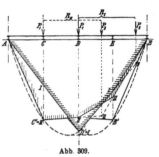

Abb. 309.

größten Biegungsmomente als der gebrochene Linienzug $A C'D'E'B$, dem zum Vergleich die gestrichelte Umhüllungslinie für unmittelbare Belastung mit denselben beiden Lasten gegenübergestellt ist.

15. **Für eine gleichförmig verteilte Belastung** erhält man die Momentenfläche dadurch, daß man die Schnittpunkte der Parabel mit den Querträgerloten durch Gerade verbindet, wodurch sich der gebrochene Linienzug der Abb. 310 ergibt.

Im allgemeinen genügt es, auch bei einem Zug von Einzellasten die Biegungsmomente für die Querträgeranschlußpunkte rechnerisch zu ermitteln und die so erhaltenen Eckpunkte der Momentenflächen durch gerade Linien zu verbinden.

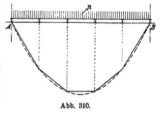

Abb. 310.

V. Die Berechnung der Kragträger.

Unter der Bezeichnung „Kragträger oder Auslegerträger" sind solche einfachen Balken zu verstehen, deren Stützen nicht unter den Trägerenden stehen, sondern nach der Mitte zu derart verschoben sind, daß die Trägerenden über die Stützpunkte wesentlich hinausragen (Abb. 311).

Durch diese Anordnung wird nicht nur die Stützweite des Trägers bei gegebener Trägerlänge verringert, sondern überdies durch die Belastung der überstehenden Trägerenden über den Stützpunkten ein negatives Biegungsmoment erzeugt, das die Biegungsmomente des zwischen den Stützen liegenden Trägerteils noch weiter abmindert und damit die Möglichkeit einer Verringerung der erforderlichen Trägerhöhe und einer weitergehenden Materialersparnis bietet. Dieser Vorteil kann auch bei längeren Brücken

mit einer größeren Felderzahl dadurch erzielt werden, daß die Trennungsfugen nicht
über den Zwischenstützen angeordnet, sondern von diesen weiter in die Nachbaröffnungen
hinein verlegt werden. Es entsteht sodann entweder durch einfaches Aneinanderreihen
der Grundform (Abb. 311a) die Anordnung der Abb. 311b, oder aber das Tragwerk zerfällt
in Kragträger und dazwischen eingehängte einfache Träger mit verringerter Stützweite.
Bei derartigen Anordnungen ist jedoch zu beachten, daß immer auf einen Träger mit
schwebendem Stützpunkt ein Träger mit zwei festen Stützpunkten folgt, wie es Abb. 311c,
d, e und f für eine Aufeinanderfolge von zwei, drei und mehr Brückenfeldern zeigt.
Eine Anordnung mit Trägern, die an einem Ende schwebend gelagert sind, am
anderen Ende mit fester Stütze aber wieder ein überkragendes Ende zur Aufnahme
eines weiteren Trägerlagers besitzen (Abb. 311g), ist dagegen zu vermeiden, da sich
dabei der statische Einfluß der Belastung in mehrere Felder fortpflanzt.

Hierbei sei noch darauf hingewiesen, daß bei einer Aneinanderreihung von Krag-
trägern ohne zwischen geschaltete einfache Träger nach Abb. 311b die freischwebenden
Enden der Träger nicht miteinander verbunden werden dürfen, da sonst die statische
Bestimmtheit wieder aufgehoben wird.

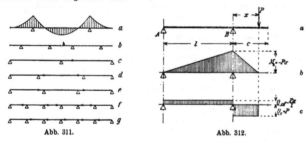

Abb. 311.   Abb. 312.

Die Berechnung der Kragträger schließt sich eng der der einfachen Träger an,
da die Stützendrücke nach den einfachen Hebelgesetzen zu ermitteln und damit auch
die auftretenden Biegungsmomente bestimmt sind.

1. Eine Einzellast P auf dem Kragarm nach Abb. 312a erzeugt über der anliegenden Stütze B ein Biegungsmoment

$$M_B = - P \cdot x. \qquad \ldots \ldots \ldots \ldots \ldots \quad 1)$$

Dieses Biegungsmoment wird negativ genannt und negativ in Rechnung gestellt,
weil es eine negative Krümmung der Trägerachse hervorruft.[1]

Dieses Stützenmoment erzeugt an der Stütze des entgegengesetzten Trägerendes
einen Auflagerdruck, der sich aus der Bedingung $M_B = A \cdot l$ zu

$$A = - \frac{Px}{l}.$$

ergibt und, wie das negative Vorzeichen angibt, nach unten gerichtet ist. Der Druck
auf die dem Kragarm anliegende Stütze ist

$$B = P - A = P + P \frac{x}{l} = P \frac{l+x}{l}.$$

[1] Nach Mohr „Abhandlungen aus dem Gebiete der technischen Mechanik" (Berlin 1906, Verlag von Wilh.
Ernst u. Sohn) bezeichnet man einen senkrecht belasteten Träger als positiv bezw. negativ gekrümmt, wenn
der Krümmungsmittelpunkt über bezw. unter dem Träger liegt.

Die Momentenlinie ist aus Geraden zusammengesetzt (Abb. 312b) und die Fläche der Querkräfte aus einfachen Rechtecken (Abb. 312c).

2. **Für eine gleichförmig verteilte Last** p **auf dem Kragarm** nach Abb. 313a ergeben sich in gleicher Weise das Biegungsmoment über der Stütze zu

$$M_B = \int_0^c p\,dx \cdot x = \frac{p\,c^2}{2} \quad \dots \dots \dots \quad 2)$$

und die Stützendrücke

$$A = -\frac{p\,c^2}{2\,l}, \quad \text{und} \quad B = p\,c - A = p\,c\,\frac{2\,l+c}{2\,l}.$$

Die Linie der Biegungsmomente (Abb. 313b) ist auf dem Kragarm eine Parabel mit dem Scheitel am Trägerende, in dem Trägerteil zwischen den Stützpunkten wieder eine Gerade. Die Querkräfte (Abb. 313c) nehmen auf dem Kragarm vom Ende bis zu der Stütze B geradlinig zu, wogegen sie auf dem Trägerteil AB gleich dem Stützendruck A sind.

In ähnlicher Weise ergeben sich die Biegungsmomente, Stütz- und Querkräfte auch für jede beliebige andere Belastung des Kragarms.

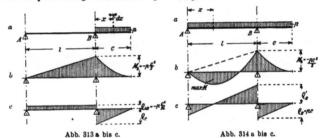

Abb. 313 a bis c.   Abb. 314 a bis c.

3. **Für gleichmäßig verteilte Belastung auf dem ganzen Träger** ist das Biegungsmoment für einen beliebigen Schnitt des zwischen den Stützen liegenden Trägerteils, den wir als den „inneren Trägerteil" bezeichnen wollen (Abb. 314a), von der Belastung des inneren Trägerteils nach Gleichung Nr. 5 S. 169

$$M_x' = p \cdot \frac{x(l-x)}{2},$$

von der Belastung des Kragarms

$$M_x'' = -p\,\frac{c^2 x}{2\,l},$$

zusammen daher

$$M_x = \frac{p\,x}{2\,l}\,(l^2 - lx - c^2). \quad \dots \dots \dots \quad 3)$$

Für die Trägermitte, also für $x = \frac{l}{2}$ wird

$$M_m = \frac{p}{4}\left(\frac{l^2}{2} - c^2\right) = \frac{p\,l^2}{8} - \frac{1}{2}\cdot\frac{p\,c^2}{2} \quad \dots \dots \quad 3a)$$

Der Auflagerdruck bei A wird

$$A = \frac{p\,l}{2} - \frac{p\,c^2}{2\,l} = \frac{p}{2\,l}\,(l^2 - c^2),$$

bei B dagegen

$$B = p \cdot (l + c) - A = \frac{p}{2\,l}\,(l^2 + 2\,c\,l + c^2).$$

Das Biegungsmoment erreicht seinen Größtwert für den Schnitt, für welchen $\frac{dM}{dx} = 0$, also für $x = -\frac{l^2 - c^2}{2\,l}$, d. i. an der Stelle, wo die Querkraft Null ist. Mit Einsetzung dieses Wertes für x in Gl. 3 erhält man

$$\max M = p\,\frac{(l^2 - c^2)}{4\,l^2} \cdot \left(l^2 - \frac{l^2 - c^2}{2} - c^2\right) = \frac{p\,(l^2 - c^2)^2}{8\,l^2}. \quad . \quad . \quad 3\,\text{b})$$

Führt man die Bezeichnung $\mathfrak{M} = \frac{p\,l^2}{8}$ ein, also den Wert des größten Biegungsmomentes im inneren Trägerteil ohne Kragarm, ferner für das Stützenmoment $\frac{p\,c^2}{2}$ die bereits oben gebrauchte Bezeichnung M_B, so erhält man[1])

$$\max M = \frac{p\,l^2}{8} - \frac{p\,c^2}{4} + \frac{p\,c^4}{8\,l^2} = \mathfrak{M} - \frac{M_B}{2} + \frac{M_B{}^2}{16\,\mathfrak{M}}. \quad . \quad . \quad . \quad 3\,\text{c})$$

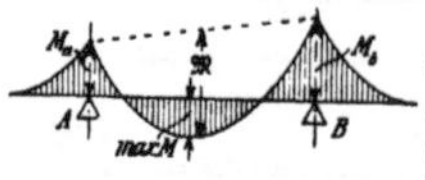

Abb. 315.

Für einen Träger mit beiderseitigen Kragarmen und den Stützenmomenten M_A und M_B nach Abb. 315 sowie mit gleichförmig verteilter Belastung des inneren Trägerteils ergibt sich in gleicher Weise der Größtwert des positiven Biegungsmomentes im inneren Trägerteil zu

$$\max M = \mathfrak{M} - \frac{M_A + M_B}{2} + \frac{(M_A - M_B)^2}{16\,\mathfrak{M}} \quad . \quad . \quad . \quad . \quad 3\,\text{d})$$

und mit $M_A = M_B = M$ zu

$$\max M = \mathfrak{M} - M. \quad . \quad . \quad . \quad . \quad . \quad . \quad . \quad 3\,\text{e})$$

4. Die günstigste Länge des Kragarmes. Um die Frage nach der günstigsten Länge der Auskragung bei gegebener Stützenanordnung zu beantworten, ist es nötig, den Zweck festzustellen, der bei Wahl eines Kragträgers anstatt eines Balkens auf zwei Stützen verfolgt wird. Unter Vermeidung statischer Unbestimmtheiten in gleicher Weise wie beim einfachen Balken soll durch die Anwendung eines Kragträgers vor allem die möglichst weitgehende Verminderung der Biegungsmomente erzielt, oft aber auch in der Mitte einer Öffnung von bestimmter Lichtweite eine möglichste Einschränkung der Bauhöhe erreicht werden. Für einarmige Kragträger ist dabei zumeist die Forderung zu erfüllen, daß dieselben auch ohne Verbindung mit den Widerlagern standfest bleiben, daß daher eine Verankerung der Trägerenden entbehrlich sein muß.

Eine allgemeine Ermittlung der günstigsten Lage der Gelenke bzw. des günstigsten Verhältnisses der Stützabstände bei Trägern über mehreren Feldern ist naturgemäß nur für den Fall gleichförmig verteilter Belastung möglich. Da aber die Lösung dieser Frage angesichts der zahlreichen Ausführungsformen für jeden Fall besonders durchgeführt werden müßte, möge hier nur kurz auf die allgemeinen Grundsätze eingegangen werden.

---

[1]) Hierin gilt $\mathfrak{M}$ natürlich nur für gleichförmig verteilte Belastung des inneren Trägerteils allein, wogegen M_B von einer beliebigen Belastung des Kragarms oder auch von einer Einspannung herrühren kann.

Zur Veranschaulichung des Einflusses der Auskragung eines Trägers auf die Größe der Biegungsmomente ist in Abb. 316a für einen an beiden Enden gestützten einfachen Träger von der Länge L die Momentenfläche für den Fall vollkommen gleichförmig verteilter Belastung dargestellt. Die Momentenlinie ist bekanntlich eine Parabel, deren Endtangenten über der Trägermitte die Höhe $2\mathfrak{M}$ anschneiden. Wird nun (Abb. 316b) die Stütze B ohne Veränderung der Belastung um das Maß c nach innen gerückt, so ist die neue Momentenfläche aus der vorherigen dadurch zu bilden, daß von dem Stützpunkt A eine Gerade nach dem Schnittpunkt B' des Stützenlotes in B mit der Endtangente am freien Trägerende C geführt wird. Die neue Momentenfläche wird von der ersteren (Abb. 316a) durch die Endtangente $B'C$ und die Gerade AB' abgetrennt, die wir als die „Schlußlinie" der Momentenfläche bezeichnen wollen. Trägt man nun die lotrechten Abstände der Punkte der Momentenlinie von diesen Schlußlinien an die Grundlinie AB auf, so ergibt sich die Linie $AB''C$, die der in Abb. 314 dargestellten Momentenlinie entspricht. Durch Weiterverschiebung der

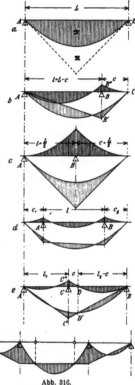

Stütze B bis zur Trägermitte, also bis $c = L - c = \dfrac{L}{2}$

(Abb. 316c), erhalten wir den Fall, daß positive Momente nicht mehr auftreten und der Auflagerdruck der Endstütze $A = 0$, die ganze Trägerlast also nur von Stütze B getragen wird. Bei noch weitergehender Verschiebung der Stütze B ist bei A eine Verankerung erforderlich.

Schiebt man nicht nur die Stütze B, sondern auch die Stütze A nach innen, so entsteht ein zweiarmiger Kragträger mit dem aus Abb. 316d ersichtlichen Verlauf der Momentenlinie.

In gleicher Weise läßt sich auch der Einfluß eines in den Träger eingeschalteten Gelenkes für den Fall dreier Stützen (Abb. 316e) veranschaulichen. Da an der Stelle des Gelenkes das Biegungsmoment $M = 0$ werden muß, so ist die Schlußlinie der rechten Seite von B aus durch den Schnitt D' des Lotes im Gelenkpunkt D mit der Momentenparabel zu legen und bis zum Schnitt C' mit dem Stützenlot in C zu verlängern. Die Schlußlinie der linken Seite bildet die Gerade AC', woraus sich durch Antragung der verbleibenden Momentenfläche an die Grundlinie die Umhüllende $AC''DB$ ergibt.

Ähnlich ist die Ableitung, wenn bei mehreren Öffnungen zwischen die beiden Kragenden in der einen Öffnung ein Mittelstück eingehängt wird (Abb. 316f). Werden an die wagerechte Grundlinie, die den einfachen Trägern entsprechenden Momentenparabeln angetragen, so ergeben die Schnittpunkte der Gelenklote mit der Parabel zwei Punkte der Schlußlinie der mittleren Öffnung. Diese Schlußlinie wird nun bis zu den Loten der Mittelstützen verlängert. Durch diese Schnittpunkte, sowie die Trägerendpunkte sind die Schlußlinien der Seitenöffnungen bestimmt. Diese Darstellung

Abb. 316.

gilt natürlich nur für den Fall gleichbleibender Belastung. Bei veränderlicher Belastung wären jedesmal die den jeweiligen Belastungsfällen entsprechenden Momentenlinien zu zeichnen.

Die Bedingung, daß eine Verankerung der Trägerenden entbehrlich sei, wird erfüllt, sobald nach Abb. 317

$$A = \frac{gl}{2} - \frac{\max M_B}{l} > 0,$$

wobei g die ständige Belastung des inneren Trägerteils, max M_B das größte mögliche Biegungsmoment über der inneren Stütze B bedeutet und auf den Kragarm die gleichmäßig verteilte Last q wirkt, die sich aus dessen Eigengewicht und einer fremden Last p zusammensetzen möge. Hieraus ergibt sich die Bedingung

$$g > \frac{2\,M_B}{l^2} \text{ oder aber } l > \sqrt{\frac{2\,M_B}{g}}\,.$$

Für den einarmigen einfachen Kragträger mit $M_B = q\,\frac{c^2}{2}$ muß daher $g > q\,\frac{c^2}{l^2}$

oder $\frac{l}{c} > \sqrt{\frac{q}{g}}$ oder $\frac{c}{l} < \sqrt{\frac{g}{q}}$ sein, da andernfalls eine Verankerung bei A erforderlich wird.

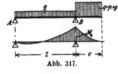

Abb. 317.

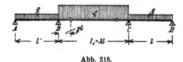

Abb. 318.

Für einen Träger auf vier symmetrisch gelegenen Stützen ergibt sich mit den Bezeichnungen der Abb. 318

$$\max M_B = q\left(\frac{l_1 - 2\,c}{2} \cdot c + \frac{c^2}{2}\right) = \frac{q\,c}{2}\,(l_1 - c)$$

die Bedingung

$$g > \frac{2\,M_B}{l^2} = q\,\frac{c}{l}\left(\frac{l_1}{l} - \frac{c}{l}\right)$$

oder mit $c : l = \gamma$ und $l_1 : l = \lambda$

$$g > q\,\gamma\,(\lambda - \gamma).$$

Weniger einfach ist die Frage nach der günstigsten Lage der Stützpunkte zu beantworten.

Zur Aufnahme der positiven Biegungsmomente ist bekanntlich der T-förmige Querschnitt der Rippenplatte vorzüglich geeignet, da dem Wesen des Baustoffes, entsprechend der Druckgurt durch die wagerechte Platte und der Zuggurt durch die Eiseneinlage gebildet wird, während die Verbindung beider Gurte, der Steg oder die Rippe, zur Aufnahme der Scherkräfte dient. Für negative Biegungsmomente werden dagegen stets noch Vorkehrungen zu treffen sein, die den Querschnitt zur Aufnahme größerer Druckkräfte im Untergurt befähigen, wie z. B. eine Verstärkung des Trägers durch die Wahl einer größeren Trägerhöhe, die allerdings wenig wirtschaftliche Anordnung von Druckeisen, die Verbreiterung der unteren Stegzone, endlich die Ausbildung einer Druckplatte, wie sie besonders bei Balkonbauten im Hochbau üblich ist. Die bei Walzeisenträgern wichtige Bedingung, daß die größten negativen und die größten positiven Biegungsmomente, absolut genommen, gleiche Größe erreichen sollen, ist daher für Eisenbetonträger von geringer Bedeutung. Bei mehreren Öffnungen empfiehlt sich dagegen, die Länge der Kragarme so zu bemessen, daß die größten positiven Biegungsmomente gleich werden, um mit gleichen Querschnittsabmessungen auszukommen.

Als Beispiele für derartige Ermittlungen seien einige Sonderfälle behandelt, wobei zur Vereinfachung der Rechenarbeit folgende Bezeichnungen gebraucht werden mögen:

$g =$ ständige Belastung, also etwa das Eigengewicht des Trägers einschl. Fahrbahngewicht;

$p =$ veränderliche Belastung, also die Verkehrslast;

$\pi = \dfrac{p+g}{g} =$ Verhältnis der größten zur kleinsten Belastung;

$\gamma = \dfrac{c}{l} =$ Verhältnis der Kragarmlänge c zur Stützweite l des inneren Trägerteils;

$\lambda = \dfrac{l_1}{l} =$ Verhältnis einer anschließenden Feldweite l_1 zu der Stützweite l des inneren Trägerteils;

$\mathfrak{M} = \dfrac{g l^2}{8} =$ Biegungsmoment im inneren Trägerteil ohne Kragarm, hervorgerufen von der ständigen Last.

a) **Einfacher Kragträger mit einseitigem Kragarm** (Abb. 319).

$$\max M_B = (p+g)\,\frac{c^2}{2} = 4\,\mathfrak{M}\cdot\pi\gamma^2$$

$$\max M = (p+g)\,\frac{l^2}{8} - \frac{1}{2}\cdot\frac{g c^2}{2} + \frac{1}{16}\cdot\left(\frac{g c^2}{2}\right)^2\cdot\frac{8}{(p+g)\,l^2}$$

$$= \mathfrak{M}\left(\pi - 2\gamma^2 + \frac{\gamma^4}{\pi}\right) = \frac{\mathfrak{M}}{\pi}\,(\pi-\gamma^2)^2.$$

Aus der Bedingung $\max M_B = \max M$, also $2\pi\gamma = \pi - \gamma^2$, folgt daher

$$\gamma = \pi + \sqrt{\pi\,(\pi + \quad}.$$

Für $\quad\quad\quad \pi = (p+g):g = \quad 1 \quad\quad 2 \quad\quad 3 \quad\quad 4 \quad\quad 5$

wird $\quad\quad\quad \gamma = \quad c:l \quad = 0{,}414 \quad 0{,}450 \quad 0{,}464 \quad 0{,}473 \quad 0{,}477$

im Mittel also etwa $\quad\quad\quad\quad c = 0{,}45\,l.$

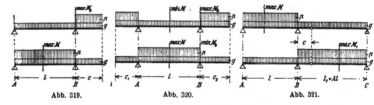

Abb. 319.   Abb. 320.   Abb. 321.

b) **Einfacher Kragträger mit beiderseitigen Kragarmen gleicher Länge** (Abb. 320).

$$\max M_B = 4\,\mathfrak{M}\cdot\pi\gamma^2 \quad \text{(wie vorher)}$$

$$\max M = \pi\,\mathfrak{M} - \frac{g c^2}{2} = \mathfrak{M}\,(\pi - 4\gamma^2)$$

$$\min M = \mathfrak{M}\,(1 - 4\,\pi\gamma^2).$$

Aus der Bedingung $\max M_B = \max M$, also $4\pi\gamma^2 = \pi - 4\gamma^2$, folgt

$$\gamma = \frac{1}{2}\,\sqrt{\frac{\pi}{\pi+1}}.$$

Für $\quad\quad\quad \pi = (p+g):g = \quad 1 \quad\quad 2 \quad\quad 3 \quad\quad 4 \quad\quad 5$

wird $\quad\quad\quad \gamma = \quad c:l \quad = 0{,}354 \quad 0{,}408 \quad 0{,}433 \quad 0{,}447 \quad 0{,}456.$

Aus der Bedingung $\max M = -\min M$, also $\pi - 4\gamma^2 = 4\pi\gamma^2 - 1$, folgt

$$\gamma = \frac{c}{l} = \frac{1}{2}.$$

c) **Kragträgeranordnung bei zwei Feldern mit $l_1 > l$, also $\lambda > 1$ (Abb. 321).**

$$\max M_1 = (p+g)\frac{(l_1-c)^2}{8} = \pi\,\mathfrak{M}\,(\lambda-\gamma)^2$$

$$\min M_B = g\cdot\frac{l_1-c}{2}\cdot c + \frac{g c^2}{2} = \frac{g c l_1}{2} = 4\,\mathfrak{M}\cdot\gamma\lambda$$

$$\max M = \pi\,\mathfrak{M} - 2\,\mathfrak{M}\cdot\gamma\lambda + \frac{1}{16}(4\,\mathfrak{M}\cdot\gamma\lambda)^2\frac{1}{\pi\,\mathfrak{M}}$$

$$= \mathfrak{M}\left(\pi - 2\gamma\lambda + \frac{\gamma^2\lambda^2}{\pi}\right) = \frac{\mathfrak{M}}{\pi}(\pi-\gamma\lambda)^2.$$

Aus der Bedingung $\max M_1 = \max M$, also $\pi(\lambda-\gamma) = \pi - \gamma\lambda$, folgt

$$\gamma = \pi\frac{\lambda-1}{\pi-\lambda}.$$

Dieser Bedingung kann nur genügt werden für $\lambda > 1$ und $\pi > \lambda$, da sonst γ negativ wird. Ferner muß sein $\max M_B < \frac{g l^2}{2}$ oder $4\pi\mathfrak{M}\cdot\gamma\lambda < 4\,\mathfrak{M}$, also $\pi\gamma\lambda < 1$, da sonst $\max M$ negativ würde.

Mit diesen Beschränkungen ergeben sich die möglichen Werte für γ

	mit $\pi =$	1,5	2,0	2,5	3,0	3,5	4,0
und $\lambda = 1,05$	zu $\gamma =$	0,166	0,105	0,086	0,077	0,072	0,068
$\lambda = 1,10$	zu $\gamma =$	0,375	0,222	0,179	0,158	0,146	0,138
$\lambda = 1,15$	zu $\gamma =$	—	0,353	0,278	0,243	0,224	0,210

Für $\lambda > 1,15$ ist die Bedingung $\max M_1 = \max M$ nicht mehr erfüllbar.

d) **Kragträgeranordnung mit drei symmetrischen Feldern (Abb. 322)** mit den Stützweiten l_1, l_2 und l_1 sowie den Kragarmen c.

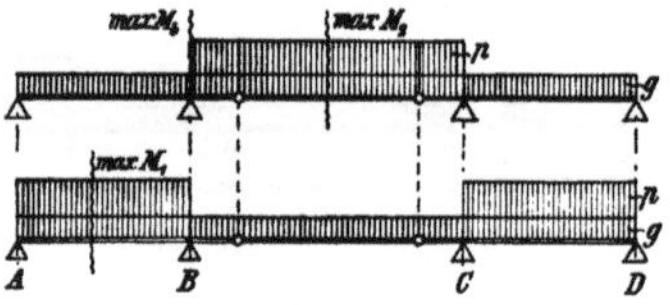

Bezeichnet man hier

$$\gamma = \frac{c}{l_1},\quad \lambda = \frac{l_2}{l_1}\ \text{und}\ \mathfrak{M} = \frac{g l_1^2}{8}$$

so wird:

Abb. 322.

$$\max M_2 = (p+g)\frac{(l_2-2c)^2}{8}$$

$$= \pi\,\mathfrak{M}\cdot(\lambda-2\gamma)^2$$

$$\min M_B = g\frac{c}{2}\cdot(l_2-c) = 4\,\mathfrak{M}\gamma(\lambda-\gamma)$$

$$\max M_1 = \pi\,\mathfrak{M} - \frac{4}{2}\cdot\mathfrak{M}\gamma(\lambda-\gamma) + \frac{4^2\,\mathfrak{M}^2\gamma^2(\lambda-\gamma)^2}{16\cdot\pi\mathfrak{M}} = \frac{\mathfrak{M}}{\pi}[\pi - \gamma(\lambda-\gamma)]^2.$$

Aus der Bedingung $\max M_2 = \max M_1$, also $\pi(\lambda-2\gamma) = \pi - \gamma(\lambda-\gamma)$, folgt daher

$$\gamma = \frac{\lambda}{2} - \pi + \frac{1}{2}\sqrt{\lambda^2 + 4\pi(\pi-1)}.$$

Damit $\max M_1$ positiv werde, muß

$$A = \frac{g l}{2} - \frac{\max M_B}{l} = \frac{g l}{2} - (g+p)\cdot\frac{c}{2}\cdot\frac{l_2-c}{l} > 0$$

sein, woraus sich die weitere Bedingung $\pi\gamma(\lambda - \gamma) < 1$ ergibt, oder

$$\gamma < \frac{\lambda}{2} - \sqrt{\frac{\lambda^2}{4} - \frac{1}{\pi}}$$

und daraus $\qquad \dfrac{\lambda^2}{4} > \dfrac{1}{\pi}$ oder $\lambda > \sqrt{\dfrac{4}{\pi}}$.

Daraus ergibt sich die Auskragung

	für $\lambda = 1,0$	1,2	1,4	1,6	1,8	2,0
mit $\pi = 1,5$	zu $\gamma = 0$	0,154	0,314	0,479	0,649	0,823
2,0	zu $\gamma = 0$	0,136	0,278	0,425	0,576	0,732
3,0	zu $\gamma = 0$	0,125	0,245	0,378	0,510	0,646
5,0	zu $\gamma = 0$	0,112	0,219	0,343	0,462	0,583

VI. Berechnung des durchlaufenden Trägers.

Läuft ein Balken ohne jede Unterbrechung über mehrere Felder durch, so lassen sich die auf die einzelnen Stützen ausgeübten Lagerdrücke nicht mehr allein nach den einfachen Gleichgewichtsbedingungen der Statik bestimmen. Sie sind vielmehr sowohl von der Höhenlage der Stützen als auch von dem elastischen Verhalten des Balkens und der Stützen abhängig.

Zur Erläuterung dieser Wirkung denke man sich einen gewichtslosen Balken, der z. B. auf drei Stützen A, B und C derart gelagert ist, daß er die Stützen eben berührt. Wird nun die innere Stütze weggenommen und der Balken so der Wirkung seiner äußeren Belastung und der Auflagerkräfte A und B überlassen, so erleidet derselbe im Punkte C eine seiner Elastizität entsprechende Durchbiegung δ_p (Abb. 323).

Durch Hinzutreten der Zwischenstütze C mit ihrem als äußere Kraft anzusehenden Widerstand wird die Durchbiegung des Balkens im Punkte C um ein solches Maß δ_c vermindert, als diese Kraft C für sich allein hervorrufen würde. Es läßt sich auf diese Weise die Größe des Stützendruckes ermitteln, der erforderlich ist, den Punkt C des Balkens auf seine ursprüngliche Höhe zurückzudrücken. Dieser Stützendruck C ruft aber gleichzeitig eine innere Druckspannung in der Stütze selbst hervor und bewirkt damit wieder

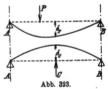

Abb. 323.

eine elastische Verkürzung der Stützenlänge. Es muß daher selbst unter der Voraussetzung, daß das untere Ende der Stütze unverschieblich festliegt, auf jeden Fall ein Rest an Durchbiegung des Balkens zurückbleiben, dem an sich wieder gemäß vorstehender Betrachtung eine Verminderung des Stützendruckes entspricht. Nun ist jedoch die Verringerung der Stützenlänge bei den für Eisenbeton vorkommenden Abmessungen verschwindend klein gegenüber der Durchbiegung des Balkens, und es ist daher vollkommen zulässig und allgemein üblich, die elastische Stützensenkung vollständig zu vernachlässigen, die Stützen daher als starr anzusehen. Als unerläßliche Voraussetzung ist jedoch dafür zu sorgen, daß auch das untere Stützenende, also die Grundfläche der Stütze C sowohl, als auch die Endauflager A und B genügend fest stehen, um als unverschieblich angesehen werden zu können, da nach dieser Betrachtung jeder Veränderung in der Höhenlage eine Veränderung der Stützendrücke und damit auch der Biegungsmomente des Balkens entspricht.

Die Größe der Stützendrücke ist, außer von diesem Verhalten der Stützen selbst unter der Belastung, hauptsächlich von der elastischen Formänderung des Balkens abhängig, die zunächst durch das Elastizitätsmaß des Baustoffes, ferner aber auch durch die Querschnittsform des Balkens bedingt ist. Hierzu kommt noch, daß bei einem Balken mit unsymmetrischem, z. B. ⊥-förmigem Querschnitt, und aus nicht vollkommen gleichartig elastischem Baustoff die elastische Formänderung nicht genau die gleiche ist, wenn die Rippe des gewichtslos gedachten Balkens auf der Druckseite oder wenn sie auf der Zugseite liegt. Dieser bei den Eisenbetonbrücken leider unvermeidliche Umstand, dessen Berücksichtigung in der Rechnung mangels genügender einwandfreier Versuche zunächst noch nicht möglich ist, wird daher zu einer unvermeidlichen Unbestimmtheit der Rechnung Veranlassung geben, die im besonderen gegebenen Falle durch einen entsprechend erhöhten Sicherheitsgrad ausgeglichen werden muß.

Bei der nachstehenden Behandlung werden daher folgende Voraussetzungen zugrunde gelegt:

1. der Balken liegt auf den Stützen frei auf;
2. die Stützen seien starr, also in ihrer Höhenlage unveränderlich;
3. die Balken haben durchweg gleiches elastisches Verhalten und innerhalb jeder Öffnung auch gleichen Querschnitt.

Zu 1. Die durch die erste Voraussetzung hier ausgeschalteten durchlaufenden Balken mit fest verbundenen Zwischenstützen werden im nächsten Abschnitt behandelt.

Zu 2. ist zu bemerken, daß die Balkenstützung sowohl gegen lotrecht abwärts, als auch gegen aufwärts gerichtete Kräfte wirksam sein muß, ohne dabei die Verdrehung oder Verbiegung des Balkens zu hindern. Sind die Stützpunkte nicht verankert, so muß die ständige Last des Trägers groß genug sein, um dem von der Verkehrslast etwa bewirkten Auftrieb mindestens das Gleichgewicht zu halten. Ist der Auftrieb auf einer Stütze bei einer bestimmten Anordnung der Verkehrslast größer als der Stützendruck von der ständigen Last, so muß die betreffende Stütze für diesen Belastungsfall als nicht vorhanden angesehen und danach die Rechnung nochmals durchgeführt werden. Ein solcher Fall kann z. B. eintreten, wenn ein durchlaufender Balken auf zwei breiten Pfeiler gestützt wird, ähnlich wie bei der Bormidabrücke, Beispiel Nr. 15, Abschnitt F. In diesem Falle ergibt die Belastung einer einzelnen Öffnung, z. B. der Mittelöffnung, bei unveränderlicher Höhenlage der Stützpunkte die in Abb. 324 angedeutete Biegelinie a. Ist dagegen ein Ab-

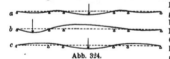

Abb. 324.

heben über den Stützen möglich, wie z. B. bei einer freien Lagerung des Balkens, so wird bei der Belastung einer Öffnung der gewichtslos gedachte Balken die Form der Biegelinie b oder c (Abb. 324) annehmen. Ein solches Abheben kann allerdings nur dann eintreten, wenn der Auflagerdruck vom Eigengewicht kleiner als der Auftrieb ist.

Zu 3. Das elastische Verhalten des Trägers ist der Elastizitätsziffer und dem Trägheitsmoment abhängig, dessen Berechnung am zweckmäßigsten unter der Annahme eines homogenen Baustoffes für den gesamten Querschnitt einschließlich der Zugzone und unter Vernachlässigung der Eiseneinlagen vorzunehmen ist (vergl. die Erörterungen auf S. 154).

Für die Berechnung der durchlaufenden Träger stehen verschiedene Wege zur Verfügung. Von einer Erörterung aller gebräuchlichen Verfahren muß hier jedoch ebenso wie von einer ausführlichen theoretischen Begründung der Berechnungsweise durchlaufender Balken abgesehen und auf die bezüglichen eingehenden Erörterungen a. a. O.[1] verwiesen werden. Im folgenden soll nur auf die graphische Ermittlung der Biegungsmomente und Querkräfte nach dem bekannten Ritterschen Verfahren

---

[1] Vergl. u. a.· Ritter, Graphische Statik, III. Teil: Mohr, Abhandlungen aus dem Gebiete der technischen Mechanik, Abhandlung VIII (S. 261 u f.); Handbuch der Ingenieurwissenschaften, Band II. Abschnitt IX.

näher eingegangen werden, da das zeichnerische Verfahren den Vorzug der größten Anschaulichkeit besitzt. Es führt in den weitaus meisten Fällen am raschesten zum Ziel und bietet dabei eine für die praktische Anwendung stets vollkommen ausreichende Genauigkeit der Ergebnisse. In vielen Sonderfällen ist jedoch die Bestimmung der Festpunkte und der Stützmomente auf rechnerischem Wege rascher möglich als auf graphischem Wege. Deshalb werden im folgenden stets auch die algebraischen Werte für gewisse Sonderfälle abgeleitet, die natürlich mit den nach graphischen Verfahren zu erzielenden Ergebnissen übereinstimmen.

Wird ein auf mehreren starren Stützen liegender und auf diesen im obigen Sinne festgehaltener Träger durch eine Last in einer Öffnung belastet, so nimmt seine Achse infolge der Durchbiegung die Form einer stetig gekrümmten Linie an, die über den Stützen die ursprüngliche Höhenlage behält und daher in jeder Öffnung einen Wendepunkt, in der belasteten deren zwei besitzen muß (Abb. 325). Diese „Wendepunkte der elastischen

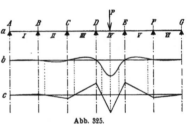

Linie" liegen in den unbelasteten Öffnungen stets an der gleichen Stelle und heißen daher „Festpunkte". Da sich nun nach Mohr die elastische Linie als Seilkurve ergibt, wenn man die Fläche der Biegungsmomente als Belastungsfläche des einfachen Balkens auffaßt, so müssen den positiven und negativen Krümmungen positive bezw. negative Biegungsmomente entsprechen und an den Wende-

Abb. 325.

punkten der elastischen Linie das Biegungsmoment sein Vorzeichen wechseln. Die Momentenlinie zwischen zwei Einzellasten (als welche in den unbelasteten Feldern eines durchlaufenden Balkens die Stützenwiderstände aufzufassen sind) ist aber stets durch gerade Linien begrenzt. Man erkennt daher, daß die Momentenlinie in den unbelasteten Feldern aus Geraden bestehen muß, welche die Grundlinie in den Festpunkten schneiden, über den Stützen aber gebrochen sind. Die Momente in den unbelasteten Feldern eines Balkens sind daher ohne weiteres bekannt, sobald die Lage der Festpunkte und die Größe der Stützenmomente in der belasteten Öffnung ermittelt worden sind.

Im folgenden sollen die Stützen nach Abb. 325 stets von links nach rechts mit A, B, C . . ., die Momente über den Stützen mit M_a, M_b, M_c . . ., die einzelnen Balkenfelder mit I, II, III . . ., die Momente in den Feldern selbst mit M_1, M_2, M_3 . . . bezeichnet werden. Außerdem bedeute $\mathfrak{M}$ die Momente im einfachen Balken gleicher Stützweite, M die Momente im durchlaufenden Balken. Ferner werden die Werte am linken Ende eines Feldes mit F^1 bis M_1, diejenigen am rechten Ende eines Feldes mit F^1 bezw. M^1 bezeichnet.

Desgl. mit A, B, C die Auflagerdrücke, mit Q_a, Q_b, Q_c die Querkräfte am linken Balkenende also rechts der Stütze, $Q_a{}'$, $Q_b{}'$, $Q_c{}'$ die Querkräfte am rechten Balkenende also links der Stütze.

1. Bestimmung der Festpunkte.

Die Festpunkte liegen stets in dem von der belasteten Öffnung abliegenden dritten Drittel eines Feldes, und es gibt daher für jede Öffnung zwei solcher Festpunkte, deren Lage sich wie folgt bestimmt.

a) **Zeichnerisches Verfahren.** Zunächst teilt man nach Abb. 326 die einer
Stütze D benachbarten Felder in je drei gleiche Teile und trägt von den der Stütze
benachbarten Drittelpunkten und je die Länge des Drittels der Nachbaröffnung
auf, in dem so gefundenen Punkte D' errichtet man eine Lotrechte, das sogenannte
„verschränkte Drittellot". Hierauf legt man durch den Lagerpunkt D eine unter
einem beliebigen Winkel geneigte Gerade $a_m a_n$, zieht sodann vom Festpunkt F_m des
vorhergehenden Feldes die Gerade $F_m\, a_m$ bis zum Schnittpunkt d mit dem verschränkten Drittellot, sowie die Gerade $d\,a_n$ und erhält im Schnittpunkt dieser Linie
mit der Achse den gesuchten Festpunkt F_n der nächsten Öffnung.

In der gleichen Weise geht man von Öffnung zu Öffnung weiter und erhält,
vom linken Balkenende ausgehend, die linken Festpunkte F und ebenso, vom rechten
Balkenende ausgehend, die rechten Festpunkte F' für jede Öffnung.

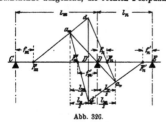

Abb. 326.

Abb. 327a bis c.

Der Festpunkt F_1 der ersten Öffnung fällt mit dem ersten Auflagerpunkt A zusammen, wenn das Balkenende über diesem frei beweglich ist (Abb. 327a). Bei
vollkommen fester Einspannung des Balkenendes in A liegt der Festpunkt F_1 im ersten
Drittelpunkt der ersten Öffnung (Abb. 327b). Der beiderseits fest eingespannte
Träger kann ebenso behandelt werden, wie ein Feld eines durchlaufenden Trägers,
dessen beide Festpunkte in den Drittelpunkten liegen (Abb. 327c).

Wenn der Balkenquerschnitt in einer Öffnung erheblich von dem der Nachbaröffnung
abweicht, (vergl. Abb. 328) so ist das „verschränkte Drittellot" nach der Seite des
schwächeren Balkenfeldes derart zu verschieben, daß man vom Drittelpunkt b_m aus anstatt
der Strecke $e_m = \dfrac{l_n}{3}$ die Strecke $e_m = \dfrac{l_n}{3} \cdot \dfrac{l_m + l_n}{l_m \dfrac{J_n}{J_m} + l_n}$ aufträgt. Die Strecke $\dfrac{l_m + l_n}{3}$

wird demnach durch das verschränkte Drittellot im Verhältnis $(l_n \cdot J_m) : (l_m \cdot J_n)$ ge-
spalten (vergl. Ritter, Graphische Statik, III. Teil, Nr. 27). Hierin sind J_m und J_n
die mittleren Trägheitsmomente der beiden Balkenfelder. Kleinere Verschiedenheiten
des Balkenquerschnitts, z. B. die Verstärkungen an den Stützen infolge der Eck-
abschrägungen, brauchen im allgemeinen nicht berücksichtigt zu werden.

b) **Rechnerisches Verfahren.** Aus dieser Konstruktion ergeben sich rechnerisch die Abstände der Festpunkte von den benachbarten Stützen allgemein zu

$$f_n = \frac{l_n^2\,(l_m - f_m)}{l_m\,(2\,l_m + 3\,l_n) - 3\,f_m\,(l_m + l_n)} \quad \cdots \cdots \cdots \quad 1)$$

Im besonderen wird für die zweite Öffnung

$$f_2 = \frac{l_2^2}{2\,l_1 + 3\,l_2} \quad \cdots \cdots \cdots \cdots \cdots \quad 1a)$$

für die dritte Öffnung

$$f_3 = \frac{2\,l_2{}^2\,(l_1 + l_3)}{l_1\,l_3 + 3\,(l_1 + l_2)\,(l_2 + 2\,l_3)} \quad \cdots \cdots \quad \text{1b)}$$

und für einen Träger auf 4 Stützen mit $l_1 = l_3$ wird

$$f_1{}' = f_3 = \frac{2\,l_2{}^2\,(l_1 + l_2)}{6\,l_1{}^3 + 10\,l_1\,l_2 + 3\,l_2{}^3} \quad \cdots \cdots \quad \text{1c)}$$

Für durchweg gleiche Stützenabstände l wird

$$f_n = \frac{l\,(l - f_{n-1})}{5\,l - 6\,f_{n-1}} \quad \cdots \cdots \cdots \quad \text{1d)}$$

und zwar

$$f_1 = 0,$$

$$f_2 = \frac{l}{5} = 0{,}200\,l,$$

$$f_3 = \frac{4}{19}\,l = 0{,}210526\,l,$$

$$f_4 = \frac{45}{71}\,l = 0{,}211268\,l,$$

$$f_5 = \frac{56}{265}\,l = 0{,}211321\,l,$$

$$f_n = \frac{l}{2}\left(1 - \frac{\sqrt{3}}{3}\right) = 0{,}211325\,l.$$

Der Festpunktabstand f ist demnach vom dritten Feld ab mit $f = 0{,}211\,l$ genügend genau als gleichbleibend anzusehen.

Ist der Träger an einem Ende fest eingespannt, so ist das Ende so zu betrachten, als ob daselbst zwei feste Stützen in unendlich kleinem Abstand angeordnet wären, da nur dann die Bedingung genau erfüllt ist, daß die Tangente an die elastische Linie in diesem Punkte wagerecht sei. Setzt man in der Gleichung 1a) f_1 für f_3, ferner $l_1 = 0$ und $l_2 = l_1$, so ist

$$f_1 = \frac{l_1}{3},$$

d. h. der erste Festpunkt liegt im ersten Drittel der ersten Öffnung, wie bereits oben gesagt wurde. Bei einem beiderseits fest eingespannten Träger liegen natürlich beide Festpunkte in den Drittelpunkten.

Haben zwei benachbarte Öffnungen verschiedene Trägheitsmomente, und setzt man ihr Verhältnis

$$\frac{J_n}{J_m} = \nu$$

so erhält man in gleicher Weise, wie abgeleitet, für den Festpunktabstand den allgemeinen Wert:

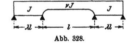

Abb. 328.

$$f_n = \frac{l_n{}^2\,(l_m - f_m)}{l_m\,(2\,\nu\,l_m + 3\,l_n) - 3\,f_m\,(\nu\,l_m + l_n)} \quad \cdots \cdots \quad \text{2)}$$

sowie ferner für die zweite Öffnung mit $J_2 : J_1 = \nu$

$$f_2 = \frac{l_2{}^2}{2\,\nu\,l_1 + 3\,l_2} \quad \cdots \cdots \cdots \quad \text{2a)}$$

und für die erste und dritte Öffnung eines symmetrischen Trägers auf 4 Stützen nach Abb. 328 mit

$$l_2 = l; \qquad l_1 = l_3 = \lambda\,l \quad \text{und} \quad \frac{J_2}{J_1} = \frac{J_2}{J_3} = \nu:$$

$$f_1{}' = f_3 = \frac{2\,\nu\,\lambda^2\,l\,(\nu\,\lambda + 1)}{2\,\lambda\,(2\,\nu^2 + 3) + 3\,\nu\,(2\,\lambda^2 + 1)}.$$

2. Bestimmung der Biegungsmomente.

a) Für eine Einzellast P in einem beliebigen Punkte eines Feldes trägt man nach Abb. 329 b das einem einfachen Träger entsprechende Biegungsmoment, „das einfache Biegungsmoment" $\mathfrak{M} = P \cdot \dfrac{x(l-x)}{l}$ als Strecke cd auf und schneidet die Größe dieses Biegungsmomentes auf den Stützenloten in den Punkten e und f an. Sodann

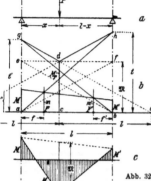

Abb. 329.

zieht man vom Punkte d nach jeder Seite eine Parallele zu af und be, die daher auf der rechten Auflagersenkrechten die Größe

$$t = \mathfrak{M} \cdot \frac{l + (l-x)}{l} = \mathfrak{M} \cdot \frac{2\,l - x}{l},$$

auf der linken Auflagersenkrechten die Größe

$$t' = \mathfrak{M} \cdot \frac{l + x}{l}$$

abschneidet. Häufig ist es einfacher, vom Fußpunkt c der Last P die Strecke l nach beiden Seiten aufzutragen, und auf diesen Punkten c' und c'' Strahlen durch den Punkt d zu ziehen, die, wie Abb. 329b erkennen läßt, die Verlängerung der Linien dg und dh bilden. Durch Verbindung dieser Punkte g bezw. h mit den gegenüberliegenden Auflagerpunkten b bezw. a erhält man weiter an den Festpunktloten in F und F' die Höhen

$$m = t \cdot \frac{f}{l} = \mathfrak{M} \cdot \frac{2\,l - x}{l} \cdot \frac{f}{l}$$

bezw.

$$m' = t' \cdot \frac{f'}{l} = \mathfrak{M} \cdot \frac{l + x}{l} \cdot \frac{f'}{l},$$

deren Verbindungslinie, die sogenannte „Schlußlinie", die Größe der negativen Biegungsmomente auf den Auflagersenkrechten, also die Stützenmomente M und M', ergibt.[1]) Diese sind danach

$$M = m + (m - m') \cdot \frac{f}{l - f - f'}$$
$$= \mathfrak{M} \cdot \frac{f}{l} \cdot \frac{2\,l - x - 3\,f'}{l - f - f'} = P \cdot \frac{x(l-x)}{l} \cdot \frac{f}{l} \cdot \frac{2\,l - x - 3\,f'}{l - f - f'} \quad \cdots \quad 3)$$

und in ähnlicher Weise

$$M' = P \cdot \frac{x(l-x)}{l} \cdot \frac{f'}{l} \cdot \frac{l + x - 3\,f}{l - f - f'} \cdot \quad \cdots \cdots \cdots \quad 3a)$$

Trägt man nun an die Schlußlinie die einfache Momentenfläche des Lastfeldes nach unten auf, und zwar der besseren Übersicht halber in einer besonderen Darstellung (Abb. 329c), so durchschneidet die Grundlinie die einfache Momentenfläche derart, daß die über ihr gelegenen Flächenteile die negativen, die unter ihr gelegenen Flächenteile die positiven Biegungsmomente darstellen.

Sonderfälle. Für das erste Feld eines Trägers ist $f = 0$ und daher auch $M_a = M_1 = 0$, dagegen

$$M_b = M_1' = \mathfrak{M} \cdot \frac{l + x}{l} \cdot \frac{f'}{l - f'} = \frac{P\,x\,(l^2 - x^2)}{l^2} \cdot \frac{f'}{l - f'} \cdot \quad \cdots \cdots \quad 3\,a)$$

Der Wert wird am größten für $x = \dfrac{l}{\sqrt{3}} = 0{,}577\,l$, und zwar wird max $M' = 0{,}385\,Pl\,\dfrac{f'}{l - f'}$.

---

[1]) Zur Vereinfachung der algebraischen Ausdrücke empfiehlt es sich, die Stützenmomente M und M', welche eine negative Krümmung hervorrufen und daher auch in der Rechnung als negative Zahlenwerte auftreten, ähnlich wie die Auflagerdrücke (vergl. S. 165), nicht mit negativem Vorzeichen zu versehen, sondern in diesem Sinne wirkend. als den positiven Biegungsmomenten in Feldmitte entgegenwirkende Momente aufzufassen.

Für das erste Feld eines Trägers auf drei Stützen mit $f_1' = \dfrac{l_1^2}{2\,l_2 + 3\,l_1}$ wird

$$M_b = M_1' = \mathfrak{M} \cdot \frac{l_1 + x}{2\,(l_1 + l_2)} = \frac{P \cdot x}{2\,l_1} \cdot \frac{l_1^2 - x^2}{l_1 + l_2} \quad \ldots \ldots \ldots \quad 3\beta)$$

und weiter für $l_1 = l_2 = l$ wird

$$M_b = \frac{P x}{4\,l^2}\,(l^2 - x^2) \quad \ldots \ldots \ldots \quad 3\gamma)$$

Für ein mittleres Feld mit $f = f'$ ist

$$\left.\begin{aligned} M &= \frac{P x\,(l - x)}{l} \cdot \frac{f}{l} \cdot \frac{2\,l - x - 3f}{l - 2f} \quad \ldots \ldots \\[4pt] M' &= \frac{P x\,(l - x)}{l} \cdot \frac{f}{l} \cdot \frac{l + x - 3f}{l - 2f} \quad \ldots \ldots \end{aligned}\right\}\; 3\delta)$$

Für das mittlere Feld l_2 eines Trägers auf vier Stützen, dessen äußere Felder die gleiche Stützweite $l_1 = l_3$ haben, so daß also $f_2 = f_2' = \dfrac{l_2^2}{2\,l_1 + 3\,l_2}$ wird, ergibt sich

$$\left.\begin{aligned} M_b = M_2 &= \frac{P x\,(l_2 - x)}{l_2} \cdot \frac{l_2\,(4\,l_1 + 3\,l_2) - x\,(2\,l_1 + 3\,l_2)}{(2\,l_1 + l_2) \cdot (2\,l_1 + 3\,l_2)} \quad \ldots \ldots \\[4pt] M_c = M_2' &= \frac{P x\,(l_2 - x)}{l_2} \cdot \frac{2\,l_2\,l_1 + x\,(2\,l_1 + 3\,l_2)}{(2\,l_1 + l_2) \cdot (2\,l_1 + 3\,l_2)} \quad \ldots \ldots \end{aligned}\right\}\; 3\varepsilon)$$

und für $l_1 = l_2 = l_3 = l$

$$\left.\begin{aligned} M_b &= \frac{P x\,(l - x)}{l} \cdot \frac{7\,l - 5\,x}{15\,l} \quad \ldots \ldots \ldots \\[4pt] M_c &= \frac{P x\,(l - x)}{l} \cdot \frac{2\,l + 5\,x}{15\,l} \quad \ldots \ldots \ldots \end{aligned}\right\}\; 3\zeta)$$

Der Größtwert des positiven Biegungsmomentes unter der Last selbst ergibt sich zu

$$M_P = \frac{P x\,(l - x)}{l} - M\,\frac{l - x}{l} - M'\,\frac{x}{l} \quad \ldots \ldots \quad 3\,\mathrm{b})$$

Im besonderen wird für $f = 0$ mit Einsetzung der Werte $M = 0$ und M' nach Gl. 3α

$$M_P = \mathfrak{M}\left(1 - \frac{f'}{l - f'} \cdot \frac{x\,(l + x)}{l^2}\right).$$

Für $f = f'$ wird mit M und M' nach Gl. 3δ

$$M_P = \mathfrak{M}\left(1 - \frac{f}{l - 2f} \cdot \frac{l\,(2\,l - f) - 2\,x\,(l - x)}{l^2}\right).$$

b) Für eine gleichmäßig verteilte Last p erhält man die Stützenmomente in einfachster Weise dadurch, daß man in der Feldmitte das einfache Biegungsmoment $\mathfrak{M} = \dfrac{1}{8}\,p\,l^2$ als Strecke aufträgt und von deren Endpunkt aus gemäß Abb. 330b nach den Auflagerpunkten Gerade zieht, die unmittelbar an den Festpunktloten zwei Punkte der Schlußlinie anschneiden und damit die Stützenmomente ergeben. Hiernach ist

$$m = \mathfrak{M} \cdot \frac{2\,f}{l} \quad \text{und} \quad m' = \mathfrak{M} \cdot \frac{2\,f'}{l},$$

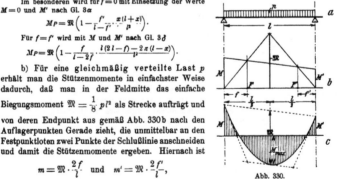

Abb. 330.

ferner

$$M = m + (m - m')\,\frac{f}{l - f - f'} = 2\,\mathfrak{M} \cdot \frac{f}{l} \cdot \frac{l - 2\,f'}{l - f - f'} \quad \ldots \quad 4)$$

und

$$M' = 2\,\mathfrak{M} \cdot \frac{f'}{l} \cdot \frac{l - 2\,f}{l - f - f'} \quad \ldots \ldots \ldots \quad 4\,\mathrm{a})$$

Um die wirkliche Momentenfläche zu erhalten, hat man wieder wie im vorigen Falle auf die so erhaltene Schlußlinie nach Abb. 330c die einfache Momentenfläche aufzusetzen, welche eine Parabel mit der Scheitelhöhe $\mathfrak{M}$ ist.

Sonderfälle: Für das erste Feld eines Trägers wird $f = 0$, folglich auch $M_a = 0$ und

$$M_b = M_1' = 2\,\mathfrak{M}_1 \cdot \frac{f'}{l_1 - f'} \quad \ldots \ldots \quad 4\,\alpha)$$

Für das erste Feld eines Trägers auf drei Stützen mit $f_1' = \dfrac{l_1^2}{2\,l_1 + 3\,l_2}$ wird

$$M_b = M_1' = \mathfrak{M}_1 \cdot \frac{l_1}{l_1 + l_2} = \frac{p\,l_1^3}{8(l_1 + l_2)} \quad \ldots \ldots \ldots \quad 4\,\beta)$$

Für das erste Feld eines Trägers auf 4 Stützen mit gleichen Endöffnungen, also mit $l_1 = l_3$ und f_1' nach Gl. 1c wird

$$M_b = M_1' = \mathfrak{M}_1 \cdot \frac{4\,l_1\,(l_1 + l_2)}{4\,l_1^2 + 8\,l_1\,l_2 + 3\,l_2^2} \quad \ldots \ldots \ldots \quad 4\,\gamma)$$

Mit $l_1 = l_2 = l_3 = l$ wird

$$M_b = \frac{8}{15}\,\mathfrak{M}_1 = \frac{p\,l^2}{15} \quad \ldots \ldots \ldots \ldots \quad 4\,\delta)$$

Für ein mittleres Feld mit $f = f'$ wird

$$M = M' = 2\,\mathfrak{M} \cdot \frac{f}{l} \quad \ldots \ldots \ldots \ldots \quad 4\,\gamma)$$

Für das mittlere Feld l_2 eines Trägers auf vier Stützen, dessen äußere Felder die gleiche Stützweite $l_1 = l_3$ haben, so daß $f_2 = f_2' = \dfrac{l_2^2}{2\,l_1 + 3\,l_2}$ ist, wird

$$M_c = M_2' = 2\,\mathfrak{M}_2 \cdot \frac{l_2}{2\,l_1 + 3\,l_2} = \frac{p\,l_2^3}{4\,(2\,l_1 + 3\,l_2)} \quad \ldots \ldots \quad 4\,\vartheta)$$

und für $l_1 = l_2 = l_3 = l$

$$M_c = M_2' = \frac{2}{5}\,\mathfrak{M} = \frac{p\,l^2}{20} \quad \ldots \ldots \ldots \quad 4\,\zeta)$$

Der Größtwert des positiven Biegungsmomentes im Felde selbst ergibt sich für $x = \dfrac{l}{2} - \dfrac{M' - M}{p\,l}$ zu

$$+ M_{\max} = \frac{p\,x^2}{2} = \frac{p}{2}\left(\frac{l}{2} - \frac{M' - M}{p\,l}\right)^2 = \mathfrak{M} - \frac{M' + M}{2} + \frac{(M' - M)^2}{16\,\mathfrak{M}} \quad \cdot \quad 5)$$

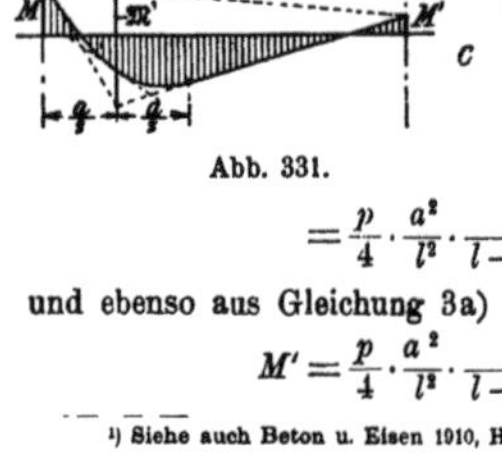

Für das erste Feld mit $M_a = 0$ wird

$$+ M_{\max} = \mathfrak{M}_1 - \frac{M_2}{2} + \frac{M_2^2}{16\,\mathfrak{M}_1} \quad \ldots \ldots \quad 5a)$$

für ein Mittelfeld bei symmetrischer Anordnung, also mit $M' = M$, daher

$$+ M_{\max} = \mathfrak{M} - M \quad \ldots \ldots \quad 5b)$$

c) Für streckenweise Belastung[1]) eines Feldes mit gleichförmig verteilter Last auf der Strecke a nach Abb. 331a ergibt sich aus Gleichung 3, wenn $P = p\,dx$ gesetzt wird,

Abb. 331.

$$M = \int_0^a p\,dx \cdot \frac{x\,(l - x)}{l} \cdot \frac{f}{l} \cdot \frac{2\,l - x - 3\,f'}{l - f - f'} =$$

$$= \frac{p}{4} \cdot \frac{a^2}{l^2} \cdot \frac{f}{l - f - f'} \cdot [(2\,l - a)^2 - 2\,f'\,(3\,l - 2\,a)] \quad \ldots \ldots \quad 6)$$

und ebenso aus Gleichung 3a)

$$M' = \frac{p}{4} \cdot \frac{a^2}{l^2} \cdot \frac{f'}{l - f - f'} \cdot [2\,l^2 - a^2 - 2\,f\,(3\,l - 2\,a)] \quad \ldots \ldots \quad 6a)$$

---

[1]) Siehe auch Beton u. Eisen 1910, Heft I.

Die graphische Ermittlung erfolgt derart, daß man nach Abb. 331b auf den Stützenloten die Werte

$$t' = 2\mathfrak{M} \cdot \xi^2 (2 - \xi^2) \quad \text{bezw.} \quad t = 2\mathfrak{M} \cdot \xi^2 (2 - \xi)^2$$

aufträgt. Hierin ist $\mathfrak{M} = \frac{1}{8} \, p \, l^2$ das einfache Biegungsmoment für Vollbelastung

und $\xi = \frac{a}{l}$ das Verhältnis der am Auflager beginnenden Laststrecke zur Stützweite.
Die Verbindungslinien der Punkte t' und t mit den gegenüberliegenden Auflagerpunkten ergeben durch ihre Schnittpunkte mit den Festpunktloten — ähnlich wie bei einer Einzellast — die Schlußlinie.

Im besonderen wird für

$\xi = \frac{a}{l} =$	0,1	0,2	0,3	0,4	0,5	0,6	0,7	0,8	0,9	1,0
$\frac{t'}{\mathfrak{M}} =$	0,040	0,157	0,344	0,589	0,875	1,181	1,480	1,741	1,928	2,000
$\frac{t}{\mathfrak{M}} =$	0,072	0,259	0,520	0,819	1,125	1,411	1,656	1,843	1.960	2,000

Schließt die Laststrecke nicht unmittelbar an einen Auflagerpunkt an, so sind die Unterschiede der Werte t' bezw. t für ξ_2 und ξ_1 anzutragen und dann weiter wie vorher zu verfahren.

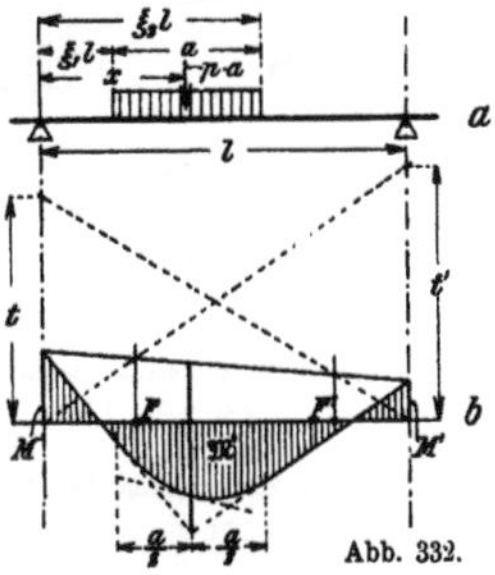

Die Aufzeichnung der einfachen Momentenfläche geschieht derart, daß man im Lastschwerpunkte, also in der Mitte der Laststrecke, das Biegungsmoment

$$\mathfrak{M}' = p \cdot a \cdot \frac{x \, (l - x)}{l}$$

aufträgt und in der aus Abb. 331c u. 332b ersichtlichen Weise die Momentenlinie zeichnet.

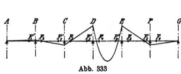

Abb. 332.

d) Für die unbelasteten Felder eines durchlaufenden Balkens ergeben sich die Biegungsmomente dadurch, daß man nach Abb. 333 von dem Stützenmoment am Lastfelde, z. B. M_D, eine Gerade durch den von dieser Stütze entfernteren Festpunkt F_3 legt, welche auf dem nächsten Stützenlote das dort auftretende Stützenmoment M_C anschneidet. Durch Fortsetzung dieses Vorgangs auf beiden Seiten der Lastöffnung bis an die Träger-

Abb. 333

enden erhält man die vollständige Momentenfläche für den nur in einem Felde belasteten Träger.

e) Die Zusammensetzung der Biegungsmomente für die Belastung mehrerer Öffnungen und für verschiedene Lastanordnungen ergibt sich einfach durch Addition der einzelnen Momentenflächen unter Berücksichtigung ihres Vorzeichens + oder —, wie es aus dem Rechnungsbeispiel Seite 200 ff. zu ersehen ist.

Verhältnismäßig einfache Ausdrücke ergeben sich für den Sonderfall mit gleichförmig verteilter Belastung und zwar folgendermaßen.

Für den Träger auf drei Stützen nach Abb. 334 ist das Stützenmoment bei B nach Gleichung 4β)

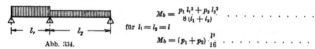

Abb. 334.

$$M_b = \frac{p_1 l_1^3 + p_2 l_2^3}{8 (l_1 + l_2)} \quad \cdots \cdots \cdots \cdots \quad 7)$$

für $l_1 = l_2 = l$

$$M_b = (p_1 + p_2) \frac{l^3}{16} \quad \cdots \cdots \cdots \cdots \quad 7a)$$

Für den symmetrischen Träger auf vier Stützen nach Abb. 335 ist infolge Belastung der ersten Öffnung nach Gleichung 4γ)

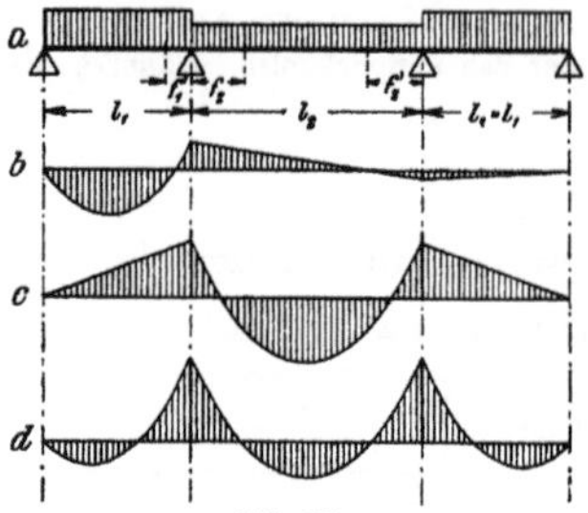

$$M_{b_1} = \mathfrak{M}_1 \frac{4 l_1 (l_1 + l_3)}{4 l_1^2 + 13 l_1 l_3 + 3 l_3^2}$$

ferner mit $f_3 = \frac{l_3^2}{2 l_1 + 3 l_3}$ und $\frac{f_3}{l_3 - f_3} = \frac{l_3}{2 (l_1 + l_3)}$

$$M_{c_1} = - M_b \frac{l_3}{2 (l_1 + l_3)} = p l_1 \frac{2 l_1 l_3}{4 l_1^2 + 13 l_1 l_3 + 8 l_3^2}.$$

Infolge Belastung der Mittelöffnung wird nach Gleichung 4ξ)

$$M_{b_2} = M_{c_1} = \mathfrak{M}_2 \frac{2 l_2}{2 l_1 + 3 l_2}.$$

Für Belastung der dritten Öffnung gelten die Gleichungen der ersten Öffnung nach Vertauschung von M_b gegen M_c und mit $\mathfrak{M}_3$ für $\mathfrak{M}_1$.

Abb. 335.

Sodann wird bei Vollbelastung

$$M_b = M_{b_1} + M_{b_2} + M_{b_3} = \frac{4 \mathfrak{M}_1 l_1 (l_1 + l_3)}{4 l_1^2 + 13 l_1 l_3 + 3 l_3^2} + \frac{2 \mathfrak{M}_2 l_2}{2 l_1 + 3 l_2} - \frac{2 \mathfrak{M}_3 l_1 l_3}{4 l_1^2 + 13 l_1 l_3 + 3 l_3^2}$$

$$= \frac{l_1^3}{4} \frac{2 p_1 (l_1 + l_3) - p_2 l_3}{4 l_1^2 + 13 l_1 l_3 + 3 l_3^2} + \frac{p_2 l_2^3}{4 (2 l_1 + 3 l_2)} \quad \cdots \cdots \quad 8)$$

Ebenso lautet die Gleichung für M_c nach Vertauschung von p_1 und p_3.

Für $l_1 = l_2 = l_3 = l$ wird

$$M_b = (4 p_1 + 4 p_2 - p_3) \frac{l^3}{80} \quad \cdots \cdots \cdots \cdots \quad 8a)$$

Bei Ermittlung der Größtwerte der Biegungsmomente ist selbstverständlich stets wohl zu unterscheiden: die ständige Last, welche zumeist gleichförmig über die ganze Trägerlänge verteilt ist und ihre Größe niemals ändert, und die Verkehrslast, welche aus der ortsveränderlichen, streckenweise gleichförmig verteilten Belastung oder aus Einzellasten in beliebiger Stellung (vergl. die beiden Rechnungsbeispiele in Punkt 6 und 7 auf Seite 200 u. 207) bestehen kann.

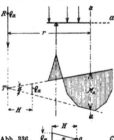

Abb. 336.

3. Bestimmung der Querkräfte und Auflagerdrücke.

Die Querkraft Q in einem beliebigen Balkenquerschnitt a—a (Abb. 336a) ist bekanntlich die Summe der rechtwinklig zur Balkenachse, in der Regel also lotrechten Seitenkräfte aller äußeren Kräfte, die auf den durch den Schnitt a—a abgetrennten Balkenteil wirken. Diese Mittelkraft geht durch den Schnittpunkt T der beiden Tangenten an die Momentenfläche in dem zu untersuchenden Schnitte (Abb. 336b). Ihre Größe ergibt sich aus dem zum Aufzeichnen der Momentenlinie dienenden Krafteck (Abb. 336c), indem man aus dem Pol O desselben Parallele zu diesen Tangenten zieht, die an der Kraftlinie die Querkraft anschneiden.

Nach Abb. 336 b erhält man die Größe der Querkraft auch dadurch, daß man im Abstande $H = 1$ von T eine Parallele zur Kraftrichtung, also eine Lotrechte zieht, auf welcher die Seilstrahlen die Größe Q_a anschneiden, wie aus dem Vergleich der kongruenten Dreiecke der Abb. 336 b und c hervorgeht.

Einem jeden Knickpunkt der Momentenlinie entspricht daher eine größere Änderung der Querkraft. Der Unterschied zwischen den beiden Querkräften, in den Schnitten unmittelbar links und rechts dieses Knickpunktes ist gleich der in diesem Punkte hinzukommenden äußern Kraft P. Diese erhält man daher aus der Momentenlinie dadurch, daß man im Abstand H vom Knickpunkt derselben ein Lot errichtet, auf dem die Tangenten die den Lasten bezw. den Auflagerdrücken entsprechenden Strecken P bezw. C und D abschneiden (Abb. 337 a). Zur bildlichen Darstellung des Verlaufs der Querkräfte eines Balkens empfiehlt es sich, die Grundlinie der Momentenfläche und der Querkraftlinien wagerecht zu legen und auf dieser an der einen Stütze den Polabstand H nach rechts aufzutragen. Von diesem Punkte sind Parallelen zu den Tangenten an die Momentenlinie zu legen, die an den Stützloten die Querkräfte anschneiden. Die Aufzeichnung der Querkräfte ergibt sich dann einfach nach Abb. 337 b, in welcher die über der Grundlinie liegenden Flächen als positive, die unter der Grundlinie liegenden Flächen als negative Querkräfte bezeichnet werden. Die Sprünge der Linie geben die Größe der Lasten in den einzelnen Punkten an.

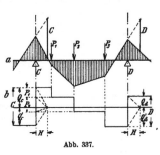

Abb. 337.

Für vollkommen gleichförmig verteilte Belastung wird die Querkraftlinie eine Gerade mit der Neigung p t/m auf die Strecke von 1 m. Für eine unbelastete Öffnung eines durchlaufenden Balkens ist die Momentenlinie eine Gerade, demnach die Querkraft über dem ganzen Felde gleich groß.

Die Summe der beiden Querkräfte unmittelbar rechts und links von einer Stütze gibt den **Auflagerdruck**.

Die Größe der Querkraft Q erhält man rechnerisch, wenn die Größe der beiderseitigen Stützenmomente M und M' sowie die Größe der Querkraft Ω für den entsprechenden einfachen Balken in dem zu untersuchenden Schnitte bekannt ist, zu

$$Q = \Omega + \frac{M - M'}{l} \quad . \quad . \quad . \quad . \quad . \quad . \quad . \quad 7)$$

Im besonderen ergeben sich die Auflagerdrücke bei gleichförmig verteilter Belastung für einen Träger auf drei Stützen (vergl. Abb. 334 und Gleichung 7) zu

$$\left.\begin{aligned}
A &= p_1 \frac{l_1}{2} - \frac{M_b}{l'} = \frac{p_1 l_1}{2} - \frac{p_1 l_1^3 + p_2 l_2^3}{8 l_1 (l_1 + l_2)} \quad . \quad . \quad . \quad . \\
B &= p_1 \frac{l_1}{2} + p_2 \frac{l_2}{2} + \frac{M_b}{l_1} + \frac{M_b}{l_2} = \frac{p_1 l_1 + p_2 l_2}{2} + \frac{p_1 l_1^3 + p_2 l_2^3}{8 l_1 l_2} \quad . \quad . \quad . \\
C &= p_2 \frac{l_2}{2} - \frac{M_b}{l_2} = \frac{p_2 l_2}{2} - \frac{p_1 l_1^3 + p_2 l_2^3}{8 l_2 (l_1 + l_2)}
\end{aligned}\right\} \quad 9)$$

mit $l_1 = l_2$

$$A = (7 p_1 - p_2) \frac{l}{16}; \qquad B = \frac{5}{8} (p_1 + p_2) l; \qquad C = (7 p_2 - p_1) \frac{l}{16} \quad . \quad . \quad . \quad . \quad 9a)$$

für einen Träger auf vier Stützen gleichen Abstandes (vergl. Abb. 335 und Gleichung 8a)

$$A = \frac{p_1\, l}{2} - \frac{M_b}{l} = (26\, p_1 - 3\, p_2 + p_3)\, \frac{l}{60} \; \cdots \cdots \cdots \left.\begin{array}{c} \\ \\ \end{array}\right\} \; 10)$$

$$B = (p_1 + p_2)\, \frac{l}{2} + \frac{M_b}{l} + \frac{M_b - M_c}{l} = (39\, p_1 + 33\, p_2 - 6\, p_3)\, \frac{l}{60} \; \cdots$$

C und D entsprechend nach Vertauschung von p_1 und p_3.

Über die Auftragung und Berechnung der Querkräfte vergleiche auch die beiden Rechnungsbeispiele S. 200 u. 207.

4. Sonderfall des durchlaufenden Trägers auf starren Stützen mit gleicher Feldweite a.

Bei Trägern mit größerer Felderzahl, aber kleineren Stützweiten, wie z. B. bei den Deckenplatten der Eisenbetonbrücken, ist es häufig erwünscht, fertige Zahlenwerte zu besitzen, aus denen sich die Größtwerte der Biegungsmomente und die Stützendrücke mit genügender Annäherung schnell errechnen lassen. Für den Fall gleicher Stützweiten ergeben sich derartige Werte vorteilhaft in der Form von Vergleichswerten gegenüber den Biegungsmomenten einfacher Träger bezw. von Festwerten für die unmittelbare Berechnung der Auflagerdrücke, wie sie in den beiden Übersichten auf Seite 195 u. 196 zusammengestellt sind.

a) Biegungsmomente. Setzen wir die Größtwerte derselben im durchlaufenden Träger $M = \mu \cdot \mathfrak{M}$, wobei $\mathfrak{M} = \frac{p \cdot a^2}{8}$ das Biegungsmoment in einem einfachen Träger gleicher Stützweite a infolge der gleichförmig verteilten Belastung p bedeute, so erhalten wir die in der ersten Abteilung der Übersicht S. 195 angegebenen Beiwerte μ. Daselbst bedeuten die fettgedruckten Zahlen die Größtwerte für eine feldweise Belastung des Trägers in ungünstigster Anordnung, wogegen die übrigen Werte für den Fall vollkommen gleichmäßiger Verteilung der Belastung über die ganze Trägerlänge, also etwa für ständige Last gelten. (Eine bildliche Darstellung dieser Werte s. Abb. 283 auf S. 160.)

Die Zahlen der zweiten Abteilung geben die Beiwerte μ der Stützenmomente für den Fall, daß an der Endstütze A ein Biegungsmoment M_a auftritt, daß also der Träger über diese Endstütze hinausragt und dort beliebig belastet ist. Die fettgedruckten Zahlen gelten für beiderseits überkragende Trägerenden und zwar bei symmetrischer Anordnung der Belastung. Sollen so gleichförmig verteilter Belastung alle Stützenmomente bei beliebiger Stützenzahl gleich groß werden, so sind die Momente in jedem Felde genau ebenso groß wie bei einem beiderseits fest eingespannten Träger.

In diesem Falle sind die Stützenmomente durchweg

$$M_a = M_b = \frac{2}{3}\, \mathfrak{M} = \frac{p\, a^2}{12},$$

die Momente in Feldmitte $M_1 = M_2 = \frac{1}{3}\, \mathfrak{M} = \frac{p\, a^2}{24}$.

Die Länge c der Auskragung des gleich belasteten Trägerendes ergibt sich somit aus $\frac{p\, a^2}{12} = \frac{p\, c^2}{2}$ zu $c = a \sqrt{\frac{1}{6}} = 0{,}408\, a$.

Die dritte Abteilung gibt die Beiwerte μ derjenigen Biegungsmomente, welche durch eine einzelne Last P in der jeweils ungünstigsten Anordnung an den einzelnen Stützen bezw. in der Mitte der Balkenfelder selbst erzeugt werden. Hierbei ist $\mathfrak{M} = \frac{P \cdot a}{4}$ zu setzen. Die Klammerwerte bedeuten den Abstand der Last von der nächstgelegenen linken Stütze, bei den Stützenmomenten von der Stütze selbst, ergeben somit diejenige Laststellung, bei welcher der angegebene Größtwert des Biegungsmomentes erzielt wird.

Biegungsmomente
durchlaufender Träger auf starren Stützen gleichen Abstandes.

Anzahl der Stützen	μ_a	μ_1	μ_b	μ_2	μ_c	μ_3	μ_d	μ_4

I. Einfluß[1] gleichförmig verteilter Belastung p.

Anzahl	μ_a	μ_1	μ_b	μ_2	μ_c	μ_3	μ_d	μ_4
3 {	0	+0,562	−1,000					
	0	**+0,766**	**−1,000**					
4 {	0	+0,640	−0,800	+0,200				
	0	**+0,810**	**−0,933**	**+0,600**				
5 {	0	+0,618	−0,857	+0,291	−0,571			
	0	**+0,797**	**−0,964**	**+0,644**	**−0,857**			
6 {	0	+0,623	−0,842	+0,266	−0,632	+0,369		
	0	**+0,801**	**−0,957**	**+0,632**	**−0,890**	**+0,684**		
7 {	0	+0,622	−0,846	+0,272	−0,617	+0,346	−0,692	
	0	**+0,800**	**−0,959**	**+0,643**	**−0,884**	**+0,672**	**−0,923**	
8 {	0	+0,622	−0,845	+0,270	−0,620	+0,352	−0,676	+0,324
	0	**+0,800**	**−0,958**	**+0,635**	**−0,884**	**+0,676**	**−0,915**	**+0,662**

$$M = \mu \cdot \frac{pa^2}{8}$$

II. Einfluß der Belastung überkragender Enden[2] mit einem Biegungsmoment M_a über der Randstütze A und $\mu_a = -1$.

Anzahl	μ_a	μ_1	μ_b	μ_2	μ_c	μ_3	μ_d	μ_4
3 {	−1	—	+0,250	—	0			
	−1	—	**+0,500**	—	**−1**			
4 {	−1	—	+0,267	—	−0,067	—	0	
	−1	—	**+0,200**	—	**+0,200**	—	**−1**	
∞	−1	—	+0,268	—	−0,072	—	+0,020	—

−0,005

III. Einfluß einer wandernden Einzellast P.[3]

Anzahl	μ_a	μ_1	μ_b	μ_2	μ_c	μ_3	μ_d	μ_4
3 {	0	+0,830	−0,387					
	—	(0,432)	(0,577)					
4 {	0	+0,820	−0,411	+0,700				
	—	(0,428)	(0,577)	(0,500)				
∞ {	0	+0,819	−0,413	+0,621		−0,334	+0,688	
	—	(0,427)	(0,577)	(0,548)		(0,620)	(0,500)	

$$M = \mu \cdot \frac{Pa}{4}$$

b) Stützendrücke (vergl. die Übersicht S. 196). Setzen wir den Stützendruck

$$A = \alpha \cdot p \cdot a,$$

so geben die fettgedruckten Zahlen der ersten Abteilung der Übersicht die Beiwerte α der Stützendrücke für Vollbelastung an, gelten demnach für die ständige Last, wogegen die übrigen Zahlen den Stützendrücken bei einer streckenweise, und zwar über je eine ganze Öffnung gleichmäßig verteilten Belastung entsprechen, also für die Verkehrs-belastung gelten. Diese Zahlen haben angenähert auch Gültigkeit für nicht voll-kommen gleichmäßig verteilte, dabei aber symmetrisch zur jeweiligen Feldmitte gelegene Belastungen.

Die Zahlen der zweiten Abteilung geben die Stützendrücke von einer Auskragung über die Endstütze A. Durch diese wird auf die Endstütze ein Stützendruck ausgeübt,

---

[1] Nur bis zur Trägermitte angegeben, da die Zahlen sich symmetrisch wiederholen.
[2] Die fettgedruckten Zahlen gelten für beiderseits überkragende Enden.
[3] Die Klammerwerte bedeuten den Abstand der Last von der links gelegenen Stütze.

13*

Stützendrücke
durchlaufender Träger auf starren Stützen gleichen Abstandes.

Balkenanordnung	Last-strecke	A	B	C	D	E	F	Bemerkung
		Beiwerte α der Auflagerdrücke						

I. Einfluß der auf je eine ganze Öffnung gleichmäßig verteilten Last $p \cdot a$.

Balkenanordnung	Last-strecke	A	B	C	D	E	F
A B C	AB	0,438	0,625	−0,062			
	AC	**0,375**	**1,250**	**0,375**			
A B C D	AB	0,433	0,650	−0,100	0,017		
	BC	−0,050	0,550	0,550	−0,050		
	AC	0,388	1,200	0,450	−0,033		
	AD	**0,400**	**1,100**	**1,100**	**0,400**		
A B C D E	AB	0,433	0,652	−0,107	0,027	0,005	
	BC	−0,049	0,545	0,571	−0,080	0,013	
	AC	0,384	1,197	0,464	−0,054	0,009	
	BD	−0,036	0,464	1,143	0,464	−0,086	
	AE	**0,393**	**1,143**	**0,928**	**1,143**	**0,393**	
A B C D E F	AB	0,433	0,652	−0,108	0,029	−0,007	0,001
	BC	−0,053	0,558	0,567	−0,080	0,021	−0,003
	CD	0,013	−0,079	0,566	0,566	−0,079	0,013
	AC	0,380	1,205	0,459	−0,056	0,014	−0,002
	BD	−0,040	0,474	1,133	0,481	−0,058	0,010
	AF	**0,391**	**1,140**	**0,969**	**0,969**	**1,140**	**0,391**

Bemerkung: Auflagerdrücke $= \alpha \cdot p \cdot a$

II. Einfluß einer beliebigen Belastung P_c am überkragenden Ende mit dem Biegungsmoment M_c über der Endstütze.

Balkenanordnung	Last am Trägerende bei	A	B	C	D	E	F
A B	A	0,500	−0,500				
	A und B	**0**	**0**				
A B C	A	1,250	−1,500	0,250			
	A und C	**1,500**	**−3,000**	**1,500**			
A B C D	A	1,267	−1,600	0,400	−0,067		
	A und D	**1,200**	**−1,200**	**−1,200**	**1,200**		
A B C D E	A	1,268	−1,607	0,428	−0,107	0,018	
	A und E	**1,286**	**−1,714**	**0,856**	**−1,714**	**1,286**	
A B C D E F	A	1,268	−1,608	0,431	−0,115	0,029	−0,005
	A und F	**1,263**	**−1,579**	**0,316**	**0,316**	**−1,579**	**1,263**

Bemerkung: Auflagerdrücke der Randbalken neben der Last $= P_c + \alpha \cdot \dfrac{M_c}{a}$. Auflagerdrücke der übrigen Balken $= \alpha \cdot \dfrac{M_c}{a}$

III. Einfluß ungleichförmig verteilter Lasten und Einzellasten.

Auflagerdruck $= P \cdot y$.

Es gelten die Linien

A für die Endstütze

B für die zweite Stütze

B' desgl., wenn nur drei Stützen vorhanden

C für alle übrigen inneren Stützen

der gleich ist der Belastung P_c des überstehenden Teiles, vermehrt um einen vom Biegungsmoment über der Endstütze abhängigen Wert $\alpha \cdot \dfrac{M_c}{a}$.

Die fettgedruckten Zahlen gelten wie in Abteilung II der Übersicht S. 195 für beiderseits überkragende Trägerenden mit symmetrisch angeordneter Belastung.

Um auch den Einfluß der innerhalb eines Feldes ungleichförmig verteilten Last ermitteln zu können, wurden in der dritten Abteilung der Übersicht die Einflußlinien der positiven Stützendrücke A, B und C für einen über mehrere Öffnungen durchlaufenden Träger dargestellt, die mit großer Annäherung für alle vorkommenden Fälle dienen können. Hierbei ist der Auflagerdruck $A = P \cdot y$, worin y die mittlere Höhe der unter der Laststrecke gelegenen Fläche bedeutet, welche von der Einflußlinie und der Grundlinie eingeschlossen wird. In den meisten Fällen kann zur Vereinfachung mit hinreichender Genauigkeit die Ordinate unter dem Lastschwerpunkt genommen werden.

5. Die Anordnung der Stützen bei gegebener Belastung.

Für die Planung eines durchlaufenden Trägers mit ungleichen Öffnungen ist es wissenswert, bei welcher Stützenanordnung ein Abheben des kürzeren Trägerendes sicher vermieden, eine Verankerung an den Trägerenden somit überflüssig wird.

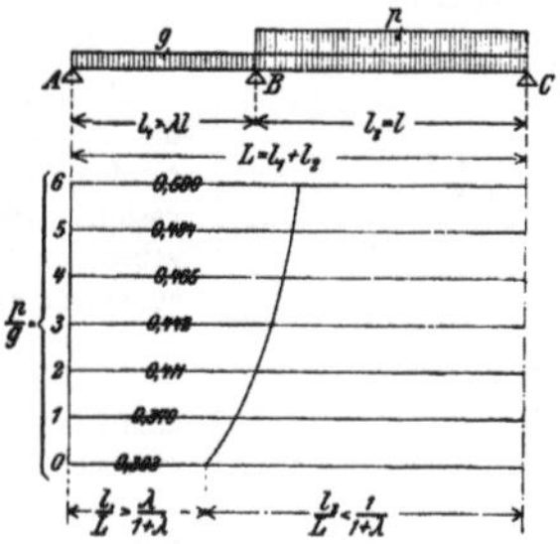

Ist bei einem Träger auf drei Stützen nach Abb. 338 g_1 die ständige Last der kleineren Öffnung, q die aus der ständigen Last g_2 und der gleichförmig verteilt gedachten Verkehrslast p zusammengesetzte Belastung der größeren Öffnung, so ergibt sich der Auflagerdruck A nach Gl. 7

$$A = g_1 \cdot \frac{l_1}{2} - \frac{M_2}{l_1} = \frac{g_1 l_1}{2} - \frac{g_1 l_1{}^2 + q l_2{}^3}{8 l_1 (l_1 + l_2)}.$$

Abb. 338.

Für $A > 0$ muß daher sein:

$$\frac{g_1 l_1}{2} > \frac{g_1 l_1{}^2 + q l_2{}^3}{8 l_1 (l_1 + l_2)}$$

folglich

$$4 g_1 l_1{}^2 (l_1 + l_2) > g_1 l_1{}^3 + q l_2{}^3$$
$$g_1 l_1{}^2 (3 l_1 + 4 l_2) - q l_2{}^3 > 0$$

Setzt man hierin $l_1 : l_2 = \lambda$ und $q : g_1 = \pi$, so erhält man die einfache Beziehung:
$$3 \lambda^3 + 4 \lambda^2 - \pi > 0.$$

Hieraus ergibt sich für

$\pi =$	1	2	3	4	5	6	7
oder $\dfrac{p}{g_1} = \dfrac{q - g_2}{g_1} = \pi - 1 =$	0	1	2	3	4	5	6
das Längenverhältnis $\lambda >$	0,434	0,589	0,701	0,792	0,870	0,938	1,000
und $\dfrac{l_1}{l_1 + l_2} = \dfrac{\lambda}{\lambda + 1} >$	0,303	0,370	0,411	0,442	0,465	0,484	0,500.

Für einen Träger auf vier Stützen mit gleich großen Endfeldern $l_1 = l_3$ und durchweg gleich großer ständiger Last g ergibt sich das Stützenverhältnis in gleicher Weise wie folgt:

Das Stützenmoment M_b infolge der Belastung der ersten Öffnung nach Gl. 4 α (S. 190.)

$$M_b = 2 \mathfrak{M}_1 \frac{f_1{}'}{l - f_1{}''}, \text{ worin } \mathfrak{M}_1 = \frac{g_1 l_1{}^2}{8}; \text{ und nach Gl. 1 c } f_1{}' = \frac{2 l_1{}^2 (l_1 + l_2)}{6 l_1{}^2 + 10 l_1 l_2 + 3 l_2{}^2}$$

$$\text{also } M_b = \frac{g l_1{}^2}{2} \cdot \frac{l_1 + l_2}{4 l_1{}^2 + 8 l_1 l_2 + 3 l_2{}^2} = \frac{g l_1{}^2}{2} \cdot \frac{l_1 + l_2}{4 (l_1 + l_2)^2 - l_2{}^2}$$

desgl. infolge Belastung der Mittelöffnung mit $g + p = q$ nach Gl. 4e, wobei

$$f = \frac{l_2^2}{2 l_1 + 3 l_2}, \quad \text{demnach} \quad M_b = 2 \, \mathfrak{M}_2 \, \frac{f}{l_2} = \frac{q l_2^2}{4} \cdot \frac{l_2}{2 l_1 + 3 l_2}.$$

Damit ergibt sich aus der Bedingung $A > 0$.

$$A = \frac{g l_1}{2} - \frac{q l_2^3}{4 l_1 (2 l_1 + 3 l_2)} - \frac{g l_1^2}{2} \frac{l_1 + l_2}{4 l_1^2 + 8 l_1 l_2 + 3 l_2^2} > 0$$

$$2 l_1 > \frac{q}{g} \frac{l_2^3}{l_1 (2 l_1 + 3 l_2)} + \frac{2 l_1^2 (l_1 + l_2)}{4 l_1^2 + 8 l_1 l_2 + 3 l_2^2}.$$

Mit $\frac{l_1}{l_2} = \lambda$ und $\frac{q}{g} = \pi$ erhält man nach entsprechender Umformung die Bedingung

$$2 \lambda^3 (6 \lambda^2 + 23 \lambda^2 + 27 \lambda + 9) > \pi (4 \lambda^2 + 8 \lambda + 3)$$

und hieraus

für	$\lambda = 0{,}380$	$0{,}5$	$0{,}6$	$0{,}7$	$0{,}8$	$0{,}9$	$1{,}0$
	$\pi < 1$	$1{,}81$	$2{,}71$	$3{,}84$	$5{,}18$	$6{,}79$	$8{,}67$
$\frac{p}{g} = \pi - 1 <$	0	$0{,}81$	$1{,}71$	$2{,}84$	$4{,}18$	$5{,}79$	$7{,}67$
$\frac{l_1}{2 l_1 + l_2} = \frac{\lambda}{2 \lambda + 1} = 0{,}216$	$0{,}250$	$0{,}273$	$0{,}292$	$0{,}308$	$0{,}321$	$0{,}333$.

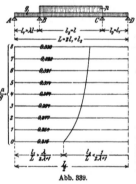

Abb. 339.

Abb. 340.

Diese für Träger auf drei und auf vier Stützen ermittelten Verhältnisse der Stützweiten, bei denen die Auflagerdrücke an den Trägerenden $A = 0$ werden, sind in Abb. 335 und 336 bildlich dargestellt. Die darin eingeschriebenen Verhältniszahlen geben somit die Anordnung der Stützen, bis zu der äußersten Falles gegangen werden kann, ohne daß ein Abheben des Trägerendes eintritt.

2. Den günstigsten Abstand der Stützen erhält man für einen mit gleich großem Querschnitt durchgeführten Balken dann, wenn die Größtwerte der Biegungsmomente in allen Feldern gleich groß werden, weil dann der Querschnitt in allen Öffnungen in gleicher Weise ausgenutzt wird. Dieser Bedingung kann selbstverständlich für den einzig in Frage kommenden Fall einer gleichartigen Belastung über die ganze Trägerlänge nur bei symmetrischer Anordnung der Stützen entsprochen werden, demnach für einen Träger auf drei Stützen nur bei gleicher Weite der beiden Öffnungen, für einen Träger auf vier Stützen nur bei gleicher Weite der beiden Endöffnungen und einer größeren Mittelöffnung (Abb. 340).

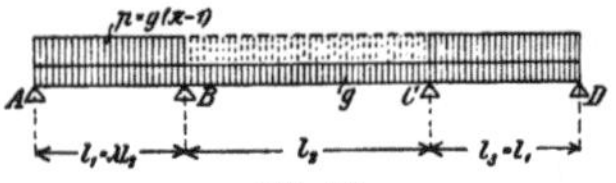

Das günstigste Verhältnis der Stützweite einer Endöffnung zu der der Mittelöffnung ergibt sich für den Träger auf vier Stützen wie folgt: Setzen wir wie vorher $\frac{l_1}{l_2} = \frac{l_3}{l_2} = \lambda; \frac{p + g}{g} = \pi$, ferner das einfache Biegungsmoment in der Mittelöffnung von der ständigen Last $\mathfrak{M}_2 = \frac{g l_2^2}{8} = \mathfrak{M}$, so ergeben sich die einfachen Biegungsmomente in der Mittelöffnung bei Vollbelastung $\quad \mathfrak{M}_2' = (p+g)\,\dfrac{l_2{}^2}{8} = \pi\,\mathfrak{M}$

in der Seitenöffnung in der ständigen Last $\mathfrak{M}_1 = \dfrac{g\,l_1{}^2}{8} \quad = \lambda^2\,\mathfrak{M}$

desgl. $\quad$ bei Vollbelastung $\quad \mathfrak{M}_1' = (p+g)\,\dfrac{l_1{}^2}{8} = \pi\,\lambda^2\,\mathfrak{M}$.

Die Belastung einer Seitenöffnung von der ständigen Last ergibt die Stützenmomente (vergl. Gl. 4γ)

$$M_{b,1} = M_{c,2} = 2\,\mathfrak{M}_1\,\frac{f_1'}{l_1 - f_1'} = \frac{4\,\lambda^2\,\mathfrak{M}\,l_1\,(l_1+l_2)}{4\,l_1{}^2 + 8\,l_1\,l_2 + 3\,l_2{}^2} = \mathfrak{M}\cdot\frac{4\,\lambda^2\,(\lambda+1)}{4\,\lambda^2 + 8\,\lambda + 3}$$

$$M_{b,3} = M_{c,1} = M_b\cdot\frac{f_2'}{l_2 - f_2'} = M_b\cdot\frac{l_2}{2\,(l_1+l_2)} = -\mathfrak{M}\cdot\frac{2\,\lambda^2}{4\,\lambda^2 + 8\,\lambda + 3}\,.$$

Die Belastung der Mittelöffnung von der ständigen Last ergibt nach Gl. 4ζ die Stützmomente

$$M_{b,2} = M_{c,2} = 2\,\mathfrak{M}_2\cdot\frac{l_2}{2\,l_1 + 3\,l_2} = \mathfrak{M}\cdot\frac{2}{2\,\lambda+3}\,.$$

Das größte Biegungsmoment in der Seitenöffnung entsteht dann, wenn beide Seitenöffnungen vollbelastet werden, die mittlere Öffnung aber unbelastet bleibt, also nur ihr Eigengewicht zu tragen hat (vergl. Abb. 340).

Dann wird das Stützenmoment über der Stütze B

$$M_b = \pi\,M_{b,1} + M_{b,2} + \pi\,M_{b,3} = 2\,\mathfrak{M}\left[\frac{\pi\,\lambda^2\,(2\,\lambda+1)}{4\,\lambda^2 + 8\,\lambda+3} + \frac{1}{2\,\lambda+3}\right]$$

oder mit $\quad \dfrac{\lambda\,(2\,\lambda+1)}{4\,\lambda^2+8\,\lambda+3} = \mathfrak{A}$ und $\dfrac{1}{2\,\lambda+3} = \mathfrak{B}$:

$$M_b = 2\,\mathfrak{M}\,(\pi\,\lambda^2\,\mathfrak{A} + \mathfrak{B})$$

Das größte positive Biegungsmoment in der Seitenöffnung ist dann nach Gl. 5α (S. 190)

$$\max M_1 = \mathfrak{M}_1 - \frac{M_b}{2} + \frac{M_b{}^2}{16\,\mathfrak{M}_1}$$

und daraus nach Einsetzung der Werte $\mathfrak{M}_1 = \pi\,\lambda^2\,\mathfrak{M}$ und $M_b = 2\,\mathfrak{M}\,(\pi\,\lambda^2\,\mathfrak{A} + \mathfrak{B})$ sowie nach entsprechender Umformung

$$\max M_1 = \frac{\mathfrak{M}}{4\,\pi\,\lambda^2}\,[\pi\,\lambda^2\,(2 - \mathfrak{A}) - \mathfrak{B}]^2\,.$$

Das größte Biegungsmoment in der Mittelöffnung entsteht bei der umgekehrten Lastanordnung wie vorher, und zwar mit

$$M_b = 2\,\mathfrak{M}\,(\lambda^2\,\mathfrak{A} + \pi\,\mathfrak{B})$$

und wird nach Gl. 5b

$$\max M_2 = \pi\,\mathfrak{M} - M_b = \mathfrak{M}\,[\pi\,(1 - 2\,\mathfrak{B}) - 2\,\lambda^2\,\mathfrak{A}]\,.$$

Aus der Bedingung $\max M_1 = \max M_2$ erhalten wir daher

$$[\pi\,\lambda^2\,(2 - \mathfrak{A}) - \mathfrak{B}]^2 = 4\,\pi\,\lambda^2\,[\pi\,(1 - 2\,\mathfrak{B}) - 2\,\lambda^2\,\mathfrak{A}]$$

$$0 = \pi^2\,\lambda^2\,[\lambda^2\,(2 - \mathfrak{A})^2 - 4\,(1 - 2\,\mathfrak{B})] + 2\,\pi\,\lambda^2\,(\mathfrak{A}\,\mathfrak{B} - 2\,\mathfrak{B} + 4\,\lambda^2\,\mathfrak{A}) + \mathfrak{B}^2$$

und daraus mit Einsetzung der Werte für $\mathfrak{A}$ und $\mathfrak{B}$ eine Gleichung zehnten Grades, deren Auswertung für alle Belastungsverhältnisse mit nur geringer Abweichung den Wert

$$\lambda = 0{,}800$$

ergibt. Für das günstigste Verhältnis der Stützweite der Seitenöffnung zur gesamten Trägerlänge erhält man demnach den Wert

$$\frac{l_1}{2\,l_1 + l_2} = \frac{0{,}8}{2{,}6} = 0{,}308.$$

Für diese Stützenanordnung mit $\lambda = 0{,}80$ wird $\mathfrak{A} = 0{,}1739$, $\mathfrak{B} = 0{,}2174$ und damit

$$\max M_2 = \mathfrak{M} \, (0{,}5652 \, \pi - 0{,}2226)$$

$$\max M_1 = \mathfrak{M} \left(0{,}5336 \, \pi - 0{,}1985 + \frac{0{,}0184}{\pi} \right)$$

$$\max M_b = \mathfrak{M} \, (0{,}7249 \, \pi - 0{,}0856).$$

Für den Träger auf **unendlich vielen Stützen**, von denen die inneren Felder gleiche Längen l, die Endfelder aber kleinere Stützweiten $l_1 = \lambda l$ haben, ergibt sich der günstigste Wert λ aus der Bedingung, daß das Biegungsmoment im Endfelde ebenso groß sei, wie in einem mittleren Felde, wie folgt:

Nach der Übersicht auf S. 195 ist das positive Biegungsmoment in einem mittleren Felde bei feldweiser Belastung

$$M_n = \frac{2}{3} \, \mathfrak{M}.$$

Das positive Biegungsmoment im Endfelde ist nach Gl. 5 α

$$M_1 = \mathfrak{M}_1 - \frac{M_b}{2} + \frac{M_b{}^2}{16 \, \mathfrak{M}_1}.$$

Hierin ist zu setzen: $l_1 = \lambda l$; $\mathfrak{M}_1 = \lambda^2 \mathfrak{M}$.

Nach Gl. 4 α ist ferner $M_b = 2 \, \mathfrak{M}_1 \, \dfrac{f_1{}'}{l_1 - f_1{}'} = 2 \, \lambda^2 \, \mathfrak{M} \, \dfrac{f_1{}'}{l_1 - f_1{}'}$

Der Wert $f_1{}'$ ergibt sich nach Gl. 1 mit $l_n = l_1 = \lambda l$; $l_m = l$; $f_n = f_1{}'$ und $f_m = 0{,}211\,325 \, l = \varphi l$ zu

$$f_1{}' = \frac{\lambda^2 l \, (1 - \varphi)}{(2 + 3\lambda) - 3\varphi \, (1 + \lambda)}$$

und aus der Bedingung

$$M_1 = \lambda^2 \, \mathfrak{M} - \frac{(1 - \varphi) \, \lambda^2 \, \mathfrak{M}}{(2 - 3\varphi) + 2\lambda \, (1 - \varphi)} + \left(- \frac{2 \, (1 - \varphi) \, \lambda^3 \, \mathfrak{M}}{(2 - 3\varphi) + 2\lambda \, (1 - \varphi)} \right)^2 \cdot \frac{1}{16 \, \lambda^2 \, \mathfrak{M}} = \frac{2}{3} \, \mathfrak{M}$$

nach entsprechender Umformung und Einsetzung von $\varphi = 0{,}211\,325$ der dem Belastungsverhältnis $\pi = 1$ entsprechende Wert

$$\lambda = \mathbf{0{,}8076} = \text{rd. } \mathbf{0{,}8}.$$

Das oben für drei Felder berechnete Verhältnis der Stützwerte des Endfeldes zu der der inneren Felder kann demnach als für **alle durchlaufenden Träger** gültig angenommen werden. Der gleiche Erfolg wird auch durch eine feste Einspannung der Trägerenden oder durch eine Verlängerung der Trägerenden über die Endstützen um das Maß $c = 0{,}4 \, l$ erzielt (vergl. S. 194).

6. Rechnungsbeispiel für gleichförmig verteilte Belastung.

Der in Abb. 341 u. 342 dargestellte Landungssteg ruhe auf fünf Stützen, von denen vier drehbar gelagert seien, wogegen das Balkenende auf der Landseite mit der fünften Stütze, dem Endwiderlager, starr verbunden ist. Die Tragbalken bilden demnach durch-

laufende Träger über vier Öffnungen I bis IV mit einem fest eingespannten und einem frei überkragenden Ende. Die ständige Belastung eines Balkens sei zu $g = 1{,}20$ t/m, die Verkehrslast zu $p = 0{,}80$ t/m ermittelt.

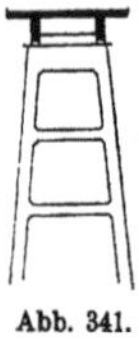

Zunächst bestimmt man nach Abb. 343 die **Festpunkte** in der auf S. 186 angegebenen Weise, und zwar die linken Festpunkte F_1, F_2, F_3 und F_4 von links ausgehend, die rechten Festpunkte $F_4{}'$, $F_3{}'$, $F_2{}'$ und $F_1{}'$ von rechts ausgehend. Hierbei ist zu beachten, daß der Festpunkt F_1 unbeeinflußt von dem überkragenden Ende mit dem frei beweglichen ersten

Abb. 341.   Stützpunkt A zusammenfällt, wogegen der dem fest eingespannten

Trägerende E benachbarte Festpunkt $F_4{}'$ im Drittelpunkt der Öffnung IV liegt.

202

Abb. 342 bis 350. Berechnung eines durchlaufenden

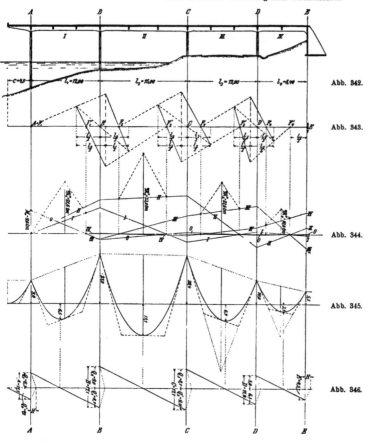

Abb. 342.

Abb. 343.

Abb. 344.

Abb. 345.

Abb. 346.

Abb. 342. Längsschnitt des Steges.

„ 343. Ermittlung der Festpunkte.

„ 344. „ „ Stützmomente

„ 345. Darstellung der Biegungsmomente } von der ständigen Last.

„ 346. Ermittlung der Querkräfte

Trägers mit gleichförmig verteilter Belastung.

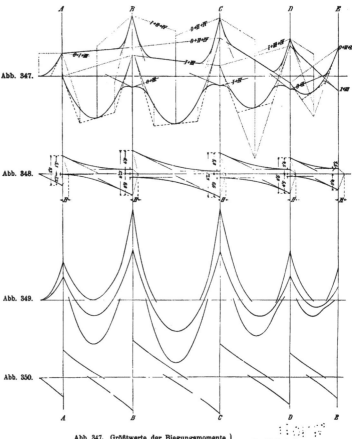

Abb. 347.

Abb. 348.

Abb. 349.

Abb. 350.

Abb. 347. Größtwerte der Biegungsmomente ⎱ von der Verkehrslast.
„ 348. Ermittlung der Querkräfte ⎰
„ 349. Zusammenstellung der Biegungsmomente ⎱ von der Vollast.
„ 350. Größtwerte der Querkräfte ⎰

a) Die ständige Last.

Zur Aufzeichnung der Momentenlinien berechnet man zunächst die einfachen Biegungsmomente der vier Öffnungen:

$$\mathfrak{M}_1{}^0 = \mathfrak{M}_3{}^0 = \frac{1}{8}\, 1{,}20 \cdot 12{,}0^2 = 21{,}6 \text{ tm}$$

$$\mathfrak{M}_2{}^0 = \frac{1}{8}\, 1{,}20 \cdot 15{,}0^2 = 33{,}8 \text{ .}$$

$$\mathfrak{M}_4{}^0 = \frac{1}{8}\, 1{,}20 \cdot 8{,}4^2 = 10{,}6 \text{ .}$$

und trägt dieselben in der Mitte der einzelnen Felder nach oben auf. Sodann zieht man nach Abb. 344 die Hilfslinien nach den Stützpunkten und durch die Schnittpunkte derselben mit den Festpunktloten die Schlußlinie jeder Öffnung, die an den Stützenloten die Stützenmomente für die Belastung der betreffenden Öffnung abschneiden. Die Fortsetzung der Schlußlinien bis an die Endstützen erfolgt durch Gerade, die von dem Stützenmoment $M_{b,1}$ über der Stütze B durch den von dieser entfernter liegenden Festpunkt $F_2{}'$ bis zum Stützenlot in C, weiter durch $F_3{}'$ nach dem Stützenlot in D und durch $F_4{}'$ nach dem Stützenlot in E gelegt werden. Diese Geraden schneiden auf den Stützenloten in C, D und E die der Belastung der Öffnung I entsprechenden Stützenmomente $M_{c,1}$, $M_{d,1}$ und $M_{e,1}$ an. Die so erhaltenen Stützenmomente sind, wie ohne weiteres zu erkennen ist, abwechselnd positiv und negativ, je nachdem die Momentenstrecke unter oder über der Grundlinie liegt. In gleicher Weise werden die Schlußlinien II, III und IV für die Belastung der übrigen Öffnungen bis an die Endstützen durchgeführt. Die Stützenmomente für die Belastung des überkragenden Endes bei A ergeben sich dadurch, daß man über der Stütze A das negative Stützenmoment

$$M_a{}^0 = -\frac{g\,c^2}{2} = -1{,}20 \cdot \frac{4{,}0^2}{2} = -9{,}6 \text{ tm}$$

nach oben aufträgt und die Schlußlinie 0 in der soeben erörterten Weise zieht.

Zur Ermittlung der Biegungsmomente infolge der ständigen Balkenbelastung trägt man die Summe der einzelnen Stützenmomente unter Berücksichtigung ihres Vorzeichens an einer neuen Schlußlinie Abb. 345 in gleichem Sinne, wie vorher erhalten, an und verbindet sie durch Hilfslinien, die in der Abb. 345 durch eine punktierte Linie dargestellt sind und als Grundlinien für die Auftragung der einfachen Momentenparabeln dienen. Die Aufzeichnung dieser Parabeln ergibt sich am bequemsten dadurch, daß man nach der auf S. 169, Abb. 299, gegebenen Anleitung die in Abb. 345 durch gestrichelte Linien dargestellten Tangenten in der Öffnungsmitte und an den Stützpunkten sowie erforderlichenfalls noch einige weitere Hilfstangenten zieht. Mit Hilfe einer geeigneten Parabelschablone kann sodann die ganze Momentenlinie mit genügender Genauigkeit gezeichnet werden.

Aus der so erhaltenen Momentenlinie ergibt sich die Größe der Querkräfte einfach dadurch, daß man in den einzelnen Balkenschnitten die Tangenten an die beiden Begrenzungslinien der Momentenfläche legt. Errichtet man im Abstande H — dem Polabstand — von den Schnittpunkten dieser Tangenten je ein Lot, so wird auf diesem die Größe der Querkraft abgeschnitten. Für unseren Fall tragen wir auf einer neuen Grundlinie (Abb. 346) den Polabstand H rechts von jedem Stützpunkt an (vergl. S. 193), ziehen von diesem Pol aus Parallelen zu den Parabeltangenten an den Stützpunkten und erhalten so die Querkräfte unmittelbar neben den Stützen. Zwischen den Stützpunkten verlaufen die Querkräfte bei gleichförmig verteilter Belastung geradlinig, und zwar müssen die Querkraftlinien der einzelnen Felder bei gleicher Einheitsbelastung parallel laufen. Sie geben in ihren Schnittpunkten mit der Grundlinie diejenigen Stellen an, in denen die Biegungsmomente ihren Größtwert erreichen.

Die Auflagerdrücke des Balkens, z. B. für die Stütze C, erhält man als die Summe der Querkräfte in den beiderseitigen, rechts und links der Stütze unmittelbar benachbarten Balkenschnitten ohne Rücksicht auf das Vorzeichen, also z. B. $C = Q_2' + Q_3$, denn die Querkräfte links der Stütze sind in der zeichnerischen Darstellung zwar negativ aufgetragen, wirken aber auf die Stützen in positivem Sinne, also nach abwärts gerichtet.

b) Die Verkehrslast.

In gleicher Weise wie bei der ständigen Last berechnet man zunächst die der Verkehrslast entsprechenden einfachen Biegungsmomente für jede Öffnung

$$\mathfrak{M}_1' = \mathfrak{M}_3' = \frac{1}{8}\, 0{,}8 \cdot 12{,}0^2 = 14{,}4 \text{ tm}$$

$$\mathfrak{M}_2' = \frac{1}{8}\, 0{,}8 \cdot 15{,}0^2 = 22{,}5 \text{ tm}$$

$$\mathfrak{M}_4' = \frac{1}{8}\, 0{,}8 \cdot 8{,}4^2 = 7{,}1 \text{ tm}$$

sowie das Stützenmoment über den Endstützen A, das der Belastung des Kragarmes entspricht,

$$M_a = \frac{1}{2}\, 0{,}8 \cdot 4{,}0 = 6{,}4^2 \text{ tm}$$

und ermittelt daraus zeichnerisch die Größe der übrigen Stützenmomente für die Belastung je einer Öffnung. In unserem Falle ist von der Aufzeichnung der Stützenmomente abgesehen worden, da infolge der über die ganze Balkenlänge gleichbleibenden Größe der ständigen und der Verkehrsbelastung die Ergebnisse der Abb. 344 unter Reduktion mit $\frac{p}{g} = \frac{0{,}8}{1{,}2} = \frac{2}{3}$, d. h. unter Benutzung eines anderen Maßstabes, ohne weiteres Gültigkeit auch für die Verkehrslast besitzen. Überdies gestattet hier die auf eine zeichnerisch gleich große Einheitsbelastung zurückgeführte Berechnung der Biegungsmomente aus der veränderlichen, gegenüber denen aus der ständigen Last einen bequemen Vergleich der Wirkungen dieser beiden Belastungsarten.

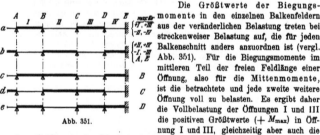

Abb. 351.

Die Größtwerte der Biegungsmomente in den einzelnen Balkenfeldern aus der veränderlichen Belastung treten bei streckenweiser Belastung auf, die für jeden Balkenschnitt anders anzuordnen ist (vergl. Abb. 351). Für die Biegungsmomente im mittleren Teil der freien Feldlänge einer Öffnung, also für die Mittenmomente, ist die betrachtete und jede zweite weitere Öffnung voll zu belasten. Es ergibt daher die Vollbelastung der Öffnungen I und III die positiven Größtwerte ($+ M_{max}$) in Öffnung I und III, gleichzeitig aber auch die negativen Größtwerte ($- M_{max}$) in der Mitte der Öffnung II und IV (Abb. 351a). Umgekehrt gibt die Vollbelastung des Kragendes und der Öffnungen II und IV die $+ M_{max}$ für Öffnung II und IV, die $- M_{max}$ für Öffnung I und III (Abb. 351b). Man trage daher zunächst auf einer neuen Grundlinie nach Abb. 347 einmal die Summen der Stützenmomente für I und III aus Abb. 344 auf und verbinde die so

erhaltenen Punkte durch Gerade. Diese sind in den Lastfeldern I und III als Hilfsgrundlinien der einfachen Momentenparabeln zu punktieren, in den unbelasteten Feldern
II und IV aber als negative Momentenlinien voll auszuziehen. Das gleiche geschieht
mit den Summen der Stützenmomente für 0, II und IV aus Abb. 344. Die auf den
Hilfsgrundlinien anzutragenden Parabeln geben auf den Strecken zwischen den Festpunkten die Größtwerte der positiven, die Momentenlinien der unbelasteten Felder
für die gleichen Strecken zwischen den Festpunkten die Größtwerte der negativen
Biegungsmomente.

Die Größtwerte der Stützenmomente, also der Strecken über und unmittelbar neben einer Stütze, erhält man durch Vollbelastung der beiden Nachbaröffnungen,
wogegen die anschließenden weiteren Öffnungen wieder abwechselnd zu belasten sind
(vergl. Abb. 351 c). Trägt man z. B. die Summe der Stützenmomente, die bei Belastung
der Öffnungen I, II und IV über den Stützen A, B und C entstehen, auf diesen Stützenloten an und verbindet dieselben miteinander, so erhält man an der Stütze B zwei
neue Hilfsgrundlinien für die Auftragung der Parabeltangenten zu beiden Seiten der
Stütze, welche die Größtwerte der negativen Biegungsmomente ($- M_{max}$) unmittelbar
neben diesen ergeben. Die größten positiven Biegungsmomente ($+ M_{max}$) über einer
Stütze erhält man durch die der vorstehenden entgegengesetzte Lastenanordnung, also
z. B. für B dann, wenn Öffnungen I, II und IV unbelastet, dagegen das überkragende
Ende und Öffnung III belastet sind. Werden die aus 0 und III (Abb. 344) über A,
B und C entstehenden Stützenmomente in Abb. 347 über A, B und C aufgetragen und
miteinander durch ausgezogene Linien verbunden, so ergeben diese an der Stütze B
zwei Tangenten für die Umhüllende der $+ M_{max}$ über der Stütze B. Ähnlich ist für
die übrigen Stützen zu verfahren.

Die mit dem Zirkel vorzunehmende mehrfache Zusammentragung der Stützenmomente
kann häufig vereinfacht und übersichtlich gestaltet werden durch Zusammenstellung der aus
Abb. c zu entnehmenden Werte in nachstehender Form, da dann nur eine einfache rechnerische
Addition erforderlich ist.

Belastungsstrecke	Biegungsmomente									Größtwert für
	M,	$\mathfrak{R}_1$	M_b	$\mathfrak{R}_2$	M_c	$\mathfrak{R}_3$	M_d	$\mathfrak{R}_4$	M_e	
Kragende . . .	− 6,4	—	+ 1,5	—	− 0,5	—	+ 0,2	—	− 0,1	− A
Öffnung I . . .	0	(14,4)	− 6,9	—	+ 2,1	—	− 0,7	—	+ 0,3	
„ II . . .	0	—	− 9,5	(22,5)	− 10,6	—	+ 3,5	—	− 1,7	
„ III . . .	0	—	+ 1,4	—	− 5,1	(14,4)	− 7,8	—	+ 3,9	
„ IV . . .	0	—	− 0,1	—	+ 0,4	—	− 1,8	(7,1)	− 6,2	
Öffnung 0, II, IV	− 6,4	—	− 8,1	(22,5)	− 10,7	—	+ 1,9	(7,1)	− 8,0	+ II, + IV; − I, − III; − A, − E
„ I, III . .	0	(14,4)	− 5,5	—	− 3,0	(14,4)	− 8,5	—	+ 4,2	+ I, + III; − II, − IV; + E
„ I, II, IV	0	(14,4)	− 16,5	(22,5)	− 8,1					− B
„ 0, II, III			− 6,6	(22,5)	− 16,1	(14,4)	− 4,1			− C
„ I, III IV					− 2,6	(14,4)	− 10,3	(7,1)	− 2,0	− D
„ 0, III . .	− 6,4	—	+ 2,9		− 5,6					+ B
„ I, IV . .			− 7,0		+ 2,5		− 2,5			+ C
„ 0, II . .					− 11,1		+ 3,7		− 1,8	+ D
Vollbelastet . .	− 6,4	(14,4)	− 18,6	(22,5)	− 13,7	(14,4)	− 6,6	(7,1)	− 3,8	

Die Klammerwerte bedeuten hierin die einfachen Biegungsmomente $\mathfrak{R}$ für die Mitte der belastet anzunehmenden Felder,
die auf die Schlußlinien anzusetzen sind.

Die Balkenstrecken zwischen den Stützpunkten und den Festpunkten erhalten ihre
ungünstigste Beanspruchung bei nur teilweiser Belastung einzelner Öffnungen. Die sehr

umständliche genaue Ermittlung der Biegungsmomente in diesen Strecken kann dadurch umgangen werden, daß man die zwischen den Festpunkten bereits gegebenen Momentenlinien mit den für die Stützenmomente maßgebenden Parabeltangenten durch parabelähnliche Linien verbindet, welche die Linienstücke der Mittenmomente in den Festpunkten und die Parabeltangenten an den Stützpunkten berühren, wie aus Abb. 347 zu ersehen ist. Damit sind die beiden Umhüllenden der größten positiven und negativen Biegungsmomente gegeben.

Die größten Querkräfte in den einzelnen Querschnitten treten jeweilig bei teilweiser Belastung der einzelnen Öffnungen auf und bedürfen zur genauen Bestimmung der Aufzeichnung der Momentenlinien für die verschiedenen Belastungsfälle. Sie lassen sich aber angenähert auch aus den größten Querkräften neben den Stützen wie folgt ermitteln. Man trägt in gleicher Weise wie bei der ständigen Last (vergl. Abb. 346) auf einer neuen Grundlinie (Abb. 348) die Polabstände H auf. Werden von diesen Polen aus Parallelen zu den Tangenten gezogen, die in Abb. 347 an den Momentenlinien $+ M_{max}$ und $- M_{max}$ neben den einzelnen Stützen ermittelt worden sind, so erhält man die beiden Grenzwerte der Querkräfte unmittelbar neben den Stützen.

Die Ermittlung der größten Querkräfte kann auch in ähnlicher Weise wie die der Stützenmomente durch tabellarische Zusammenstellung der bei Belastung einzelner Öffnungen entstehenden Querkräfte erfolgen. Hierbei ist zu beachten, daß die Querkräfte sich aus den Stützenmomenten ergeben, und zwar

in der Lastöffnung zu

$$Q = \frac{pl}{2} + \frac{M - M'}{l}$$

bezw. $$Q' = - \frac{pl}{2} + \frac{M - M'}{l},$$

in einer unbelasteten Öffnung zu

$$Q = - Q' = \frac{M - M'}{l}.$$

Die Auflagerdrücke sind entsprechend

$$A = [- Q_0' + Q_1]$$
$$B = [- Q_1' + Q_2]$$
$$C = [- Q_2' + Q_3] \text{ usf.,}$$

wobei mit dem Klammerzeichen die absolute Summe angedeutet werden soll.

Danach wären in unserem Falle

Auflagerdrücke	A		B		C		D		E
Feld	0		I		II		III		IV
Querkräfte	Q_0'	Q_1	Q_1'	Q_2	Q_2'	Q_3	Q_3'	Q_4	Q_4'
Kragende, belastet	− 3,20	+ 0,66	+ 0,66	− 0,13	− 0,13	+ 0,05	+ 0,05	− 0,03	− 0,03
Öffnung I, „	0	+ 4,22	− 5,38	+ 0,60	+ 0,60	− 0,23	− 0,23	+ 0,13	+ 0,13
„ II, „	0	− 0,80	− 0,80	+ 5,93	− 6,07	+ 1,18	+ 1,18	− 0,62	− 0,62
„ III, „	0	+ 0,12	+ 0,12	− 0,43	− 0,43	+ 4,57	− 5,03	+ 1,39	+ 1,39
„ IV, „	0	− 0,01	− 0,01	+ 0,04	+ 0,04	− 0,18	− 0,18	+ 2,83	− 3,89
Q_{max}	− 3,20	+ 5,00	− 6,19	+ 6,57	− 6,63	+ 5,80	− 5,44	+ 4,35	− 4,54
Q_{min}	0	− 0,81	+ 0,78	− 0,56	+ 0,64	− 0,41	+ 1,23	− 0,65	+ 1,52
Vollbelastung	− 3,20	+ 4,19	− 5,41	+ 6,01	− 5,99	+ 5,39	− 4,21	+ 3,70	− 3,02
Auflagerdrücke max		+ 8,20		+ 12,76		+ 12,43		+ 9,79	+ 4,54
min		− 0,81		− 1,34		− 1,05		− 1,88	− 1,52
Vollbelastung		+ 7,89		+ 11,42		+ 11,38		+ 7,91	+ 3,02

Die größte Querkraft Q_{max} neben einer Stütze tritt natürlich dann auf, wenn das betreffende Feld voll belastet ist. Dabei muß die Querkraftlinie eine Gerade sein mit der Neigung p t auf die Strecke von 1 m und bildet eine Tangente an die Umhüllungslinie der größten Querkräfte. Umgekehrt tritt der Kleinstwert der Querkraft Q_{min} an einer Stütze dann auf, wenn das betreffende Feld unbelastet ist. Die Querkraft ist dann für das ganze Feld gleich und die Querkraftlinie eine Parallele zur Grundlinie. Sie bildet eine zweite Tangente an die Umhüllende der größten Querkräfte. Legt man nun an diese Tangenten in den Stützpunkten parabelähnliche Linien, so bilden diese mit genügender Annäherung die gesuchten Umhüllenden der größten positiven und negativen Querkräfte.

c) Die Gesamtbelastung.

Zum Schlusse sind noch die Momente und die Querkräfte von der Verkehrslast zu denen von der ständigen Last zu addieren, um die absoluten Größtwerte der überhaupt möglichen Größen zu erhalten. Durch Vereinigung der Werte der Abb. 347 mit denen der Abb. 345 bezw. der Werte der Abb. 348 mit denen der Abb. 346 ergeben sich die Darstellungen der Abb. 349 und 350 unter Beachtung der Verschiedenheiten der Maßstäbe und entsprechender Reduktion. Die Ergebnisse, welche in diesen beiden Abbildungen enthalten sind, bilden nunmehr die Grundlage für die Wahl der Abmessungen oder die Berechnung der Spannungen.

7. Rechnungsbeispiel für die Verwendung von Einflußlinien.

Der in Abb. 352 dargestellte Träger liegt auf vier starren Stützen von gleichem Abstande $l_1 = l_2 = l_3 = 9{,}0$ m und sei einmal für die alleinige Belastung mit einem 30 t schweren Lastwagen, das andere Mal für die Belastung mit einer 15 t schweren Dampfwalze und Menschengedränge auf dem freibleibenden Raum zu untersuchen. Die Berechnung der Biegungs-

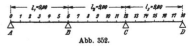

Abb. 352.

momente und Querkräfte erfolgt daher vorteilhaft unter Benutzung von Einflußlinien, die man angesichts der hier symmetrischen Stützenanordnung auf die halbe Trägerlänge beschränken kann.

a) Die Einflußlinien der Biegungsmomente.

Teilt man die einzelnen Balkenfelder in je $m = 6$ gleiche Teile von je $\dfrac{l}{m} = \dfrac{9{,}0}{6} = 1{,}5$ m

Länge, so sind die einfachen Biegungsmomente in den Lastpunkten bei den verschiedenen Laststellungen der Einzellast P

$$\mathfrak{M} = P \cdot \frac{x\,(l - x)}{l},$$

wobei x den Abstand der Last von der linken Stütze bedeutet. Diese Werte der einfachen Biegungsmomente trägt man nun (Abb. 354) in den Lastpunkten als Ordinaten auf und ermittelt dann nach der Anleitung auf S. 187 die Stützenmomente für jede Laststellung.[1]

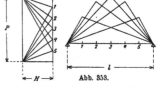

Abb. 353.

---

[1] Das Anschneiden der Biegungsmomente an den Stützenloten kann bei gleichen Abständen der Teilpunkte wie im vorliegenden Falle auch erspart werden, da die gleiche Zahl von Teilpunkten, hier sechs, stets die Stützweite l ergibt, wie in Abb. 354 für das Moment M_2 gezeigt ist, die Linie nach den Stützenloten ohne weiteres von dem Fußpunkte δ aus gezogen werden kann.

Die von den Schlußlinien abgetrennten oberen Stücke der Momentenstrecken sind die verbleibenden positiven Biegungsmomente in den Lastpunkten. Die Auftragung der einfachen Biegungsmomente kann auch graphisch derart erfolgen, daß man zuerst ein Krafteck zeichnet in der Form eines Rechtecks (Abb. 353) von der Höhe P und der Grundlinie H, dessen rechte Seite in $m = 6$ gleiche Teile geteilt wird. Zieht man nun von diesen Teilpunkten Strahlen nach den Enden der Kraftstrecke P und Parallele zu diesen Strahlen von den Auflagerpunkten der Momentengrundlinie ausgehend, so schneiden sich dieselben über dem Lastlot in der Höhe $\mathfrak{M} = P \cdot \dfrac{x(l-x)}{l}$, was ohne weitere Beweisführung ersichtlich ist. Man erhält somit die Momentenlinien für die einzelnen Laststellungen.

Die Ermittlung der Stützenmomente und der Momente in den Lastpunkten kann bei einfacheren Verhältnissen der Stützweiten zueinander, wie sie auch unsere Aufgabe aufweist, vorteilhaft rechnerisch vorgenommen werden, da dann der Arbeitsaufwand gegenüber der rein zeichnerischen Ermittlung der Festpunkte und der Stützenmomente für die verschiedenen Stellungen der Einzellasten häufig erheblich vermindert und dabei eine größere Genauigkeit gewährleistet wird. Setzt man in der vorstehenden Gleichung für das einfache Balkenmoment $\mathfrak{M}$ die Werte

$$x = n \cdot \frac{l}{m} \text{ und } P = 1 \text{ ein, so wird}$$

$$\mathfrak{M} = 1 \cdot \frac{nl}{m}\left(\frac{m}{m} - \frac{n}{m}\right) = \frac{l}{m^2} \cdot n\,(m-n),$$

also in den Punkten

$$1, 5 \text{ und } 7 \text{ mit } n = 1; \quad \mathfrak{M} = \frac{9{,}0}{36} \cdot 1 \cdot 5 = 1{,}25 \text{ tm}$$

$$2, 4 \quad\text{„}\quad 8 \quad\text{„}\quad n = 2; \quad \mathfrak{M} = \frac{9{,}0}{36} \cdot 2 \cdot 4 = 2{,}00 \quad\text{„}$$

$$3 \quad\text{„}\quad 9 \quad\text{„}\quad n = 3; \quad \mathfrak{M} = \frac{9{,}0}{36} \cdot 3 \cdot 3 = 2{,}25 \quad\text{„}$$

Die Stützenmomente im Punkt B werden infolge der Last im ersten Felde nach Gl. 3α S. 188

$$M' = P \cdot \frac{x\,(l^2 - x^2)}{l^2} \cdot \frac{f'}{l - f'}\,.$$

Setzt man hierin wieder $x = n \cdot \dfrac{l}{m}$; $P = 1$ und $f' = \dfrac{4}{19}\,l$, also $\dfrac{f'}{l - f'} = \dfrac{4}{15} = q$, so wird

$$M_b = 1 \cdot \frac{n}{m}\,l \cdot \frac{m^2 - n^2}{m^2} \cdot q = \frac{q \cdot l}{m^3} \cdot n\,(m^2 - n^2).$$

In dieser Gleichung ist der erste Teil $\dfrac{q \cdot l}{m^3} = \dfrac{4}{15} \cdot \dfrac{9{,}0}{6^3} = \dfrac{1}{90}$ ein Festwert, wogegen der zweite Teil $n\,(m^2 - n^2)$ aus lauter ganzen Zahlen besteht. Es ist daher infolge der Last

$$\text{im Punkte } 1 \text{ mit } n = 1: \quad M_{b_1} = \frac{1}{90} \cdot 1\,(6^2 - 1^2) = \frac{35}{90} = 0{,}389 \text{ tm}$$

$$\text{„} \quad\text{„}\quad 2 \quad\text{„}\quad n = 2; \quad M_{b_2} = \frac{1}{90} \cdot 2\,(6^2 - 2^2) = \frac{64}{90} = 0{,}711 \quad\text{„}$$

$$\text{„} \quad\text{„}\quad 3 \quad\text{„}\quad n = 3; \quad M_{b_3} = \frac{1}{90} \cdot 3\,(6^2 - 3^2) = \frac{81}{90} = 0{,}900 \quad\text{„}$$

$$\text{„} \quad\text{„}\quad 4 \quad\text{„}\quad n = 4; \quad M_{b_4} = \frac{1}{90} \cdot 4\,(6^2 - 4^2) = \frac{80}{90} = 0{,}889 \quad\text{„}$$

$$\text{„} \quad\text{„}\quad 5 \quad\text{„}\quad n = 5; \quad M_{b_5} = \frac{1}{90} \cdot 5\,(6^2 - 5^2) = \frac{55}{90} = 0{,}611 \quad\text{„}$$

Für die Laststellungen im zweiten Felde ist nach Gl. 3 ζ

$$M_x = P \cdot x \cdot \frac{l - x}{l} \cdot \frac{2l + 3x}{15\,l}$$

wobei x von der Stütze C aus zu rechnen ist. Setzt man hierin wieder $x = n \dfrac{l}{m}$, $P = 1$, so wird

$$M_b = \frac{n}{m}\,l \cdot \frac{m - n}{m} \cdot \frac{2m + 5n}{15\,m} = \frac{l}{15\,m^3} \cdot n \cdot (m - n)\,(2m + 5n).$$

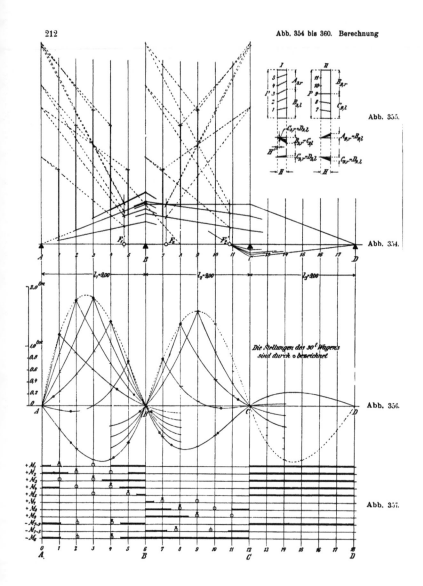

Abb. 355.

Abb. 354.

Die Stellungen des 30ᵗ Wagens
sind durch o bezeichnet

Abb. 356.

Abb. 357.

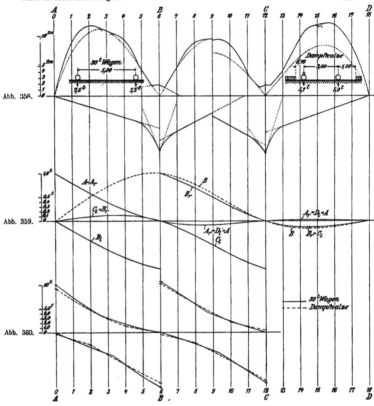

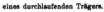

Abb. 358.

Abb. 359.

Abb. 360.

Abb. 354. Ermittlung der Stützenmomente.

„ 355. „ „ „ Querkräfte.

„ 356. Einflußlinien der Biegungsmomente.

„ 357. Ungünstigste Laststellungen der Dampfwalze mit Menschengedränge.

„ 358. Umhüllende der größten Biegungsmomente.

„ 359. Einflußlinien der Querkräfte und Auflagerdrücke.

„ 360. Umhüllende der größten Querkräfte.

Hierin ist wieder der erste Teil der Gleichung $\dfrac{l}{15\,m^5} = \dfrac{9{,}0}{15\cdot 6^3} = \dfrac{1}{360}$ ein Festwert, der zweite Teil $n\,(m-n)\,(2\,m+5\,n)$ aus lauter ganzen Zahlen zusammengesetzt, es wird daher

für den Punkt 7 mit $n=5$; $M_{b_7} = \dfrac{1}{360}\cdot 5\cdot 1\cdot(12+25) = \dfrac{185}{360} = 0{,}514$ tm

„   „   „ 8 „ $n=4$; $M_{b_8} = \dfrac{1}{360}\cdot 4\cdot 2\cdot(12+20) = \dfrac{256}{360} = 0{,}711$ „

„   „   „ 9 - $n=3$; $M_{b_9} = \dfrac{1}{360}\cdot 3\cdot 3\cdot(12+15) = \dfrac{243}{360} = 0{,}675$ „

„   „   „ 10 „ $n=2$; $M_{b_{10}} = \dfrac{1}{360}\cdot 2\cdot 4\cdot(12+10) = \dfrac{176}{360} = 0{,}489$ „

„   „   „ 11 „ $n=1$; $M_{b_{11}} = \dfrac{1}{360}\cdot 1\cdot 5\cdot(12+\ \ 5) = \dfrac{85}{360} = 0{,}236$ „

Der Symmetrie wegen gelten die gleichen Werte in umgekehrter Folge auch für die Stützenmomente M_c, also $M_{c_7} = M_{b_{11}}$; $M_{c_8} = M_{b_{10}}$ . . . usf.

Zur Aufzeichnung der Einflußlinien ist noch die Berechnung der positiven Momente im Lastpunkte selbst erforderlich. Diese sind nach Abb. 361 und Gleichung

$$M_l = \mathfrak{M} - M - (M' - M)\,\frac{x}{l},$$

also im Punkte 1; $M_1 = 1{,}250 - 0\ \ \ \ - \dfrac{1}{6}\,(0{,}389 - 0) = 1{,}185$ tm

„   „ 2; $M_2 = 2{,}000 - 0\ \ \ \ - \dfrac{2}{6}\,(0{,}711 - 0) = 1{,}763$ „

„   „ 3; $M_3 = 2{,}250 - 0\ \ \ \ - \dfrac{3}{6}\,(0{,}900 - 0) = 1{,}800$ „

„   „ 4; $M_4 = 2{,}000 - 0\ \ \ \ - \dfrac{4}{6}\,(0{,}889 - 0) = 1{,}407$ „

„   „ 5; $M_5 = 1{,}250 - 0\ \ \ \ - \dfrac{5}{6}\,(0{,}611 - 0) = 0{,}741$ „

„   „ 6; $M_6 = 0\ \ \ \ - 0\ \ \ \ - \dfrac{6}{6}\,(0\ \ \ - 0) = 0$ „

„   „ 7; $M_7 = 1{,}250 - 0{,}514 - \dfrac{1}{6}\,(0{,}236 - 0{,}514) = 0{,}782$ „

„   „ 8; $M_8 = 2{,}000 - 0{,}711 - \dfrac{2}{6}\,(0{,}489 - 0{,}711) = 1{,}363$ „

„   „ 9; $M_9 = 2{,}250 - 0{,}675 - \dfrac{3}{6}\,(0{,}675 - 0{,}675) = 1{,}575$ „

Nunmehr gestaltet sich die Aufzeichnung der Einflußlinien[1]) in Abb. 356 wie folgt: Man trägt

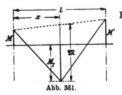

Abb. 361.

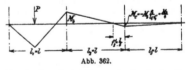

Abb. 362.

zunächst die Stützenmomente für die einzelnen Laststellungen in den Lastpunkten nach unten auf, verbindet sie durch eine stetig gekrümmte Linie und erhält damit die Einflußlinie M_{b_1} im ersten und M_{b_2} im zweiten Felde für das Stützenmoment in B. Die Fortsetzung der Linie 6 im dritten Felde, also M_{b_3}, ergibt sich einfach dadurch, daß man in den Punkten 13 bis 17 (vergl. Abb. 362) je $\dfrac{l_e}{4}$ der für die Punkte 5 bis 1 gefundenen Werte M_{b_1}, aber nach oben, aufträgt.

_____
[1]) Vergl. auch die bekannten Tabellen von Griot (Zürich) und ähnliche Werke, die zum Aufzeichnen der Einflußlinien mit Vorteil verwendet werden können.

Nun trägt man weiter die positiven Biegungsmomente M in den Lastpunkten nach oben auf und findet als Kontrolle, daß sich diese Punkte durch eine stetige, in Abb. 356 punktierte Linie verbinden lassen, welche die Umhüllende der unter einer wandernden Einzellast auftretenden größten Biegungsmomente darstellt.

Zur Aufzeichnung der Einflußlinien für die einzelnen Teilpunkte beachte man, daß dieselben aus den geraden Verbindungslinien der Stützenmomente mit dem Lastmomente entstanden sind. Demnach teilt man zunächst die Strecken zwischen den Lastmomenten und den linken Stützenmomenten (im ersten Felde der Null-Linie, da das Stützenmoment in A stets Null ist) von links nach rechts der Reihe nach in

$$n = 1, 2, 3 \ldots (m-1) \text{ Teile,}$$

also die Strecke M im Lote 5 in 5 Teile

$$\begin{array}{ccccc} , & , & 4 & , 4 & , \\ , & , & 3 & , 3 & , \\ , & , & 2 & , 2 & , \\ , & , & 1 & , 1 \text{ Teil.} \end{array}$$

Die Verbindung der so erhaltenen Punkte gemäß Abb. 356 ergibt die rechts vom Lastpunkte gelegenen Stücke der Einflußlinien, die sich in die zweite Öffnung fortsetzen, als $\frac{n}{m} = \frac{1}{6}, \frac{2}{6} \ldots$ der Stützeneinflußlinien. Die vollständige Aufzeichnung dieser Fortsetzungen ist nicht erforderlich, da sie der Stützeneinflußlinie vollkommen ähnlich sind. Sie sind aber wenigstens so weit durchzuführen, als es zur Beurteilung des stetigen Überganges durch den Nullpunkt, also zur richtigen Formgebung der Linien im ersten Felde nötig ist.

Nun teile man die Strecken $M_P + M_b$ von rechts nach links gehend in 1, 2, 3 . . . . $(m-1)$ Teile, also

$$\begin{array}{ccccc} & \text{im Lote} & 1 & \text{in 5 Teile} & \\ , & , & 2 & , 4 & , \\ , & , & 3 & , 3 & , \\ , & , & 4 & , 2 & , \\ , & , & 5 & , 1 \text{ Teil} \end{array}$$

und erhält damit die anderen Stücke der einzelnen Einflußlinien links vom Lastpunkt bis zum Punkte A. Die richtige Form der Linien 1 und 2 in den ersten Felderteilen ist dadurch bestimmt, daß die lotrechten Abstände der einzelnen Linien gleich sein müssen.

In gleicher Weise geht man in der zweiten Öffnung vor, wobei zu beachten ist, daß die linken Stücke der Linien 7, 8 und 9 genau symmetrisch zu den rechten Stücken

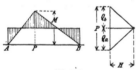

Abb. 363.

der Linien 11, 10 und 9 sind, so daß die entsprechenden Teilpunkte von den Loten in 11, 10 und 9 nach den Loten in 7, 8 und 9 zu übertragen sind. Das gleiche gilt von den Fortsetzungen dieser Linien in die erste bezw. dritte Öffnung, die ebenfalls nur so weit zu zeichnen sind, daß die richtige Form der Linien durch einige weitere Punkte gesichert ist. Hierbei ist jedoch noch zu beachten, daß für die Fortsetzung in der ersten bezw. dritten Öffnung die Strecken $M_b + M_c$ in m Teile zu teilen sind und daß in unserem Falle die Einflußlinie für die Stützenmomente M_{c3} im dritten Felde gleich — nur symmetrisch gelegen — der Einflußlinie für die Stützenmomente M_{b1} im ersten Felde ist und umgekehrt. Statt der Fortsetzung der Linien in die Nachbarfelder kann man auch in den Stützpunkten an die Einflußlinien der Stützenmomente die geometrischen Tangenten ziehen, diese in die entsprechenden m Teile zerlegen und zur Aufzeichnung der übrigen Linien benutzen.

b) Zur Auftragung der Einflußlinien für die Querkräfte beachte man wieder, daß die Querkräfte durch die Neigung der Tangenten an die Momentenfläche bestimmt sind. Zeichnet man zu einer gegebenen Momentenfläche, die einer Einzellast $P = 1$ entspricht, das Krafteck (vergl. Abb. 363), so erhält man zunächst durch Antragen von Parallelen zu den Momentenseiten, die durch deren Schnittpunkt mit P gehen, an den Enden der Kraftstrecke 1 den Schnittpunkt derselben, der bekanntlich im Abstand H vor der Kraftstrecke liegt. Zieht man nun von diesem Schnittpunkt aus eine Parallele zur Schlußlinie, so schneidet diese an der Kraftstrecke die Querkräfte Q_a und Q_b in den beiderseits der Last gelegenen Balkenstücken $\overline{AP}$, $\overline{PB}$ ab. In Abb. 355 sind auf diese Weise die Querkräfte zunächst für das erste Feld ermittelt. Trägt man nun die positiven Querkräfte Q_a oder A_r des ersten Feldes, die dem Auflagerdruck A entsprechen, auf einer neuen Grundlinie (Abb. 359) je im zugehörigen Lastpunkte an, so ergibt die Verbindung der Endpunkte die Einflußlinie der positiven Querkräfte $Q_a = A_r$ im ersten Felde und damit gleichzeitig die des Auflagerdruckes A.

Die Querkräfte in den unbelasteten Feldern ergeben sich in gleicher Weise, indem man an eine Wagerechte von der Länge H an einem Ende ein Kraftlot, an das andere Ende eine Parallele zur Schlußlinie legt, durch die am Kraftlot die für das ganze Feld gleichbleibende Querkraft angeschnitten wird.

Die Schlußlinie ist für das dem Lastfeld benachbarte Feld nach Abb. 333 (vergl. S. 191) eine Gerade, die, vom Stützmoment ausgehend, durch den zweiten Festpunkt des betrachteten Feldes bis zum nächsten Stützenlot gelegt wird. Von einer vollständigen Eintragung dieser Linien in die Abb. 354 ist abgesehen worden, da sie die Übersichtlichkeit beeinträchtigen würden und durch die Stützenmomente und die Festpunkte ohne weiteres bestimmt sind.

Für die weiter abliegenden Felder kann die Auftragung der Momentenlinien ebenfalls erspart werden, da die Stützenmomente über den weiter abliegenden Stützen in einem festen Verhältnis zu dem Stützenmoment am Lastfeld stehen. So ist bei Belastung des ersten Feldes $\overline{AB}$: $M_c = M_b \cdot \dfrac{f_2}{l_2 - f_2}$, die Querkraft im Felde $\overline{CD}$:

$$Q_{BC} = \frac{M_b}{l_2} \text{ und daher } Q_{CD} = \frac{M_a}{l_3} = \frac{M_b}{l_3} \cdot \frac{f_2}{l_2 - f_1} = Q_{BC} \cdot \frac{f_2}{l_2 - f_2} \cdot \frac{l_2}{l_3}. \text{ Errichtet}$$

man daher im Krafteck im Abstande $H' = H \cdot \dfrac{f_2}{l_2 - f_2} \cdot \dfrac{l_2}{l_3}$ vom Pol ein neues Lot, so schneiden die bereits vorher erhaltenen Strahlen daran die Querkräfte im dritten Felde ab. In Abb. 355 ist so die Ermittlung aller Querkräfte für alle Laststellungen durchgeführt.

Auch die Ermittlung der Querkräfte ist bei einfachen Stützungsverhältnissen rechnerisch sehr bequem und rasch durchführbar, unter Anwendung der Gl. 3b (S. 189), da $\dfrac{d M_p}{d x} = Q$ ist.

Für die Laststellungen im ersten Felde ist danach

$$Q_{\overline{AP}} = A_r = P \cdot \frac{l - x}{l} - \frac{M_b}{l} = \frac{6 - n}{6} - \frac{M_b}{9,0}$$

$$Q_{PB} = B_l = P = Q_{AP} = 1 - A_r$$

$$Q_{BC} = B_r = C_l = \frac{M_b}{l_2 - f_2} = \frac{M_b}{0,8 \cdot 9,0} = \frac{M_b}{7,2}$$

$$Q_{CD} = C_r = D_l = M_b \cdot \frac{f_2}{l_2 - f_2} \cdot \frac{1}{l_2} = M_b \cdot \frac{0,2}{0,8} \cdot \frac{1}{9,0} = \frac{Q_{BC}}{5}.$$

Demnach wird für die Stellung:

Last im Punkt	n	M_b	$A_r = \dfrac{6-n}{6} - \dfrac{1}{9,0} \cdot M_0 = A_r$	$B_l = 1 - A_r$	$\begin{matrix}B_r = C_l\\ = M_b : 7,2\end{matrix}$	$\begin{matrix}C_r = D_l\\ = B_r : 5\end{matrix}$
0	0	0	$1,000 - \ 0 = 1,000$	0	0	0
1	1	0,389	$0,833 - 0,043 = 0,790$	0,210	0,054	0,011
2	2	0,711	$0,667 - 0,079 = 0,588$	0,412	0,099	0,020
3	3	0,911	$0,500 - 0,101 = 0,399$	0,601	0,125	0,025
4	4	0,889	$0,333 - 0,099 = 0,234$	0,766	0,123	0,025
5	5	0,611	$0,167 - 0,068 = 0,099$	0,901	0,085	0,017
6	6	0	$0 \ - \ 0 = 0$	1,000	0	0

Für die Laststellungen im zweiten Felde wird

$$Q_{AB} = A_r = B_l = \frac{M_b}{9,0}$$

$$Q_{BP} = B_r = P \frac{l - x}{l} - \frac{M_b - M_c}{9,0} = \frac{6 - n}{6} - \frac{1}{9}(M_b - M_c)$$

$$Q_{\overline{PC}} = C_l = P - Q_{BP} = 1 - B_r$$

$$Q_{\overline{CD}} = C_r = D_l = \frac{M_c}{9,0}.$$

Last im Punkt	n	M_b	M_c	$\begin{matrix}A_r = B_l\\ = M_b : 9,0\end{matrix}$	$\begin{matrix}B_r =\\ \frac{6-n}{6} - \frac{1}{9}(M_b - M_c)\end{matrix}$	$\begin{matrix}C_l =\\ 1 - B_r\end{matrix}$	$\begin{matrix}C_r = D_l\\ = M_c : 9,0\end{matrix}$
6	0	0	0	0	$1,000 - \ 0 = 1,000$	0	0
7	1	0,514	0,236	0,056	$0,833 - 0,031 = 0,802$	0,198	0,025
8	2	0,711	0,489	0,079	$0,667 - 0,025 = 0,642$	0,358	0,054
9	3	0,675	0,675	0,075	$0,500 - \ 0 = 0,500$	0,500	0,075

Für die Punkte 10 bis 18 gelten der Symmetrie wegen die symmetrisch vertauschten Werte der Punkte 0 bis 9.

Ist nun nach Abb. 364 in Abb. 359 die Einflußlinie des Auflagerdruckes A gleich der Querkraft A_r aufgetragen, so ergibt sich die Einflußlinie der Querkraft aus der Erwägung, daß die Querkraft links vom Lastpunkt gleich ist der Querkraft rechts vom

Abb. 364.   Abb. 365.

Lastpunkt, vermindert um die Last selbst. Es erübrigt daher nur, nach Abb. 364, zur Linie A im ersten Felde eine gleiche Linie im Abstand 1 zu ziehen, um beispielsweise die Einflußlinie B_l der Querkraft im ersten Felde unmittelbar links von der zweiten Stütze B zu erhalten. Die Einflußlinie A_r im zweiten und dritten Felde ist natürlich vollkommen gleich der Einflußlinie für B_l im zweiten und dritten Felde.

Ähnlich wie die Einflußlinie B_l im ersten Felde erhält man die Einflußlinie C_l im zweiten Felde nach Abb. 365 aus der Einflußlinie B_r durch entsprechende Subtraktion der Last $P = 1$.

Aus den Querkraftlinien ergeben sich nach Abb. 366 die Einflußlinien der Stützendrücke durch einfache Addition der Ordinaten der Einflußlinien der betreffenden Querkräfte links und rechts von der Stütze, wobei zu beachten ist, daß die Querkräfte links von der Stütze zwar mit negativem Vorzeichen aufgetragen sind, in Wirklichkeit aber in gleichem Sinne auf das Auflager wirken und daher für unseren Zweck als Streckengrößen zu addieren sind. Da links von der ersten Stütze Querkräfte nicht auftreten, so ist die Einflußlinie der Querkraft A rechts von der Stütze A gleichzeitig die Einflußlinie des Auflagerdruckes A. Die Einflußlinie des Auflagerdruckes B ist in Abb. 359 punktiert eingetragen.

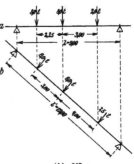

Die so gefundenen Einflußlinien sind auch für beliebige andere Stützweiten l_1', l_2' und l_3' zu verwenden, wenn das Verhältnis der Stützweiten gleich der unseres Beispiels, also $\dfrac{l_1'}{l_1} = \dfrac{l_2'}{l_2} = \dfrac{l_3'}{l_3}$ ist. Dann sind die Momente der entsprechend neuen Stützweite zu reduzieren und

Abb. 366.   Abb. 367.

überdies der Lastenzug in entsprechender Verkürzung aufzuzeichnen. Z. B. wären für $l_1' = l_2' = l_3' = 12{,}0$ m die Ordinaten der Einflußlinien oder, was dasselbe ist, die Lasten des gegebenen Lastenzuges mit $\dfrac{l_1'}{l} = \dfrac{12{,}0}{9{,}0}$ zu multiplizieren, die Abstände der Lasten im Lastenzuge mit $\dfrac{12{,}0}{9{,}0}$ zu dividieren. An Stelle des für den Träger mit $l = 12{,}0$ m vorgeschriebenen Lastenzuges a der Abb. 367 wäre daher bei Benutzung unserer Einflußlinien für $l = 9{,}0$ m der Lastenzug b zu verwenden.

c) Die Auswertung der Einflußlinien geschieht nun derart, daß man für jeden Trägerpunkt diejenige Laststellung ermittelt, die den Größtwert des Biegungsmomentes ergibt, und ebenso die Laststellung für den Kleinstwert der Biegungsmomente. Die nochmalige besondere Auftragung der Einflußlinien kann bei einiger Vorsicht umgangen werden, wenn man z. B. für gleiche Einzellasten die maßgebenden Lastpunkte an den einzelnen Linien selbst bezeichnet, bei verschiedenen Lasten aber unter der Einflußliniengruppe die Laststellungen für jeden Punkt auf je einer einfachen Linie aufträgt, wie es z. B. aus Abb. 356 hervorgeht. In dieser Darstellung bezeichnen die an den Einflußlinien gesetzten Punkte die maßgebenden Ordinaten für die Belastung des Trägers durch einen Lastwagen mit zwei Achslasten von 7,5 t in 5,0 m Abstand, wogegen die darunter in Abb. 357 gezeichneten Laststellungen für die in Abb. 253a, Seite 139 berechnete Dampfwalze mit $P_1 = 5{,}7$ t bezw. $P_2 = 5{,}0$ t Achsdruck bei 3,0 m Achsabstand und beiderseits anschließendem Menschengedränge $p = 0{,}6$ tm gelten.

Die ungünstigsten Laststellungen für die innerhalb eines Feldes gelegenen Schnittpunkte ergeben sich einfach derart, daß die größte Last in den Schnittpunkt, der übrige Lastenzug aber so gestellt wird, daß die Summen der übrigen Lasteinflüsse $(\Sigma P \cdot \eta)$ den Größtwert ergeben, was in den meisten Fällen ohne weiteres zu ersehen ist. Für die Stützenmomente, bei denen die ungünstigste Laststellung nicht durch eine Spitze in der Einflußlinie festgelegt ist, muß die ungünstigste Laststellung durch mehrmaliges Verschieben des Lastenzuges ausgemittelt werden.

Das Biegungsmoment für eine Einzellast P ist $M = P \cdot \eta$, wenn η die Ordinate der Einflußlinie im Lastpunkte bedeutet. Für gleichförmig verteilte Belastung p ist $M = p \cdot \varphi$, wenn mit φ die von der Einflußlinie und der Grundlinie eingeschlossene Fläche auf die Länge der Belastung bezeichnet wird.

Die Berechnung der in den einzelnen Punkten auftretenden Größtwerte der Biegungsmomente kann wieder in Tabellenform erfolgen:

Biegungs-moment	30 t-Lastwagen			Dampfwalze mit anschließendem Menschengedränge $p = 0{,}80$ t/m					
	η für		$M = \Sigma P \cdot \eta$	η für		$\varphi = \int \eta \, dl$ in Öffnung			$M = \Sigma P_\eta + p_\varphi$
	$P_1 = 7{,}5$ t	$P_2 = 7{,}5$ t	tm	$P_1 = 5{,}7$ t	$P_2 = 5{,}0$ t	I	II	III	tm
$+ M_1$	1,19	0,28	$+ 11{,}0$	1,19	0,60	0,72	—	0,22	$+ 10{,}4$
$+ M_2$	1,76	0,18	$+ 14{,}6$	1,76	0,71	1,53	—	0,45	$+ 14{,}8$
$+ M_3$	1,80	—	$+ 13{,}5$	1,80	0,55	2,24	—	0,67	$+ 11{,}9$
$+ M_4$	1,41	0,15	$+ 11{,}7$	1,41	0,52	1,18	—	0,90	$+ 11{,}9$
$+ M_5$	0,74	(— 0,10)	$+ 5{,}5$	0,74	0	0,10	—	1,13	$+ 5{,}1$
$+ M_7$	0,78	(— 0,04)	$+ 5{,}8$	0,78	0,07	—	0,18	—	$+ 4{,}9$
$+ M_8$	1,36	0,11	$+ 11{,}0$	1,36	0,44	—	1,12	—	$+ 10{,}6$
$+ M_9$	1,58	(— 0,09)	$+ 11{,}9$	1,58	0,37	—	1,20	—	$+ 11{,}6$
$- M_6$ für $- M_{\mathrm{II}}$ und $+ M_6'$ . .	— 0,61	— 0,61	$- 9{,}2$	— 0,88	— 0,73	1,27	—	1,35	$- 10{,}2$
$- M_6$ für $- M_{\mathrm{I}}$ . .	— 0,45	— 0,44	$- 6{,}7$	— 0,70	— 0,54	—	1,03	—	$- 7{,}1$
$- M_{6\,max}$ . . .	— 0,86	— 0,66	$- 11{,}4$	— 0,88	— 0,73	1,27	4,05	—	$- 11{,}9$

Die eingeklammerten Zahlen sind die negativen Werte η, welche sich bei der betreffenden Laststellung unter der zweiten Last ergeben. Diese Werte bleiben jedoch bei der Berechnung des Biegungsmomentes unberücksichtigt, da der angenommene Achsabstand nur den möglichen Kleinstwert der Lastentfernung angibt, ein größerer Abstand aber wohl nicht ausgeschlossen ist.

Für die Berechnung der Einflußflächen φ für die gleichförmig verteilte Belastung können die Einflußlinien zwischen den einzelnen Teilpunkten genau genug als geradlinig, die Teilflächen demnach als Trapeze angenommen werden. Für größere Flächen, z. B. für die ganze Einflußfläche eines Stützenmomentes bei Vollbelastung eines Feldes, ist die Gleichung

$$\varphi = \frac{a}{3} \left(\eta_1 + 2\,\eta_2 + 4\,\eta_3 + 2\,\eta_4 + \ldots + 4\,\eta_{n-2} + 2\,\eta_{n-2} + \eta_n \right)$$

zu empfehlen, wobei a den Abstand der Teilpunkte bedeutet und die Anzahl der Felderteile eine gerade sein muß. Das gleiche Ergebnis würde natürlich auch aus den Gleichungen 4) u. 6) (S. 190) erhalten werden.

Die Aufzeichnung der genauen Umhüllungslinie der größten Biegungsmomente bietet nunmehr keine Schwierigkeiten, wenn man beachtet, daß diese Linie sich aus einzelnen Teilen zusammensetzt. Zur besseren Veranschaulichung ihrer Form wurde in Abb. 358 zunächst die Einflußlinie der maßgebenden, das ist der im fraglichen Balkenschnitt stehenden Last aufgetragen und daran die Einflüsse der übrigen Lasten angesetzt.

Da diese erst bei einer bestimmten Stellung der maßgebenden Last auf den Balken zu stehen kommen und dieser Punkt ohne weiteres zu bestimmen ist, so kann mit geringer Mühe die genaue Linie gezeichnet werden. Eine eingehendere Erörterung der Abb. 358, in welcher die linke Seite für den Lastwagen, die rechte Seite für die Dampfwalze gilt, erscheint überflüssig.

Zur Ermittlung der größten Querkräfte beachte man, daß die Einflußlinie A_r und B_l für alle Schnitte zwischen den Stützen A und B gilt, wenn nach Abb. 368 im be-

Abb. 368.   Abb. 369.

treffenden Schnitte ein Lot errichtet wird. Dann gilt links vom Schnitt der negative Teil der Linie B_l, rechts vom Schnitt der positive Teil der Linie A_r. Das gleiche gilt für die Balkenschnitte im zweiten Felde mit den Linien B_r und C_l (Abb. 369). Da diese beiden Einflußlinien vollkommen gleich, nur um 180° verschwenkt sind, so gelten z. B. die Werte für $+ Q_6$ auch für $- Q_{10}$ usw. Im mittleren Felde ist daher die

Querkräfte	30 t-Wagen			Dampfwalze mit Menschengedränge $p = 0,80$ t/m					
	η für		$Q = \Sigma P\eta$	η für		φ in Öffnung			$Q = \Sigma P\eta + \Sigma p\varphi$
	$P_1 = 7,5$ t	$P_2 = 7,5$ t	t	$P_1 = 5,7$ t	$P_2 = 5,0$ t	I	II	III	t
Q_0	1,00	0,34	10,04	1,00	0,59	0,78	—	0,15	9,21
$+ Q_1$	0,79	0,19	7,35	0,79	0,40	0,32	—	0,15	6,78
$+ Q_2$	0,59	0,06	4,87	0,59	0,23	0,07	—	0,15	4,64
$+ Q_3$	0,40	—	3,00	0,40	0,10	0	—	0,15	2,87
$+ Q_4$	0,23	—	1,72	0,23	0	—	—	0,15	1,40
$+ Q_5$	0,10	—	0,75	0,10	—	—	—	0,15	0,66
$+ Q_6$ (links)	0	—	0	0	—	—	—	0,15	0,09
$+ Q_6$ (rechts)	1,00	0,43	10,72	1,00	0,69	0,75	1,05	—	10,23
$+ Q_7$	0,86	0,25	8,32	0,86	0,50	0,75	0,44	—	8,11
$+ Q_8$	0,69	0,09	5,84	0,69	0,31	0,75	0,10	—	5,99
$+ Q_9$	0,50	—	3,75	0,50	0,14	0,75	0	—	4,00
$+ Q_{10}$	0,31	—	2,32	0,31	0	0,75	—	—	2,22
$+ Q_{11}$	0,14	—	1,05	0,14	—	0,75	—	—	1,95
$- Q_{12}$	0	—	0	0	—	0,75	—	—	0,45
$- Q_0$	0	—	0	0	—	—	0,45	—	0,27
$- Q_1$	0,21	—	1,57	0,21	—	—	0,45	—	1,47
$- Q_2$	0,41	—	3,08	0,41	0	—	0,45	—	2,51
$- Q_3$	0,60	—	4,50	0,60	0,21	0	0,45	—	4,74
$- Q_4$	0,77	0,14	6,82	0,77	0,41	0,16	0,45	—	6,78
$- Q_5$	0,90	0,35	9,38	0,90	0,60	0,62	0,45	—	8,77
$- Q_6$	1,00	0,55	11,62	1,00	0,77	1,37	0,45	—	10,67

Umhüllende der positiven Querkräfte gleich der um 180° geschwenkt gedachten Umhüllenden der negativen Querkräfte.

In ähnlicher Weise wie für die Biegungsmomente ermittelt man die Umhüllenden der größten Querkräfte durch tabellarische Zusammenstellung der einzelnen Werte (s. S. 221).

In der Abb. 360 sind diese Werte aufgetragen, und zwar des besseren Vergleichs der beiden Lasteinflüsse halber die für den 30 t-Wagen geltenden Umhüllenden voll ausgezogen, die für die Dampfwalze mit Menschengedränge geltenden mit gestrichelten Linien. Die Einflüsse der zweiten Einzellast machen sich deutlich kenntlich durch je einen Knick in den Linienpaaren.

Die weitere Verwertung der Abb. 358 u. 360, ihre Zusammenstellung mit den Werten für die ständige Last usw. ist die gleiche wie im Rechnungsbeispiel unter 6 auf S. 200 u. f.

VII. Die Berechnung des durchlaufenden Trägers mit fest verbundenen Zwischenstützen.

Werden die Stützen mit den Balken starr verbunden, so bleiben bei einer Durchbiegung des belasteten Balkens und einer dabei entstehenden Verdrehung seiner Achse über den Stützen (vergl. Abb. 370) die rechten Winkel bei A erhalten, so daß auch die Stütze oder Säule eine Verdrehung erleidet. Die genaue Bestimmung der dabei im Balken wie in der Säule auftretenden Biegungsmomente, die unter anderem nach dem Ritter angegebenen Verfahren (Graphische Statik, III. Teil, Der kontinuierliche Balken, S. 125 u. f.) erfolgen kann, ist sehr zeitraubend und umständlich. Wir empfehlen daher die Berechnung nach den einfachen Formeln, wie sie A. Ostenfeld in der Zeitschrift Ingeniören, Kopenhagen 1905, Nr. 13, S. 83 u. f. angibt.[1])

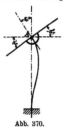

Die daselbst hergeleiteten Beziehungen gelten für Stützen oder Säulen mit voller Einspannung am Fuße, sowie für die gleichmäßig verteilte Belastung der einzelnen Öffnungen. Von einer Untersuchung mit den Einzellasten der Wagen kann in Anbetracht des Genauigkeitsgrades solcher statisch unbestimmten Rechnungen, zumal bei größeren Stützweiten, abgesehen werden.

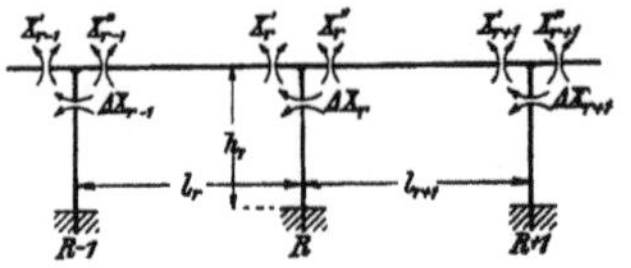

Abb. 370.   Abb. 371.

Bei der Berechnung sind jeweilig zwei verschiedene Belastungsfälle zu unterscheiden, und zwar der, in welchem der größte Stützendruck, und der, bei welchem das größte Zusatzmoment entsteht. Der größte Stützendruck ergibt sich bekanntlich bei möglichst starker Belastung der Öffnungen zu beiden Seiten der Säule. Das in diesem Falle entstehende Biegungsmoment am Säulenkopfe stellt jedoch nicht den größten Wert dar, den es überhaupt erreichen kann. Diesen erhält man vielmehr, wie auch bei dem frei gelagerten durchlaufenden Träger (vergl. S. 206) dann, wenn nur die eine Öffnung neben der Stütze möglichst stark, die andere Öffnung dagegen möglichst gering belastet wird

---

[1]) Nogle simple Formler for de bøjende Momenter der pårvirke Søjlerne in Konstruktioner of armeret Beton. Vergl auch M. Genel-Wien, Kontinuierliche Träger mit elastisch verbundenen Stützen, Tabellen zur Bestimmung der Momente (Beton u. Eisen 1906, S. 317).

und von Öffnung zu Öffnung fortschreitend die starke mit der schwachen Belastung abwechselt.

Legt man in Abb. 371 an jeder Verbindungsstelle von Balken und Säule je drei Schnitte und ersetzt die Einwirkung der anschließenden Teile durch die Biegungsmomente $\varDelta X_r$, X_r' und X_r'', so besteht zwischen diesen die Gleichung

$$X_r'' - X_r' = \varDelta X_r.$$

Um Beziehungen zwischen diesen unbekannten Größen zu erhalten, wird nun die Verdrehung des Balkens am Säulenkopfe ermittelt, und zwar einmal für den einfachen Balken links der Säule und das andere Mal für den Balken rechts der Säule, sowie endlich für die am Fuße eingespannte Säule.

Der Drehwinkel der Endtangente an die elastische Linie des einzelnen Balkenstückes, mit der Stützweite l_r, auf welches die gleichmäßig verteilte Belastung p_r sowie die beiden Einspannungsmomente X''_{r-1} und X_r' wirken, ist[1]) links der Stütze R

$$\alpha' = \frac{p_r \cdot l_r^3}{24\,EJ} + \frac{l_r}{6\,EJ} \cdot (X''_{r-1} + 2\,X_r'),$$

wobei E das Elastizitätsmaß und J das konstant angenommene Trägheitsmoment des Balkens bezeichnet und das positive Vorzeichen der Biegungsmomente für den in Abb. 371 eingetragenen Drehsinn gilt.

In gleicher Weise ergibt sich für den Drehwinkel über der Stütze R des rechts von R liegenden Balkens mit der Stützweite l_{r+1} infolge der Belastung p_{r+1}

$$\alpha'' = \frac{p_{r+1}\,l^3_{r+1}}{24\,EJ} + \frac{l_{r+1}}{6\,EJ} \cdot (2\,X_r'' + X'_{r+1}).$$

Der Verdrehungswinkel der am Fuße eingespannten Säule wird infolge des am Kopfe angreifenden Momentes $\varDelta X_r$ unter der Annahme, daß am Säulenkopfe zwar eine Verdrehung, aber keine Verschiebung möglich ist,

$$\tau_r = \frac{h_r}{4\,EJ_s} \cdot \varDelta X_r,$$

wobei h_r die Höhe und J_s das Trägheitsmoment der Säule bezeichnet.

Aus Abb. 370 erkennt man, daß $\tau_r = \alpha_r'' = -\alpha_r'$ sein muß. Bezeichnet man die Biegungsmomente der einfachen Balken in der Trägermitte mit

$$\mathfrak{M}_r = \frac{1}{8}\,p_r l_r^2, \qquad \mathfrak{M}_{r+1} = \frac{1}{8}\,p_{r+1} \cdot l^2_{r+1}$$

und führt ferner zur Abkürzung die Bezeichnungen

$$\pi_r' = \frac{3\,h_r}{4\,l_r} \cdot \frac{J}{J_s}, \qquad \pi_r'' = \frac{3\,h_r}{4\,l_{r+1}} \cdot \frac{J}{J_s}$$

ein, so gehen die beiden Gleichungen $\tau_r = \alpha_r'$ und $\tau_r = -\alpha_r''$ über in

$$\pi_r' \cdot \varDelta X_r - \frac{1}{2}\,X''_{r-1} - X_r' = \mathfrak{M}_r \quad \dots \dots \dots \dots \text{ 1)}$$

und

$$\pi_r'' \cdot \varDelta X_r + X_r'' + \frac{1}{2}\,X'_{r+1} = -\mathfrak{M}_{r+1} \quad \dots \dots \dots \text{ 2)}$$

Hierzu kommt noch die oben gefundene Beziehung

$$X_r'' - X_r' = \varDelta X_r \quad \dots \dots \dots \dots \dots \text{ 3)}$$

so daß man zur Bestimmung der drei Unbekannten jeweilig drei Gleichungen zur Verfügung hat.

Stellt man diese Gruppe von drei Gleichungen für eine Stütze nach der anderen auf, und zwar mit den Zeigern r, $r-1$, $r-2$, $r-3 \ldots$, sowie $r+1$, $r+2$, $r+3 \ldots$, so erhält man für m Stützen $3\,m$ Gleichungen mit $3\,m$ Unbekannten $\varDelta X$, X' und X''.

---

[1]) Siehe u. a. auch Ritter, Graphische Statik. III. Teil. S. 21.

Aus diesen Gleichungen kann man die Größen X' und X'' eliminieren, so daß m Gleichungen mit m Unbekannten $\varDelta X$ übrig bleiben. Diese nehmen für jede der m Stützen die Form an

$$
\begin{aligned}
. \; - \frac{1}{8}(1 + \pi'_{r-3}) \cdot \varDelta X_{r-3} &+ \frac{1}{4}(1 + \pi'_{r-2}) \cdot \varDelta X_{r-2} - \frac{1}{2}(1 + \pi'_{r-1}) \cdot \varDelta X_{r-1} \\
+ (1 + \pi_r' + \pi_r'') \cdot \varDelta X_r &- \frac{1}{2}(1 + \pi''_{r+1}) \cdot \varDelta X_{r+1} + \frac{1}{4}(1 + \pi''_{r+2}) \cdot \varDelta X_{r+2} \\
- \frac{1}{8}(1 + \pi''_{r+3}) \cdot \varDelta X_{r+3} \ldots \ldots \; = \; \ldots \ldots &- \frac{1}{8}\mathfrak{M}_{r-3} + \frac{1}{4}\mathfrak{M}_{r-2} \\
- \frac{1}{2}\mathfrak{M}_{r-1} + \mathfrak{M}_r - \mathfrak{M}_{r+1} &+ \frac{1}{2}\mathfrak{M}_{r+2} - \frac{1}{4}\mathfrak{M}_{r+3} + \frac{1}{8}\mathfrak{M}_{r-4} \ldots \ldots \ldots
\end{aligned}
\qquad 4)
$$

Aus dieser allgemeinen Form erhält man durch Einsetzen der einzelnen Werte $r = 1, 2, 3 \ldots n$ für den Fall von n Zwischenstützen ein System von n Gleichungen mit n unbekannten Größen $\varDelta X$. Die Enden des durchlaufenden Trägers über den Widerlagern, also über den Stützen 0 und $(n + 1)$, sind dabei der Einfachheit halber als freigelagert angenommen worden, so daß $\varDelta X_0 = 0$ und $\varDelta X_{n+1} = 0$ sind. Betreffs des Einflusses von rahmenartig eingespannten Enden vergleiche unten die Berechnung der Rahmenbrücken (S. 232).

1. Durchlaufender Träger über zwei Öffnungen mit einer festeingespannten Mittelstütze.

Das Biegungsmoment eines freigestützten Balkens von der Stützweite l_r sei infolge

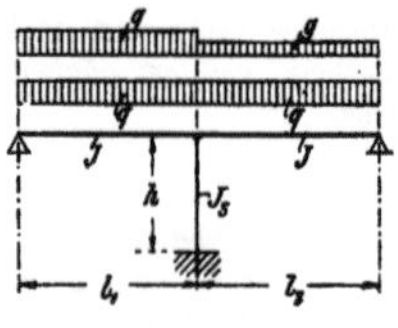

des Eigengewichts g kg/m

$$\mathfrak{M}_r{}^g = \frac{1}{8}\, g\, l_r{}^2,$$

der Verkehrslast p kg/m

$$\mathfrak{M}_r{}^p = \frac{1}{8}\, p\, l_r{}^2,$$

der gesamten Last $q = (g + p)$ kg/m

$$\mathfrak{M}_r{}^q = \frac{1}{8}\, q\, l_r{}^2.$$

Abb. 372.

Setzt man für den durchlaufenden Träger der Abb. 372 in Gleichung 4) $r = 1$ und $r + 1 = 2$ ein und beachtet, daß alle Ausdrücke mit anderen Zeigern als diese wegfallen und daß $X_{r+1} = 0$ ist, so ergibt sich

$$(1 + \pi_1' + \pi_1'') \cdot \varDelta X_1 = \mathfrak{M}_1 - \mathfrak{M}_2$$

und

$$\varDelta X_1 = \frac{\mathfrak{M}_1 - \mathfrak{M}_2}{1 + \pi_1' + \pi_1''}.$$

Den größten Stützendruck erhält man bei Belastung beider Öffnungen mit der gleichmäßig verteilten Last q nach Gleichung 9) auf S. 193 zu

$$S = q \cdot \left(\frac{l_1 + l_2}{2} + \frac{l_1{}^3 + l_2{}^3}{8\, l_1\, l_2} \right).$$

Das diesem Stützendruck entsprechende Zusatzmoment wird dann

$$\varDelta X_1 = \frac{\mathfrak{M}_1{}^q - \mathfrak{M}_2{}^q}{1 + \pi_1' + \pi_1''} \quad \ldots \ldots \ldots \ldots$$

Das größte Zusatzmoment $\max \varDelta X_1$ ergibt sich bei Belastung n Öffnung mit $q = g + p$ und der anderen Öffnung mit g zu

$$\max \varDelta X_1 = \frac{\mathfrak{M}_1{}^q - \mathfrak{M}_2{}^q}{1 + \pi_1{}' + \pi_1{}''} \cdot \quad \dots \dots \dots \quad 6)$$

oder möglicherweise auch unter Vertauschung der Last zu

$$\max \varDelta X_1 = \frac{\mathfrak{M}_1{}^q - \mathfrak{M}_2{}^q}{1 + \pi_1{}' + \pi_1{}''} \quad \dots \dots \dots \quad 6a)$$

Dabei ist

$$\pi_1{}' = \frac{3}{4} \cdot \frac{h_1}{l_1} \cdot \frac{J}{J_s} , \qquad \pi_1{}'' = \frac{3}{4} \cdot \frac{h_1}{l_2} \cdot \frac{J}{J_s} ,$$

$$M_1{}^g = \frac{g l_1{}^2}{8} , \qquad M_1{}^q = \frac{q l_1{}^2}{8} \quad \text{und} \quad M_2{}^q = \frac{q l_2{}^2}{8} .$$

Der zugehörige Stützendruck berechnet sich wie beim gewöhnlichen durchlaufenden Träger, und zwar nach Gleichung 9) auf S. 193 zu

$$S = \frac{q l_1 + g l_2}{2} + \frac{q l_1{}^3 + g l_2{}^3}{8 l_1 l_2} .$$

2. Durchlaufender Träger über drei Öffnungen mit zwei fest verbundenen Mittelstützen.

Aus Gleichung 4) erhält man nach Abb. 373 für $r = 1$, $r + 1 = 2$ und $r + 2 = 3$ sowie $\varDelta X_{r+2} = 0$ unter Weglassung aller Glieder mit anderen Zeigern

$$\varDelta X_1 = \frac{\left[\frac{3}{4} (1 + \pi_2{}'') + \pi_2{}'\right] \mathfrak{M}_1 - \left[\frac{1}{2} (1 + \pi_2{}'') + \pi_2{}'\right] \mathfrak{M}_2 + \frac{1}{2} \pi_2{}' \mathfrak{M}_3}{(1 + \pi_1{}' + \pi_1{}'') \cdot (1 + \pi_2{}' + \pi_2{}'') - \frac{1}{4} (1 + \pi_1{}') \cdot (1 + \pi_2{}')} \quad 7)$$

und für $\varDelta X_2$ den entsprechenden Ausdruck, wobei nur die Zeiger 1 und 2 sowie die Größen π' und π'' zu vertauschen sind.

Der größte Stützendruck berechnet sich wie sonst beim gewöhnlichen durchlaufenden Balken. Um das zugehörige Zusatzmoment zu erhalten, ist in Gleichung 7) zu setzen $\mathfrak{M}_1 = \mathfrak{M}_1{}^q$, $\mathfrak{M}_2 = \mathfrak{M}_2{}^q$ und $\mathfrak{M}_3 = \mathfrak{M}_3{}^q$.

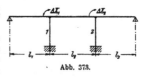

Abb. 373.

Sind im besonderen Falle die beiden äußeren Öffnungen gleich groß, also $l_1 = l_3$, und ebenso die Stützen gleich hoch und stark, so wird

$$\pi_1{}' = \frac{3}{4} \frac{h_1}{l_1} \cdot \frac{J}{J_s} = \frac{3}{4} \frac{h_2}{l_3} \cdot \frac{J}{J_s} = \pi_2{}'' = \pi'$$

und

$$\pi_1{}'' = \frac{3}{4} \frac{h_1}{l_2} \cdot \frac{J}{J_s} = \frac{3}{4} \frac{h_2}{l_2} \cdot \frac{J}{J_s} = \pi_2{}' = \pi''$$

und, wie oben, $\mathfrak{M}_1 = \mathfrak{M}_1{}^q$ und $\mathfrak{M}_2 = \mathfrak{M}_2{}^q$, ferner aber noch $\mathfrak{M}_3{}^q = \mathfrak{M}_3{}^q - \mathfrak{M}_3{}^p = \mathfrak{M}_1{}^q - \mathfrak{M}_1{}^p$. Dann ergibt sich

$$\varDelta X_1 = \frac{\left[\frac{1}{2} (1 + \pi') + \pi''\right] \left(\frac{3}{2} \mathfrak{M}_1{}^q - \mathfrak{M}_2{}^q\right) - \frac{1}{2} \pi'' \mathfrak{M}_1{}^p}{\left[\frac{3}{2} (1 + \pi') + \pi''\right] \left[\frac{1}{2} (1 + \pi') + \pi''\right]}$$

Da bei den in der Regel vorkommenden Fällen π' und π'' fast immer größer als 1 und ferner hier $\pi'' = \frac{l_1}{l_2} \cdot \pi'$ ist, so wird sich π'' in der Regel innerhalb der

Grenzen $\pi'' = \pi'$ und $\pi'' = \dfrac{2}{3}\,\pi'$ bewegen. In diesem Falle erhält man mit hinreichender Genauigkeit folgende einfache Ausdrücke, und zwar:

Das Zusatzmoment, welches gleichzeitig mit dem größten Stützendruck entsteht, zu

$$\varDelta X_1 = \frac{\mathfrak{M}_1{}^q - \dfrac{2}{3} \cdot \mathfrak{M}_2{}^q}{1 + \pi' + \dfrac{2}{3}\,\pi''} - \frac{\mathfrak{M}_1{}^p}{7{,}5 \cdot (1 + \pi')} \quad \cdots \cdots \text{7 a)}$$

den Größtwert des Zusatzmomentes, der dann eintritt, wenn die äußeren Öffnungen mit q, die Mittelöffnung mit g belastet werden, unter der obigen Annahme gleicher Säulen, sowie gleichweit gespannter äußerer Öffnungen

$$\max \varDelta X_1 = \frac{\mathfrak{M}_1{}^q - \dfrac{2}{3} \cdot \mathfrak{M}_2{}^g}{1 + \pi' + \dfrac{2}{3}\,\pi''} \quad \text{oder} \quad \frac{\mathfrak{M}_1{}^g - \dfrac{2}{3} \cdot \mathfrak{M}_2{}^q}{1 + \pi' + \dfrac{2}{3}\,\pi''} \quad \cdots \text{7 b)}$$

8. Durchlaufender Träger über vier Öffnungen mit drei fest verbundenen Mittelstützen.

Zur Vereinfachung der Formeln wird hier nach Abb. 374 sogleich Symmetrie der Öffnungen und Gleichheit der Stützen vorausgesetzt, so daß
$l_1 = l_4$ und $l_2 = l_3$, ferner auch $\pi' = \pi_3'' = \pi'$ und $\pi_1'' = \pi_3' = \pi_2' = \pi_2'' = \pi''$
wird. Aus Gleichung 4) ergibt sich dann:

$$\varDelta X_1 = \left\{\left[\frac{1}{4}\,(1 + \pi' + \pi'')\,(3 + 7\,\pi'') - \frac{1}{16}\,(1 + \pi')\,(3 + 4\,\pi'')\right] \cdot \mathfrak{M}_1 \right.$$
$$- \left[\frac{1}{2}\,(1 + \pi' + \pi'')\,(1 + 3\,\pi'') - \frac{1}{8}\,(1 + \pi')\,(1 + 2\,\pi'')\right] \cdot \mathfrak{M}_2$$
$$+ \left[\frac{1}{4}\,\pi''\,(1 + \pi') + \frac{1}{2}\,\pi''^2\right] \cdot \mathfrak{M}_3 - \frac{1}{4}\,\pi''^2 \cdot \mathfrak{M}_4 \right\}$$
$$: \left\{(3 + 3\,\pi' + 4\,\pi'') \cdot \left[\frac{1}{16}\,(3 + 3\,\pi' + 4\,\pi'') + \frac{1}{2}\,\pi''\,(1 + \pi' + \pi'')\right]\right\} \right\} \quad 8)$$

und

$$\varDelta X_2 = \frac{\dfrac{1}{8}\,\pi''\,(-\,\mathfrak{M}_1 + \mathfrak{M}_4) + \dfrac{1}{8}\,(1 + \pi' + 2\,\pi'')\,(\mathfrak{M}_2 - \mathfrak{M}_3)}{\dfrac{1}{16}\,(3 + 3\,\pi' + 4\,\pi'') + \dfrac{1}{2}\,\pi''\,(1 + \pi' + \pi'')}$$

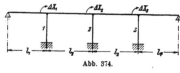

Abb. 374.

Der größte Stützendruck auf die mittlere Stütze 2 entsteht bei Belastung der äußeren Öffnungen mit g und der mittleren Öffnung mit q. Es wird dann das zugehörige $\varDelta X_2 = 0$, da infolge der Symmetrie $\mathfrak{M}_1 = \mathfrak{M}_4$ und $\mathfrak{M}_2 = \mathfrak{M}_3$ ist.

Der größte Stützendruck auf die Stütze 1 entsteht bei Belastung der ersten, zweiten und vierten Öffnung mit q und der dritten Öffnung mit g. Es wird dann $\mathfrak{M}_1 = \mathfrak{M}_1{}^q$, $\mathfrak{M}_2 = \mathfrak{M}_2{}^q$, $\mathfrak{M}_3 = \mathfrak{M}_3{}^g = \mathfrak{M}_3{}^q - \mathfrak{M}_3{}^p = \mathfrak{M}_2{}^q - \mathfrak{M}_2{}^p$ und $\mathfrak{M}_4 = \mathfrak{M}_4{}^q = \mathfrak{M}_1{}^q$, so daß der Zähler von $\varDelta X_1$ in Gleichung 8) die Form annimmt

$$\left[\frac{3}{4}\left(1+\pi'\right)+2\pi''\left(1+\pi'\right)+\pi''+2\pi''^2\right]\cdot\left[\frac{3}{4}\,\mathfrak{M}_1{}^q-\frac{1}{2}\,\mathfrak{M}_2{}^q\right]$$
$$-\left[\frac{1}{4}\,\pi'\left(1+\pi'\right)+\frac{1}{2}\,\pi''^2\right]\cdot\mathfrak{M}_2{}^p.$$

In ähnlicher Weise wie die Formel 7a) erhält man für die dort angegebenen, in der Regel vorliegenden Fälle den einfachen Ausdruck

$$\varDelta X_1=\frac{\mathfrak{M}_1{}^q-\dfrac{2}{3}\,\mathfrak{M}_2{}^q}{1+\pi'+\dfrac{4}{3}\,\pi''}-\frac{\mathfrak{M}_2{}^p}{3\left(4+2\pi'+\pi''\right)}\quad\ldots\ldots\quad 8a)$$

Das größte Zusatzmoment entsteht jeweilig dann, wenn eine Öffnung um die andere mit q bezw. g belastet wird. Unter denselben vereinfachenden Annahmen wie für $\varDelta X_1$ erhält man

$$\max\varDelta X_1=\frac{\mathfrak{M}_1{}^q-0{,}36\cdot\left(1+\dfrac{\pi''}{\pi'}\right)\mathfrak{M}_2{}^g}{1+1{,}75\pi''}\quad\text{oder}\quad\frac{\mathfrak{M}_1{}^g-0{,}36\cdot\left(1+\dfrac{\pi''}{\pi'}\right)\mathfrak{M}_2{}^q}{1+1{,}75\pi''}\left.\right\}\,8b)$$
$$\max\varDelta X_2=\frac{\mathfrak{M}_2{}^g-\mathfrak{M}_2{}^q}{1{,}5+\pi'+\pi''}\quad\text{oder}\quad\frac{\mathfrak{M}_2{}^g-\mathfrak{M}_2{}^q}{1{,}5+\pi'+\pi''}$$

4. Durchlaufender Balken über unendlich vielen fest verbundenen Stützen.

Nimmt man eine gleiche Stützweite für alle Öffnungen und gleiche Stützen an, so ergibt sich bei der Belastung einer Öffnung um die andere mit q bezw. g für eine mittlere Stütze r

$$\varDelta X_r=-\varDelta X_{r+1}=\varDelta X_{r+2}$$

und somit aus Gleichung 4)

$$\max\varDelta X_r=\frac{\mathfrak{M}^q-\mathfrak{M}^g}{1{,}5+2\pi'}\quad\ldots\ldots\ldots\quad 9)$$

Stellt man die Gleichung 4) für die Stützen in der Nähe des Trägerendes auf, setzt dabei

$$\varDelta X_2=-\varDelta X_4=\varDelta X_6\ldots=\max\varDelta X_r$$

und eliminiert sodann $\varDelta X_2$, so erhält man für $\varDelta X_1$ einen Ausdruck, der mit großer Annäherung

$$\max\varDelta X_1=\frac{\mathfrak{M}^q-0{,}7\cdot\mathfrak{M}^g}{1+1{,}75\pi'}\quad\ldots\ldots\ldots\quad 10)$$

geschrieben werden kann.

Die Gleichungen 9) und 10) stimmen vollständig mit 8b) überein, sobald man $\pi'=\pi''$ setzt. Es ergibt sich aus diesem Vergleich, daß man ohne Bedenken die Formeln 8) auch für eine größere Zahl von Öffnungen als vier anwenden kann.

5. Rechnungsbeispiel.

Für den in Abb. 375 u. 376 dargestellten Fußgängersteg soll das Zusatzmoment berechnet werden, welches bei einer Belastung von 400 kg/m² dann entsteht, wenn die Stütze fest mit dem Träger verbunden ist.

a) Das größte Zusatzmoment tritt bei Vollbelastung der größeren Öffnung mit der Verkehrslast p auf. Für die gesamte Brückenbreite von 2,0 m wird $g=1{,}15$ t/m und $p=2{,}0\cdot0{,}40=0{,}80$ t/m, somit $q=1{,}95$ t/m. Es ergibt sich folglich für die Höhe

$h = 5,50$ m,[1]) die Stützweiten $l_1 = 6,50$ m und $l_2 = 13,0$ m das Biegungsmoment zu

$$\mathfrak{M}_1{}^g = \frac{1}{8}\, g l_1{}^2 = \frac{1}{8} \cdot 1,15 \cdot 6,5^2 = 6,07 \text{ tm}$$

und

$$\mathfrak{M}_2{}^q = \frac{1}{8}\, q l_2{}^2 = \frac{1}{8} \cdot 1,95 \cdot 13,0^2 = 41,2 \text{ tm}.$$

Die einzige Arbeit, welche bei der Berechnung etwas Aufenthalt verursacht, besteht in der unumgänglichen Ermittlung der Trägheitsmomente. Nimmt man den Eisenbetonkörper als einen durchaus homogenen Körper an, der nur aus einem einzigen einheitlichen Material besteht,[2]) so wird für den Träger der Abb. 375 der Querschnitt $F = 4800$ cm², der Schwerpunktabstand von der Oberkante $x_0 =$

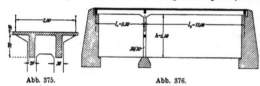

Abb. 375. Abb. 376.

28,4 cm und das Trägheitsmoment $J = 3\,023\,000$ cm⁴ sowie das Trägheitsmoment für die aus zwei Säulen mit je $30 \cdot 30 = 900$ cm² Querschnitt bestehende Stütze

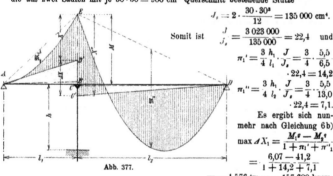

Abb. 377.

$$J_s = 2 \cdot \frac{30 \cdot 30^3}{12} = 135\,000 \text{ cm}^4.$$

Somit ist

$$\frac{J}{J_s} = \frac{3\,023\,000}{135\,000} = 22,4 \text{ und}$$

$$\pi_1' = \frac{3}{4}\frac{h_1}{l_1} \cdot \frac{J}{J_s} = \frac{3}{4}\cdot\frac{5,5}{6,5}$$
$$\cdot 22,4 = 14,2$$

$$\pi_1'' = \frac{3}{4}\frac{h_1}{l_2} \cdot \frac{J}{J_s} = \frac{3}{4}\cdot\frac{5,5}{13,0}$$
$$\cdot 22,4 = 7,1.$$

Es ergibt sich nunmehr nach Gleichung 6b)

$$\max \varDelta X_1 = \frac{M_1{}^g - M_2{}^q}{1 + \pi_1' + \pi''_1}$$
$$= \frac{6,07 - 41,2}{1 + 14,2 + 7,1}$$
$$= -1,576 \text{ tm} = -157\,600 \text{ kgcm}.$$

Das Stützenmoment des durchlaufenden Balkens über zwei Öffnungen, von denen die eine mit dem Eigengewicht g, die andere dagegen mit $q = g + p$ belastet ist, berechnet sich in bekannter Weise nach Gleichung 4β), S. 190 zu

$$M_1 = \frac{g l_1{}^2}{8} \cdot \frac{l_1}{l_1 + l_2} + \frac{q l_2{}^2}{8} \cdot \frac{l_2}{l_1 + l_2} = 6,07 \cdot \frac{6,5}{19,5} + 41,2 \cdot \frac{13,0}{19,5} = 29,5 \text{ tm}.$$

Trägt man in Abb. 377 diesen Wert als Ordinate über der Mittelstütze auf, womit man den Punkt E erhält, und zeichnet sodann unter den Linien AE bezw. ED die beiden

---

[1]) Wie aus Abb. 376 zu ersehen ist, wurde als Stützenhöhe h das Maß bis zur Trägerunterkante und nicht das größere Maß bis zur Trägerschwerlinie eingesetzt. Dies geschah, um die ungünstige Erhöhung des Trägheitsmomentes infolge des voutenförmigen Anschlusses der Stütze zu berücksichtigen und auf der sicheren Seite der Rechnung zu bleiben.

[2]) Über die Spannungsverteilung und das Trägheitsmoment des wirksamen Querschnittes bei Biegungsbeanspruchungen vergl. S. 154.

Eigengewichtsparabeln mit dem Pfeil $\dfrac{g l_1{}^2}{8}$ bezw. $\dfrac{g l_2{}^2}{8}$, so ergibt sich die Momentenlinie des durchlaufenden Trägers auf frei drehbaren Stützen.

Um den Einfluß der starren Verbindung in dieser Darstellung zu berücksichtigen, berechne man zunächst die beiden Biegungsmomente links und rechts der Stütze $X_1{}'$ und $X_1{}''$, als deren Differenz sich $\varDelta X_1$ darstellt. Da für $r = 1$ hier $X''_{r-1} = X_0{}'' = 0$ und $X'_{r+1} = X_2{}' = 0$ ist, erhält man nach Gleichung 1)

$$X_1{}' = \pi_1{}' \cdot \varDelta X_1 - \mathfrak{M}_1 = -14{,}2 \cdot 1{,}57 - 6{,}07 = -28{,}4 \text{ tm}$$

und nach Gleichung 2)

$$X_1{}'' = -\pi_1{}'' \cdot \varDelta X_1 - \mathfrak{M}_2 = +7{,}1 \cdot 1{,}57 - 41{,}2 = -30{,}0 \text{ tm},$$

wobei sich nach 3) zur Probe wiederum

$$\varDelta X_1 = X_1{}'' - X_1{}' = -30{,}0 + 28{,}4 = -1{,}6 \text{ tm}$$

ergeben muß. Trägt man die so erhaltenen Werte auf der Stützenordinate von E aus als $EB = X_1{}'$ und als $EC = X_1{}''$ auf, wobei $BC = \varDelta X_1$ ist, so erhält man den Linienzug $ABCD$. Diese gebrochene Linie begrenzt somit die Momentenfläche an Stelle der Geraden AD, wenn man die starre Verbindung der Stütze berücksichtigt. Das Einspannungsmoment $\varDelta X_1$ vermindert naturgemäß die positiven Biegungsmomente der stärker belasteten zweiten Öffnung und erhöht das negative Moment rechts der Stütze in diesem Falle allerdings nur um rd. 2 vH., vermindert dagegen das negative Moment unmittelbar links der Stütze um rd. 4 vH.

Anders gestaltet sich dagegen dieser Einfluß, wenn man die beiden quadratischen Säulen der Stütze z. B. von 30 cm auf 60 cm Kantenlänge verstärkt. Es wird dann

$$J_s = 2 \cdot \frac{60 \cdot 60^3}{12} = 2\,160\,000 \text{ cm}^4$$

und

$$\frac{J}{J_s} = \frac{3\,023\,000}{2\,160\,000} = 1{,}4.$$

Ferner erhält man

$$\pi_1{}' = \frac{3}{4} \cdot \frac{5{,}5}{6{,}5} \cdot 1{,}4 = 0{,}89$$

$$\pi_1{}'' = \frac{3}{4} \cdot \frac{5{,}5}{13{,}0} \cdot 1{,}4 = 0{,}45,$$

sowie endlich

$$\max \varDelta X_1 = \frac{6{,}07 - 41{,}2}{1 + 0{,}89 + 0{,}45} = -15{,}0 \text{ tm} = -1\,500\,000 \text{ kgcm}.$$

Berechnet man für diesen Fall in genau derselben Weise wie vorher die Werte

$$X_1{}' = \pi_1{}' \cdot \varDelta X_1 - \mathfrak{M}_1 = -0{,}89 \cdot 15{,}0 - 6{,}07 = -19{,}4 \text{ tm}$$

und

$$X_1{}'' = -\pi_1{}'' \cdot \varDelta X_1 - \mathfrak{M}_2 = 0{,}45 \cdot 15{,}0 - 41{,}2 = -34{,}4 \text{ tm},$$

wobei wiederum zur Probe

$$\varDelta X_1 = -34{,}4 + 19{,}4 = -15{,}0 \text{ tm}$$

ist, und trägt diese Werte genau wie vorher in Abb. 377 ein, so erhält man die gebrochene Linie AB'C'D als Begrenzung der Momentenfläche.[1] Die Abweichung

---

[1] Bezeichnet man den Teil von $\varDelta X_1$, welcher über bezw. unter der Linie AD als Ordinate aufzutragen ist, mit $\varDelta X_1{}'$ bezw. $\varDelta \overline{X}_1{}''$, so ergibt sich nach der Lehre von der Formänderungsarbeit $\varDelta X_1{}' : \varDelta \overline{X}_1{}'' = l_2 : l_1$. Man kann somit bei einem Träger über 2 Öffnungen, ohne erst $X_1{}'$ und $X_1{}''$ berechnen zu müssen, die Punkte B' und C' in einfacher Weise dadurch finden, daß man die Ordinate $\varDelta X_1$ im Verhältnis $l_2 : l_1$, also hier im Verhältnis 2 : 1 teilt und die Teilstrecken von der Grundlinie AD aus nach oben bezw. nach unten hin als Ordinaten aufträgt.

von der Geraden AD ist hier erheblich größer als vorher. Die Erhöhung des negativen Biegungsmomentes unmittelbar rechts der Stütze beträgt rd. 17 vH. und die Verminderung links derselben rd. 34 vH.

Die starre Stützenverbindung brächte in diesem Falle zwar den Vorteil, daß die negativen Momente der kleineren Öffnung wesentlich vermindert würden und in geringerem Maße auch die positiven Momente der größeren Öffnung. Dagegen würde von der Stütze dadurch, daß man die Abmessungen verdoppelt hat, der rund zehnfache Wert des Biegungsmomentes $\varDelta X$ aufzunehmen sein. Anderseits nimmt aber das Widerstandsmoment den achtfachen Wert an, sodaß bei prozentuell gleicher Bewehrung die Beanspruchung der Säule nicht wesentlich erhöht, jedoch ein wesentlich größerer Gesamtaufwand an Eisen und Beton erforderlich wird. Ferner weicht infolge des größeren Einspannungsmomentes die Mittelkraft von der Lotrechten stärker ab, sodaß auch der Gründungskörper größere Abmessungen erhalten muß.

b. Der größte Stützendruck ergibt sich bei Vollbelastung der beiden Öffnungen mit q nach Gleichung 9 S. 193 zu:

$$S = 1,95\left(\frac{6,5+13,0}{2} + \frac{6,5^3+13,0^3}{8\cdot6,5\cdot13,0}\right) = 26,1 \text{ t}$$

und das zugehörige Zusatzmoment nach Gleichung 6a) S. 225 zu

$$\varDelta X_1 = \frac{\mathfrak{M}_1{}^q - \mathfrak{M}_2{}^q}{1+\pi_1{}'+\pi_1{}''} = \frac{10,3-41,2}{1+14,2+7,1} = -1,39 \text{ tm} = -139000 \text{ kgcm}.$$

6. Der Einspannungsgrad.

Anhangsweise soll hier noch erörtert werden, von welchen Größen der Grad der Einspannung eines durchlaufenden Balkens über der mit ihm fest verbundenen Stütze abhängt.

Der Einfachheit halber seien zwei gleichweite Öffnungen von der Stützweite l vorausgesetzt. Das größte Zusatzmoment $\varDelta X$ entsteht dann, wenn eine der beiden Öffnungen allein mit der gleichmäßig verteilten Verkehrslast p besetzt wird (Abb. 378). Unter dem Einspannungsgrade $\varDelta\mu$ soll hier das Verhältnis von $\varDelta X$ zum Biegungsmoment des einfachen Balkens $M_1{}^p = \frac{pl^2}{8}$ verstanden werden. Das größte Zusatzmoment nach Gleichung 6a) ergibt sich, da für diesen besonderen Fall $l_1 = l_2 = l$, folglich

$$\mathfrak{M}_1{}^q - \mathfrak{M}_2{}^q = \mathfrak{M}_1{}^q - (\mathfrak{M}_1{}^q + \mathfrak{M}_1{}^p) = -\mathfrak{M}_1{}^p = -\frac{pl^2}{8}$$

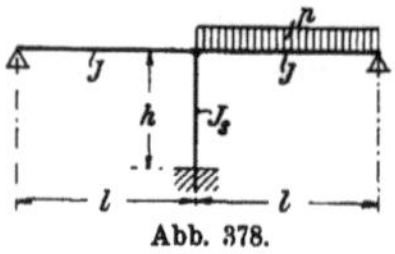

und

$$\pi_1{}' = \frac{3}{4}\frac{h_1}{l_1}\cdot\frac{J}{J_s} = \frac{3}{4}\frac{h_1}{l_2}\cdot\frac{J}{J_s} = \pi_1{}''$$

Abb. 378.

ist, zu $\max\varDelta X = \dfrac{-\mathfrak{M}_1{}^p}{1+2\,\pi_1{}'} = -\dfrac{pl^2}{8} : \left(1 + \dfrac{3}{2}\cdot\dfrac{h}{l}\cdot\dfrac{J}{J_s}\right)$

Folglich erhält man für

$$\varDelta\mu = \frac{\max\varDelta X}{\mathfrak{M}_1{}^p} = -\frac{1}{1+\dfrac{3}{2}\dfrac{h}{l}\dfrac{J}{J_s}}.$$

Aus dieser Beziehung erkennt man, daß der Einspannungsgrad $\varDelta\mu$ zunächst von dem Verhältnis der Stützenhöhe h zur Stützweite l der Öffnungen abhängt, ferner aber, wie schon oben an dem Beispiel erörtert wurde, von dem Verhältnis der sogenannten Steifigkeitsziffern $(EJ):(EJ_s)=J:J_s$. Zur Veranschaulichung dieser Abhängigkeit wurden für eine Reihe von Werten für $J:J_s$ und $h:l$ die Größen $\varDelta\mu$

berechnet und als Ordinaten der Abb. 379 eingetragen. Bei einem Verhältnis $h:l$, das in jedem einzelnen Fall durch die Grundbedingungen der Aufgabe fest bestimmt ist, kann auf der zugehörigen Linie für ein jeweilig vorliegendes Steifigkeitsverhältnis $J:J_s$ als Abszisse, der Einspannungsgrad $\varDelta\mu$ als Ordinate entnommen werden.

Diese Linienschar zeigt vor allem den Einfluß des Verhältnisses $h:l$. Sind die Säulen im Verhältnis der Stützweite niedrig, z. B. bei $h:l = 1:5$, so ist der Einspannungsgrad auffallend groß, umgekehrt dagegen sehr klein bei hohen Säulen, z. B. mit dem Verhältnis $h:l = 1$. Außerdem bestätigt sich in dieser Übersicht die oben erörterte Bedeutung der Säulensteifigkeit. Je steifer die Säule, je größer also J_s ist, um so größer ist auch der Einspannungsgrad $\varDelta\mu$.

Schon aus diesem einfachen Beispiele und den anschließenden Erörterungen erkennt man die Vorteile und Nachteile der hier in Betracht kommenden Ausführungsmöglichkeiten. Verbindet man, um jegliche Fugen und jegliche Beweglichkeit innerhalb der Eisenbetonkörper zu vermeiden, den Balken fest mit den Säulen, so empfiehlt es sich, dieselben so biegsam, als es der Stützendruck gestattet, auszubilden, so daß ihr Trägheitsmoment J_s möglichst klein wird. Der Einfluß der Einspannung auf die Balken-momente ist sodann verschwindend klein. Die Säulen selbst bedürfen keines großen Eisenauf-

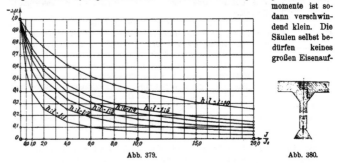

Abb. 379. Abb. 380.

wandes, und die kleinen Einspannungsmomente an den Säulenfüßen sind ohne Schwierigkeiten aufzunehmen. Eine Verstärkung der Säulen bringt in der Regel größere Konstruktionsschwierigkeiten und erhöht die Kosten, da sich dann ein größeres Einspannungsmoment ergibt und eine Vergrößerung der Säulenabmessungen mit einem Mehraufwand von Beton und Eisen verbunden ist, dem keine nennenswerte Ersparnis im Balken gegenübersteht.

Will man die Zusatzmomente und die Biegungsbeanspruchungen der Stützen vermeiden, und eine zentrische Belastung der Gründungskörper erreichen, so empfiehlt es sich, die Stützen als Pendelsäulen oder Pendelwände mit je einem Kopf- und Fußgelenk auszubilden, besonders dann, wenn die Stützen infolge starker Belastung mit Rücksicht auf den Stützendruck verhältnismäßig stark werden sollten (vergl. S. 105).

Erforderlichenfalles kann dadurch, daß man vermittels der Einlegung von geeigneten Trennungsfugen (Abb. 380) die Grundform in eine äußerlich statisch bestimmte umwandelt, selbst dann noch die Ausführung in Eisenbeton ermöglicht werden, wenn sich erst bei den Gründungsarbeiten herausstellt, daß ein starkes Setzen des Bodens zu erwarten ist.

VIII. Die Berechnung des Rahmenträgers.

Außer dem sehr selten vorkommenden zweiseitigen Rahmen (Abb. 381) sind hier hauptsächlich die dreiseitigen (Abb. 382 u. 383) und die vierseitigen Rahmen (Abb. 384) sowie die Endrahmen der durchlaufenden Träger zu betrachten (Abb. 385). In ähnlicher Weise, wie bei den durchlaufenden Trägern eine unveränderliche Höhenlage der Stützen vorausgesetzt werden mußte, um eine einfache Lösung zu ermöglichen, ist es vor allem für Rahmenträger notwendig, daß gewisse Auflagerbedingungen erfüllt sind, um die Rechnung nach irgend einem Verfahren durchführen zu können.

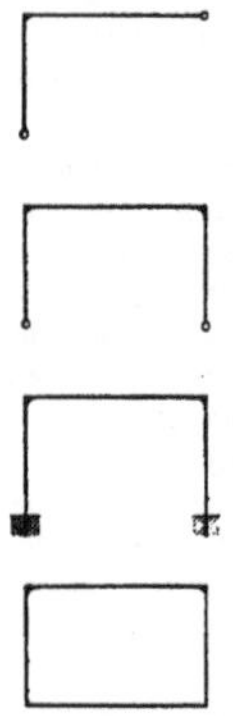

Dies gilt besonders für die dreiseitigen Rahmenträger. Außer der unveränderlichen Höhenlage der Stützen kommt hier hauptsächlich die Frage der Einspannung der Pfosten in Betracht. Die beiden möglichen Grenzfälle der Lagerung mittels frei drehbarer Gelenke und der vollkommen festen Einspannung sind in Abb. 382 u. 383 angedeutet. Genau so wie bei dem Zweigelenkbogen und dem festen Bogen ergibt sich für den dreiseitigen Rahmen mit bezw. ohne Gelenke eine einfach bezw. dreifach statisch unbestimmte Grundform.

Die Schwierigkeit für die Berechnung liegt nun darin, daß bei der Ausführung solcher Brücken in der Wirklichkeit weder der eine noch der andere dieser beiden Grenzfälle ausgesprochen vorliegt, sondern in der Regel irgend ein zwischen beiden liegender Fall. Man muß sich daher bei allen diesen Rechnungen wohl bewußt sein, daß, falls nicht durch besondere konstruktive Maßnahmen einer der beiden

Abb. 381 bis 384.   Grenzfälle sicher gewährleistet wird, die Abweichung der Berechnung von der Wirklichkeit aus diesem Grunde oft viel größer ist als irgend eine vereinfachende Vernachlässigung innerhalb der Rechnung. Es empfiehlt sich daher wegen dieser Unsicherheiten der Voraussetzungen für die Rechnung im allgemeinen, dem Bauwerke eine größere Sicherheit, z. B. durch eine reichliche Bemessung der Eiseneinlagen, zu geben. [1]

Bei dem vierseitigen Rahmen nach Abb. 384 kann der wagerechte Abschluß am Boden entweder als einzelner Stab ausgebildet werden, der hauptsächlich eine wagerechte Verschiebung der Pfostenfüße verhindern soll, oder aber als vollständige Eisenbetonplatte. In diesem Falle entsteht ein geschlossenes Rohr aus Eisenbeton, welches in ähnlicher Weise den Vorteil einer möglichst gleichmäßigen Verteilung des Druckes auf den Boden gewährt wie die bekannten Gründungen auf einer Eisenbetonplatte im Hochbau. Bildet man ferner die vier Seiten und besonders die untere Seite des Rahmens sowie die Rahmenecken hinreichend steif aus, so wirkt eine solche Rahmenbrücke selbst bei den ungünstigsten Bodenverhältnissen wie ein biegungsfester, allseitig geschlossener schwimmender Kasten, welcher bei größeren Belastungen ohne Schaden in den Boden eintaucht.

Die rahmenartige Ausbildung der Endpfosten eines durchlaufenden Trägers (Abb. 385) wird des öfteren angewendet, um durch die Einspannung der Trägerenden die positiven Biegungsmomente in den Endfeldern zu verringern.

---

[1] Ähnliche Erwägungen wie diese haben schon manchen erfahrenen Eisenkonstrukteur zu der zunächst seltsam erscheinenden Frage geführt: Sind statisch unbestimmte Systeme überhaupt als wirtschaftlich zu bezeichnen im Vergleich zu statisch bestimmten Systemen, wenn der auf gewisse ideale Annahmen sich gründende Vorteil durch reichlichere Bemessung wieder aufgehoben wird? Im Eisenbetonbau kann die statische Unbestimmtheit leider nicht vermieden werden. Den Schlußfolgerungen, zu welchen die Erfahrungen im Eisenbau geführt haben, darf man sich dabei aber nicht verschließen und muß nach Möglichkeit statische Bestimmtheit anstreben.

Die Berechnung dieser Grundformen erfolgt am besten auf analytischem Wege nach der Lehre von der Formänderungsarbeit, wie sie Mohr für die statisch unbestimmten Systeme aufgestellt hat. Um sich auf diesem Gebiete einzuarbeiten, ist unter anderem das von Rappaport angegebene. teilweise zeichnerische Verfahren zu empfehlen (Schweiz. Bauztg. 1902). Die Berücksichtigung der Verschiedenheit der Trägheits-momente nach diesem Verfahren ist im Gegensatz zu Eisenbauten für die Eisenbetonkonstruktionen jedoch so lange noch ohne praktische Bedeutung, als man über die Trägheitsmomente der wirksamen Querschnitte nicht genauere Kenntnis besitzt. Es empfiehlt sich

Abb. 385.

daher, bei der Berechnung ein mittleres Trägheitsmoment für die einzelnen Stäbe ein-zuführen und das Verfahren zu wählen, wie es von Müller-Breslau in sehr übersicht-licher und klarer Weise in „Neuere Methoden der Festigkeitslehre" (Leipzig 1904), S. 113 bis 131 für den dreiseitigen Rahmen und S. 131 bis 140 für den vierseitigen Rahmen dargelegt worden ist.

Betreffs der in Abb. 385 dargestellten Grundform eines über mehrere Öffnungen durchlaufenden Balkens mit fest eingespannten Zwischen- und Endstützen ist zunächst auf die ausführliche Erörterung des durchlaufenden Trägers (S. 183 u. f.) und die Be-rechnung der Zusatzmomente nach Ostenfeld (S. 222 u. f.) hinzuweisen. Der Einfluß der Endeinspannung könnte ebenfalls genau nach der Lehre von der Formenänderungs-arbeit ermittelt werden. In der Regel begnügt man sich jedoch in der Praxis ange-sichts der erörterten Unsicherheiten infolge der willkürlichen Annahmen der Stützung mit folgendem einfachen Rechnungsverfahren.

Man denke sich die beiden Endpfosten der Abb. 385 um die Rahmenecken in die wagerechte Lage gedreht und betrachte den Träger auf n Säulen als einen auf $(n + 2)$ Stützen ruhenden durchlaufenden Balken. Je nach den vorliegenden Ver-hältnissen nehme man denselben, ebenso wie es bei der Rahmenberechnung geschieht, an den Enden als frei drehbar aufliegend oder als fest eingespannt an. Ferner berücksichtige man die Verschiedenheit der Trägheitsmomente J' und J in einfachster Weise durch die Verschiebung der sogenannten verschränkten Drittellote (vergl. S. 186).[1])

Bei einer größeren Zahl von Öffnungen dürfte dieses Annäherungsverfahren sicherlich der zeitraubenden genauen Berechnungsweise vorzuziehen sein. Im übrigen sei noch auf die eingehende Behandlung der Rahmenträger von Professor Saliger ver-wiesen im Kapitel Hochbaukonstruktionen (Dachbauten) dieses Handbuches (IV. Band, 1. Teil, S. 492 bis 521), woselbst auch die Berechnung der in Abb. 385 dargestellten Grundform, jedoch mit drei Öffnungen sowie unter der Annahme gelenkiger Verbindung der Zwischenstützen durchgeführt ist.

Im folgenden soll nur an einem Beispiel, und zwar an einer dreiseitigen Rahmen-brücke, für welche gelenkige Lagerung angenommen wird. die Berechnung der größten Biegungsmomente durchgeführt werden. Die von Müller-Breslau abgeleiteten Gleichungen sind noch durch die Herleitung des Ausdrucks für X bei der Belastung der Pfosten durch den Erddruck ergänzt worden, wodurch sich zugleich Gelegenheit bot, das Ver-fahren der Ermittlung der statisch unbestimmbaren Größen nach den Regeln der Form-

---

[1]) Die Vernachlässigung des Einflusses der Längskräfte, welche sich z. B. beim dreiseitigen Rahmen (vergl. Gleichung II) des folgenden Rechnungsbeispiels in der Weglassung des Gliedes $\frac{J}{F' h^2} = \frac{i^2}{h^2}$ im Nenner äußert, wird umso-weniger von Einfluß sein, je kleiner der Trägheitshalbmesser i des Balkens im Verhältnis zur Pfostenhöhe h ist.

änderungslehre zu erläutern. Betreffs der Bestimmung der Querkräfte wird auf die ausführlichen Darlegungen bei der Betrachtung des einfachen und durchlaufenden Trägers verwiesen (vergl. S. 193 u. 208).

1. Biegungsmomente einer dreiseitigen Rahmenbrücke bei gelenkiger Lagerung.

Für den in Abb. 386 dargestellten Rahmen $ABCD$ erhält man das Biegungsmoment in irgend einem Querschnitt des Stabes AB nach Müller-Breslau a. a. O. S. 113 zu:

$$M = \mathfrak{M} - X \cdot h \quad . \quad . \quad . \quad . \quad \text{I)}$$

wobei unter $\mathfrak{M}$ das Biegungsmoment eines bei A und B frei aufliegenden Balkens verstanden wird. Der wagerechte Schub X, den wir als die einzige statisch unbestimmbare Größe der Aufgabe ansehen wollen, ergibt sich dann zu:

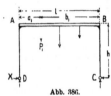

Abb. 386.

$$X = \frac{g l^2 + 6 \, \Sigma \, P \, a \, b}{12 \, h l \left(1 + \dfrac{2}{3} \dfrac{J}{J'} \dfrac{h}{l} + \dfrac{J}{F} \dfrac{1}{h^2}\right)} \quad . \quad . \quad \text{II)}$$

wenn l die Stützweite des Trägers AB, h die Höhe der Pfosten, J bezw. J' das Trägheitsmoment des Balkens AB bezw. das der beiden Pfosten, F den Querschnitt des Balkens AB, g die gleichmäßig verteilte Belastung desselben und $P_1, P_2, P_3 \ldots$ Einzellasten mit den Abständen $a_1, a_2, a_3 \ldots$ von A bezw. $b_1, b_2, b_3 \ldots$ von B bezeichnen. Die Elastizitätszahlen des Balkens und des Pfostens sind hierbei als gleich groß angenommen worden, so daß sie aus der Rechnung gänzlich ausscheiden.

Diese von Müller-Breslau a. a. O. hergeleitete Gleichung gilt für den Fall, daß nur der Balken AB belastet wird. Da aber im vorliegenden Falle infolge des Erddrucks der Hinterfüllungsmassen äußere Kräfte auch auf die Pfosten wirken, bedarf es hier zunächst noch der Ableitung der entsprechenden Ausdrücke von M und X für diesen Belastungsfall, was in ganz ähnlicher Weise wie für die oben angegebenen Gleichungen erfolgt.

Um den statisch unbestimmbaren wagerechten Schub X zu ermitteln, ist für den Stabzug $ABCD$ die Arbeitsgleichung

$$\int \frac{M}{J} \cdot \frac{d\,M}{d\,X} \cdot dx = 0 \quad . \quad . \quad . \quad . \quad . \quad . \quad . \quad \text{1)}$$

aufzustellen, wenn die Auflagerpunkte als unwandelbar vorausgesetzt werden und die Wirkung von Längskräften der Stäbe, sowie Wärmeänderungen unberücksichtigt bleiben. Da sich die Summierung über den ganzen Stabzug zu erstrecken hat, so muß das Biegungsmoment M zuerst für die beiden Pfosten, sodann für die Balken AB aufgestellt werden.

a) Das Biegungsmoment M in den Pfosten. Es wirke nach Abb. 387 auf jeden der beiden Pfosten ein aktiver Erddruck E_1, der durch ein Dreieck von der Höhe h mit der Grundlinie e_1 dargestellt werde. Hierzu möge noch infolge einer Auflast, die sich außerhalb der Brückenlänge an A und B anschließt, ein aktiver Erddruck E_2 kommen, dem ein Rechteck von der Höhe h mit der Grundlinie e_2 als Belastungsfläche entspricht. Verwandelt man zunächst den einfach statisch unbestimmten Stabzug nach Abb. 388 durch Einführung eines Rollenlagers bei D in einen statisch bestimmten Stabzug, so ruft die Belastung der beiden Pfosten mit E_1 und E_2 eine Verschiebung des Lagers D hervor, wobei der Rahmen $ABCD$ in die angedeutete Form $A'B'CD'$ übergeht.

Jeder der beiden Pfosten wirkt dann wie ein Kragarm, der bei A bezw. B eingespannt ist. Infolge der Belastung E_1 wird somit nach Abb. 389 der Auflagerdruck

$$A = \frac{e_1 \cdot h}{2}$$

und das Einspannungsmoment

$$\mathfrak{M}_a = \frac{e_1 \cdot h}{2} \cdot \frac{2}{3} h = \frac{e_1 h^2}{3},$$

folglich ist das Biegungsmoment in einem beliebigen Querschnitt x

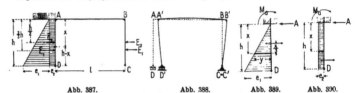

Abb. 387.   Abb. 388.   Abb. 389.   Abb. 390.

$$\mathfrak{M}' = + \mathfrak{M}_a - A \cdot x + \frac{xy}{2} \cdot \frac{x}{3}$$
$$= \frac{e_1 h^2}{3} - \frac{e_1 h}{2} \cdot x + \frac{yx^2}{6}$$

Für $\qquad y = e_1 \cdot \dfrac{x}{h}$ wird

$$\mathfrak{M}' = \frac{e_1}{6} \left(2 h^2 - 3 hx + \frac{x^3}{h} \right).$$

Hierzu kommt noch das Biegungsmoment infolge der Belastung E_2, welche über den Kragarm gleichmäßig verteilt anzunehmen ist. Nach Abb. 390 wird

$$\mathfrak{M}'' = e_2 (h - x) \cdot \left(\frac{h - x}{2} \right) = \frac{e_2 (h - x)^2}{2}.$$

Somit erhält man das Moment infolge der gleichzeitigen Belastung durch E_1 und E_2 zu

$$\mathfrak{M} = \mathfrak{M}' + \mathfrak{M}'' = \frac{e_1}{6} \left(2 h^2 - 3 hx + \frac{x^3}{h} \right) + \frac{e_2}{2} (h - x)^2 \quad . \quad . \quad . \ 2\text{a})$$

Da aber in Wirklichkeit eine Verschiebung des Lagers D nicht eintreten soll und daselbst die Kraft X wirkt, so ergibt sich das gesuchte Biegungsmoment für jeden der beiden Pfosten zu

$$M = \mathfrak{M} - X \cdot (h - x) \quad . \quad . \quad . \quad . \quad . \quad . \quad . \ 2)$$

und folglich

$$\frac{dM}{dX} = - (h - x) \quad . \quad . \quad . \quad . \quad . \quad . \quad . \ 3)$$

b) Das Biegungsmoment M in dem Balken AB ist für alle Querschnitte eine konstante Größe, da nach Abb. 387 innerhalb der Strecke AB keine äußere Kraft wirkt. Hiernach erhält man

$$M = \mathfrak{M}_a - X \cdot h,$$

wobei nach Abb. 389 u. 390 infolge der Belastung E_1 und E_2

$$\mathfrak{M}_a = \frac{e_1 h}{2} \cdot \frac{2}{3} \cdot h + e_2 h \cdot \frac{h}{2} = \frac{e_1 h^2}{3} + \frac{e_2 h^2}{2} \quad \text{ist.}$$

Folglich wird

$$M = \frac{e_1\,h^2}{3} + \frac{e_2\,h^2}{2} - X \cdot h \quad . \quad . \quad . \quad . \quad . \quad . \quad 4)$$

und

$$\frac{d\,M}{d\,X} = -\,h \quad . \quad . \quad . \quad . \quad . \quad . \quad . \quad . \quad 5)\;.$$

Setzt man in die allgemeine Arbeitsgleichung 1) nach Gleichung 2), 2a) und 3) die Ausdrücke für M, $\mathfrak{M}$ und $\frac{d\,M}{d\,X}$ ein, so erhält man für einen der beiden Pfosten, wenn man zwischen den Grenzen $x = 0$ und $x = h$ integriert, den Ausdruck

$$\frac{h^2}{J_1} \cdot \left(-\,\frac{11}{120} \cdot h\,e_1 - \frac{1}{8} \cdot h\,e_2 + \frac{X}{3} \right) \quad . \quad . \quad . \quad . \quad . \quad 6)$$

In gleicher Weise ergibt sich für den Balken $A\,B$ durch Einsetzen von 4) und 5) in die Arbeitsgleichung 1) der Ausdruck

$$\frac{h^2\,l}{J} \cdot \left(-\,\frac{h \cdot e_1}{3} - \frac{h\,e_2}{2} + X \right) \quad . \quad . \quad . \quad . \quad . \quad 7)$$

Da die Integration über den ganzen Stabzug auszuführen ist, so muß für symmetrische Belastung der beiden Pfosten der Ausdruck 6) für jeden der beiden Pfosten, also zweimal genommen, zu dem Ausdruck 7) addiert und nach Gleichung 1) die Summe gleich Null gesetzt werden. Aus dieser Beziehung ergibt sich endlich die gesuchte Größe

$$X = \frac{h}{20} \cdot \cdot \cdot \frac{\frac{J}{J'} \cdot h\,(11\,e_1 + 15\,e_2) + 10\,l \cdot (2\,e_1 + 3\,e_2)}{2\,h \cdot \frac{J}{J'} + 3 \cdot l} \quad . \quad . \quad . \quad . \text{III)}$$

Diese Gleichung gilt für den in Abb. 387 dargestellten Belastungsfall, in welchem auf jeden der beiden Pfosten der Erddruck wirkt, während der Balken $A\,B$ unbelastet ist.

2. Rechnungsbeispiel für eine dreiseitige Rahmenbrücke mit gelenkiger Lagerung.

Für die in den Abb. 391 u. 392 dargestellte Rahmenbrücke sollen die größten Biegungsmomente berechnet werden.

Die Verkehrslast bestehe aus einem 6 t-Wagen mit 1,30 m Radstand und 2,80 m Achsstand, so daß sich für den Fall, daß eine Radreihe über einem Balken steht, die auf diesen entfallende Belastung zu 2,0 t für jede Achse ergibt, wozu noch 0,7 t infolge der Bespannung mit einem Paar Pferde kommen (vergl. Abb. 393). Das Eigengewicht berechnet sich für 1 lfd. m des Hauptträgers nach Abb. 391 u. 392 zu $g = 2{,}45$ t/m.

Die beiden verschiedenen Belastungszustände, welche in Betracht kommen, sind in Abb. 393 u. 394 dargestellt, wobei angenommen werden möge, daß auf die Wirkung des Erddrucks mit Sicherheit nicht zu rechnen ist. Die Belastung des Balkens $A\,B$ allein (Abb. 393) gibt das größte positive Biegungsmoment des Balkens $A\,B$. Den Größtwert der negativen Momente M_a und M_b in den Rahmenecken erhält man, wenn außer dieser Belastung des Balkens auf die beiden Pfosten noch der Erddruck wirkt.[1]

1. Belastungsfall. Auf den Balken möge die Verkehrslast wirken, während die Pfosten vom Erddruck nicht belastet seien, so daß das größte positive Biegungsmoment im Balken entsteht.

---

[1] Ungünstigere Werte ergeben sich natürlich bei gänzlicher Entlastung des einen und Vollbelastung des anderen Pfostens infolge des Erddrucks. Da jedoch eine vollständige Entlastung nahezu ausgeschlossen ist, genügt zur Vereinfachung der Rechnung der hier angegebene Weg.

Für diesen Fall gelten die von Müller-Breslau hergeleiteten Gleichungen I) und II). Das positive Biegungsmoment nach Gleichung I) lautet:

$$M = \mathfrak{M} - X h \ . \ . \ . \ . \ . \ . \ . \ . \ . \ . \ \text{I)}$$

Es soll nun die Laststellung ermittelt werden, bei welcher der Größtwert desselben entsteht. Nach Abb. 393 ergibt sich infolge der Verkehrslast das größte Biegungsmoment des einfachen frei gestützten Balkens AB unter der Last P_1, und zwar zu

$$\mathfrak{M}_1 = A \cdot (x + 2{,}6) - 0{,}7 \cdot 2{,}6.$$

Da der Auflagerdruck

$$A = 4{,}7 \cdot \frac{10{,}8 - 2{,}6 - 0{,}8 - x}{10{,}8} = \frac{4{,}7}{10{,}8}(7{,}4 - x)$$

ist, wird

$$\mathfrak{M}_1 = -0{,}435\, x^2 + 2{,}1\, x + 6{,}6.$$

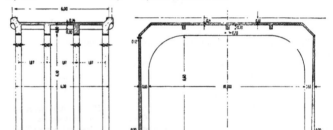

Abb. 391.   Abb. 392.

In gleicher Weise erhält man das entsprechende Biegungsmoment infolge des Eigengewichtes im Punkte der Last P_1 zu

$$\mathfrak{M}_0 = \frac{g}{2}(x + 2{,}6) \cdot (l - x - 2{,}6) = -1{,}23\, x^2 + 6{,}86\, x + 26{,}2.$$

Somit ergibt sich

$$\mathfrak{M} = \mathfrak{M}_0 + \mathfrak{M}_1 = -1{,}66\, x^2 + 8{,}96\, x + 32{,}8 \ . \ . \ . \ . \ . \ \text{a)}$$

Der statisch unbestimmte wagerechte Schub X ist nach Gleichung II)

$$X = \frac{1}{N}(g l^3 + 6\, \Sigma\, P \cdot ab),$$

wobei der Nenner

$$N = 12\, h l \left(1 + \frac{2}{3} \cdot \frac{J}{J'} \cdot \frac{h}{l} + \frac{J}{F h^2}\right)$$

Abb. 393.

ist. In unserem Falle ergibt sich aus Abb. 391. $F = 5260\ \text{cm}^2$; $J : J' = 3113000 : 1785000 = 1{,}75$; $h : l = 6{,}6 : 10{,}8 = 0{,}61$ und $J : F = 3130000 : 5260 = 596$, so daß für $h = 6{,}6$ m und $l = 10{,}8$ m

$$N = 1460\ \text{m}^2$$

und

$$X = \frac{1}{1460}(g l^3 + 6\, \Sigma\, P \cdot ab)$$

wird.

Da man aus Abb. 393

$$\Sigma\,P\cdot ab = 0{,}7\cdot x\cdot(10{,}8-x) + 2{,}0\cdot(x+2{,}6)\cdot(10{,}8-x-2{,}6) + 2{,}0\,(x+5{,}4)\cdot(5{,}4-x)$$
$$= (-\,4{,}70\,x^2 + 18{,}76\,x + 101{,}1)\ \text{t/m}^2$$

und

$$g\,l^2 = 2{,}45\cdot10{,}8^2 = 3085\ \text{tm}^2$$

erhält, so wird, wenn man diese beiden Werte in den Ausdruck für X einsetzt und sodann mit $h=6{,}6$ m multipliziert,

$$Xh = -\,0{,}128\,x^2 + 0{,}508\,x + 16{,}65\ \ \ldots\ \ldots\ \ldots\ \text{b})$$

Durch Einsetzen von a) und b) in I) ergibt sich

$$M = -\,1{,}53\,x^2 + 8{,}45\,x + 16{,}1\ \ \ldots\ \ldots\ \ldots\ \text{c})$$

Aus der Bedingung

$$\frac{d\,M}{d\,x} = 0$$

erhält man endlich den gesuchten Abstand $x = 2{,}75$ m und somit auch die Laststellung, bei welcher M den größten Wert annimmt.

Für $x = 2{,}75$ m ergibt sich aus Gleichung c) der Größtwert des positiven Biegungsmomentes zu

$$M = +\,27{,}8\ \text{tm} = +\,2\,780\,000\ \text{kgcm}.$$

2. Belastungsfall. Außer der Belastung des Balkens durch die Verkehrslast möge auf die Pfosten der Erddruck wirken, so daß das größte negative Biegungsmoment in den Rahmenecken entsteht.

Für diesen Fall gilt außer den Gleichungen I) und II) die oben abgeleitete Gleichung III). Nacheinander sollen die größten Eckmomente berechnet werden, welche infolge der Belastung durch das Eigengewicht und die Verkehrslast und sodann infolge der Belastung durch den Erddruck entstehen.

Das Eckmoment infolge des Eigengewichtes und der Verkehrslast nimmt nach Gleichung I), da $\mathfrak{M}_a = 0$ ist, den Wert an

$$M_a{}' = \mathfrak{M}_a - Xh = -\,Xh,$$

erreicht also seinen Größtwert zugleich mit X. Wie man aus Gleichung II) ersieht, ist nunmehr diejenige Laststellung zu bestimmen, bei welcher der Ausdruck $\Sigma\,P\cdot ab$ am größten wird. Nach Abb 394 ist wie oben:

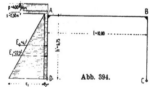

$$\Sigma\,P\cdot ab = -\,4{,}70\,x^2 + 18{,}76\,x + 101{,}1.$$

Hiernach ergibt sich aus der Gleichung
$$\frac{d\,\Sigma\,P\cdot ab}{d\,x} = 0$$
die gesuchte Laststellung für $x = 2{,}0$ m.

Aus Gleichung 2) erhält man dann
$$M_a{}' = -\,Xh = 0{,}128\,x^2 - 0{,}508\,x - 16{,}65$$
und für $x = 2{,}0$ m
$$M_a{}' = -\,17{,}2\ \text{tm} = -\,1\,720\,000\ \text{kgcm}.$$

Abb. 394.

Der Erddruck infolge der Hinterfüllung des Pfostens ohne die Auflast s und p (Abb. 394) ergibt sich nach Hütte II, 1905, S. 299 für die Höhe $h' = 6{,}6 + 0{,}15 = 6{,}75$ m zu

$$e_1 = \gamma_s\cdot h'\cdot \operatorname{tg}^2\!\left(45^0 - \frac{\varrho}{2}\right) = 1{,}65\cdot6{,}75\cdot\frac{1}{3} = 3{,}71\ \text{t/m}^2$$

und infolge der Auflast, welche aus der Versteinung $\varkappa = 0{,}30\cdot2000 = 600$ kg/m^2 und dem Menschengedränge $p = 400$ kg/m^2 besteht, zu

$$e_2 = (p + \varkappa)\cdot \operatorname{tg}^2\!\left(45^0 - \frac{\varrho}{2}\right) = 1{,}0\cdot\frac{1}{3} = 0{,}33\ \text{t/m}^2.$$

Da diese Werte auf einen Streifen von 1 m Breite bezogen sind, erhält man für die Belastungsbreite eines Balkens von $a = 1,87$ m

$$e_1 = 3,71 \cdot 1,87 = 6,94 \ \text{t/m}$$

und

$$e_2 = 0,33 \cdot 1,87 = 0,62 \ \text{t/m}.$$

Für $h = 6,6$ m, $h : l = 6,6 : 10,8 = 0,61$ und $J : J' = 1,75$ wird sodann nach Gleichung III)

$$X = \frac{6,6}{20} \cdot \frac{1,75 \cdot 6,6 \cdot (11 \cdot 6,94 + 15 \cdot 0,62) + 10 \cdot 10,8 \cdot (2 \cdot 6,94 + 3 \cdot 0,62)}{2 \cdot 6,6 \cdot 1,75 + 3 \cdot 10,8}$$

$$= 16,01 \ \text{t}.$$

Das Biegungsmoment in der Rahmenecke A infolge der Belastung des Pfostens durch den Erddruck E_1 und E_2 ist somit

$$M_a'' = Xh - E_1 \cdot \frac{2}{3} \, h - E_2 \cdot \frac{1}{2} \, h,$$

wobei die Erddruckkräfte

$$E_1 = \frac{e_1 h'}{2} = \frac{6,94 \cdot 6,75}{2} = 23,3 \ \text{t}$$

und

$$E_2 = e_2 h = 0,62 \cdot 6,75 = 4,2 \ \text{t}$$

einzusetzen sind. Man erhält somit

$$M_a'' = 6,6 \cdot \left(16,01 - \frac{2}{3} \cdot 23,3 - \frac{1}{2} \cdot 4,2 \right)$$

$$= -10,69 \ \text{tm} = -1\,069\,000 \ \text{kgcm}.$$

Das größte negative Biegungsmoment in der Rahmenecke ist folglich

$$M_a = M_a' + M_a'' = -17,2 - 10,7 = -27,9 \ \text{tm}$$

$$= -2\,790\,000 \ \text{kgcm}.$$

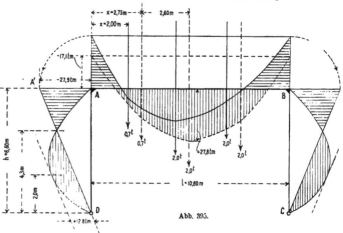

Abb. 395.

In Abb. 395 ist das Ergebnis der Berechnung aufgetragen. Die Momentenkurve des ersten Belastungsfalls, bei welchem der Erddruck nicht wirkt, ist durch gestrichelte Linien dargestellt. Sie ergibt das größte positive Biegungsmoment im Balken zu $M = + 27,8$ tm, und zwar unter der mittleren der drei Einzellasten im Abstand $2,75 + 2,60 = 5,35$ m von A.

Für den zweiten Belastungsfall, bei welchem auf beiden Seiten der gleiche Erddruck mitwirkt, erhält man das größte Eckmoment $M_a = -27,9$ tm, wobei die erste Last $x = 2$ m von A entfernt steht. Um die Momentenverteilung in den Pfosten zu bestimmen, berechne man für einige Punkte derselben die Biegungsmomente des einfachen frei gestützten Balkens AD, welche sich nach der Gleichung (Hütte 1905 I, S. 408) zu

$$M = \frac{E_1}{3} \cdot y \cdot \left(1 - \frac{y^2}{l^2} \right)$$

ergeben, addiere hierzu die Ordinaten der Momentenparabel infolge der gleichmäßig verteilten Erddrucklast von der Gesamtgröße E_2 und trage die erhaltene Kurve über AD bzw. BC auf. Die Linie $A'D$ ergibt dann den negativen und positiven Teil der gesuchten Momentenfläche, deren Nullpunkt, d. i. der Wendepunkt der Biegelinie, in 4,3 m Höhe liegt. Den positiven Größtwert der Biegungsmomente im Pfosten erhält man dadurch, daß man eine Parallele zu $A'D$ zieht und zwar in 2,0 m Höhe zu $+ 12,8$ tm.

Für die Dimensionierung sind beide Belastungsfälle maßgebend, also die Umhüllenden der positiven bezw. negativen Momentenflächen, welche in Abb. 395 durch senkrechte bezw. wagerechte Schraffur bezeichnet sind.

3. Der Einspannungsgrad.

Anhangsweise soll hier ähnlich wie bei den durchlaufenden Trägern mit fest verbundenen Mittelstützen noch erörtert werden, wovon bei einem dreiseitigen Rahmen der Einspannungsgrad der Pfosten im wesentlichen abhängt.

1. Fall: Der dreiseitige Rahmen sei gelenkig gelagert (Abb. 396). Dann ist nach Gleichung 4) und II)

Abb. 396.

$$M_a = - Xh$$
$$X = \frac{1}{N} (gl^3 + \Sigma P \cdot ab),$$

wobei

$$N = 12\, hl \left(1 + \frac{2}{3} \frac{J}{J'} \cdot \frac{h}{l} + \frac{J}{F h^2} \right)$$

ist. Für den Fall, daß eine gleichmäßig verteilte Belastung $q = g + p$ auf den Balken AB wirkt, ergibt sich das Biegungsmoment in der Mitte des einfachen Trägers auf zwei Stützen zu

$$\mathfrak{M}_m = \frac{q\, l^2}{8} \cdots$$

Als Einspannungsgrad μ_a wollen wir das Verhältnis des negativen Eckmomentes M_a zum Moment $\mathfrak{M}_m$ bezeichnen (Abb. 396), also

$$\mu_a = M_a : \mathfrak{M}_m.$$

Setzt man in den Ausdruck für X in unserem Belastungsfalle statt des Eigengewichtes g die gleichmäßig verteilte Vollbelastung q ein, ferner $P = 0$ und vernachlässigt das Glied $\dfrac{J}{Fh^2} = \dfrac{i^2}{h^2}$, welches infolge der Längskraftwirkung entsteht, wegen seiner Kleinheit, so ergibt sich

$$X = -\frac{ql^3}{12\,hl\left(1 + \dfrac{2}{3} \cdot \dfrac{J}{J'} \cdot \dfrac{h}{l}\right)}$$

und

$$M_a = -Xh = -\frac{ql^2}{12} \cdot \frac{1}{\left(1 + \dfrac{2}{3}\dfrac{J}{J'}\dfrac{h}{l}\right)}$$

Es wird somit

$$\mu_a = M_a : \mathfrak{M}_m = -\frac{1}{1{,}5 + \dfrac{J}{J'} \cdot \dfrac{h}{l}} \quad \cdots \cdots \quad 8)$$

Man erkennt aus diesem Ergebnis, daß der Einspannungsgrad vor allem von dem Verhältnis des Trägheitsmomentes J des Balkens zu dem des Pfostens J' sowie von dem Verhältnis der Pfostenhöhe h zur Trägerstützweite l abhängt.

Berechnet man den Einspannungsgrad μ_a für eine Reihe von Werten $J:J'$ und $h:l$ nach Gleichung 8) und trägt die Werte $J:J'$ als Abszissen, die Werte μ_a als Ordinaten auf, so erhält man eine Schar von Kurven (Abb. 397), deren jede einem Werte $h:l$ entspricht. Die volle Ein-spannung des Trägers ergibt sich für

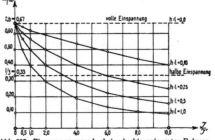

Abb. 397. Einspannungsgrad μ bei gelenkig gelagerten Rahmen.

$$\mu_a = \frac{ql^2}{12} : \frac{ql^2}{8} = \frac{2}{3} = 0{,}66,$$

die sogenannte halbe Einspannung für

$$\mu_a = \frac{ql^2}{24} : \frac{ql^2}{8} = \frac{1}{3} = 0{,}33.$$

Man erkennt aus dieser Darstellung, daß der Grad der Einspannung μ_a um so größer wird, je kleiner $J:J'$, d. h. je steifer die Pfosten gegenüber dem Balken sind. Aber auch das Verhältnis $h:l$ ist von großem Einfluß auf den Einspannungsgrad. Je niedriger der Pfosten im Verhältnis zur Stützweite, je kleiner also $h:l$ ist, um so weniger biegsam wird er, und um so größer ergibt sich die Einspannung in der Rahmenecke.

Diese Darstellung (Abb. 397) kann auch für überschlägige Berechnungen zur raschen Bestimmung der Momentenverteilung verwendet werden. Es sei z. B. die Aufgabe, für den in Abb. 391 u. 392 dargestellten Rahmen das Eckmoment infolge der Belastung mit einem 6 t schweren Wagen zu ermitteln. Nimmt man an, daß das größte positive Biegungsmoment des freigestützten Balkens AB ungefähr dann entsteht, wenn sich die eine der drei Lasten $P_1 = 2.0$ t in der Trägermitte befindet, so wird in Abb. 393 der Abstand $x = 5.4 - 2.6 = 2.8$ m. Man erhält nunmehr, da der Auflagerdruck

$$A = 4.7 \frac{10.8 - 5.4 - 0.8}{10.8} = 2.0 \text{ t}$$

ist, das Biegungsmoment von der Verkehrslast zu

$$\mathfrak{M}_1 = 2.0 \cdot \frac{10.80}{2} - 0.7 \cdot 2.60 = 8.98 \text{ tm},$$

und infolge des Eigengewichtes

$$\mathfrak{M}_0 = \frac{g\,l^2}{8} = \frac{2.45 \cdot 10.80^2}{8} = 35.7 \text{ tm}$$

somit $\mathfrak{M}_m = \mathfrak{M}_0 + \mathfrak{M}_1 = 44.7$ tm.

Für $J : J' = 1.75$ und $h : l = 0.61$ (vergl. S. 237) erhält man nach Abb. 397 oder genauer nach Gleichung 8)

$$- \mu_a = 0.39$$

und somit

$$M_a = \mu_a \cdot \mathfrak{M}_m = - 0.39 \cdot 44.7 = - 17.4 \text{ tm},$$

während die genaue Rechnung -17.2 tm ergab.

Dieses Verfahren empfiehlt sich besonders für überschlägige Rechnungen zum Zwecke der Dimensionierung, wobei die Trägheitsmomente schätzungsweise anzunehmen sind.

2. Fall. Der dreiseitige Rahmen sei an den Pfostenfüßen fest eingespannt (Abb. 398). In ähnlicher Weise wie bei dem ersten Falle kann man auch hier für den Einspannungsgrad μ_a einen Ausdruck finden, der unter der Annahme einer bestimmten, z. B. gleichmäßig verteilten Belastung nur von den Abmessungen des Trägers abhängt.

Nach Müller-Breslau, a. a. O. S. 125, ist für den Fall der gleichmäßig verteilten, also symmetrischen Belastung bei symmetrischer Gestalt des Rahmens der Abstand e des elastischen Schwerpunktes O von der Symmetrielinie gleich Null. Führt man sodann für die Fläche der Momentenparabel die Größe

$$F_0 = \frac{2}{3} \cdot l \cdot \frac{p\,l^2}{8} = \frac{p\,l^3}{12},$$

ferner für den Abstand

$$\mathfrak{z}_0 = \frac{h'h}{l + 2\,h'}$$

ein (vergl. Abb. 398), wobei zur Abkürzung $\frac{J}{J'} \cdot h = h'$ gesetzt ist, so lauten die Gleichungen für die drei statisch unbestimmbaren Größen der Aufgabe

$$\begin{cases} X = \dfrac{3\,F_0}{h\,(2\,l + h')} \\[2mm] Y = \dfrac{F_0 \cdot e}{T_y} = 0 \\[2mm] Z = \dfrac{F_0}{l + 2\,h'}. \end{cases}$$

Es wird dann das Eckmoment

$$\begin{aligned} M_a &= - X \cdot \mathfrak{z}_0 - Z \\ &= - \frac{3\,F_0}{h\,(2\,l + h')} \cdot \frac{h'h}{l + 2\,h'} - \frac{F_0}{l + 2\,h'} \\ &= - \frac{2\,F_0}{2\,l + h'} = - \frac{p\,l^3}{6\,(2\,l + h')} \end{aligned}$$

und der Einspannungsgrad mit denselben Bezeichnungen wie in Abb. 396

$$\mu_a = M_a : \mathfrak{M}_m = -\frac{p\,l^3}{6\,(2\,l+h')} : \frac{p\,l^2}{8}\,,$$

also

$$\mu_a = -\frac{1}{1{,}5 + 0{,}75 \cdot \dfrac{J}{J'} \cdot \dfrac{h}{l}} \quad \cdots \cdots \quad 9)$$

Der Vergleich dieses auffallend einfachen Ausdrucks mit Gleichung 8) zeigt eine vollkommene Übereinstimmung bis auf den Beiwert 0,75, der dort 1,0 betrug.[1]) Es ist somit der Einspannungsgrad bei unten fest eingespannten Pfosten unter sonst gleichen Umständen etwas größer als bei gelenkiger Lagerung.

Trägt man genau so

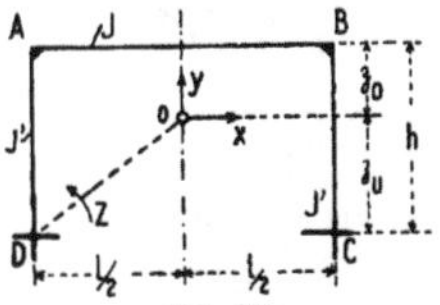

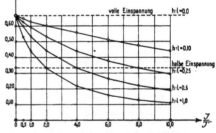

Abb. 398.

Abb. 399. Einspannungsgrad μ bei fest eingespannten Pfostenfüßen.

wie in Abb. 379 die Kurvenschar für diesen Fall auf, so erhält man Abb. 399.

Nimmt man z. B. an, daß der in Abb. 391 u. 392 dargestellte Rahmen an den Pfostenfüßen fest eingespannt sei, so wird für die sonst gleichen Werte wie im vorigen Beispiel, und zwar $\mathfrak{M}_m = 44{,}7$ tm, $J : J' = 1{,}75$ und $h : l = 0{,}61$ nach Abb. 399 oder genauer nach Gleichung 9)

$$-\mu_a = 0{,}43$$

und

$$M_a = \mu_a\,\mathfrak{M}_m = -0{,}43 \cdot 44{,}7 = -19{,}2 \text{ tm}$$
$$= -1\,920\,000 \text{ kgcm}.$$

Gegenüber der gelenkigen Lagerung wird infolge der festen Einspannung der Pfostenfüße der Einspannungsgrad von 0,39 auf 0,43, also rd. um 10 vH. erhöht. Ein Vergleich der beiden Kurvenscharen in Abb. 397 u. 399 zeigt, daß dieser Betrag von 10 vH. als ein brauchbarer Mittelwert angesehen werden kann.

IX. Die Berechnung der Pfostenfachwerkträger.

1. Betrachtung der statischen Grundform.

Ein Pfostenfachwerkträger von n Feldern ist $3\,n$ fach statisch unbestimmt, falls er als Balken auf zwei Stützen, also statisch bestimmt gelagert ist. Kommt zu dieser inneren statischen Unbestimmtheit infolge der Einspannung der Trägerenden oder der

---

[1]) Durch Vergleich der Momente M_a und M_d ergiebt sich, daß hier der Wendepunkt der Biegelinie des Pfostens in zwei Drittel der Pfostenhöhe liegt. Der Rahmen mit fest eingespannten Füßen kann somit als ein Rahmen mit gelenkiger Lagerung betrachtet werden, welcher aber nur zwei Drittel so hoch als jener ist.

16*

Lagerung auf mehreren Stützen noch eine p fache äußere Unbestimmtheit hinzu, so ist diese Grundform $(3n + p)$ fach statisch unbestimmt.

Zur Begründung und zur Erläuterung des Wesens der Pfostenfachwerkträger sei kurz auf die Begriffe der Scheiben und ihrer Verbindung mittels Gelenke eingegangen, wie sie in den neueren Lehrbüchern zu finden sind.[1]

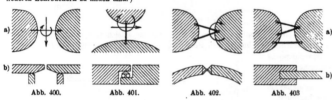

Abb. 400.   Abb. 401.   Abb. 402.   Abb. 403

Im 1. Falle (Abb. 400a) sind die beiden Scheiben nicht miteinander verbunden. Es findet also nur eine lose Berührung derselben statt, so daß eine Verschiebung in der Richtung zweier Achsen sowie eine Drehung um den Berührungspunkt möglich ist, sich also drei sogenannte Bewegungsfreiheiten ergeben. Als Beispiel sei die Berührungsfuge zwischen den freien Enden eines Kragträgers (Abb. 400b) angeführt.

Im 2. Falle (Abb. 401a) erfolgt eine zwangläufige Führung in einer Geraden, die der Verschiebungsrichtung des Gleit- oder Rollenkipplagers eines Kragträgers der Abb. 401b entspricht. Es sind dann zwei Bewegungsfreiheiten vorhanden, die Verschiebung in einer Richtung und die Drehung. Durch das Zeichen eines an die beiden Scheiben gelenkig angeschlossenen Stabes in Abb. 401a wird angedeutet, daß die Verschieblichkeit in der Stabrichtung aufgehoben und eine Verschiebung der einen Scheibe gegen die andere nur senkrecht zur Stabrichtung, endlich aber noch eine Drehung möglich ist.

Im 3. Falle (Abb. 402a) sind die beiden Scheiben durch zwei Stäbe miteinander verbunden gedacht, so daß nur noch eine Bewegungsfreiheit übrig bleibt, nämlich die Drehung der einen Scheibe um den Schnittpunkt der beiden Stäbe. Als Beispiel ist in Abb. 402b das Scheitelgelenk eines Dreigelenkbogenträgers angegeben.

Im 4. Falle (Abb. 403a) der starren Verbindung, die durch 3 Stäbe erzeugt werden kann, ist jede Bewegungsfreiheit aufgehoben, wie z. B. bei der in Abb. 403b dargestellten festen Einspannung eines Kragträgerendes.

Bei der Verbindung mehrerer Scheiben zu einem Stabwerk mittels dieser Gelenkstäbe können bekanntlich für jede Scheibe 3, für s Scheiben also $3s$ Gleichgewichtsbedingungen aufgestellt werden.

Ist v die Anzahl der unbekannten Verbindungsstäbe dieser Scheiben und a die Zahl der zur Stützung derselben auf der Erdscheibe erforderlichen Stützstäbe, so erhält man ein statisch bestimmbares System dann, wenn sich die unbekannten Größen $(v + a)$ aus den vorhandenen $3s$ Gleichungen ermitteln lassen, wenn also

$$v + a = 3s \text{ oder } v = 3s - a \text{ ist.}$$

Für Abb. 404 ergibt sich z. B. $v = 3 + 2 = 5$ und bei $s = 3$ und $a = 4$, $3s - a = 9 - 4 = 5$ so daß diese Grundform statisch bestimmt ist. Ergibt diese Gegenüberstellung der Unbekannten mit den vorhandenen Gleichungen die Beziehung

$$v + a = 3s + m \quad \ldots \ldots \ldots \ldots \ldots \ldots 1)$$

so sind außer den $3s$ Gleichgewichtsbedingungen noch m Elastizitätsgleichungen erforderlich, um die $v + a$ unbekannten Stäbe zu ermitteln. In diesem Falle wird das System m fach statisch unbestimmt genannt.

Nach diesen Erörterungen läßt sich ein Pfostenfachwerkträger (Abb. 405) als eine steife Verbindung der einzelnen Scheiben auffassen, die miteinander durch je 3 Stäbe verbunden sind. Ein Knoten, in welchem zwei Scheiben zusammenstoßen, sei ein einfacher Knoten genannt und enthält drei Verbindungsstäbe. Solche einfache Knoten sind nur an den beiden Endpfosten, also

[1] Mehrtens, Statik der Baukonstruktionen, I. Bd., § 4; Föppl, Techn. Mechanik 1903, II. Bd., S. 209; Foerster, Eisenkonstruktionen 1909, S. 379.

insgesamt 4 Stück vorhanden. Alle übrigen $2\,(n-1)$ Knoten bei n Feldern sind sogenannte zweifache Knoten, deren jeder 6 Verbindungsstäbe enthält. Es sind somit 4 einfache Knoten zu je 3 Stäben und $2\,(n-1)$ zweifache Knoten zu je 6 Stäben, also insgesamt $v=4\cdot3+2\,(n-1)\cdot6$ $= 12\,n$ Verbindungsstäbe vorhanden.

Ist der Träger, wie in Abb. 405 statisch bestimmt gestützt, so beträgt die Zahl der Stützstäbe $a=3$. Da die Anzahl der Scheiben bei n Feldern $s=3\,n+1$ ist, erhält man durch Einsetzen dieser Werte in die Gleichung 1)

$$12\,n+3 = 3\,(3\,n+1)+m$$
$$m = 3\,n.$$

Es werden somit $m=3\,n$ Elastizitätsgleichungen erforderlich, so daß wir den Träger $3\,n$ fach statisch unbestimmt nennen.

2. Genaue Rechnungsverfahren.

Das Verfahren zur Ermittlung der inneren Kräfte eines Pfostenfachwerkträgers erfolgt nach demselben Gedankengang, der bekanntlich allen gebräuchlichen Berechnungen statisch unbestimmbarer Systeme nach der Elastizitätslehre zugrunde gelegt wird.

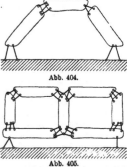

Abb. 404.

Zur Bestimmung der $3\,n$ überzähligen Größen bilde man zunächst ein statisch bestimmtes Hauptnetz und bringe diese überzähligen Größen nacheinander in verschiedenen Belastungs

Abb. 405.

zuständen als äußere Kräfte oder Momente als X_1, X_2 und X_3 für jedes der n Felder an. Stellt man dann für jede dieser Größen $X=1$ die bekannte Arbeitsgleichung auf, in welcher die wirkliche Verschiebung und die gedachte Belastung $X=1$ auftritt, so ergeben sich unter Zuhilfenahme der statischen Gleichgewichtsbedingungen aus dieser Gruppe von Gleichungen die unbekannten Größen X.

Die einzelnen Verfahren unterscheiden sich nur durch die Wahl des Hauptnetzes die für die Vereinfachung und die Übersichtlichkeit von größter Bedeutung ist, sowie durch die bei Beginn der Rechnung gemachten vereinfachenden Annahmen.

Die Anwendung dieser genauen Verfahren setzt naturgemäß die Kenntnis der Lehre von den statisch unbestimmten Systemen voraus und bedingt eine sorgfältige Vertiefung in den jeweiligen Rechnungsgang. Da jedoch wegen des erforderlichen großen Zeitaufwandes keines dieser Verfahren bisher Eingang in die Praxis gefunden hat, soll hier nur ein kurzer Überblick über den Gang der verschiedenen Lösungen gegeben und dem Leser Anhalt zur gelegentlichen Auswahl eines dieser Verfahren geboten werden.[1]

a) Vereinfachte Verfahren von Vierendeel.

Das Pfostenfachwerk wurde, wie auf S. 37 dargelegt, von Professor Vierendeel in den Brückenbau eingeführt und durch eine ausführliche wissenschaftliche Arbeit „Longerons en treillis et longerons à arcades, Paris 1897" von ihm erörtert. Ein späterer von Vierendeel vereinfachter Rechnungsgang ist in Beton u. Eisen 1907 von Dr. Gebauer wiedergegeben.

Um das Hauptnetz zu erhalten, legt Vierendeel nach Abb. 406 u. 407 durch sämtliche Pfosten des Pfostenfachwerks einen wagerechten Schnitt, und zwar an der

---

[1] Da die Berücksichtigung aller der zahlreichen in den letzten Jahren erschienenen Veröffentlichungen über Pfostenfachwerkträger den verfügbaren Raum wesentlich überschreiten würde, sind hier nur einige der bekannteren Verfahren wiedergegeben worden.

Stelle des Wendepunktes der Biegelinie, also des Momentennullpunktes der Pfosten. Von den hier anzubringenden drei statisch unbestimmbaren Größen sind zwei bekannt, nämlich das Moment $Z = 0$ und die Längskraft Y des Pfostens. Die dritte Größe

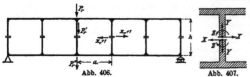

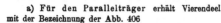

dagegen, die wagerecht wirkende Schubkraft X des Pfostens, kann durch eine Arbeitsgleichung leicht bestimmt werden. Das Stabwerk wird also nach Abb. 406 durch

Abb. 406.   Abb. 407.

wagerechte Schnitte in eine obere und eine untere Hälfte geteilt, deren jede aus einem der Gurte und den daran ansetzenden senkrechten Pfostenteilen besteht.

Außer der bei allen diesen Berechnungen unvermeidlichen Annahme der Homogenität des Baustoffs und der Bedingung, daß die Lasten nur in den Knoten angreifen, wird von Vierendeel:

1. die Formänderung infolge der Wirkung der Querkräfte und der Längskräfte vernachlässigt, somit die Durchbiegung entsprechender Punkte des Ober- und Untergurtes einander gleich gesetzt. Da, wie unter anderen Professor Andruzzi nachgewiesen hat, der Einfluß der Längskräfte auf die statisch unbestimmbaren Größen nur etwa 1 vH. von dem der Biegungskräfte beträgt, ist diese Vernachlässigung durchaus zulässig.

2. Eine weitere bedeutsamere Vernachlässigung besteht in der Annahme, daß die Trägheitsmomente des Ober- und Untergurtes gleich groß sind, und zwar in allen Feldern. Hieraus folgt, daß bei parallelen Gurten der Wendepunkt W, d. i. der Momentennullpunkt der Biegelinie für die Pfosten, in halber Höhe derselben liegt und je die Hälfte der Knotenlasten P_r (Abb. 408) auf den Obergurt als P_r' sowie auf den Untergurt als P_r'' übertragen wird.

Da in Wirklichkeit jedoch die Querschnitte und somit die Trägheitsmomente der beiden Gurte oft sehr verschieden groß sind, so kann diese zweite Annahme eine beträchtliche Abweichung der berechneten von den wirklichen Spannungen hervorrufen.

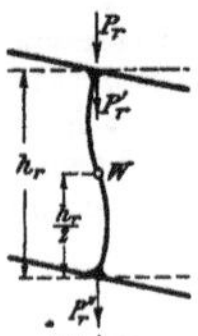

a) Für den Parallelträger erhält Vierendeel mit der Bezeichnung der Abb. 406

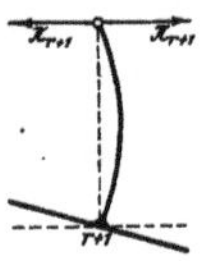

$$\pi_{r+1} = \pi_r + \frac{6a}{h} \cdot \varSigma_0 \pi - \frac{6a}{h^2} \cdot M_{r, \, r+1}$$

und für quadratische Felder, also für $a = h$,

$$\pi_{r+1} = \pi_r + 6 \, \varSigma_0 \pi - 6 \, M_{r, \, r+1}.$$

Abb. 408.   Abb. 409.

Ferner betrachtet Vierendeel den wohl kaum vorkommenden Fall, daß das Trägheitsmoment des Obergurtes sehr klein ist, also vernachlässigt werden kann. Dann tritt an Stelle der zweiten Voraussetzung die Annahme $J_0 = 0$. Die Pfosten sind dann durch frei drehbare Gelenke an dem Obergurt angeschlossen, in denen die wagerechten Kräfte π angreifen (Abb. 409). Es ergibt sich dann

$$\pi_{r+1} = \pi_r + \frac{3a}{h} \cdot \varSigma_0 \pi - \frac{3a}{h^2} \cdot M_{r, \, r+1}.$$

Sind die Unbekannten π aus diesen Gleichungen ermittelt, so erhält man alle übrigen Werte nach den einfachen Regeln der Statik.

b) **Der Träger mit gebrochenen Gurten.** Für diesen ergeben sich unter den gleichen Voraussetzungen wie für den Parallelträger ähnliche, nur bedeutend verwickeltere Ausdrücke, in denen jeweilig die Kraft π eines Ständers aus der des vorhergehenden ermittelt wird. Verhältnismäßig einfach wird die Beziehung bei der Annahme gelenkigen Anschlusses der Pfosten an den Obergurt, und zwar:

$$\pi_{r+1} = \left\{ \begin{array}{l} h_r^2 \cdot \dfrac{3\,h_{r+1} - h_r}{2\,h_{r+1}^3} \cdot \pi_r - 2\,a \cdot \dfrac{3\,h_r\,h_{r+1} + k_r^2}{2\,h_{r+1}^3} \cdot \Sigma_0^r \pi \\[2mm] -\,3\,a \cdot \dfrac{h_r + h_{r+1}}{2\,h_{r+1}^3} \cdot M_{r+1} + a^2 \cdot \dfrac{2\,h_r + h_{r+1}}{2\,h_{r+1}^3} \cdot Q_r \end{array} \right\}$$

Hierin bedeuten nach Abb. 410

$M_{r,\,r+1}$ das Moment der äußeren Kräfte, bezogen auf die Mitte des Feldes zwischen den Knoten r und $r+1$,

a die Feldweite, die für alle Felder gleich groß angenommen wird,

h_r die Höhe des Pfostens r,

$h_{r,\,r+1}$ die Höhe des Trägers in der Feldmitte zwischen r und $r+1$,

k_r die Höhe des Nullpunktes W, vom Untergurt aus gerechnet.

Ein Nachteil dieser Ausdrücke, welche die Form von Differenzen zeigen, besteht darin, daß eine außergewöhnlich große Genauigkeit bei den Zahlenrechnungen erforderlich ist, die praktisch nur unter Anwendung besonderer Hilfsmittel, wie Rechentafeln oder Rechenmaschinen, erzielt werden kann. Dr. ing. Kalmer hat daher diese Gleichungen so umgeformt (Beton u. Eisen 1908, Heft XI, S. 273), daß mit Hilfe

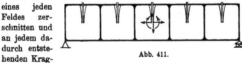

Abb. 410.

des Rechenschiebers eine ausreichende Genauigkeit erreicht wird.

Im Anschluß an das Verfahren von Vierendeel hat Dr. ing. v. Balicki[1] von den hier angeführten Gleichungen für den Parallelträger ausgehend, für verschiedene Verhältnisse $\dfrac{a}{h}$ Tabellen zum Auftragen der Einflußlinien der π Werte berechnet.

b) Verfahren von Frandsen.

Das Hauptnetz (Abb. 411 u. 412) für dieses von Ingenieur Frandsen in Beton u. Eisen 1909, Heft XIV, XV und XVI angegebene Verfahren entsteht dadurch, daß der Obergurt in der Mitte eines jeden Feldes zerschnitten und an jedem dadurch entstehenden Kragarm ein steifer, bis zur Mitte des Rechtecks reichender Arm angebracht gedacht wird, an dem die drei statisch unbestimmbaren Kräfte X, Y und Z angreifen.

Abb. 411.   Abb. 412.

[1] Siehe Forscherarbeiten auf dem Gebiete des Eisenbetons, Heft XII, Berlin 1910. Verlag von Wilhelm Ernst & Sohn. „Einflußlinien für die Berechnung paralleler Vierendeel-Träger".

Die vereinfachenden Annahmen sind dieselben wie bei dem Verfahren von Vierendeel.

Zwei der unbekannten Größen X und Y lassen sich unmittelbar und in einfacher Weise bestimmen, während die dritte Größe Z aus einer Gruppe von Beziehungen von der Form der Clapeyronschen Gleichungen zu ermitteln ist. Diese bekannten linearen Gleichungen mit 3 Unbekannten, die für die Berechnung des durchlaufenden Trägers allgemein gebräuchlich sind, kann man stets dann erhalten, wenn zwei Nachbarfelder mit 3 unbekannten Größen betrachtet werden und diese Betrachtung nacheinander von den ersten beiden bis zu den letzten beiden Feldern fortschreitend durchgeführt wird. Für diese Clapeyronschen Gleichungen gibt es nun eine Reihe bekannter zeichnerischer Lösungen, die den Vorteil großer Übersichtlichkeit und Einfachheit bieten. Eines dieser zeichnerischen Verfahren empfiehlt nun Frandsen, und zwar das von Ostenfeld[1]), das auch für einen Pfostenfachwerkträger mit ungleichen Feldweiten Gültigkeit hat.

Dieses Verfahren von Frandsen, das Professor Ostenfeld als „schön und praktisch" bezeichnet, kann jedoch zunächst nur auf Parallelträger angewendet werden.

c) Verfahren von Ostenfeld.

Das Verfahren von Ostenfeld (Beton u. Eisen 1910, Heft 11) kann als Erweiterung des Verfahrens von Frandsen angesehen werden, da es für den allgemeinen Fall der gekrümmten Gurte entwickelt wird. Das Hauptnetz entsteht dadurch, daß man den Obergurtstab in jedem Feld dicht an dem Knoten geschnitten und an dem einen Ende gelenkig angeschlossen, am anderen auf ein Gleitlager gelegt denkt (Abb. 413 u. 414). Die drei statisch unbestimmten Größen bestehen hier nicht in

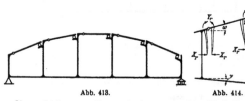

zwei Kräften und einem Moment, wie bei sämtlichen übrigen Verfahren, sondern in zwei Momenten Y und Z, welche an den Enden des herausgeschnittenen

Abb. 413.   Abb. 414.

Obergurtstabes angreifen, und einer wagerechten Kraft X, die in halber Höhe der Pfosten an gedachten steifen Armen wirkt.

An Stelle der zweiten Annahme Vierendeels $J_o = J_u$ macht Ostenfeld zunächst die Voraussetzung, daß

$$J_o \cdot \cos \omega = J_u \cdot \cos \nu$$

sein möge, wobei mit ω und ν die Neigungswinkel der Gurte gegen die Wagerechte bezeichnet sind. Außer der ersten Annahme der Vernachlässigung der Formänderung infolge der Längs- und Schubkräfte, ist das Verfahren sonst allgemein und in übersichtlicher Weise durchgeführt, also auch mit verschiedenen Feldweiten und beliebigen Trägheitsmomenten der Pfosten.

Sodann wird auch noch die zweite Voraussetzung, die das Verhältnis der Trägheitsmomente für die Gurte betrifft, fallen gelassen und für diesen allgemeinen

[1]) Siehe Zeitschr. f. Arch. u. Ing.-Wesen 1905, Heft 1 und 1909, Heft 4 oder auch Mehrtens. Statik der Baukontruktionen III, S. 360.

Fall ein brauchbares Annäherungsverfahren angegeben, da eine genaue graphische Lösung der Gleichungen nach der Methode des Schlußlinienvielecks zwar möglich, aber sehr zeitraubend ist. An Stelle der zweiten Annahme tritt hier die Voraussetzung, daß die lotrechten Durchbiegungen des Ober- und Untergurtes gleich sind. Für die Knotenpunkte ist diese Bedingung dann genau erfüllt, wenn nach der ersten Annahme die Wirkung der Längskräfte vernachlässigt wird. Für die Zwischenpunkte aber wird diese Annahme dann keine bedeutenden Fehler ergeben, wenn, wie hier überall angenommen wird, die Lasten nur in den Knotenpunkten angreifen. Die Elastizitätsgleichungen erhält man wiederum wie bei dem Verfahren von Frandsen in der Form der Clapeyronschen Gleichungen, so daß wie dort ihre Wurzeln am einfachsten auf graphischem Wege zu finden sind.

d) Verfahren von Marcus.

Bei diesem in „Armierter Beton" 1910, Heft 5, 6, 7 und 11 veröffentlichten Verfahren wird das Hauptnetz nach Abb. 415 u. 417 dadurch erzeugt, daß die Pfosten dicht an den Knoten-punkten des Unter-gurtes geschnitten werden. Als statisch nicht bestimmbare Größen werden wie-derum ein Moment und zwei Kräfte ange-nommen, in der Rech-nung jedoch Funk-tionen dieser Kräfte als die zu ermitteln-den Größen einge-

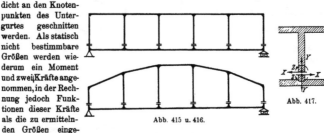

Abb. 417.

Abb. 415 u. 416.

führt. Auch der Einfluß der Wärme sowie die Wirkung wagerechter Kräfte und die Berücksichtigung einzelner vollwandig ausgebildeter Felder wird dabei eingehend behandelt. Ferner wird noch ein Näherungsverfahren angegeben, bei dem sich eine Abweichung der Werte von dem genauen Verfahren um etwa 10 vH. ergibt. Das Verfahren zeichnet sich durch eine einheitliche Durchführung der Untersuchung für alle Trägerformen und Belastungsfälle aus.

Ein Ergebnis der Untersuchung besteht u. a. darin, daß nur bei unveränder-licher und unsymmetrischer Belastung empfohlen wird, die Berechnung mit unmittel-barer Belastung durchzuführen. In allen anderen Fällen genügt jedoch die Annahme von Knotenlasten, also mittelbarer Belastung, da sich die entstehenden Fehler aus-gleichen.

Zwei vollständig durchgerechnete Beispiele erhöhen die Brauchbarkeit dieses Verfahrens.

Außer der ersten Annahme Vierendeels wird noch die zweite Voraussetzung gemacht, daß

$$J_o \cdot \cos \omega = J_u$$

ist. Auch hier führen die Elastizitätsgleichungen zu Ausdrücken Clapeyronscher Art, zu deren Lösung wiederum die bekannten bemerkenswerten zeichnerischen Verfahren verwendet werden.

e) Verfahren von Mann.

Die Veröffentlichung dieses Verfahrens erfolgte in der 47 Seiten umfassenden Dissertationsschrift[1]) von Prof. Dr. Mann. Auch hier werden als statisch unbestimmbare Größen nicht die an dem Hauptnetz anzubringenden Überzähligen eingeführt, sondern zum Teil Funktionen derselben.

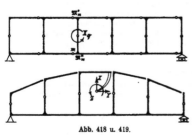

Abb. 418 u. 419.

Eine Voraussetzung bildet wiederum die erste Annahme Vierendeels, die Vernachlässigung der Formänderung zufolge der Längs- und Querkräfte.

Für den Parallelträger sind nach Abb. 418 die drei statisch unbestimmten Größen das Moment X_q in der Pfostenmitte sowie die beiden Ausdrücke

$$X_m = \frac{1}{2}\left(\mathfrak{M}_m^o - \mathfrak{M}_m^u\right),$$

$$Y_m = \frac{1}{2}\left(\mathfrak{M}_m^o + \mathfrak{M}_m^u\right)$$

gewählt, wobei $\mathfrak{M}_m^o$ und $\mathfrak{M}_m^u$ die äußeren Momente unmittelbar neben dem $m$ten Ständer bezeichnen.

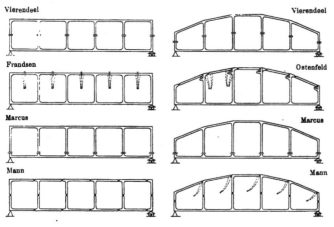

Vierendeel   Vierendeel

Frandsen   Ostenfeld

Marcus   Marcus

Mann   Mann

Abb. 420.

Hauptnetze der Verfahren zur Berechnung der Pfostenfachwerkträger.

[1]) Zeitschrift für Bauwesen 1909, Heft X bis XII. Verlag von Wilhelm Ernst & Sohn, Berlin.

Für den Träger mit gebrochenem Gurte wird ein besonders zu bestimmender Punkt O als Angriffspunkt der drei Überzähligen X, Y und Z angenommen (Abb. 419). Sowohl für den Parallelträger wie auch für den Träger mit gebrochenen Gurten sind die Einflußlinien der gewählten Funktionen der überzähligen Größen in eleganter Weise ermittelt und dargestellt worden.

Um einen übersichtlichen Vergleich der in den verschiedenen Verfahren gewählten Wege zu bieten, sind in Abb. 420 die Hauptnetze nochmals zusammengestellt worden.

3. Angenähertes Verfahren (nach Podolsky).

Die genauen Verfahren haben den großen Nachteil, daß sie einen erheblichen Zeitaufwand erfordern und nur mittels zahlreicher vereinfachender Annahmen zu brauchbaren Lösungen führen. Sie sind daher oft nicht ohne weiteres auf die wirklich vorliegenden Verhältnisse anwendbar. Dagegen bietet das angenäherte Verfahren, wie es Podolsky in seinem vorzüglichen Werke „Fachwerkträger ohne Diagonalen", Moskau 1909 angibt, den Vorteil größter Einfachheit. Da dieses . 270 Seiten umfassende Werk bisher leider nur in russischer Sprache erschienen ist, sei der Gedankengang der Lösung hier kurz angegeben, der sich übrigens mit dem Verfahren deckt, wie es vom Verfasser vor Jahren bereits öfter angewendet wurde.

Ebenso wie bei dem Verfahren von Vierendeel wird außer den beiden Annahmen, daß der Baustoff homogen ist und die Lasten nur in den Knoten angreifen, die allenthalben zu findende Voraussetzung der Vernachlässigung der Formänderung infolge der Längskräfte und der Querkräfte gemacht.

Von weiteren Voraussetzungen insbesondere betreffs des Verhältnisses der Trägheitsmomente wird jedoch abgesehen und für den Parallelträger sowohl der Fall gleichen Trägheitsmomentes wie auch der verschiedener Trägheitsmomente beider Gurte behandelt.

Es empfiehlt sich, zwischen den Hauptspannungen und den Zusatzspannungen zu unterscheiden, sowie endlich den Nebenspannungen, die praktisch vernachlässigt werden können.

a. Parallelträger.

Sofern das Eigengewicht des Tragwerks bekannt ist, können die Hauptspannungen der Gurte und Pfosten ohne vorherige Kenntnis der Querschnittsabmessungen bestimmt werden. Das Eigengewicht ist hierbei an der Hand ähnlicher Bauwerke oder unter Zugrundelegung eines statisch bestimmten Dreieckfachwerkträgers, der die gleichen Verhältnisse aufweist und nur etwas reichlicher bemessen ist, anzunehmen.

1. Zur Ermittlung der Hauptspannungen in den Gurten wird wie bei einem gewöhnlichen vollwandigen Balken das Biegungsmoment M der äußeren Kräfte gleich dem Biegungsmoment der Zug- und Druckkräfte

also $\qquad M = U \cdot h = O \cdot h$ . . . . 1a)

gesetzt (Abb. 421). Hieraus ergibt sich

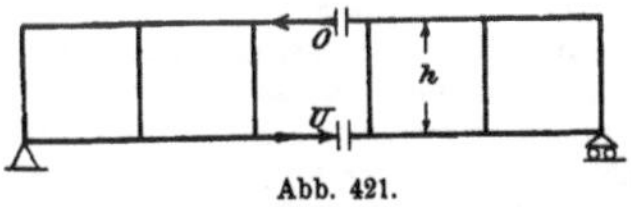

$$U = O = \frac{M}{h} \quad \ldots \quad 1)$$

wobei $U = \sigma F_u$, $O = \sigma F_o$ ist, wenn F_u und F_o die Gurtquerschnitte bedeuten. An Stelle der Randspannung ist hier annäherungsweise die Spannung σ im Schwerpunkt des Zuggurtes und Druckgurtes gesetzt worden.

Abb. 421.

2. Die Hauptspannungen in den Pfosten bestehen in den Zug- bezw. Druckspannungen, welche durch die Übertragung der Knotenlasten auf den unbe-

lasteten Gurt entstehen, und aus den von den Querkräften hervorgerufenen Scherspannungen.

Bei gleichem Trägheitsmoment der Gurte wird naturgemäß von jedem der beiden Gurte die Hälfte der Knotenlast P aufgenommen (Abb. 422).

Es zerlegt sich somit P in zwei gleiche Teile $P_o = P_u = \dfrac{P}{2}$.

Greift die Knotenlast im Obergurt an, so wird der Pfosten mit $\dfrac{P}{2}$ gedrückt, wenn die Last P dagegen am Untergurt wirkt, mit $\dfrac{P}{2}$ gezogen.

Bei verschiedenem Trägheitsmoment der Gurte sind die Lastanteile beider Gurte im Verhältnis der Steifigkeitsziffern EJ anzunehmen, also
$$P_o : P_u = EJ_o : EJ_u.$$

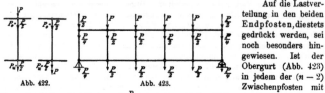

Abb. 422.   Abb. 423.

Auf die Lastverteilung in den beiden Endpfosten, die stets gedrückt werden, sei noch besonders hingewiesen. Ist der Obergurt (Abb. 423) in jedem der $(n-2)$ Zwischenpfosten mit

P, an den beiden Endpfosten mit $\dfrac{P}{2}$ belastet, so ist der Stützendruck

$$A = B = \frac{1}{2}\left[(n-2)\cdot P + 2\cdot\frac{P}{2}\right] = \frac{1}{2}\,P\,(n-1).$$

Bei gleichem Trägheitsmoment der beiden Gurte wird die Hälfte dieser Gesamtlast vom Untergurt unmittelbar in das Lager geleitet, die andere Hälfte vom Obergurt dem Endpfosten zugeführt, der also von der Druckkraft

$$\frac{A}{2} = \frac{1}{4}\,P\,(n-1)$$

beansprucht wird.

Ist der Untergurt belastet, so ergibt sich entsprechend
$$\frac{A}{2} = \frac{1}{4}\,P\,(n-2)$$

als Druckkraft im Endpfosten.

Zu diesen Zug- bezw. Druckspannungen der Pfosten kommen die Scherspannungen infolge der Querkräfte Q.

Die Schubspannung τ infolge der Querkraft Q ist in der vertikalen Schubfläche $b \cdot h$ eines vollwandigen Trägers (Abb. 424) unter der Annahme gleichmäßiger Verteilung
$$\tau = \frac{Q}{b \cdot h}.$$

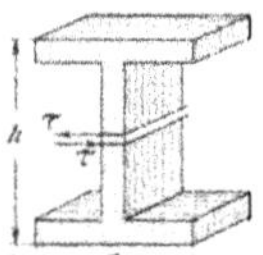

Da bekanntlich die Schubspannungen in der senkrechten Fläche eines Prismas (Abb. 425) und der zugehörigen wagerechten Fläche gleich groß sind, ergibt sich die in der Nullinie des Trägers wirkende Schubkraft t auf die Längeneinheit bezogen zu

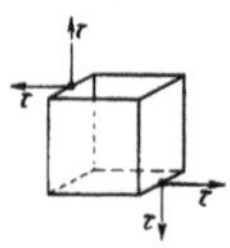

$$t = \tau \cdot b = \frac{Q}{h} \quad \cdots \quad 2\mathrm{a})$$

Abb. 424.   Abb. 425.

Von einem Pfosten n sind nach Abb. 426 die schraffierten Flächen der Schub-kräfte in den beiden angrenzenden Feldern aufzunehmen, also $\frac{a}{2} t_{n-1}$ und $\frac{a}{2} t_n$, so daß die gesamte auf den Pfosten wirkende Schubkraft

$$T_n = (t_{n-1} + t_n) \cdot \frac{a}{2}$$

ist, oder nach Einsetzen von $t = \frac{Q}{h}$ nach Gleichung 2a)

$$T_n = \frac{Q_{n-1} + Q_n}{2} \cdot \frac{a}{h} \quad . \quad 2)$$

Bei quadratischen Feldern, also für $a = h$, wird

$$T_n = \frac{Q_{n-1} + Q_n}{2} \quad . . \quad 2b)$$

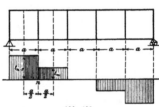

Abb. 426.

Für diese Schubkraft T_n ist der Querschnitt des Pfostens wie auch der Anschluß desselben an den Obergurt und Untergurt zu bemessen.

3. Die Zusatzspannungen der Pfosten und Gurte. Die Pfosten werden von den senkrechten Druck- bezw. Zugkräften P sowie den wagerechten Schubkräften T beansprucht und verbiegen sich daher bei der Formänderung des Trägers zu einer doppelt gekrümmten, also **S** förmigen Linie. Die Schubkraft, welche im Momenten-nullpunkt des Pfostens, also bei gleichem Trägheitsmoment der beiden Gurte in der halben Pfostenhöhe angreifend gedacht wird, erzeugt an der Einspannstelle des Pfostens, also am Knotenpunkt, ein Biegungsmoment M_o bezw. M_u.

Dieses ergibt sich nach Abb. 427 unter Anwendung der Lehre von der Form-änderungsarbeit bei Berücksichtigung der Längskraft P als Biegungsmoment am Knoten, also für $x = 0$, zu

$$M_o = \frac{Th}{2} \cdot \left(1 + \frac{Ph^2}{12 EJ}\right) \quad . . . . \quad 3)$$

oder bis auf etwa 1 vH. genau zu $M_o = T \cdot \frac{h}{2}$.

In einfacherer Weise läßt sich diese Gleichung unmittelbar aus Abb. 428 her-leiten. wonach

$$M_o = T \cdot \frac{h}{2} \quad . . . . . \quad 3a)$$

ist.

Abb. 427. Abb. 428. Abb. 429.

In ähnlicher Weise kann man sich nach Abb. 429 im Wendepunkt der Biegelinie der Gurtstäbe, also angenähert in der Feldmitte, den Träger durchgeschnitten und in diesen Punkten die Querkräfte wirkend denken. Diese rufen dann an den Knoten die Biegungsmomente

$$M_u' = M_o' = \frac{Q_{n-1}}{2} \cdot \frac{a}{2}, \qquad M_u'' = M_o'' = \frac{Q_n}{2} \cdot \frac{a}{2} \quad . . \quad 4)$$

in den Gurten hervor. Da am Knotenpunkte Gleichgewicht besteht, muß die alge-braische Summe dieser drei Momente jeweils gleich Null, also

$$\left. \begin{array}{l} M_o - M_o' - M_o'' = 0 \\ M_u - M_u' - M_u'' = 0 \end{array} \right\} \quad . . . . \quad 5)$$

sein. Aus dieser Beziehung lassen sich auch die Vorzeichen und damit der Sinn der Schubkräfte Q nachprüfen.

b. Träger mit gebrochenem Gurt.

Für diesen ergeben sich nach Abb. 430 ganz ähnlich wie für den Parallelträger:

1. Die Hauptspannungen der Gurte im Untergurt aus

$$U_2 = \frac{M_2}{h'_2} \quad \dots \dots \dots \dots \text{6a)}$$

und im Obergurt aus

$$O_2 \cdot \cos \alpha_2 \cdot h'_2 = M_2$$

wobei die Höhe in der Feldmitte

$$h'_2 = \frac{h_1 + h_2}{2}$$

ist, und sich die Kraft im Obergurt zu

$$O_2 = \frac{M_2}{h'_2 \cos \alpha_2} \quad \dots \dots \dots \dots \text{6b)}$$

ergibt.

2. Die Hauptspannungen in den Pfosten. Bezeichnet man mit J_o und J_u die Trägheitsmomente der Schnitte, die senkrecht zu den Achsen des Ober- und Untergurtstabes gelegt sind, so ergibt sich das Trägheitsmoment des lotrechten Schnittes eines um den Winkel α gegen die Wagerechte geneigten Obergurtstabes zu

$$J_o' = \frac{J_o}{\cos^3 \alpha},$$

da

$$J_o = \frac{b\,d^3}{12}, \quad J_o' = \frac{b\,d'^3}{12} \quad \text{und} \quad d' = \frac{d}{\cos \alpha}$$

ist, wenn d senkrecht zur Stabachse und d' vertikal gemessen wird.

Zur Bestimmung der Anteile P_o und P_u, die der Obergurt und Untergurt von der gesamten Knotenlast $P = P_o + P_u$ aufnehmen, möge angenommen werden, daß sich P im Verhältnis ihrer Trägheitsmomente im lotrechten Schnitt verteilt.

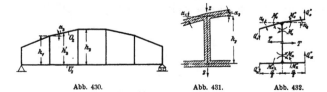

Abb. 430.   Abb. 431.   Abb. 432.

Für einen Schnitt links vom Pfosten 2 ergibt sich nach Abb. 431

$$\frac{P_u}{P_o} = \frac{J_u \cos^3 \alpha_1}{J_o}.$$

Für einen Schnitt rechts vom Pfosten 2 entsprechend

$$\frac{P_u}{P_o} = \frac{J_u \cos^3 \alpha_2}{J_o}.$$

Aus diesen Beziehungen erhält man

$$P_o = P \cdot \frac{2\,J_o}{2\,J_o + J_u \cdot (\cos^3 \alpha_1 + \cos^3 \alpha_2)} \left.\vphantom{\frac{2\,J_o}{2}}\right\}$$

$$P_u = P \cdot \frac{J_u\,(\cos^3 \alpha_1 + \cos^3 \alpha_2)}{2\,J_o + J_u \cdot (\cos^3 \alpha_1 + \cos^3 \alpha_2)} \left.\vphantom{\frac{2}{2}}\right\} \quad \cdots \cdots \quad 7)$$

Aus den Werten P_o und P_u ergeben sich wie beim Parallelträger unter a, 2) die Längskräfte der Pfosten. Die Schubspannungen in den Pfosten können dagegen hier nicht unmittelbar als Hauptspannungen bestimmt werden. Ihre Berechnung erfolgt vielmehr unter 3. Zusatzspannungen der Pfosten.

3. Die Zusatzspannungen der Gurte und Pfosten werden ganz ähnlich wie beim Parallelträger ermittelt. Die Querkraft Q' verteilt man jedoch proportional den Gurtquerschnitten in der senkrechten Schnittfläche (Abb. 432). Diese sind

$$F_u \quad \text{und} \quad F_o = \frac{F_u}{\cos \alpha}$$

unter der Annahme gleicher Querschnitte im Ober- und Untergurt. Hiernach ergeben sich die Anteile der Querkraft Q', welche auf die beiden Gurte entfallen, aus

$$\left\{ \begin{array}{l} \dfrac{Q_u'}{Q_o'} = \dfrac{F_u}{F_o} = \dfrac{F_u \cdot \cos \alpha_1}{F_u} = \cos \alpha_1, \\[2mm] Q_o' + Q_u' = Q' \end{array} \right.$$

zu
$$Q_u' = Q' \cdot \frac{\cos \alpha_1}{1 + \cos \alpha_1} \quad \text{und} \quad Q_o' = Q' \cdot \frac{1}{1 + \cos \alpha_1} \quad \cdots \cdot \quad 8)$$

Somit ergibt sich wie oben für den Untergurt

$$M_u' = Q_u' \cdot \frac{a}{2}, \qquad M_u'' = Q_u'' \cdot \frac{a}{2} \quad \cdots \cdots \quad 9\text{a})$$

und für den Obergurt

$$M_o' = Q_o' \cdot \frac{a}{2}, \qquad M_o'' = Q_o'' \cdot \frac{a}{2} \quad \cdots \cdots \quad 9\text{b})$$

Die Größe der Schubkräfte ist jedoch nicht unmittelbar zu bestimmen. Da aber nach Gleichung 5 die Summe der Momente an einem Knoten gleich Null sein muß, ergibt sich M_o aus

und ebenso M_u aus
$$\left. \begin{array}{l} M_o - M_o' - M_o'' = 0 \\ M_u - M_u' - M_u'' = 0 \end{array} \right\} \quad \cdots \cdots \cdots \quad 10)$$

wobei M_u' und M_u'', M_o' und M_o'' nach Gleichung 9a und 9b bekannt sind.

Das Gleichgewicht des Pfostens bedingt aber, daß

$$T \cdot h = M_o + M_u \quad \cdots \cdots \cdots \cdots \quad 10)$$

ist. Setzt man hierin die Momente nach 9a und 9b ein, so erhält man endlich für die gesuchte, auf den Pfosten wirkende Schubkraft

$$T = \frac{Q' + Q''}{2} \cdot \frac{a}{h} \quad \cdots \cdots \cdots \quad 11)$$

also genau denselben Ausdruck wie bei parallelen Gurten (siehe Gleichung 2).

Aus Gleichung 10 kann nunmehr, da M_o' und M_o'' sowie T bekannt sind, der Hebelarm dieser Schubkraft bestimmt werden, der sich zu

$$z = \frac{h}{Q' + Q''} \cdot \left\{ Q' \cdot \frac{\cos \alpha_1}{1 + \cos \alpha_1} + Q'' \cdot \frac{\cos \alpha_2}{1 + \cos \alpha_2} \right\} \quad \cdots \quad 12)$$

ergibt. Da $\dfrac{\cos \alpha}{1 + \cos \alpha}$ stets $< \dfrac{1}{2}$ ist, so muß stets $z < \dfrac{h}{2}$ sein, während Vierendeel angenähert $z = \dfrac{h}{2}$ annimmt.

Ähnliche Ausdrücke lassen sich für den Fall herleiten, daß auch der Untergurt eine gebrochene Linie bildet.

Für veränderliche Belastungen empfiehlt sich, die Untersuchung des Pfostenfachwerkträgers mittels Einflußlinien durchzuführen, die sich aus den hier angegebenen Gleichungen in einfacher Weise entwickeln lassen, wenn man die Last 1 nacheinander in den einzelnen Knoten angreifenläßt. Man erhält beispielsweise nach Gleichung 1) die Einflußlinie der Gurtkräfte ohne weiteres aus der der Biegungsmomente des Trägers. Ferner ergeben sich nach Gleichung 4 die Zusatzmomente der Gurte unmittelbar aus den Querkräften, somit auch die Einflußlinien dieser Zusatzmomente aus denen der Querkräfte. In ähnlicher Weise sind endlich auch die Zusatzmomente der Pfosten nach den Gleichungen 3a und 2 von den Querkräften abhängig. Sobald daher die Einflußlinien der Biegungsmomente und der Querkräfte bekannt sind, lassen sich daraus ohne weiteres diejenigen der Hauptspannungen und der Zusatzspannungen ableiten.

Zum Schluß sei noch erwähnt, daß Podolsky für Pfostenfachwerkträger aus Eisenbeton vorschlägt, bei der Bemessung der Stabquerschnitte auf Grund der Hauptspannungen zunächst die zulässige Beanspruchung des Eisens um 20 bis 30 vH., die des Betons um 20 bis 40 vH. niedriger anzunehmen und damit den zu erwartenden Zusatzspannungen vorläufig Rechnung zu tragen.

Um die Genauigkeit dieses angenäherten Rechnungsverfahrens zu prüfen, hat Podolsky ein und dasselbe Beispiel sowohl nach dem genauen Verfahren von Vierendeel als auch nach seinem angenäherten Verfahren durchgeführt. Es ergibt sich hierbei eine verhältnismäßig geringe Abweichung in den Stabkräften bezw. Biegungsmomenten. Dabei zeigt sich übrigens bemerkenswerterweise, daß die Gleichgewichtsbedingung 5 (S. 253) welche notwendigerweise gelten muß, trotz sorgfältigster Rechnung bei dem genauen Verfahren von den erhaltenen Werten nicht erfüllt worden ist. Dieser Fehler ist vermutlich auf Abrundungen zurückzuführen, die bei den vorkommenden Differenzausdrücken einen unerwartet großen Einfluß auf das Ergebnis ausübten. Da die umständliche und langwierige Rechenarbeit eines solchen genauen Verfahrens somit nicht vor einem fehlerhaften Endergebnis schützt und die oft nur sehr bedingte Gültigkeit der Voraussetzungen in keinem Verhältnis zu der erforderlichen Peinlichkeit des Rechnungsganges steht, so verdient ein einfaches und durchsichtiges Annäherungsverfahren für die praktische Anwendung unbedingt den Vorzug.

X. Die Berechnung des Bogenbalkenträgers.

Die drei äußeren Kennzeichen eines Bogenbalkenträgers sind nach S. 30 die wagerechte Lagerfläche, die stehende oder geneigte Lagerfläche und die Krümmung der Schwerlinie des Trägers. In statischer Hinsicht unterscheidet sich der Bogenbalkenträger von allen bisher behandelten Balkenträgern dadurch, daß außer den senkrechten Auflagerkräften noch wagerechte Stützkräfte auftreten, daß also die Belastung außer durch die sogenannte Balkenwirkung auch durch eine Bogenwirkung übertragen wird. Die bedenkliche Unklarheit dieser Grundform besteht nun darin, daß man die Anteile der Lastübertragung durch die Balkenwirkung und durch die Bogenwirkung nicht genau zu bestimmen vermag.

Am einfachsten und klarsten wäre es selbstverständlich, solche zweifelhaften Grundformen überhaupt zu vermeiden. Es sind nun aber in der Wirklichkeit eine Anzahl von diesen Bogenbalken tatsächlich ausgeführt worden. Bei einer Nachrechnung erkennt man sehr bald, daß diese häufig dann, wenn man sie als reine

Balken oder als reine Bogen betrachtet, nicht standfest sind. Im folgenden soll daher versucht werden, ein angenähertes Rechnungsverfahren anzugeben, nach welchem man im gegebenen Falle die Standfestigkeit solcher eigenartigen Grundformen nachzuweisen vermag. Vor allem aber zeigt dieses Beispiel, auf welchen unsicheren Annahmen eine jede solche Theorie zur Berechnung von Bogenbalken aufgebaut ist. Die Beschäftigung mit diesem Stoffe führt zu der Überzeugung, daß für das Entwerfen unbedingt die Forderung zu empfehlen ist: Die volle Sicherheit soll schon dann gewährleistet sein, wenn der Träger entweder als reiner Bogenträger oder als reiner Balkenträger betrachtet wird. Will man in einem gegebenen Falle auf die architektonisch wirkungsvolle Krümmung der Trägerunterkante nicht verzichten und zugleich ebensowenig auf die günstige Wirkung einer vom Widerlager leicht aufzunehmenden wagerechten Stützkraft von einer gewissen, nicht genau bestimmbaren Größe (siehe das folgende Beispiel), so sollte man die etwaige Erhöhung der Sicherheit gegenüber der Wirkung einer reinen Balkenbrücke mit Freude begrüßen, aber keineswegs sicher und unter allen Umständen mit ihr rechnen. Das in folgendem dargelegte Verfahren kann daher hauptsächlich dazu dienen, in einem solchen Falle die unter Annahme eines Bogenbalkens auftretenden Spannungen angenähert zu bestimmen.

Beispiel. Der in Abb. 433 dargestellte Fußgängersteg von 20 m lichter Weite soll einer Nachrechnung für eine Verkehrslast von $p = 350$ kg/m² unterzogen werden.

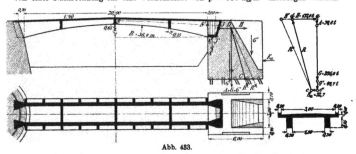

Abb. 433.

Bei der Entwurfsaufstellung möge der Grundgedanke maßgebend sein, das auf der einen Seite vorhandene sichere Widerlager, welches z. B. durch guten Felsboden oder aber, wie in Abb. 86, S. 32, durch den Gründungskörper eines Turmes geboten wird, für die Aufnahme einer wagerechten Schubkraft auszunutzen. Dadurch macht sich auch eine entsprechende Ausbildung des anderen Widerlagers erforderlich. Dieses möge aber an sich schon eine sehr kräftige Gestalt erhalten, da seine Flügelmauern zugleich als Stützmauern des nur zu 3 m Breite angenommenen Fußweges dienen. Es liegt also nahe, dieses rechte Widerlager ohne erheblichen Mehraufwand an Kosten so kräftig auszubilden, daß es in den Stand gesetzt wird, auch eine wagerechte Stützkraft von einer gewissen Größe aufzunehmen. Dagegen würde es größere Kosten verursachen, das Widerlager so zu gestalten, daß die Brücke, als reine Bogenbrücke aufgefaßt, standsicher wäre.

Die Schwierigkeit für die Berechnung besteht nun vor allem darin, die Größe des auftretenden wagerechten Schubes zu bestimmen.

Es soll daher zunächst ein möglichst einfach gehaltenes Annäherungsverfahren durchgeführt und sodann einer Kritik unterzogen werden.

Das Eigengewicht berechnet sich zu $g =$ rd. 530 kg/m² im Scheitel. Denkt man sich das gesamte Trägergewicht gleichmäßig über die ganze Brückenlänge verteilt, so wird $g' = 2130$ kg/m oder rd. 630 kg/m². Zuerst bestimmt man die Größe des Brückenquerschnitts F nach Abb. 433 und den Abstand x des Schwerpunktes von der Trägeroberkante, und zwar zunächst in der Brückenmitte zu

$$F = 7145 \text{ kg/cm}^2$$

und

$$x_0 = 21,9 \text{ cm},$$

sodann in gleicher Weise am Auflager zu

$$F = 14\,530 \text{ kg/cm}^2$$

$$x_0' = 73,8 \text{ cm}.$$

Denkt man sich durch die so gefundenen beiden Schwerpunkte S und S' der Brückenquerschnitte in der Trägermitte und am Auflager als Verbindungslinien einen Kreisbogen gelegt (Abb. 433), so ergibt sich der Krümmungshalbmesser[1] dieser Schwerlinie im Bogenscheitel, da die Pfeilhöhe bei 0,25 m Überhöhung der Trägeroberkante

$$f = (0,25 + x_0') - x_0 = 0,77 \text{ m}$$

und $\frac{l}{2} = 10,0$ m ist, aus der Beziehung

$$\left(\frac{l}{2}\right)^2 = (2r - f) \cdot f$$

zu

$$r = \frac{1}{2f}\left(\frac{l^2}{4} + f^2\right) = 65,5 \text{ m}.$$

Es soll nunmehr die Größe des wagerechten Schubes ermittelt werden. Da es hier unsere Aufgabe ist, den Nachweis zu bringen, daß unzulässige Beanspruchungen im Träger nicht auftreten, muß es unser Bestreben sein, den wagerechten Schub eher zu klein als zu groß anzunehmen. Eine Grenzlage des Angriffspunktes C der Resultierenden in der Bodenfuge des Widerlagers kann man durch die Annahme festlegen, daß in dieser Fuge kein Zug auftreten soll und daß auch unzulässige Beanspruchungen der Gründungspfähle vermieden werden.

Um einen zweiten Punkt derselben Resultierenden zu finden, bedarf es folgender Erwägung. Wie die wagerechte Lagerfuge mit dem Druckmittelpunkt K den senkrechten Stützendruck A des einfachen Balkens aufzunehmen hat, so wirkt auf die stehende Lagerfuge im Druckmittelpunkt J der Kämpferdruck des Bogens. Nimmt man zur Vereinfachung und Sicherheit an, daß in J nur die wagerechte Stützkraft H und in K der gesamte senkrechte Auflagerdruck A wirkt, so erhält man im Schnittpunkt von H mit der Mittelkraft des Widerlagergewichts einschließlich der Erdauflast einen zweiten Punkt D der Resultierenden R. Durch die beiden Punkte C und D ist ihre Lage somit bestimmt.

Trägt man im Kräfteplan den Stützendruck des einfachen Balkens $A = 34,8$ t auf, ferner das Widerlagergewicht $G = 295,0$ t und das Erdgewicht $G' = 48,7$ t und endlich noch den aktiven (nicht etwa den passiven) Erddruck $E_a = 32,7$ t, so erhält man den Linienzug $ac'c$. Dadurch, daß man durch den Punkt c des Kräfteplans eine Parallele zu CD zieht, ergibt sich auf der Wagerechten, welche durch den Punkt a gelegt ist, die gesuchte Streckengröße des wagerechten Schubes $H =$ rd. 137 t.

---

[1] Dieser Krümmungshalbmesser kann natürlich auch nach irgend einem anderen z. B. zeichnerischen Verfahren bestimmt werden.

Die Normalpressung im Scheitel beträgt somit

$$q = \frac{H}{F} = \frac{137\,000}{7144} = 19{,}2 \text{ kg/cm}^2$$

und kann daher als zulässig bezeichnet werden.

Der Grundgedanke dieses Verfahrens besteht nun weiter darin, in möglichst einfacher Weise den Lastanteil, der durch den Bogen übertragen wird, von dem Lastanteil zu trennen, den die Balkenwirkung übernimmt. Nach Tolkmitt[1]) lautet einer der einfachsten Ausdrücke für den Bogenschub

$$H = (r + c) \cdot q_2,$$

wobei q_2 die Belastung im Scheitel auf 1 m² Grundfläche bezeichnet, ferner r den Krümmungshalbmesser der Stützlinie im Scheitel und c eine Strecke ist, welche im Verhältnis zu r in der Regel vernachlässigt werden kann. Man erhält daher angenähert den allgemein gebräuchlichen, einfachen Ausdruck

$$H = r \cdot q_2$$

oder
$$q_2 = \frac{H}{r}$$

In unserem Falle ergibt sich, da für die Brückenbreite von 3,4 m der Horizontalschub $H = 137$ t, also für 1,0 m Breite $H = 40{,}3$ t beträgt, und $r = 65{,}5$ m ist,

$$q_2 = \frac{40{,}3 \text{ t/m}}{65{,}5 \text{ m}} = 0{,}615 \text{ t/m}^2$$

als derjenige Lastanteil, welcher von der Bogenwirkung aufgenommen wird. Somit verbleibt, da

$$q' = g' + p = 630 + 350 = 980 \text{ kg/m}^2$$

ist, als der durch Balkenwirkung zu übertragende Lastanteil

$$q_1 = q' - q_2 = 980 - 615 = 365 \text{ kg/m}^2.$$

Man kommt folglich zu dem Ergebnis, daß hier rd. 63 vH. der Belastung durch die Bogenwirkung und rd. 37 vH. durch die Balkenwirkung übertragen werden. Wird bei der Herstellung des Trägers auf ein sorgfältiges Schließen der stehenden Lagerfugen Gewicht gelegt, so darf man mit ziemlicher Sicherheit darauf rechnen, daß bei den ersten Belastungszuständen ein wagerechter Bogenschub auftritt. Es wird somit für die Belastung durch das Eigengewicht zunächst vor allem die Bogenwirkung in Betracht kommen. In unserem besonderen Falle könnte man daher annehmen, daß von dem Eigengewicht $g' = 630$ kg/m² infolge der Bogenwirkung der Anteil $q_2 = 615$ kg/m², also nahezu die volle Eigenlast übertragen wird. Mit wachsender Belastung infolge des Verkehrs wird sodann mehr und mehr die Balkenwirkung zur Lastübertragung herangezogen werden und die weiter unten erörterte Formänderung des Trägers eintreten.

Es erübrigt nunmehr nur noch, nachzuweisen, daß der Balken von der durch ihn zu tragenden Belastung $q_1 = 365$ kg/m² keine unzulässigen Beanspruchungen erleidet. In jedem einzelnen Falle ist hierbei naturgemäß die Stützungsart des Balkens zu berücksichtigen und festzustellen, ob der Balken frei gelagert, eingespannt oder durchlaufend gestützt ist.

Da in unserem Beispiele (Abb. 433) ein frei gestützter Träger vorliegt, würde sich das Biegungsmoment in der Balkenmitte zu $\mathfrak{M} = \frac{q_1\,l^2}{8}$ ergeben, wenn man das Eigen-

---

[1]) Tolkmitt, Leitfaden für das Entwerfen und die Berechnung gewölbter Brücken. 2. Aufl. Berlin 1902. Wilhelm Ernst & Sohn. Bearb. von Laskus. S. 16.

gewicht als gleichmäßig verteilte Last annimmt, also den Einfluß der Erhöhung des Trägers am Auflager unberücksichtigt läßt.[1])

Für die durch Balkenwirkung aufzunehmende Belastung $q_1 = 0,365$ t/m² und die Stützweite des einfachen Balkens $l = 20,85$ m, die von Mitte zu Mitte der wagerechten Lagerfuge zu messen ist, wird für 1,0 m Breite

$$M_m = \frac{q_1 \, l^2}{8} = \frac{0,365 \cdot 20,85^2}{8} = 19,8 \text{ tm} = 1980000 \text{ kgcm,}$$

somit für 1,70 m Breite

$$M_m = 3370000 \text{ kgcm.}$$

Die Beanspruchungen in der Balkenmitte sind nunmehr unter Berücksichtigung der Längskraft zu ermitteln.

Man erhält nach dem im I. Bd. dargelegten bekannten Verfahren für unseren Querschnitt $x = 28,5$ cm und die allerdings zu große Druckspannung des Betons $\sigma_b = 77,6$ und die Eisenspannung $\sigma_t = 1000$ kg/cm², wenn man als Eisenquerschnitt $f_t = 40,5$ cm², also 4 Rundeisen von 36 mm Durchm. annimmt. Es wäre somit nach diesem überschlägigen Rechnungsverfahren bei diesem willkürlich gewählten Beispiel eine Verstärkung des Betonquerschnitts im Scheitel erforderlich, um innerhalb der üblichen Grenzen der Druckspannung zu bleiben.

Würde man dagegen den Träger als einen frei gestützten Balken auffassen, so wäre das Biegungsmoment

$$\mathfrak{M}_m = \frac{q' \, l^2}{8}$$

für $l = 20,85$ m und $q' = 1030$ kg/m²

$$\mathfrak{M}_m = \frac{1030 \cdot 20,85^2}{8} = 5600000 \text{ kgcm.}$$

sodaß eine wesentlich größere Balkenhöhe in der Brückenmitte notwendig wäre. Die Beanspruchungen würden folglich bei den hier vorliegenden Eisenbetonabmessungen die Grenzen wesentlich überschreiten.

Faßt man den Träger dagegen als reinen Bogenträger auf, so ergibt sich der Horizontalschub, da $r = 65,5$ m und für die Brückenbreite von 3,40 m die Belastung im Scheitel $q = g + p = 530 \cdot 3,40 + 400 \cdot 3,0 = 3010$ kg/m beträgt, zu

$$H = q \cdot r = 3,01 \cdot 65,5 = 197 \text{ t.}$$

Es würde sich dann im Kräfteplan die resultierende Mittelkraft R' ergeben, deren Schnittpunkt mit der Bodenfuge (Abb. 433) außerhalb des inneren Drittels der Grund-

---

[1]) Will man die Erhöhung des Trägers am Auflager berücksichtigen, so kann man folgendermaßen verfahren: Nach Abb. 434 trage man die Belastungsfläche des Trägers auf, wobei die Gesamtbelastung im Scheitel $F = g + p$ und am Kämpfer $F' = g + p + \triangle g$ ist. Es ergibt sich dann unter

Abb. 434.

der Voraussetzung, daß die Begrenzung der Belastung als eine Parabel anzusehen ist, das statische Moment in bezug auf die Balkenmitte zu

$$M_m = A \cdot \frac{l}{2} - V_1 \cdot \frac{3}{8} \, l - V_2 \cdot \frac{1}{4} \, l.$$

Für $V_1 = \frac{1}{8} \cdot \frac{l}{2} \, (F' - F)$ sowie $V_2 = \frac{l}{2} \cdot F$ und $A = V_1 + V_2$

$$= \frac{l}{6} \, (2 F + F') \text{ wird}$$

$$M_m = \frac{l^2}{48} \, (5 F + F').$$

Führt man den stellvertretenden Belastungsgleichwert q_m des Trägers ein, welcher bei gleichmäßig verteilter Belastung dasselbe Biegungsmoment in der Trägermitte wie die wirkliche Belastung hervorrufen würde, so wird

$$M_m = \frac{q_m \, l^2}{8}$$

also

$$M_m = \frac{l^2}{48} \, (5 F + F') = \frac{q_m \, l^2}{8},$$

woraus sich

$$q_m = \frac{1}{6} \, [6 \, (p + g) + \triangle g] = (p + g) + \frac{\triangle g}{6} \text{ ergibt.}$$

fläche des Widerlagers fällt, so daß ein Teil der Pfähle auf Zug, die anderen sehr stark auf Druck beansprucht werden.

Dieses Beispiel zeigt deutlich, daß bei der Berechnung eines solchen Bogenbalkens schwerwiegende Annahmen gemacht werden müssen. Die Wirkung der Bogenkraft ist naturgemäß nur so lange in der angegebenen Größe vorhanden, als ein dichtes Schließen der Kämpferfuge gewährleistet ist. Nun tritt aber voraussichtlich ein Klaffen dieser Fuge ein, sobald sich der Balken in der Mitte durchbiegt. Es wird dann der Druckpunkt J nach unten verschoben, bis er schließlich mit J' (Abb. 433) zusammenfällt. Da aber im äußersten Falle durch die Verdrehung der Auflagertangente des Balkens ein Abheben bei J hinzutritt, so wird schließlich nur noch die Reibungskraft in der wagerechten Lagerfuge als wagerechte Schubkraft einzusetzen sein. Nimmt man den Reibungskoeffizient zu 0,75 an, so beträgt in unserem Beispiel die Reibungskraft

$$H_r = 0,75 \cdot A = 0,75 \cdot 34,8 = 25,1 \text{ t.}$$

Im Zweifelfalle dürfte also nur mit dieser wagerechten Kraft zu rechnen sein.

XI. Die inneren Spannungen der Balkenbrücken.

Betreffs der inneren Spannungen der Eisenbetonbauwerke kann allgemein gesagt werden, daß wir erst durch die Versuche, wie sie z. B. der „Deutsche Ausschuß für Eisenbeton" in großartigem Maße begonnen hat, eine klare Vorstellung von der Wirkung der inneren Kräfte zu erhalten hoffen. Zunächst müssen alle bisherigen Berechnungsverfahren als oft ziemlich rohe Maßstabberechnungen angesehen werden, welche die rasch fortschreitende Praxis in Ermanglung schärferer Methoden und im Bestreben nach möglichster Einfachheit ausgebildet hat. Ein ausführliches Bild über den gegenwärtigen Stand unseres Wissens auf diesem Gebiete ist in Band I dieses Werkes gegeben, so daß uns hier nur die Aufgabe verbleibt, auf einige für Balkenbrücken besonders wichtige Punkte hinzuweisen. Eine möglichst kurze Behandlung des Stoffes an dieser Stelle ist umsomehr begründet, als die Berechnungsweise in den einzelnen Staaten durch behördliche Vorschriften vollständig festgelegt ist, wie z. B.

in Preußen durch die „Bestimmungen des Königlich Preußischen Ministeriums der öffentlichen Arbeiten für die Ausführung von Konstruktionen aus Eisenbeton bei Hochbauten vom 24. Mai 1907", welche auch auf die Ingenieurbauten sinngemäße Anwendung finden,

in Österreich durch die „Vorschriften vom 15. Juni 1911 über die Herstellung von Tragwerken aus Eisenbeton oder Stampfbeton bei Straßenbrücken", Juni 1911.

Die erste verdienstvolle Grundlage, welche heute noch überall dort allgemein maßgebend ist, wo keine besonderen behördlichen Bestimmungen vorliegen, waren die „Vorläufigen Leitsätze für die Vorbereitung, Ausführung und Prüfung von Eisenbetonbauten, aufgestellt vom Verband der Architekten- und Ingenieurvereine und dem Deutschen Betonverein im Jahre 1904".

Der eine für die Balkenbrücken besonders erwähnenswerte Punkt ist die Berücksichtigung der Druckspannungen im Stege der Hauptbalken. Die Höhe der Balken wird oft, und zwar hauptsächlich bei größeren Stützweiten dadurch bestimmt, daß die Druckspannungen einen vorgeschriebenen Wert, z. B. $\sigma_b = 40 \text{ kg/cm}^2$ nicht überschreiten sollen. In den oben angeführten Leitsätzen und Bestimmungen wird aber nur die Platte als Druckgurt in die Rechnung eingeführt. Da jedoch bei Balkenbrücken die Nullinie fast stets außerhalb der Platte liegt, bringt die Berücksichtigung der Druckspannungen im Steg den Vorteil einer wesentlichen Verminderung des rechnerischen Spannungswertes σ_b.

1. Fall. Beim einfach bewehrten Balken (Abb. 435) kann der Druckgurt als Differenz der beiden Flächen $F_1 = ax$ und $F_2 = (a - b)(x - d)$ aufgefaßt werden, dementsprechend auch die Druckkraft

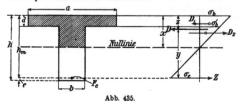

Abb. 435.

$$D = D_1 - D_2,$$
wobei
$$D_1 = \frac{1}{2}\,\sigma_b\,(a\,x) \text{ und}$$
$$D_2 = \frac{1}{2}\,\sigma_b{}'$$
$$(a - b)\,(x - d)$$
ist. Da sich
$$\sigma_b{}' = \sigma_b \cdot \frac{x - d}{x}$$

ergibt, wird
$$D_2 = \frac{1}{2}\,\sigma_b \cdot (a - b) \cdot \frac{(x - d)^2}{x}.$$

Ferner ist
$$\sigma_e = n \cdot \sigma_b \cdot \frac{h_m - x}{x}$$

und die Zugkraft
$$Z = F_e \cdot \sigma_e = n \cdot F_e \cdot \sigma_b \cdot \frac{h_m - x}{x}.$$

Aus der Bedingung $D = Z$ ergibt sich sodann

$$x = -\,\frac{d\,(a - b) + n\,F_e}{b} + \sqrt{\left(\frac{d\,(a - b) + n\,F_e}{b}\right)^2 + \frac{2\,n\,F_e\,h_m + d^2\,(a - b)}{b}} \quad (1)$$

Der Abstand z von der Plattenoberkante, in welchem die resultierende Druckkraft $D = D_1 - D_2$ angreift, bestimmt sich aus

$$D \cdot z = D_1 \cdot \frac{x}{3} - D_2\left(d + \frac{x - d}{3}\right)$$

zu
$$z = \frac{1}{3} \cdot \frac{a\,x^2 - (x - d)^2\,(a - b)\,(2\,d + x)}{a\,x^2 - (x - d)^2\,(a - b)} \quad \cdots \cdots \quad (2)$$

Dann erhält man die Spannungswerte

$$\sigma_e = \frac{M}{F_e \cdot y} = \frac{M}{F_e\,(h_m - z)} \quad \cdots \cdots \cdots \quad (3)$$

$$\sigma_b = \sigma_e \cdot \frac{x}{n\,(h_m - x)} \quad \cdots \cdots \cdots \quad (4)$$

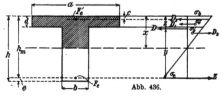

Abb. 436.

2. Fall. Beim doppelt bewehrten Balken tritt nach Abb. 436 noch die von den oberen Eiseneinlagen aufzunehmende Druckkraft D_3 hinzu, so daß
$$D = D_1 - D_2 + D_3,$$
wobei

$$D_3 = F_e{}' \cdot \sigma_e = F_e{}'\,n \cdot \sigma_b \cdot \frac{x - c}{x}$$

ist. In derselben Weise, wie beim 1. Fall, erhält man sodann

$$x = - \frac{d\,(a-b) + n\,(F_e + F_e')}{b}$$

$$+ \sqrt{\left(\frac{d\,(a-b) + n\,(F_e + F_e')}{b}\right)^2 + \frac{2\,n\,(F_e\,h_m + F_e'c) + d^2\,(a-b)}{b}} \qquad (5)$$

und aus

$$D \cdot z = D_1 \cdot \frac{x}{3} - D_2 \cdot \left(d + \frac{x-d}{3}\right) + D_3 \cdot c$$

$$z = \frac{1}{3} \cdot \frac{a\,x^3 - (x-d)^2\,(a-b)\,(2\,d+x) + 6\,n\,F_e\,(x-c)\,c}{a\,x^2 - (x-d)^2\,(a-b) + 2\,n\,F_e\,(x-c)} \qquad (6)$$

während sich σ_e und σ_b in genau derselben Form wie bei (3) und (4) ergeben.

Beispiel: Bei einer Straßenbrücke von 17,45 m Stützweite mit den Querschnittsmaßen $d = 15$ cm, $a = 150$ cm, $b = 35$ cm, $h_m = 160$ cm sei ein Biegungsmoment von

$$M = 13\,950\,000 \text{ kgcm}$$

aufzunehmen. Als Eiseneinlagen wurden 14 Stück Rundeisen von 30 mm Durchm. gewählt mit $F_e = 98,96$ cm². Man erhält dann nach (1)

$$x = - \frac{15 \cdot 115 + 15 \cdot 98,96}{35} + \sqrt{\left(\frac{15 \cdot 115 + 15 \cdot 98,96}{35}\right)^2 + \frac{2 \cdot 15 \cdot 160 \cdot 98,96 + 225 \cdot 115}{35}}$$

$$= 59 \text{ cm}$$

und nach (2)

$$z = \frac{1}{3} \cdot \frac{150 \cdot 59^3 - 44^2 \cdot 115 \cdot 89}{150 \cdot 59^2 - 44^2 \cdot 115} = 12,2 \text{ cm.}$$

Da somit $y = 160 - 12,2 = 147,8$ cm wird, ergeben sich die Spannungen

$$\sigma_e = \frac{13\,950\,000}{147,8 \cdot 98,96} = 955 \text{ kg/cm}^2$$

$$\sigma_b = 955 \cdot \frac{59}{15\,(160 - 59)} = 37,2 \text{ kg/cm}^2.$$

Würde man dagegen die Druckspannungen im Steg vernachlässigen, so erhielte man die Spannungen $\sigma_e = 925$ kg/cm² und $\sigma_b = 45,7$ kg/cm².

Als zweiter Punkt sei noch erwähnt, daß die in den „Leitsätzen" und „Bestimmungen" angegebene Formel zur Berechnung der schiefen Zugkräfte am Auflager

$$Z = \frac{(\tau - \tau_0)\,b \cdot l}{2 \cdot \sqrt{2}}$$

nur angenähert gilt, weil die Größtwerte der in irgend einem Flächenelemente auftretenden schiefen Hauptspannungen nicht mit Sicherheit angegeben werden können. Wird z. B. ein hoher Balken in geringer Entfernung vom Auflager mit sehr großen Einzellasten beansprucht, so daß das Biegungsmoment verhältnismäßig klein ist, so liefert diese Formel viel zu geringe Werte, die für die Ausführung nicht maßgebend sein dürfen. Eine reichliche Dimensionierung ist in solchen Fällen besonders deshalb zu empfehlen, weil hauptsächlich bei großen Stützweiten von Balkenbrücken die Scherspannungen viel sorgfältiger beachtet werden müssen als bei den meist weniger weit gespannten Konstruktionen im Hochbau. Grundlagen für genauere Berechnungen vermögen naturgemäß auch hier nur eingehende Versuche mit Plattenbalken zu geben Bei größeren Stützweiten empfiehlt es sich zur klareren Beurteilung des Kräfteverlaufs, den vollwandigen Träger in ein einfaches oder mehrteiliges Strebenfachwerk aufgelöst zu denken, in dem die abgebogenen Eisen die Stelle der Zugstreben einnehmen und die zur Vervollständigung des Netzbildes erforderlichen Druckstreben durch den Beton gebildet sind.

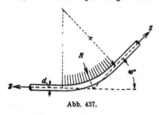

Abb. 437.

Endlich sei hier noch darauf hingewiesen, daß bei der Verwendung von Eiseneinlagen größeren Durchmessers den beträchtlichen Zugkräften entsprechend auch diese Druckstrebenkräfte sehr groß werden. Die Länge der Strecke, innerhalb deren die Überleitung dieser Kräfte in den Beton erfolgt, muß daher möglichst reichlich bemessen werden. Die Abbiegung darf somit nicht mit einem scharfen Knick, sondern nur durch eine Ausrundung mit reichlich großem Halbmesser ausgeführt werden, um den Laibungsdruck auf den Beton in zulässigen Grenzen zu halten. Nach Abb. 437 ergibt sich bei einer Abbiegung unter $45°$ und für eine Zugkraft $Z = \frac{\pi d^2}{4} \cdot \sigma_e$ als Druckstrebenkraft $R = 2 Z \cdot \sin \frac{45°}{2} = 0{,}765\,Z$. Die zur Aufnahme dieser Kraft erforderliche Länge der Ausrundung ist

$$l = \frac{R}{d \cdot \sigma_d} = 0{,}765 \cdot \frac{\pi}{4} \cdot d \cdot \frac{\sigma_e}{\sigma_d} = 0{,}6 \cdot d \cdot \frac{\sigma_e}{\sigma_d}$$

oder für $\sigma_e = 1000$ kg/cm² und $\sigma_d = 40$ kg/cm²

$$l = 15\,d.$$

Der zugehörige Krümmungshalbmesser ist dann $r = \sim 20\,d$.

F. Besprechung ausgeführter Balkenbrücken.

I. Einfache Träger.

Nr. 1. Die Quellenbachüberdeckung am Bahnhofplatz in Würzburg, entworfen und ausgeführt von der Firma Dyckerhoff u. Widmann A. G. in Nürnberg, ist bei einer Gesamtbreite von rd. 100 m und einer Stützweite von 13,44 m als Balkenkonstruktion frei auf die vorhandenen Ufermauern aus Muschelkalkstein gelagert (Abb. 440 u. 443).

Die Balken sind senkrecht zur Bachachse und in 2 m mittlerem Abstand voneinander gelegt (Abb. 439). Dieser Abstand ist auch in der rd. 30 m langen Übergangstrecke zu dem überwölbten Teile des Bachbettes beibehalten, der in stärkerem Gefälle und tiefer unter dem Gelände liegt und nur rd. 7 m Lichtweite besitzt.

Bemerkenswert ist der senkrechte Abschluß an den Balkenenden durch eine 0,20 m starke Platte, welche zugleich als lastverteilender Endquerträger dient (Abb. 440). Um eine möglichst gute Entwässerung zu erzielen, wurde die Eisenbetontafel nach beiden Widerlagern zu mit einem Gefälle von 1 : 30 oder $3^{1}/_{3}$ vH. versehen und die Oberfläche durch einen 2 cm starken wasserdichten Zementmörtelputz mit zweimaligem Goudronanstrich gedichtet. In den Trägern sind vier Untergurteisen nacheinander und unter verschiedenen Neigungen nach oben abgebogen, um die Scherkräfte in einer möglichst großen Länge des Balkens aufzunehmen. Sämtliche Balkeneisen sind auf die

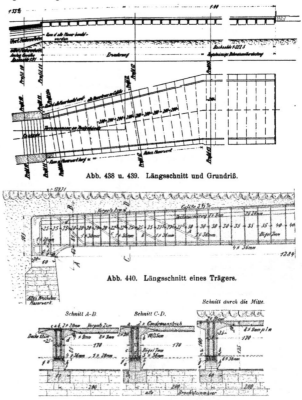

Abb. 438 u. 439. Längsschnitt und Grundriß.

Abb. 440. Längsschnitt eines Trägers.

Schnitt durch die Mitte.

Schnitt A-B.   Schnitt C-D.

Abb. 441. Querschnitt eines Trägers.
Abb. 438 bis 444. Quellenbach-Überdeckung am Bahnhofplatz Würzburg.

ganze Balkenlänge durchgeführt und mittels der 0,15 m langen Hakenenden verankert (Abb. 442).

Die Eiseneinlagen wurden außerhalb der Schalkasten vollständig montiert, wobei die Untergurteisen mittels der zahlreichen **A**-förmigen Bügel an den zu diesem Zwecke angeordneten beiden oberen Montageeisen von 20 mm Durchm. aufgehängt wurden.

Das fertig zusammengesetzte Eisengerippe wurde sodann in die Schalkästen eingehängt. Über die Montageeisen der Balken legen sich die Trageisen der Platten, die, jeweilig

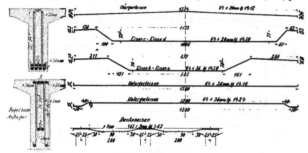

Abb. 442. Eiseneinlagen.

Abb. 443. Verlegen der Eiseneinlagen.

Abb. 444. Innenansicht der Überdeckung.

über drei Balken durchgeführt, sämtlich gleichmäßig abgebogen und im Plattenuntergurt durch Verteilungseisen in 0,45 m Abstand verbunden sind.

Abb. 443 zeigt die Schalung mit den Eiseneinlagen, Abb. 444 einen Blick in das Innere des überdeckten Baches. Eine solche Überdeckung war in früherer Zeit nur mittels zweier Gewölbe möglich. Durch die neue Ausführung mit Eisenbetonbalken erübrigt sich eine Mittelstütze. Somit ist dem Hochwasser ein günstigeres Durchflußprofil geboten. Außerdem wurde durch die Möglichkeit, die bestehenden Umfassungswände ohne Verstärkung zu verwenden, eine wirtschaftlich sehr günstige Ausführung erzielt.

Nr. 2. Die Straßenbrücke bei Neustadt a. Aisch führt in einer Öffnung von 11 m Lichtweite über den Aischfluß und in acht gleichgroßen Öffnungen über dessen Hochflutgebiet (Abb. 445). Die insgesamt 106 m lange Balkenbrücke wurde von der Firma Dyckerhoff u. Widmann A. G., Nürnberg, entworfen und ausgeführt.

Die nur 0,80 m breiten Pfeiler sind auf 4 m langen Pfählen gegründet. Über jedem Pfeiler ist im Balken eine senkrechte Trennungsfuge angeordnet, welche die Arbeitsabschnitte begrenzt und einen Spielraum für die Wärmewirkung bietet. Es sind somit die Träger jeder Öffnung als Balken auf zwei Stützen aufzufassen. Von einem durchlaufenden Balken wurde abgesehen, weil bei dem wenig sicheren Baugrund Senkungen der Stützen und daher unberechenbare Nebenspannungen nicht ausgeschlossen sind. Um jedoch einem zu weiten Öffnen der Trennungsfuge in der Eisenbetontafel vorzubeugen, wurden über jedem Pfeiler die benachbarten Balkenenden durch besondere Rundeisen verbunden und deren Beanspruchung infolge der Wärmeänderungen berücksichtigt (Abb. 448). Ebenso wurden durch besondere senkrechte Eisen die Balkenenden mit dem Pfeiler verankert. Im allgemeinen ist jedoch bei schwierigen Gründungen eine klare, möglichst zentrische, freie Lagerung einer solchen statisch unbestimmbaren Einspannung

Abb. 445. Längsschnitt.

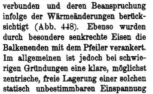

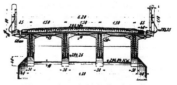

Abb. 446. Grundriß.

Abb. 447. Querschnitt in Brückenmitte.

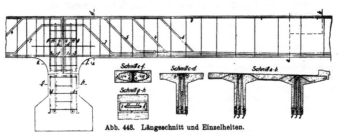

Schnitt e-f.   Schnitt c-d.   Schnitt a-b.

Schnitt g-h.

Abb. 448. Längsschnitt und Einzelheiten.

Abb. 445 bis 448. Straßenbrücke bei Neustadt a. Aisch.

vorzuziehen. Infolge der wagerechten und senkrechten Ankereisen nimmt dieses Bauwerk eine nicht klar zu bestimmende Zwischenstellung zwischen einem einfachen und einem durchlaufenden Balken ein.

Besonders hervorgehoben sei die sorgfältige Ausbildung der Endwiderlager, bei denen der Druckpunkt so weit nach hinten verlegt ist, daß eine möglichst zentrische Beanspruchung der Bodenfuge erreicht wird (Abb. 445). Die Vergrößerung der Stützweite wird gern in Kauf genommen um eine möglichst hohe Standsicherheit des Widerlagers zu erzielen. Auch die nach rückwärts ausladenden kurzen Flügel der Endwiderlager sind bemerkenswert.

Aus dem Längsschnitt ist ferner zu sehen, daß die Auflagerfuge in der Höhe der Hochwasserordinate und die Balkenunterkante nur 0,22 m über derselben angenommen wurde.

Die Querschnittsabmessungen (Abb. 447) stimmen mit den üblichen Grundmaßen, S. 88 überein. Mit Rücksicht auf die nur 0,30 m breiten Balkenkasten wurden die Eisengerippe außerhalb montiert und eingehängt. Die Oberfläche der Eisenbetontafel läuft parallel mit der Straßenoberfläche, so daß sich eine gleichbleibende Versteinungsstärke von 0,18 m und ein kräftiges Quergefälle für die mit 10 mm starken Asphaltfilzplatten gedichtete Betonoberfläche ergibt. Die Abführung des Oberflächenwassers erfolgt durch senkrechte kleine Röhren, welche vom Schnittgerinne durch die Auskragungen unmittelbar ins Freie führen.

Von den sechs unteren, 33 mm starken Gurtungseisen (Abb. 448) gehen die drei Eisen der unteren Schicht auf die ganze Balkenlänge geradlinig durch, die drei Eisen der oberen Schicht sind nacheinander unter 45° nach oben abgebogen und sodann bis zur Lagerfuge wieder hinabgeführt. Ferner wurden die Balkenfüße an den Auflagern sowie die schwachen Pfeilerköpfe durch Rundeisen verstärkt. Die beiden oberen Balkenrundeisen von 20 mm Durchm. dienen vor allem zur Erleichterung der Montage. An diese sind vermittels der M-förmigen Rundeisenbügel die unteren Gurtungseisen aufgehängt.

Erwähnenswert ist noch die Ausnutzung der Schalung und Rüstung für die neun Öffnungen. Bei einer Bauzeit von vier Monaten für die Herstellung der gesamten Beton- und Eisenbetonkonstruktion wurde mit der Schalung und Rüstung für vier Öffnungen gerechnet. Man konnte jedoch schon für die dritte und vierte Öffnung wieder die Seitenschalung und einen Teil der Untergerüstböcke der ersten und zweiten Öffnung verwenden. Die übrigen Böcke wurden nach 5wöchentlicher Erhärtung entfernt. Sodann konnte in jeder Woche eine Öffnung mit dem anstoßenden Pfeiler hergestellt und zugleich eine Öffnung ausgeschalt werden.

Als Mischungsverhältnis wurden 1 Teil Zement, 3 Teile Kiessand und 3 Teile Basaltgrus verwendet, wobei für den Kiessand zur Hälfte reiner Grubensand und zur anderen Hälfte scharfer, grobkörniger Mainquarzsand genommen wurde. Die Ansichtsflächen der Brücke sind mit Vorsatzbeton von 1 Teil Zement und 3 Teilen Mainsand in 4 cm Stärke hergestellt und ohne alle Bearbeitung so belassen worden, wie sie aus der gehobelten Schalung herauskamen.

Nr. 3. Die Wegbrücke in Pezza Vercellese (Italien), entworfen und ausgeführt von der Firma Maciachini in Mailand, gehört zu den schlankesten Balkenbrücken, da bei einer Stützweite von 11,7 m und einer Trägerhöhe von 0,60 m sich das Verhältnis $l : h = 19,5$ ergibt.

Durch die außergewöhnlich geringe Breite von nur 2,60 m (Abb. 449) nimmt diese Brücke eine Ausnahmestellung ein. Da sie nur von einer Reihe größerer Wagen befahren werden kann, ist als Abstand der beiden Hauptbalken ungefähr die Wagenspurweite, und zwar $a = 1,44$ m gewählt, so daß sich eine beiderseitige Auskragung ergibt, wie sie bei Fußgängerstegen üblich ist. Da bei den üblichen Spurweiten die Stellung einer Radlast in der Plattenmitte hier fast ausgeschlossen ist, konnte die Plattenstärke mit

0,14 m verhältnismäßig schwach gewählt werden (Abb. 452). Dagegen wurden zur Belebung der Ansichtsfläche besondere Konsolen in 1,87 m Abstand angeordnet.

Die Eisenbewehrung von $A' = 1{,}41$ vH. (vergl. S. 83) ist infolge der geringen Trägerhöhe sehr hoch und besteht aus 6 Stück 52 mm starken Rundeisen, von denen die unteren 3 Stück geradlinig durchgeführt und die übrigen hängewerkartig nach oben abgebogen sind (Abb. 451). Sämtliche Balkeneisen sind am Ende mit kräftigen Haken versehen. Die schiefen Zugkräfte am Auflager werden durch die wie bei einem eisernen Fachwerk lotrecht und schräg angeordneten Bügel aufgenommen, auf deren Ausbildung, wie ihre Häufung an dem Auflager zeigt, besonderes Gewicht gelegt wurde. Um die Lage der Bügel zu sichern, sind im Obergurt eines jeden Balken noch 4 schwächere Rundeisenstäbe eingelegt.

Nr. 4. Die Eisenbahnunterführung bei Guttau (Sachsen,) Stat. $96 + 30$ der Linie Weißenberg — Ratibor wurde im Bereiche und unter der Aufsicht der Königlich Sächsischen Staatseisenbahnverwaltung von der Firma Rud. Wolle, Leipzig, ausgeführt (Abb. 453 u. 454).

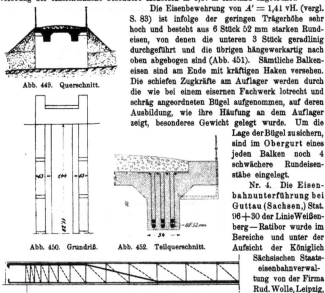

Abb. 449. Querschnitt.

Abb. 450. Grundriß.   Abb. 452. Teilquerschnitt.

Abb. 451. Längsschnitt.

Abb. 449 bis 452. Wegbrücke in Pezza Vercellese (Italien).

Da während des Baues die beiden unterführten Gleise noch nicht im Betriebe waren, konnte die Unterkante der Eisenbetontafel 4,90 m über Schienenoberkante an-

Abb. 453. Längsschnitt.   Abb. 454. Querschnitt.

Abb. 453 u. 454. Eisenbahnunterführung bei Guttau (Sachsen).

genommen werden. Bemerkenswert ist die Ausfüllung der senkrechten Lagerfuge mit einer 4 cm starken getränkten Holzeinlage, wobei jedoch auch auf einen oberen wage-

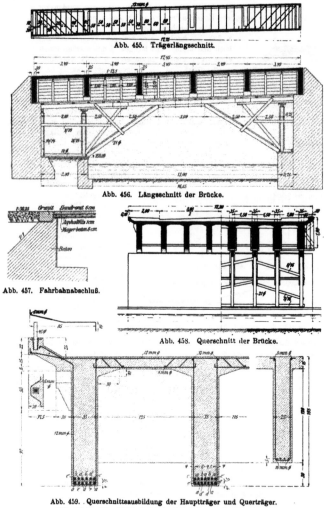

Abb. 455. Trägerlängsschnitt.

Abb. 456. Längsschnitt der Brücke.

Abb. 457. Fahrbahnabschluß.

Abb. 458. Querschnitt der Brücke.

Abb. 459. . Querschnittsausbildung der Hauptträger und Querträger.
Abb. 455 bis 459. Weißeritzbrücke bei Coßmannsdorf (Sachsen).

rechten Abschluß gegen Eindringen von Wasser Gewicht zu legen ist. Betreffs der Eiseneinlagen ist zu erwähnen, daß zur Erleichterung des Verlegens der Platteneisen das Abbiegen derselben vermieden worden ist und die abgebogenen Balkeneisen unterhalb der Platte verlaufen. Durch diese tiefe Lage der Balkeneisen verzichtet man jedoch auf eine innigere Verankerung derselben in dem durch die Platte gebildeten Druckgurt. Ebenso wird durch die oberen kurzen Stäbe der Platte ein weniger fester Verbund erreicht als durch abgebogene Eisen.

Nr. 5. Die Weißeritzbrücke bei Coßmannsdorf (Sachsen) wurde im Zuge der Hainsberg—Höckendorfer Staatsstraße unter der Aufsicht des Brückenbaubureaus der Königl. Sächs. Staatseisenbahnen von der Firma Dyckerhoff & Widmann, A.-G., Dresden, ausgeführt. Da die Widerlager gleichzeitig mit der Dammschüttung hergestellt worden waren, wurde die Grundform eines einfachen Trägers von 17,45 m Stützweite und 1,65 m Höhe gewählt, mit einem Balkenabstand von 1,50 m (Abb. 456 u. 458). Bemerkenswert sind die zahlreichen lastverteilenden Querträger und die beiden Endquerträger, welche durch eine 1 cm starke Fuge von dem Kammermauerwerk getrennt sind, um eine unbehinderte Ausdehnung des Trägers infolge der Wärmewirkung zu ermöglichen. Diese Trennungsfuge wurde durch Einsetzen von Blechen gleicher Stärke hergestellt, die unmittelbar nach Beendigung des Betonierens herausgezogen worden sind.

Die Überdeckung der Fuge mittels eines Schleifbleches und der Abschluß der Fahrbahn durch eine Granitschwelle ist in Abb. 457 dargestellt.

Die Anordnung der Balkeneisen und der Bügel ist aus dem Querschnitt (Abb. 458) und aus dem Längsschnitt zu ersehen. Um zu große Eiseneinlagen zu vermeiden, wurden die abgebogenen Balkeneisen mit versetzten Enden derart angeordnet, daß ein jedes derselben an einem Ende abgebogen, mit dem anderen Ende dagegen soweit geführt ist, als es die Biegungsmomente bedingten. Die genaue Lage der Eisen wurde einerseits durch die sie umgreifenden 12 mm starken Bügel, andererseits durch quer zwischen die beiden Schichten eingelegte Rundeisenstücke gewährleistet. Trotz der äußerst geringen Balkenbreite von nur 0,35 m gelang es, sowohl die Eisen als auch den Beton bei beiderseits geschlossenen Wänden der Schalkästen ohne besondere Schwierigkeiten einzubringen (vergl. S. 76).

Da wegen des reißenden Gebirgsflusses eine Zwischenstütze für die Rüstung ausgeschlossen war, wurde dieselbe als Sprengwerk ausgebildet und der Strebenschub auf die Widerlager übertragen (Abb. 456). Die Verwendung von Rundholz für ein Sprengwerk hat jedoch folgende Nachteile. Die Stärke der Streben ist am oberen und unteren Ende sehr verschieden, so daß der Querschnitt entweder zu reichlich bemessen werden muß und nicht ausgenutzt werden kann oder aber zu große Druckbeanspruchungen am oberen Ende auftreten. Ferner ist bei Verwendung von Rundholz das Zusammenpassen der Hölzer, vor allem auch der Zangen, nicht mit derselben Sorgfalt möglich wie beim Kantholz. Für abgebundene Holzkonstruktionen sollte daher stets Kantholz verwendet und Rundholz nur für Stand- oder Untergerüste sowie einzeln stehende Pfosten vorgesehen werden.

Nr. 6. Die Zilligerbachbrücke in Wernigerode a. Harz, welche von der Firma Mölders u. Co. in Hildesheim entworfen und ausgeführt wurde, entspricht in ihren Abmessungen den üblichen Grundgrößen (vergl. S. 82 Nr. 10 sowie S. 88).

Die Trägerhöhe (Abb. 460 u. 461) konnte, da hinreichende Bauhöhe vorhanden war, reichlich bemessen werden, und zwar zu rd. $^1/_{10}$ der Stützweite. Die Brückentafel ist hier nicht frei gelagert, sondern durch Eiseneinlagen starr mit den Betonwiderlagern verbunden, so daß eine teilweise Einspannung vorhanden ist. Die negativen Einspannungsmomente sind von den nacheinander unter 45° abgebogenen 4 Balkeneisen und den Eiseneinlagen des Widerlagers aufzunehmen.

Der Wirkung der Querkräfte ist durch die Eckversteifungen an den Balkenenden, durch die nach dem Auflager zu enger liegenden Bügel und durch die abgebogenen Eisen Rechnung getragen. Lastverteilende Querträger sind dagegen nicht angeordnet.

Betreffs der Gruppierung der Balkeneisen im Querschnitt ist zu erwähnen, daß die hier gewählte Anordnung, bei welcher sich die Stäbe der oberen Lage über den Zwischenräumen der unteren Lage befinden, den Vorteil größter Raumausnutzung bietet. Dagegen wird das Umstampfen der Stäbe wesentlich erleichtert, wenn man die oberen Eisen so legt, daß sie sich im Grundriß mit den unteren Eisen decken, was besonders bei großen Balkenhöhen in Betracht kommt. Die Bügel sind so angeordnet, daß sie jeweilig 5 Balkeneisen umfassen.

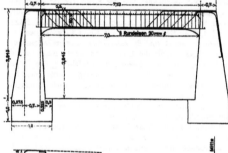

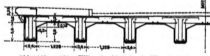

Abb. 460 u. 461. Zilligerbachbrücke in Wernigerode.

Die außergewöhnlich große Plattenstärke von 0,20 m und die sehr kräftigen Eckversteifungen zwischen Platte und Balken erhöhen zwar das Eisenbetongewicht beträchtlich, gewähren aber infolge der kräftigen Einspannung der Deckenplatten eine Ersparnis an Deckeneisen und bilden einen teilweisen Ersatz für die fehlenden lastverteilenden Querträger. Diese sind nur durch querlaufende, 1,20 bis 1,40 m lange geradlinige Stäbe vertreten, die sich sehr leicht verlegen lassen, deren Lage jedoch durch Verteilungsstäbe gesichert werden möchte. Eine solche möglichste Verminderung der Eisen, für die man einen erhöhten Aufwand an Beton in Kauf nehmen muß, empfiehlt sich stets dann, wenn die Bezugspreise für Zement und besonders für Kiessand und Klarschlag ungewöhnlich niedrig sind. Die Abdeckplatten sind in besonderen Formen gestampft und sodann verlegt worden. Erwähnt sei noch, daß sämtliche scharfe Kanten durch Anordnung von Eckleisten in die Schalkästen abgeschrägt worden sind.

Nr. 7. Die Fusebrücke in Peine (Entwurf und Ausführung von der Firma Mölders u. Co., Hildesheim) ist besonders bemerkenswert wegen der außerordentlich geringen Bauhöhe von 0,65 m (Abb. 462). Auch der Grundriß ist unregelmäßig infolge der schiefen Lage und der wachsenden Breite der Brückentafel.

Die Balkenhöhe beträgt für die Randbalken 0,55 m, für den mittleren Balken 0,60 m. Um die verfügbare Bauhöhe möglichst auszunutzen, erhielt die Oberfläche der Eisenbetontafel ähnliches Quergefälle wie die Straßenoberfläche. Die Schlankheit $l:h$ beträgt für die beiden Randträger 18,3 und 21,0.

Die bei der geringen Trägerhöhe erforderliche starke Rundeisenbewehrung, welche die Werte $A' = 0,88$ bis 1 vH. (vergl. S. 82 Nr. 17) ergibt, besteht bei den 5 verschieden langen Balken in je 9 bis 13 Rundeisen von 30 mm Durchmesser. Besonders sei hervorgehoben, daß keine obere Bewehrung vorhanden ist. Um den Zugmittelpunkt möglichst tief zu legen, sind diese Stäbe ausnahmsweise in nur einer wagerechten Schicht angeordnet, wodurch sich die ungewöhnlich große Balkenbreite von 0,65 m ergibt. Die kräftigen Ausfüllungen der Zwickel zwischen Balken und Platte bewirken eine starre Eckversteifung und eine außergewöhnlich feste Einspannung der Platten.

Es konnten daher ihre Eiseneinlagen, wie bei dem vorhergehenden Beispiel auf ein Mindestmaß beschränkt werden. Da bei Brücken mit sehr geringer Bauhöhe die Wirkung der Scherkräfte sorgfältig beachtet werden muß, wurde hier auf die Ausbildung der Bügel besonderes Gewicht gelegt. Um eine möglichst innige Verbindung der Druck- und Zugschicht herzustellen, sind außer den üblichen senkrechten Bandeisenbügeln auch noch schräg nach den Zwickeln zu verlaufende Bügel eingelegt, welche die sämtlichen Stäbe eines Balkens umfassen und weit in die Druckschicht der Platte eingreifen.

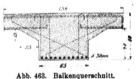

Abb. 462 u. 463. Fusebrücke in Peine.　　Abb. 463. Balkenquerschnitt.

Auch die zugleich mit der Eisenbetontafel hergestellten ausladenden Abdeckplatten werden von diesen Bügeln durchdrungen. Bemerkt sei noch, daß hier von dem Mittel, die Steifigkeit der Eisenbetontafel durch lastverteilende Querträger zu erhöhen, nicht Gebrauch gemacht worden ist.

Nr. 8. Die Montbrillantbrücke am Bahnhof Lausanne (vergl. auch S. 82, Nr. 31) ist ein bemerkenswertes Beispiel der äußerst vorteilhaften Verwendung von Auskragungen in Eisenbeton sowie der Anwendung von eisernen Kipplagern bei starken Straßensteigungen.

An Stelle der alten eisernen Brücke von 5 m Fahrbahnbreite sollte eine 10 m breite Eisenbetonbrücke über die sechs im Betrieb befindlichen Gleise hergestellt werden (Abb. 464). Um einen Abbruch und Wiederaufbau der vorhandenen 5,25 m breiten steinernen Pfeiler zwischen den Betriebsgleisen zu vermeiden, wurde auf den

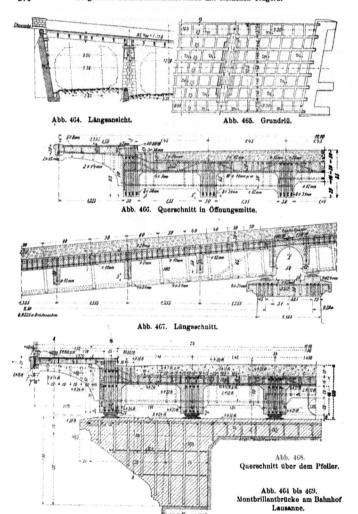

Abb. 464. Längsansicht.   Abb. 465. Grundriß.

Abb. 466. Querschnitt in Öffnungsmitte.

Abb. 467. Längsschnitt.

Abb. 468.
Querschnitt über dem Pfeiler.

Abb. 464 bis 469.
Montbrillantbrücke am Bahnhof
Lausanne.

Pfeilern mittels einer zweimaligen Auskragung die nahezu doppelt so breite Eisenbetontafel gelagert (Abb. 468). Die erste Auskragung besteht in beiderseitigen, 1,50 m
hohen und 1,35 m weit ausladenden Konsolen, die 0,80 m in die Stirnseiten der Pfeiler ein-
binden. Sie sind durch eine mit kräftigen Zugankern versehene Platte verbunden,
welche auf den Pfeilerköpfen ruht, und deren Oberfläche als Auflager für die Fahrbahnträger dient. Die zweite Auskragung unter den beiderseitigen, 1,50 m breiten
Fußwegen wird von den Konsolen und der zwischen ihnen gespannten Platte gebildet.
Die oberen Eisen dieser Kragträger sind in den Querträgern verankert. Ferner sei
noch auf die zahlreichen senkrechten Flacheisenbügel hingewiesen, durch die besonders
in den Pfeilerkonsolen im Verein mit wagerechten Verteilungsstäben ein sicherer
Verband mit der Druckzone erzielt wird.

Die andere bemerkenswerte Neuerung bei dieser Brücke ist die Anwendung von
eisernen Kipplagern (Abb. 469). Da die Eisenbetontafel in gleicher Steigung wie die unter
8,5 vH. oder 1 : 11,8 steigende Straße liegt (Abb. 467), mußte, um wagerechte Stützkräfte,

welche die vorhandenen Pfeiler ungünstig beanspruchen
würden, möglichst zu vermeiden, auf die Ausbildung von
wagerechten Lagerfugen besonderes Gewicht gelegt werden.
Durch die Anordnung von festen Kipplagern mit zylindrischen Druckflächen, deren untere Platte wagerecht liegt,
entstehen infolge der Eigenlast der Brücke und der senkrecht
wirkenden Gewichte der Verkehrslasten nur senkrechte
Stützkräfte. Dagegen werden bei der hier gewählten Anordnung einer geneigten Oberplatte in der Berührungsfläche
derselben mit den Balken Schubkräfte hervorgerufen, welche
zum Teil durch die Reibung dieser Flächen, zum Teil durch
besondere Knaggen übertragen werden. Der Wärmewirkung
ist ferner durch 2 cm weite, sorgfältig abgedeckte Trennungsfugen über den Pfeilermitten Rechnung getragen (Abb. 467).
Über den Pfeilern ladet die Platte aus und überspannt den
Abstand der Endquerträger, so daß ein schmaler, leicht ab-

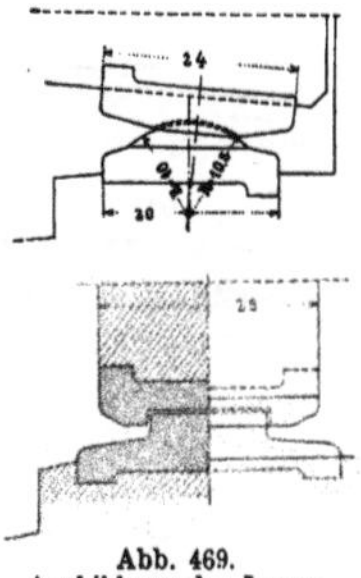

Abb. 469.
Ausbildung der Lager.

zudeckender Fugenspalt entsteht, dabei aber doch die leichte Zugänglichkeit der Lager
gewahrt bleibt. Bei größerer Stützweite dürfte es sich empfehlen, zur Vermeidung von
Wärmespannungen das obere Lager am höher liegenden Trägerende nicht fest, sondern
als Rollenlager auszubilden.

Die in der Längsrichtung ausladenden Endquerträger und die hohen versteifenden
Querträger wirken einem Verdrehen der Balken entgegen und gewähren eine gleichmäßige Druckverteilung auf die Lager. Der geringe Abstand der Querträger war durch
die ihre Verlängerung bildenden Konsolen bedingt.

Die sorgfältig ausgebildete Eisenbewehrung zeigt im übrigen vollständig die Bauweise der Firma Hennebique, welcher dieses bemerkenswerte Beispiel zu danken ist.

Nr. 9. Die Lockwitzbachbrücke für eine Fabrikzufahrtstraße in
Niedersedlitz bei Dresden (vergl. auch S. 82, Nr. 11) wurde vom Verfasser im Brücken-
baubureau der Königlich Sächsischen Staatseisenbahnen entworfen und von der Firma
Max Pommer, Leipzig, unter der Aufsicht der Staatseisenbahnverwaltung ausgeführt.

Über den 8 m breiten Lockwitzbach sollte eine 8,7 m breite Zufahrtbrücke als
Ersatz für die beim Bau einer Staatsbahnunterführung abgebrochene Brücke errichtet
werden (Abb. 470 u. 471). Die Bauhöhe war äußerst beschränkt, da die Brückenunterkante
durch ein unterhalb der Baustelle befindliches festes Wehr bestimmt und die längs des Baches

18*

laufende Staatsstraße stark abgesenkt worden war, so daß die Brückenoberkante möglichst tief liegen sollte. Für die Fahrbahnversteinung wurde Kleinpflaster von rd. 0,12 m Stärke verwendet, das unmittelbar auf die der Fahrbahnoberfläche entsprechend gekrümmte Betontafel in Zementmörtel verlegt wurde (Abb. 472). Den seitlichen Abschluß bilden beiderseits rd. 30 cm breite erhöhte Betonstreifen, die zur Sicherung der überstehenden Brüstungen gegen Anfahren von Fahrzeugen dienen und mit Winkeleisen gesäumt sind. Die erhöhte Gangbahn ist durch Auffüllen von Kies hergestellt und mit Klinkerplatten belegt. Die Bauhöhe von 0,60 m verminderte sich durch das notwendige Quergefälle noch um 6 cm. Die Balkenschlankheit betrug somit für die niedrigsten Balken $l:h=21$. Schließlich wurde durch die Forderung, daß der Fußweg erforderlichenfalls später einmal auch auf die andere Brückenseite verlegt werden könne, auch die Ausnutzung der verfügbaren Höhe unter der erhöhten Gangbahn verhindert.

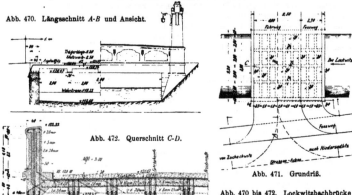

Abb. 470. Längsschnitt *A-B* und Ansicht.

Abb. 472. Querschnitt *C-D*.

Abb. 471. Grundriß.

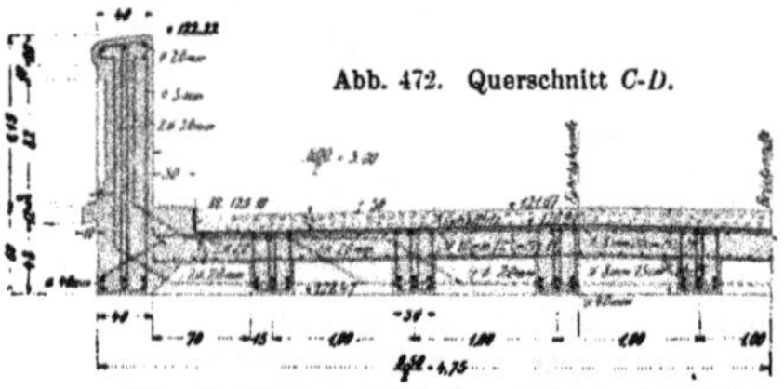

Abb. 470 bis 472. Lockwitzbachbrücke für eine Fabrikzufahrtstraße in Niedersedlitz.

Um die Fahrbahntafel als möglichst steife Platte auszubilden, wurde die Stärke der Platte möglichst groß, und zwar mit 0,20 m, und der Balkenabstand möglichst klein, nämlich zu 1,0 m, angenommen. Ferner werden die beiden als Brüstung dienenden Randträger durch die lastverteilenden Querträger zur Erhöhung der Fahrbahnsteifigkeit herangezogen, so daß die Platte als auf vier Seiten gestützt angesehen werden kann (Abb. 471).

Da eine jedesmalige Abbiegung der Trageisen der Platte über den Balken infolge der großen Plattenstärke und des geringen Balkenabstandes unwirtschaftlich erschien, wurden die oberen und unteren Eisen der Platte geradlinig durchgeführt. Obere Eiseneinlagen in der Druckzone der Balken sind nicht vorhanden. Nur in den erhöhten Randträgern wurden einige obere Stäbe eingelegt, die zugleich den Bandeisenbügeln einen sicheren Halt beim Betonieren gewähren. Dabei wurde auf eine möglichst gleichmäßige Verteilung der Eiseneinlagen in diesen der Sonnenbestrahlung besonders ausgesetzten Betonkörpern vor allem Gewicht gelegt. Die Eisen der lastverteilenden Querträger sind in den Randträgern eingespannt. In den Endquerträgern sind zur gleichmäßigen Druckverteilung auf das Widerlager besondere Eisen eingelegt.

Bemerkenswert ist ferner die Ausbildung der Widerlager und der Abschluß der Fahrbahntafel gegen das Erdreich. Durch den Fortfall des Kammermauerwerks hinter den voll ausgebildeten Endquerträgern entgeht man der Schwierigkeit der Dichtung einer senkrechten Trennungsfuge. Nur auf eine Bewegung in der wagerechten Lagerfuge ist beim Aufbringen des Asphaltfilzbelags durch loses, dachziegelförmiges Überdecken Rücksicht zu nehmen.

In der Ansicht wurde der hohe Randträger durch einen Sims in der Fahrbahnhöhe und durch felderartige Aussparungen, welche in dunklerem Vorlagemörtel ausgeführt sind, im oberen Teile architektonisch belebt. Ferner erhielt die Oberkante der Randträger eine schwache Krümmung, um ein leichteres Aussehen zu erzielen.

Bei Vollbelastung der Brücke übernehmen die Randträger, ihrem größeren Trägheitsmoment entsprechend, auch einen größeren Anteil des gesamten Biegungsmoments, so daß vor allem die ihnen benachbarten, besonders niedrigen Hauptbalken durch sie entlastet werden.

Bei Belastung mit einem 20 t schweren Kesselwagen in der Brückenachse und Menschengedränge muß man annehmen, daß eine Einsenkung des versteifenden Querträgers eintritt, welche aber wohl für die drei von dem Belastungsstreifen bedeckten Balken infolge der großen Steifigkeit der Fahrbahntafel gleich groß angenommen werden darf. Es kann daher mit einem Zusammenarbeiten von drei Balken gerechnet werden. Die Zulässigkeit dieser Annahme wurde durch Durchbiegungsmessungen bei der Brückenprüfung bestätigt, bei welcher auch Dehnungsmessungen an den Eiseneinlagen der Balken vorgenommen wurden mittels besonderer, gemeinsam mit diesen einbetonierter Marken.

Bemerkenswert ist noch der Wettbewerb mit einer eisernen Brücke. Bei den damaligen hohen Eisenpreisen wurde durch die Ausführung in Eisenbeton eine Ersparnis von 40 vH. gegenüber einer Ausführung in Eisen erzielt.

· Nr. 10. Die Lockwitzbachbrücke für die Zufahrtstraße zum Güterbahnhof der Sächsischen Staatsbahn in Niedersedlitz (vergl. auch S. 82, Nr. 32), nach dem Entwurfe des Verfassers unter Aufsicht der Kgl. Sächs. Staatseisenbahnverwaltung ausgeführt von der Firma Max Pommer, Leipzig, ist ein geeignetes Beispiel, um darzutun, wie man selbst bei den schwierigsten Grundriß- und Höhenverhältnissen doch durch die Ausführung in Eisenbeton eine noch verhältnismäßig einfache Konstruktion erhalten kann, während eine eiserne Brücke erhebliche Schwierigkeiten bereiten würde. Diese Überlegenheit des Eisenbetons im vorliegenden Falle zeigt sich besonders in dem Preisunterschied. Gegenüber einem allerdings sehr hohen Angebot für Eisenkonstruktion ergab die Ausführung in Eisenbeton eine Ersparnis von 46 vH.

Infolge der Absenkung einer Staatsstraßenunterführung innerhalb von dicht bebautem, wertvollem Gelände sowie infolge der Forderungen der Straßen- und Flußpolizeibehörde war die Grundriß- und Höhenlage der Brücke fest bestimmt. Sie lag nicht nur in einer Krümmung der Straße, welche den Bach unter einem Winkel von rd. 36° schief kreuzt, sondern auch im Gefälle 1 : 50, wobei die Wölbung der Straßenoberfläche infolge der verschiedenen Querneigungen die Unregelmäßigkeit noch erhöhte (Abb. 473). Als Versteinung wurde wie beim Beispiel Nr. 9 Kleinpflaster in Zementmörtel von 12 cm Gesamtstärke angenommen. Die Dichtung besteht in einem Zementmörtelüberzug und einem doppelten Asphaltfilzbelag. Die Oberfläche der Eisenbetontafel liegt somit 13,5 cm unter der Straßenoberfläche parallel mit dieser und folgt den verschiedenen Krümmungen und Steigungen, um den verfügbaren Raum möglichst auszunutzen. Die Unterkante aller Balken dagegen verläuft in einer wagerechten Ebene, deren Höhenlage durch das Durchflußprofil fest bestimmt war. Es ergeben sich folglich, wie aus dem Querschnitt CD (Abb. 476) ersichtlich ist, für sämtliche Balken verschiedene Höhen. Die Höhe der Holzkästen, welche die Boden und Wandschalung der Balken bilden und auf der wagerechten Ebene des Standgerüstes lagen, wurde gruppenweise so bemessen, daß die geringste Plattenstärke in jeder Gruppe 0,20 m beträgt.

Um eine möglichst gleiche Bewehrung der durchgängig 0,40 m breiten Rippen zu erhalten, nahm man den Balkenabstand verschieden groß, und zwar zu 1,20 bis 1,80 m an, so daß die Balken dort am engsten liegen, wo das Schnittgerinne die

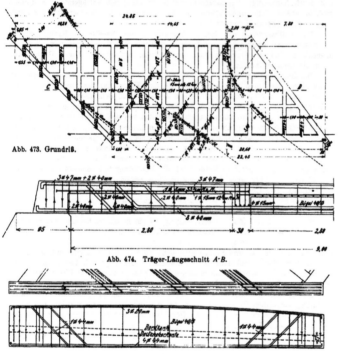

Abb. 473. Grundriß.

Abb. 474. Träger-Längsschnitt A-B.

Abb. 475. Grundriß und Ansicht des linken Randträgers.

Brückenmitte im Längsschnitt kreuzt. Für diese niedrigsten Balken ergibt sich die Schlankheit $l : h = 20{,}6$.

In der statischen Berechnung lag der für die Überdeckungen kennzeichnende Fall vor, daß die Wagen nicht nur parallel zur Richtung der Balken fahren, sondern dieselben in einem beliebigen Winkel kreuzen können, was bei Brücken nur selten vorkommt.

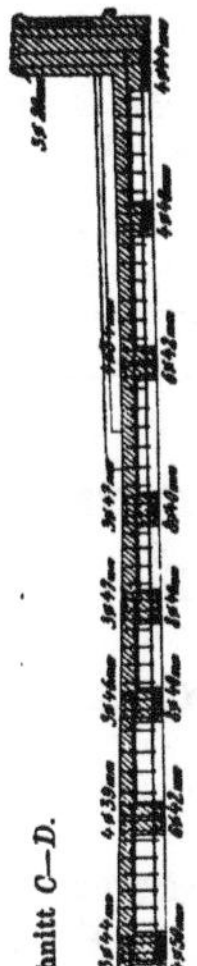

Abb. 476. Querschnitt C—D.

Abb. 473 bis 476. Lockwitzbachbrücke für die Zufahrtstraße zum Güterbahnhof Niedersedlitz.

Als ungünstigste Belastung wurde diejenige Stellung gefunden, bei welcher der Wagen mit dem einen Rad über der Balkenmitte, mit dem anderen Rad derselben Achse in der Feldmitte der Deckenplatte steht. Neben, vor und hinter dem 24 t schweren Wagen wurde sodann noch Menschengedränge mit $p = 420$ kg/m² angenommen.

Infolge der geringen Balkenhöhe waren zur Verminderung der Druckspannungen in den niedrigeren Balken obere Eisen in der Druckzone erforderlich. Besonderes Gewicht wurde auf den schief anschneidenden Anschluß der kurzen Balken an die Randträger gelegt, welche hier vor allem zur Aufnahme der Auflagerdrücke dieser Balken dienen. Besonders diese Anschlüsse würden bei einer Eisenkonstruktion erhebliche Schwierigkeiten bereiten, während sie in Eisenbeton verhältnismäßig einfach sind. Die Ausführung in Eisen hätte übrigens den bleibenden und nicht unbedenklichen Nachteil gehabt, daß infolge der geringeren Steifigkeit und des geringen Eigengewichts ein Federn der Brücke zu erwarten gewesen wäre. Diese Schwingungen können sehr erhebliche und nicht berechenbare Zusatzspannungen hervorrufen und vor allem auf den Bestand der Nietverbindungen nachteilig wirken.

Zur Vergrößerung des Eigengewichts und zur Erhöhung der Steifigkeit der Eisenbetontafel ging man hier, ebenso wie im vorigen Beispiel, von der Erwägung aus, daß eine möglichst große Plattenstärke das Eigengewicht am wirksamsten erhöht, daß auch anderseits an Platteneisen gespart werden kann und auch die Schalungskosten etwas verringert werden. Da ferner die Platte als Druckgurt dient und die Druckspannungen mit abnehmender Bauhöhe sehr stark wachsen, empfiehlt es sich auch zur Verminderung der Druckspannungen, die Plattenhöhe möglichst groß zu wählen. Schließlich dient die Platte noch zur Lastübertragung, wenn nur ein einzelner Balken belastet wird, wobei in der Platte Scherspannungen hervorgerufen werden. In ähnlicher Weise wirken auch die lastverteilenden Querträger, durch welche außer dem belasteten Balken ein großer Teil der Nachbarbalken zur Mitarbeit herangezogen wird.

II. Durchlaufende Träger.

Nr. 11. Die Straßenüberführung bei Békés Csaba über die Ungarische Staatseisenbahn mit 11 Öffnungen von rd. 10 m Stützweite (Abb. 417), entworfen von Professor Zielinsky-Budapest, zeichnet sich durch ihre große Länge von rd. 110 m aus bei einer lichten Breite von 8 m. Die Verkehrslast besteht aus Menschengedränge und einem 20 t-Wagen. Auf beiden Seiten sind die Fußwege auf ihrer ganzen Breite von 1 m ausgekragt, so daß $c = $ rd. $^1/_2 a$ ist. Die Randträger sowie die Auskragung der Platte sind nach Abb. 157 (S. 70) ausgebildet, wobei allerdings für die Berechnung der Platte und besonders für die Lastverteilung auf die einzelnen Hauptträger die starke Verschiedenheit der Trägheitsmomente derselben zu beachten ist (vergl. S. 125). Die Hauptträger sind durch eine große Anzahl lastverteilender Querträger miteinander verbunden, so daß angenähert quadratische Plattenfelder entstehen, wie es auch häufig bei den Brücken von Hennebique und Maciachini der Fall ist. Da in den ersten drei Öffnungen auf der linken Brückenseite die Pfeilerreihen nicht parallel gestellt werden konnten, wurden daselbst die Querträger rechtwinklig zu den Haupttträgern angeordnet, in den

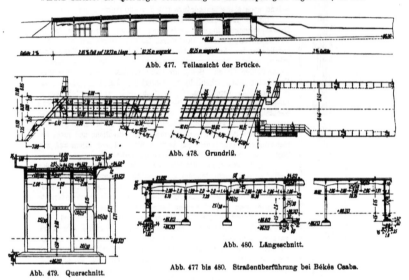

Abb. 477. Teilansicht der Brücke.

Abb. 478. Grundriß.

Abb. 480. Längsschnitt.

Abb. 479. Querschnitt.

Abb. 477 bis 480. Straßenüberführung bei Békés Csaba.

übrigen Öffnungen aber parallel zu den Stützenreihen. Die Säulen der Zwischenpfeiler werden durch einen mittleren sowie auch durch einen besonderen unteren Querverband zusammengehalten und ruhen auf einer sorgfältig ausgebildeten Eisenbetongrundplatte. Die Widerlager und Flügelmauern sind ebenfalls aus Eisenbeton hergestellt. Bemerkenswert ist im Längsschnitt (Abb. 480) auch der Abschluß der Fahrbahntafel am Widerlager.

Nr. 12. Die Eisenbahnunterführung bei Heerens, Illinois (Abb. 481 bis 483), entworfen und ausgeführt von der Expanded Metal & Corrugated Bar Company in St. Louis, ist ein Beispiel für die häufige Anwendung durchgehender Eisenbetonbalken zur Überbrückung von Eisenbahneinschnitten. An Stelle der sonst erforderlichen hohen Widerlager treten hier Eisenbetonpfeiler, wobei auch die Flügelmauern und die nachträgliche Hinterfüllung der Widerlager gespart werden.

Dieses Beispiel zeigt fünf Öffnungen, deren mittelste 9,75 m Stützweite besitzt, während für die äußeren Seitenöffnungen $l = 6,10$ m ist. Außer dieser Lösung kommt beim Entwerfen solcher Einschnittsüberführungen auch die gebräuchlichere Anordnung von nur drei nahezu gleichen Öffnungen in Betracht, welche dadurch entsteht, daß man die Endwiderlager nach der Mitte des Einschnitts zu verschiebt. Dadurch ergibt sich zwar eine Vermehrung des Widerlager- und Flügelmauerwerks, aber anderseits auch

eine wesentliche Verkürzung der Brückenlänge und der Wegfall des zweiten und
fünften Pfeilers. Die Voraussetzung dieser Grundform ist die Bedingung, daß tragfähiger und standfester Boden im Einschnitt vorhanden ist, da etwaige Rutschungen des
in seiner Lagerung gestörten Gesteins eine starre Verbindung der Pfeiler mit den Balken
sowie auch die Anordnung von durchlaufenden Trägern verbieten (vergl. S. 19).

Bemerkenswert ist ferner, daß die Pfeilerquerschnitte infolge der schiefen Lage
der Brücke zum Einschnitt nicht die Gestalt eines Quadrats, sondern die eines Rhombus
aufweisen. Für die Ausführung empfiehlt sich dabei jedoch, die spitzwinkligen Kanten

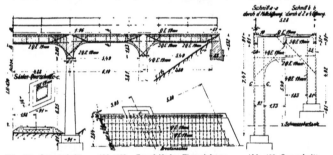

Abb. 481. Längsschnitt.   Abb. 483. Grundriß der Eiseneinlagen.   Abb. 482. Querschnitt.
Abb. 481 bis 483. Eisenbahnunterführung bei Heerens, Illinois.

durch Fasen abzustumpfen, um Beschädigungen beim Ausschalen zu vermeiden. Die
Pfeiler sind rahmenartig mit sehr kräftigen, oberen, wagerechten Balken ausgebildet, in
denen zur Aufnahme der Scherspannungen im Brückenquerschnitt und zur Verankerung
mit den Hauptträgern im Längsschnitt unter 45° geneigte Eisen eingelegt sind.

Die Eiseneinlagen bestehen in gewellten Formeisen, den sogen. „corrugated bars“,
von denen bezeichnenderweise im ganzen Bauwerk nur eine einzige Stärke, nämlich
³/₄zöllige Eisen verwendet worden sind. Auch bei anderen Bauten könnte häufig
durch die Anwendung von nur wenigen Rundeisenstärken eine wesentliche Erleichterung
für die Ausführung erzielt werden.

Nr. 13. Die Molodiabrücke in
Halicz (Galizien), entworfen und
ausgeführt von der Firma Hennebique,
besitzt drei durchlaufende Balken über
je drei Öffnungen von je 12 m Stützweite (vergl. auch S. 84 Nr. 47).

Die Hauptbalken ruhen auf Säulen
und diese wiederum auf Eisenbetonpfählen, welche 3 bis 4 m tief in den
Boden eingetrieben sind. Infolge der
geringen Breite dieser nur 0,40 m
starken Säulen, die durch eine Ausfüllung der Zwischenräume gegen-

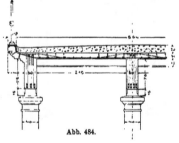

Abb. 484.

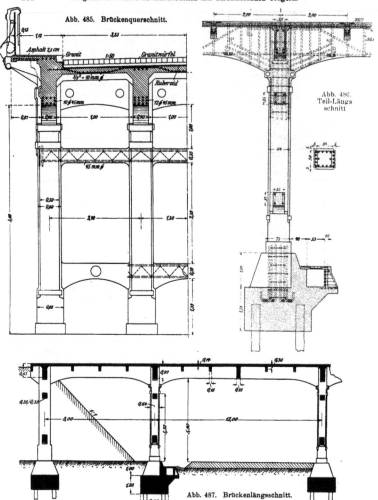

Abb. 485. Brückenquerschnitt.

Abb. 486.
Teil-Längs
schnitt

Abb. 487. Brückenlängsschnitt.

Abb. 485 bis 487.
Karawajeffsche Brücke auf Bahnhof Kiew I.

einander versteift sind, kann bei einem gegebenen Durchflußprofil wesentlich an Brückenlänge gespart werden (vergl. Abb. 190 S. 98).

Im Querschnitt (Abb. 484) ist die außergewöhnliche Größe des Balkenabstandes von 2,45 m auffallend, durch welche die Hennebiquebrücken allgemein gekennzeichnet werden. Durch sechs Querträger ist der Grundriß in nahezu quadratische Plattenfelder geteilt, die kreuzweise bewehrt sind. Die beiden schwächer belasteten Randträger haben dieselben Betonabmessungen wie der mittlere Träger, aber geringere Eiseneinlagen. Jedes Rundeisen ist mittels U-förmiger Bandeisenbügel mit der Druckzone verankert. Auf die sorgfältige Durchdringung der der Sonnenbestrahlung ausgesetzten Auskragungen mit Eiseneinlagen sei besonders hingewiesen.

Nr. 14. Karawajeffsche Brücke auf Bahnhof Kiew I (vergl. auch S. 84 Nr. 60) dient zur Überführung einer 9 m breiten Straße über vier Gleise. Sie weist vier Hauptträger von 2,4 m Abstand auf, die über vier Öffnungen von 8, 12, 12 und 8 m Stützweite durchlaufen und mit den Säulen fest verbunden sind (Abb. 487). Die beiden Endfelder sind verschüttet, so daß die Ausbildung besonderer Widerlager und Flügel erspart wurde.

Da der Baugrund aus angeschwemmtem Boden eines alten Flußbettes von bedeutender Mächtigkeit bestand und mit Rücksicht auf den veränderlichen Wasserstand Holzpfähle nicht zulässig waren, sind sämtliche Säulen auf Straußpfählen gegründet, wodurch eine zuverlässige Gewähr für eine gleichbleibende Höhenlage der Stützpunkte geboten ist. Auf die Querversteifung der Säulen und ihre sorgfältige Verbindung mit den Balken sowie die zahlreichen Querträger sei besonders hingewiesen (Abb. 485).

Nr. 15. Die Bormidabrücke bei Ferrania (Italien), entworfen und ausgeführt von der Firma Maciachini in Mailand, ist ein Beispiel einer durchlaufenden Balkenbrücke mit zwei Zwischenpfeilern und drei Öffnungen von 8,0 m, 12,0 m und

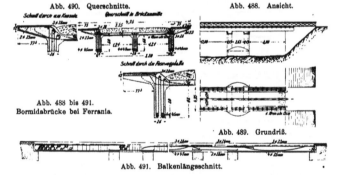

Abb. 490. Querschnitte.   Abb. 488. Ansicht.

Abb. 488 bis 491.
Bormidabrücke bei Ferrania.

Abb. 489. Grundriß.

Abb. 491. Balkenlängsschnitt.

8,0 m lichter Weite (vergl. auch S. 84, Nr. 61). Eigenartig ist die Ausbildung der anscheinend alten Pfeiler von 4,95 m Breite, die mit Vorköpfen versehen sind. Auf diesen Pfeilern sind zur möglichsten Einschränkung der Stützweiten bündig mit ihren Längsseiten zwei je 1,15 m starke Pfeilerwände aufgesetzt, so daß die Hauptträger durchlaufende Balken auf sechs Stützen bilden. Die eigenartige Anordnung einer doppelten Stützung über den Pfeilern, welche zuweilen angewendet wird, um die Stützweiten der großen Hauptöffnungen zu verringern, ist bei diesem Beispiel ohne Nachteil, da die Pfeiler ungewöhnlich breit sind und das Eigengewicht der Eisenbetonbrücke im Verhältnis zur Verkehrslast sehr groß ist (vergl. Bemerkung zu Punkt 2 auf S. 184).

Infolge der starken Auskragung unter den Fußwegen (Abb. 490), die rd. 0,6 des Balkenabstandes oder rd. $^1/_5$ der gesamten lichten Breite beträgt, werden Konsolen erforderlich, zwischen denen die Platte in der Längsrichtung der Brücke gespannt ist

Durch kräftige Obergurteisen (Abb. 491), besonders in den kleineren Öffnungen, ist den negativen Momenten, welche vor allem durch die Verkehrsbelastung der Nachbaröffnungen entstehen, Rechnung getragen, ebenso den Scherkräften durch die in der Nähe der Stützen enger liegenden Bügel.

Nr. 16. Die Straßenbrücke über das Altwasser der Vils bei Vilssöhl[1]) (Niederbayern) (vergl. auch S. 84, Nr. 39), ausgeführt von Dyckerhoff u. Widmann, A.-G., Nürnberg, ist als durchlaufender Träger über drei Stützen berechnet worden, für eine gleichmäßig verteilte Belastung von 900 kg/m². Die auf Holzpfählen (Abb. 493)

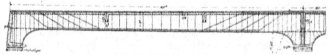

Abb. 492. Balkenlängsschnitt.

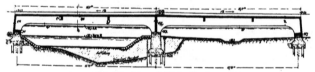

Abb. 493. Längsschnitt der Brücke.

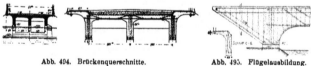

Abb. 494. Brückenquerschnitte.   Abb. 495. Flügelausbildung.

Abb. 492 bis 495. Straßenbrücke über das Altwasser der Vils bei Vilssöhl.

gegründeten End- und Zwischenpfeiler sind unter Wasser betoniert und bis 30 cm über dem Normalwasserstand emporgeführt. Bis zu dieser Tiefe sind die Hauptträger heruntergezogen. Den Abschluß gegen das Erdreich bildet die an den Trägerenden bis zur Lagerfuge herabgeführte Platte (Abb. 492). Die Flügel sind durch die über die Endwiderlager auskragenden seitlichen Hauptträger gebildet (Abb. 495).

Nr. 17. Fußwegüberführung auf Bahnhof Halle a. d. S. Die Abb. 496 zeigt einen von der Aktiengesellschaft für Beton- und Monierbau, Berlin, im Sommer

[1]) Vergl. Luft, Deutsche Bauztg. 1908.

1907 auf Bahnhof Halle a. d. S. während des Betriebes ausgeführten 2 m breiten
Fußsteg. Der Steg verbindet die Werkstatt mit dem Lokomotivschuppen. Die Anschluß-
treppen sind ebenfalls in Eisenbeton hergestellt.

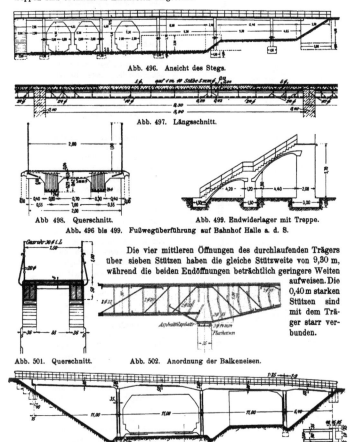

Abb. 496. Ansicht des Stegs.

Abb. 497. Längsschnitt.

Abb 498. Querschnitt.   Abb. 499. Endwiderlager mit Treppe.

Abb. 496 bis 499. Fußwegüberführung auf Bahnhof Halle a. d. S.

Die vier mittleren Öffnungen des durchlaufenden Trägers
über sieben Stützen haben die gleiche Stützweite von 9,30 m,
während die beiden Endöffnungen beträchtlich geringere Weiten
aufweisen. Die
0,40 m starken
Stützen sind
mit dem Trä-
ger starr ver-
bunden.

Abb. 501. Querschnitt.   Abb. 502. Anordnung der Balkeneisen.

Abb. 500. Ansicht der Brücke.

Abb. 500 bis 502. Fußwegüberführung auf Bahnhof Höhr.

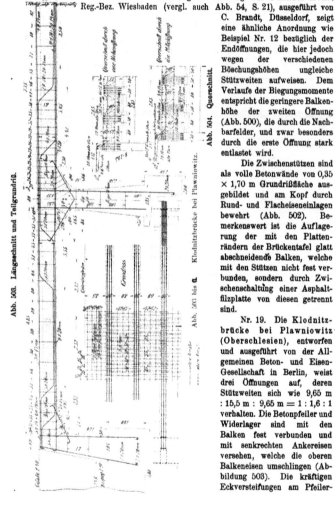

Abb. 503. Längsschnitt und Teilgrundriß.

Abb. 504. Querschnitt.

Abb. 503 bis d. Klodnitzbrücke bei Plawniowitz.

Nr. 18. Die Fußwegüberführung auf Bahnhof Höhr, Reg.-Bez. Wiesbaden (vergl. auch Abb. 54, S. 21), ausgeführt von C. Brandt, Düsseldorf, zeigt eine ähnliche Anordnung wie Beispiel Nr. 12 bezüglich der Endöffnungen, die hier jedoch wegen der verschiedenen Böschungshöhen ungleiche Stützweiten aufweisen. Dem Verlaufe der Biegungsmomente entspricht die geringere Balkenhöhe der zweiten Öffnung (Abb. 500), die durch die Nachbarfelder, und zwar besonders durch die erste Öffnung stark entlastet wird.

Die Zwischenstützen sind als volle Betonwände von 0,35 × 1,70 m Grundrißfläche ausgebildet und am Kopf durch Rund- und Flacheiseneinlagen bewehrt (Abb. 502). Bemerkenswert ist die Auflagerung der mit den Plattenrändern der Brückentafel glatt abschneidende Balken, welche mit den Stützen nicht fest verbunden, sondern durch Zwischenschaltung einer Asphaltfilzplatte von diesen getrennt sind.

Nr. 19. Die Klodnitzbrücke bei Plawniowitz (Oberschlesien), entworfen und ausgeführt von der Allgemeinen Beton- und Eisen-Gesellschaft in Berlin, weist drei Öffnungen auf, deren Stützweiten sich wie 9,65 m : 15,5 m : 9,65 m = 1 : 1,6 : 1 verhalten. Die Betonpfeiler und Widerlager sind mit den Balken fest verbunden und mit senkrechten Ankereisen versehen, welche die oberen Balkeneisen umschlingen (Abbildung 503). Die kräftigen Eckversteifungen am Pfeilerkopfe werden durch unter nahezu 30° geneigte Eisen und zahlreiche Bügel verstärkt. Den unteren Teil der Widerlager bildet eine im Mittel 1,60 m starke Betonplatte, auf welcher sich die Vorderwand und die Flügelmauern erheben. Durch die Verankerung der Trägerenden mit dem Betonwiderlager wird ein kräftiges Einspannungsmoment an den Endstützen erzeugt und dadurch eine ähnliche Wirkung wie bei einer Rahmenbrücke mit Zwischenstützen erzielt. Infolge der Verringerung der positiven Streckenmomente durch die großen negativen Stützenmomente konnten die Balken der mittleren, 15,5 m weiten Öffnung nur 0,90 m hoch bemessen werden, so daß sich die Schlankheit $l : h = 17,2$ ergibt.

Die Grundmaße, die auf S. 84, Nr. 53 zusammengestellt sind, entsprechen im allgemeinen den üblichen Werten. Nur die Plattenstärke erscheint in Anbetracht des verhältnismäßig kleinen Balkenabstandes von 1,10 m mit 0,20 m etwas reichlich bemessen, doch wird dadurch eine Versteifung der hohen Träger erreicht. Sowohl in der Platte, wie in den allerdings nur in den Öffnungsmitten vorhandenen, lastverteilenden Querträgern sind die Trageisen trotz der großen Höhe sorgfältig abgebogen. Auch hier sind ebenso wie in den Hauptbalken allenthalben geradlinig durchgehende obere Eisen mit kräftigen Endhaken vorgesehen. Die rd. 1 m breiten beiderseitigen Fußsteige werden von der ausgekragten Eisenbetonplatte gebildet und sind, wie aus dem Kantenschutzeisen zu ersehen ist, ohne jegliche Bekiesung oder sonstigen Belag. Wegen des Höhenunterschiedes von Fußweg und Fahrbahnplatte werden die Trageisen der Auskragung in dem erhöhten Randträger und in der Platte sorgfältig verankert.

Erwähnt sei noch, daß für sämtliche Eiseneinlagen Stahl verwendet worden ist, der zwar bekanntlich eine wesentlich höhere Zugfestigkeit als Flußeisen, aber auch eine viel geringere Biegsamkeit besitzt. Es wurde daher auf die Ausrundung der Ecken, besonders bei den 20 mm starken Trageisen der Balken, Gewicht gelegt, was sich nach S. 260 auch für alle Eisensorten empfiehlt, um die sprengende Wirkung zu scharfer Ecken auf den umhüllenden Beton zu vermeiden.

Da der durchlaufende Träger sowohl an den Widerlagern wie an den Pfeilern fest eingespannt ist, verzichtete man darauf, durch Anordnung von Trennungsfugen auf die Ausdehnung oder Zusammenziehung infolge der Wärmewirkung Rücksicht zu nehmen.

Nr. 20. Die Achbrücke zwischen Wolfurt und Kennelbach (Tirol),[1] entworfen und ausgeführt von der Firma E. A. Westermann in Innsbruck und Bregenz, hat eine Gesamtlänge von rund 116 m (vergl. auch S. 84, Nr. 63). Die sieben Öffnungen weisen eine Lichtweite von 15,57 m auf und eine Schiefe von 66° gegen die Flußrichtung (Abb. 505 und 506).

In dem ursprünglichen Entwurfe waren Ausdehnungsfugen nicht vorgesehen. Infolge eines Gutachtens von Herrn Dr. v. Emperger wurden wenigstens zwei Trennungsfugen angeordnet und für die Verschieblichkeit der Brückenenden Sorge getragen, so daß sich zusammenhängende Eisenbetonkörper von 33, 49 und 33 m Länge und somit durchlaufende Träger über drei, vier und drei Stützen ergaben.

Bemerkenswert ist vor allem die Ausbildung der Trennungsfugen (Abb. 509), wodurch die eigenartige Grundform dieser Brücke entstand. Anstatt die Enden der durchlaufenden Balken frei zu lagern, sollten dieselben mit den biegungsfesten Pfeilern ebenso wie mit den Zwischenstützen fest verbunden werden, so daß sich eine rahmenartige Ausbildung ergab, durch welche die positiven Momente wesentlich verringert wurden. Um diese Anordnung trotz der notwendigen 0,07 m breiten Trennungsfugen der Fahr-

---

[1] Beton u. Eisen 1905, Heft IV, S. 88.

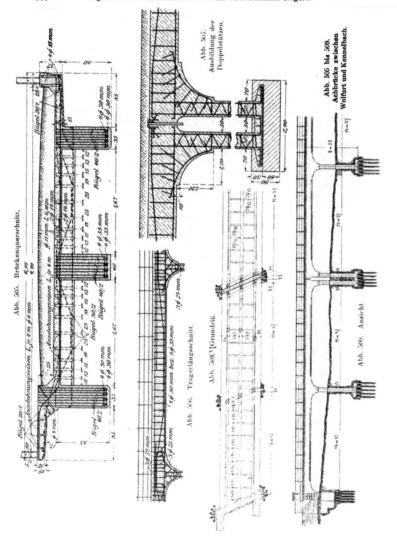

Abb. 505. Brückenquerschnitt.

Abb. 507. Ausbildung der Doppelstützen.

Abb. 506. Trägerlängsschnitt.

Abb. 508.7 [Grundriß.

Abb. 509. Ansicht.

Abb. 505 bis 509.
Achbrücke zwischen
Wolfurt und Kennelbach.

bahntafel beizubehalten, machte sich eine Zweiteilung der Pfeiler unter diesen Fugen notwendig, so daß eigenartige Doppelpfeiler mit einem Zwischenraum von 0,50 m entstanden, die eine hinreichende Bewegungsfreiheit bei einer wagerechten Verschiebung der Pfeilerköpfe und einer Ausbiegung der Säulen gewährleisten.

Jeder Pfeiler besteht aus drei in der Flußrichtung hintereinander liegenden Einzelstützen, welche unter sich mittels Rundeisen von 16 mm Durchm. in 0,60 m Abstand verbunden, und deren Zwischenräume ausbetoniert sind, so daß sie als eine massive Pfeilerwand erscheinen.

Die Überdeckung der Trennungsfugen in der Fahrbahntafel ist mittels zweier Winkeleisen ausgeführt (Abb. 507). Durch ausgerundete, 1,20 m lange und ebenso hohe Eckversteifungen, die mit einem gekrümmten Rundeisen sowie zahlreichen radial stehenden Flacheisenbügeln sorgfältig bewehrt sind, werden die Zwischenpfeiler mit den Hauptbalken verbunden (Abb. 506). Mit Rücksicht auf das Driften von Holzstämmen liegt die Balkenunterkante 1,20 m über dem Höchstwasserstande. Die Pfeiler stehen auf einer Eisenbetonplatte mit unten liegendem Rundeisenrost. An den Doppelpfeilern werden durch diese Platte die beiden Wände zusammengehalten (Abb. 507 u. 509).

Die Tagesleistungen beim Betonieren betrugen 64 lfd. m eines Balkens oder 150 m² der Platte. Das Bauwerk wurde während der Ausführung, als die Balken der mittleren Öffnungen kaum acht Tage alt waren, einer unerwarteten Belastungsprobe durch ein plötzlich eingetretenes starkes Hochwasser unterzogen, bei welchem durch das Treibholz mit Baumstämmen bis 0,80 m Durchm. sämtliche Gerüste unter den frisch betonierten Unterzügen weggerissen wurden, ohne daß Senkungen oder irgendwelche Schäden wahrgenommen werden konnten.

Nr. 21. Die Überführung des Promenadenweges in Oberhausen-West (vergl. auch S. 84, Nr. 57), ausgeführt von C. Brandt, Düsseldorf, überbrückt den Ein-

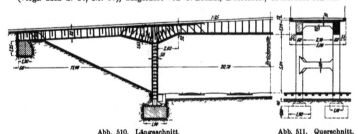

Abb. 510. Längsschnitt.   Abb. 511. Querschnitt.
Abb. 510 u. 511. Überführung des Promenadenwegs in Oberhausen-West.

schnitt einer viergleisigen Hauptbahn unter einem Winkel von etwa 55°. Die beiden Hauptbalken sind als durchlaufende Träger auf vier Stützen ausgebildet mit einer nutzbaren Mittelöffnung von 20,7 m Stützweite, während die beiden Seitenfelder von 11,4 m Stützweite die flachen Böschungen überbrücken (Abb. 510). Durch diese Anordnung, bei welcher die Endwiderlager als kleine Stützkörper ausgebildet sind, werden die sonst nötigen Flügelmauern erspart (vergl. auch Beispiel Nr. 12 und 18). Die Trägeroberkante steigt mit der Wegneigung von beiden Seiten nach der Brückenmitte zu, so daß dort eine ausreichende Balkenhöhe erzielt wurde. An den Stützen ist die in der Mittelöffnung wagerechte Trägerunterkante stark herabgezogen und mit ihr ein Teil der unteren Balkeneisen als Druckeisen durchgeführt, wobei die Knickpunkte in dem Bereich der negativen Biegungsmomente liegen.

Nr. 22. Die Elsterbrücke bei Meilitz (Sachsen-Weimar) (vergl. auch S. 84, Nr. 64 und Abb. 150 S. 66) dient zur Verbindung der auf dem rechten Elsterufer

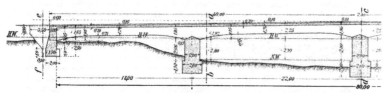

Abb. 512. Längsschnitt.

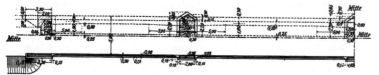

Abb. 513. Grundriß.

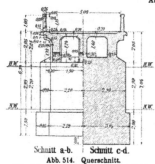

Schnitt a-b.   Schnitt c-d.
Abb. 514. Querschnitt.
Abb. 512 bis 514. Elsterbrücke bei Meilitz.

gelegenen Ortschaft Meilitz bei Weida mit der auf dem linken Elsterufer von der sächsischen Eisenbahnverwaltung geplanten Eisenbahnhalte-stelle der Linie Gera—Plauen. Zunächst war eine Stampfbetonbrücke mit zwei seitlichen Öffnungen von 22 m und einer Mittelöffnung von 28 m in Aussicht genommen. Da die Ufer an der Über-brückungsstelle sehr flach sind und die nächsten Gebäude sowie die zukünftige Unterführung zur Haltestelle sehr nahe an der Brücke liegen, so erforderte die gewölbte Stampfbetonbrücke sehr hohe Anrampungen, trotzdem tauchten die Bogen noch ziemlich tief in die Hochwasserlinie ein. Der von der Aktiengesellschaft für Beton und Monierbau in Leipzig eingereichte Gegenentwurf in Eisen-beton hatte den Vorteil, daß er infolge der wesentlich geringeren Konstruktionshöhe bedeutend flachere Anrampungen gestattete und außerdem die Hochwasserlinie freiließ. Die Gründung erfolgte zwischen Fange-dämmen auf schwerem, festem Kiesboden. Die Brücke ist berechnet für eine Beanspruchung durch Menschengedränge und eine Dampfwalze von 15 t Gewicht. Die Mittel- und Endpfeiler sind in Stampfbeton hergestellt, die eigentliche Tragkonstruktion besteht aus einer Eisenbetonplatte von 20 cm Stärke und durchlaufenden, nur 1,24 m hohen Eisenbetonbalken auf fünf Stützen (Abb. 512). Um eine gleiche Balkenhöhe in sämtlichen Feldern zu erzielen, sind die Spannweiten der Endfelder zu etwa ⁴/₅ der

Mittelfelder gewählt worden, so daß die Endöffnungen 18,50 m, die Mittelöffnungen dagegen 22 m Stützweite aufweisen. Zur Verringerung der Konstruktionshöhe wurden in die Balken über den Stützen doppelte Eiseneinlagen verlegt. In den Feldern des durchlaufenden Trägers sind doppelte Eiseneinlagen nur so weit verwendet worden, als sie zur Aufnahme des Zuges der negativen Momente erforderlich waren. Die Brücke wird seitlich durch ein einfaches eisernes Geländer zwischen Betonpostamenten abgeschlossen, die durch Eiseneinlagen an der Innenseite mit der Brückentafel verbunden sind. Auf die wasserdichte Asphaltisolierung der Fahrbahnplatte ist als Fahrbahnbefestigung Schlackensteinpflaster verlegt worden.

Mit der Ausschachtung wurde Ende September begonnen, innerhalb 8 Wochen waren die Gründung, die Betonierung der Pfeiler, die Aufstellung des Lehrgerüstes und die Betonierung der Balken sowie der Fahrbahnplatte beendet.

Nr. 23. Die Straßenüberführung auf Bahnhof Kieritzsch [1]) der Strecke Leipzig—Hof, ausgeführt von der Firma Max Pommer, Leipzig, hat zwei Öffnungen von 16,6 m Stützweite. Die Versteinung der Fahrbahn besteht aus in Sand gesetztem Kleinpflaster von 12,5 cm Stärke und Siebelschen Bleiplatten, während die Fußwege mit einem 5,5 cm starken, in

Abb. 515. Brücke in Kieritzsch während der Ausführung.

Mörtel verlegten Kunststeinbelag abgedeckt sind. Die 1,2 m hohe Brüstung ist an den Außenflächen architektonisch gegliedert (vergl. Abb. 148, S. 65) und mit Rücksicht auf die Wärmewirkung über der Mittelstütze mit einer Dehnungsfuge versehen.

Als Belastung wurde ein 30 t schwerer Dampfpflug oder eine Dampfwalze von 23 t Gewicht angenommen. Die 0,26 m starke Platte ist hier ausnahmsweise von Querträger zu Querträger gespannt, die somit nicht nur zur Lastverteilung, sondern in erster Linie zur Lastübertragung dienen (Abb. 516). Als Fortsetzung der Querträger erscheinen in der Brückenansicht die Konsolen, welche die auskragende Fußwegplatte stützen (Abb. 518). Die Ausrundung der Hauptträger an den Mittel- und Endstützen erfolgt durch parabolisch geformte Vouten von 0,30 m Höhe und 3,0 m Länge. Die Anordnung der Eisen des von der gekrümmten Bordkante überschnittenen Randträgers zeigt Abb. 519 u. 520. Erwähnt sei noch, daß die Hauptträgereisen (Abb. 518) in ganzen Längen bis zu 24 m von der Königin Marienhütte in Cainsdorf bezogen wurden.

---

[1]) Siehe Halmovici, Beton u. Eisen. 1910, Heft 8.

Abb. 518. Querschnitt.

Abb. 518a. Fußweg-Bordkante.

Abb. 522. Querschnitt der Rüstung.

Abb. 521. Längsschnitt der Rüstung.

Abb. 519 u. 520. Eiseneinlagen des Randträgers.

Abb. 515 bis 523. Straßenüberführung auf Bahnhof Kleritzsch.

Schnitt E-F.

Schnitt C-D.

Abb. 516. Grundriß.

Abb. 517. Längsschnitt der Brücke.

Um eine klare Stützung des durchlaufenden Trägers zu erhalten, sind die 3 Mittelstützen als Pendelsäulen mit einem oberen und unteren Gelenkquader ausgebildet worden (Abb. 522 u. 523). Die Krümmungshalbmesser dieser Köpckeschen Wälzgelenke betragen 500 bezw. 1130 cm. Die Pendelsäulen haben einen Querschnitt von 0,60 × 1,0 m und sind mit je 10 Paar Rundeisen bewehrt, die in den äußeren Säulen 37 mm, in der inneren Säule 18 mm Durchm. besitzen. Die drei Hauptträger werden auf dem einen Widerlager mittels Kipplager aus Flußstahl von 60 × 75 cm Grundfläche gelagert, auf dem anderen Widerlager mittels Rollenkipplager, deren jedes drei durch einen Flacheisenrahmen verbundene Rollen von 10 cm Durchm. und 75 cm Länge enthält.

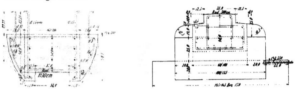

Abb. 522 u. 523. Gelenkquader der Straßenüberführung auf Bahnhof Kieritzsch.

Um den lichten Raum der fünf Betriebsgleise freizuhalten, wurden für das Lehrgerüst, wie Abb. 521 u. 522 zeigen, I-Träger mit insgesamt 13 t Gewicht verwendet.

Die Herstellung des gesamten Tragwerks einschließlich der Schalungsarbeiten umfaßte 30 Arbeitstage. In Abb. 515 ist die Brücke während der Ausführung dargestellt.

Nr. 24. Die Havelschleusenbrücke bei Bahnitz,[1]) ausgeführt von den Betonwerken Biesenthal, weist sehr kleine Seitenöffnungen auf, deren Stützweite sich zu der der Hauptöffnung wie 4,0:14,6 m = 1 : 3,65 verhält, so daß zur Vermeidung des Abhebens der Trägerenden von den Lagern eine künstliche Belastung der Seitenöffnungen erforderlich wurde. Diese wurde dadurch erzielt, daß die Brückenplatte in den Seitenöffnungen in die Ebene der Trägerunterkante gelegt und der dadurch gebildete

Abb. 525. Ansicht der Brücke.
Abb. 525 u. 526. Havelschleusenbrücke bei Bahnitz.

trogförmige Raum zwischen den Hauptträgern mit Bodenmassen angefüllt wurde. Die statische Berechnung ergab, daß bei einem Eigengewicht der voll be-

[1]) Siehe K. Rössle. Eisenbetonbrücken bei der Havelkorrektion. Eisenbeton 1910, S. 156 u. f.

lasteten Mittelöffnung von 2450 kg für 1 m Hauptträger das Gewicht der Seitenöffnung auf rd. 5000 kg für 1 m Hauptträger gebracht werden mußte, wenn der
Auflagerdruck der Trägerenden unter allen Umständen positiv bleiben, also nach
unten gerichtet sein soll.

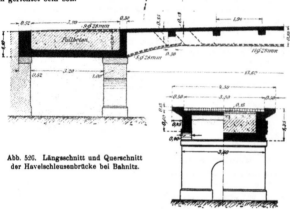

Abb. 526. Längsschnitt und Querschnitt
der Havelschleusenbrücke bei Bahnitz.

Nr. 25. Die Granbrücke bei Kéménd in Ungarn, ausgeführt von
G. A. Wayss u. Co., Budapest, ist mit 30 m Stützweite der Mittelöffnung und 24 m
weiten Seitenöffnungen einer der weitestgespannten Balkenträger. Sämtliche Stützen
sind mit den Trägern fest verbunden. Während die auf hölzernem Pfahlrost gegründeten

Abb. 527. Granbrücke bei Kéménd (Ungarn).

Zwischenstützen aus Beton hergestellt und zum Schutze gegen Eisgang und antreibende
Stämme in eigenartiger Weise schneidenförmig ausgebildet wurden (Abb. 530), bestehen
die Endstützen aus je zwei quadratischen Eisenbetonsäulen von 50 cm Kantenlänge,
welche sich bei Wärmeänderungen elastisch verbiegen können (Abb. 528 u. 531).
Zum Abschluß des Erdreiches an den Widerlagern dient eine Eisenbetonwand, die
mit den Endstützen auf einem gemeinsamen Gründungskörper steht. Die Trägerenden
sind um 3,10 m über die Endstütze ausgekragt. Im Grundriß (Abb. 529) sei auf

die Verbreiterung der Träger an den Zwischenstützen hingewiesen. Der Querschnitt ist in ähnlicher Weise ausgebildet wie bei der Csernabrücke (Beispiel Nr. 32).

Bemerkenswert ist bei der Ausführung der Brücke, daß die Betonierung der Balken und der Platte im Oktober 1908 innerhalb zweier Tage erfolgte. Zur Vermeidung von Rissen, die infolge der Einsenkung der Gerüste während der Abbindezeit befürchtet wurden, sind die Teile des Tragwerks unmittelbar über den Zwischenpfeilern zunächst ausgepart und diese Lücken erst nach Fertigstellung der übrigen Trägerteile ausgefüllt worden (vergl. Beispiel 32a u. Abb. 239). Erwähnt sei noch, daß in der Nacht zwischen zwei Betonierungstagen ein unerwarteter Frost von — 11° C. von einigen Stunden Dauer eintrat, der jedoch keinerlei Nachteile zur Folge hatte.

Bei der im März 1909 veranstalteten Probebelastung wurde in der Mittelöffnung eine größte elastische Durchbiegung von 5,8 mm beobachtet.

Nr. 26. Die Oltbrücke bei Felsösebes (Ungarn), ausgeführt von G. A. Wayss u. Co., Budapest, ähnelt der Granbrücke bei Kéménd, nur sind hier drei Öffnungen von 22 m und eine Endöffnung von 16,5 m vorhanden sowie Auskragungen an

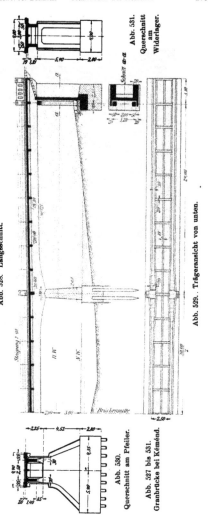

Abb. 528. Längsschnitt.

Abb. 529. Trägeransicht von unten.

Abb. 530. Querschnitt am Pfeiler.

Abb. 531. Querschnitt am Widerlager.

Abb. 527 bis 531. Granbrücke bei Kéménd.

den Brückenenden von 5,0 m Länge (Abb. 533). Bemerkenswert ist auch hier die
architektonisch wirkungsvolle schneidenartige Ausbildung der beiden im Flußbett

Abb. 532 bis 534. Oltbrücke bei Felsősebes (Ungarn)

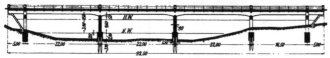

Abb. 533. Längsschnitt.

stehenden vollwandigen Betonpfeiler (Abb. 532),
wogegen die übrigen Stützen in Eisenbetonrahmen
aufgelöst sind. Die Trägerenden ragen in die abge-
pflasterte Böschung hinein, wobei der Abschluß gegen
das Erdreich durch einen Endquerträger gebildet
wird (Abb. 534).

Nr. 27. Die Fußgängerbrücke am Bahnhof
Anklam in Pommern, ausgeführt nach den Angaben von Regierungs- und Baurat Merkel[1]) von
F. C. Reincke u. Co., Stettin, führt mit zwei Öffnungen von 20 m Stützweite unter einem Winkel
von 37° über vier Eisenbahngleise hinweg. Die
Eisenbewehrung der beiden Hauptbalken besteht

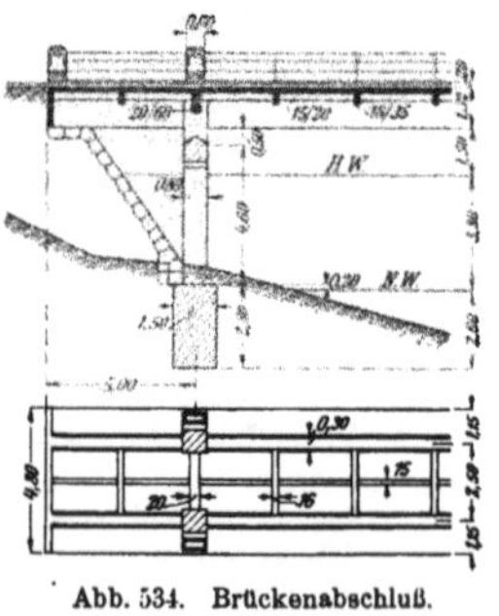

Abb. 534. Brückenabschluß.

---

[1]) Siehe Zentralbl. d. Bauverw. 1909, S. 229.

aus einem genieteten Eisenfachwerkträger, dessen Zuggurt nach Abb. 536 u. 537 aus zwei ⊏-Eisen gebildet wird, mit 70 cm² Querschnitt in der Mitte der Öffnungen und 55 cm² Querschnitt über den Stützen. Das Gesamtgewicht dieser Eisenkonstruktion beträgt 8285 kg, so daß auf 1 m Balkenlänge rd. 100 kg entfallen. Die Platte ist dagegen in der üblichen Weise mit Rundeisen bewehrt. Bei der Probebelastung mit der Nutzlast von 400 kg/m² ergab sich eine elastische Durchbiegung von 4 mm.

Abb. 535. Ansicht des Steges.

Abb. 535 bis 538. Fußgängerbrücke auf Bahnhof Anklam in Pommern.

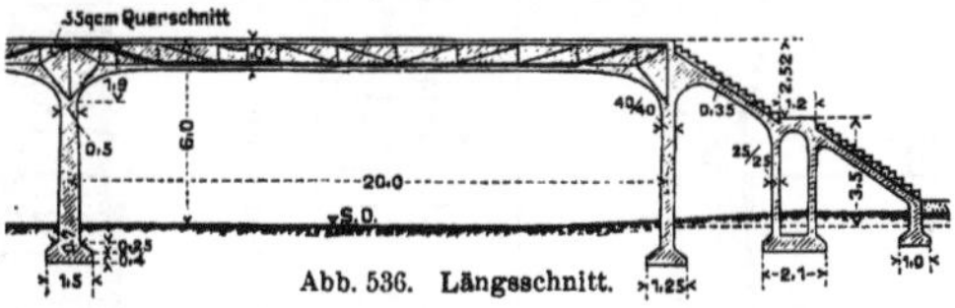

III. Kragträger.

Nr. 28. Die Straßenüberführung über den Bahnhof Bochum-Nord, ausgeführt von der Firma Carl Brandt in Düsseldorf, gehört zu den größten Balkenbrücken aus Eisenbeton. Betreffs der allgemeinen Anordnung dieser bemerkenswerten Brücke, vergl. die allgemeinen Erörterungen auf S. 28 mit den Abb. 71 u. 72, sowie Abb. 225 auf S. 109.

In der Hauptöffnung, deren Stützweite 26 m beträgt, ergeben sich für die vorgeschriebene Belastung mit einer Dampfwalze von rd. 30 t Gewicht die aus Abb. 543 ersichtlichen Abmessungen, wie sie bei Straßenbrücken nur selten vorkommen. Im Brückenquerschnitt *a—a* ist die Eisenbetonplatte entsprechend der Neigung der Straßen- und Gangbahn-

Abb. 536. Längsschnitt.

Abb. 537. Querschnitt mit Rüstung.

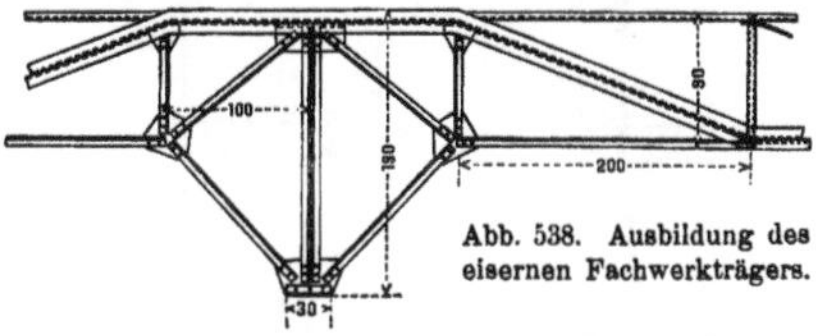

Abb. 538. Ausbildung des eisernen Fachwerkträgers.

oberfläche ebenfalls geneigt angenommen. Auch ist bemerkenswert, daß die Plattenstärke von dem selten großen Werte von 0,26 m unter der Fahrbahn bis auf 0,12 m an den Brückenrändern unter den Gangbahnen abnimmt. Die 1,16 m hohe, voll ausgebildete Brüstungswand, welche das Scheuwerden der Pferde verhindern soll,

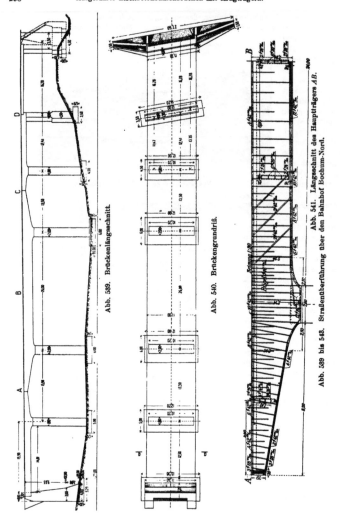

Abb. 539. Brückenlängsschnitt.

Abb. 540. Brückengrundriß.

Abb. 541. Längsschnitt des Hauptträgers *AB*.

Abb. 542. Straßenüberführung über den Bahnhof Bochum-Nord.

Abb. 539 bis 542. Straßenüberführung über den Bahnhof Bochum-Nord.

ist mit 0,10 m Stärke in unmittelbarem Zusammenhang mit der Platte ausgeführt. Die Hauptträger 3 unter den Gangbahnen haben, der geringeren Belastung entsprechend, auch eine kleinere Höhe erhalten gegenüber den Trägern 1 und 2 unter der Fahrbahn.

Der Hauptträger *AB* (Abb. 541) ist über den Stützen 2,74 m und in der Mitte der Hauptöffnung 2,24 m hoch. Zahlreiche Bügel dienen dazu, die Obergurteisen zu verankern bezw. einen Verbund mit den Untergurteisen herzustellen. Die Querträger in der Hauptöffnung sowie über den Stützen sind mit der Platte nicht verbunden. Auf ihre Bewehrung wurde besondere Sorgfalt verwendet, wie auch aus dem Brückenquerschnitt

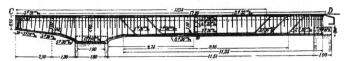

Abb. 542. Längsschnitt des Hauptträgers *CD.*

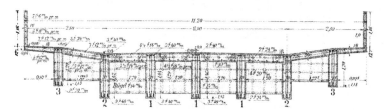

Abb. 543. Brückenquerschnitt.

Abb. 539 bis 543. Straßenüberführung über den Bahnhof Bochum-Nord.

hervorgeht. Die bis zu 14 m hohen Pfeilerwände, bei denen übrigens von einer zentrischen und beweglichen Lagerung der Balken abgesehen wurde, stehen auf 6 m breiten Fußplatten. Der Träger *CD* (Abb. 542) ist mit der anschließenden rechten Endöffnung verankert, welche im übrigen jedoch unabhängig von dem System der Kragträger als ein einfacher Balken auf zwei Stützen zu betrachten ist (Abb. 539). Die Ausführung der Brücke erfolgte unter äußerst beschränkten Raumverhältnissen über den Betriebsgleisen, auf welchen täglich mehr als 400 Züge verkehrten.

Nr. 29. Brücke über die Jungfersche Lake bei Elbing-Tiegenhof. Ein eigenartiges und bemerkenswertes Beispiel eines Kragträgers gibt die Abb. 544 wieder, die eine von der Aktiengesellschaft für Beton- und Monierbau, Filiale Königsberg i. Pr., erbaute Brücke über einen schiffbaren Kanal darstellt. Um den Verkehr der Schiffe mit hohen Masten auch bei höchstem Wasserstande zu ermöglichen, wurde in der Mittelöffnung ein Spalt von 0,80 m Breite vorgesehen, der für den Straßenverkehr durch eine eiserne Klappe überdeckt wird. Die Brücke besteht somit aus zwei Teilen mit je einer Öffnung von 6,75 m Lichtweite und einem Kragarm von 3,35 m Ausladung. Sie dient zur Überführung der Kreisstraße Elbing—Tiegenhof und ist für eine Belastung mittels einer 20 t schweren Dampfwalze berechnet.

Die fünf Hauptträger sind an den auskragenden Enden durch einen lastverteilenden Querträger verbunden, der gleichzeitig den Abschluß der Oberflächenbefestigung bildet und zur Auflagerung der Spaltbrücke dient.

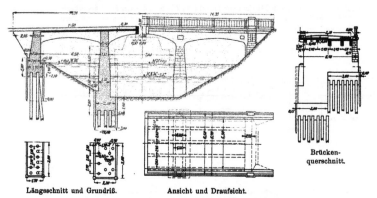

Brücken-
querschnitt.

Längsschnitt und Grundriß.   Ansicht und Draufsicht.

Abb. 544. Brücke über Jungfersche Lake bei Elbing-Tiegenhof.

Die mit den Balken starr verbundenen Pfeiler sind auf Holzpfähle gegründet, die bis auf 12 m Tiefe unter Mittelwasser herabreichen. Die Parallelflügel an den Endwiderlagern kragen in ähnlicher Weise aus wie bei den Beispielen Nr. 16 und 22 (Abb. 495 u. 512).

Nr. 30. Die Straßenüberführung auf Bahnhof Herzberg, ausgeführt von der Firma C. Brandt u. Co., Düsseldorf, ist ein symmetrischer Kragträger mit zwei Mittelöffnungen von 19,45 m und zwei Endöffnungen von 8,40 m Stützweite, die von den auskragenden Trägerenden überdeckt werden (Abb. 545). Über der Mittelstütze ist das gesamte Tragwerk durch einen Schlitz, der mit einem 6 mm starken Schleppblech überdeckt ist, in zwei völlig symmetrische Hälften getrennt (Abb. 547 u. 549b). Mit Rücksicht auf die negativen Biegungsmomente an den auskragenden Trägerenden ist die 0,25 m starke Platte in den beiden Endöffnungen bis zur Balkenunterfläche herabgezogen, während sie in den beiden Mittelöffnungen in der üblichen Weise oben angeordnet ist (Abb. 545). Der Abstand der 0,55 m breiten Rippen beträgt nur 1,10 m (Abb. 548).

Ein ebenfalls 0,55 m breiter Querträger ist in der Mitte der beiden Mittelöffnungen zur Versteifung angeordnet.

Die 0,80 m starke Mittelstützwand ist am Kopfe auf 1,70 m verbreitert, um mittels eingeschalteter Bleiplatten von 5 mm Stärke den beiden Trägerenden ein Auflager zu gewähren (Abb. 547). Die beiden äußeren Stützwände sind dagegen mit dem Träger durch Eiseneinlagen fest verbunden, die sich in der Mitte der Fuge kreuzen (vrgl. auch Abb. 211, S. 105).

Durch diese Anordnung sowie durch Einlegen einer Bleiplatte wird eine geringfügige Verdrehung des Trägers an diesem Auflager ermöglicht. Die Enden der Kragarme stoßen stumpf an die niedrigen Endwiderlager. Die hier entstehenden Fugen sind mit einem Schleppblech überdeckt (Abb. 549a).

Der Untergurt der Randbalken in den Kragarmen ist mit sechs umschnürten Druckeisen bewehrt (Abb. 546 u. 548).

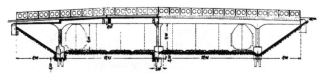

Abb. 545. Brückenlängsschnitt und Ansicht.

Abb. 546. Eisenbewehrung der Randbalken.

Abb. 547. Eisenbewehrung der inneren Balken.

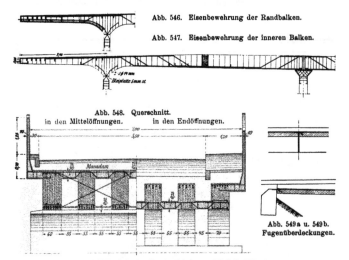

Abb. 548. Querschnitt.
in den Mittelöffnungen.   in den Endöffnungen.

Abb. 549a u. 549b.
Fugenüberdeckungen.

Abb. 545 bis 549. Straßenüberführung auf Bahnhof Herzberg.

Nr. 31. Die Landstraßenbrücke in Sacrow bei Forst i. d. L., ausgeführt von der Aktiengesellschaft für Beton- und Monierbau, Berlin, ist ein Beispiel für die Anordnung einer größeren Folge von Kragträgern nach Abb. 311 f, S. 176, die zur Überbrückung der Neiße mit sechs mittleren Öffnungen von 17,20 m Stützweite und zwei Endöffnungen von 14,70 m Stützweite dienen (Abb. 550).

Die Zwischenpfeiler sind auf eingerammten Eisenbetonpfählen von 7 m Länge und 30 × 35 cm Querschnitt gegründet und als volle Eisenbetonwände mit 0,60 m Stärke ausgebildet.

Abb. 550. Ansicht der Brücke.

Abb. 551. Ansicht und Längsschnitt.

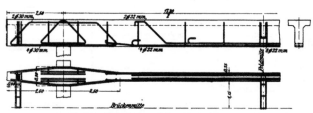

Abb. 552. Längsschnitt und Grundriß des Kragträgers.

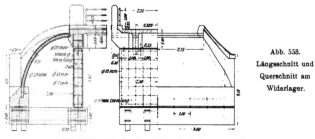

Abb. 553.
Längsschnitt und
Querschnitt am
Widerlager.

Abb. 550 bis 554. Landstraßenbrücke in Sacrow bei Forst.

Bemerkenswert ist vor allem die eigenartige Gestaltung des Endpfeilers (Abb. 553). Dieser besteht aus einer lotrechten Pendelwand, auf der das Trägerende ruht, sowie aus einer viertelkreisförmig gebogenen Platte, die an ihrem einen Ende auf der gemeinsamen Grundplatte gelenkig gestützt ist, an dem anderen Ende sich gegen den Endquerträger lehnt. Da an dieser Stelle eine Fuge von 2 cm vorgesehen ist, wird eine beschränkte wagerechte Verschiebung der Trägerenden infolge der Wärmewirkung ermöglicht. In Abb. 552 sind die Eiseneinlagen eines Kragträgers ersichtlich, die über den Stützen geschlossene Ringe bilden. Die Ausbildung der Gelenke ist in Abb. 552 dargestellt.

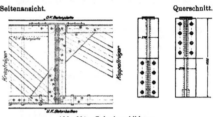

Seitenansicht.   Querschnitt.

Abb. 554. Gelenkausbildung.

Nr. 32. Die Csernabrücke bei Topletz an der Eisenbahnlinie Temesvár—Orsova in Ungarn, ausgeführt von G. A. Wayss u. Co., Budapest, ist ein Auslegerträger mit einer Hauptöffnung von 23 m Stützweite und beiderseitigen 9 m langen Kragarmen,

Abb. 555. Ansicht der Brücke.

berechnet für die Belastung mit einem 12 t-Wagen und 400 kg für m² Menschengedränge. Wie Abb. 556 u. 558 zeigen, stehen die Trägerenden in keiner Verbindung mit den Endwiderlagern, sondern stoßen stumpf gegen dieselben, wobei die etwa 1 cm breite lotrechte Fuge mit einer Eisenbetontafel überdeckt ist, die auf einer Auskragung am Endquerträger frei aufliegt. Die Stützpfeiler, welche vor den Widerlagern stehen und mit einer eisernen Auflagerplatte versehen sind, dienen nur zur Begrenzung der Durchbiegung der Trägerenden im Falle außergewöhnlicher Belastung. Die in zwei Rahmenpfosten aufgelösten Zwischenstützen (Abb. 555 u. 556) sind ebenso wie die Widerlager auf festen Felsen gegründet, so daß die Aufstandflächen auf das denkbar kleinste Maß beschränkt werden konnten.

Wie aus dem Brückenquerschnitt (Abb. 557) hervorgeht, wird die geradlinig durchgeführte Platte von zwei Hauptträgern, zahlreichen Querträgern und einem mittleren Längsträger getragen.

Die 20 cm starken Gangbahnplatten aus Eisenbeton sind unabhängig vom Tragwerk hergestellt. Bei der schwachen Querneigung der im Längsschnitt wagerecht

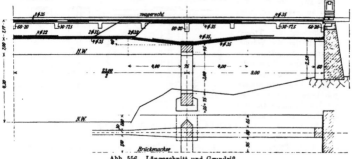

Abb. 556. Längsschnitt und Grundriß.

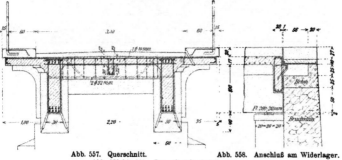

Abb. 557. Querschnitt.   Abb. 558. Anschluß am Widerlager.
Abb. 555 bis 558. Csernabrücke bei Topletz.

laufenden Brückenbahn ist eine sorgfältige Entwässerung erforderlich, die sowohl für die Oberfläche der Fahrbahn wie für die der Eisenbetontafel mittels einbetonierter Rohre durchgeführt wird.

Im Jahre 1910 wurde dieses Bauwerk zweimal von außergewöhnlichem Hochwasser derart überschwemmt, daß die Fluten 1 bis 1,5 m über die Fahrbahn hinwegströmten, wobei das Geländer zum Teil fortgerissen wurde, ohne daß die Brücke weiteren Schaden erlitt.

Nr. 32a. Die Mühlplatzbrücke über den Béjakanal in Temesvár (Ungarn), ausgeführt von G. A. Wayss u. Co., Budapest, ist ein auf zwei Stützen ruhender Kragträger, dessen Endöffnungen verschüttet sind. Die äußere Form der Mittelöffnung von

31 m Stützweite, die den Eindruck einer Bogenbrücke erweckt, war von der Behörde vorgeschrieben (Abb. 559). Zur Belastung der Kragarme, die 8 m weit ausladen, gehen

Abb. 559. Ansicht der Brücke.

Abb. 560. Brücken-Längsschnitt.

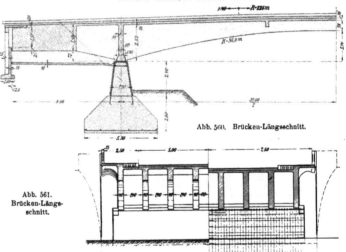

Abb. 561.
Brücken-Längs-
schnitt.

Abb. 559 bis 561. Mühlplatzbrücke über den Béjakanal in Temesvár.

die Träger an den Brückenenden in einen vollen Betonklotz über, der ohne jede Verbindung mit der das Widerlager vertretenden Abschlußwand bleibt (Abb. 560).

Die senkrechte Fuge ist mit einer Eisenbetonplatte überbrückt, deren Stützweite reichlich groß gewählt wurde, um die Neigungsänderung gegen die Ruhelage bei einer

Durchbiegung des Kragarmes möglichst klein zu halten. Gleichzeitig ist hiermit der Vorteil verbunden, daß durch die Verschiebung des ein Gelenk darstellenden Stützpunktes der Platte nach den Hauptpfeilern zu der Einfluß der Verkehrslasten auf den Kragarm etwas vermindert wird.

IV. Rahmenträger.

Nr. 33. Die Staatsstraßenbrücke in Markersbach (Sachsen) war die erste Rahmenbrücke, welche im Bereiche der Königlich Sächsischen Staatseisenbahn-Verwaltung

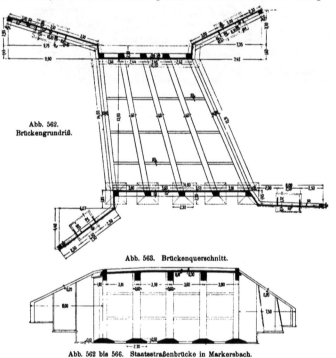

Abb. 562.
Brückengrundriß.

Abb. 563. Brückenquerschnitt.

Abb. 562 bis 566. Staatsstraßenbrücke in Markersbach.

und unter deren Aufsicht ausgeführt wurde, und zwar von der Firma Max Pommer, Leipzig, nach dem Entwurfe von Hennebique, Paris.

Im Gegensatz zu den folgenden Rahmenbrücken (vergl. Nr. 34 bis 36) liegen bei diesem Beispiel die Rahmenpfosten hinter der Wandplatte (Abb. 562 u. 566), wodurch man zwar eine ebene Innenansicht der Brücke erhält, dafür aber den Nachteil der gerippten Rückfläche eintauscht. Wie aus dem unregelmäßig gestalteten Grundriß dieser Brücke nebst den anschließenden Flügelmauern hervorgeht, war hier die Anwendung von Eisenbeton die zweckentsprechendste Lösung. Die Rippen der Flügel-

Abb. 564. Trägerquerschnitt.　　　　Abb. 565. Trägerlängsschnitt.

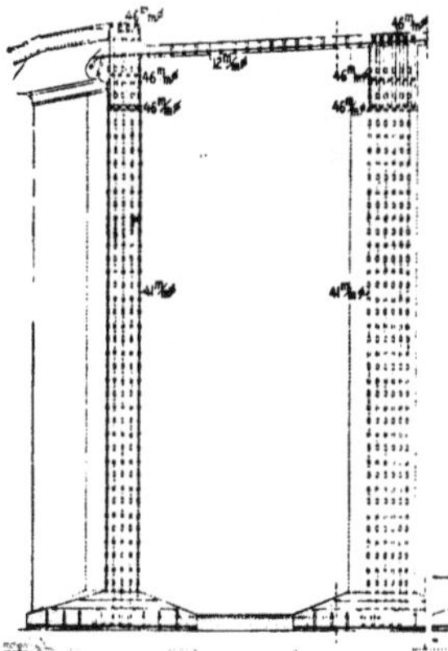

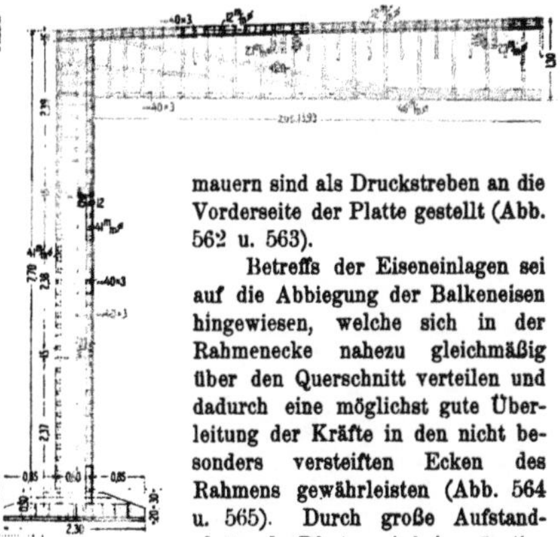

mauern sind als Druckstreben an die Vorderseite der Platte gestellt (Abb. 562 u. 563).

Betreffs der Eiseneinlagen sei auf die Abbiegung der Balkeneisen hingewiesen, welche sich in der Rahmenecke nahezu gleichmäßig über den Querschnitt verteilen und dadurch eine möglichst gute Überleitung der Kräfte in den nicht besonders versteiften Ecken des Rahmens gewährleisten (Abb. 564 u. 565). Durch große Aufstandplatten der Pfosten wird eine günstige Bodendruckverteilung und eine vorteilhafte Einspannung erzielt.

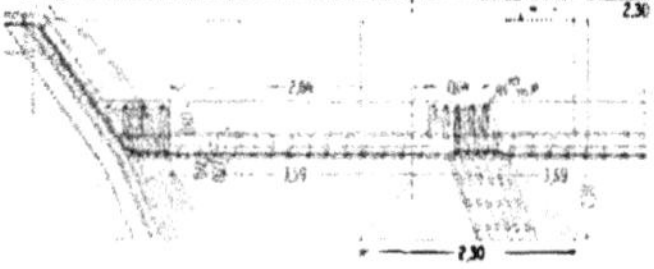

Diese Brücke wurde bereits einmal mit einem 31,2 t schweren Kesselwagen befahren, zu dessen Fortbewegung 11 Paar Pferde erforderlich waren. Bei dieser Gelegenheit wurden vom Brückenbaubureau

Abb. 566. Teilgrundriß an der Wandplatte.

der Staatseisenbahnen Beobachtungen vorgenommen, deren Ergebnisse in jeder Beziehung befriedigten.

Nr. 34. Die Überdeckung für die Roßweiner Straße in Döbeln mit 66,5 m Gesamtlänge wurde im Jahre 1904 ebenfalls im Bereiche der Königlich Sächsischen Staatseisenbahnverwaltung unter deren Aufsicht von der Firma Max Pommer, Leipzig, ausgeführt.

In ähnlicher Weise wie bei der Überführung in Markersbach (Beispiel Nr. 33) sind hier auch die Widerlager aus Eisenbeton und in festem Zusammenhang mit den Hauptbalken ausgebildet, so daß die Grundform eines biegungsfesten dreiseitigen Rahmens entsteht. Durch die sich gegen das Erdreich lehnenden senkrechten Schenkel wird eine kräftige Einspannung erzeugt, wodurch die positiven Momente des wagerechten Balkens wesentlich verringert werden. Während jedoch bei der Markersbacher Überführung, ähnlich wie bei den Widerlagern der Bogenbalken und bei den meisten Winkelstützmauern, die senkrechten Rippen hinter der Platte liegen, sind hier umgekehrt die Rippen vor den Platten angeordnet. Dies gewährt vor allem den Vorteil, daß eine ebene, leicht abzudichtende Rückfläche entsteht, alle einspringenden Ecken und Wasser-

20*

säcke im Erdreich vermieden werden und sämtliche tragenden Teile sichtbar und leicht zugänglich sind. Die Ecken des Rahmens sind, soweit es das Normalprofil des lichten Raumes zuläßt, kräftig ausgerundet, wodurch man eine wirksame, steife Verbindung der Wände und der Decke erhält. Die Anordnung der Platte auf der Außenseite hat zwar den Nachteil, daß die Rippe im oberen Teile der lotrechten Schenkel im Druckgurt liegt, bietet aber den statischen Vorteil eines gleichmäßigen Übergangs des Querschnitts von Wand und Balken.

Von den Grundmaßen ist vor allem der ungewöhnlich große Abstand der Hauptbalken von $a = 3,50$ m auffallend, welche durch drei Querträger-Nebenbalken mit $a' = 2,90$ m Abstand verbunden sind. Es entstehen somit im Grundriß nahezu quadra-

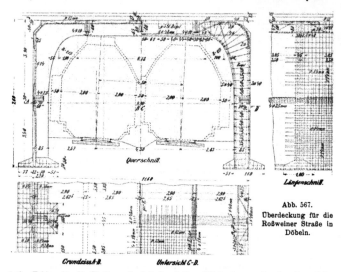

Querschnitt.

Längenschnitt.

Abb. 567.
Überdeckung für die
Roßweiner Straße in
Döbeln.

Grundriß A-B.   Unteransicht C-D.

tische Felder für die Platten, die bei $d = 0,17$ m Stärke kreuzweise bewehrt sind, wobei die Eisen in der Plattenmitte enger als an den Auflagern liegen. Über den Hauptbalken ist sowohl in der Platte wie in den Nebenbalken ein Teil der Eisen abgebogen. Die Hauptbalken sind infolge ihres großen Abstandes ungewöhnlich stark bewehrt, und zwar mit $A' = 0,56$ vH., während in den Pfosten außen eine etwas schwächere Bewehrung wie innen vorgesehen ist. In den Rahmenecken sind die Balkeneisen abgebogen und durch zahlreiche Flacheisenbügel verankert.

An diese im Einschnitt liegende Überdeckung schließen sich lange Flügel- und Futtermauern an, die ebenfalls in Eisenbeton hergestellt sind.

Nr. 35. Die Wegüberführung bei Dennheritz (Stat. 21 + 90 der Linie Schönbörnchen—Gößnitz) wurde unter der Aufsicht der Kgl. Sächsischen Staatseisenbahnverwaltung von der Firma Max Pommer, Leipzig, im Jahre 1905 ausgeführt. In

der äußeren Form gleicht sie fast vollständig der Nr. 36. Sie unterscheidet sich von
der Überdeckung in Döbeln (Nr. 34) vor allem in der lichten Wegbreite, die hier nur
6 m beträgt, und auch im Balkenabstande von $a = 1,87$ m. Im Längsschnitt ist zwar
die Trägerhöhe in der Mitte ebenfalls 0,80 m, entsprechend $l : h_m = 13,3$, infolge der
Neigung des Weges von 1 : 21 wird in $\frac{1}{4}$ der Stützweite die Höhe auf 0,667 m vermindert, ganz ähnlich wie in Abb. 568, so daß für diese Stelle, welche mit Rücksicht auf die Querkräfte besonders sorgfältig auszubilden war, $l : h_m = 16$ beträgt.

Die Platte der senkrechten Schenkel, welche den Abschluß gegen das Erdreich
bildet, hat dem wachsenden Erddruck entsprechend oben 0,12, unten dagegen 0,20 m
Stärke.

Die anschließenden Flügelmauern sind ähnlich wie bei Abb. 571 ebenfalls in
Eisenbeton in dem bekannten L-förmigen Stützmauerprofil ausgeführt, wobei die ebene
Vorderfläche einen Anlauf von 1 : 5 erhalten hat.

Nr. 36. Die Straßenüberführung in Meerane (Sachsen) (Stat. 72 + 50 der
Linie Schönbörnchen—Gößnitz), ausgeführt von der Firma Max Pommer, Leipzig, im

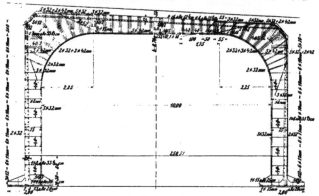

Abb. 568. Längsschnitt.
Abb. 568 bis 571. Straßenüberführung in Meerane (Sachsen).

Jahre 1906 unter der Aufsicht der Kgl. Sächsischen Staatseisenbahnverwaltung, nimmt
eine Sonderstellung dadurch ein, daß für ihre Berechnung von der Stadtverwaltung
die außerordentliche Belastung durch einen 50 t schweren Kesselwagen (vergl. S. 128)
vorgeschrieben wurde. Dazu kam noch die erschwerende Forderung einer auf das
äußerste einzuschränkenden Bauhöhe, da die anläßlich der Beseitigung des bisher vorhandenen Übergangs in Schienenhöhe anzulegende Rampe bei einer gegebenen Straßen-
neigung von 1 : 21 die angrenzenden Villengrundstücke sehr entwertet und daher möglichst niedrig gehalten werden sollte.

Bei 0,32 m Versteinungsstärke wurde nach Abb. 568 die Trägerhöhe in der Balken-
mitte zu $h_m = 0,70$ m, also $l : h_m = 15,4$, sowie in rd. $\frac{1}{4}$ der Stützweite zu $h'_m = 0,57$ m,
folglich $l : h'_m = 18,9$ gewählt und diese schwächste Stelle besonders bezüglich der Quer-

kräfte sorgfältig untersucht. Durch drei hier eingelegte abgebogene Eisen, durch den
Nebenbalken, welcher vor allem die Nachbarträger zur Mitwirkung heranzieht, und durch
zahlreiche kräftige Flacheisenbügel wurde diese Stelle in der erforderlichen Weise verstärkt. Infolge der beschränkten Trägerhöhe und der
großen Verkehrslast war eine stärkere Eiseneinlage als
bei dem vorigen Beispiel erforderlich, so daß sich durchschnittlich $A' = 0,53$ vH. ergibt.

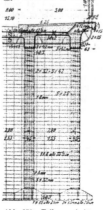

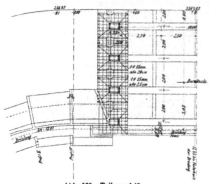

Abb. 569. Teilgrundriß.

Abb. 570. Teilquerschnitt.

An den drei soeben beschriebenen Beispielen von
Rahmenbrücken, die in ihrer äußeren Grundform, ihrem
Betonvolumen und ihrem Eigengewicht sich fast vollständig
gleichen, erkennt man, wie die verschieden großen Verkehrslasten und die Erschwernisse durch Beschränkung
der Bauhöhen besonders in der Menge der Eiseneinlagen
zum Ausdruck kommen, während die innere und äußere
Begrenzung der Betonkörper von den jeweilig gegebenen
geometrischen Grundgrößen der sich kreuzenden Verkehrswege abhängt (vergl. S. 81). Nur die Plattenstärke von
0,22 m unter der Fahrbahn gegenüber einer solchen von
nur 0,12 m unter den Fußwegen (siehe den Querschnitt
Abb. 570) läßt bei dem vorliegenden Beispiel auf außergewöhnlich starke Radrücke schließen. Erwähnenswert
ist im Querschnitt noch die Ausbildung der Konsolen und
der durchbrochenen Brüstung, die ebenfalls in Eisenbeton
hergestellt ist.

Die im Grundriß kreisförmig gestalteten Flügelmauern (Abb. 571) sind wiederum in Eisenbeton ausgeführt.

Nr. 37. Der Rahmendurchlaß in Budapest
(Abb. 572 bis 574), entworfen und ausgeführt von

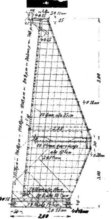

Abb. 571. Flügelquerschnitt der
Straßenüberführung in Meerane.

Professor Zielinsky in Budapest, hat eine lichte Weite von 4,5 m. Der wagerechte Trägerteil und die Pfosten sind nicht in Rippe und Platte aufgelöst, sondern der

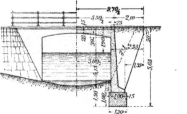

Abb. 572. Ansicht und Längsschnitt.

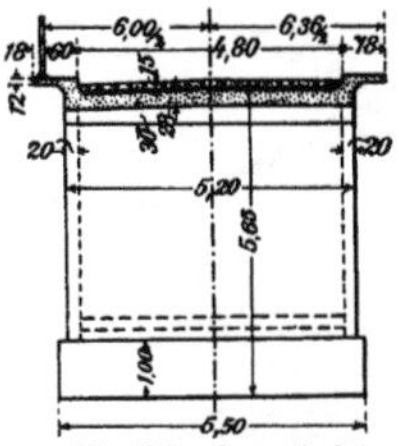

Abb. 573. Querschnitt.

Abb. 572 bis 574. Rahmendurchlaß in Budapest.

Einfachheit halber als volle Körper ausgeführt. Die Pfosten stehen auf einem Gründungskörper aus Stampfbeton, wodurch eine sichere Stützung der statisch unbestimmten Grundform gewährleistet wird. Die Flügelmauern sind mit den Pfosten verbunden und kragen nach rückwärts um 1,5 m aus, so daß sie keiner besonderen Gründungskörper bedürfen. Die im Querschnitt ersichtliche Breite von 0,60 m der ausgekragten Fußwege

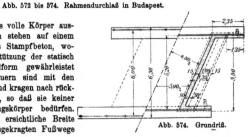

Abb. 574. Grundriß.

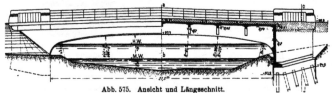

Abb. 575. Ansicht und Längsschnitt.

Abb. 575 und 576. Vilsbrücke bei Vilsbiburg.

dürfte wohl als Mindestmaß zu bezeichnen sein. Die Verkehrslast bestand in einem 20 t schweren Dampfpflug.

Nr. 38. Die Vilsbrücke bei Vilsbiburg (Niederbayern), ausgeführt von Dyckerhoff u. Widmann, A. G., Nürnberg, mit 21,5 m Lichtweite, wurde für eine Verkehrslast mit einem 15 t schweren Wagen und Menschengedränge von 600 kg/m² berechnet. Sie besitzt bei einer Nutzbreite von 5,2 m nur zwei Hauptträger von 4,4 m Abstand, deren jeder für sich auf einem besonderen Gründungskörper ruht. Die Platte ist zwischen die 2,7 m entfernt liegenden Querträger gespannt.

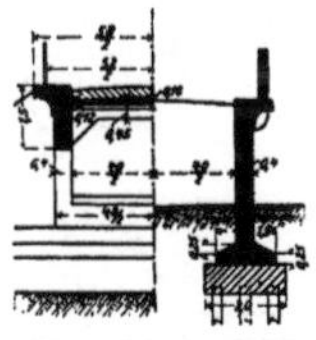

Abb. 576. Querschnitte
a—b und c—d.

Nr. 39. Der Gangsteg in Ranigsdorf bildet ein äußerst seltenes Beispiel für die Anordnung von einem einzigen Hauptträger (Abb. 577). Die Tragrippe ist über

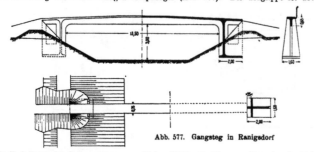

Abb. 577. Gangsteg in Ranigsdorf

die Endpfosten des Rahmenträgers von 13,5 m Lichtweite hinaus verlängert und mittels einer rechteckigen Öffnung durchbrochen. Wie der Brückenquerschnitt zeigt, sind die

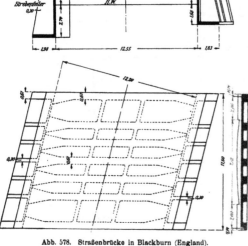

Abb. 578. Straßenbrücke in Blackburn (England).

Endpfosten nach unten zu verbreitert, um eine möglichst große Standfestigkeit in der Querrichtung zu erzielen. Die äußerst geringe Breite der Gangbahn von nur 0,75 m sowie das auf einer Seite angeordnete Geländer gestattet naturgemäß nur einzelnen Personen die Benutzung dieses Steges.

Nr. 40. Die Straßenbrücke im Zuge der Moorgate-Straße über den Leeds- und Liverpool-Kanal in Blackburn (England)[1]) mit 12,20 m rechtwinklig gemessener Lichtweite ist eine Rahmen-

---

[1]) Siehe Constructional Engineering 1911. Bd VI, Nr. 2, S. 147.

brücke mit ungleich hohen Pfosten von 6,7 m und 5,0 m
Höhe. Die Rippen der Rahmenpfosten liegen an der
Rückseite, während die sichtbaren Wandflächen von der
Platte gebildet werden. Die Trägerhöhe in Brückenmitte
beträgt nur 0,50 m, also 1 : 25 der Stützweite, am Auflager dagegen 0,61 m, also 1 : 21 der Stützweite. Nach
dem Auflager zu sind die Hauptträger verbreitert. Unter
der 7,31 m breiten Fahrbahn sind fünf Träger angeordnet,
während die beiden Randträger
unter den 2.0 m breiten Fußwegen
eine 0,14 m starke Eisenbetonbrüstung tragen.

Zwei mittlere Querträger von
0,30 m Breite sowie die 0,76 m
breite Verstärkung an den Rahmenecken dienen zur Versteifung des
Tragwerks.

Die Probebelastung der Brücke
wurde mit Dampfwalzen und
Wagen von 65 t Gesamtlast vorgenommen, ohne daß Formänderungen des Tragwerks beobachtet
werden konnten.

Die Ausführung erfolgte von
F. Mitchell u. Sons, Manchester,
nach den Plänen der Patent
Indented Steel Bar Co. Ltd.

Nr. 41. Die Fußgänger-
brücke in Landeshut, ausgeführt
von der Allgemeinen Beton- und
Eisen-Gesellschaft, Berlin, mit 20 m
Lichtweite ist eine Rahmenbrücke,
an welche sich beiderseits je ein
Treppenlauf anschließt (Abb. 581).
Die beiden Hauptträger sind, wie
der Grundriß und die beiden Querschnitte zeigen, an den Auflagern
stark verbreitert, um den negativen
Einspannungsmomenten Rechnung
zu tragen.

Bemerkenswert ist auch die
Anordnung der Balkeneisen, welche, wie die in Abb. 581
eingeschriebenen Buchstaben angeben, nicht auf die ganze
Trägerlänge durchgeführt, sondern bei einer mittleren
Eisenlänge von etwa 12,5 m gegeneinander verschoben
angeordnet jeweilig im Obergurt verankert sind. .Wie
weit dieses Verfahren, durch dessen Anwendung man bei
weit gespannten Brücken die schwer ausführbare Ver-

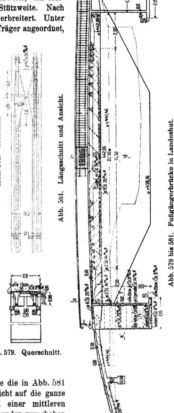

Abb. 580. Grundriß.

Abb. 581. Längsschnitt und Ansicht.

Abb. 579 bis 581. Fußgängerbrücke in Landeshut.

Abb. 579. Querschnitt.

bindung der Eisenstäbe im Zuggurt (vergl. S. 114) völlig vermeidet, zulässig ist, müssen erst eingehende Versuche erweisen.

Nr. 42. Die Verbreiterung der Pausaer Straßenbrücke in Plauen i. V. bei Stat. 1169 + 52 der Linie Leipzig—Hof, entworfen und unter Aufsicht des Brückenbaubureaus der Kgl. Sächs. Staatseisenbahnen ausgeführt von Dyckerhoff u. Widmann, A. G., Dresden, unter der Leitung des Verfassers, bildet ein eigenartiges Beispiel einer Rahmenbrücke. Wie aus dem Grundriß hervorgeht, war die bestehende Wölbbrücke mit zwei Öffnungen von 8,5 und 6,0 m Lichtweite sowie 9,0 m Breite auf 20,0 m zu

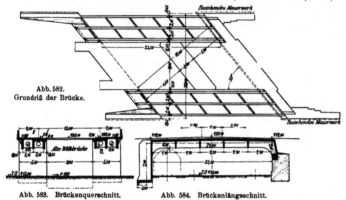

Abb. 582.
Grundriß der Brücke.

Abb. 583. Brückenquerschnitt.   Abb. 584. Brückenlängsschnitt.

Abb. 582 bis 584. Verbreiterung der Pausaer Straßenbrücke in Plauen i. V.

verbreitern. Wegen des späteren Ausbaues der Bahnstrecke war die Beseitigung des Zwischenpfeilers der Wölbbrücke in Aussicht genommen und daher auch die Anordnung eines schwachen Zwischenpfeilers nicht zulässig, so daß die Überbrückung in einer Öffnung erfolgen mußte.

Da auf der einen Seite kräftige Widerlagerkörper aus gutem Bruchsteinmauerwerk bereits vorhanden waren, die auf der anderen Seite jedoch fehlten, wurde der in Abb. 584 ersichtliche Rahmenträger ausgebildet, dessen linker Pfosten bis 1,0 m unter das Gleisplanum herabgeführt ist, während der rechte Pfosten mit einem kräftigen Endquerträger sich auf dem vorhandenen Mauerwerk aufsetzt. Diese Widerlagerteile werden noch durch die mit ihnen verbundenen Parallelflügel wesentlich verstärkt und zur Aufnahme des Rahmenschubes befähigt.

Am linken Pfosten ist die Platte wie beim Beispiel Nr. 33 an die Vorderseite gelegt, um sie als Druckgurt auszunutzen. Am rechten Trägerende wurde dagegen die Anordnung der Beispiele Nr. 34 bis 36 vorgezogen, um mittels der Platte den Abschluß gegen das Erdreich in einfacher Weise auszubilden.

Die Lichtweite der unter 50° schiefen Brücke beträgt rechtwinklig zu den Widerlagern gemessen 18,0 m, in Richtung der Träger gemessen 23,5 m, die Stützweite von Schwerlinie zu Schwerlinie der Pfosten gerechnet 24,90 m, bei einem Balkenabstand von 2,15 m und einer Höhe der Träger unter der Fahrbahn von 1,87 m.

V. Bogenbalkenträger.

Nr. 43. Die Echezbrücke in Tarbes (Hoch-Pyrenäen) ist ein durchlaufender Bogenbalken über drei Öffnungen von rd. 12,90 m lichter Weite, wie aus der wage-

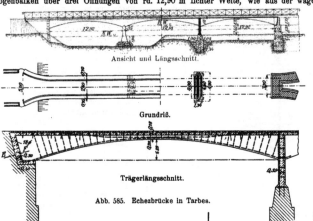

Ansicht und Längsschnitt.

Grundriß.

Trägerlängsschnitt.

Abb. 585. Echezbrücke in Tarbes.

rechten und der stehenden Lagerfuge der beiden Widerlager sowie aus der Krümmung des Trägeruntergurtes hervorgeht (Abb. 585). Die schmalen Widerlager sind, wie der Grundriß zeigt, durch die kräftigen anschließenden Flügel versteift, so daß sie imstande sind, einen wagerechten Schub von einer bestimmten Größe aufzunehmen. Die beiden in Eisenbeton vollwandig ausgebildeten Zwischenstützen stehen auf Betonfundamenten.

Im Brückenquerschnitt ist der ungewöhnlich große Balkenabstand von 2,60 m bemerkenswert und die Querschnittsausbildung der überkragenden Platte zur möglichsten Ausnutzung der verfügbaren Höhe für die Hauptträger.

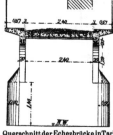

Querschnitt der Echezbrücke in Tarbes.

Nr. 44. Der Gangsteg über die Lusthofstraße in Rotterdam von 29 m Lichtweite, erbaut im Jahre 1906, ist eines der kühnsten und architektonisch wirkungsvollsten Bauwerke der Firma Hennebique. Nach der Ausfüllung des alten Wasserlaufs

Abb. 586. Gangsteg über die Lusthofstraße in Rotterdam.

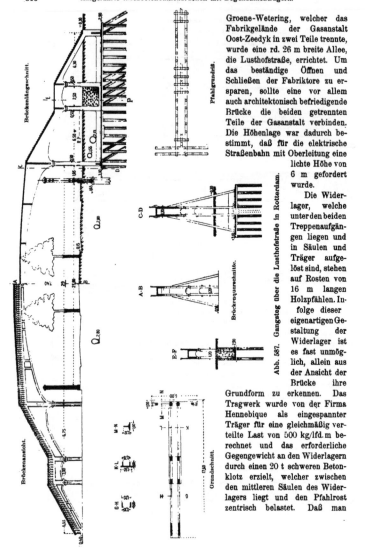

Abb. 587. Gangsteg über die Lusthofstraße in Rotterdam.

Groene-Wetering, welcher das Fabrikgelände der Gasanstalt Oost-Zeedyk in zwei Teile trennte, wurde eine rd. 26 m breite Allee, die Lusthofstraße, errichtet. Um das beständige Öffnen und Schließen der Fabriktore zu ersparen, sollte eine vor allem auch architektonisch befriedigende Brücke die beiden getrennten Teile der Gasanstalt verbinden. Die Höhenlage war dadurch bestimmt, daß für die elektrische Straßenbahn mit Oberleitung eine lichte Höhe von 6 m gefordert wurde.

Die Widerlager, welche unter den beiden Treppenaufgängen liegen und in Säulen und Träger aufgelöst sind, stehen auf Rosten von 16 m langen Holzpfählen. Infolge dieser eigenartigen Gestaltung der Widerlager ist es fast unmöglich, allein aus der Ansicht der Brücke ihre Grundform zu erkennen. Das Tragwerk wurde von der Firma Hennebique als eingespannter Träger für eine gleichmäßig verteilte Last von 500 kg/lfd. m berechnet und das erforderliche Gegengewicht an den Widerlagern durch einen 20 t schweren Betonklotz erzielt, welcher zwischen den mittleren Säulen des Widerlagers liegt und den Pfahlrost zentrisch belastet. Daß man

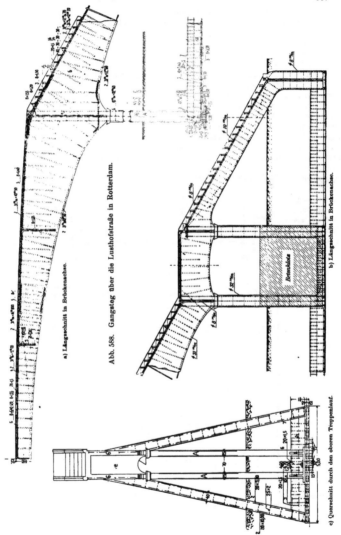

a) Längsschnitt in Brückenachse.

Abb. 588. Gangsteg über die Lusthofstraße in Rotterdam.

b) Längsschnitt in Brückenachse.

c) Querschnitt durch den oberen Treppenlauf.

aber auch in Wirklichkeit das Auftreten von wagerechten Schubkräften erwartet hat, geht aus der stark geneigten Stellung eines Teiles der Gründungspfähle hervor. Nach der auf S. 30 gegebenen Begriffsbestimmung ist somit dieses Bauwerk als eine Bogen-balkenbrücke anzusehen.

In der Querrichtung wurde durch seitliche Streben an den mit A bezeichneten Stützen (Abb. 588c) die erforderliche Quersteifigkeit erreicht. Die untere Verbindung dieser Stützen und der Säulen unter den Treppen erfolgt durch Balken mit T-förmigem Querschnitt, wobei die Rippe nach oben gelegt ist.

Bei der Betonierung der Hauptbalken wurde auf einen symmetrischen Fortschritt von den Stützen nach der Mitte zu Gewicht gelegt. Nach zwei bis drei Tagen entfernte man bereits die seitlichen Wandungen.

Bei der Belastungsprobe brachte man, um eine Gefährdung der Menschen zu ver-hüten, die Last nicht, wie sonst üblich, unmittelbar auf der Oberfläche der Brücke auf, sondern hing eine Anzahl von Lastwagen mit Ketten an das Tragwerk und belastete diese Wagen von der Straße aus mit Sandsäcken. Bei den Messungen wurden acht Manet-Rabutsche

Durchbiegungsappa-rate verwendet.

Besonders sorg-fältig ist die Ausbildung der Bügel erfolgt, wie aus Abb. 588a und b zu ersehen ist.

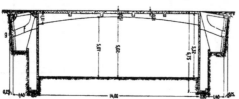

Abb. 589.   Längsschnitt.

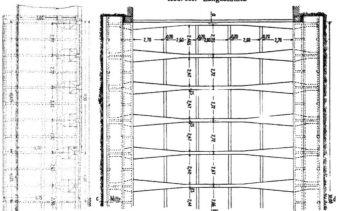

Abb. 591.   Querschnitt.   Abb. 590.   Grundriß.
Abb. 589 bis 591.   Überdeckung am Quai Débilly in Paris.

Nr. 45. Die Überdeckung am Quai Débilly in Paris, welche gelegentlich der Weltausstellung im Jahre 1900 von der Firma Hennebique ausgeführt wurde, ist einer der eigenartigsten Bogenbalkenträger (vergl. Abb. 145, S. 64).

Aus architektonischen Gründen sollte die anschließende, rd. 290 m lange Futtermauer aus Eisenbeton, übrigens eine der ersten der bekannten Winkelstützmauern, auch innerhalb der 30 m breiten Überdeckung der beiden sich kreuzenden Straßen nicht unterbrochen werden, so daß, wie der Längsschnitt (Abb. 589) zeigt, eine Vereinigung eines Bogenbalkenträgers und der beiderseitigen Futtermauern entstand. Der Bogenbalkenträger ist durch die wagerechte und die stehende Lagerfuge sowie durch die für die Ansicht sehr wirkungsvolle Krümmung der Trägerunterkante mit 0,60 m Pfeilhöhe gekennzeichnet. Die Balken sind im Grundriß (Abb. 590) nach den Auflagern zu von 0,25 m bis auf 1 m verbreitert und durch die Wandplatte hindurch als Strebepfeiler f bis zum Erdschild g durchgeführt, welches mit senkrechten und wagerechten Rippen versteift ist. Die Platte ist doppelt bewehrt, und zwar mit Rundeisen von 9 mm Durchm. in 20 cm Abstand, ebenso die Balken mit drei oberen Rundeisen von 32 mm Durchm. und sieben unteren von 20 bezw. 32 mm Durchm.

VI. Tragwerke mit versenkter Bahn.

Nr. 46. Die Straßenbrücke in Reichenau[1]) (vergl. Abb. 92, S. 35 und die Grundmaße Nr. 67, S. 86) bildet ein Beispiel für die übliche Gestaltung eines voll-

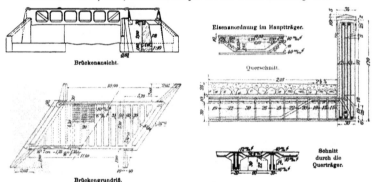

Abb. 592. Straßenbrücke in Reichenau.

wandigen Tragwerks mit versenkter Bahn. Die Querträger der im Grundriß schiefen Brücke liegen in 0,80 m Abstand rechtwinklig zu den beiden Hauptträgern, welche an den Widerlagern über die Platte hinaus verlängert und auf eine Länge von 0,70 m aufgelagert sind, wie aus dem Brückengrundriß hervorgeht. An der Außenseite der 0,30 m starken Hauptträger sind nahezu quadratische Nischen von 0,18 m Tiefe ausgespart, wodurch das Gewicht der Hauptträger um rd. $^1/_3$ verringert worden ist. In den Endfeldern liegen die abgebogenen, strebenartig hervorgehobenen Verstärkungen.

---

[1]) Ausgeführt von Schittenhelm u. Söhne in Zauchtel.

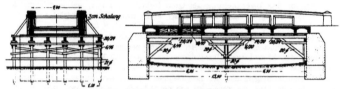

Abb. 593. Lehrgerüst-Ausbildung.

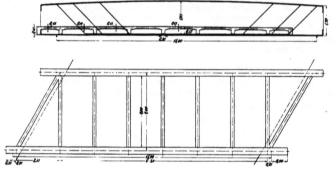

Abb. 594. Längsschnitt und Grundriß der Brücke.

Abb. 593 bis 595
Weißeritzbrücke am Gute Heilsberg bei Coßmannsdorf
(Sachsen).

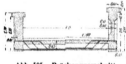

Abb. 595. Brückenquerschnitt.

Nr. 47. Die Weißeritzbrücke am Gute
Heilsberg bei Coßmannsdorf (Dresden), ausgeführt
von der Firma Dyckerhoff u. Widmann, A. G.,
Dresden, kann als ein Regelbeispiel für die Ausführung eines Tragwerks mit versenkter Bahn gelten
(vergl. auch Nr. 69 auf S. 86).

Bei einer verfügbaren Bauhöhe von 0,55 m und einer Versteinungsstärke von
0,12 m ist das Verhältnis $l : h_m = 15,0 : 0,43 = 35$. Da ferner die Breite der Brücke
nur ein Viertel der Stützweite beträgt, so waren hier die Bedingungen für die Wahl
eines Tragwerks mit versenkter Bahn gegeben. Um das Eigengewicht zu verringern
und das Aussehen der Brücke zu beleben, wurden die Tragwände sowohl außen, als
auch innen durch kräftige Nischen in rechteckige Felder aufgelöst, die der Teilung der
rechtwinklig angeordneten Querträger entsprechen. Um diese Teilung bis an die Enden
gleichmäßig durchführen zu können, sind die Hauptträgerenden verschieden weit über
die Lagerpunkte hinausgeführt, die um 0,45 m hinter die Widerlagerflucht gerückt sind.
Die parallel zu den Widerlagern laufenden Endquerträger sind möglichst nahe an deren

Vorderkante gelegt, um an Länge der Brückenplatte zu sparen, was bei Eisenbeton-trägern mit der erheblichen Seitensteifigkeit unbedenklich ist, im Gegensatz zu eisernen Brücken.

Nr. 48. Die Wegbrücke in Borek (Posen), ausgeführt von C. Brandt u. Co., Düsseldorf, wurde auf vorhandenen Feldsteinwiderlagern erbaut, die durch Einspritzen von Zement in das vollständig ausge-waschene Mauerwerk tragfähig gemacht wur-den. Bei der geringen verfügbaren Bauhöhe von 0,64 m, die nur an zwei Punkten über-schritten werden durfte, ergab sich die aus Abb. 599 u. 600 ersicht-liche Anordnung der Querträger, welche

Abb. 598. Ansicht.

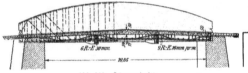

Abb. 599. Längsschnitt.　　　　　Abb. 600. Querschnitt.
Abb. 598 bis 600. Wegbrücke in Borek.

ebenso wie die Widerlager mit der Brückenachse einen Winkel von 75° einschließen. Die Höhe der Hauptträger ist dem Verlauf der Momentenlinie angepaßt, wodurch zu-gleich ein gefälligeres Aussehen der Brücke erzielt wurde. Die Grundmaße sind auf S. 86, Nr. 68 zusammengestellt.

Nr. 49. Die Franzensbrücke in Buchelsdorf bei Freiwaldau, Österr.-Schlesien (vergl. Abb. 93, S. 35 und Nr. 73, S. 86), ausgeführt im Jahre 1905 von der Firma Ast u. Co., Wien.

Die beschränkte Bauhöhe von nur 0,55 m bedingte die Wahl eines Tragwerks mit versenkter Bahn (Abb. 601). Die möglichst niedrig bemessene Versteinung besteht aus einem nur 0,15 m starken Schotterbelag.

Der Berechnung war ein 6 t schwerer Lastwagen und Menschengedränge von 340 kg/m² zugrunde gelegt. Bei der Bemessung der Hauptträger wurde auf das Be-streben derselben, nach der Seite auszuknicken, Rücksicht genommen, sowie auch auf den allerdings wohl wenig bedeutsamen Winddruck auf die Trägerwände.

Die Trageisen der doppelt bewehrten Hauptträger sind nicht vollständig bis zum Auflager durchgeführt, sondern durch kräftige Endhaken im Beton verankert. Zur Aufnahme der Querkräfte sollen außer den abgebogenen Eisen noch die besonders eingelegten kurzen Eisen dienen, welche mittels Verschnürung mit den Trageisen des Untergurtes verbunden sind. Durch zahlreiche senkrecht stehende Rundeisenbügel findet

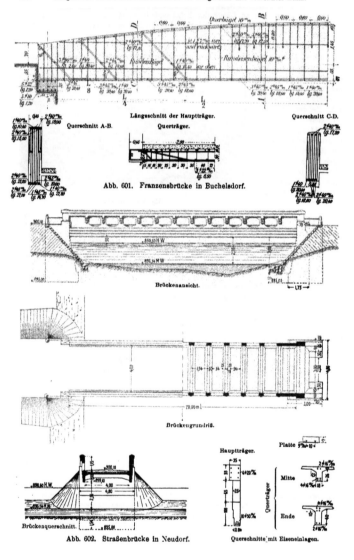

Abb. 601. Franzensbrücke in Buchelsdorf.

Abb. 602. Straßenbrücke in Neudorf.

Querschnitte mit Eiseneinlagen.

eine innige Verbindung der unteren und oberen Gurteisen statt. Die Auflagerquader sind ebenfalls doppelt bewehrt.

Nr. 50. Die Straßenbrücke in Neudorf, Österr.-Schlesien (vergl. Nr. 75, S. 86), ausgeführt von Schittenhelm und Söhne, Zauchtel, ist architektonisch bemerkenswert, da die durchbrochenen Tragwände durch Konsolen an der kräftig ausladenden Obergurtung wirksam verziert sind. In Anbetracht der ausreichenden Bauhöhe konnte die Fahrbahn so hoch gelegt werden, daß die Hauptträger nur 1,15 m über dieselbe emporragen und somit den Fußgängern die freie Aussicht nicht behindert wird. Der statischen Wirkung entsprechend ist der auf Druck beanspruchte Obergurt möglichst breit, der Untergurt aber so schmal gehalten, als es mit Rücksicht auf die in ihm unterzubringenden Eisen möglich war.

Nr. 51. Die Brücke in Hotzenplotz, ausgeführt von Schittenhelm u. Söhne in Zauchtel (vergl. auch Nr. 76, S. 86) besitzt eine sehr geringe Bauhöhe, so daß hier im

Abb. 603. Ansicht und Längsschnitt.

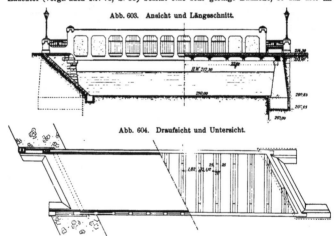

Abb. 604. Draufsicht und Untersicht.

Abb. 603 bis 605. Brücke in Hotzenplotz.

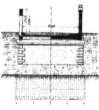

Abb. 605. Querschnitt.

Gegensatz zum vorigen Beispiel die Fahrbahntafel möglichst tief gelegt wurde. Dafür sind die mit eisernen Gittern versehenen Durchbrechungen 1,80 m hoch ausgeführt worden, so daß ein Durchblick unter dem Obergurt gewährt wird. Bemerkenswert ist der möglichst kräftige Anschluß der Querträger an die Hauptträger. Auch sei noch auf den seitlichen Abschluß der Fahrbahn an den Durchbrechungen sowie auf die architektonisch wirkungsvolle Ausgestaltung der Brückenansicht hingewiesen.

Nr. 52. Die Straßenüberführung bei Taulow in Jütland (vergl. auch Abb. 142, S. 63), ausgeführt von

21*

Christiani u. Nielsen, Kopenhagen, für eine Belastung von 500 kg/m² und einen 12 t schweren Wagen, kreuzt die zweigleisige dänische Staatseisenbahn unter einem Winkel von 42°, so daß sich eine Lichtweite von 18,0 m ergab.

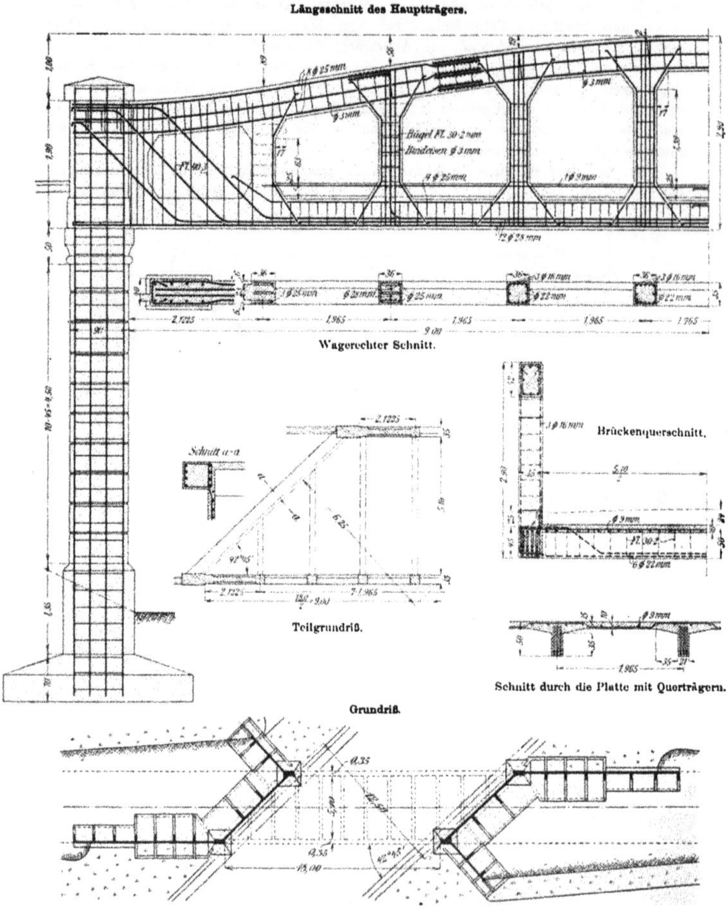
Längsschnitt des Hauptträgers.
Bügel Fl. 30·2 mm
Bindeisen ϕ 3 mm
Wagerechter Schnitt.
Schnitt a-a
Teilgrundriß.
Brückenquerschnitt.
Schnitt durch die Platte mit Querträgern.
Grundriß.

Abb. 606. Taulowbrücke in Jütland.

Da für die Bauhöhe nur das Maß von 0,74 m bei 0,24 m Versteinungsstärke zur Verfügung stand und die Brückenbreite von 5,1 m nur rd. $^1/_4$ der Stützweite beträgt, so wurde als Grundform ein Tragwerk mit versenkter Bahn gewählt (vergl. auch Nr. 78 auf S. 86).

Die beiden Hauptträger sind als Pfostenfachwerke mit gekrümmter Obergurtung ausgebildet und haben in der Mitte eine Höhe von 2,9 m, an den Auflagern eine solche von 1,9 m bei 0,35 m Gurtbreite. In den vollwandig ausgebildeten Endfeldern sind die Zugeisen des Ankergurtes unter 45° abgebogen. Die Eiseneinlagen des Obergurtes sind, wie der Querschnitt zeigt, gleichmäßig auf den Umfang verteilt und im dritten Felde gestoßen, und zwar in Feldmitte, wo die Biegungsmomente den kleinsten Wert haben. Die Stoßverbindung ist durch Umschnüren der einander übergreifenden Eisenenden gebildet. Bemerkenswert ist die starre Verbindung des Trägers mit den als selbständige Säulen ausgebildeten Stützpfosten, bei denen jedoch, wie der Verzicht auf die Eckausrundung sowie die Anordnung der Eiseneinlagen erkennen lassen, von der Berücksichtigung der Rahmenwirkung abgesehen worden ist. Die Widerlagerwände zwischen diesen Säulen sowie die anschließenden Flügelmauern sind als Winkelstützmauern in Eisenbeton ausgebildet. Den seitlichen Abschluß der Fahrbahn bildet eine auf den Untergurt aufgesetzte Rippe.

Nr. 53. Die Straßenbrücke in Walding bei Linz (Oberösterreich), ausgeführt von Franz Visintini, Wien, ist ein Dreieckfachwerkträger mit versenkter Bahn mit 16 m Lichtweite (vergl. auch Abb. 121, S. 47).

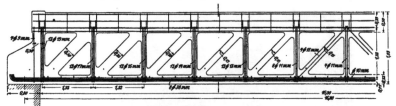

Abb. 607. Träger-Längsschnitt.

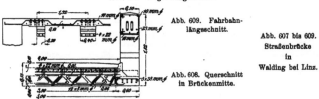

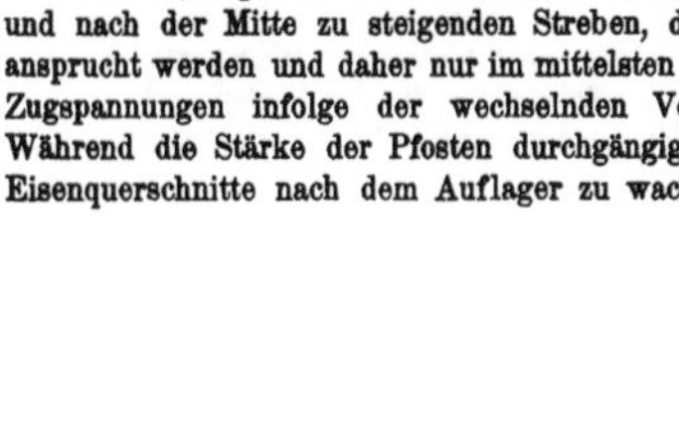

Abb. 609. Fahrbahnlängsschnitt.

Abb. 607 bis 609.
Straßenbrücke
in
Walding bei Linz.

Abb. 608. Querschnitt in Brückenmitte.

Die Wandglieder des Fachwerks bestehen nach Abb. 607 in gezogenen Pfosten und nach der Mitte zu steigenden Streben, die von der Eigenlast nur auf Druck beansprucht werden und daher nur im mittelsten Felde mit Rücksicht auf die verbleibenden Zugspannungen infolge der wechselnden Verkehrslast mit Zugeisen bewehrt sind. Während die Stärke der Pfosten durchgängig 0,12 m beträgt und nur die zugehörigen Eisenquerschnitte nach dem Auflager zu wachsen, nimmt die Breite der Druckstreben von 0,15 m in den sechs mittelsten Feldern bis auf 0,30 m im Endfelde zu. Der 0,22 m hohe Zuggurt ist über die ganze Trägerlänge gleichmäßig mit acht Rundeisen von 38 mm Durchmesser bewehrt. Im Druckgurt, der nach Abb. 608 einen Querschnitt von 0,50×0,50 m besitzt, sind zunächst acht Rundeisen von 10 mm Durchmesser verteilt, die durch Ringbügel verbunden sind. Außerdem enthält er vier Montageeisen von 23 mm Durchmesser, an denen die Pfosteneisen angreifen, und zwar im Schnittpunkte mit den Achsen der Druckstreben. Diese Schnittpunkte liegen nicht in der Mitte des Obergurtes, sondern in etwa ein Viertel der Höhe derselben, so daß die Netzfelder genaue Quadrate von 1,32 m Seitenlänge bilden und der Obergurt nach oben hin einseitig verstärkt erscheint. Da die Endpfosten nicht über den Lagermitten stehen, war eine kräftige Verstärkung und Bewehrung erforderlich, um die entstehenden Biegungsmomente und Scherkräfte aufnehmen zu können.

Bündig mit der Unterkante der Hauptträger liegen die als einfache Visintinibalken ausgebildeten Querträger, zwischen denen die 0,18 m starke Eisenbetonplatte gespannt ist (Abb. 608 u. 609).

Nr. 54. Die Unterführung der Staatsbahn von Nymwegen nach Herzogenbusch in Holland, ausgeführt von der Hollandsche Maatschappij voor Gewapened Beton (Haag), zeigt das seltene Beispiel eines durchlaufenden Trägers mit versenkter Bahn.

Abb. 610. Ansicht der Straßenbrücke bei Nymwegen.

Die lichte Breite beträgt 5 m und die Lichtweite der Hauptöffnung 10 m, so daß man als Verhältnis dieser beiden Größen 1:2 erhält. Es ergab sich daher bei der äußerst geringen Bauhöhe von 0,65 m als günstigste Lösung ein Träger mit versenkter Bahn, dessen Biegungsmomente infolge der Durchführung über drei Öffnungen wesentlich verringert werden.

Die Endstützen sind bis zum tragfähigen Boden geführt (Abb. 611) und mit den Zwischenstützen auf einen Rost von Eisenbetongrundschwellen mit T-förmigem Querschnitt und nach oben liegender Rippe gelagert. Durch kräftige Querträger sind die Säulenköpfe verbunden. Die durchbrochene Brüstung ist ebenfalls in Eisenbeton ausgeführt.

Für die Berechnung der Platte und Träger wurde ein 6 t schwerer Wagen mit 1,5 m Radstand und 2 m Achsstand zugrunde gelegt, während für die der Säulen und Gründungskörper bei 1,5 kg/cm² Bodendruck eine gleichmäßig verteilte Verkehrslast von 500 kg/m² angenommen wurde.

Bei der Belastungsprobe[1]) mit 700 kg/m² wurden acht Durchbiegungsmesser verwendet, die an drei Säulen eines Hauptträgers, den zugehörigen Öffnungsmitten, sowie

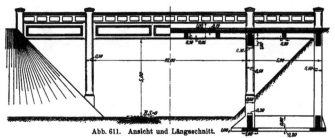

Abb. 611. Ansicht und Längsschnitt.

an den Auflagern und der Mitte eines Querträgers angebracht waren, um unter Berücksichtigung der Auflagersenkung die wirkliche Durchbiegung zu erhalten. Bei der Belastung der Mittelöffnung allein ergab sich als größte Durchbiegung derselben 0,75 mm, wovon 0,1 mm nach völliger Entlastung zurückblieb, und eine Hebung der Trägermitte in der unbelasteten Öffnung von 0,175 mm. Umgekehrt wurde bei der Belastung der Seitenöffnung allein eine Durchbiegung derselben von

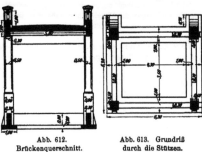

Abb. 612.
Brückenquerschnitt.

Abb. 613. Grundriß
durch die Stützen.

Abb. 610 bis 613. Straßenbrücke bei Nymwegen.

0,05 mm beobachtet und eine ebenso große Hebung der unbelasteten Mittelöffnung. Dagegen konnte eine meßbare Durchbiegung der Querträger nicht festgestellt werden.

Nr. 55. Die Havelschleusenbrücke bei Garz,[2]) ausgeführt von den „Betonwerken Biesenthal", dient zur Überführung eines 3,8 m breiten Weges über das Unterhaupt einer Schiffahrtschleuse. Die Stützweite der Mittelöffnung beträgt 13,96 m, die der beiden Seitenöffnungen je 4,18 m. Die 0,13 m starke Versteinung besteht in Klinkerpflaster, das in Zementmörtel versetzt ist. Da für die Trägerhöhe in der Brückenmitte nur 0,35 m, also ¹/₄₀ der Stützweite, zur Verfügung stand, so mußte ein Tragwerk mit untenliegender Fahrbahn gewählt werden (Abb. 614). Da die örtlichen Verhältnisse die Anordnung zweier Zwischenstützen gestatteten, die Seitenöffnungen aber im Verhältnis zur Mittelöffnung sehr klein waren, bei der Ausführung eines durchlaufenden Trägers somit die Verankerung der Trägerenden erforderlich geworden wäre, so wurde das Tragwerk als statisch bestimmter Balken auf zwei Stützen mit überkragenden Enden

[1]) Siehe van Hemert, Beproeving van en wegbrug in gewapened beton over den Staatsspoorweg nabij Nijmwegen, „De Ingenieur" 1904, Nr. 17, Haag.

[2]) Siehe K. Rößle, Eisenbetonbrücken bei der Havelkorrektion. Eisenbeton 1910, Nr. 14, S. 155.

ausgebildet. Dieser Grundform entsprechend wurde die Berechnung sowie die Bemessung und Anordnung der Eiseneinlagen durchgeführt.

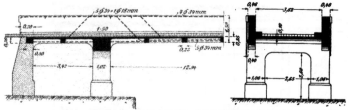

Abb. 614. Havelschleusenbrücke bei Garz.

Die statische Berechnung ergibt, daß auf die Endstützpunkte selbst dann kein
Druck ausgeübt wird, wenn die Mittelöffnung unbelastet und die beiden Seitenöffnungen
vollbelastet sind, so daß die Endstützen nur als Stützmauern zum Abschluß des Erdreichs dienen.

Die 1,50 m hohen Hauptträger ragen 1,02 m über die Fahrbahn heraus und sind
an den Außenflächen kassettenartig gegliedert.

Schlußbemerkung.

Die in diesem Kapitel verwendeten Unterlagen von ausgeführten Balkenbrücken und Überdeckungen sind dem Verfasser von den ausführenden Bauunternehmungen in dankenswerter Weise zur Verfügung gestellt worden, und zwar von der

Allgemeinen Eisenbeton-Gesellschaft (Berlin),
Aktiengesellschaft für Beton- und Monierbau (Berlin, Königsberg, Leipzig),
Ast u. Co. (Wien),
Carl Brandt (Düsseldorf),
Christiani u. Nielsen (Kopenhagen),
Drenckhahn u. Sudhop (Braunschweig),
Dyckerhoff u. Widmann, A. G. (Biebrich a. Rh., Dresden, Nürnberg, Karlsruhe),
Expanded Metal & Corrugated Bar Company (St. Louis),
Hennebique (Paris),
Hollandsche Maatschappij voor Gewapened Beton (Haag),
A. Maciachini (Mailand),
Mölders u. Co. (Hildesheim),
Joh. Odorico (Dresden),
Max Pommer (Leipzig),
Reincke u. Co. (Stettin),
Adolf Schittenhelm u. Söhne (Zauchtel),
Steffens u. Nölle (Berlin),
Franz Visintini (Wien),
G. A. Wayss u. Co. (Wien, Budapest),
Windschild u. Langelott (Dresden),
Rud. Wolle (Leipzig),
Prof. Zielinsky (Budapest).

Für die im Bereiche der Kgl. Sächs. Staatseisenbahnen ausgeführten Brücken, Beispiel Nr. 4, 5, 9, 10, 33 bis 36 und 47 wurde dem Verfasser in Anbetracht seiner früheren Tätigkeit im Brückenbaubureau der Generaldirektion die besondere Genehmigung zur Veröffentlichung erteilt.

Literatur.

a) Theorie.

Bach, C., Versuche mit Eisenbetonbalken zur Bestimmung des Einflusses der Hakenformen der Eisen-einlagen. Deutscher Ausschuß für Eisenbeton, Heft 9, Berlin 1911.

Balicki, Einflußlinien für die Berechnung paralleler Vierendeelträger. Forscherarbeiten, Heft XII, Berlin 1910.

Foerster, Eisenkonstruktionen der Ingenieurhochbauten. 4. Aufl. Leipzig 1909.

Foerster, Balkenbrücken in Eisenbeton. Fortschrittsheft 15. Leipzig 1908.

Föppl, Vorlesungen über technische Mechanik. Leipzig 1903.

Frandsen, Beitrag zur Theorie der Vierendeelträger. Beton u. Eisen 1909, Heft XIV bis XVI.

Gebauer, Eisenbetonträger für große Spannweiten, System Vierendeel. Beton u. Eisen 1907, Heft X bis XII.

Gehler, Die Ermittlung der Nebenspannungen eiserner Fachwerkbrücken nebst Anhang mit Rechnungs-beispielen von J. Karig. Berlin 1910.

Hütte, Des Ingenieurs Taschenbuch. 20. Aufl. Berlin 1908.

Johnson, L. J., Belastungsversuche. Journal of the Association of Engineering Societies. Boston, Januar 1905.

Kalmer, Beitrag zur Berechnung der Eisenbetonträger nach System Vierendeel. Beton u. Eisen 1908, Heft XI, S. 273.

Mann, Statische Berechnung steifer Viereeknetze. Zeitschrift für Bauwesen 1909.

Marcus, Beitrag zur Theorie der Vierendeelschen Träger. Armierter Beton 1910, Heft 5 bis 11.

Mehrtens, Statik der Baukonstruktionen. Leipzig 1905.

Mohr, O., Abhandlungen aus dem Gebiete der technischen Mechanik. Berlin 1906.

Müller-Breslau, H., Neuere Methoden der Festigkeitslehre. Leipzig 1904. 2. Aufl., S. 113 bis 131. (Berechnung der steifen Rahmen.)

Ostenfeld, A., Nogle simple Formler for de bøjende Momenter der parvirke Søjlerne in Konstructioner of armeret Beton. Ingenieuren (Zeitschrift des dänischen Ingenieur-Vereins, Kopenhagen) 1905, Nr. 13, S. 83 bis 87.

Ostenfeld, Beitrag zur Berechnung der Vierendeelträger. Beton u. Eisen 1910, Heft II, S. 33.

Patton, Eugen, Berechnung von gegliederten Brückenträgern mit starren Knotenverbindungen. Zeit-schrift des Hannoverschen Ingenieur- und Architekten-Vereins 1901.

Patton, Eugen, Über diagonallose Träger (Bauart Vierendeel). Zentralblatt der Bauverwaltung, S. 558. Berlin 1907.

Podolsky, Fachwerkträger ohne Diagonalen. Moskau 1909 (in russischer Sprache).

Ritter, W., Anwendung der graphischen Statik. III. Teil: Der kontinuierliche Balken. Zürich 1900.

Schaller, Belastung der Baukonstruktionen durch Schnee. Berlin 1909.

Tolkmitt, G., Leitfaden für das Entwerfen und die Berechnung gewölbter Brücken. 2. Aufl. von Laskus. Berlin 1902.

Vierendeel, Longerons en treillis, et longerons à arcades. Paris 1897.

Weyrauch, Über die Berechnung der Brücken-Auflager. Zeitschrift des Architekten- u. Ingenieur-Vereins zu Hannover 1894, S. 131 und 571.

b) Ausführung.

Beton u. Eisen. Berlin.

Deutsche Bauzeitung. Berlin.

Armierter Beton. Berlin.

Concrete and Constructional Engineering. London.

Engineering Record.

Annales des ponts et chaussées. 1903, Ill. (A. Con-sidère, Der Bruchversuch mit der Brücke von Jvry.)

Der Eisenbeton. Berlin.

De Ingenieur. Organ des Holländischen Ingenieur-Vereins (Haag). 1904, Nr. 12; von Hemert, Beproeving van en wegbrug in gewapened beton over den Staatsspoorweg nabij Nijmwegen.

Il Cimento. 1906. Gangsteg über den Naviglio grande in Mailand.

III. Kapitel. **Bogenbrücken und Überwölbungen.**

Bearbeitet von Dipl.-Ing. **Th. Gesteschi,** Zivilingenieur, Berlin.

A. Einleitung.

1. Die ersten Anfänge des Brückenbaues in Beton und Eisenbeton.

Die Herstellung der Gewölbe erfolgte bis in die neuere Zeit durch Zusammenfügung von winkelrecht bearbeiteten Quadern oder künstlich erzeugten Bausteinen von prismatischer Form auf der Schalung, wobei der Mörtel als Bindemittel nur eine nebensächliche Rolle spielte.

Mit dem Fortschreiten der Zementindustrie trat das Bindemittel immer mehr in den Vordergrund, und schon bei Anwendung von Bruchsteinmauerwerk, welches Mitte des vorigen Jahrhunderts (in Frankreich) im Gewölbebau Eingang fand, fiel dem Mörtel eine höhere Aufgabe zu, indem er die roh behauenen Bruchsteine verkitten und ihre gegenseitige Verschiebung verhindern sollte. Gutes Bruchsteinmauerwerk setzt also schon die Verwendung eines einwandfreien Zementmörtels voraus.

Noch höhere Ansprüche müssen natürlich an den Zement im Betonbau, mit dem eine neue Entwicklungsstufe in der Ausführung gewölbter Brücken beginnt, gestellt werden. Dagegen ist man hinsichtlich der Größe und Form nicht mehr an die Verwendung bestimmter Gesteinsarten gebunden, sondern kann im allgemeinen beliebige Steinzuschläge, sofern sie nur gewisse Festigkeitseigenschaften besitzen und wetterbeständig sind, zur Betonbereitung benutzen.

Die ersten Anfänge des Betonbrückenbaues, allerdings unter Verwendung von Romanzement, fallen in den Beginn des 19. Jahrhunderts. In Frankreich wurde bereits im Jahre 1816 eine größere Betonbrücke über die Dordogne bei Souillac aus Romanzement hergestellt (vergl. I. Bd., 1. Aufl., S. 9). Eine der ältesten Betonbrücken, gleichfalls aus Romanzement errichtet, ist ferner, soweit bekannt, die im Jahre 1840 hergestellte Brücke in Erlisbach bei Aarau (Schweiz).[1] Sie hat eine Spannweite von 7,2 m und eine Pfeilhöhe von 3 m. Sie wurde 1840 von der Aarauer Zementfabrik Fleiner u. Co. mit ihrem Romanzement erbaut und der Gemeinde Erlisbach geschenkt.

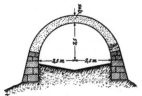

Abb. 1. Überwölbung des Gerberbaches in Schaffhausen.

Die ersten Betonbrücken aus Portlandzement wurden um das Jahr 1870 ausgeführt.

E. H. Hoffmann berichtet 1873[2] über die durch den Stadtbaumeister von Schaffhausen, G. Meyer, im Jahre 1868 bewirkte Überwölbung des Gerberbaches in der Stadt Schaffhausen (Abb. 1) u. a. wie folgt:

„Der untere Teil des Bauwerks ist von natürlichem Gestein, der obere Teil von breiartiger Masse, welche aus 1 Teil Portlandzement (der ein vorzügliches Material

[1] Schweiz. Baustg. 1898. Bd. XXII, S. 7.

[2] Deutsche Baustg. 1873, S. 75, u. 93.

liefernden Fabrik Dyckerhoff u. Söhne in Mannheim und Amöneburg) mit 7¹/₂ Teilen
Sand, Rollschotter und geschlägeltem Schotter (je 2¹/₂) besteht. Dies Gemisch ist an
Ort und Stelle Béton genannt, anderwärts heißt es Konkret, und nicht minder bestimmt
und verständlich würden wir es mit ‚Stampfmasse‘ bezeichnen. Die Masse muß sehr
trocken angerührt und nicht mehr befeuchtet werden, als notwendig ist, um ihr den
ungefähren Feuchtigkeitsgehalt frisch aus der Grube gehobener Erdmassen zu geben.“

Die einige Jahre darauf beabsichtigte Ausführung der massiven Brücke von 8,16 m
Spannweite bei Lübars[1]) in Beton kam nicht zustande, da der Zement schlecht war,
indem er in Einzelfällen anfing zu treiben; unter diesen Umständen hielt man es nicht
für ratsam, die Gewölbe in Konkret, wie der Baustoff damals hauptsächlich bezeichnet wurde, auszuführen. Die Widerlager, die bereits in Beton fertiggestellt waren,
wurden belassen, während die Gewölbe in Ziegeln vollendet wurden.

Im Jahre 1877 wurde im Auftrage der Vorwohler Portlandzementfabrik in Holzminden die in Abb. 2 dargestellte Straßenbrücke in Beton erbaut.[2]) Die Spannweite derselben betrug 7 m, die Stichhöhe 1 m, die Scheitelstärke des Gewölbes 0,3 m.

Die Herstel-
lung erfolgte in der
Weise, daß man
Mörtel, bestehend
aus 1 Teil Zement
und 3 Teilen Sand,
in Bahnen von 1 m
Breite zu beiden

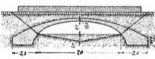

Abb. 2. Betonbrücke in Holzminden.

Seiten der Widerlager gleichzeitig, etwa 12 bis 15 cm stark, auf der Schalung ausbreitete,
worauf Kalksteine in Plattenform von 15 bis 25 cm Höhe in senkrecht auf den Bogen
gerichteten Lagen in die Mörtelschichten eingedrückt wurden. Sodann erfolgte die
Abgleichung der äußeren Leibung mit einer zweiten Mörtellage, bei welcher man
Kalksteinstücke kleinerer Art als Einlagen benutzte. Auf völlige Umschließung der
Kalksteine mit Mörtel, um sie vor dem Einfluß der Witterung zu schützen, ist sorgfältig gehalten worden.

Seitdem nahm der Betonbau einen bedeutenden Aufschwung.

Von kleinen Spannweiten beginnend, ging man bald zu größeren über und suchte
der mit der Spannweite steigenden Gefahr der Rissebildung durch bestimmte bei der
Ausführung zu befolgende Regeln, wie Aussparung von radialen Schlitzen im Gewölbe, vor
allem aber durch die Einführung von Gelenken oder gelenkartige Einlagen, zu begegnen.

Die Anwendung von Gelenken bedeutete eine umwälzende Neuerung im Gewölbebau und im besonderen im Betonbau, da sie sich bei der Ausführung einer ganzen
Reihe größerer Betonbrücken als besonders vorteilhaft erwiesen.

Zum ersten Male wurden Gelenke auf Vorschlag von Köpcke, Dresden, im Jahre
1880 von den sächsischen Staatsbahnen beim Bau von steinernen Brücken der Berg-
gießhübler Bahn angeordnet.[3])

Die Straßenbrücke bei Erbach in Württemberg,[4]) 1887 in Beton erbaut, mit
32 m Spannweite und 4 m Pfeilhöhe, erhielt drei Gelenke aus Asphaltplatten in mehreren
Lagen (13 mm stark). Bald folgte eine Reihe großer Betonbrücken mit Gelenken aus

¹) Deutsche Bauztg. 1872, S. 260.
²) Deutsche Bauztg. 1877, S. 259
³) Zeitschr. d. Arch.- u. Ing.-V. zu Hannover 1888, S. 374; 1896, S. 50 u. 258. — Zeitschr. f. Bauw. 1888, S. 255 u. 260.
⁴) Deutsche Bauztg. 1892 S. 513.

verschiedenen Baustoffen (S. 382 ff.), und die 1893 erbaute Donaubrücke bei Munderkingen, eine der bedeutendsten Gelenkbrücken, besaß bereits 50 m Spannweite (S. 479).

Zu dieser Zeit war schon die Ausführung von Eisenbetonbrücken, deren Entwicklung mit der der reinen Betonbrücken gleichlaufend vor sich ging, in Aufnahme

Abb. 3. Dorfbrücke im Schloßpark zu Chazelet, Indre.

Abb. 4. Fußgängerbrücke auf der Nordwestdeutschen Gewerbe- u. Industrie-Ausstellung Bremen.

gekommen, doch lagen über größere Bauten dieser Art noch keine genügenden Erfahrungen vor, so daß man bei bedeutenderen Spannweiten reine Betonbrücken mit Gelenken den Eisenbetonbrücken vorzog.

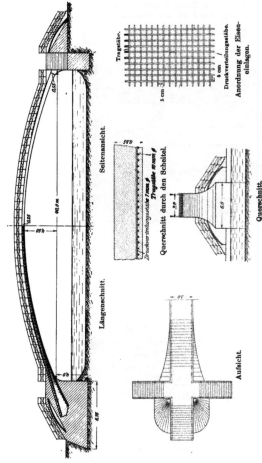

Die Herstellung von Gewölben aus Eisenbeton scheint, kurze Zeit nachdem Monier 1873 sein erstes Patent für Brücken erwirkt hatte, ihren Anfang genommen zu haben.

Das älteste bekannte Bauwerk dieser Art aus dem Jahre 1875 ist eine Dorfbrücke von 16,50 m Länge und 4,0 m Breite, ausgeführt auf der Besitzung des Herrn Marquis Tilièreim Schloßpark zu Chazelet, Indre (Abb. 3).[1]

Selbst das Brückengeländer ist aus Eisenbeton, und zwar mit Rücksicht auf die Umgebung als Nachahmung von Baumästen hergestellt.

Auf der Nordwestdeutschen Gewerbe- und Industrie-Ausstellung in Bremen 1890 erregte eine Fußgängerbrücke in Eisenbeton von 40,0 m Spannweite und 4,5 m Pfeilhöhe bedeutendes Aufsehen (Abb. 4 u. 5).

[1] Vergl. Das System Monier. Herausgegeben von G. A. Wayss. Berlin 1887. S. 112 u. 128.

Die Gewölbestärke betrug im Scheitel 25 und an den Kämpfern 55 cm. Der Bogen diente gleichzeitig als Treppe.[1]

Im selben Jahre wurde von der Akt.-Ges. für Beton- und Monierbau in Berlin (vorm. G. A. Wayss u. Co.), von der auch die vorgenannte Brücke stammt, für die Port-

Abb. 6. Straßenbrücke in Wildegg (Schweiz).

landzementfabrik Zurlinden u. Co. eine schiefe Straßenbrücke (45°) in Wildegg (Schweiz)[2] über den Fabrikkanal mit einem kühnen Eisenbetonbogen von 39,00 m mittlerer Spannweite, 3,5 m Pfeilhöhe und 3,9 m Breite, 23 cm Scheitel- und 65 cm Kämpferstärke ausgeführt (Abb. 6).

Zu gleicher Zeit stellte das Wiener Zweiggeschäft derselben Firma im Auftrage der k. k. priv. Südbahn-Gesellschaft in Wien, gelegentlich der Umbauten an der Südbahn, ein damals viel bewundertes Bauwerk her, nämlich die Straßenüberführung im Haltepunkt Mödling (Abb. 7 u. 8) mit drei Öffnungen von je 9,0 m Spannweite[3];

Abb. 7. Straßenüberführung im Haltepunkt Mödling.

kurz vorher waren in Matzleinsdorf bei Wien durch Belastung einer 10 m weit gespannten Probebrücke aus Eisenbeton mit einer darüberfahrenden Lokomotive sehr günstige Ergebnisse erzielt worden.[4]

[1] Vergl. auch Handbuch, I. Bd., (erste Aufl.) S. 23.
[2] Schweiz. Bauztg. 1891, Bd. XVII, S. 66.
[3] Wochenschr. d. österr. Ing.- u. Arch.-V. 1891, Nr. 18 (Vortrag des Oberingenieurs Holzer); vergl. ferner Handbuch, I. Bd. (erste Aufl.) S. 24,
[4] Vergl. Handbuch, I. Bd. (erste Aufl.), S. 312,

Da es sich um den Umbau einer bereits bestehenden gemauerten Brücke handelte, die den Bedürfnissen in bezug auf Durchfahrthöhe nicht mehr genügte, so konnten die

Ansicht und Längenschnitt.   Querschnitt.

Abb. 8. Längen- und Querschnitt, sowie Bewehrungseinzelheit der Straßenüberführung bei Mödling.

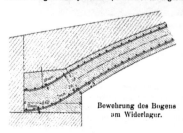

Bewehrung des Bogens
am Widerlager.

Pfeiler bezw. Widerlager mit entsprechenden Abänderungen wieder benutzt werden. In gleicher Weise wurde eine Reihe anderer Bauwerke derselben Strecke erneuert.

Welchen Aufschwung nunmehr der Eisenbetonbau nahm, zeigt der Umstand, daß die genannte Gesellschaft, die den Eisenbetonbau damals fast ausschließlich in Händen hatte, bereits im Jahre 1893 annähernd 100 und im Jahre 1899 über 300 Brücken und Durchlässe in Eisenbeton ausgeführt hatte.

Weitere Angaben über die Entwicklung des Baues gewölbter Eisenbetonbrücken sind dem ersten Bande (S. 25 usw.) zu entnehmen.

2. Merkmale der Betonbogenbrücken ohne und mit Eiseneinlagen.

Die Betonbogenbrücken ohne Eiseneinlagen[1]) unterscheiden sich von den Steinbrücken hauptsächlich in der Herstellungsweise, während in statischer Hinsicht eigentlich kein Unterschied besteht. Sowohl die Gewölbe aus Stein wie auch aus Beton sind so auszubilden, daß der Baustoff, seinen Festigkeitseigenschaften gemäß, nur auf Druck beansprucht wird, während Zugbeanspruchungen| wegen Gefahr der Rissebildung vermieden werden müssen.

Die Überlegenheit des Betonbaues gegenüber dem Steinbau liegt hauptsächlich in den geringeren Kosten der Baustoffe, der schnellen Herstellungsweise, der Bequemlichkeit, die sich in der Nähe der Baustelle gerade vorfindenden Gesteinsstoffe zur Betonbereitung zu verwenden, und schließlich der Möglichkeit, eine beliebig hohe Druckfestigkeit zu erzielen, bezw. die Gewölbestärke und das Mischungsverhältnis den auftretenden Beanspruchungen anpassen zu können.

Was den letzten Punkt betrifft, kann man insbesondere bei Verwendung von Gelenken bis zur äußersten Grenze gehen, da, falls solche im Scheitel und in den Kämpfern angeordnet werden, die Lage der Drucklinie festgelegt ist und man deshalb ein genaues Bild von den auftretenden Beanspruchungen erhält; außerdem wird der Kräfteverlauf beim Dreigelenkgewölbe durch Wärmeänderungen und Widerlager-

---

[1]) Die vielfach übliche Bezeichnung „Stampfbetonbrücken“ für Betonbrücken ohne Eiseneinlagen ist nicht gerechtfertigt, da man es bei Eisenbetonbrücken gleichfalls mit Stampfbetonbrücken zu tun hat.

verschiebungen nicht beeinflußt. Im Gegensatz hierzu sind die Beanspruchungen beim gelenklosen Gewölbe wegen der Unsicherheit der Berechnungsweise und der obengenannten beiden Einflüsse geringer als im vorigen Falle anzunehmen, wenn das Bauwerk unter den in Frage kommenden Belastungen nicht leiden soll. Da sich ein gelenkloses Gewölbe nach den Versuchen des Österreichischen Ingenieur- und Architektenvereins[1]) (1890 bis 1892) wie ein elastischer Bogen verhält, so empfiehlt es sich, größere Gewölbe, sofern man von Gelenken absieht, nach der Elastizitätstheorie zu untersuchen. (Näheres siehe S. 439.)

Ein weiterer Fortschritt in der Ausnutzung der Baustoffe sowie Erhöhung der Sicherheit wurde durch Einführung der Eisenbetonbauweise in den Gewölbebau erzielt. Man ist in der Lage, dort, wo die Festigkeitseigenschaften des Betons · allein nicht mehr ausreichen, diese durch Anordnung von Eiseneinlagen zu ersetzen.

In der gegenseitigen richtigen Ergänzung beider Baustoffe, Beton und Eisen, liegen die Vorteile der Eisenbetonbauweise.

Man kann die Gewölbestärken noch' mehr verringern, da die eingebetteten Eiseneinlagen einen Teil des Gewölbedrucks aufnehmen. Ferner ist man in der Wahl der Gewölbeform unabhängig, da an den Verlauf der Drucklinie nicht mehr die Bedingung, im Kern des Gewölbes zu verbleiben, geknüpft ist; der Beton wird durch die Eiseneinlagen befähigt, Zugkräfte aufzunehmen. Durch Verminderung der Stärken der Bauteile infolge Anwendung des Eisenbetons, insbesondere auch durch Auflösung des Fahrbahnüberbaues in dünne Eisenbetonplatten oder -gewölbe und -stützen, verkleinert sich auch das Eigengewicht der Brücken, wobei das Aussehen des Bauwerks noch an Leichtigkeit gewinnt.

Als weitere Vorteile der Eisenbetonbrücken mögen nur noch, soweit sie mit Eisenbrücken in Wettbewerb treten, die geringen Formänderungen und die damit verbundenen geringen Schwankungen, die Feuer- und Hochwassersicherheit und die geringen Unterhaltungskosten, die sich eigentlich nur auf die Fahrbahn beschränken, genannt werden.

Bei schiefen Brücken fällt steinernen Bauwerken gegenüber der schwierige Fugenschnitt fort. Bei Brücken mittlerer Spannweite, etwa 40 bis 50 m, kann man oft ohne Eiseneinlagen auskommen, da die Druckspannungen bei richtiger Wahl der Mittellinie des Gewölbes schon so groß werden, daß sie nicht durch die Zugspannungen infolge der verhältnismäßig geringen Verkehrslasten aufgehoben werden. Bei kleineren und größeren Spannweiten als der genannten läßt sich aber durch Anordnung von Eiseneinlagen die zulässige Druckspannung des Betons besser ausnutzen. Bei großen Spannweiten ist der Überbau, um die Eigenlast möglichst zu verringern, wie bereits angedeutet, in Einzelpfeiler und eine Fahrbahnplatte aufzulösen. Hingegen empfiehlt es sich bei kleinen und mittleren Spannweiten, aus den genannten Gründen die Eigenlast nicht zu klein zu machen; eine Gliederung des Überbaues wird hier meist nur aus Schönheitsgründen ausgeführt.

Das Mischungsverhältnis der unbewehrten Betongewölbe kann magerer angenommen werden als das der Eisenbetongewölbe, da bei letzteren die Haftfestigkeit an den Eiseneinlagen eine bestimmte Größe haben muß und die Eiseneinlagen außerdem durch genügend dichten Beton gegen Rosten zu schützen sind. Für unbewehrte Betongewölbe genügen im allgemeinen Mischungen von 1 : 5 bis 1 : 8 und für bewehrte etwa 1 : 3 bis 1 : 5. Man wechselt auch oft mit dem Mischungsverhältnis in der Weise, daß man dort, wo das Gewölbe am stärksten ist, eine magerere und an den anderen Stellen,

[1]) Zeitschr. d. österr. Ing.- u. Arch.-V. 1895, Nr. 90 bis 94 (auch Sonderabdruck).

bei Gelenkbrücken anschließend an das Scheitelgelenk- und die Kämpfergelenke, eine fettere Mischung wählt.

Die Widerlager erhalten, wenn sie ohne Eiseneinlagen gestampft werden, wegen der durch die massigen Formen bedingten geringen Druckbeanspruchungen Mischungsverhältnisse von 1 : 6 bis 1 : 12; werden sie in Eisenbeton, also in gegliederter Form hergestellt, so ist das Mischungsverhältnis wieder wie vorher 1 : 3 bis 1 : 5 zu wählen. Die Mittellinie des Gewölbes nimmt man, falls man in der Wahl derselben unbeschränkt ist, für einen mittleren Belastungsfall an, nämlich für Eigenlast und halbe Nutzlast über das ganze Gewölbe verteilt, weil für diese Gewölbeform die möglichen Stützlinien nach beiden Seiten etwa den gleichen Ausschlag geben. Der so erhaltene Stützlinienbogen erfordert die geringste Baustoffmenge, ist also am wirtschaftlichsten.

3. Bezeichnungen der Brücken im allgemeinen.

Nach dem Zweck, dem die gewölbten Tragwerke dienen, gleichgültig, aus welchem Baustoff sie bestehen, erhalten sie verschiedene Bezeichnungen. Tragwerke, welche zur Unterführung kleinerer Wasserläufe und Wege unter Dämmen dienen, nennt man gewölbte Durchlässe. Überbrücken die Bauwerke eine längere Strecke des Flusses oder des Weges u. dergl., so daß der Verkehr auf derselben nach verschiedenen Richtungen stattfinden kann, so nennt man sie Überwölbungen.

Die gewölbten Brücken zeigen in der Regel mehr oder weniger flache, aber bis zu großer Weite gespannte Bogen (Segmentbogen). Besitzen sie aber Bogen von Halbkreis- oder elliptischer Form mit geringeren Lichtweiten und eine größere Zahl hoher Zwischenpfeiler, so nennt man sie Viadukte oder Talbrücken.

Die gewölbten Brücken tragen unmittelbar die Fahrbahn, und der Verkehr findet hauptsächlich in Richtung der Brückenachse statt. Sie werden, je nachdem sie dem Verkehr von Fußgängern allein, leichteren oder schwereren Fuhrwerken, Eisenbahnen, Kanälen und Wasserleitungen dienen, bezeichnet mit Fußgängerbrücken, Wegebrücken, Straßenbrücken, Kanalbrücken und Wasserleitungsbrücken (Aquadukte). Die letzteren Bezeichnungen sind unabhängig von der Art des Tragwerks.

Die Auflagerdrücke der Gewölbe werden durch Vermittlung der Widerlager bezw. Pfeiler auf den Baugrund übertragen, und zwar ist die erste Bezeichnung üblich, wenn nur an einer Seite ein Gewölbe anschließt, dagegen gilt die zweite Bezeichnung, wenn zu beiden Seiten Gewölbe liegen. Allgemeinere Bezeichnungen sind Zwischenpfeiler bezw. Endpfeiler. Ist bei einer größeren Zahl von Öffnungen zeitweilig ein Pfeiler stärker als die anderen ausgebildet, um die Standsicherheit des Bauwerks an diesen Stellen zu erhöhen, so wird er als Gruppenpfeiler bezeichnet.

Bilden die Widerlager die Fortsetzung des Gewölbes, so werden sie verlorene Widerlager genannt.

B. Die Grundformen der Betonbogenbrücken ohne und mit Eiseneinlagen.

I. Betonbogenbrücken ohne Eiseneinlagen.

Bei den unbewehrten Betonbogenbrücken hat man zwei Ausführungen zu unterscheiden, nämlich solche ohne und mit Gelenken, und zwar wählt man im letzteren Falle stets drei Gelenke. Oftmals begnügt man sich auch mit gelenkartigen Einlagen (Bleistreifen oder Asphaltpappe), wodurch jedoch nur eine unvollkommene Gelenkwirkung erzielt wird (vergl. S. 400). Für kleinere Weiten, bis etwa 25 m, führt man

die Brücken in der Regel ohne Gelenke aus, während man bei
großen Spannweiten, insbesondere bei geringem Stich (1_8 bis $1/_{12}$),
den sogen. Flachbrücken, Gelenke annimmt, um hauptsächlich
den Einfluß der Wärmeänderungen auszuschalten. Für die Einführung von Gelenken können außerdem unsichere Baugrund-
verhältnisse, die Widerlagerbewegungen befürchten lassen, maßgebend sein; die Gelenke setzen das Bauwerk in den Stand.
diesen Bewegungen zu folgen, ohne ungünstig beeinflußt zu
werden.

Wie bereits angedeutet, setzen
gelenklose und unbewehrte Beton-

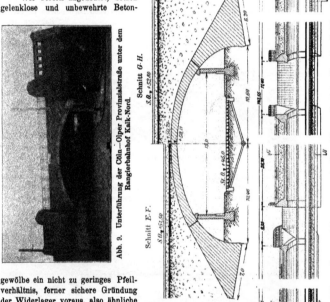

Abb. 9. Unterführung der Cöln—Olper Provinzialstraße unter dem Rangierbahnhof Kalk-Nord.

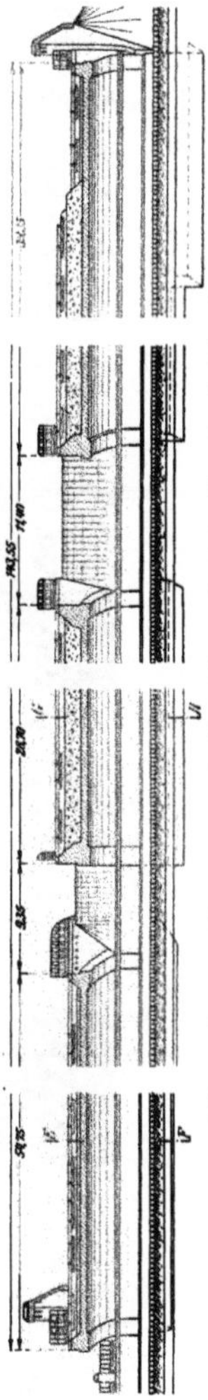

Abb. 10. Quer- und Längenschnitt der Unterführung der Cöln—Olper Provinzialstraße.

gewölbe ein nicht zu geringes Pfeilverhältnis, ferner sichere Gründung
der Widerlager voraus, also ähnliche
Bedingungen, wie sie für Steinbrücken maßgebend sind.[1] Bei
gelenklosen Gewölben nimmt die Gewölbestärke vom Scheitel
bis zu den Kämpfern stetig zu, während beim Dreigelenkgewölbe

---

[1] In neuerer Zeit sind eine Reihe größerer unbewehrter Betonbrücken ohne
Gelenke ausgeführt worden, u. a.: drei Moselbrücken bei Schweich, Mehring und
Trittenheim mit drei Öffnungen von 46 m Spannweite und $\frac{1}{7,5}$ Stich (S. 499); die Bober-
brücke bei Boberullersdorf mit 58,10 m Spannweite und $\frac{1}{6,3}$ Stich (S. 497); die Walnut
Lane-Brücke in Philadelphia mit 71,03 m Spannweite und $\frac{1}{9,3}$ Stich (S. 492).

22*

die größte Gewölbestärke, entsprechend dem Ausschlag der verschiedenen Stützlinien, in den Bogenvierteln vorhanden ist. Im letzteren Falle wird des besseren Aussehens wegen die Gewölbeform äußerlich oft so gekennzeichnet, als ob das Gewölbe an den Kämpfern seine größte Stärke hätte.

Nachstehend sollen einige Beispiele von unbewehrten Betonbrücken angeführt werden. Abb. 9 u. 10 zeigen ein Bauwerk ohne Gelenke, nämlich die Unterführung der Cöln-Olper Provinzialstraße unter dem Rangierbahnhof Kalk-Nord[1]) (erbaut 1906/08). Es besitzt 21 m Spannweite zwischen den verlorenen Widerlagern und 143,5 m Breite. Als Belastung kommt der schwerste Lastenzug in Frage.

Bei der 24,6 m weitgespannten Straßenbrücke über die Kyll bei Hillesheim[1]) (Abb. 11) wurden in den Scheitel- und Kämpferfugen Bleieinlagen angeordnet. Das

Abb. 11. Straßenbrücke über die Kyll bei Hillesheim.

Bauwerk ist für eine Dampfwalze von 24 t Gewicht und Menschengedränge berechnet worden.

Auch die 1907 hergestellte Straßenbrücke über die Sieg bei Eitorf[1]) (Abb. 12) besitzt im Scheitel und in den Kämpferfugen lediglich Einlagen aus 1,5 mm starken Bleiplatten. Das in Abb. 13 im Längen- und Querschnitt dargestellte Bauwerk hat eine Mittelöffnung von 28 m und zwei Seitenöffnungen von je 25 m Spannweite. Der Fahrbahnaufbau ist wie bei der vorhergehenden Brücke mit Spargewölben bewerkstelligt, um das Eigengewicht der Brücke zu verringern.

Abb. 12. Straßenbrücke über die Sieg bei Eitorf.

Regelrechte Gelenke, und zwar Wälzgelenke aus Granit (S. 384) erhielt die Straßenbrücke über die Volme bei Hagen i. W.[1]) (Abb. 14, erbaut 1901). Sie besitzt 25,5 m Spannweite, 3,5 m Pfeilhöhe, eine Scheitelstärke von 0,68 m und Kämpferstärken von 0,80 m. Die Gewölbeschenkel sind in den sogen. Burchfugen auf 1 m verstärkt.

---

[1]) Ausgeführt von der Firma Hüser u. Cie., Oberkassel-Siegkreis.

Als Nutzlast war eine Dampfwalze von 23 t Gewicht und 600 kg/m² Menschengedränge vorgeschrieben. Die Betonbeanspruchung beträgt nur 20 kg/cm². Auch hier sind Spargewölbe angeordnet, ferner sind die Ansichtsflächen verblendet.

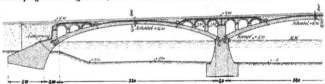

Die Ausführung der Betongewölbe kann in zweifacher Weise erfolgen, und zwar entweder durch unmittelbares Einstampfen des Betons auf dem Lehrgerüst in den vorgeschriebenen Gewölbestärken oder durch Versetzen von künstlichen Betonquadern mit trockenen, weiten Fugen und Ausstampfen der letzteren mit erdfeuchtem Mörtel, wobei die Fugen wie bei Steinbrücken alle gleichzeitig zu schließen sind. Die letztere Ausführungsweise ist namentlich bei weitgespannten Brücken zu empfehlen, wird aber trotzdem nur selten angewendet, da sie bei großen Spannweiten vermutlich teurer wird als das erste Verfahren und das Versetzen der großen Blöcke Schwierigkeiten bereitet. Neuerdings ist u. a. die Sensebrücke bei Guggersbach [1]), die als Beispi 1 angeführt werden möge, mit Betonquadern hergestellt worden (Abb. 15). Das Gewölbe besitzt eine Spannweite von 50,7 m und eine Pfeilhöhe von 8,22 m. Die Gewölbestärke

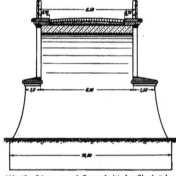

Abb. 13. Längen- und Querschnitt der Siegbrücke bei Eitorf.

Abb. 14. Straßenbrücke über die Volme bei Hagen i. Westf.

beträgt im Scheitel 1,10 m und an den Kämpfern 1,60 m. Die Ausführung des Gewölbes erfolgte behufs Erleichterung des Lehrgerüstes in zwei Ringen. Zuerst wurde der erste Ring mit den Quadern eingewölbt, wobei, um eine gleichmäßige Senkung des Lehrgerüstes zu bewirken, von verschiedenen Stellen aus begonnen wurde.

Für die Größe, Reihenfolge und Einteilung der einzelnen Quadern war die Aus-

[1]) Schweiz. Bauztg. 1908, Bd. LI. S. 107. Ausgeführt von der Firma Gribi, Hassler u. Cie. in Burgdorf.

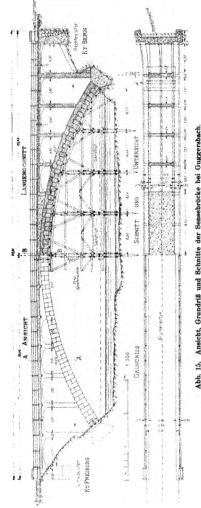

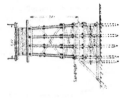

Abb. 15. Ansicht, Grundriß und Schnitte der Sensebrücke bei Guggersbach.

bildung des Lehrgerüstes maßgebend. Kämpfer, Scheitel und
die Stöße der Kranzhölzer, ferner
die Stellen über den Pfeilern
blieben frei. Für die Reihenfolge
der Ausbetonierung dieser kleinen
freigelassenen Stellen war wiederum deren Einfluß in Bezug
auf die Größe der Formänderung
des Gerüstes bestimmend. Unmittelbar nach Vollendung des
ersten Ringes wurde die Betonierung des zweiten Ringes, und
zwar in mehreren Abteilungen, in
Angriff genommen und zuletzt
der Bogen an den Kämpfern und
drei anderen wichtigen Stellen
zum Schluß gebracht.

Die Fahrbahntafel ist aus
Eisenbeton hergestellt und durch
lotrechte Querwände, die gleichfalls bewehrt sind, gegen das
Gewölbe abgestützt. Die Fahrbahn ist beiderseitig um rd. 70 cm
über das Gewölbe vorgekragt.
(Über ähnliche Ausführungen vergl.
auch S. 372).

Wie schon angedeutet, ist
bei Herstellung der Gewölbe eine
bestimmte Reihenfolge in der
Betonierung bezw. beim Versetzen
fertiger Betonquader innezuhalten,
um schädliche Formänderungen
des Lehrgerüstes und damit auch
der Bogen möglichst zu verhindern.

Bei der üblichen Ausfüh-
rungsweise betoniert man daher
so, daß der fertig gemischte

Beton schichtenweise und in einzelnen Abteilungen gestampft wird, indem außer der Stirnverschalung noch Bretterwände senkrecht zur Leibung aufgestellt werden; die letzteren werden später herausgenommen und die Fugen mit Zementmörtel ausgegossen. Die Breite der Abteilungen (Streifen, Lamellen), die über die ganze Gewölbetiefe ausgeführt werden, beträgt in der Regel 1,0 bis 1,5 m. Bei Festsetzung dieser Abschnitte ist auch immer die Ausbildung des Lehrgerüstes zu berücksichtigen, wobei man sich oft genötigt sehen wird, vorübergehende, sogen. künstliche Widerlager, meist aus Holz, herzustellen. Das Stampfen der Betonschichten geschieht in der Regel senkrecht zur Gewölbeleibung; nur wenn die Steilheit des Bogens über 35° bis 40° erreicht, wird man gezwungen sein, eine doppelte Schalung sowohl innen als auch außen anzuordnen und tangential zur Leibung zu stampfen.

Bei der Straßenbrücke über den Teltowkanal bei Britz[1]) die drei Gelenke besitzt, geschah die Ausführung der Gewölbe so, daß nach Fertigstellung der Rüstung zuerst die Gelenksteine auf die Schalung gebracht und genau verlegt wurden. Dann wurde die Wälzfuge des Gelenkes gegen Eindringen von Schmutz und Feuchtigkeit mittels Putzwolle sorgfältig abgedeckt.

Abb. 16. Eingeschalter Betonstreifen der Brücke bei Britz.

Sodann wurde die Betonierung des eigentlichen Gewölbes in einzelnen, durch Zwischenräume getrennten Streifen, entsprechend den einzelnen Wölbsteinschichten bei Quaderbrücken, symmetrisch zum Scheitelgelenk in Angriff genommen, um eine möglichst gleichmäßige Belastung der Rüstung herbeizuführen. Die Breite der Streifen wurde nach der Tagesleistung so bestimmt, daß an einem Tage gleichzeitig auf jeder Bogenseite je ein Streifen vollständig fertiggestellt werden konnte; sie ergab sich danach zu etwa 1 m. Für jede solche Lamelle wurde ein besonderer, auf der Schalung aufgerichteter Kasten hergestellt (Abb. 16). Zu allerletzt wurden die Streifen hinter den Scheitelgelenkquadern ausbetoniert und die zum Bogen gehörigen Kämpfergelenkquadern eingesetzt, nachdem vorher der entsprechende Streifen des Widerlagers an Ort und Stelle eingestampft worden war.

Ein anschauliches Bild über den Betonierungsvorgang der Straßenbrücke über die Lenne bei Halden[2]) gibt Abb. 17. Die Betonierung des Gewölbes erfolgte in einzelnen Streifen derart, daß das Lehrgerüst eine möglichst gleichmäßige Belastung und symmetrische Verdrückung erfuhr. Die Gewölbestreifen wurden in 20 cm starken Schichten mit Stampfrichtung senkrecht zur Leibung hergestellt.

Über weitere Ausführungseinzelheiten vergl. Abschnitt D und die im Abschnitt F angegebenen Ausführungsbeispiele.

¹) Deutsche Baustg. 1905. S. 438.
²) Deutsche Baustg. 1905, Zementbeilage S. 45

Abb. 17. Betonierung der Lennebrücke bei Halden.

Abb. 18. Anordnung der Eiseneinlagen bei
der Bauweise Monier.

II. Eisenbetonbogen-
brücken mit voll durch-
gehenden Gewölben.

1. Brücken mit schlaffen Eisenein-lagen.

Bei den Brücken mit schlaffen Eisenein-lagen werden Rund- und Flacheisen, oder, wie dies in Amerika bei einer großen Zahl von Bauweisen der Fall ist, besonders ge-formte Eisen, wie Johnson-, Ransome-, Thacher- und Kahn-Eisen (s. später), als Einlagen verwendet. Die Eiseneinlagen kommen erst zur Wirkung, sobald der umhüllende Beton vollkommen erhärtet ist, indem sie vornehmlich die Zug-kräfte aufnehmen, während der Beton nur Druckkräfte erhält.

In den weitaus meisten Fällen wird sowohl an der inneren als auch äußeren Leibung ein Eisennetz angeordnet; häufig werden außerdem beide Netze, insbesondere bei größeren Spannweiten, durch senkrecht zur Gewölbeleibung gestellte Eisenstäbe (Bügel) miteinander verbunden. Die Aus-führung der Eisenbetongewölbe erfolgt auf zwei Arten, und zwar, indem man entweder die unteren Eiseneinlagen verlegt, in wage-rechten Schichten, von beiden Kämpfern angefangen, bis zu den oberen Eiseneinlagen betoniert, diese auf dem fertigen Gewölbe-rücken ausbreitet und schließlich die Deckschicht aufbringt. oder indem man sofort das

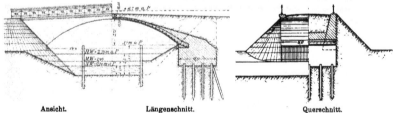

Ansicht.   Längenschnitt.   Querschnitt.
Abb. 19. Straßenbrücke in Köpenick bei Berlin.

ganze Eisengerippe unter Zuhilfenahme von radialen Bügeln aufstellt und es dann einstampft. Welcher Ausführungsweise man den Vorzug gibt, hängt von der Art des Bauwerks ab. Den erforderlichen Abstand der unteren Eiseneinlagen von der Gewölbeleibung erzielt man dadurch, daß man entweder eine Betonschicht in der entsprechenden Stärke unter den Eiseneinlagen auf der Schalung ausbreitet, dann das Netz hochhebt und auf die Betonschicht legt, oder indem man unter einzelne Knotenpunkte des Flechtwerks zwischen Netz und Schalung entsprechend große Ziegelbrocken, die im Beton belassen werden, klemmt. Auch hier sei bezüglich weiterer Ausführungseinzelheiten auf Abschnitt D und die Musterbeispiele im Abschnitt F verwiesen.

Nach der Art der Bewehrung unterscheidet man hauptsächlich die Bauweisen Monier, Johnson, Thacher und Kahn.

Die Bauweise Monier ist unter allen die älteste und nach ihrem Erfinder Joseph Monier benannt. Über die ersten bemerkenswerten Ausführungen in dieser Bauweise ist schon S. 334 u. f. einiges mitgeteilt worden.

Die Bewehrung besteht aus einem Netz von Rundeisenstäben, meist von kleinem Durchmesser, und zwar laufen in der Richtung der Bogenachse in gleichen Abständen die stärkeren, sogen. Tragstäbe t, und über diesen senkrecht hierzu die schwächeren, sogenannten Verteilungsstäbe v (Abb. 18). An den Kreuzungsstellen sind Tragstäbe und Verteilungsstäbe durch Bindedraht miteinander verbunden. Die Tragstäbe haben die rechnerisch ermittelten Spannungen des Gewölbes aufzunehmen, während die Verteilungsstäbe dazu dienen, die Abstände der Tragstäbe beim Stampfen festzulegen, den Druck der Einzellasten auf größere Gewölbebreiten zu verteilen und etwaige Spannungen infolge Wärmeänderungen auszugleichen. Bei den ersten kleineren Moniergewölben hat man nur ein Eisennetz angeordnet, während man heutzutage, wie schon bemerkt, fast ausschließlich zwei solcher Netze, eins an der inneren Leibung und eins am Gewölberücken einlegt.

Abb. 19 zeigt Ansicht und Schnitte einer aus dem Jahre 1893 stammenden Straßenbrücke in Köpenick[1]) mit nur einer unteren Eiseneinlage.

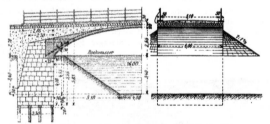

Abb. 20. Längen- und Querschnitt der Straßenbrücke in Zöfing.

Vielfach hat man eine untere Eiseneinlage ausgeführt, ferner oben eine solche über den Widerlagern, die bis etwa $^1/_8$ der Spannweite reicht, eingelegt.

Eine der ältesten Eisenbetonbrücken Österreichs, die Straßenbrücke in Zöfing über die kleine Tulln[2]) (Abb. 20), besitzt unten 12 Tragstäbe auf 1 m von 10 mm

---

[1]) Ausgeführt von der Akt.-Ges. für Beton- und Monierbau in Berlin.
[2]) Ausgeführt 1892 von der Firma G. A. Wayss u. Co., Wien.

und 10 Verteilungsstäbe auf 1 m von 7 mm Durchm. und oben ein gleichartiges Netz, welches vom Kämpfer bis $\frac{1}{8}$ der Spannweite reicht. Diese Bewehrung entspricht einer Belastung durch Eigengewicht und gleichmäßig verteilter Verkehrsbelastung. Die Widerlager bestehen aus Bruchsteinmauerwerk und stehen auf einem Pfahlrost. Das Gewölbe ist bis Widerlageroberkante aufbetoniert.

Die im Jahre 1892 ausgeführte Straßenbrücke über den Nymphenburger Kanal[1]) (Abb. 21 u. 22) von 17,3 m Spannweite und 6,3 m Fahrbahnbreite, die für einen Wagen von 24 t Ge-wicht berechnet wurde, zeigt be-reits doppelte Bewehrung (Abb. 22). Sie erhielt eine der Umgebung des Königl. Schlos-ses entspre-chende monu-mentale Archi-tektur.

Abb. 21. Straßenbrücke über den Nymphenburger Kanal.

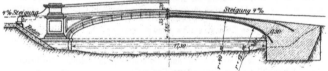

Abb. 22. Ansicht und Längenschnitt der Straßenbrücke über den Nymphenburger Kanal.

Neben der oberen und unteren Bewehrung werden auch oft die bereits erwähnten Bügel, das sind dünne Rundstäbe, die die oberen und unteren Eiseneinlagen radial verbinden, eingelegt. Sie verankern die Tragstäbe mit dem Gewölbebeton und ver-hindern so das Herausdrücken derselben bezw. Sprengen des Betons an den Leibungs-flächen. Statt der senkrecht zur Leibung stehenden Bügel sind auch schrägstehende verwendet worden.

Bei der in Abb. 23 u. 24 dargestellten Straßenbrücke über die Sieg bei Blanken-berg[2]) sind außer den oberen und unteren

Abb. 23 Straßenbrücke über die Sieg bei Blankenberg.

Eiseneinlagen noch radiale Bügel angeordnet. Das in den Jahren 1907 bis 1908 her-gestellte Bauwerk besitzt eine Bogenöffnung von 34 m, an welche sich eine Reihe von gerade überdeckten Flutöffnungen von 15 m Lichtweite anschließt.

[1]) Ausgeführt von der Akt.-Ges f. Beton- und Monierbau, Berlin
[2]) Ausgeführt von der Firma Hüser u Cie.. Oberkassel-Siegkreis.

Seine Gesamtlänge ist 172 m. Der Bogen ist in den Pfeilern fest eingespannt und besitzt $^1/_{10}$ Stich; die Scheitelstärke beträgt 35 cm. Die Fahrbahnplatte läuft über Eisenbetonquerwänden durch und ist mit diesen fest verspannt. Die Brückenbreite ist 3,50 m, und zwar entfallen hiervon je 0,50 m auf die beiderseitigen Gehwege.

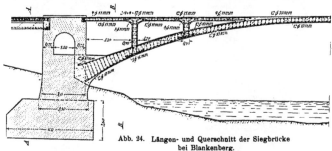

Abb. 24. Längen- und Querschnitt der Siegbrücke
bei Blankenberg.

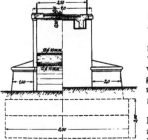

Als Verkehrslasten waren vorgeschrieben ein 10 t-Wagen und 500 kg/m² Menschengedränge, die größte Betonbeanspruchung beträgt 45 kg cm².

Während man bei mindertiefen Einschnitten meist flachgespannte Gewölbe mit vollen Stirnwänden ausführt, nimmt man bei tiefen Einschnitten weit größere Pfeilhöhen, wobei man, um Eigengewicht zu sparen und ein leichteres Aussehen zu erzielen, den Aufbau über dem Gewölbe stets gliedert.

Welche kühne Bogenformen man in dieser Hinsicht erzielen kann, zeigt die Zufahrtbrücke zur Tagliamentobrücke in Norditalien (Abb. 25). Ein anderes Beispiel einer Bogenbrücke mit großer Pfeilhöhe, bei welcher der Überbau in durchbrochene Querwände mit einer darüber angeordneten Fahrbahnplatte aufgelöst ist, zeigt die gleichfalls in Norditalien von Ingenieur Leonardi, Mailand, ausgeführte Brücke über die Lambro bei Carate mit zwei Öffnungen von je 37,55 m Lichtweite (Abb. 26).

Eine ausgedehnte Anwendung hat die Monierbauweise bei Fußwegüberführungen über Eisenbahneinschnitte gefunden, wo es darauf ankommt, mit einfachen Mitteln in zweckmäßiger und wirtschaftlicher Beziehung Bauwerke herzustellen, die auch gefällig aussehen. Als Beispiele dieser Art seien die in Abb. 27 u. 28 dargestellten Ausführungen genannt,[1]) die sich insbesondere dadurch auszeichnen, daß sie einen guten Durchblick gewähren, ein Punkt, der beim Eisenbahnbetrieb wegen Erkennung der Signale wichtig ist. Diese Brückenform gestattet ferner die Anwendung leichter Lehrgerüste, ohne den Zugverkehr irgendwie zu hemmen. Die Treppenstufen schmiegen sich dem ansteigenden Gewölbe in zweckmäßiger Weise an.

¹) Ausführungen der Firma Wayss u. Freytag A.-G., Neustadt a. d. H.

Abb. 26.   Straßenbrücke über die Lambro bei Carate.

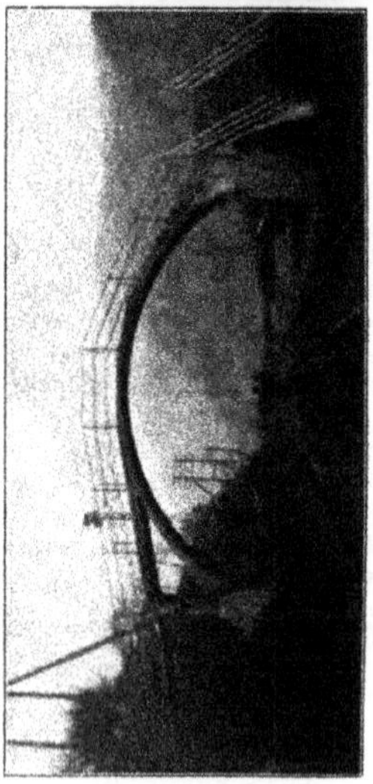

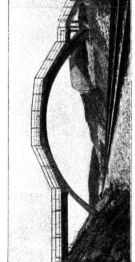

Abb. 28.   Fußwegüberführung bei Saarhölzbach.

Abb. 25.   Zufahrtsbrücke zur Tagliamentobrücke.

Abb. 27.   Fußwegüberführung bei Kempten.

Abb. 29. Längen- und Querschnitt der Straßenbrücke über den Jamesriver zu Richmond.

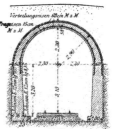

Bei der Bauweise Johnson (corrugated bars) bestehen die Eiseneinlagen aus Quadrateisen, welche in bestimmten Abständen mit Verstärkungsbunden versehen sind.[1]) Nach dieser Bauart ist die Straßenbrücke über den Jamesriver zu Richmond ausgeführt (Abb. 29). Sie besitzt fünf Öffnungen von je 33 m Spannweite und 3,8 m Pfeilhöhe. Die Scheitelstärke des Gewölbes beträgt 75 cm. Die Fahrbahnbreite ist 6 m; ferner ist ein einseitiger Fußweg von 1,5 m angeordnet. Die Gewölbe besitzen eine obere und untere Bewehrung von 21 mm starken Johnson-Eisen in Abständen von 20 cm. Die Verteilungseisen sind 13 mm stark und

Abb. 30. Querschnitt der Überwölbung bei Knoxville.

Abb. 31. Überwölbung bei Knoxville während der Ausführung.

[1]) Vergl. Handbuch II. Bd., zweite Aufl. 1911. S. 11.

in Abständen von 60 cm gelegt. In den äußeren Bogendritteln ist wegen der Scherkräfte von jedem zweiten Verteilungseisen ein Quereisen (Bügel) von der inneren Leibung unter etwa 45° schräg nach oben geführt. Die Stirnwände sind, wie aus Abb. 29 zu ersehen ist, ebenfalls bewehrt.

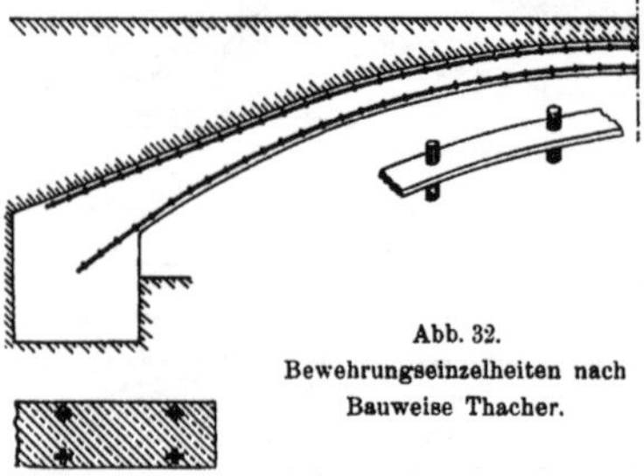

Abb. 32.
Bewehrungseinzelheiten nach Bauweise Thacher.

In gleicher Weise ist die über 110 m lange Überwölbung eines Einschnitts auf der Southern Railway bei Knoxville, Tenn.[1] (Abb. 30 u. 31) ausgeführt. Ihre Lichtweite beträgt 5,70 m. Die Bewehrung ist eine doppelte, und zwar bestehen die Trageisen aus 13 mm starken Johnson-Eisen in Abständen von 15 cm und die Verteilungseisen aus gleich starken Stäben in Abständen von 60 cm. Das Mischungsverhältnis des Betons war 1 : 2,5 : 5. Die Einwölbung wurde in Ringen von 18 bis 27 m Breite ausgeführt, wobei die Eisenstäbe durch hochkantig gestellte Bohlen, welche man nach der Betonierung entfernte, gehalten wurden (Abb. 31). Die Kosten beliefen sich für das Längenmeter auf rd. 100 Dollar.

Abb. 33. Straßenüberführung bei Wakefield, Mass.

Die Bauweise Thacher zeigt zwei Formen, eine

Abb. 34. Straßenbrücke bei den Niagarafällen.

ältere und eine neuere Form. Bei der älteren Bauweise Thacher bestehen die Eiseneinlagen aus Flacheisen, welche mit eingenieteten Rundeisen versehen sind (Abb. 32).

Bei der neuen Bauweise Thacher gelangen Stäbe aus bestimmtem Walzeisen von mehr oder weniger rechteckigem Querschnitt, welcher in gewissen Abständen durch wulstartige Formen verstärkt ist, zur Verwendung.

[1] Railroad-Gazette 1905, 17. März, S. 219.

Nach dieser Bauweise ist die Straßenbrücke über die Boston- und Maine-Eisenbahn bei Wakefield, Mass. (Abb. 33) mit einer Lichtweite von 19,5 m ausgeführt. Bemerkenswert ist bei dieser Brücke, daß die Bogenform der Straßensteigung von 6,55 vH. entsprechend aus wirtschaftlichen Gründen unsymmetrisch ausgebildet wurde.

Die in Abb. 34 dargestellte Straßenbrücke bei den Niagarafällen ist nach der älteren Bauweise Thacher ausgeführt. Sie besitzt eine Mittelöffnung von 33 m und zwei Seitenöffnungen von je 30 m Spannweite.

Schließlich sei die gleichfalls nach der älteren Bauweise Thacher ausgeführte Straßenbrücke bei Zanesville,[1) Ohio erwähnt (Abb. 35). Die Bewehrung besteht aus Flacheisen

Abb. 35. Straßenbrücke bei Zanesville.

von 17 mm Stärke und 76, 113 bezw. 127 mm Breite bei den verschiedenen Öffnungen der Brücke. Das Bauwerk ist auch noch dadurch bemerkenswert, daß es dreiarmig ist; es liegt nämlich an der Einmündung des Sicking in den Muckinymfluß. Der östliche Arm ist 120 m, der nördliche und westliche Arm je 75 m lang. Die Lichtweiten der Gewölbe wechseln zwischen 24,69 und 37,21 m, die Pfeilverhältnisse zwischen $^1/_8$ und $^1/_{16}$. Die Bogen sind elliptisch geformt, jedoch nur zum kleinen Teil als volle Halbellipsen ausgebildet; zumeist schneidet die wagerechte Kämpferlinie den unteren Teil der Ellipse fort. Die Scheitelstärken der Gewölbe betragen je nach Lichtweite 45,5 bis 76 cm; die Stärken nehmen nach den Kämpfern sehr stark zu. Die 12,8 m

breite Fahrbahn ist mit 10 cm starkem Ziegelpflaster versehen, das auf 2,5 cm Sand und darunter 15 cm Beton ruht. Beiderseits befinden sich je 1,83 m breite Fußwege. Der Entwurf stammt von Ingenieur H. Landov in Montreal.

Bei der Bauweise Luten, welche die National Bridge Company verwertet, besteht die Bewehrung aus Rundeisen, welche vom Scheitel bis zu den Bogenviertelpunkten an der inneren Leibung verlaufen, an diesen Viertelpunkten aber unter 45° gegen den Gewölberücken abgebogen und an der äußeren Seite des Gewölbes bis in die Widerlager geführt sind. Als besonderes

Abb. 36.

Merkmal dieser Bauweise ist zu erwähnen, daß hauptsächlich bei kleinen Lichtweiten die Sohle des Bauwerks ebenfalls betoniert und mit Eiseneinlagen bewehrt ist, welche

¹) Eng. News 1902, 27. März. — Deutsche Bauztg. 1904, Zementbeilage, S. 19.

durch ein quergelegtes Eisen im Widerlager mit den Eiseneinlagen des Bogens zusammenhängen (Abb. 36). Durch diese Anordnung wird ein beträchtlicher Teil des Seitenschubes aufgenommen, so daß sowohl die Widerlager schwächer, als auch der Pfeil
der Gewölbe kleiner gehalten werden kann. Für die Bogenform und Stärkeverhältnisse
sind von der National Bridge Company allgemein gehaltene Regeln und Formeln angegeben, die sich auf eine Reihe ausgeführter Brücken gründen und die hier erwähnt
werden mögen. Die Bogenform ist fogendermaßen zu finden: Man zeichnet (Abb. 36)
zuerst eine Ellipse von der gegebenen Spannweite l und dem gegebenen Pfeile f, zeichnet
ferner einen Kreisbogen durch den gegebenen Scheitel und Kämpfer, halbiert dann
die lotrechten Abstände zwischen diesen beiden Linien und schmiegt sich dieser neuen
Linie durch Anordnung verschiedener Kreisbogen möglichst genau an. Die Scheitelstärke
findet man aus folgender Formel:

$$s = \frac{3\,l^2\,(f+3c)}{4000\,f - l^2} + \frac{2\,l^2}{30\,000\,f} + \frac{p\,(l+5f)}{150\,f} + 4 \quad . \quad . \quad . \quad . \quad 1)$$

Man zeichnet ferner die Gewölberückenlinie mit einem Halbmesser gleich dem Halbmesser der inneren Leibung am Scheitel vermehrt um $\frac{s}{6}$ und setzt diese Linie gegen
den Kämpfer zu fort.

Die Stärke der Zugeisen in der Sohle ergibt sich aus

$$d = \frac{1}{5}\sqrt{e \cdot (2s - H)},$$

jene der Gewölbeeisen aus

$$d_1 = \sqrt{e_1 \cdot \frac{l \cdot p}{250\,s}}.$$

In die Formeln sind einzusetzen und bedeuten s die Scheitelstärke in Zoll, d und
d_1 die Rundeisenstärken in Zoll, p die Nutzlast über einer Bogenhälfte in Tonnen,
2 das Eigengewicht in Pfund auf 1 Quadratfuß, alle anderen Außenmaße in Fuß.
e und e_1 sind die Entfernungen der Rundeisen in der Sohle bezw. im Bogen in Fuß.
Der Halbmesser der inneren Leibungslinie ist in der Abb. 36 mit R, jener der äußeren
mit R_1, der Pfeil mit f, die Spannweite mit l, die Überschüttung mit c bezeichnet.

Abb. 37. Straßenbrücke in Indianopolis.

Diese Erfahrungsformeln haben zur Voraussetzung eine zulässige Betonbeanspruchung auf Druck von 28 kg/cm², eine Scherspannung von 4 kg/cm² und keine Zugbeanspruchungen im Beton, während die zulässige Eisenbeanspruchung auf Zug mit
1200 kg/cm² angenommen ist.

Eine Ausführung mit betonierter Sohle stellt die East Washington Street-Brücke in Indianapolis, Ind., dar (Abb. 37 u. 38).

Sie besitzt eine Spann-weite von 20 m und einen Pfeil von 3 m, während die lichte Höhe 3,75 m beträgt. Die Brücke ist 17,1 m breit und hat eine Scheitelstärke von 45 cm. Die Ankereisen in der 15 cm starken Sohle sind 25 mm stark und in Entfernungen von 30 cm angeordnet. Die Bogen-bewehrung besteht aus 18 mm starken Rundeisen, die 45 cm voneinander ent-fernt sind. Was die Herstellung der bewehrten Betonsohle anlangt, so wird diese bei kleineren Flußläufen nur möglich sein, wo man das Wasser mittels eigener Dämme vorübergehend ableiten kann, wie aus Abb. 39 zu ersehen ist.

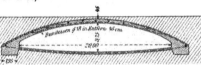

Abb 38. Längenschnitt der Straßenbrücke in Indianopolis.

Abb. 39. Herstellung der Sohle der Brücke in Indianopolis.

Vergleiche ferner Ausführungs-beispiele 31, Abschnitt F.

Bei der Bauweise Kahn erfolgt die Bewehrung mittels der sogen. Kahn-Eisen (Kahn trussed bars), das sind Stäbe von quadratischem Quer-

Abb. 40. Längenschnitt der Brücke über den Charley-Creek.

schnitt, an welche bügelartige Eisen angegliedert sind. Die letzteren laufen unter einem bestimmten Winkel, meist unter 45°, von dem Hauptstab ab.[1]

Den Längsschnitt einer Brücke nach Bauweise Kahn, der Charley Creek-Brücke bei Wabash, Ind., zeigt Abb. 40. Diese Brücke hat mehrere Öffnungen von 25 m Licht-weite und 6 m Pfeilhöhe. Die Scheitelstärke beträgt 0,45 m, die Stärke am Wider-lager 1,10 m. Die Eiseneinlagen sind sowohl an der inneren Leibung als auch an dem

---

[1] Siehe Handbuch, II. Bd., zweite Aufl. 1911, S. 12.

Rücken des Gewölbes angeordnet. Ebenso sind die Stirnwände entsprechend bewehrt. Weitere Einzelheiten sind aus Abb. 40 zu ersehen.

2. Brücken mit steifen Eiseneinlagen.

Bei den Brücken mit steifen Eiseneinlagen werden entweder einfache Winkel-, I- oder C-Eisen, auch Eisenbahnschienen oder ganze Eisenfachwerkrippen in den Beton eingebettet. Der Hauptvorteil, den diese steifen Eiseneinlagen besitzen, ist der, daß die Einrüstung des Bogens schwächer gestaltet werden kann, da man in der Lage ist, die Schalung an den steifen Eisenbogen anzuhängen. Hingegen erfordern sämtliche Brückenbauwerke dieser Art eine sorgfältige Aufstellung der Eisenbewehrung.

Bei den Brücken mit steifen Eiseneinlagen haben sich hauptsächlich die Bauweisen Wünsch, Melan, v. Emperger, Ribera und Möller herausgebildet.

Die Bauweise Wünsch ist die älteste Bauweise mit steifen Eiseneinlagen und wurde von der Firma Robert Wünsch in Budapest im Jahre 1891 in den Brückenbau eingeführt; sie hat namentlich in Ungarn Verbreitung gefunden. Die Gewölbe weisen nur einen geringen Stich ($^1/_{10}$ bis $^1/_{15}$) auf und besitzen ebenen Rücken.

Die Bewehrung ist eine doppelte, und zwar gleichlaufend mit der Gewölbeleibung bezw. dem ebenen Gewölberücken. Die beiden Eiseneinlagen werden bis nahe an die Hinterfläche der Widerlager ohne irgendwelche Zwischenglieder geführt und dort durch lotrechte Pfosten verbunden.

Die letzteren reichen weit in das Widerlager hinab, wo sie an einem wagerecht durch das ganze Widerlager hindurchlaufenden Träger befestigt sind, der die einzige Querverbindung zwischen den so gebildeten einzelnen Eisenrahmen darstellt. Durch diese Anordnung wird eine sehr wirksame Einspannung des Gewölbes in den Widerlagern erzielt. Die Entfernung der bezeichneten Rahmen beträgt 50 bis 70 cm, sie stehen also näher wie bei der später zu beschreibenden Bauweise Melan, während das Verhältnis des Eisenquerschnitts zum Betonquerschnitt im Scheitel bei beiden ungefähr das gleiche ist.

Die beschriebenen Einzelheiten sind in den in Abb. 41 dargestellten Schnitten der im Jahre 1897 von der Firma Pittel u. Brausewetter in Wien ausgeführten Kaiserbrücke in Sarajevo[1]) deutlich zu erkennen. Das Gewölbe hat eine Lichtweite von 25,56 m und eine Pfeilhöhe von 2,54 m.

Die Brückenbreite beträgt 11,65 m, die Breite der Fahrbahn 7,25 m und die der beiderseitigen Gehwege je 2 m.

Das Gewölbe ist im Scheitel 30 cm stark. Der wagerechte Obergurt sowie der nach der Gewölbeleibung gekrümmte Untergurt der 60 cm entfernten Eisenrippen bestehen aus zwei Winkeln $60 \times 60 \times 8$. Der lotrechte Pfosten sowie der unten im Widerlager durchlaufende Verankerungsträger bestehen aus zwei C-Eisen 235×86 mm. Das Gesamtgewicht der Eisenbewehrung beträgt 33,3 t. Die Fundamente und Widerlager sind aus Stampfbeton. Die Sichtflächen sind mit Kalksteinquadern verkleidet. Weitere Einzelheiten gehen aus Abb. 41 hervor.

Bei der Berechnung ist zu unterscheiden zwischen Vollbelastung mit Eigen- und Verkehrslast, wobei hauptsächlich die unteren, meist nach Parabeln gekrümmten Eiseneinlagen beansprucht werden, und einseitiger Belastung, wobei eine Formänderung des Bogens eintritt und die oberen geraden Eiseneinlagen in Wirkung treten (vergl. ferner Beispiel Nr. 32, Abschnitt F.).

---

[1]) Zeitschr. d. österr. Ing.- u. Arch.-V. 1898, Nr. 36.

Bei der Bauweise Melan besteht die Bewehrung der Gewölbe aus eisernen Bogen, die bei kleineren Spannweiten aus Walzträgern, bei größeren aus Fachwerk-

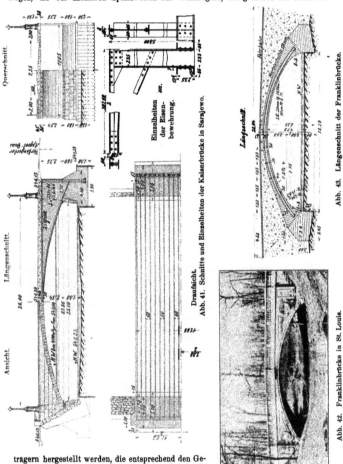

Querschnitt.

Einzelheiten der Eisen- bewehrung.

Draufsicht.
Abb. 41. Schnitte und Einzelheiten der Kaiserbrücke in Sarajewo.

Längenschnitt.

Ansicht.

Längsschnitt.

Abb. 43. Längenschnitt der Franklinbrücke.

Abb. 42. Franklinbrücke in St. Louis.

tragern hergestellt werden, die entsprechend den Ge- wölbestärken geformt sind. In der Querrichtung werden diese Bogenrippen durch Walzeisen oder Fach-

23*

werkträger verbunden. Die Bogen dienen oft dazu, die Schalung ganz oder teilweise zu tragen, wodurch das Lehrgerüst schwächer gehalten werden kann. Das Eisen erhält hierdurch Anfangsdruckspannungen, die auf die späteren Zugbeanspruchungen günstig wirken.

Die Bauweise Melan ist hauptsächlich in Österreich sowie in Nordamerika (durch von Emperger) in ausgedehntem Maße eingeführt.

Bei größeren Spannweiten werden meist Gelenke eingelegt, in der Regel drei.

Bei der Schwarzabrücke in Payerbach (Nr. 34, Abschnitt F.) ist aus statischen Gründen nur ein Scheitelgelenk angeordnet worden, während die Bogen an den Enden eingespannt sind.

Bei Einführung von Gelenken erhalten die eisernen Bogen Stahlgelenke, während für die dazwischenliegenden Gewölbestreifen Wälzgelenke aus Beton vorgesehen werden. Bei der Melanschen Bauweise sind insbesondere sehr flache Stichverhältnisse $\left(\text{bis } \frac{1}{16}\right)$ erzielt worden. Die Mischung des Betons wird 1 : 4 bis 1 : 6 angenommen.

Ein Beispiel für eine Brücke nach Bauweise Melan mit Bewehrung aus Walzträgern zeigt die Franklinbrücke im Forest-Park zu St. Louis, Mo. (Abb. 42). Die Spannweite beträgt 18,29 m, die Pfeilhöhe 4,73 m. Der Bogen ist im Scheitel 28 cm stark und nimmt nach den Kämpfern hin auf 76 cm zu (Abb. 43). Die Bewehrung besteht aus 203 mm hohen Walzträgern, die im Scheitel gestoßen sind. Sie liegen in Abständen von 91,4 cm und haben rund 27 cm² Querschnitt; das Bewehrungsmaß beträgt sonach für den Scheitelquerschnitt 1,06 vH.

Die Brücke wurde im Spätherbst 1897 mit einem Kostenbetrage von 5500 Dollar erbaut.

Ein ähnliches Bauwerk mit Walzträgereinlagen stellt die Fußgängerbrücke über den Housatonic zu Stockbridge, Mass. (Abb. 44) dar. Sie besteht aus einem Gewölbe

Abb. 44. Fußgängerbrücke in Stockbridge.

von 30,48 m Spannweite und 3,05 m Pfeilhöhe und ist 2,29 m breit. Die Gewölbestärke beträgt im Scheitel 23 cm, an den Kämpfern 76 bis 92 cm (Abb. 45). Im Gewölbe liegen vier gebogene I-Träger von 178 mm Höhe und einem Gewicht von 22,3 kg/m, d. i. 24 kg/m² Grundfläche. Das Bewehrungsmaß ist daher 1,8 vH. des Scheitelquerschnitts. Die Mischung der Gewölbe beträgt 1 : 2 : 4, der Widerlager 1 : 3 : 6.

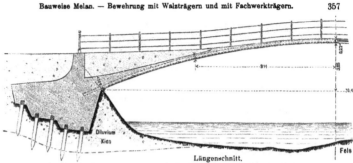

Längenschnitt.
Abb. 45. Schnitte der Fußgängerbrücke in Stockbridge.

Querschnitt.

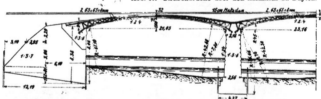

Abb. 46. Straßenbrücke über den Miamifluß zu Dayton.

Abb. 47. Längenschnitt, Querschnitt und
Bewehrungseinzelheiten der Brücke über den
Miamifluß.

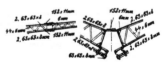

Als Beispiel einer Brücke mit Einlagen aus Fachwerkträgern sei die Straßenbrücke über den großen Miamifluß zu
Dayton, O., eine der größten Brücken
Nordamerikas nach dieser Bauweise, genannt, welche eine Gesamtlänge von
180 m und eine Breite von 17,2 m besitzt
(Abb. 46).

Sie hat sieben Öffnungen, je zwei von 21,03 m, zwei von 23,17 m, zwei von 25,29 m und eine Mittelöffnung von 26,82 m lichter Weite, welche mit flachen Kreisbogen von etwa $^1/_{10}$ Stich überspannt sind. In der Mittelöffnung hat das Gewölbe im Scheitel 50,8 cm, an den Widerlagern 119 cm Stärke. Die Gewölbe sind als eingespannte Bogen ausgeführt. Die Bewehrung besteht aus Fachwerkbogen, deren Gurtungen mit den Leibungen im Abstand von $7^1/_2$ cm gleichlaufen und aus je zwei Winkeleisen 63 × 63 × 8 zusammengesetzt sind (Abb. 47). Die Entfernung der einzelnen Rippen beträgt 0,91 m, so daß sich für den Scheitelquerschnitt ein Bewehrungsmaß von 0,83 vH. ergibt.

Hervorzuheben ist noch eine Anordnung, die bei dieser Bauweise öfter wiederkehrt, nämlich die, daß die Obergurte der entsprechenden Bogenträger zweier benachbarter Öffnungen über den Pfeilern verbunden, während die Untergurte mittels aufgenieteter Winkelstücke verankert sind (Abb. 47). In den Widerlagern ist die Verankerung auf ähnliche Weise bewirkt.

Die Widerlager und Pfeiler sind aus Stampfbeton in der Mischung 1 : 3 : 6 hergestellt; sie wurden zwischen Fangedämmen fundiert. Die schlank gehaltenen Pfeiler

Abb. 48. Brücke im Brook Park zu Newark.

Abb. 49. Brücke zu Knoxville.

sind in der Kämpferlinie nur 2,06 m stark. Die Betonierung der Gewölbe erfolgte in Längsstreifen, 3 bis 4 Eisenrippen umfassend, gleichzeitig von beiden Seiten aus. Der statischen Berechnung wurde eine Verkehrslast von 300 kg/m^2 sowie ein 40 t schwerer elektrischer Straßenbahnwagen zugrunde gelegt. Die größten Beanspruchungen sind im Beton 35 kg/cm^2 Druck und 3,5 kg/cm^2 Zug, ferner 850 kg/cm^2 im Eisen. Das Gewölbe wurde nach 28 Tagen bereits ausgerüstet, wobei sich nur wenige Millimeter Senkung ergaben.

Das Bauwerk enthält 8700 m³ Beton und 150 t Eisen. Auf 1 m² Grundrißfläche entfallen etwa 50 kg Eisen.

Die Gesamtkosten betrugen 140 000 Dollar.

Von größeren Brücken nach Bauweise Melan seien an dieser Stelle noch erwähnt die Brücke im Brook Park zu Newark, N.-J. (Abb. 48), eine der flachstgespannten Bogenbrücken Amerikas, mit einer Lichtweite von 39,6 m. Ferner sei noch von den zahlreichen Talbrücken die Brücke über die Gleise der Louisville- und Nashville-Eisenbahn zu Knoxville, Tenn. (Abb. 49), erwähnt, welche bei einer Gesamtlänge von 230 m 13 Öffnungen besitzt.

Nach Bauweise v. Emperger, deren Bewehrungsart sich der vorgenannten Bauweise angliedert, werden ebenfalls eiserne Bogenrippen in das Gewölbe eingelegt, und zwar besitzen Ober- und Untergurt den zur Aufnahme der Zugkräfte erforderlichen Querschnitt, während die Vergitterung nur so stark bemessen ist, als zur Versteifung der Gurtungen bei Aufstellung der Bogenträger nötig ist.

Nach diesem auf die Eisenersparnis hinzielenden Grundsatz hat die Concrete Steel Engineering Company in New-York, als Eigentümerin des Patentes, alle ihre neueren Bauten ausgeführt, u. a. die Newell Avenue-Brücke im Botanischen Garten von New-York (Abb. 50), eine Brücke von 15 m Spannweite, die mit Granit verblendet ist.

Abb. 50. Newell Avenue-Brücke im botanischen Garten von New-York.

In den meisten Fällen ist diese Bauweise in Verbindung mit den Bauweisen Melan und Thacher ausgeführt.

Die Bauweise Ribera ist ebenfalls der Bauweise Melan sehr ähnlich, indem sie als Bewehrung ein vollständiges Eisengerüst annimmt. Der Unterschied liegt hauptsächlich in der Ausführungsweise. Die eisernen Bogen werden mittels Kabel aufgestellt und an sie die Schalung für das Gewölbe angehängt. Die Kabel werden dann beim Betonieren zum Heranschaffen der Baustoffe benutzt.

Abb. 51. Straßenbrücke Alfons XIII. auf Teneriffa.

Eine neuere Ausführung nach dieser Bauweise ist die von Ribera entworfene Straßenbrücke Alfons XIII. auf Teneriffa, Kanarische Inseln[1]) (Abb. 51), die Santa Cruz

---

[1]) Beton u. Eisen 1909, S. 277.

mit La Orotova verbindet. Sie besitzt einen Mittelbogen von 30 m Spannweite und drei seitliche, durch Balkenbrücken überdeckte Öffnungen von je 15 m Spannweite. Die gesamte Länge der Brücke ist 90 m, ihre Breite zwischen den Geländern 6 m. Die Ausführung des im Jahre 1909 vollendeten Bauwerks nahm 15 Monate in Anspruch, wobei allerdings eine Verzögerung der Arbeiten während der Fundierungen mit einbegriffen ist. Die Ausführung des Mittelbogens erfolgte ohne Einrüstung auf die vorher angegebene Weise (vergl. ferner Nr. 38, Abschnitt F.).

Auch bei der Bauweise Möller gelangen Gitterträger zur Verwendung, die jedoch, abweichend von den vorgenannten Bewehrungsarten, ungleiche Gurtquerschnitte besitzen; wo Zugkräfte auftreten, werden entsprechend größere Gurtquerschnitte verwendet. Ein weiteres Merkmal dieser Bauweise ist, daß die Zuggurte der einzelnen Bogenträger, um die Gewölbe an den Kämpfern nicht zu stark zu erhalten, in Rippen gelegt werden, die mit dem Gewölbe schubfest verbunden sind (Abb. 52). Durch diese Anordnung rückt die Nullinie aus dem Gewölbequerschnitt heraus, so daß dieser nur

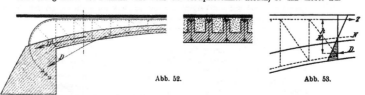

Abb. 52.   Abb. 53.

auf Druck beansprucht wird (Abb. 53), während bei den üblichen Gewölben auch im Gewölbequerschnitt Zug auftritt und daher als gedrückte Fläche nur ein kleinerer Querschnittsteil verbleibt. Außerdem erreicht das der Biegung widerstehende innere Moment des Gewölbes den größten möglichen Wert $M = Z \cdot h$ (Abb. 53). Da hierdurch auch die Drucklinie D (Abb. 52) am Kämpfer tiefer als bei einem gewöhnlichen Gewölbe fällt (D'), so erhält man naturgemäß auch kleinere Widerlager, also wirtschaftliche Vorteile.[1]

Diese Merkmale sind insbesondere für flachgespannte Gewölbe wichtig, da der Kämpfer des Gewölbes höher gelegt werden kann, als dem Verlauf der Drucklinie entspricht, wodurch der Durchfahrtquerschnitt vergrößert wird. Bisher ist erst ein größeres Bauwerk dieser Art ausgeführt, nämlich die im Abschnitt F Nr. 39 beschriebene Königsbrücke in Düsseldorf.

Dagegen sind im Sommer und Herbst des Jahres 1908 von Professor Möller auf dem Werkplatz der Firma Mölders u. Co. in Hildesheim eine Reihe größerer Versuche mit einem zu diesem Zweck hergestellten Probegewölbe ausgeführt worden, die sehr günstige Ergebnisse zeitigten. Der Bruch trat stets an einer am Widerlager angebrachten Platte, der sogen. Widerlagerplatte, ein, die durch das auflastende Erdgewicht die Standsicherheit des Widerlagers erhöhen sollte, und zwar bei über sechsfacher, der der Berechnung des Gewölbes zugrunde gelegten Nutzlast, während das Gewölbe selbst unversehrt blieb. Über die Versuche selbst sind ausführliche Mitteilungen in der Deutschen Bauztg. 1909, Zementbeilage, S. 2, 7 u. 11 enthalten, auf die hier verwiesen werden möge.

Schließlich sind noch zu den Brücken mit steifen Eiseneinlagen die Bauwerke zu rechnen, bei denen die Bewehrung aus Eisenbahnschienen besteht. Diese Bauweise

---

[1] Bei den Rippengewölben (vergl. S. 364) ist eine ähnliche Wirkungsweise vorhanden.

hat sich besonders in neuerer Zeit ın den Vereinigten Staaten von Nordamerika eingebürgert, wo verschiedene große Eisenbahngesellschaften die bei Erweiterung der
Bahnhöfe und Gleisanlagen zurückbleibenden alten Schienen, Bleche, Bolzen usw. aus
wirtschaftlichen Gründen wieder verwerten wollen.

Ein solches Bauwerk ist die von der Cleveland, Cincinnati, Chicago- und
St. Louis-Eisenbahn erbaute Straßenbrücke zu Weisberg, Ind.[1]) (Abb. 54). Sie besitzt

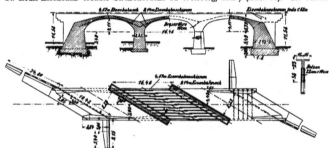

Abb. 54. Längenschnitt und Grundriß der Straßenbrücke zu Weisberg.

drei Öffnungen von je 16,46 m Spannweite, 4,11 m Pfeilhöhe und 10 m Breite. Zur
Bewehrung wurden sowohl in der Längs- als auch Querrichtung Eisenbahnschienen verwendet. In der Längsrichtung wurde eine Schienenlage von rd. 9 m Länge über den
Pfeilern bzw. Widerlagern, ferner eine untere Schienen-
lage von rd. 4,6 m Länge in der Nähe des Scheitels

Abb. 55. Ansicht, Schnitte und Einzelheit einer Fußwegüberführung über die Klampenborg-Helsingör-Eisenbahn.

angeordnet. Der Abstand der Einzelschienen, die gerade
gelassen sind und im Scheitel wagerecht liegen, beträgt
90 cm. Die Querschienen sind 1,5 m voneinander entfernt
und haben an ihren Enden Bleche angenietet, wodurch eine
bessere Verankerung der Stirnmauern erzielt wird.

Bei der nachstehend beschriebenen Fußwegüberführung
über die Klampenborg-Helsingör-Eisenbahn in Dänemark
(Abb. 55) ist das Gewölbe selbst mit Eisenbahnschienen

[1]) Eng. News 1907, S. 539.

bewehrt, während der Überbau Rundeiseneinlagen besitzt. Das Gewölbe hat eine Spannweite von 21,85 m, eine Pfeilhöhe von 2,58 m und eine Breite von 3,27 m. Die Gewölbestärke beträgt im Scheitel 25 cm und an den Kämpfern 36 cm. Die Fahrbahn wird von 5 cm starken Eisenbetongewölben getragen; diese haben eine Spannweite von 2,24 m und stützen sich mittels Pfeiler von 10 cm Stärke auf das Hauptgewölbe.

Das Netz der Zwickelgewölbe besteht aus 5 mm starken Rundeisen von 10 cm Maschenweite; die Pfeiler haben je zwei Netze aus 10 mm starken lotrechten Quadratstäben und 7 mm starken wagerechten Verbindungsstäben (Abb. 55). Diese Netze sind mit Bindedraht an den Eisenrippen des Hauptgewölbes befestigt. Im Betongewölbe selbst sind fünf in einem Abstande von 0,75 m liegende Rippen aus Eisenbahnschienen angeordnet, welche entsprechend gebogen und an den Stößen durch Laschen verbunden sind. Der Beton der Hauptgewölbe und Fahrbahngewölbe sowie der Ständer wurde im Mischungsverhältnis von 1 Raumteil Zement auf 3 Teile Sand und Kies hergestellt. Die verlorenen Widerlager sind aus Beton in Mischung 1 : 11 gestampft. Die Brücke wurde im Frühjahr 1897 erbaut, und ihre Herstellung erforderte einen Kostenaufwand von 8000 Mark.

Über ähnliche Ausführungen, bei welchen jedoch die Hauptgewölbe mit steifen und schlaffen Eiseneinlagen bewehrt sind, vergl. Beispiele 40 u. 41 im Abschnitt F.

3. Brücken mit schlaffen und steifen Eiseneinlagen.

Mit der Anordnung von schlaffen und steifen Eiseneinlagen wird entweder ein vorübergehender Zweck verfolgt, oder es handelt sich, wie schon S. 360 angedeutet, um die in Nordamerika übliche Wiederverwendung von alten Schienen, wobei neue Rundeisen dazugenommen werden.

Bei der Wegüberführung der Moselbahn bei Wasserliesch[1]) von 8,1 m Lichtweite Abb. 56) handelte es sich z. B. darum, ein Eisenbetongewölbe auszuführen, ohne daß der lichte Raum eingeschränkt wurde. Für ein Lehrgerüst gewöhnlicher Art war infolgedessen kein Platz vorhanden, ebenso hätte ein besonderes eisernes Gerüst, bestehend aus Bogen, an welche die Schalung angehängt wird, den ganzen verfügbaren Raum in Anspruch genommen.

Abb. 56. Wegüberführung bei Wasserliesch.

Infolgedessen wurde die Einschalung so bewirkt, daß sechs eiserne, genietete Bogenträger im Abstand von 0,90 m aufgestellt und mit einem leichten wagerechten Verband gegen seitliches Ausknicken versehen wurden (Abb. 57). Diese Bogenträger hatten die Schalung zu tragen und wurden so hoch gelegt, daß sie in das auszuführende Gewölbe zu liegen kamen. Hierdurch blieb der Raum unter dem Gewölbe von allen Gerüsten vollständig frei.

[1]) Beton u Eisen 1908, S. 71.

Die Rundeiseneinlage besteht aus einem oberen und unteren Geflecht von 7 mm starken Längs- und Querdrähten.

Die 3,5 cm starken Schaldielen fanden ihre Unterstützung auf Winkeleisen 50 × 50 × 7 mm, die, nach der Leibungsform gebogen, in Abständen von 80 bis 100 cm an den darüber verlaufenden Bogenträgern durch 15 mm starke Schrauben aufgehängt

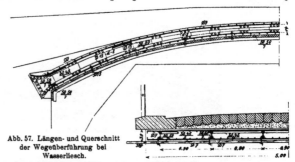

Abb. 57. Längen- und Querschnitt
der Wegeüberführung bei
Wasserliesch.

waren. Zur Ausschalung der Gewölbe wurden die Schrauben aus ihren einbetonierten Muttern herausgedreht und die so entstandenen Hohlräume nach Wegnahme der Schalung mit Zementmörtel ausgefüllt.

Die eisernen Bogenträger mit fest aufsitzenden Enden bestehen je aus vier Winkeleisen 50 × 50 × 7 mm, die in Entfernungen von 50 cm miteinander verbunden sind; an den Enden konnte die richtige Auflagerung durch je zwei Keilpaare geregelt werden. Die Berechnung der Bogenträger erfolgte unter der Annahme halbseitiger Fertigstellung des Gewölbes, obgleich dieser ungünstigste Belastungsfall bei der Ausführung vermieden wurde, indem man mit dem Betonieren des Gewölbes an beiden Kämpfern und im Scheitel gleichzeitig begann.

Bei der vorliegenden Ausführungsweise wird der Beton durch die Eiseneinlage weit mehr entlastet, als dies bei gewöhnlichen eisenbewehrten Betongewölben der Fall ist, denn die Eigenlast des Gewölbes wird ausschließlich von den eisernen Bogen getragen, und erst das Gewicht des weiteren Überbaues und die Verkehrslast werden vom Eisen und Beton gemeinschaftlich nach Maßgabe der elastischen Formänderungen aufgenommen.

Ein großer Vorzug der beschriebenen Ausführung ist der, daß das Ausschalen schon nach kurzer Zeit, etwa nach acht Tagen, und ohne besondere Vorsicht erfolgen kann, wenn der Beton so weit erhärtet ist, daß er sich mit genügender Sicherheit zwischen den eisernen Bogen frei tragen kann. Bei den gewöhnlichen Eisenbetongewölben kann das Lehrgerüst erst etwa nach drei bis vier Wochen weggenommen werden.

Die amerikanischen Brücken dieser Art sind meist so bewehrt, daß oben und unten Eisenbahnschienen, die durch Flacheisen verbunden sind, angeordnet werden.

Außerdem gelangen noch Rundeisen usw. zur Verwendung. Die Schienen werden meist in die Pfeiler bezw. Widerlager hineingeführt, so daß die Gewölbe mit den Pfeilern portalartige Bauwerke bilden. Solche Ausführungen stellen die vorerwähnten Beispiele 40 u. 41 des Abschnitts F dar.

III. Eisenbetonbogenbrücken mit Rippengewölben.

Die Verstärkung von Gewölben durch Rippen ist erst durch Einführung des Eisenbetonbaues aufgekommen, wo man mit Hilfe der Eiseneinlagen größere Biegungsbeanspruchungen im Gewölbe aufzunehmen imstande ist. Die Anordnung von Rippen erhöht naturgemäß das Widerstandsmoment des Gewölbequerschnitts, da, ähnlich wie bei der Bauweise Möller (S. 360), die Zugkraft der Eiseneinlagen an einem größeren Hebelarm wirkt als bei dem Gewölbe ohne Rippen. Deshalb stellt diese Bauweise bei großen Spannweiten manchmal ein willkommenes Hilfsmittel dar, die Tragfähigkeit des Gewölbes zu erhöhen. Beim einfachen Gewölbequerschnitt wird dies vielleicht nur unter Annahme großer Gewölbestärken und eines damit erhöhten Stoffverbrauchs möglich sein.

Abb. 58. Straßenbrücke über die Sill in Innsbruck.

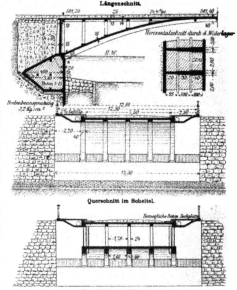

Abb. 59. Schnitte der Sillbrücke in Innsbruck.

Ein weiterer Vorzug der Rippengewölbe besteht darin, daß das Gewölbe dort, wo unter Umständen große Einzellasten infolge der Zwickelpfeiler wirken, durch die Rippen verstärkt ist. Man erreicht ferner durch Anordnung von entsprechenden Rippen noch den Vorteil, daß man bei gegebener Leibungslinie an Auffüllungsmasse in den Zwickeln spart und außerdem bei gegebener Rückenlinie durch Ausführung von Rippen den Stich des Gewölbes vergrößern und damit den Seitenschub verringern kann.[1]) Die Rippen erhalten in der Regel sehr starke Eiseneinlagen, während das Gewölbe mit Rundeisen von üblichem Durchmesser bewehrt wird.

Die Rippen können in der Gewölbeleibung oder am Gewölberücken angeordnet werden. Im letzteren Falle kann man sie bis zur Fahrbahnplatte gehen lassen und unmittelbar zum Tragen derselben benutzen. In der Regel werden dann noch zwischen den Rippen zur Aussteifung der letzteren dünne Querwände gespannt. Die letzte Anordnung ist eine Sonderheit der Firma Maillart u. Co. in Zürich, die außerdem noch bei ihren Ausführungen in den Scheitel- und Kämpferfugen Bleiplatten einlegt.

Ein Beispiel einer Brücke mit unteren Rippen zeigt die Straßenbrücke über die Sill in Innsbruck (Abb. 58 u. 59) mit 27 m Lichtweite. Sie besitzt fünf Rippen, deren Höhe vom Scheitel bis zu den Kämpfern um 20 cm zunimmt, während die Gewölbestärke von nur 16 cm gleich bleibt.

Die Brücke ist in ihren Einzelheiten im Abschnitt F (Beispiel Nr. 43) näher beschrieben.

Ein anderes Bauwerk dieser Art stellt die Straßenbrücke über die Ill[2]) in Feldkirch dar (Abb. 60). Sie besitzt eine Lichtweite von 34 m, eine Pfeilhöhe von 3,26 m und eine

Abb. 60. Straßenbrücke über die Ill in Feldkirch.

Breite von 10 [m, wovon 6,8 m auf die Fahrbahn und je 1,60 m auf die Fußsteige entfallen. Der Bogen ist durch vier Rippen, die in Achsenentfernungen von 2,42 m angeordnet sind, verstärkt. Die Stärke der Rippen beträgt im Scheitel 45 cm, an den Kämpfern 70 cm. Die Breite der Rippen beträgt im Scheitel 55 cm und vergrößert sich bis zu den Kämpfern auf 65 cm. Die Bewehrung der Bogenrippen erfolgte durch 40 mm starke Rundeiseneinlagen, wovon je fünf Stück sowohl im Druckgurt als auch im Zuggurt angeordnet wurden.

Als Baustoff wurde Illschotter und Perlmooser Portlandzement verwendet, und zwar für die Widerlager in Mischung 1 : 8 und für die Tragkonstruktion 1 : 3.

Abb. 61. Straßenbrücke über die Bormida in Norditalien.

[1]) Gans ähnliche Betrachtungen wurden schon bei der Bauweise Möller angestellt, wo nachgewiesen wurde, daß die Widerlager kleiner werden, da die Drucklinie an den Kämpfern aus dem Gewölbe nach unten heraustritt.
[2]) Ausgeführt 1904 von der Firma Westermann in Bregenz.

Einen wesentlich weitergespannten Bogen zeigt die Straßenbrücke über die Bormida bei Millesimo in Norditalien (Abb. 61), die nach den Entwürfen von Hennebique durch Ingenieur G. A. Porcheddu, Turin, ausgeführt wurde. Das Bauwerk besitzt eine Stützweite von 51 m und eine Pfeilhöhe von 5,1 m. Das Gewölbe ist durch vier untere Rippen in 1,1 m Abstand verstärkt; ihre Höhe beträgt im Scheitel 0,6 m und nimmt auf 1,0 m nach den Kämpfern hin zu.

Zu der zweiten Gruppe von Rippengewölben mit bis zur Fahrbahnplatte reichenden Rippen gehört die von Hennebique entworfene Straßenbrücke zu Imphy[1]). Sie besteht aus 10 Öffnungen von 30 m Lichtweite und 2,40 m Pfeilhöhe und ist 6 m breit, wovon je 75 cm auf die beiderseitig angeordneten Fußsteige entfallen (Abb. 62). Die

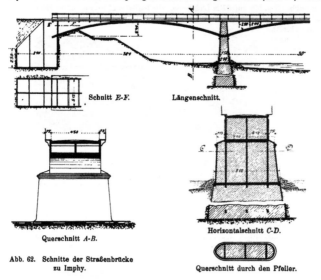

Schnitt E-F.   Längenschnitt.

Querschnitt A-B.

Horizontalschnitt C-D.

Abb. 62. Schnitte der Straßenbrücke
zu Imphy.

Querschnitt durch den Pfeiler.

Zwischenpfeiler sind auf Caissons aus Eisenbeton gegründet. Ebenso sind die Zwischenpfeiler und Landwiderlager ganz aus Eisenbeton. Die Gewölbe sind nach einem Kreisbogen geformt und 5,12 m breit. Auf diesem Gewölbe sind drei Längswände aus Eisenbeton von 16 cm Stärke errichtet, von denen die beiden äußeren zugleich die Stirnwände der Brücke bilden. Auf diesen Längswänden ruhen Eisenbetonbalken in Entfernungen von 2 m, welche konsolartig über die Stirnwände vorgekragt sind und die 15 cm starke Eisenbetonplatte zur Aufnahme der Fahrbahn tragen.

Bei der im Abschnitt F Nr. 51 beschriebenen Rheinbrücke zu Tavanasa sind die Rippen in 7 m Abstand vom Widerlager aufgeschlitzt, so daß der Bogenquerschnitt von von dieser Stelle ab ähnlich dem der erstbeschriebenen Rippengewölbe aussieht.

---

[1]) Le Béton Armé 1907 S. 149.

IV. Eisenbetonbogenbrücken mit Rippenplattenquerschnitt (Bauweise Hennebique).

Bei den bisher beschriebenen Arten von Bogenbrücken war stets das aus dem reinen Steinbau übernommene voll durchgehende Gewölbe als Haupttragwerk vorhanden.

Dagegen wird bei den zu besprechenden Brücken das letztere durch einzelne Bogenrippen, die oben durch eine Platte verbunden sind, gebildet, so daß man gewissermaßen eine Rippenplatte[1]) mit unten bogenförmig begrenzten Rippen, also wechselnder Höhe,

Abb. 63. Straßenbrücke in Baden.

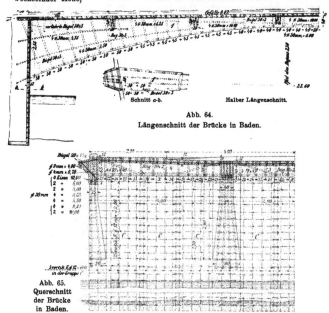

Schnitt a-b. Halber Längenschnitt.

Abb. 64.
Längenschnitt der Brücke in Baden.

Abb. 65.
Querschnitt
der Brücke
in Baden.

entsteht. Zur einheitlichen Verbindung der Rippen mit der Platte dienen Bügel, die gegen die Kämpfer hin schräg verlaufen. Die obere Platte, die gerade oder gewölbt sein

[1]) Die statt „Rippenplatte" meist gebräuchliche Bezeichnung „Plattenbalken" ist nicht so zutreffend als erstere.

kann, hat auch die Fahrbahnlasten aufzunehmen und in das Haupttragwerk zu leiten. In manchen Fällen wird schließlich längs der Leibung der Rippen, diese verbindend, eine dünne Eisenbetonplatte angeordnet, so daß das Tragwerk, von unten gesehen, den Eindruck eines Gewölbes macht.

Bei der Straßenbrücke über die Schwechat in Baden bei Wien[1] (Abb. 63) ist die Platte gerade, und die Rippen sind unten sichtbar. Sie hat eine Spannweite von 23,7 m und besitzt vier Bogenrippen. Die Rippenbreite, die im Brückenscheitel 40 cm beträgt, nimmt gegen den Kämpfer hin auf 80 cm zu; die Rippenhöhe beträgt im Scheitel 40 cm, an den Kämpfern 2,46 m (Abb. 64 u. 65). Die Stärke der mit den Rippen verbundenen Platte, die unmittelbar die Fahrbahn aufnimmt, ist 12 cm. Die Fahrbahnbreite beträgt 8 m, die der beiderseitigen Fußwege je 2 m. Die Bewehrung der Rippen besteht aus 4 Rundeisen 30 mm Durchm., welche mit der Rippenunterkante gleichlaufend in die Eisenbetonwiderlager (vergl. III. Bd. (zweite Aufl.), „Mauerwerksbau", S. 418) hineingeführt sind. Außer diesen Eiseneinlagen unten sind ferner in den Rippen noch drei Eiseneinlagen von je 4 Stäben 30 mm Durchm., von denen nur die oberste ganz durchgeht, angeordnet (Abb. 64). Sämtliche Rundeisen sind durch Flacheisenbügel 30 × 3 mm mit der Platte verbunden. Die Bewehrung der Platte sowie weitere Einzelheiten über die Ausbildung der Fahrbahn gehen aus den Abb. 64 u. 65 hervor. Die Berechnung der Brücke erfolgte für einen Lastwagen von 12 t Gewicht.

Die Straßenbrücke über den Lys in Gand (Belgien) (Abb. 66) besitzt eine gewölbte Platte und volle Unteransicht (Abb. 68). Ihre Spannweite ist 21,92 m und ihre nutzbare Breite 12 m.

Die Ausbildung des Tragwerks erfolgte durch acht Rippen in Abständen von 1,68 m, die im Scheitel eine Höhe von 40 cm besitzen und sich gegen die Widerlager zu auf etwa 2 m erhöhen. Die Form der Rippen dieses Bauwerks ist so ausgebildet, daß ihre obere Krümmung einen größeren Durchmesser aufweist als die untere (Abb. 67). Die Stärke der Rippen beträgt 25 cm, sie sind in Achsenentfernungen von 186 cm angeordnet. Ihre Bewehrung besteht aus vier 40 mm starken Rundeisen, von denen zwei längs der Oberkante und zwei längs der Unterkante verlaufen. Bemerkenswert ist die Art der Ausführung dieses Bauwerks. Es wurden auf die fertige Rüstung 6 cm starke Eisenbetonplatten von 50 cm Breite gelegt, aus welchen Eiseneinlagen hervorragten, die in die später zu betonierenden Rippen eingreifen sollten. Nach Herstellung und Ausschalung der lotrechten Wände dieser Rippen wurde auf ihre Oberkante eine eigene Eisenbetonschalung aus kleinen getrennten Plattenbalken versetzt, wie aus Abb. 68 zu ersehen ist. Hierauf erfolgte die Betonierung der 14 cm starken Platte zur Aufnahme der Fahrbahn. Einzelheiten des Querschnitts sind in Abb. 68 dargestellt. Die Brücke erhielt an den Stirnflächen eine Quaderverkleidung.

Ein wegen seiner einfachen Durchbildung mustergültiges Bauwerk stellt der Fußsteig (Passerelle) über den Canal du Midi in Toulouse[2] dar, welcher von Hennebique entworfen ist. Er hat eine Lichtweite von 42 m und besitzt zwei Bogenrippen, deren mittlerer Teil auf eine Sehne von 36 m nur ¹/₁₆ Stich aufweist (Abb. 69). Die Stärke der Bogen beträgt im Scheitel 95 cm, an den Kämpfern 1,70 m. Die Platte ist im Scheitel 30 cm stark und 1,90 m breit, am Anlauf 15 cm stark und 3,30 m breit. Der Aufgang zu dem Steig wird durch zwei Treppenarme mit je zwölf Stufen bewerkstelligt; von einem gemeinsamen Podest gelangt man durch weitere zwölf Stufen auf die eigentliche Brücke. Die Bewehrung der Rippen besteht unten aus je 6 Rundeisen

---

[1] Ausgeführt von der Firma Ed. Ast u. Co. in Wien.
[2] Génie Civil 1903, Nr. 19. Beton Armé 1903, September.

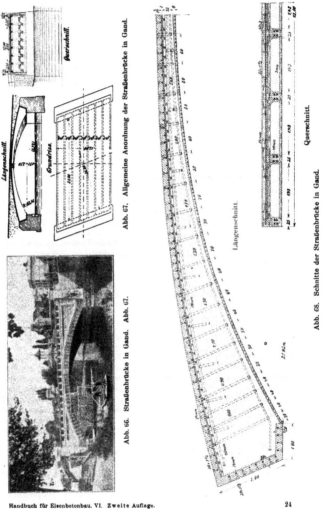

Querschnitt.

Längenschnitt. *Grundriss.*

Abb. 67. Allgemeine Anordnung der Straßenbrücke in Gand.

Abb. 66. Straßenbrücke in Gand. Abb. 67.

Längenschnitt.

Querschnitt.

Abb. 68. Schnitte der Straßenbrücke in Gand.

30 mm Durchm. und oben aus je vier gleich starken Stäben. Die Eiseneinlagen sind durch Bügel nach Hennebiquescher Art verbunden (vgl. weiter Abschnitt F, Beisp. Nr. 53 bis 56).

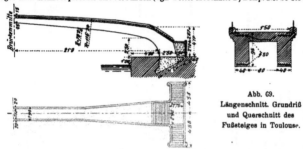

Abb. 69.
Längenschnitt. Grundriß
und Querschnitt des
Fußsteiges in Toulouse.

V. Eisenbetonbogenbrücken mit einzelnen Hauptträgern.

Die Überbrückung von Wasserläufen, Straßen, Einschnitten usw. durch einzelne Träger, welche die Eigengewichts- und Verkehrslasten durch Vermittlung von Querträgern aufnehmen, war bisher nur in Holz oder Eisen möglich. Erst durch Verbindung von Eisen und Beton gelang es, Tragwerke herzustellen, die imstande sind, große Lasten auf zwei in entsprechendem Abstand liegende Stützpunkte zu übertragen.

Bei den hier in Frage kommenden Bogenträgern hat die Eiseneinlage zwei Hauptaufgaben zu erfüllen, nämlich, entweder die im Bogen auftretenden Zugspannungen zu übernehmen oder lediglich den Bogenquerschnitt zur Aufnahme größerer Druckkräfte zu befähigen. Der erstere Fall setzt eine Drucklinie voraus, die aus dem Kern des Bogens heraustritt, während der letztere Fall das Verbleiben der Drucklinie im Kern bedingt. Bei der Querschnittbestimmung sind beide Fälle zu trennen. Bei Fachwerkbogenbrücken in Eisenbeton, die allerdings bislang nur vereinzelt zur Ausführung gelangt sind, erhalten einzelne Stäbe lediglich Zug, der ausschließlich durch die Eiseneinlagen aufzunehmen ist, während der Beton nur als Umhüllung dient.

Mit der Anordnung von Einzelträgern werden verschiedene Zwecke verfolgt. In den meisten Fällen will man durch diese Gliederung eine möglichste Verringerung der Eigenlast erzielen. Bei geringen Belastungen (Fußgängerbrücken), wo also nur geringe Kräfte aufzunehmen sind, wird andererseits eine derartige Ausbildung des Tragwerks wirtschaftliche Vorteile ergeben. Auch Schönheitsgründe können maßgebend sein, da solche Bauwerke ein leichtes Aussehen erhalten und sich vielfach in das Landschaftsbild gut einfügen lassen. Schließlich ist man bei beschränkter Bauhöhe oft gezwungen, das Tragwerk über der Fahrbahn anzuordnen und die letztere mittels Hängepfosten an zwei Bogenträger anzuhängen. Die Ausbildung der Brücke im einzelnen hängt davon ab, ob die Hauptträger unter oder über der Fahrbahn angeordnet werden.

1. Brücken mit obenliegender (gestützter) Fahrbahn.

Da die Hauptträger in diesem Falle unter der Fahrbahn liegen, kann ihre Anzahl beliebig sein. Sie werden in der Regel als einzelne Bogenträger angenommen und erhalten dann die Fahrbahnlasten durch Vermittlung von durchgehenden Längswänden über den Hauptträgern oder durch Einzelpfeiler (Stützpfosten) in entsprechenden

Abständen. Werden die Hauptträger als Fachwerkbogen mit geradem Obergurt ausgebildet, so nimmt dieser unmittelbar die Lasten auf. Wie bereits erwähnt, sind Fachwerkbogen nur selten ausgeführt worden. Insbesondere bildet bei diesen die Ausbildung der Knotenpunkte Schwierigkeiten, auch sind die auftretenden Nebenspannungen nur schwer zu ermitteln.

Eine Brücke mit Hauptträgern unter der Fahrbahn und vollen Längswänden über den ersteren stellt die Straßenbrücke zu Venice in Kalifornien[1]) dar (Abb. 70). Das

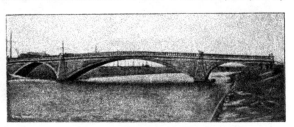

Abb. 70. Straßenbrücke zu Venice, Kalif.

Bauwerk ist besonders durch die Form der Hauptträger bemerkenswert. Der mittlere Bogen von 30 m Lichtweite ist nach einer Ellipse gestaltet, während die beiden 12 m weitgespannten Seitenbogen schwanenhalsförmig gekrümmt sind (Abb. 71) und im

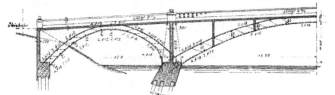

Abb. 71. Längenschnitt und Querschnitt der Brücke zu Venice.

Verein mit dem Mittelbogen eine vortreffliche Linienführung ergeben. Das Tragwerk besteht aus drei Bogenträgern von Rechteckquerschnitt, und zwar sind die beiden äußeren 32 cm, der mittlere 60 cm breit. Die Bogen tragen 15 cm starke Eisenbetonwände und diese die gleichfalls 15 cm starke Fahrbahnplatte (Abb. 71). Die Widerlager sind unter Wasser aus Stampfbeton, während über Wasser eine 30 cm starke Eisenbetonmauer zur besseren Versteifung der drei Längswände errichtet wurde. Die Bewehrungsweise geht aus Abb. 71 hervor.

Bei der Fußgängerbrücke im Lake-Park zu Milwaukee, Wis.[2]) (Abb. 72), entworfen und ausgeführt von der Newton Engineering Co. in Milwaukee, besitzen die über den

[1]) Eng. News 1907, S. 234.
[2]) Eng. Record 1905, 25. November; ferner Deutsche Bauztg. 1906, Zementbeilage S. 9

Abb. 72. Fußgängerbrücke in Milwaukee, Wis.

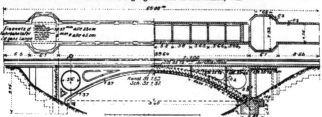

Abb. 73. Schnitte der Brücke in Milwaukee.

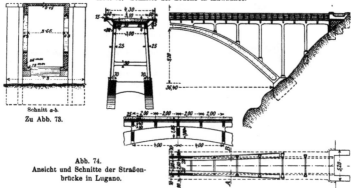

Schnitt a-b.
Zu Abb. 73.

Abb. 74.
Ansicht und Schnitte der Straßenbrücke in Lugano.

Hauptträgern befindlichen Wände (Stirnwände) aus Eisenbeton Ausschnitte (Abb. 73).
Bemerkenswert ist, daß die Zugänge zur Brücke aus einer Fahrbahntafel in Eisenbeton
bestehen, die auf Stirnmauern aus Beton ruhen; in die letzteren sind zur Vermeidung von Frostrissen alle 30 bis 40 cm 6 mm starke Eisenstäbe eingelegt. Die
Spannweite der an den Auflagern eingespannten Bogen ist 36,0 m, die Pfeilhöhe 5,5 m.
Die beschriebene Ausführungsweise wurde gewählt, um das Eigengewicht der Brücke
möglichst gering zu erhalten, da der unzuverlässige Baugrund höchstens mit 1 kg/cm²
belastet werden durfte.

Die beiden Bogenträger haben einen Querschnitt von je 137 × 30 cm mit einer Rand-
versteifung längs der inneren Kante der unteren Leibung von 23 × 23 cm, die auch
den Zweck hat, den Bogen für das Auge etwas massiger erscheinen zu lassen. Die
Tragwände sind in Zwischenräumen von ungefähr 3,6 m durch Querwände und Riegel
gegeneinander versteift. Die Bewehrungen in den Bogen bestehen aus je zwei Eisenstäben von 25 × 75 mm Querschnitt (Bauweise Kahn), die, an ihren Enden (etwa alle
9 m) fest miteinander durch Spannmuttern verbunden, durch den ganzen Bogen gleichlaufend zu beiden Leibungen geführt sind. Die weitere Bewehrung ist aus Abb. 73
ersichtlich.

Die Straßenbrücke in Lugano (Abb. 74) besitzt zwei Hauptträger, welche die
Fahrbahn mittels lotrechter Pfosten aus Eisenbeton tragen. Sie ist nach Bauweise

Abb. 75. Wegeüberführung bei Rieden.

Luipold bewehrt und hat eine Spannweite von 36,4 m. Die Bogenträger sind 70 cm
breit und besitzen im Scheitel eine Stärke von 100 cm und an den Kämpfern eine
solche von 170 cm. In Entfernungen von 4 m sind die Bogenträger gegenseitig durch
Querverbindungen abgesteift. Die Entfernung der Pfosten ist ebenfalls 4 m; sie sind
mittels Querriegel zu festen Rahmen ausgebildet, die die Fahrbahntafel tragen. Diese
besteht aus Längsträgern, welche auf den Pfosten ruhen, und aus Querträgern, welche
in Entfernungen von je 2 m an die Längsträger angeschlossen sind, und aus der 12 cm
starken Fahrbahnplatte.

Eine neuere Brücke mit zwei Hauptträgern unter der Fahrbahn stellt die Wegeüberführung bei Rieden[1]) (Abb. 75) dar, die ähnlich der im Abschnitt F, Nr. 58 eingehend

[1]) Ausgeführt 1908 von der Firma Gebr. Rank in München (vergl. Deutsche Bauztg. 1910, Zementbeilage S. 45).

beschriebenen Wegeüberführung der Bahnlinie Donauwörth—Treuchtlingen ausgebildet ist. Die Bogenträger der Brücke bei Rieden besitzen jedoch eine um 7 m größere Spann-

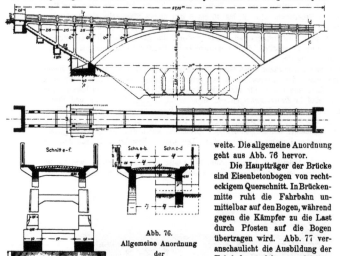

Abb. 76.
Allgemeine Anordnung
der
Brücke bei Rieden.

weite. Die allgemeine Anordnung geht aus Abb. 76 hervor.

Die Hauptträger der Brücke sind Eisenbetonbogen von rechteckigem Querschnitt. In Brückenmitte ruht die Fahrbahn unmittelbar auf den Bogen, während gegen die Kämpfer zu die Last durch Pfosten auf die Bogen übertragen wird. Abb. 77 veranschaulicht die Ausbildung der Fahrbahn, welche aus einer gekreuzt bewehrten, durch Quer- und Längsrippen versteiften Platte besteht. Während die Bogen ohne Gelenke ausgeführt wurden, hat die Fahrbahn an zwei Stellen, und zwar je über den auf den Kämpfern stehenden Säulen, Dehnungsfugen erhalten; denn eine Trennung erschien gerade

Abb. 77. Bewehrung der Fahrbahn der Brücke bei Rieden.

dort notwendig, um dem mittleren Teil der Brücke die Möglichkeit zu geben, unabhängig von den äußeren Teilen die Wärme-Dehnungen mitmachen zu können.

Besondere Erwähnung verdienen zwei Talbrücken (Abb. 78 u. 79) der ungarischen Lokalbahn Fogaras—Kronstadt,[1]) weil sie die ersten größeren Bauwerke dieser Art in Ungarn darstellen. Die eine Brücke besitzt eine Bogenöffnung von 33,6 m Spannweite

Abb. 78. Talbrücke der Lokalbahn Fogaras—Kronstadt. Spannweite der Hauptöffnung 33,6 m.

Abb. 79. Talbrücke der Lokalbahn Fogaras—Kronstadt. Spannweite der Hauptöffnung 57 m.

und 98,6 m Gesamtlänge, während die größere Brücke einen Mittelbogen von 57 m Spannweite und eine Gesamtlänge von 166,5 m aufweist. Die beiden Bauwerke sind in ihren Einzelheiten im Abschnitt F (Nr. 62) näher beschrieben.

[1]) Entworfen von Professor Dr. Konstantin Zielinsky in Budapest.

Abb. 80. Wegeüberführung der Linie Maastricht—Aken.

Von kleineren Bogenbrücken mit zwei Hauptträgern sei ferner genannt die Wege-überführung der Linie Maastricht—Aken[1] (Abb. 80) mit 20 m Lichtweite, 3,9 m Nutz-breite und 2,2 m Abstand der Bogenträger (Abb. 81).

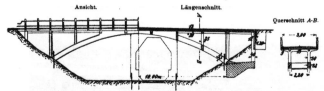

Ansicht.   Längenschnitt.   Querschnitt A-B.

Abb. 81. Schnitte der Wegeüberführung der Linie Maastricht—Aaken.

Abb. 82. Brücke zu Golbardo.

Die Breite der letzteren ist überall 30 cm, während ihre Höhe im Scheitel 50 cm und an den Auflagern 55 cm beträgt. Im mittleren Drittel der Bogen ruht die Fahrbahnplatte unmittelbar auf letzteren, während sie an den anderen Stellen durch Eisenpfosten unterstützt ist (Abb. 81). Ähnlich dem beschriebenen Bauwerk sind noch eine Reihe anderer Wege-überführungen auf der gleichen Linie aus-geführt worden. Ferner sei noch genannt die in Abb. 82 dargestellte Brücke zu Golbardo in der spanischen Provinz Santander, mit zwei Hauptträgern von 30 m Spannweite. Sie sind durch Querriegel gegenseitig verbunden und nach Bauweise Ribera bewehrt.

Eine Brücke mit drei Hauptträgern zeigt die Straßenbrücke bei Fabriano[2] (Abb. 83). Das auch in architektonischer Beziehung her-vorragende   Bauwerk[3]

Abb. 83. Straßenbrücke bei Fabriano.

liegt in seinem mittleren Teil mehr als 20 m über dem Grunde des Wild-bachs Giano und besitzt zwei mittlere Öffnungen von 25,90 m Spannweite und 8,2 m Pfeilhöhe und zwei äußere von 9,20 m Spannweite und 4 m Pfeil-höhe. Die Länge der Brücke ist 108 m, ihre Breite 9,40 m, wovon 7 m auf die Fahrbahn und je 1,20 m auf die Gehwege entfallen. Die Versteifungen zwischen den Haupt-trägern sind vergittert. Der Abstand der Pfosten beträgt 2,40 m.

[1] De Ingenieur 1907. S. 473. [2] Beton u. Eisen 1905, S 245. [3] Ausgeführt von der Firma Marcelle u. Cie. in Bologna

Bemerkenswert ist noch die Verbindung der einzelnen Bogenträger mit einzelnen Stützen oder Jochen statt der üblichen durchgehenden massiven Brückenpfeiler. Die Joche werden häufig durch Eisenbetonpfähle gebildet, die insbesondere bei moorigem Baugrund zur Anwendung gelangen.

Die in Abb. 84 darge-
stellte Straßenbrücke über
die jütländische Ostbahn bei
Vjele[1]) zeigt vier Bogenträger, die unmittelbar in
einzelne Stützen übergehen.
Die vier Stützen besitzen ein
gemeinschaftliches Funda-
ment.

Die Bogenträger haben
10,4 m Spannweite und
2,2 m Abstand. Sie sind in
den Kämpfern und in den
Viertelpunkten gegeneinander versteift. Die Breite
der Brücke beträgt 8 m.

Abb. 84. Straßenüberführung zu Vjele.

Eine bemer-
kenswerte Aus-
führung ist fer-
ner die Straßen-
brücke über den
kleinen Schyn zu
Deurne - Merxem
(Belgien)[2]) (Abb.
85), welche sechs
Hauptträger in
1,73 m Abstand
besitzt, die an den
äußersten Pfei-
lern als Pfosten-

Abb. 85. Straßenbrücke zu Deurne-Merxem.

fachwerke ausgebildet sind. Das gewaltige Bauwerk hat drei mittlere bogenförmige und zwei äußere einhüftige Öffnungen von den in Abb. 86 angegebenen Abmessungen und eine Gesamtlänge von 176 m. Die Bogen sind 35 cm breit und 70 cm hoch. Der Abstand der Pfosten ist 2,30 m. Die Fahrbahn ist 8 m breit, die beiderseitigen Geh-wege, die auf Kragträgern ruhen, je 2,10 m. Die Pfeiler und Widerlager bestehen aus Eisenbeton. Weitere Einzelheiten zeigt noch Abb. 87.

2. Brücken mit untenliegender (angehängter) Fahrbahn.

Die Hauptträger werden, wie bereits angedeutet, in der Regel über der Fahrbahn angeordnet, wenn die Bauhöhe so knapp bemessen ist, daß unter der Fahrbahn das

---

[1]) Zement und Beton 1908. S. 289.
[2]) Le Béton Armé 1906, April und 1907, April. — Annales des Travaux Publics de Belgique 1907. Februar S. 38

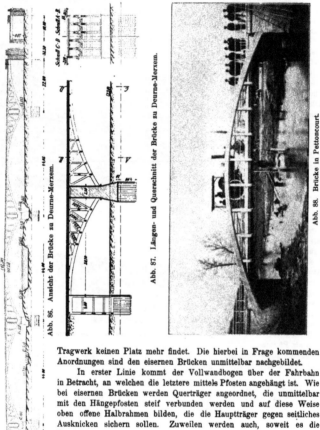

Abb. 86. Ansicht der Brücke zu Deurne-Merxem.

Abb. 87. Längen- und Querschnitt der Brücke zu Deurne-Merxem.

Abb. 88. Brücke in Pettoncourt.

Tragwerk keinen Platz mehr findet. Die hierbei in Frage kommenden Anordnungen sind den eisernen Brücken unmittelbar nachgebildet.

In erster Linie kommt der Vollwandbogen über der Fahrbahn in Betracht, an welchen die letztere mittels Pfosten angehängt ist. Wie bei eisernen Brücken werden Querträger angeordnet, die unmittelbar mit den Hängepfosten steif verbunden werden und auf diese Weise oben offene Halbrahmen bilden, die die Hauptträger gegen seitliches Ausknicken sichern sollen. Zuweilen werden auch, soweit es die Durchfahrt gestattet, zwischen den Hauptträgern Quersteifen angeordnet. Die Querträger sind hierbei entweder in der im Eisenbetonbau üblichen Weise mit der Fahrbahnplatte zu einer Rippenplatte verbunden oder sie nehmen Längsträger bezw. längslaufende Plattenbalken auf, welche die Fahrbahnbefestigung tragen.

Die Hauptträger können ohne oder mit Zugband ausgeführt werden. Die letztere Anordnung ist die üblichere, da sich hierbei wesentlich

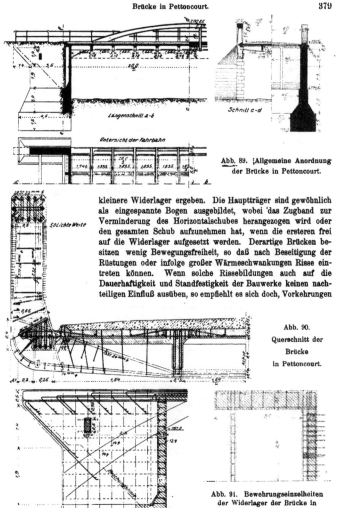

Abb. 89. [Allgemeine Anordnung
der Brücke in Pettoncourt.

kleinere Widerlager ergeben. Die Hauptträger sind gewöhnlich
als eingespannte Bogen ausgebildet, wobei 'das Zugband zur
Verminderung des Horizontalschubes herangezogen wird oder
den gesamten Schub aufzunehmen hat, wenn die ersteren frei
auf die Widerlager aufgesetzt werden. Derartige Brücken besitzen wenig Bewegungsfreiheit, so daß nach Beseitigung der
Rüstungen oder infolge großer Wärmeschwankungen Risse eintreten können. Wenn solche Rissebildungen auch auf die
Dauerhaftigkeit und Standfestigkeit der Bauwerke keinen nachteiligen Einfluß ausüben, so empfiehlt es sich doch, Vorkehrungen

Abb. 90.

Querschnitt der

Brücke

in Pettoncourt.

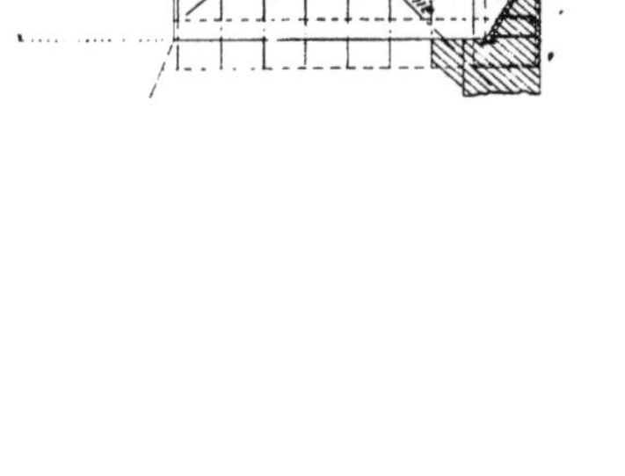

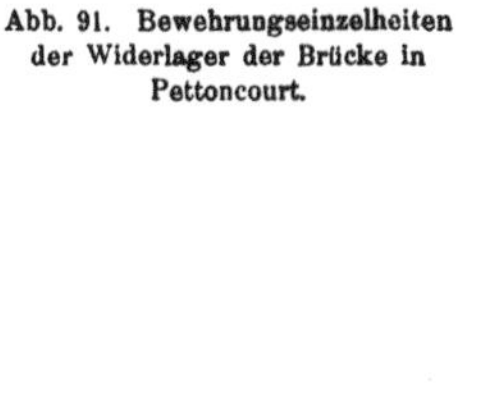

Abb. 91. Bewehrungseinzelheiten
der Widerlager der Brücke in
Pettoncourt.

zu treffen. welche Bewegungen der Brücke ermöglichen, ohne daß sichtbare Spuren zurückbleiben.

Bei einer neueren Brücke[1]) hat man dadurch eine größere Bewegungsfreiheit zu erreichen gesucht, daß nur das eine Auflager eingespannt wurde, während für das andere Auflager ein Pendelgelenk zur Anwendung gelangte. Liegen die Hauptträger über der Fahrbahn, so werden naturgemäß zwei solcher angeordnet, wobei die Gehwege, falls solche besonders vorgesehen werden sollen, am besten auf Auskragungen, in der Verlängerung der Querträger, gelegt werden.

Eine der ersten Brücken der beschriebenen Bauart stellt die Straßenbrücke über das Grenzflüßchen Seille in Pettoncourt[2]) (Lothringen) (Abb. 88), eine Ausführung der Firma Ed. Züblin in Straßburg, dar, welche das deutsche Dorf Pettoncourt mit der französischen Bahnstation Moncel verbindet. Die Hauptabmessungen des Bauwerks zeigen die Abb. 89 u. 90. Die Brücke besteht aus zwei über der Fahrbahn liegenden Bogenträgern mit Zugband, an welche die Fahrbahn mittels lotrechter Pfosten angehängt ist. Das Zugband, welches den größten Teil des Bogenschubes aufzunehmen hat, ist mit der Fahrbahn in Verbindung gebracht, indem die hierzu bestimmten Eiseneinlagen in eine entsprechende Randverstärkung der Fahrbahnplatte gelegt worden sind (Abb. 90). Die Kämpfer der Bogen waren ursprünglich in Fahrbahnhöhe angenommen, wurden aber dann des besseren Aussehens wegen, namentlich aber um an den für die Scherkräfte gefährlichsten Stellen der Auflager mehr Querschnitt zu erhalten, etwas heruntergesetzt, so daß die Brücke ein gefälliges und leichtes Aussehen erhielt.

Die Widerlager (Abb. 89 u. 91) sind in gewöhnlicher Gründungsweise als Stampfbetonblöcke in Form von Parallelflügeln ausgeführt und mit Eisen bewehrt. Die Herabminderung des Drehmomentes infolge Verminderung des Horizontalschubes ermöglichte es, ihnen verhältnismäßig schwache Abmessungen zu geben, und so beträgt die größte Kantenpressung an der Fundamentfläche bei Vollbelastung nur 1,5 kg/cm².

Die Bogen wurden als eingespannte Bogen mit Zugband berechnet. Ihre Stärke beträgt im Scheitel 35 cm und an den Kämpfern 55 cm. Die Prüfung auf Knicken unter Einführung des Widerstandes der Hängesäulen ergab auch eine ausreichende Knicksicherheit der Bogen. (Siehe auch Handbuch II. Bd., zweite Aufl., S. 260 ff.).

Ein neueres Bauwerk dieser Art stellt die 1909 ausgeführte „Rosenfelder Brücke"[3]) bei Raisdorf (Schleswig-Holstein) (Abb. 92) dar, bei welcher die bestehenden Pfeiler einer etwa 3 m tiefer liegenden alten Holzbrücke für die neuen Pfeiler aus Stampfbeton verwendet wurden. Die Holzbrücke selbst diente während der Ausführung als Unterstützung des Lehrgerüstes.

Abb. 92. „Rosenfelder Brücke" bei Raisdorf.

Die Brücke, die für Landfuhrwerke bestimmt ist, besitzt eine Lichtweite von 17 m und eine Breite, ein-

[1]) Über die Spree in Lübben; vergl. Abschnitt F; Nr. 72.
[2]) Deutsche Bauztg. 1905, Zementbeilage S. 55.
[3]) Entworfen und ausgeführt von der Firma Weirich u. Reinken in Kiel (vergl. Beton u. Eisen 1910, S. 135).

schließlich der 45 cm breiten Hauptträger, von 5,90 m (Abb. 93). Die letzteren sind nach Parabeln von 3,75 m Pfeilhöhe gekrümmt; ihre Stützweite beträgt 17,8 m.

Die ebenfalls aus Eisenbeton bestehende Fahrbahn ist mittels Walzträger N.-P. 14, die in Abständen von 2,225 m angeordnet sind, an die Tragwände angehängt.

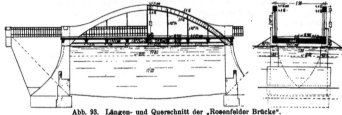

Abb. 93. Längen- und Querschnitt der „Rosenfelder Brücke".

Als Zugband dient ein ⊏-Eisen N.-P. 24. Die Lager sind schwach gekrümmte Betonstücke. Ihre Ausbildung, sowie der Anschluß des Zugbandes an den Bogen mittels aufgenieteter Bleche, der besondere Beachtung verdient, ist aus Abb. 94 zu ersehen.

Eine andere zweckmäßige Ausbildung dieses Punktes zeigt die im Abschn. F (Nr. 73) näher beschriebene Brücke über die Werle bei Salzuflen, auf welche, sowie die anderen größeren Ausführungen, hier verwiesen sein möge.

Statt der vorher beschriebenen Anordnungen ist es möglich, die Hauptträger so tief zu legen, daß die Fahrbahn unmittelbar mit ihnen, also ohne Vermittlung von Hängepfosten, in Verbindung gebracht werden kann.

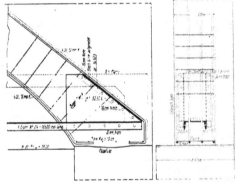

Abb. 94. Anschluß des Zugbandes der „Rosenfelder Brücke".

Um den erforderlichen Stich zu erzielen, muß die untere Bogenlinie gegen die Widerlager zu entsprechend tief herabgeführt werden. Die Hauptträger können zugleich als Geländerbrüstungen benutzt werden.

Als Beispiel hierfür sei die Zeiswoldbrücke in Orweil, O., angeführt. Wie Abb. 95 zeigt, besteht bei dieser Brücke das Tragwerk aus zwei Bogenträgern von 32 m Spannweite und 3,45 m Pfeilhöhe. Der Scheitelquerschnitt ist 60 × 150 cm, während die Trägerhöhe an den Kämpfern 270 cm beträgt. Zwischen den Hauptträgern ist eine Eisenbetonplatte von 20 cm Stärke eingespannt, auf welche unmittelbar die 30 cm

starke Makadamschicht der Straßenbefestigung aufgebracht ist. Zu bemerken ist die
starke Steigung der Fahrbahn von 1 : 12 gegen den Scheitel. Auch die Widerlager
haben eine eigenartige Ausbildung erhalten, in dem sie aus zwei Wänden, die die
Fortsetzung der Hauptträger bilden, und einer gemeinschaftlichen Sohlenplatte bestehen. Die Bewehrung der Sohlenplatte besteht aus 19 mm starken Rundeisen in
Entfernungen von 22 cm. Die Eiseneinlage der Hauptträger wird oben und unten
aus je vier Kahn-Eisen von 15 cm² Querschnittfläche gebildet (Abb. 95).

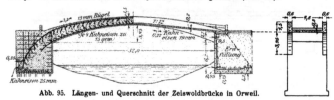

Abb. 95. Längen- und Querschnitt der Zeiswoldbrücke in Orweil.

C. Bauliche Einzelheiten der Betonbogenbrücken.

I. Gelenke.

1. Zweck der Gelenke.

Durch Anwendung von Gelenken will man gewisse, zum Teil nicht durch Berechnung feststellbare Einflüsse auf Gewölbe bezw. Einzelbogen, die zu Rissebildungen
führen können, ausschalten.

Diese Einflüsse können zweierlei Natur sein, und zwar können sie erstens von
der Ungleichartigkeit des Baustoffs und zweitens von den Wärmeänderungen herrühren.
Die erstgenannten Einflüsse zeigen sich in Verkürzungen, die infolge Zusammendrückens
und Schwindens des Betons beim Austrocknen entstehen und erst nach langer Zeit auf-
hören. Zu diesen Einflüssen treten noch bei Brücken, die nicht unmittelbar auf Felsen
gegründet sind, die Zusammenpressungen des Baugrundes hinzu, die ebenfalls erst nach
Jahren zur Ruhe kommen. Der Einfluß der Wärmeänderungen bewirkt fortwährende
Bewegungen des Scheitels und damit schädliche Zugbeanspruchungen im Beton, ferner
erzeugt er Änderungen des Seitenschubes und damit der Biegungsmomente für die
einzelnen Querschnitte. Diese Nebenspannungen können bei der Berechnung nur un-
vollkommen berücksichtigt werden und tragen daher in vielen Fällen zur Rissebildung bei.

Die genannten Einflüsse sind bei bewehrten Betonbrücken weniger gefährlich, da
sie durch die Eiseneinlagen zum großen Teil wieder aufgehoben werden, ferner sind
sie, namentlich bezüglich der Wärmeänderungen,[1] bei großen Pfeilverhältnissen weniger
bedenklich als bei flachgespannten Gewölben. Durch Einführung von Gelenken werden
diese Einflüsse beseitigt, und man erhält außerdem ein klareres Bild von der Spannungsverteilung in den einzelnen Gewölbequerschnitten. Man kann diese Einflüsse natürlich
auch durch Vermehrung der Gewölbestärken herabmindern, bedarf aber hierbei weit

---

[1] Beim Bau der Unterführung der Prinzregentenstraße in Wilmersdorf (Abschn. F, Nr. 24) sollte zuerst ein Eisen-
betonbogen ohne Gelenke von 1,94 m Pfeilhöhe und 24,66 m Spannweite, also $\frac{1}{12,7}$ Stich, zur Ausführung gelangen. Die
Untersuchung der Wärmeeinflüsse ergab für dieses flache Gewölbe jedoch bei ± 25° gleichmäßiger Erwärmung bezw.
Abkühlung im Scheitel Nebenspannungen von ± 75 kg/cm². Bei Anordnung von Kämpfergelenken betrugen die Nebenspannungen immer noch ± 25 kg/cm². Da diese hohen Beanspruchungen, die zu den Grundspannungen hinzutreten, zu
Rissebildungen geführt hätten, entschied man sich zur Ausführung eines Dreigelenkbogens (Zeitschr. f. Bauw. 1906, S. 50,
ferner „B. u. E." 1908, S. 92).

größerer Stoffmengen als bei einem entsprechenden Dreigelenkgewölbe, bei welchem der Sicherheitsgrad wesentlich herabgesetzt werden kann. Werden die Gelenke nach Fertigstellung der Brücke geschlossen, d. h. die Gelenkfugen ausbetoniert, um sie vor Witterungseinflüssen zu schützen, so bleiben die vorher erörterten Übelstände zum Teil bestehen, da die Beweglichkeit wieder aufgehoben wird. Außerdem erhält man Spannungszustände, die sich rechnerisch nur schwer verfolgen lassen. Für Verkehrslasten wirkt dann das Gewölbe als eingespannter Bogen.[1]

Die Gelenke sind daher, wie dies auch in neuerer Zeit stets geschieht, dauernd offen zu halten.

Die Vorschläge, Gelenke oder gelenkartige Einlagen anzuordnen, gehen ziemlich weit zurück, und zwar dachte man schon frühzeitig bei steinernen Brücken daran, um Risse zu vermeiden, durch geeignete Maßnahmen die Drucklinie in den sogen. Bruchfugen durch die Fugenmitte zu gehen. Man bildete zu diesem Zwecke diese Fugen durch Abschrägungen gelenkförmig aus und legte Metallstreifen ein. Zur Verhütung der Verschiebung der Gelenksteine wurden gleichzeitig Metalldollen angeordnet.

Das Verdienst, wirkliche Gelenke in den Gewölbebau eingeführt zu haben, gebührt jedoch Köpke in Dresden (S. 392).

2. Gelenke aus Stein, Beton und Eisenbeton.
a) Festigkeit der Gelenke. Versuchsergebnisse.

Die Gelenke aus Stein, Beton oder Eisenbeton werden als Wälzgelenke hergestellt, indem sie aus zwei Gelenkquadern gebildet werden, welche an der Berührungsstelle hohl bezw. erhaben gekrümmte Zylinderflächen besitzen, die aufeinander abrollen können. Da die Berührung wegen Begrenzung der zulässigen Pressung naturgemäß in einer endlichen Fläche stattfinden muß, so ist die Drucklinie nicht genau festgelegt; ihre Durchgangspunkte werden vielmehr bei den verschiedenen Belastungen wechseln. Diese Art von Gelenken ist deshalb nur bei mäßigen Spannweiten (30 bis 40 m) empfehlenswert. Wie die Versuche zeigen, können Gesteinsarten bei Berührung in einer kleinen Fläche, wie dies bei Gelenken der Fall ist, weit höher als sonst im Mauerwerkbau beansprucht werden.

Versuche von Bauschinger[2] im Jahre 1876 mit Würfeln von rd. 10 cm Seitenlänge aus sehr feinem graublauen Schweizer Sandstein, die nur auf einem Teil der Stirnfläche (Abb. 96) belastet wurden, hatten nachstehende Ergebnisse. Der Druck wurde durch Stahlprismen, deren Achsen mit denjenigen der Würfel zusammenfielen und deren Kanten den Würfelkanten parallel liefen, ausgeübt.

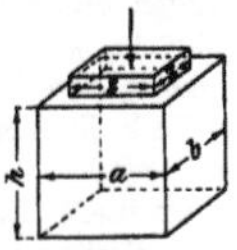

Abb. 96.

	Höhe	Würfelquerschnitt			Stahlprisma		Bruch-belastung	Druckfestigkeit	
Nr.	h	a	b	ab	s	s^2	P	$P:ab$	$P:s^2$
	cm	cm	cm	cm²	cm	cm²	kg	kg/cm²	kg/cm²
1	9,65	10,0	9,9	99,0	3,9	15,21	16 000	162	1052
2	9,70	9,85	9,9	97,5	5,7	32,49	30 000	308	923
3	9,70	10,0	9,85	98,5	7,8	60,84	47 000	477	772

---

[1] Manchmal kann das nachträgliche Schließen der Gelenke, insbesondere bei bewehrten Gewölben von nicht zu kleinem Pfeilverhältnis, zweckmäßig sein. Zu diesem Mittel greift man hauptsächlich dann, wenn man Widerlagerbewegungen, solange der endgültige Bauzustand noch nicht erreicht ist, unschädlich machen will. Man bedenke, daß die nachher noch wirkenden Verkehrslasten, die vielleicht ⅓ des Eigengewichts ausmachen, wenn es sich um Straßenbrücken handelt, im Vergleich zu letzterem nicht mehr allzusehr ins Gewicht fallen. Allerdings ist eine vollkommene nachherige Einspannung nur schwer zu erreichen.

[2] Bach, Elastizität und Festigkeit, fünfte Aufl., Berlin 1905, S. 168.

Abb. 97.

Der Bruch erfolgte in der Weise, daß von der Stirnfläche des Stahlprismas aus eine Pyramide in das Innere des Prismas getrieben und das umliegende Material auseinandergesprengt wurde.

In der folgenden Zahlentafel sind die Ergebnisse der Versuche von Bach[1] im Jahre 1888 mit Würfeln aus Buntsandstein, bei welchen der Druck durch Stahlprismen mit einer Länge gleich der Würfelseite und wechselnder Breite ausgeübt wurde (Abb. 97).

Versuchs-reihe[a]	Höhe h cm	Würfelquerschnitt a cm	b cm	Stahlprisma s cm	b cm	Druckfestigkeit $P:ab$ kg/cm²	$P:bs$ kg/cm²
1	6,00	6,46	6,03	6,03	6,03	653	653
2	9,89	10,04	9,99	2,50	9,99	232	926
3	9,85	10,01	10,01	2,00	10,01	188	943
4	9,82	10,02	10,03	1,50	10,03	156	1044
5	9,84	9,99	9,95	1,00	9,95	120	1193
6	9,84	9,96	10,02	0,50	10,02	102	2050

[a] Je 3 bis 5 Körper.

Die Zerstörung erfolgte in der Weise, daß von der Stirnfläche der Stahlplatte aus ein keilförmiger Körper in das Innere des Versuchswürfels getrieben und so das umliegende Material auseinandergesprengt wurde.

Wenn diese Versuche auch die genannte Tatsache bestätigen, daß der Druck auf kleine Flächen höher als bei gleichmäßiger Belastung von Querschnitten angenommen werden kann, so geben sie nichtsdestoweniger immer noch kein richtiges Bild von den tatsächlichen bei Gelenken auftretenden Beanspruchungen, da hier die Elastizität des Steines eine wichtige Rolle spielt. Um in dieser Richtung weitere Aufschlüsse zu erlangen, waren Versuche mit wirklichen Gelenken erforderlich.

Die ersten bemerkenswerten Versuche dieser Art wurden gelegentlich des Baues der Straßenbrücke mit Granitgelenken über die Eyach bei Imnau (Hohenzollern)[2] 1896 auf Veranlassung von Landesbaurat Max Leibbrand in Sigmaringen teils von Baudirektor v. Bach in Stuttgart[3] und teils von Professor Föppl in München angestellt. Von diesen Versuchen sei folgendes hervorgehoben.

Bach ermittelte Zug-, Druck- und Biegungsfestigkeit und die Elastizität des Granits. Die Bestimmung der Druckfestigkeit, die in nachstehender Zahlentafel angeführt werden möge, mit Würfeln von rd. 6 cm Seitenlänge ergab im Mittel 1006 kg/cm².

Be-zeich-nung	Gewicht G kg	Abmessungen Seite a cm	Seite b cm	Höhe h, cm	Volumen abh cm³	Spez. Gew. $\dfrac{1000\,G}{abh}$	Quer-schnitt ab cm²	Bruchbelastung beob-achtet kg	auf 1 cm² kg
I a	0,539	5,94	5,96	5,88	208	2,59	35,4	35000	989
I b	0,546	5,94	6,00	5,90	210	2,60	35,6	34950	982
II a	0,542	5,93	5,98	5,90	209	2,59	35,5	40800	1149
II b	0,543	5,97	5,98	5,92	211	2,58	35,7	33200	903

[1] Bach, Elastizität und Festigkeit, fünfte Aufl., Berlin 1905, S. 171.
[2] Zeitschr. f. Bauw. 1898, S. 187 u. f. (auch als Sonderdruck. Verlag von W. Ernst & Sohn, erschienen).
[3] Zeitschr. d. V. deutscher Ing. 1897, S. 347.

Die Druckflächen der Würfel waren behufs Herstellung gleichlaufender Flächen mittels Diamanten gehobelt worden.

Die Versuche von Föppl über die Druckfestigkeit des Granits, ausgeführt mit sechs Würfeln, hatten folgende Ergebnisse:

Nr.	Spez. Gewicht	Druckfestigkeit kg/cm²	Bemerkung
1	2,67	1070	Die Druckflächen waren durch Abdrehung mit Diamanten geebnet worden.
2	2,67	1150	
3	2,68	1140	
4	2,67	1170	
5	2,67	1040	
6	2,67	1050	
Mittel	**2,67**	**1100**	

Um das Verhalten des Granits im Gewölbe beurteilen zu können, wurden zwei Körper genau nach den Abmessungen, wie sie an den Gelenken der Brücke verwandt werden sollten, und mit einer Breite von ¹/₁₀ der Gewölbebreite im Scheitel, d. i. 0,25 m, hergestellt. Abb. 98 zeigt die Anordnung des Gelenkes; es ist zu beachten,

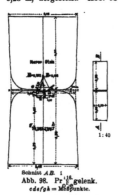

Schnitt *A B.*
Abb. 98. Pr'¹⁶ gelenk.
c d e f g h = Meßpunkte.

daß die beiden Gelenkflächen keinen gemeinschaftlichen, sondern um 2 mm verschiedenen Mittelpunkt besaßen, wenn die Berührung ohne Bleieinlage erfolgte. Die Unterflächen der Quadern waren' ziemlich eben, aber ohne besondere Sorgfalt abgerichtet und gestockt. Die Gelenkflächen waren gut poliert. Um nun das gefährliche Einpressen des Bleies in die Poren des Granits zu verhindern, sollte, wie dies auch bei der Brücke selbst geschehen ist, das Blei zwischen 0,1 mm dicke Kupferbleche gelagert werden. Die Bleiplatte selbst aus Walzweichblei hatte eine Breite von 100 mm, eine Länge von 250 mm, entsprechend den Abmessungen des Granitgelenkes, und eine Dicke von 3 mm. Da aber kein 0,1 mm dickes Kupferblech zu haben war, wurde zu den Versuchen 0,08 mm dickes, blank poliertes Messingblech verwandt. Derartig zugerichtet wurden die Quadern in aufrechter Stellung zwischen die ebenen 75 × 75 cm großen gußeisernen Druckplatten der lotrechten Prüfungsmaschine gut zentrisch aufgestellt und alsdann einer durch Druckwasser erzeugten Belastung unterworfen, die bis zu 94 t gesteigert wurde. Die obere Druckplatte der Maschine war im Kugelgelenk beweglich. Die Versuche sollten sich nun erstrecken auf:

    a) das Verhalten der Steine und deren Formveränderungen,

    b) die mögliche Drehung der Gelenke und

    c) das Verhalten der Bleieinlage, namentlich in bezug auf etwaiges Fließen.

Die Versuche haben gezeigt, daß die Steine der Quere nach zusammengedrückt wurden und daß ein Aufquellen der Steine unmittelbar am Gelenk nicht stattfand. Hieraus folgt, daß eine Zerstörung im Gelenk nicht zu befürchten ist. Durch Spiegelbeobachtung wurde ferner eine stetige Bewegung im Gelenk festgestellt. Ferner wurde beobachtet, daß die Bleieinlage, selbst bei der höchsten Belastung von 94 t, nicht völlig zum Anliegen kam. Der größte auftretende Gelenkdruck für die vorgeschriebene Belastung betrug auf die Größe des Versuchsquaders nur 35 t. Vollständiges Anliegen der Bleieinlagen vorausgesetzt, ergab sich mit der Höchstbelastung von 94 t die mittlere Pressung der Gelenkfläche zu $\sigma = \dfrac{94\,000}{25 \cdot 10} = 376$ kg/cm². Die wirkliche Pressung war jedoch, da ein vollkommenes Anliegen der Bleiplatten nicht zustande kam, wesentlich höher. Nach Verlauf der Versuche zeigten sich die Quadern vollständig unbeschädigt und unverändert. Es ergab sich ferner weder ein Fließen, noch stärkeres Ausweichen des Bleies.

Die genannten Versuche erbrachten im wesentlichen den Beweis für die Verwendbarkeit von Steingelenken an Stelle von Eisengelenken, gestatteten aber noch keine Folgerungen bezüglich der wirklichen Festigkeit und der Berechnung der Steingelenke.

Wichtige Aufschlüsse ergaben in dieser Hinsicht die Versuche von Bach[1]) im Jahre 1903 mit Gelenksteinen aus Granit. Die Granitgelenke bestanden je aus einem Stein mit gewölbter und einem mit ebener Gelenkfläche (Abb. 99). Um bei den gewölbten Steinen genau die Kreiszylinderform zu erhalten, wurden sie auf einer großen Drehbank mittels Diamantstahls genau abgedreht. Die ebenen, senkrecht zur Druckrichtung stehenden Quaderflächen wurden gehobelt. Es wurden je drei Paar Gelenkkörper mit Halbmessern von 250, 1000 und 3750 mm

Abb. 99.   Abb. 100.

hergestellt. Die Körperpaare wurden stufenweise belastet und nach 5 Minuten wieder entlastet, sodann die Berührungsfläche gemessen. Die letztere konnte dadurch ersichtlich gemacht werden, daß vorher die Gelenkflächen berußt wurden. Es zeigte sich, daß die tatsächlichen Druckflächen nicht aus vollständigen Rechtecken bestanden, sondern aus einzelnen kleineren Inselflächen. Bei erhöhtem Druck vereinigten sich diese Inselflächen zu größeren zusammenhängenden Flächen.

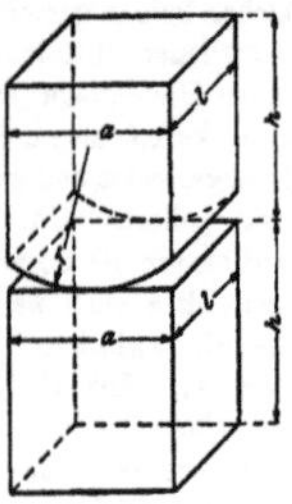

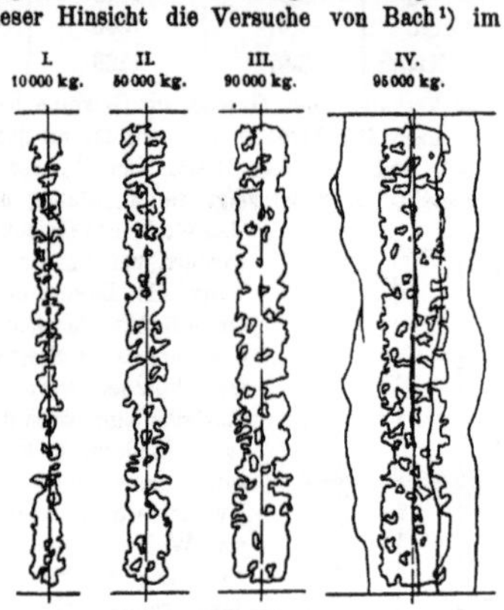

Abb. 100 zeigt die Druckflächen für einen herausgegriffenen Versuch bei Zunahme der Belastung von 10000 kg bis 95000 kg, wo der Bruch eintrat. Im letzteren Falle sind ein mittlerer und drei seitliche Risse zu erkennen.

Da es sich hauptsächlich um die Nachprüfung der Hertzschen Formeln (S. 399) handelte, wurden die tatsächlichen Druckflächen planimetriert und auf die Länge der Steine zurückgeführt, wodurch sich eine gewisse theoretische Breite b der Druckflächen ergab. Die mit dieser Breite aus Gl. 2 (S. 399) berechnete Druckspannung lieferte höhere Werte als die Druckspannung, die man durch Einsetzung der aus Gl. 5

---

[1]) Mitteilungen über Forschungsarbeiten usw., herausgegeben vom Verein deutscher Ing., Heft 17, Berlin 1904.

ermittelten Breite erhält. Dieser Unterschied hat seinen Grund darin, daß den in die Rechnung eingeführten Größen m (= 3) und E (= 326000 kg/cm²)[1]) (vergl. S. 399) noch eine erhebliche Unsicherheit anhaftet, ferner in dem Umstande, daß, wie bereits erwähnt, nicht die volle errechnete Druckfläche bezw. Breite b an der Druckübertragung teilnimmt. Die Ausbildung der inselförmigen Druckflächen liegt wieder daran, daß Granit kein isotroper Körper ist.

Aus den beschriebenen Versuchen ergaben sich demnach folgende für die Beurteilung der Steingelenke wichtige Tatsachen: :

1. Die größte Zahl der Versuche bestätigt die durch Gl. 5 (S. 399) bestimmte Abhängigkeit zwischen der Breite b der Berührungsfläche und der Belastung P.

2. Die Ergebnisse der Bruchversuche entsprechen nicht der Gesetzmäßigkeit, welche die Hertzsche Formel 6) $\left[P = \sigma^2 \left(\frac{4}{3} \right)^2 \frac{\pi}{E} r \right]$ zwischen P und r angibt (σ und E als unveränderlich vorausgesetzt).

Die Vergrößerung des Wölbungshalbmessers r erweist sich bei den Werten, die für Gelenkquadern überhaupt in Betracht kommen, weit weniger von Einfluß, als Gl. 6) erwarten läßt. Der Grund dieser Abweichung liegt darin, daß in der Hertzschen Formel die Druckspannung in der Mitte der Berührungsfläche als maßgebend auftritt, während die Zerstörung der Granitkörper nicht durch diese Druckspannung, sondern durch auftretende Zugspannungen herbeigeführt wird.

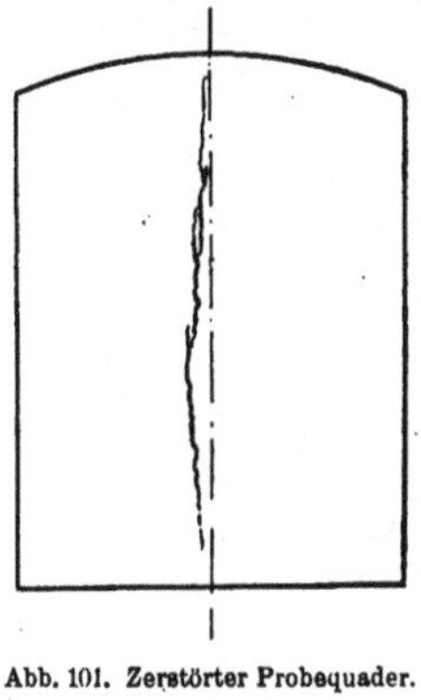

Tatsächlich zeigen die Gelenkquadern bei zunehmender Belastung in der Regel zuerst einen Hauptriß (Abb. 101), der im mittleren Teil des Steines geöffnet und nach den Stirnflächen hin geschlossen ist, ein Zeichen, daß die Zerstörung durch Überwindung der Zugspannungen in der Querrichtung erfolgt.

In ähnlicher Weise führte Bach weitere Versuche mit Gelenken aus Sandsteinquadern durch[1]) und gelangte zu folgenden Ergebnissen:

1. Wie bei den Granitquadern bestätigt sich auch hier bei einer größeren Zahl von Versuchen die Abhängigkeit zwischen der Breite b und der Belastung P.

2. Die Ergebnisse von Bruchversuchen mit Sandstein lassen in noch höherem Maße als diejenigen

Abb. 101. Zerstörter Probequader.

der Versuche mit Granit erkennen, daß eine Vergrößerung der Wölbungshalbmesser r bei den Werten, welche für Gelenkquadern überhaupt in Betracht kommen, auf σ_{max} von nur geringem Einfluß ist. Die größte Pressung σ_{max} liegt nicht viel höher als die Würfelfestigkeit.

3. Durch Verminderung der Gelenkbreite a wird unter Beibehaltung von l und h (Abb. 99) die Widerstandsfähigkeit vermindert.

4. Durch Vergrößerung von a unter Beibehaltung von l und h wird die Widerstandsfähigkeit erhöht.

Aus den geschilderten Versuchen geht hervor, daß neben der Bestimmung der größten Druckspannung in Mitte der Berührungsfläche noch die Ermittlung der Zugspannungen, die also auch von der Größe des Gelenkdrucks P abhängen, erforderlich ist.

¹) Mitteilungen über Forschungsarbeiten usw., herausgegeben vom Verein deutscher Ing., Heft 20. Berlin 1901.

25*

Eine Beziehung zwischen der Kraft P und der Zugkraft Z, die innerhalb eines Gelenksteins senkrecht zur Kraft P aufgenommen werden muß, damit keine Zerstörung stattfindet, haben Versuche[1]) geliefert, die zur Zeit der Herstellung des Dresdener Inundationsviadukts für die sächsische Staatseisenbahn-Verwaltung (1894) unter Geh. Baurat Krüger angestellt wurden.

Ein wichtiges Ergebnis dieser Untersuchungen war die Feststellung der Längenänderungen, welche während der Druckinanspruchnahme eines solchen Gelenksteins unter der Druckpresse sich vollzogen. Abb. 102 stellt in einem besonderen Falle die Verkürzungen in Richtung des Druckes zwischen der Apparatenreihe 1 bis 5 bezw. 6 bis 10 dar, während aus Abb. 103 die rechtwinklig zur Druckrichtung auftretenden Streckungen des Steines, gemessen zwischen der Apparatenreihe 11 bis 16, ersichtlich sind.

Die Messungen wurden mit Hilfe des Martensschen Spiegelapparates bis zur Genauigkeit von $\frac{1}{5000}$ mm durchgeführt. Aus diesen Versuchen lassen sich folgende Schlüsse ziehen:

1. Die größte Querdehnung eines Steines findet in einem Abstande von der Berührungsfläche in der Druckrichtung statt, der etwa gleich der halben Wölbstärke ist. Hieraus ergibt sich, daß ein Wechsel im Material erst ungefähr im doppelten Abstande stattfinden sollte, d. h. daß der Gelenkstein im Vertikalschnitt etwa quadratisch zu bemessen ist.

2. Die Größe der Zugkraft Z rechtwinklig zur Druckrichtung beträgt $Z = 0,28\,P$.

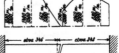

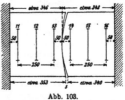

Abb. 103.
Streckung der Gelenksteine senkrecht zur Richtung des Druckes.

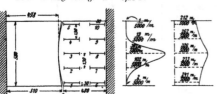

Abb. 102. Verkürzung der Gelenksteine in Richtung des Druckes.

Diese Kraft verteilt sich jedoch nicht gleichmäßig über den Querschnitt, sondern ist an der Stelle der größten Querdehnung naturgemäß am größten.

Nach Ansicht des Verfassers genügt es hier, da es sich immer nur um eine Annäherungsberechnung handeln wird, die Spannungsverteilung nach einer Parabel anzunehmen und die Zugspannung wie folgt zu bestimmen. Nach Abb. 104 ist die Zugspannung für 1 cm Tiefe bei gleichmäßiger Verteilung

$$\sigma_z^0 = \frac{Z}{t}$$

und hieraus die größte Zugspannung gemäß Verteilung nach einer flächengleichen Parabel

$$t \cdot \sigma_z^0 = \frac{2}{3}\,t\sigma_z$$

$$\sigma_z = \frac{3}{2}\cdot\sigma_z^0 = 1,5\,\sigma_z^0.$$

[1]) Deutsche Bauztg. 1906, S. 262.

Nach den in Abb. 103 dargestellten Formänderungen würde sich

$$\sigma_z = \sigma_z^0 \ \frac{1400}{\dfrac{1080 + 1400 + 562}{3}} = 1{,}4 \ \sigma_z^0,$$

also etwas kleiner ergeben.

Einen wesentlichen Beitrag zur Untersuchung der Betongelenke, insbesondere über deren zulässige Beanspruchung und über die Grenzen der Verwendbarkeit, haben neuere Versuche[1]) geliefert, die gelegentlich des Baues der vier großen Moselbrücken bei Hauconcourt, Mallingen, Moulin und Sauvage (Abschnitt F, Nr. 11) ausgeführt wurden. Diesen Versuchen ist besondere Bedeutung beizumessen, da es die ersten Bruchversuche mit Gelenksteinen in natürlicher Größe waren, d. h. mit Gelenksteinen von den gleichen Abmessungen, wie sie die bei den Brücken verwendeten besaßen.

Abb. 104.

Abb. 105. Gelenk der Moselbrücke bei Hauconcourt.

Das erste Bauwerk bei Hauconcourt hat fünf Öffnungen von 33 m Spannweite und 4,3 m Pfeilhöhe. Die statische Berechnung ergab einen größten Scheiteldruck von 159 t und einen größten Kämpferdruck von 192 t für 1 m Gewölbebreite. Als größter Druck im Scheitel wurde 25 kg/cm² zugelassen, ferner sollte die größte Pressung in den Scheitelgelenken 120 kg/cm²[2]) betragen. Hiernach wurden von Professor Barkhausen, der mit der statischen Untersuchung der Gewölbe dieser Brücke betraut worden war, nach dessen Formeln (S. 397) die in Abb. 105 angegebenen Abmessungen berechnet und festgesetzt. Der Beton für die Quadern wurde aus 1 Teil Zement, 2¹/₂ Teilen reinem Moselsand und 2¹/₂ Teilen sehr hartem Quarzitkleinschlag von 4 cm Ringmaß gemischt; der Kern erhielt eine fettere Mischung von 1 : 1¹/₂ : 1¹/₂. Der nachträglich mit zwei Paaren Gelenkquadern von gleicher Größe und einem Alter von 5 Monaten ausgeführte Versuch hatte folgendes Ergebnis:

	Erster Riß	Zweiter Riß	Zerstörung
	bei einem Druck von		
	t	t	t
Erstes Probegelenk . .	236	260	—
Zweites Probegelenk . .	210	—	500

Die Risse traten beide Male im hohlen Stein auf, und zwar in der Mittelachse der Steine, also in der Richtung des größten Druckes. Da die Quadern 50 cm breit waren, erhielten sie einen Druck von $\dfrac{159}{2} = 79{,}5$ t = rd. 80 t. Die Sicherheit bis zum Auftreten der ersten Risse betrug demnach $\dfrac{236}{80} = $ rd. 3 bezw. $\dfrac{210}{80} = $ rd. 2,6. Da jedoch, wie die nachfolgenden Versuche zeigen, für die Bemessung der Sicherheit der Bruch maß-

[1]) Zentralbl. d. Bauverw. 1906, S. 395.
[2]) Vergl. Beispiel, S. 398.

gebend war, so konnte noch eine fünf- bis sechsfache Sicherheit angenommen werden.

Um die Festigkeit der Gelenksteine für die noch auszuführenden Brücken, von denen die bei Mallingen bereits im Bau war, zu steigern, wurden weitere Versuche mit Paaren von Gelenksteinen, die wie vorher von der ausführenden Firma Windschild u. Langelott in Cossebaude hergestellt worden waren, vorgenommen. Auch wurden statt der Hohlsteine, die bei den vorhergehenden Versuchen die ersten Risse zeigten, solche mit ebener Fläche hergestellt, wobei auf Grund der Barkhausenschen Formeln der Halbmesser des gewölbten Steines zu 12 000 mm berechnet worden war.

Die Gelenksteine erhielten ferner quer zur Druckrichtung je 16 Stück Flacheisen von 720 mm Länge und 100 × 10 mm Stärke, die gleichmäßig über den Querschnitt 50 : 90 cm verteilt waren. Hierdurch sollte das beobachtete Aufschlitzen der Steine in der Richtung des größten Druckes verhindert werden. Die günstigen Versuchsergebnisse sind in der nachstehenden Zahlentafel zusammengestellt.

Trotzdem wurden die Gelenkquadern ohne Eiseneinlagen ausgeführt, da man eine Verschiebung derselben und eine damit verbundene Entstehung von Hohlräumen befürchtete. Die Versuche ergaben aber Anhaltspunkte für die Wahl der in der Zahlentafel angegebenen Abmessungen der Gelenksteine der noch auszuführenden drei Brücken.

Übersicht der Druckproben mit Betongelenksteinen.

Nr.	Bauwerk	Größte Spannweite m	Größter Scheiteldruck t/m	Abmessungen der Steine in mm					Mischungsverhältnis Z : S : K	Alter der Steine Tage	Der erste Riß trat auf im		Zerstörung trat ein bei t Druck	Sicherheit gegen		Bemerkungen
				r_1	r_2	d	t	b			hohlen bezw. ebenen t	gewölbten Steine t		Rißbildung	Zerstörung	
1.	—	—	—	12000	∞	860	900	500	1 : 2,5 : 2,5	60	265	—	—	3,4 fach		Eiseneinlagen:
2.	—	—	—	12000	∞	860	900	500	1 : 2,5 : 2,5	60	450	385	—			16 Stäbe
3.	—	—	—	2430	3000	860	900	500	1 : 1,5 : 1,5	60	250	—	—	4 fach		100 × 10 mm
4.	—	—	—	2430	3000	860	900	500	1 : 1,5 : 1,5	250	440	450	—			720 mm lang
5.	Mallingen	40	228	2800	3250	945	910	500	1 : 2 : 2	400	399,7	456,7	—			Der verwendete Kleinschlag bestand aus sehr hartem Quarzit von 4 cm Korngröße
6.	„	„	„	„	„	„	„	„	„	„	370	265	—	8,1 fach		
7.	„	„	„	„	„	„	„	„	„	„	373,5	372,5	—			
8.	„	„	„	„	„	„	„	„	„	„	353,6	353,6	—			
9.	Moulins	44	233,4	2800	3250	955	945	500	1 : 2 : 2	115	404,8	unbeschädigt bei 590,3	—	3,3- bis 3,4 fach		Der Kleinschlag bestand aus Dolomit von 4 cm Korngröße
10.	„	„	„	„	„	„	„	„	„	„	404,8	584,5	—			
11.	„	„	„	„	„	„	„	„	„	„	364,2	457,4	—			
12	Sauvage	36	130	2500	3270	650	700	500	1 : 2 : 2	210	274	unbeschädigt	533	4,7 fach	9,1 fach	Dolomit von 15 bis 35 mm Korngröße
13.	„	„	„	„	„	„	„	„	„	„	351	359	633			
14.	„	„	„	„	„	„	„	„	„	„	300	334	612			

Für die Moselbrücke bei Moulins[1]) wurde als Kleinschlag zur Herstellung der Gelenksteine statt des bisher verwendeten Quarzits ein harter Dolomit, der eine rauhere Oberfläche hatte und dadurch eine bessere Haftbarkeit des Mörtels gewährleistete, verwendet.

Die Form der geprüften Steine und den Verlauf der Risse zeigt Abb. 106.[2]) Bemerkenswert sind noch die in Abb. 107 dargestellten Abdrücke der sich berührenden

---

[1]) Ausführung: Windschild u. Langelott, Cossebaude-Dresden.
[2]) Bericht über die XI. Haupt-Versammlung des Deutschen Beton-Vereins 1908, S. 88.

Gelenkflächen, die durch eingelegtes Blaupapier gewonnen wurden. Es zeigt sich eine Vergrößerung der Berührungsfläche mit zunehmendem Druck, und zwar ist nur im Anfang eine Zunahme des Druckes auf die Einheit zu erkennen, während er später bis zur Rissebildung fast unveränderlich bleibt.

Neben den geschilderten Versuchen wurden gleichzeitig mit Würfeln von gleicher Mischung Druckproben ausgeführt, die sehr hohe Festigkeitszahlen ergaben, und zwar bei Verwendung von Quarzit bei gleichem Alter (40 cm Seitenlänge) 313 kg/cm², und

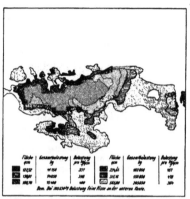

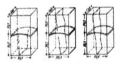

Abb. 106. Probequader für die Moselbrücke bei Moulins.

Abb. 107. Durch Blaupapier aufgezeichnete Druckflächen der Probegelenkquader.

bei Verwendung von Dolomit (30 cm Seitenlänge) bei einem Alter von 59 Tagen 359 kg/cm², bei einem Alter von 87 Tagen 466 kg/cm². Während die bisherigen Versuche mangels einer Maschine von genügend hoher Kraftleistung nur bis zur Rißbildung geprobt werden konnten, wurden beim Bau der Moselbrücke in Sauvage bei Metz (Abschnitt F, Nr. 11) von der ausführenden Firma Dyckerhoff u. Widmann weitere Versuche bis zur Zerstörung der Gelenksteine ausgeführt. Das Hauptergebnis dieser Versuche war, daß die Belastung der Gelenksteine bis zum Bruch fast das Doppelte betrug als die Belastung beim Auftreten der ersten Risse. Hieraus folgt, daß die Sicherheit gegen Zerstörung der früher geprobten Gelenkquadern gleichfalls doppelt so groß, also fünf bis sechs, angenommen werden kann. Als Grenze der Verwendbarkeit von Betongelenksteinen, ist demnach ein Gelenkdruck von 200 bis 230 t anzunehmen.

Um ein Urteil über die beim Auftreten des ersten Risses vorhanden gewesenen Zugspannungen zu erhalten, seien nachstehend die letzteren nach der Formel $Z = 0,28\,P$ (S. 388) für die drei in vorangehender Zahlentafel aufgeführten Brücken ermittelt.

Brücke bei Mallingen.

$$P = 228\,000 \text{ kg für 1 m}$$

$$\sigma_z^0 = \frac{0,28 \cdot P}{100 \cdot t} \text{ für 1 cm}$$

$$\sigma_z^0 = \frac{0,28 \cdot 228\,000}{100 \cdot 91} = 7,0 \text{ kg/cm}^2$$

$$\sigma_z = \sim \frac{3}{2} \cdot 7,0 = 10,5 \text{ kg/cm}^2.$$

Da der Bruch bei 3,1 facher Belastung erfolgte, so war die Zugfestigkeit
$$\mathfrak{Z}_z = 10,5 \cdot 3,1 = 32,6 \text{ kg/cm}^2.$$

Brücke bei Moulins.

$$\sigma_z^0 = \frac{0,28 \cdot 233\,400}{100 \cdot 94,5} = 6,9 \text{ kg/cm}^2$$

$$\sigma_z = \sim \frac{3}{2} \cdot 6,9 = 10,4 \text{ kg/cm}^2$$

$$\mathfrak{E}_z = 3,3 \cdot 10,4 = 34,3 \text{ kg/cm}^2.$$

Brücke bei Sauvage.

$$\sigma_z^0 = \frac{0,28 \cdot 130\,000}{100 \cdot 70} = 5,2 \text{ kg/cm}^2$$

$$\sigma_z = \sim \frac{3}{2} \cdot 5,2 = 7,8 \text{ kg/cm}^2$$

$$\mathfrak{E}_z = 7,8 \cdot 4,7 = 36,7 \text{ kg/cm}^2.$$

Man findet also eine gute Übereinstimmung zwischen Versuch und Rechnung, da für die vorhandenen Mischungen tatsächlich Zugfestigkeiten, wie oben berechnet, zu erwarten sein werden. Es ist zu beachten, daß sich die berechneten Werte nach S. 389 wahrscheinlich etwas zu hoch ergeben werden.

Durch Anordnung von Eiseneinlagen in Form von Querstäben oder Umschnürungen wird selbstverständlich die Bruchsicherheit der Gelenke wesentlich erhöht. Aus diesem Grunde sind auch bei neueren Ausführungen vielfach Eisenbetongelenke gewählt worden.

b) Ausbildung der Gelenke aus Stein, Beton und Eisenbeton.

Die von Köpke im Jahre 1880 beim Bau einer gewölbten Brücke der Pirna-Berggießhübler Eisenbahn nächst Langenhennersdorf[1]) zuerst angewendeten Gelenke (Abb. 108) sind aus Sandstein hergestellt. Die Brücke besitzt drei Öffnungen, deren

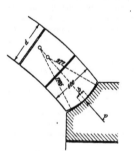

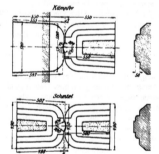

Abb. 108. Kämpfergelenk der Brücke   Abb. 109. Granitgelenke der Eyachbrücke
in Langenhennersdorf.   bei Imnau.

jede mit drei Gelenken versehen ist. Die Gewölbe haben 13 m Spannweite, 3 m Pfeilhöhe und einen Halbmesser der Gewölbemittellinie von 9,3 m. Die Gewölbestärke beträgt im Scheitel 0,50 m, an den Kämpfern 0,60 m. Die Kämpfersteine sind hohl gekrümmt mit 40 mm Pfeil und die ersten Gewölbequadern erhaben gekrümmt mit 45 mm Pfeil. Der Unterschied der Pfeilhöhen oder der Fugenstärken an der inneren

---
[1]) Zeitschr. d. Arch. u. Ing.-Ver. zu Hannover 1888, S. 374.

und äußeren Gewölbelinie beträgt somit 5 mm. Der Halbmesser der Krümmung des Widerlagerquaders ist 1105 mm und der des Gewölbeanfängers 977 mm.

Wie bereits S. 384 erörtert, wurden bei der Brücke über die Eyach bei Imnau Granitgelenke verwendet (Abb. 109). Die Brücke besitzt eine Lichtweite, zwischen den Gelenken gemessen, von 30 m und 3 m Pfeilhöhe. Die Brückenbreite ist 4 m, wovon 2,5 m auf die Fahrbahn und je 0,75 m auf die beiderseitigen Gehwege entfallen. Die Gewölbebreite im Scheitel ist 2,5 m und nimmt nach den Kämpfern hin auf 3,5 m zu. Die Gewölbestärke im Scheitel ist 0,45 m, an den Kämpfern 0,50 m und in der Bruchfuge 0,80 m.

Sowohl die Kämpfer- wie Scheitelgelenke bestehen aus Granitquadern von je 0,5 m Breite, senkrecht zur Gewölbestirn gemessen, welche dicht nebeneinander versetzt sind. Dieselben sind mit zylindrischen, 0,1 m breiten polierten Berührungsflächen versehen (vergl. auch Abb. 98), zwischen welchen sich Bleieinlagen von 5 mm Stärke befinden. Zwischen die Bleieinlagen und die Quadern sind Kupferbleche eingelegt zur Verhinderung des Eindringens des Bleies in die Poren der Steine. Die an den Stirnen befindlichen Quadern sind wie die Gewölbestirnen profiliert. Die Quadern wurden vor dem Versetzen nach Einlage des Bleies mit eisernen Schraubenbolzen fest verschraubt und diese Bolzen erst vor dem Ausschalen des Gewölbes entfernt.

Die ungünstigste der Berechnung zugrunde gelegte Belastung mit Straßenwalze und gleichmäßiger Belastung von 360 kg/m², entsprechend einem Gesamtdruck von 350 000 kg auf das 2,5 m lange Scheitelgelenk, ergab, daß der 0,5 m breite Einzelgelenkquader eine Last von 70 000 kg zu übertragen hatte, entsprechend einer Pressung von $\frac{70\,000}{10\cdot50} = 140$ kg cm² der Gelenkflächen.

Die sächsischen Staatsbahnen haben beim Bau der viergleisigen Eisenbahnbrücke über die Elbe in Dresden (1894) mit Betongelenken besonders günstige Erfahrungen

Große Öffnung.

Abb. 110. Gelenke der Elbebrücke in Dresden-A.

gemacht. Die Betongewölbe in Korbbogenform haben Lichtweiten bis zu 31 m. Die Kämpferfugen sind erst da angeordnet, wo die Fugenneigung etwa 60° beträgt. Die Gewölbestärke der großen Bogen ist im Scheitel 1,1 m, an den Kämpfergelenken 1,3 m, während die Gewölbeschenkel in der Mitte 1,5 m stark sind. An den Kämpfern sind die hohlen Gelenkstücke mit einem Halbmesser von 3,2 m, die gewölbten Gegenstücke mit einem solchen von 2,5 m in Beton gestampft (Abb. 110). Bei den kleinen Bogen wurden an den Kämpfern Gelenke aus Beton und Sandstein, im Scheitel solche aus Sandstein beiderseits angeordnet. In neuerer Zeit ging man daran, die Betongelenke mit Eiseneinlagen zu bewehren. Die Bewehrung soll den Zweck haben, ein Aufschlitzen der Gelenksteine in der Richtung des größten Druckes, wie es auch die beschriebenen Versuche gezeigt haben, zu verhüten. Die Eiseneinlagen werden entweder quer zur Druckrichtung oder als Umschnürung angeordnet. Bei der Eisenbahnbrücke in Rothenburg O.-L. (Abschn. F, Nr. 72) wurde die letztgenannte Bewehrungsart gewählt. Die Gelenksteine (Abb. 111) besitzen im Scheitel eine Stärke von 55 cm, während die Wider-

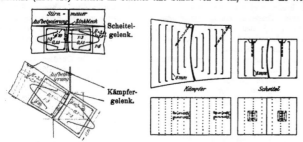

Abb. 111. Eisenbetongelenke der Brücke   Abb. 112. Eisenbetongelenke der
in Rothenburg O.-L.   Friedrich-Augustbrücke in Dresden.

lagergelenke 70 cm stark sind. Diese Gelenke besitzen außerdem Bügel, die ein leichtes Heben der Gelenkkörper und eine gute Verbindung mit dem Anschlußbeton bezwecken. Das Mischungsverhältnis ist 1 : 3 und an den Berührungsflächen auf 10 cm Stärke 1 : 1½ Teilen scharfer Sand.

Die Gelenksteine der neuen Friedrich-August-Brücke in Dresden (Abb. 112) besitzen Eiseneinlagen quer zur Druckrichtung. Als Mischungsverhältnis wurde 1 : 2,5 : 2,5 angenommen.

Die Herstellung der Betongelenkquadern erfolgt in Formen, die von der Seite, wo die Gelenkflächen zu liegen kommen, Einlagen in der genauen Form der Gelenkflächen erhalten. Bei der Straßenbrücke über den Teltowkanal bei Britz (S. 343) wurde die Seite der Wälzfläche durch eine genau abgearbeitete gußeiserne Platte gebildet, während die anderen Seiten mit dünnem Eisenblech ausgeschlagen wurden.

Für die Gelenke der Straßenbrücke über die Lenne bei Halden (S. 343) wurden statt der teureren gußeisernen Formen für die Wälzflächen Hartgipsformen, die allerdings für jeden Quader neu angefertigt werden mußten, gewählt. Bei den oben beschriebenen Gelenken der Brücke in Rothenburg wurde eine Betonunterlage in der genauen Form der Wälzflächen ausgeführt, während der Formkasten aus einer festen Holzform bestand. Ebenso wurden bei den Eisenbetongelenken der Friedrich-August-Brücke in Dresden Betoneinlagen und sonst ein zerlegbarer Holzkasten benutzt.

Beim Versetzen der Gelenke ist darauf zu achten, daß die Fugen zwischen gegenüberliegenden Gelenkquadern aufeinanderfallen. Im anderen Falle wird die Berührung nicht in Erzeugenden der Zylinderflächen, sondern in einzelnen Punkten stattfinden, da damit zu rechnen ist, daß das Versetzen der Steine nicht in einer mathematisch geraden Linie ausgeführt werden kann.

c) Berechnung der Gelenke aus Stein usw.

Die Berechnung der Wälzgelenke erfolgt nach verschiedenen Verfahren, die jedoch nach dem unter a) Gesagten immer nur als Annäherungsverfahren anzusehen sind.

Um ein sicheres Urteil über die wirkliche Festigkeit der Gelenksteine zu erlangen, werden in manchen Fällen Versuche mit Gelenksteinen von möglichst gleicher Art und Abmessungen wie die zu verwendenden unerläßlich sein. Für die Berechnung sind im allgemeinen drei Verfahren, nämlich die von Köpke, Barkhausen und Hertz, üblich.

α) Berechnung nach Köpke.[1] Köpke berechnet zuerst die Zusammendrückung der Gelenksteine in Mitte der Berührungsstelle für ein gedachtes Gelenk, dessen sich berührende Flächen nach gleichem Halbmesser ϱ erhaben gekrümmt sind (Abb. 113) und zwar mit derselben Pfeilhöhe f gleich dem halben Unterschied der Pfeilhöhen der beiden Krümmungen. Es ist also $f = \dfrac{f_1 - f_2}{2}$, wenn mit f_1 und f_2 die Pfeilhöhen bezeichnet werden. Bei der S. 392 beschriebenen Brücke zu Langenhennersdorf wäre demnach $f = \dfrac{f_1 - f_2}{2} = \dfrac{45 - 40}{2} = 2,5$ mm. Die Fugenstärke an der inneren und äußeren Gewölbelinie ist dann wieder, wenn man von der Zusammendrückung absieht, die gleiche wie beim wirklichen Gelenk, also $2 f = 2 \dfrac{f_1 - f_2}{2} = f_1 - f_2$. Unter diesen Annahmen müssen die Berührungsstellen bei gleich starker Zusammendrückung Ebenen werden (Abb. 113). Der auf diese Weise sich für beide Gelenksteine ergebende gleiche stellvertretende Halbmesser ϱ folgt aus dem Ausdruck

zu

$$\varrho^2 = \left(\frac{d}{2}\right)^2 + (\varrho - f)^2$$

$$\varrho = \frac{\left(\frac{d}{2}\right)^2 + f^2}{2 f}$$

Abb. 113. Gedachtes Gelenk nach Köpke.

und, da f^2 vernachlässigt werden kann,

$$\varrho = \frac{d^2}{8 f} \quad \cdots \cdots \cdots \quad 1)$$

Für das in Abb. 108 dargestellte Gelenk ist

$$d = 60 \text{ cm} \qquad f = 0,25 \text{ cm (s. oben)}$$

$$\varrho = \frac{30^2 + 0,25^2}{0,5} = 1800 \text{ cm.}$$

Bezeichnet

b die Breite der zur Ebene gewordenen Berührungsfläche,

λ den Pfeil des früher nach dem Halbmesser ϱ gekrümmten Bogens für die Sehne b,

dann ist

$$\varrho^2 = \left(\frac{b}{2}\right)^2 + (\varrho - \lambda)^2$$

und unter Vernachlässigung von λ^2

$$\frac{b}{2} = \sqrt{2 \varrho \lambda} \quad \cdots \cdots \cdots \cdots \quad 2)$$

[1] Vergl. Zeitschr. d Arch.- u. Ing.-V. zu Hannover 1888, S. 374.

Köpke macht nun bezüglich der Länge t des Gelenksteins, bis auf welche sich die durch die Gelenkflächen bedingte Verschiedenheit der Verkürzungsverhältnisse erstreckt, die Annahme, daß sie mindestens gleich der Stärke der gedachten letzten Wölbquadern angenommen werden kann. Bei dem fraglichen Gelenk wäre diese $t = 50$ cm.

Aus der bekannten Elastizitätsgleichung

$$\frac{\lambda}{t} = \frac{\sigma}{E}$$

ergibt sich dann die Pressung σ in der Mitte der Berührungsfläche zu

$$\sigma = \frac{\lambda}{t} E \ . \ . \ . \ . \ . \ . \ . \ . \ . \ . \ 3)$$

worin E das Elastizitätsmaß bedeutet. Der gesamte Gelenkdruck P kann dann unter der Annahme, daß die Pressungen nach einer Parabel abnehmen, für 1 cm Breite der Gelenkquadern angenommen werden zu

$$P = 2 \cdot \frac{2}{3} \cdot \frac{b}{2} \cdot \frac{\lambda}{t} E$$

oder da

$$\frac{b}{2} = \sqrt{2 \varrho \lambda}$$

$$P = \frac{4}{3} \sqrt{2 \varrho \lambda^3} \frac{E}{t},$$

woraus

$$\lambda = \sqrt[3]{\frac{9 P^2 t^2}{32 \varrho E^2}} \ . \ . \ . \ . \ . \ . \ . \ . \ . \ 4)$$

Den Druck P hat Köpke aus der Eigenlast des Gewölbes bestimmt, da es ihm hauptsächlich darauf ankam, beim Ausrüsten der Gewölbe Drehbewegungen zu ermöglichen. Bezeichnet R den Halbmesser der Gewölbemittellinie, d die Gewölbe-stärke und γ das Einheitsgewicht des Wölbsteins, so ist die Pressung für die Einheit der Gewölbebreite annähernd

$$P = \gamma d R$$

oder

$$P = 22 \cdot 0.6 \cdot 9.3 = \text{rd. 123 kg (S. 392)}$$

für 1 cm Gewölbebreite.

Das Elastizitätsmaß für den verwendeten Pirnaer Sandstein hat Köpke zu $E = 45000$ kg/cm² angenommen und erhält dann

$$\lambda = \sqrt{\frac{9 \cdot 123^2 \cdot 50^2}{32 \cdot 1800 \cdot 45000^2}} = 0.0143 \text{ cm.}$$

Bei der Annahme $t = 50$ cm ergibt sich dann

$$\sigma = \frac{\lambda}{t} E = \frac{0.0143}{50} \cdot 45000 = 12.87 \text{ kg/cm}^2.$$

Die halbe Breite der Berührungsfläche ist

$$\frac{b}{2} = \sqrt{2 \varrho \lambda} = \sqrt{2 \cdot 1800 \cdot 0.0143} = 7.173 \text{ cm}$$

oder die ganze Breite

$$b = 14.346 \text{ cm.}$$

Beispiel. Als Beispiel soll das Scheitelgelenk der Moselbrücke bei Hauconcourt (Abb. 105) berechnet werden.[1]) Die Abmessungen sind:

$$r_1 = 235 \text{ cm} \qquad d = 70 \text{ cm}$$
$$r_2 = 300 \text{ cm} \qquad t = 61 \text{ cm.}$$

Der größte Gelenkdruck beträgt für einen Gelenkquader von 50 cm Breite

$$\frac{159}{2} = 79{,}5 \text{ t,}$$

somit ist zu setzen

$$P = \frac{79{,}5}{50} = 1{,}59 \text{ t/cm}$$
$$= 1590 \text{ kg cm;}$$

ferner ist das Elastizitätsmaß angenommen zu

$$E = 200000 \text{ kg/cm}^2.$$

Zunächst sind, damit ϱ ermittelt werden kann, die Pfeilhöhen zu bestimmen. Die Pfeilhöhe f_1 folgt aus der Beziehung (Abb. 114)

$$r_1{}^2 = \left(\frac{d}{2}\right)^2 + (r_1 - f_1)^2,$$

hieraus ist

$$f_1 = r_1 - \sqrt{r_1{}^2 - \left(\frac{d}{2}\right)^2}$$
$$f_1 = 235 - \sqrt{235^2 - 35^2} = 2{,}62 \text{ cm,}$$

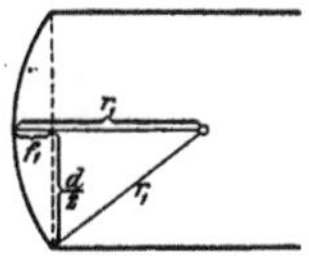

ebenso ergibt sich

$$f_2 = 300 - \sqrt{300^2 - 35^2} = 2{,}04 \text{ cm}$$
$$f = \frac{f_1 - f_2}{2} = \frac{2{,}62 - 2{,}04}{2} = 0{,}29 \text{ cm.}$$

Abb. 114.

Dann ist nach Formel 1)

$$\varrho = \frac{70^2}{8 \cdot 0{,}29} = 2112 \text{ cm,}$$

nach Formel 4)

$$\lambda = \sqrt[3]{\frac{9 \cdot 1590^2 \cdot 61^2}{32 \cdot 2112 \cdot 200000^2}} = 0{,}0315 \text{ cm.}$$

Somit ist nach Formel 3)

$$\sigma = \frac{0{,}0315}{61} \cdot 200000 = 103 \text{ kg/cm}^2,$$

nach Formel 2) ist ferner

$$\frac{b}{2} = \sqrt{2 \cdot 2112 \cdot 0{,}0315} = 11{,}54 \text{ cm}$$
$$b = 23{,}08 \text{ cm.}$$

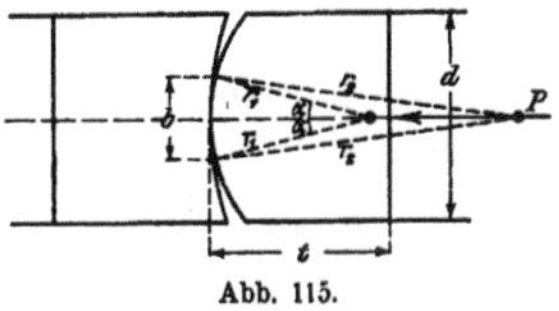

Abb. 115.

β) **Berechnung nach Barkhausen.**[1]) Eine andere Berechnung der Wälzgelenke gibt Barkhausen, indem er auf wissenschaftlichem Wege Formeln zur Bestimmung der größten Pressung in Mitte der Berührungsfläche ableitet.

Bezeichnet (Abb. 115)

P den Gelenkdruck für 1 cm Gewölbebreite,

d die Gewölbestärke bezw. Höhe des Gelenkes,

$\sigma_0 = \dfrac{P}{d \cdot 1}$ die gleichmäßige Beanspruchung zwischen Gelenkquader und

---

[1]) Zum besseren Vergleich der Ergebnisse ist den nächsten beiden Beispielen dasselbe Gelenk zugrunde gelegt worden.

Gewölbe für 1 cm²,
E das Elastizitätsmaß,
t die Länge der Gelenkquadern,
r_1 und r_2 die Halbmesser der Gelenkflächen,

so bestehen zwischen den letzteren und der in Mitte der Berührungsfläche des halben Mittelpunktwinkels α auftretenden größten Druckbeanspruchung σ folgende Beziehungen:

$$\alpha\left(\frac{\sigma}{\sigma_0} - \frac{c}{3}\cdot\alpha^2\right) = \frac{d}{2\,r_1} \quad \ldots \ldots \quad 1)$$

Hilfsgröße

$$c = \frac{r_1\,E\,d\left(1 - \dfrac{r_1}{r_2}\right)}{4\,P\,t} \quad \ldots \ldots \ldots \quad 2)$$

$$r_1 = \frac{r_2}{2} + \sqrt{\frac{r_2^2}{4} - \frac{4\,P\,r_2\,t\cdot\operatorname{lgnat}\left(1 + \dfrac{\sigma}{\sigma_0}\right)}{E\,d\,\alpha^2}} \quad \ldots \ldots \quad 3)$$

Unbekannt ist entweder der Halbmesser r_1 bezw. r_2 oder die Druckspannung σ. Die Lösung dieser Gleichungen erfolgt am besten durch Versuch.

Beispiel. Vergl. die Angaben im vorigen Beispiel.

Zunächst ist

$$\sigma_0 = \frac{1590}{70\cdot 1} = 22,7 \text{ kg/cm}^2.$$

Nun ergibt sich die Hilfsgröße

$$c = \frac{235\cdot 200000\cdot 70\left(1 - \dfrac{235}{300}\right)}{4\cdot 1590\cdot 61} = 1837.$$

Nach Gleichung 1)

$$\alpha\left(\frac{\sigma}{22,7} - \frac{1837}{3}\cdot\alpha^2\right) = \frac{70}{2\cdot 235} = 0,149.$$

$\alpha = 0,0316$, versuchsweise in vorstehende Gleichung eingesetzt, gibt

$$\frac{\sigma}{22,7}\cdot 0,0316 - \frac{1837}{3}\cdot 0,0316^3 = 0,149;$$

hieraus folgt $\sigma = 121$ kg/cm².

Setzt man diesen Wert zur Probe neben den bereits bekannten Werten in Gleichung 3) ein, so erhält man

$$235 = \frac{300}{2} + \sqrt{\frac{300^2}{4} - \frac{4\cdot 1590\cdot 300\cdot 61\cdot\operatorname{lgnat}\left(1 + \dfrac{121}{22,7}\right)}{200000\cdot 70\cdot 0,0316^2}} = 234,85.$$

Die Übereinstimmung ist genügend genau, somit ist die größte Druckspannung in Gelenkmitte $\sigma = 121$ kg/cm² und die Breite der Berührungsfläche nach Abb. 115

$$b = 2\,r_1\cdot\alpha = 2\cdot 235\cdot 0,0316 = 14,85 \text{ cm}.$$

γ) Berechnung nach Hertz.[1]) Die von Hertz abgeleiteten Formeln sind rechnerisch am einfachsten zu handhaben. Er geht von zwei Zylinderflächen aus, die sich im unbelasteten Zustande in einer Erzeugungslinie berühren (Abb. 116), und setzt ferner voraus, daß die Oberflächen reibungslos sind. Dieses Berechnungsverfahren ist ursprünglich für die

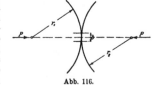

Abb. 116.

---

[1]) Bach, Elastizität u. Festigkeit, 5. Aufl., Berlin 1905, S. 174.

Wälzgelenke bezw. Auflager eiserner Brücken[1]) aufgestellt und von da aus in den Stein- bezw. Betonbau übernommen worden. Da die Elastizitätsverhältnisse hier jedoch andere als beim Eisen sind, können die Ergebnisse, wie die früher erörterten Versuche auch gezeigt haben, nur als Annäherungen angesehen und daher nur zu Vergleichsberechnungen benutzt werden.

Bezeichnet wieder allgemein (Abb. 116)

P den Gelenkdruck für 1 cm Tiefe,

r_1 und r_2 die Halbmesser der sich berührenden Zylinderflächen,

E das Elastizitätsmaß,

m das Verhältnis der Längsdehnung zur Querzusammenziehung eines auf Zug beanspruchten prismatischen Stabes,

so ergibt sich die Breite der durch die Belastung P erzeugten Berührungsfläche für 1 cm Tiefe zu

$$b = 4 \sqrt{\frac{2 P}{\pi E} \cdot \frac{\left(1 - \dfrac{1}{m^2}\right)}{\dfrac{1}{r_1} + \dfrac{1}{r_2}}} \quad \ldots \ldots \ldots \quad 1)$$

und die größte Pressung in Mitte der Berührungsfläche (unmittelbar unter P)

$$\sigma = \frac{4 P}{\pi b} \quad \ldots \ldots \ldots \ldots \quad 2)$$

d. i. $\dfrac{4}{\pi}$ mal so groß als bei gleichmäßiger Druckverteilung.

Die Halbmesser sind positiv oder negativ einzuführen, je nachdem die Krümmungsmittelpunkte im Inneren der betreffenden Berührungskörper liegen oder nicht. Der Wert m kann (für isotrope Körper) genau genug $m = 3$ gesetzt werden, so daß man für die Größe der Abplattung erhält

$$b = \frac{16}{3} \sqrt{\frac{P}{\pi E} \cdot \frac{1}{\dfrac{1}{r_1} + \dfrac{1}{r_2}}} \quad \ldots \ldots \ldots \quad 3)$$

und für die Beanspruchung

$$\sigma = \frac{3}{4} \sqrt{\frac{P E}{\pi} \left(\frac{1}{r_1} + \frac{1}{r_2}\right)} \quad \ldots \ldots \ldots \quad 4)$$

Ist eine Berührungsfläche eben, so folgt für $r_1 = r$ und $r_2 = \infty$

$$b = \frac{16}{3} \sqrt{\frac{P r}{\pi E}} \quad \ldots \ldots \ldots \ldots \quad 5)$$

$$\sigma = \frac{3}{4} \sqrt{\frac{P E}{\pi r}} \quad \ldots \ldots \ldots \ldots \quad 6)$$

Beispiel. Die Angaben sind wieder die gleichen wie in den vorhergehenden beiden Beispielen.

Nach Formel 4) ist, wenn man beachtet, daß r_2 wegen der hohlen Krümmung negativ einzuführen ist,

$$\sigma = \frac{3}{4} \sqrt{\frac{1590 \cdot 200000}{3,14} \left(\frac{1}{235} - \frac{1}{300}\right)} = 229 \text{ kg/cm}^2.$$

Die Größe der Abplattung ergibt sich nach Formel 3) zu

$$b = \frac{16}{3} \sqrt{\frac{1590}{3,14 \cdot 200000} \cdot \frac{1}{\dfrac{1}{235} + \dfrac{1}{300}}} = 8,84 \text{ cm}.$$

---

[1] Zeitschr. d. Arch.- u. Ing.-V. in Hannover 1894, S. 135.

Berechnet man zuerst b, so findet man einfacher nach Formel 2)

$$\sigma = \frac{4 \cdot 1590}{3{,}14 \cdot 8{,}84} = 229 \text{ kg/cm}^2.$$

Zur besseren Übersicht seien in nachstehender Zahlentafel die Ergebnisse nach den drei Berechnungsverfahren nochmals zusammengestellt.

Berechnung nach	Druckbeanspruchung in Mitte der Berührungsfläche kg/cm²	Breite der Berührungsfläche
Köpke	103	23,08
Barkhausen	121	14,85
Hertz	229	8,84

Aus vorstehender Zusammenstellung ist zu ersehen, daß die Ergebnisse je nach der angewandten Berechnungsart unter sonst gleichen Annahmen ganz verschieden ausfallen. So ergibt die Hertzsche Formel eine fast doppelt so große Spannung als die von Barkhausen. Ebenso ist die Annahme des Elastizitätsmaßes E von großem Einfluß auf die zu errechnende Spannung.

Aus dem Gesagten ergibt sich, daß die häufig in Veröffentlichungen angegebenen Größtwerte der Pressungen in Gelenken völlig wertlos sind, wenn hierbei nicht auf die benutzten Formeln und die Annahme von E hingewiesen ist.

Rechnet man mit $E = 200000$ kg/cm² nach der Hertzschen Formel bei Zulassung einer größten Pressung von etwa $\sigma = 200$ kg/cm², so wird man, wie aus dem Vergleich mit den neueren Versuchen leicht festzustellen ist, für Betongelenke brauchbare Abmessungen erhalten. Auf den Nachweis der Zugspannungen senkrecht zum Gelenkdruck ist bereits (S. 391) hingewiesen worden.

3. Gelenke aus Blei- und Asphaltplatten.

Eine andere Art, um eine, wenn auch unvollkommene Gelenkwirkung zu erzielen, besteht in der Einlage von Bleiplatten. Von dieser Anordnung hat insbesondere die Straßenbauverwaltung in Württemberg bei Ausführung größerer gewölbter Brücken Gebrauch gemacht.

Anlaß hierzu gab das Verhalten des über die Nagold bei Teinach ausgeführten Brückengewölbes, bei welchem trotz aller Vorkehrungen und sorgfältigster Ausführung, obwohl die Scheitelsenkung beim Ausschalen nur 43 mm betrug, kleine Risse auftraten. Präsident Karl v. Leibbrand in Stuttgart hat diese Bauweise in einer im Februar 1894 von der Königl. Ministerialabteilung für Straßen- und Wasserbau in Stuttgart herausgegebenen ausführlichen Darstellung besprochen. Es sind in diesen Mitteilungen auch die mit Mauerwerkskörpern und Blei sowie Stereotypmetall durchgeführten Versuche eingehend beschrieben und dabei recht schätzenswerte Anregungen niedergelegt. Zwei Zahlentafeln, welche die hauptsächlichsten, auf die Bauausführung Bezug habenden Daten über sieben mit Bleieinlagen versehene größere Brückengewölbe enthalten, vervollständigen und ergänzen diese Mitteilungen. Die Versuche, die 1885 von der Materialprüfungsanstalt der Technischen Hochschule in Stuttgart über die zulässige Druckbeanspruchung des Bleies mit Würfeln von 8 cm Seitenlänge vorgenommen wurden,[1] ergaben, daß das gewöhnliche Gußblei während 26 Stunden mit 50 kg/cm² belastet

---

[1] Zeitschr. d. V. deutscher Ing. 1885, S. 629.

werden durfte, ohne daß es irgend eine Veränderung zeigte; erst bei einem Druck von
72 kg/cm² begann das Blei langsam auszuweichen.

Weitere Versuche führte später Professor Bach in Stuttgart mit Zylindern aus Gußblei aus; die Ergebnisse sind in der folgenden Zahlentafel zusammengestellt: [1]

Nr.	Höhe cm	Durchmesser cm	Querschnitt cm²	Spez. Gewicht	Belastung in kg/cm², bei welcher das Material	
					noch nicht ausweicht	ausweicht, d. h. seitlich abfließt
1	7,05	3,525	9,76	11,37	46	51
2	3,74	3,53	9,79	11,36	59	69
3	1,01	3,48	9,51	11,35	105	126

Hieraus ergibt sich, daß die Pressung des Zylinders wesentlich erhöht werden
kann (von 46 auf 105 kg/cm²), wenn seine Höhe abnimmt (von 7,05 bis 1,01 cm).

Gußblei in Scheibenform von 16 cm Durchm. und 1,5 cm Stärke konnte mit
100 kg/cm² belastet werden, während das Blei bei 150 kg/cm² sehr langsam nach der
Seite auswich. Scheiben aus Gußblei halten demnach eine weitaus größere Bean-
spruchung aus als Würfel oder Zylinder. Durch Zusatz von Antimon wird aber die
Fließgrenze erheblich nach oben gerückt. Ähnliche Festigkeitseigenschaften zeigte
Weichwalzblei in Scheibenform. Nach Ansicht v. Leibbrands ist eine Beanspruchung
von 120 kg.cm² zulässig.[2] Bezüglich der Dauerhaftigkeit und des Widerstandes des
Bleies liegen keine Bedenken vor.[3]

Die Breite der eingelegten Bleistreifen, die bei der ersten derartigen 1885 ausgeführten Brücke das innere Drittel der Fugenbreite einnahmen, wurde soweit verringert, als es die Beanspruchung des Bleies zuließ; hierdurch wurde die Gelenkwirkung
erhöht und der Verlauf der Drucklinie weiter eingegrenzt.

Eine Betonbrücke mit Bleigelenken stellt die Brücke über den Hammerkanal in
Eßlingen am Neckar dar. Die Brücke ist schief (50° 30′) und hat 19 m Spannweite
und 1,8 m Pfeilhöhe. Die Gewölbeschenkel haben an der stärksten Stelle 80 cm, am
Kämpfer 41 cm, im Scheitel 46 cm Stärke. In den Gelenken liegen Bleiplatten von
150 mm Breite und 18 mm Dicke. Die Gelenke sind treppenartig gestellt, und das
Gewölbe ist der Breite nach aus vier gesonderten, durch Teerpappe isolierten Ringen
hergestellt. Die Kosten für das Blei in den Gelenken betrugen 600 Mark, während
Eisen- oder Stahlgelenke einen Aufwand von
2000 Mark erfordert hätten. Zur Anpassung
an die ungünstigste Belastungslinie wurde die
Gewölbeunterfläche als Spitzbogen aus zwei
Halbmessern von 30 m nach Abb. 117 ausgebildet. Die Gewölbebreite senkrecht zur Stirn
betrug 14,32 m.

Die im Jahre 1898 erbaute Straßenbrücke aus Beton über die Donau bei
Ehingen (Württemberg)[4] mit 7,5 m Gewölbebreite, ferner einer Mittelöffnung von

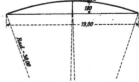

Abb. 117. Bogenform der Brücke über den
Hammerkanal in Eßlingen.

[1] Bach, Elastizität und Festigkeit, fünfte Aufl., Berlin 1905, S. 166.
[2] Gewölbte Brücken, von K. v. Leibbrand, Fortschr. d. Ing.-Wiss., Leipzig 1897, S. 45
[3] Zentralbl. d. Bauverw. 1887. S. 225.
[4] Zentralbl. d. Bauverw. 1901. S. 506 u 521

20 m Lichtweite und 2,2 m Pfeilhöhe und zwei Seitenöffnungen von je 21 m Lichtweite erhielt in den Scheitel- und Kämpferfugen Gelenke aus Bleiplatten von 15 cm
Breite und 20 mm Dicke (Abb. 118); die Fugen wurden später ausgegossen. Die größte
Pressung der Bleiplatten beträgt 73 bezw. 83 kg/cm². Die letzteren hatten eine
Länge von etwa 1 m und waren in Zwischenräumen von etwa 10 cm angeordnet,
um das Ausgießen der Gelenkfugen mit dünnflüssigem Zement von oben zu
erleichtern. Die Bleiplatten sind hier nicht, wie es bisher üblich war, zwischen
zuvor fertiggestellte und dann auf den Lehrbogen versetzte Stein- oder Betonquadern
gebracht worden, weil es hierbei sehr schwierig ist, die Lagerflächen der Bleiplatten
mit den anschließenden Quadern voll in Berührung zu bringen. Die Gelenkquadern
sind vielmehr auf den Lehrbogen selbst als Gewölbschluß betoniert und zugleich
die Bleiplatten in der Mitte der Gewölbstärke mit dem Einbringen des Betons derartig
eingelegt worden, daß die Gewölbfugen, oberhalb und unterhalb dieser Bleiplatten
keilartig gegen die Mitte etwas zulaufend, frei blieben (Abb. 118). Damit war mit
völliger Sicherheit ein vollständiges Anschließen der Bleiplattenflächen an den Beton
erreicht. Die Ausführung erfolgte in der Weise, daß in den Schalungen unmittelbar
unter den Bleifugen schmale durchgehende Öffnungen ausgespart wurden, in denen
man keilartige Holzschaufeln, in das Gewölbe hineinragend, an der Schalung befestigte.
Die breiten Schaufelflächen erhielten Blechdeckung, um das spätere Herausziehen zu
erleichtern. Auf diesen Schaufeln wurden die Bleiplatten aufgestellt und mit dem Einbetonieren gleichgestaltete Schaufeln von oben her auf die Bleiplatten gestellt. Nach
24 Stunden konnten die Schaufeln und die Blechstücke entfernt werden.

    Die Nebenbogen der Eisenbahnbrücken über
die Iller bei Kempten (Abschn. F, Nr. 4) besitzen
gleichfalls Bleiplattengelenke (Abb. 119). Die
Stützweite der Gewölbe ist 18,5 m, die Pfeilhöhe

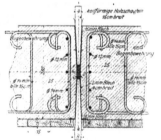

Abb. 118.	Abb. 119. Gelenk des	Abb. 120.
Bleiplattengelenk der Donaubrücke	Nebenbogens der	Scheitelgelenk in der letzten Öffnung des
bei Ehingen.	Illerbrücken bei Kempten.	Strümpelbachviaduktes.

5 m. Die Stärke der Bleiplatten ist 8 mm, die weiteren Abmessungen gehen aus der
Abb. 119 hervor.

    In neuerer Zeit wurden ferner Bleiplattengelenke bei dem im Jahre 1909 vollendeten
Strümpelbachviadukt (Württemberg)[1] mit sechs halbkreisförmigen Eisenbetongewölben
von je 15,2 m Stützweite verwendet, und zwar wurde nur das letzte Gewölbe, um
etwaigen Bewegungen des Widerlagers entgegen zu wirken, als Dreigelenkbogen ausgebildet. Bei dem Gelenk, welches in Abb. 120 dargestellt ist, wurden Hartbleiplatten

    [1] Beton u. Eisen 1911, S. 68; ferner Jori u. Schaechterle, I Bogenbrücken. Berlin 1911. Verlag von Wilh.
Ernst & Sohn.

von 8 cm Breite und 2 cm Stärke eingelegt. Im übrigen ist die Ausbildung desselben ähnlich den Gelenken der Donaubrücke bei Ehingen.

Bei der im Jahre 1887 erbauten Betonbrücke über die Westrach bei Erbach (Württemberg)[1]) von 29 m Lichtweite und 4 m Pfeilhöhe legte Bauinspektor Koch Asphaltfilzplatten ein, die über die ganze Breite der Fuge durchgingen. Die Scheitelstärke beträgt 50 cm und die größte Betonbeanspruchung 30 kg/cm².

Auch die Brücken nach Bauweise Maillart werden, wie bereits S. 365 erwähnt, mit Blei- und Asphaltplattengelenken versehen. Die bei Granitgelenken verwendeten Bleiplatten zwischen dünnen Kupferblechen, um ein Einpressen des Bleies in die Fugen des Granits zu verhüten, verfolgen nur den Zweck, die Beweglichkeit des Gelenkes aufrecht zu erhalten, um so gleichsam als dauerndes Schmiermittel zu wirken.

4. Gelenke aus Eisen.

a) Wälzgelenke.

Die Wälzgelenke aus Stahlguß können als die vollkommensten Gelenke gelten, da sie der Forderung völliger Reibungslosigkeit am nächsten kommen.

Vor den steinernen Gelenken haben sie den Vorzug, daß sie infolge der wesentlich höheren zulässigen Pressungen kleinere Halbmesser, somit kleinere Berührungsfläche erfordern und infolgedessen, wie bereits gesagt, die Reibung geringer ist und schließlich auch die Drucklinie genauer festgelegt wird. Das Versetzen der Gelenke in die richtige Lage ist jedoch schwieriger, auch sind sie wesentlich teurer als Betongelenke, weil naturgemäß die Herstellung und Bearbeitung hier mehr Sorgfalt erfordert. Die eisernen Wälzgelenke werden mit und ohne Stuhl verwandt.

Die ersten Wälzgelenke und eisernen Gelenke überhaupt wurden bei der Donaubrücke in Munderkingen (Abschn. F, Nr. 1) ausgeführt.

Sie bestehen nach Abb. 121 aus zwei Stahlplatten, welche hohl bzw. erhaben gekrümmt und auf flußeisernen genieteten, aus I-Eisen und Blechplatten gebildeten kastenträgerartigen Stühlen befestigt sind. Durch die letzteren wird der auf die Wälzflächen wirkende Druck auf eine größere Fläche verteilt und dann auf den Beton übertragen. Die Stahlplatten oder besser Stahlschienen bestehen bei 7,5 m Gewölbebreite aus zwölf ein-

Lotrechter Schnitt.

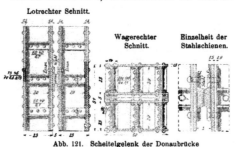

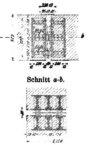

Wagerechter Schnitt.

Einzelheit der Stahlschienen.

Schnitt *a-b.*

Abb. 121. Scheitelgelenk der Donaubrücke zu Munderkingen.

Abb. 122. Scheitelgelenk der Schlitzabrücke bei Tarvis.

[1]) Schweiz. Bauztg. 1886. S. 12.

26*

zelnen, je 50 cm langen, mit 659 kg/cm² beanspruchten Teilen von 70 mm Breite und 25 mm Dicke. Die Gelenke wurden mit Zementmörtel 1 : 2 ausgefüllt (weiter vergl. Abschn. F, Nr. 1). In ähnlicher Weise sind die Gelenke der Schlitzabrücke bei Tarvis ausgebildet, deren Hauptabmessungen aus Abschn. G, Nr. 14 hervorgehen.

Bei der Reichenbachbrücke und Maximilianbrücke in München sind gußeiserne Stühle, in welche Wälzstücke aus Stahlguß eingepaßt sind, angeordnet worden (Abb. 123). Die eine Wälzfläche ist eine Ebene. Gegen seitliche Verschiebung dienen Zapfen.

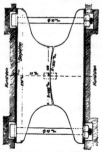

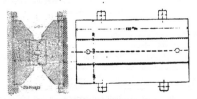

Abb. 123. Scheitelgelenk der Maximilianbrücke in München.

Abb. 124. Scheitelgelenk der Isarbrücke bei Grünwald.

Dagegen bestehen bei der Isarbrücke bei Grünwald (Abschn. F, Nr. 19) die beiden Gelenkteile aus je einem Stahlgußstück (Abb. 124). Zur Sicherung gegen seitliche Verschiebung sind auch hier Dollen angeordnet. Diese müssen natürlich solchen Querschnitt besitzen, daß sie nicht durch Seitenkräfte des Gelenkdruckes abgeschert werden können. Die anfangs 1908 dem Verkehr übergebene neuerbaute 242 m lange Straßenbrücke über den Neckar in Mannheim[1]) mit einer eisernen Mittelöffnung von 114 m Lichtweite und zwei Seitenöffnungen aus Beton mit je 59,50 m Lichtweite, ist in den letzteren gleichfalls mit Wälzgelenken ausgestattet.

Die Breite der Brücke ist 15 m, wovon 10 m auf die Fahrbahn und je 2,5 m auf die beiderseitigen Gehwege entfallen. Die Stützweite der Seitenbogen aus Porphyrstampfbeton, zwischen den Gelenken gemessen, beträgt 58,50 m bei einer Pfeilhöhe von 5,52 m; der Stich ist somit $\frac{1}{10,6}$. Die Gelenke bestehen aus Gußstahlplatten und sitzen mit gehobelter Fläche und zwischengelegten 4 mm starken Bleiplatten auf Granitquadern, die den Gelenkdruck auf das Betongewölbe übertragen. Die beiden Hälften, welche gegen seitliche Verschiebung durch Stahlschienen gesichert sind, berühren sich in Zylinderflächen von 300 und 600 mm Halbmesser.

Bemerkenswert sind noch die Gelenke des 1909 erbauten Igelsbach- und Laufenmühleviaduktes der Nebenbahn Schorndorf—Welzheim,[2]) bei welchen das eigentliche Gelenk aus Stahlguß besteht und zur Druckverteilung auf bewehrte Betonquadern gesetzt ist (Abb. 125). Das erste Bauwerk besitzt eine Öffnung von 27 m Stützweite, die durch einen Dreigelenkbogen überbrückt ist, während die zweite Brücke eine gleiche Hauptöffnung und beiderseitig kleinere Nebenöffnungen hat. Das Versetzen der Gelenke geschah in der Weise, daß die durch Schrauben verbundenen Stahlgelenk-

¹) Zentralbl. d. Bauverw. 1908, S. 277.
²) Beton u. Eisen 1911, S. 67 u. 106 (auch erweiterter Sonderdruck Berlin 1911, Verlag von Wilh. Ernst u. Sohn).

hälften sorgfältig ausgerichtet und mittels Winkeleisen unverschiebbar aufgestellt und verspannt wurden, womit ein unmittelbares Hinterbetonieren und Stampfen möglich war. Die Geflechte für die bewehrten Gelenkquadern wurden fertig in die Schalung eingesetzt. Zum Schutz gegen Eindringen von Feuchtigkeit sind die Fugen mit imprägnierten Korkplatten ausgefüllt.

Weitere Einzelheiten zeigt Abb. 125. Vergl. ferner die Gelenke der Graftonbrücke in Auckland Abschn. F, Nr. 66.

Die Berechnung der Wälzgelenke aus Eisen erfolgt nach den S. 398 abgeleiteten Hertzschen Formeln unter der Voraussetzung, daß sich die zylindrischen Lagerflächen in einer Erzeugungslinie berühren. Da es sich auch hier um die größte Pressung in einer Linie handelt, die nach außen hin sofort abnimmt, wobei außerdem größere Ausweichungen beim Quetschen ausgeschlossen sind, so kann man weit höhere als die sonst für Eisen üblichen Beanspruchungen zulassen, und zwar im äußersten Falle:

für Gußeisen 4,0 t/cm²
„ Flußeisen 5,5 „
„ Stahlguß 7,0 „

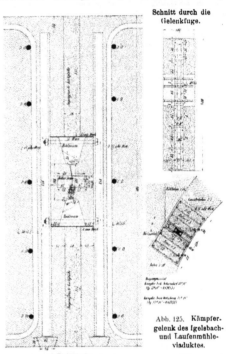

Schnitt durch die Gelenkfuge.

Abb. 125. Kämpfergelenk des Igelsbach- und Laufenmühle-viaduktes.

Einzelheit.

b) Zapfengelenke.

Die Zapfengelenke bestehen aus zwei Lagerkörpern, welche den zylindrischen Zapfen oder Bolzen umfassen, so daß eine Drehung der beiden Schalen um den Zapfen stattfinden kann. Zuweilen ist statt des zylindrischen Zapfens in einem der beiden Lagerkörper ein solcher mit Halbzylinderfläche eingelassen, um welchen sich der andere Lagerkörper dreht. Die Lagerkörper bestehen entweder aus Gußeisen oder aus Stahl, der Bolzen stets aus Stahl. Die Ansicht, daß die Zapfengelenke wegen der hohen Reibung unwirksam sind, ist durch Versuche von Föppl,[1] die eine leichte Drehung um den Bolzen bewiesen haben, widerlegt worden.

[1] Zentralbl. d. Bauverw. 1901, S. 197.

Die ersten Zapfengelenke wurden bei der Donaubrücke in Inzigkofen (Abschn. F, Nr. 2) angewendet. Der 10 cm starke Zapfen besteht aus Stahl, während die Lagerkörper aus Gußeisen sind (Abb. 126). Eine ähnliche Ausbildung zeigen die in Abb. 127 dargestellten Gelenke der Eisenbahnbrücke über die Prinzregentenstraße in Wilmersdorf (Abschn. F, Nr. 24). Die Gelenkkörper bestehen aus Gußeisen, während für die Zapfen, die einen Durchmesser von 8 cm besitzen, bester Stahl gewählt ist. Die Wandungen der Lagerkörper sind 5 cm dick. Um eine sichere Übertragung der Querkräfte durch die Gelenkkörper auf das Eisenbetongewölbe zu bewerkstelligen, sind die Körper oben und unten mit flanschartig vortretenden Rändern versehen. Der obere Rand ist schmaler gehalten, um das Einstampfen nicht zu behindern; dafür sind die Eiseneinlagen in die Gelenkkörper noch eingelassen worden.

In der Form etwas abweichend sind die Gußeisengelenke der Straßenbrücke über die Doller bei Burzweiler (Abb. 128) ausgebildet. Das Bauwerk besteht aus Beton und ist sonst ähnlich der Brücke bei Inzigkofen erbaut. Seine Stützweite zwischen den Gelenkbolzen ist 34 m bei einer Pfeilhöhe von

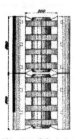

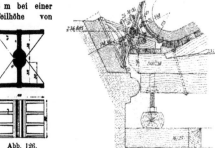

Abb. 126.
Kämpfergelenk
der Donaubrücke |Abb. 128. Kämpfergelenk der Dollerbrücke
bei Inzigkofen.   bei Burzweiler.

Abb. 127. Gelenk der
Eisenbahnbrücke in
Wilmersdorf

4,05 m. Die Scheitel- und Kämpferstärke des Gewölbes beträgt 75 cm und die größte Stärke der Gewölbeschenkel 1,05 m. Abb. 128 zeigt die Befestigungsart der Gelenke untereinander sowie ihre Lagerung auf der Schalung.

Bei der nach Bauweise Melan errichteten Straßenbrücke über den Jesenicabach bei Reka[1]) besteht das Scheitelgelenk ganz aus Flußstahl, während das Kämpfergelenk in seinem oberen kleineren Gelenkkörper und Zapfen aus Flußstahl und seinem unteren größeren Gelenkkörper aus Gußeisen hergestellt ist (Abb. 129). Hier ist der in den unteren Lagerkörper eingelassene Zapfen durch Keile zum Nachstellen eingerichtet.

Die Berechnung des Zapfens wird in der Regel wie nachstehend durchgeführt.

Es bezeichne

r den Halbmesser des zylindrischen Zapfens von der Länge b,

P den Gelenkdruck in t,

σ die Druckbeanspruchung in Mitte der Gelenkfuge bezw. Berührungsfläche.

[1]) Österr. Wochenschr. f. d. öffentl. Baudienst 1904. Nr. 37.

Für die Verteilung der Spannung kann man nach Müller-Breslau die Annahme machen, daß sie sich unter dem Mittelpunktwinkel α auf $\sigma \cdot \cos \alpha$ verkleinert, daß ferner eine Berührung bis zu einem Mittelpunktwinkel $\alpha = \alpha_0 = 45°$ stattfindet (Abb. 130).

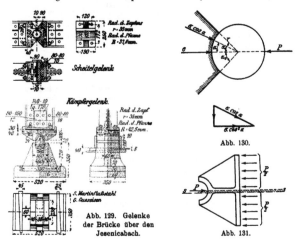

Abb. 130.

Abb. 129. Gelenke der Brücke über den Jesenicabach.

Abb. 131.

Es läßt sich die Gleichgewichtsbedingung aufstellen

$$P = 2 \int_0^{\alpha_0} \sigma \cdot \cos^2 \alpha \cdot b \cdot r \cdot d\alpha = 2\,\sigma b r \left(\frac{\alpha_0}{2} + \frac{\sin \alpha_0 \cos \alpha_0}{2} \right) \quad \dots \quad 1)$$

woraus folgt

$$r = \frac{P}{\sigma b \left(\alpha_0 + \sin \alpha_0 \cos \alpha_0 \right)} \quad \dots \dots \dots \dots \quad 2)$$

Wenn man annimmt, daß Bolzen und Lagerkörper bis zu dem Winkel $\alpha_0 = 45°$ genau zusammenpassen, so ergibt sich zur Ermittlung des Zapfenhalbmessers die Formel

$$r = \frac{0,8}{\sigma b} \frac{P}{} \quad \dots \dots \dots \dots \dots \quad 3)$$

Die zulässige Beanspruchung für Stahl kann zu $\sigma = 1,2$ t/cm² angenommen werden. Die Lagerstühle können als im Querschnitt $s\,s$ (Abb. 131) eingespannte und gleichmäßig mit $\frac{P}{2}$ belastete Freiträger berechnet werden, wie das nachfolgende Beispiel es zeigt.

Beispiel. Bei der Unterführung der Prinzregentenstraße in Wilmersdorf (vergl. Abschn. F, Nr. 24) bestehen die Gelenke, wie schon erwähnt, aus einem Stahlzapfen mit zwei gußeisernen Lagerstühlen. Die Gelenke an den Kämpfern und im Scheitel haben aus praktischen Rücksichten gleiche Abmessungen erhalten. Berechnet wurde jedoch nur das Kämpfergelenk als das höher beanspruchte.

Der größte Kämpferdruck ist $K_{max} = 177{,}5$ t (s. S. 473) (für einen 1,0 m breiten Gewölbestreifen). Der Flächendruck im Betonblock beträgt, da auf 1,0 m Breite zwei Gelenkkörper mit je 50×40 cm Auflagerfläche kommen,

$$\sigma_{max} = \frac{177\,500}{2 \cdot 40 \cdot 50} = 44{,}4 \text{ kg/cm}^2.$$

Der Betonblock ist in einer Mischung von 1 Teil Zement, $1^1/_2$ Teilen Sand und $1^1/_2$ Teilen Kies ausgeführt, welcher nach 28 tägiger Erhärtung eine Druckfestigkeit von 378 kg/cm² besaß.

Demnach betrug die Sicherheit

$$n = \frac{378}{44{,}4} = 8{,}5.$$

Die Stahlzapfen des Gelenkes haben eine Länge $b = 45$ cm und einen Durchmesser $d = 2\,r = 8$ cm. Somit ergibt sich die Beanspruchung des Zapfens aus Formel 3) zu

$$\sigma = \frac{0{,}8\,P}{r\,b}, \text{ worin } P = K_{max} \text{ ist,}$$

$$\sigma = \frac{0{,}8 \cdot 177\,500}{\frac{8{,}0}{2} \cdot 45} = 789 \text{ kg/cm}^2.$$

Da es sich hier um eine Eisenbahnbrücke für Vollbahnen handelt, ist diese Beanspruchung mit Rücksicht auf die Erschütterungen und Stöße so mäßig angenommen worden.

Die Lagerkörper sind wie folgt berechnet.

Die Pressung zwischen Lagerkörper und Betonquadern beträgt $\sigma = 44{,}4$ kg/cm².

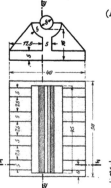

Auf die Einspannungsquerschnitte $x\,x$ und $y\,y$ (Abb. 132) wirken dann die Biegungsmomente

$$M_x = 44{,}4 \cdot 40 \cdot \frac{6^2}{2} = 31\,968 \text{ cmkg}$$

$$M_y = 44{,}4 \cdot 50 \cdot \frac{17{,}5^2}{2} = 339\,938 \text{ cmkg.}$$

Vorhanden ist

$$W_x = 40 \cdot \frac{5^2}{6} = 166{,}7 \text{ cm}^3.$$

Beanspruchung der Platte somit

$$\sigma_x = \frac{31\,968}{166{,}7} = 192 \text{ kg/cm}^2.$$

Zur Aufnahme des Momentes M_y ist der Querschnitt Abb. 133 vorhanden.

Abstand der Schwerachse vom unteren Rande

Abb. 132.

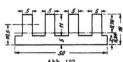

Abb. 133.

$$x = \frac{4 \cdot 11 \cdot 5 \cdot 10{,}5 + 50 \cdot \frac{5}{2} \cdot 5}{4 \cdot 11 \cdot 5 + 50 \cdot 5} = 6{,}24 \text{ cm},$$

vom oberen Rande

$$16 - x = 16 - 6{,}24 = 9{,}76 \text{ cm.}$$

Trägheitsmoment

$$J = \frac{4 \cdot 5 \cdot 11^3}{12} + 4 \cdot 5 \cdot 11 \, (10,5 - 6,24)^2 + \frac{50 \cdot 5^3}{12} + 50 \cdot 5 \left(6,24 - \frac{5}{2}\right)^2 = 10\,229 \text{ cm}^4$$

$$W_o = \frac{10\,229}{9,76} = 1048 \text{ cm}^3$$

$$W_u = \frac{10\,229}{6,24} = 1639 \text{ cm}^3$$

$$\sigma_{\text{Druck}} = \frac{339\,938}{1048} = 324 \text{ kg/cm}^2$$

$$\sigma_{\text{Zug}} = \frac{339\,938}{1639} = 207 \text{ kg/cm}^2.$$

Die üblichen zulässigen Beanspruchungen für Gußeisen sind
$$k_{\text{Druck}} = 500 \text{ kg/cm}^2 \qquad k_{\text{Zug}} = 250 \text{ kg/cm}^2.$$

c) Federgelenke.

In jüngster Zeit gelangte in Frankreich bei einer Reihe von Eisenbetonbrücken eine neue Art von Gelenken zur Anwendung.

Diese Gelenke, in Frankreich Halbgelenke (semi-articulations) genannt, sind den Federgelenken, wie sie schon seit langer Zeit im Eisenhochbau bei kleineren Bindern, Pendelstützen u. dergl. im Gebrauch sind, sehr ähnlich. Die Gelenkwirkung ist eine unvollkommene und beruht auf der Biegsamkeit von Rund- oder Vierkanteisen, die zwischen die Gewölbeteile bezw. zwischen Gewölbe und Widerlager gespannt sind; im Eisenhochbau werden meist Flacheisen, welche mit den beiden gelenkig zu verbindenden Teilen entsprechend vernietet sind, verwendet.

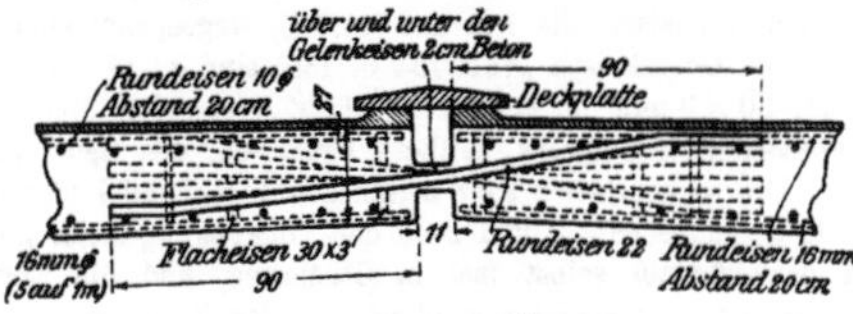

Bei den hier in Frage kommenden Federgelenken sind die Gelenkeisen beiderseitig so einbetoniert, daß sie sich in einem theoretischen Gelenkpunkt oder besser Gelenkachse, die zur Gewölbeachse gleichlaufend ist, kreuzen (Abb. 135).

Die mit solchen Gelenken ausgestatteten Brücken haben sich in Frankreich den üblichen Ausführungsarten, insbesondere in wirtschaftlicher Beziehung, überlegen gezeigt, indem Erspar-

Abb. 134. Scheitelgelenk der Überwölbung des Kanals Saint-Martin.

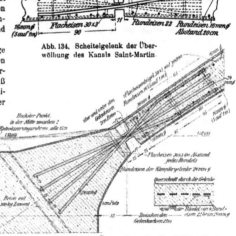

Abb. 135. Kämpfergelenk der Überwölbung des Kanals Saint-Martin.

nisse bis zu 24 vH. erzielt worden waren. Die ersten Federgelenke wurden von
M. Boussiron in Paris bei der Überwölbung eines Teiles des Kanals Saint-Martin
in Paris (Abschn. F, Nr. 25) angewendet. Die Stützweite des Gelenkgewölbes beträgt 27 m. Man entschloß sich hier zur Ausführung eines Dreigelenkbogens, da
hinter den Widerlagern große Kanäle liegen und infolgedessen mit beträchtlichen
Bewegungen der ersteren gerechnet werden mußte. Die Ausbildung der Gelenke
zeigen die Abb. 134 u. 135. Die zulässige Beanspruchung in den Gelenkeisen wurde
zu 800 kg/cm² angenommen. Die Ermittlung der Länge, auf welche die Eisen einbetoniert werden mußten, geschah auf Grund der zulässigen Haftspannung des Betons
an den Eiseneinlagen. Nach dem französischen Ministerialerlaß vom Jahre 1906 war die
letztere zu 4,48 kg/cm² festgesetzt.

Ist also d der Durchmesser eines Rundeisens, welches mit 800 kg/cm² beansprucht
werden darf, so muß, wenn die zulässige Haftspannung nicht überschritten werden soll,

$$\frac{\pi d^2}{4} \cdot 800 \leqq 4{,}48\,\pi \cdot d \cdot l$$

sein, worin l die Länge des in Beton eingespannten Teiles eines Rundeisens ist. Hieraus ergibt sich
$$l \geqq 44{,}6\,d.$$

Da der Ministerialerlaß zur Zeit der Entwurfsbearbeitung noch nicht bestand,
wurde mit 5 kg/cm² zulässiger Haftspannung gerechnet, womit sich $l \geqq 40\,d$ ergab.

Bei der Überwölbung des Kanals Saint-Martin bestehen die Scheitelgelenke aus
22 mm starken Rundeisen, die 90 cm tief (40,9 d), und die Kämpfergelenke aus 24 mm
starken Rundeisen, die 1 m tief (41,6 d), eingespannt sind.

Die Gelenkeisen (Abb. 134 u. 135) sind zu je vier Stäben, die durch Flacheisenbügel 30 × 3 mm in der Querrichtung verbunden sind, vereinigt. Die Bügel haben
insbesondere den Zweck, seitliche Kräfte auf den Beton zu übertragen.

Die so gebildeten sehr handlichen Eisenbündel wurden vorher auf einem Arbeits-
platz zusammengebaut und nach der Verwendungsstelle gebracht. Die vier Eisen sind
in den Bündeln selbst fast in Berührung, und die Entfernung von Mitte bis Mitte
Bündel ist im Scheitel nur 14 cm, an den Kämpfern 15 cm; somit ist zwischen zwei
Bündeln nur ein Zwischenraum von wenigen Zentimetern.

Ebensolche Gelenke gelangten bei der 44 m weit gespannten Straßenbrücke bei
Amélie les Bains (Abschn. F, Nr. 26) zur Ausführung. Nur wurden hier stärkere Eiseneinlagen verwendet. Sie haben im Scheitel 27 mm und an den Kämpfern 28 mm Durchm.

Ein anderes gleichartiges Bauwerk ist die Carnonbrücke über den Kanal du Midi
bei Montpellier[1]) mit einer Öffnung von 31 m Weite und 3,7 m Breite zwischen den
Geländern. Bei dieser Brücke wurden statt eines durchgehenden Gewölbes zwei
Einzelbogen von 2,5 m Pfeilhöhe, 0,9 m Höhe und 0,5 m Breite angeordnet. Da infolgedessen für die Gelenkeisen ein starker Querschnitt erforderlich war, wurden Vierkanteisen von 75 × 22 mm Querschnitt, hochkantig gestellt, verwendet. Sie reichen 1,8 m
in den Beton.

Man ist mit der Spannweite noch weiter gegangen; so fiel bei einer Ausschreibung
zur Überbrückung zweier Arme der Seine die Wahl auf eine Brücke mit Federgelenken
von 54 m Spannweite, 5,68 m Pfeilhöhe und 6 m Breite.

II. Landanschlüsse und Bewegungsfugen.

Bei größeren Brücken muß der Fahrbahntafel durch Anordnung von Bewegungs-
oder Ausdehnungsfugen (Dilatationsfugen) Gelegenheit gegeben werden, gewisse Be-

[1]) Ausgeführt von M. Clet in Lyon.

wegungen ausführen zu können. Ist diese Möglichkeit nicht vorhanden, so entstehen an den Stellen des Überbaues, die dem Bewegungsbestreben den geringsten Widerstand entgegensetzen, Risse, die zu weiteren Zerstörungen des Bauwerks Veranlassung geben können. Die Ursachen dieser Bewegungen sind vor allem in den Wärmeänderungen, Zusammenpressungen des Baustoffs und Setzungen bezw. Drehungen der Widerlager oder Pfeiler zu suchen.

Bei den Bogen selbst wird die Bewegungsmöglichkeit, wie bereits an anderer Stelle erwähnt, durch Anordnung von Gelenken erzielt; da an den Gelenkstellen die Bogenteile Drehungen ausführen werden, so müssen über sämtlichen Gelenken im Fahrbahnüberbau Fugen vorhanden sein, damit der letztere den Drehungen folgen kann. Die beiden Fugenflächen führen dann scharnierartige Drehungen um den Gelenkmittelpunkt aus, während die Bewegung der oberen Fugenränder gegeneinander eine wagerechte Annäherung oder Entfernung ist. Bei gelenklosen Bogenbrücken sind die Bewegungen des Fahrbahnüberbaues bezw. der Fahrbahntafel in gewissem Sinne unabhängig von der Bewegung des Gewölbes. Infolge Wärmeänderungen, die in erster Linie zu berücksichtigen sind, verlängert bezw. verkürzt sich die Bogenmittellinie, wodurch ein Heben und Senken des Bogenscheitels eintritt: die Größe dieser lotrechten Bewegung kann innerhalb Sommer und Winter 5 cm und mehr betragen. Die Fahrbahntafel führt dagegen wagerechte Bewegungen aus. In letzterer Hinsicht haben gerade neuere Beobachtungen einer Reihe größerer französischer Brücken bemerkenswerte Aufklärungen gebracht.[1])

Bei Besichtigung der großen Bogenbrücken von Chatellerault, Imphy, Decize und Pyrimont durch eine Studienkommission im Januar 1908, bei welchen die Fahrbahnplatte mit den Stützpfosten und Endpfeilern fest verbunden ist und über die ganze Länge der Brücke durchläuft, wurde Folgendes festgestellt. Da die Fahrbahnplatte gleichzeitig mit dem Bogenscheitel fest verbunden war und dieser sich bei Wärmeabnahme im Winter senkte, so mußten an den Anschlußstellen der Fahrbahntafel an die Pfeiler sehr große Zugspannungen, die sich, da ihnen die Bewehrung natürlich nicht gewachsen war, durch Risse kennzeichnen mußten (s. Engeßer, Zeitschr. f. Bauw. 1901). Diese Risse wurden auch wirklich beobachtet, und insbesondere hatten sich über den-Kämpfern eine große Anzahl unregelmäßiger Fugen gebildet, die zu dieser Jahreszeit bis etwa 1 cm breit waren, ein Zeichen, daß an diesen Stellen Ausdehnungsfugen nötig gewesen wären. Die Bogen waren dagegen vollkommen rissefrei.

Der zweite, bereits angedeutete Zweck der Ausdehnungsfugen ist der, der verhältnismäßig langen Fahrbahntafel beim Austrocknen bezw. Schwinden Gelegenheit zu geben, sich von den Kämpfern nach dem Scheitel hin zusammenziehen zu können. Hierbei wird der verhältnismäßig geringe elastische Widerstand der dünnen Pfeilerchen bei Eisenbetonbrücken leicht überwunden.

Bei der Moselbrücke bei Novéant (Abschn. F, Nr. 49), deren Ausführung die vorbeschriebenen Beobachtungen zugrunde gelegt wurden, sind die Ausdehnungsfugen so ausgebildet, daß das Fahrbahnende, ohne sich auf die Strompfeiler zu lagern, durch einen kräftigen Querträger gestützt wurde, der seinerseits auf den als Pendelsäulen wirkenden letzten Pfosten des Aufbaues freischwebend aufruhte. Um einen besonderen Windverband zu ersparen, sind diese Pendelsäulen um ihre halbe Breite in die Hauptpfeiler eingelassen, derart, daß sie wohl in der Längs-, aber nicht in der Querrichtung der Brücke spielen können. Außerdem aber sind die Ausdehnungsfugen über den Pfeilern winkelförmig abgesetzt, haben also die Form eines ⊏, dessen kurze Schenkel durch die Pfeiler-

---

[1]) Armierter Beton 1910, S. 6.

vorbauten gedeckt werden. Dadurch wird auch die Fahrbahn selbst, trotzdem sie durch
die Ausdehnungsfugen durchschnitten ist, durch die Pfeilervorsprünge seitlich gehalten.

Die beiderseitigen Kanten der Fahrbahnplatte sind in der Fuge durch angebrachte
T-Eisen (Abb. 136) geschützt, welche entsprechend der herrschenden mittleren Wärme
bei der Verlegung mit einem offenen Zwischenraum von 1 cm
eingesetzt wurden. Unterhalb der T-Eisen befindet sich die Ent-
wässerungsrinne aus Kupferblech, aus welcher das Wasser mittels
eines Kniestückes, dessen Durchmesser zwecks leichterer Reinigung 10 cm groß gewählt wurde, nach außen geleitet wird. Vor
der Verlegung der Rinnen wurden die sämtlichen Betonflächen

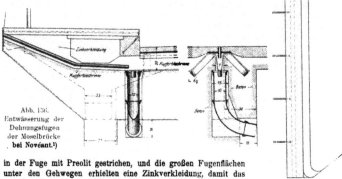

Abb. 136.
Entwässerung der
Dehnungsfugen
der Moselbrücke
bei Novéant.[1]

in der Fuge mit Preolit gestrichen, und die großen Fugenflächen
unter den Gehwegen erhielten eine Zinkverkleidung, damit das
von den Flanschen der T-Eisen abtropfende Wasser nirgends in
den Beton eindringen könne. Die Ausdehnungsfugen wurden
selbstverständlich auch durch die massive Brüstung durchgeführt.
Beiderseits der Fuge wurde zum Schutze der Kanten je ein etwa
1 m breiter Streifen der Fahrbahn mittels Vulkanolplatten abgedeckt.

Abb. 137 zeigt, in welcher Weise die Pendelsäulen in die
Pfeiler eingelassen wurden, um ihr sicheres Spielen in der Längs-
richtung zu ermöglichen und sie seitlich unverschieblich zu
machen. Zuerst wurden die Säulen selbst in sehr genauer Schalung
betoniert und dann die Hauptpfeiler eingeschalt, wobei die den
Säulen entsprechendenNuten mittels passender, vorher hergestellter,
U-förmiger Betonstücke gebildet und in geeigneter Weise mit dem
Pfeilerbeton verbunden wurden.

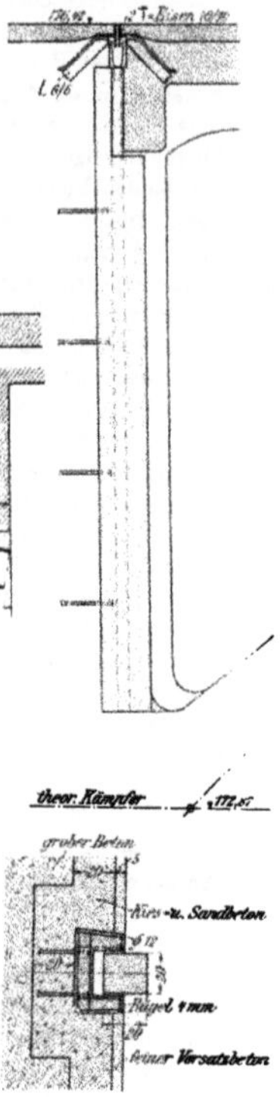

In dem seit der Fertigstellung der Brücke verflossenen Jahre
konnte das richtige Spielen der Fugen deutlich beobachtet
werden. Sie waren im Sommer fast vollständig geschlossen
und erweiterten sich umgekehrt im Winter. Diese Erweiterung
war allerdings nicht so groß, als man ursprünglich erwartet hatte.

Abb 137.
Ausdehnungsvorrichtung
der Moselbrücke bei
Novéant.[1]

Während bei dieser Brücke die Bewegungsmöglichkeit durch ein Pendeln des
Endpfostens erreicht wird, der oben und unten drehbar gelagert ist, ist der gleiche
Zweck bei der Gmündertobelbrücke bei Teufen (Abschn. F, Nr. 23) durch federnde

[1] Armierter Beton 1910, S. 1, 49 u. 113.

Bewegung einer dünnen Eisenbetonwand erzielt. Die letztere Anordnung ist mit Rücksicht auf die Standsicherheit und Einheitlichkeit der Anordnung zweckmäßiger, kann aber naturgemäß nur bei genügend langer Querwand bezw. aus-reichender Höhe ausgeführt werden.

Der elastisch bewegliche Anschluß der Fahrbahn an die großen Pfeiler ist dadurch erreicht, daß dort an der Seitenfläche der Pfeiler eine 12 m hohe und nur 25 cm dicke Eisenbeton-wand eingebaut ist, die unten fest mit dem Pfeiler und oben fest mit der Fahrbahntafel verbunden ist (Abb. 138). Die dünne Eisenbetonwand kann infolge ihrer Elastizität so viel federn, als es die Längenänderung der 81,3 m langen Fahrbahn bei Wärmeänderungen erfordert. Unter Annahme einer lotrecht bleibenden Einspannungsberührenden am oberen Ende kann sich die Wand ohne Überbeanspruchung des Eisenbetons um 2 cm nach beiden Seiten ausbiegen, während rechnungsmäßig etwa 1 cm nötig ist. Die Endträger der Fahrbahn sind mit Rücksicht auf die durch die feste Verbindung mit der federnden Wand sich ergebenden Zusatzbeanspruchungen stärker als die übrige Tafel bewehrt worden. Die Knicksicherheit der Wand ist eine 24fache. Die Bewehrung der Wand besteht außen und innen aus je 10 Rundeisen 12 mm Durchm. für 1 m Höhe, die durch Verteilungsstäbe von 7 mm Durchm. in Abständen von 20 cm gekreuzt werden und noch durch schleifenförmige Bügel quer miteinander verbunden sind.

Die federnde Wand hat noch eine zweite Aufgabe zu erfüllen, nämlich die Windkräfte auf die Hauptpfeiler zu über-tragen. Zu diesem Zwecke sind die die Windgurtung der Fahrbahn bildenden Eiseneinlagen weit in die Wand hinein-geführt, und die letztere erhielt an den Außenrändern noch je 2 Rundeisen 16 mm Durchm., die in den Pfeiler hinein-geführt und in ihm fest verankert sind. Der Zwischenraum zwischen Federwand und Pfeiler wurde wegen der bequemen Einschalung 12 cm weit gemacht. Zur Ableitung von etwa eindringendem Wasser ist unten ein kleines Entwässerungsrohr eingesetzt, während der Hohlraum oben auf wenige Zentimeter verkleinert und durch aufeinanderschleifende Bleche, über welche die Asphaltdichtung geht, abgedeckt ist.

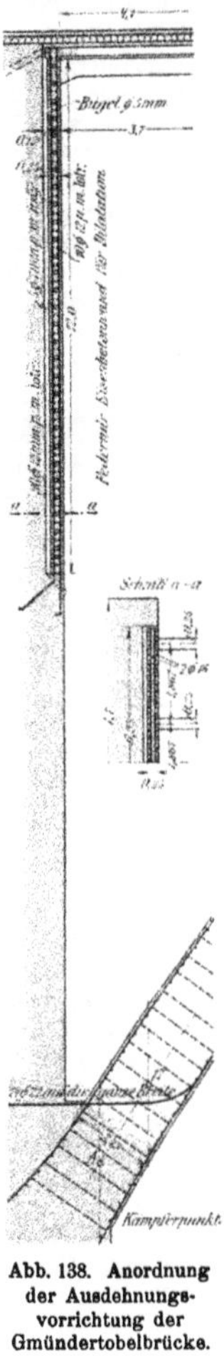

Eine andere Anordnung der Ausdehnungsfugen ist bei der im Abschn. F, Nr. 7 näher beschriebenen Walnut Lane-Brücke in Philadelphia getroffen worden. Hier sind in der Haupt-öffnung über jedem Zwischenpfeiler der Entlastungsbogen quer durch die ganze Fahrbahntafel Ausdehnungsfugen vorgesehen, während in den Seitenöffnungen die Ausdehnungsfugen an den Quermauern (Kämpfern) liegen. Da die Fahrbahntafel unterbrochen ist, kann sie natürlich nicht als Windträger dienen; der Winddruck auf die einzelnen Abschnitte wird viel-mehr durch die Pfeiler unmittelbar auf das Gewölbe übertragen, welches deshalb vom Scheitel nach den Kämpfern hin entsprechend

Abb. 138. Anordnung der Ausdehnungs-vorrichtung der Gmündertobelbrücke.

verbreitert ist. Die Fugen, in welche Asbestpappe eingelegt ist, greifen mit Feder und Nut ineinander. Auch die Geländer haben Ausdehnungsfugen erhalten. Ein Schleifen der einzelnen Teile der Fahrbahntafel bezw. des Geländers wird durch untergelegte Zink-Schleifbleche ermöglicht. Um in den Entlastungsbogen bei Bewegungen des Hauptgewölbes (vergl. die S. 411 angegebenen Beobachtungen hierüber) Risse zu vermeiden, sind weiter ihre Kämpferfugen innen auf 23 cm Tiefe offen gelassen und mit Asbestpappe ausgelegt. Hierdurch wird eine gelenkartige Drehung der Bogen ermöglicht. Die Ausdehnungsfugen der Fahrbahn sind an den Stirnseiten, bis wohin sie durchgehen, nicht sichtbar, sondern durch die Pfeilervorlagen gedeckt.

Bei der Moselbrücke in Sauvage (Abschn. F, Nr. 11), die drei Gelenke besitzt, ist die Bewegungsmöglichkeit über den Kämpfergelenken nach Abb. 139 ausgebildet. Hierbei muß das Tagewasser teilweise über diese Ausdehnungsfugen hinweggeleitet werden, weshalb die Abdichtung besondere Sorgfalt erforderte.

Zu diesem Zwecke wurden die in die Ausdehnungsfugen einbetonierten doppelten Dachpappen oben auseinandergebogen, und darüber hinweg wurde ein 40 cm breiter Dachpappestreifen aufgeklebt. Um diesen gegen Zerstörung durch scharfkantige Steine der Fahrbahnbettung zu schützen, wurde ein 50 cm breiter Streifen aus Zinkblech Nr. 16 darüber hinweggelegt, dessen nach dem Wasserzufluß zu gelegenes Ende kurz

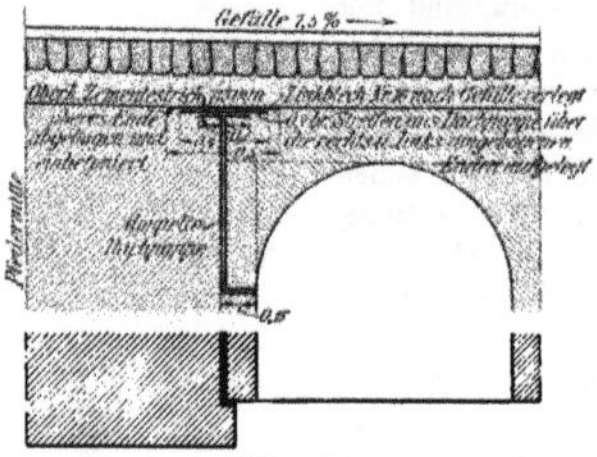

Abb. 139.
Ausdehnungsfuge der Moselbrücke in Sauvage
am Anschluß der Fahrbahn an einen Pfeiler.

Abb. 140.
Überdeckung der Ausdehnungsfuge der
Neckarbrücke bei Tübingen.

umgebogen und mit einbetoniert wurde, so daß das andere freie Ende sich bei Dehnungen über der Teerdichtung hin und her bewegen kann. Die Oberfläche dieses Bleches folgte genau dem Gefälle des auf der Fahrbahntafel aufgebrachten wasserdichten Zementputzes. Diese Ausdehnungsfugen sind von außen nicht sichtbar, da der Verkleidungsbeton der Pfeiler über sie hinweggeht und so zugleich einen Schutz gegen das Eindringen von Wasser bildet.

Die Ausbildung der Gelenkfugen selbst bezw. Abdeckung der Gelenke erfolgt am besten in der Weise, daß man wie bei der Prinzregentenbrücke in Wilmersdorf (vergl. Abschn. F, Nr. 24) oben die Gelenke bis auf einen schmalen Schlitz ausbetoniert und mit Kupferblech abdeckt und von unten das Gelenk frei läßt, es jedoch zum Rostschutz streicht.

Bei einer Reihe von Brücken, z. B. den Illerbrücken bei Kempten (Abschn. F, Nr. 4), sind die Gelenke oben und unten bis auf einen schmalen Schlitz von 1 cm Stärke einbetoniert. Eine andere Abdeckung der Gelenkfugen zeigt die Wallstraßenbrücke in Ulm a. d. Donau (Abschn. F, Nr. 5). Bei dieser sind (vergl. Abb. 220) die Schlitze durch abnehmbare Betonplatten abgedeckt, deren Fugen durch Goudron vergossen sind. Von unten sind die Gelenke sichtbar.

Die Neckarbrücke bei Tübingen[1]) sowie mehrere andere Gelenkbrücken, die in neuerer Zeit von der württembergischen Staatseisenbahnverwaltung ausgeführt wurden,

----
[1]) Beton u. Eisen 1911, S 4 u. 20 — ferner Jori u. Schächterle, Neuere Bauausführungen, I. Bogenbrücken Berlin 1911, Verlag von Wilh. Ernst & Sohn.

wurden, zeigen die in Abb. 140 dargestellte einfache Anordnung der Bewegungsfuge, bei welcher eine Metallplatte auf einer zweiten schleift.

D. Ausführung der Betonbogenbrücken.

Die Ausführung der Betonbrücken ohne und mit Eiseneinlagen erfolgt in der Regel jetzt so, daß bei der Betonierung die gleichmäßigen Formänderungen des Lehrgerüstes gewährleistet sind. Hierdurch soll einerseits eine künstliche Vorbelastung des letzteren, die bei großen Bauwerken kostspielig ist, vermieden und anderseits dem Bogen solange als möglich Gelegenheit gegeben werden, den Bewegungen des Lehrgerüstes zu folgen. Man betoniert deshalb, wie bereits im Abschnitt B. I. erörtert, in einzelnen Abteilungen oder Streifen (Lamellen), so daß das Lehrgerüst symmetrisch belastet wird, ohne an irgend einer Stelle in die Höhe gedrückt zu werden. Die Reihenfolge der Betonierung ist natürlich auch von der Ausbildung des Lehrgerüstes selbst abhängig.

Bei Brücken kleinerer und mittlerer Spannweite ist nicht soviel Sorgfalt geboten wie bei großen Weiten, ebenso ist die Ausführung flachgespannter Bogen einfacher, da einerseits die einzelnen Betonierungsstreifen festliegen, während sie bei steilen Flächen abgespreizt oder abgesprießt werden müssen.

Die Streifen werden, wenn möglich, quer über das ganze Gewölbe betoniert und möglichst so groß bemessen, daß eine Abteilung ohne Unterbrechung in einer Tagesleistung fertiggestellt werden kann.

Im allgemeinen sollen längere zusammenhängende Bogenstücke erst dann erhalten werden, wenn die Formänderung des Lehrgerüstes unter der aufgebrachten Last sich in der Hauptsache bereits vollzogen hat. Deshalb sind die Schlußabteilungen möglichst schmal zu halten und in solcher Reihenfolge auszubetonieren, daß größere zusammenhängende Stücke möglichst lange vermieden werden.

Ein klares Bild von der Reihenfolge der Betonierung einer Brücke mittlerer Spannweite gibt die im Abschn. F, Nr. 11 näher beschriebene und bereits erwähnte Moselbrücke in Sauvage, eine Dreigelenkbrücke, deren große Öffnung 36 m Lichtweite besitzt.

Die Betonierung erfolgte in einer Anzahl stets über die ganze Breite der Brücke durchgeführter Streifen, welche jeweils beiderseits des Scheitels in möglichst gleichen Höhen gleichzeitig aufgestampft wurden, und zwar so, daß jeder Streifen von der Schalung bis zur Oberkante des Gewölbes ununterbrochen durchbetoniert wurde (Abb. 141).

Zwei solche zusammengehörigen Streifen bildeten stets eine Tagesleistung von etwa 40 bis 60 m³ Beton. Die Anordnung dieser Streifen wurde so getroffen, daß

Abb. 141. Betonierungsfolge der Moselbrücke bei Sauvage.

eine künstliche Belastung des Lehrgerüstes vermieden werden konnte, welche für Betongewölbe ohnehin weniger zweckmäßig erscheint als für Steingewölbe, da sie einem flotten Betonierbetriebe, wie hier erforderlich, unter Umständen sehr hinderlich ist. Vor dem Einbringen der ersten Streifen wurden sowohl die Kämpfer- wie die Scheitelgelenksteine in richtige Lage versetzt und durch Keile in derselben gehalten, ohne jedoch schon vergossen zu werden.

Wie aus Abb. 141 ersichtlich, war für die Anordnung der Tagesleistungen das Bestreben maßgebend, eine Aufwärtsbewegung des Kämpfers infolge Belastung in

Nähe des Scheitels und umgekehrt durch die nachfolgende Tagesleistung wieder möglichst unschädlich zu machen. Nachdem in dieser Weise jeweils vier Tagesleistungen eingebracht worden waren, erfolgte der Schluß der Gewölbe an drei Stellen, und zwar zuerst im Scheitel, darauf an den Kämpfern, beide Male in unmittelbarem Anschluß an die Gelenksteine, und schließlich in Nähe der Bruchfuge in den Mitten der beiden Gewölbeschenkel. Hierauf wurden die gleich zur Brückenachse laufenden Fugen der einzelnen Gelenksteinpaare vergossen, nicht aber die Gelenkfugen selbst.

Abb. 142. Betonierungsfolge des Bogens der Wallstraßenbrücke in Ulm.

Bei der wesentlich weiter gespannten Wallstraßenbrücke in Ulm (Abschn. F, Nr. 5), deren Weite zwischen den Gelenken 57 m mißt, die jedoch einen kleineren Stich besitzt, ist man, wie Abb. 142 erkennen läßt, anders vorgegangen.

Jede Bogenhälfte wurde in 13 Streifen eingeteilt, die über die ganze Gewölbebreite durchgingen. Ihre Größe war verschieden, jedoch so, daß immer zwei symmetrisch zur Brückenmitte liegende Streifen an einem Tage fertiggestellt werden konnten. Die täglichen Leistungen schwankten hier zwischen 55 und 75 m³. Bei der Bestimmung der Reihenfolge der Betonierung der einzelnen Abschnitte wurde in erster Linie auf eine möglichst gleichmäßige Belastung des Lehrgerüstes gesehen, weshalb die ersten sechs bezw. zwölf Streifen möglichst gleichmäßig über das ganze Gerüst verteilt und mit ihren Mitten, soweit angängig, über die Lehrgerüstständer gebracht wurden. Dann wurden die etwas schmaleren Zwischenräume ausbetoniert, wobei die Streifen an den Kämpfergelenken zuletzt an die Reihe kamen, und außerdem eine der Gelenkschichten im Scheitel erst acht Tage nach Vollendung des übrigen Gewölbes einbetoniert wurde, um jede Rißbildung zu verhindern.

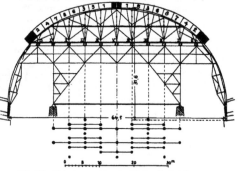

Abb. 143. Betonierungsfolge der Illerbrücke bei Kempten.

Besondere Berücksichtigung der Ausbildung des Lehrgerüstes wurde bei der Hauptöffnung der Illerbrücken bei Kempten (Abschn. F, Nr. 4) beobachtet. Der Bogen stellt ein

Dreigelenkgewölbe dar, und zwar beträgt die Spannweite zwischen den Gelenken 50 m. Das Lehrgerüst dieser Brücke wurde, da es für mehrere gleiche Öffnungen verwendet werden sollte, in Eisen hergestellt (vergl. Handbuch II. Bd., 2. Aufl., S. 312). Es wurde angenommen, daß bei der Art des in Abb. 143 als Netz dargestellten Lehrgerüstes zunächst die Mitte und die auskragenden Enden Formänderungen erleiden würden. Infolgedessen hat man, wie Abb. 143 zeigt, erst den Scheitel belastet, dann, um eine Aufwärtsbewegung der Kämpferstützen bei Durchbiegung der Trägermitte wieder wett zu machen, den Kämpfer, alsdann über Punkt 3 in der Mitte, und so fort die Lamellen 4, 5, 6, 7 und 8, und zwar jede als eine Tagesleistung, d. h. gemeinschaftlich mit dem zu gleicher Zeit auf gestampften entsprechenden Streifen des gegenüberliegenden Bogenschenkels. Dieses Verfahren hat sich als außerordentlich gut erwiesen, denn Risse sind nicht aufgetreten.

Die Ausführung großer Gewölbe erfordert besondere Sorgfalt. Bei großen Pfeilhöhen ergeben sich Schwierigkeiten bei der Betonierung der einzelnen Streifen in der Mitte und in der Nähe der Kämpfer, da diese das Bestreben zeigen, auf dem Lehrgerüst abzugleiten, diese Streifen müssen daher gegeneinander oder gegen die Schalung abgespreizt werden. Welche Umsicht hierbei erforderlich ist, zeigt die Ausführung neuerer weitgespannter Brücken. So gibt ein gutes Beispiel darüber die Walnut-Lane-Brücke in Philadelphia, die im Abschn. F, Nr. 7 noch näher

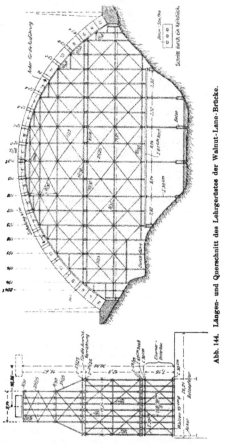

Abb. 144. Längen- und Querschnitt des Lehrgerüstes der Walnut-Lane-Brücke.

erörtert ist. Das Hauptgewölbe besitzt die beträchtliche Spannweite von rd. 71 m bei
21,4 m Pfeilhöhe und eine Stärke von 1,61 m im Scheitel und 2,89 m an den Kämpfern,
woraus hervorgeht, welche gewaltigen Streifen sich ergeben haben.

Die Ausführung des Hauptgewölbes erfolgte in einzelnen, in ganzer Gewölbebreite durchgehenden, keilförmigen Blöcken (vergl. Abb. 144),[1]) die natürlich symmetrisch
zur Gewölbeachse gleichzeitig beiderseits hergestellt wurden. Zunächst wurden die
beiden Scheitelblöcke 1, dann die Kämpferblöcke 2, dann die Blöcke 3 in der
Mitte der Wölbschenkel hergestellt usw. Im ganzen sind 12 Paar Hauptblöcke
angewendet worden, die je in einer Tagesschicht fertig eingestampft wurden. Abgesehen
von den drei Blöcken am Kämpfer, die sich unmittelbar berühren, ist zwischen je
zwei Hauptblöcken ein durch die erforderliche Schalung bedingter keilförmiger Schlitz
von 61 cm Breite in der unteren, 81 cm in der oberen Leibung vorhanden. Diese
Keile wurden erst nachträglich geschlossen in der in Abb. 144 angedeuteten Reihenfolge
(vergl. auch die Aufnahme während der Einwölbung in Handbuch Bd. II, 2. Aufl., S. 303).
Durch diese Ausführungsweise ist eine gleichmäßige Belastung des Lehrgerüstes erreicht
und die Bildung von Rissen im Beton verhindert worden. Auch hat sich an den 40
zwischen den Blöcken und Keilstücken vorhandenen Fugen, in denen zwischen dem zu
verschiedenen Zeiten hergestellten Betonkörper jedenfalls keine so innige Verbindung
sich gebildet hat, daß hier Zugspannungen übertragen werden könnten, nach den
Angaben der Bauverwaltung bisher nirgends eine nachträgliche Öffnung gezeigt.

Eine Absteifung der Blöcke gegen Abgleiten auf der Schalung ist für die mittleren
Blöcke nahe dem Scheitel dadurch erreicht, daß, über den Scheitel hinwegreichend, 3 Eisenanker von je 30 mm Durchm. in den Beton mit eingestampft wurden (Abb. 144). Außerdem hat auch noch an untersten Block dieser Gruppe eine Abstützung auf die Schalung
stattgefunden (vergl. Handbuch II. Bd., S. 303, Abb. 45). Bei den dann folgenden 3 Blöcken
ist dadurch eine Versteifung erzielt, daß zwischen dem vorher fertiggestellten tiefer
liegenden Block und dem in Ausführung begriffenen je 3 in der Querschnittachse
angeordnete Betonsteifen eingelegt wurden, die, von unten nach oben gerechnet, je 46 × 61,
38 × 51, 30 × 46 cm Querschnitt besitzen. Bei der späteren Ausstampfung der Keilschlitze
zwischen den Hauptblöcken wurden diese Betonsteifen mit eingestampft. Natürlich
erhalten diese Steifen, die bei Ausfüllung der Schlitze ja schon eine gewisse Anfangs-
spannung besitzen, im fertigen Gewölbe eine verhältnismäßig hohe Spannung, die aber,
selbst wenn man ein gewisses Schwinden des in die Schlitze eingestampften Betons
annimmt, unbedenklich ist, da ja die Steifen vollständig fest von der übrigen Betonmasse umschlossen sind und nur einen kleinen Teil des ganzen Gewölbequerschnitts
ausmachen. Im übrigen ist, um ein Schwinden des Betons nach Möglichkeit zu verhindern und den nachträglich eingestampften Beton möglichst in gleichem Maße zur
Druckübertragung heranzuziehen, die Ausstampfung äußerst sorgfältig in kleinen Schichten
erfolgt, und es sind die radialen Steineinpackungen hier möglichst fest in die Betonmasse eingekeilt. Die Keilstücke wurden etwas höher als die Gewölbedecke eingestampft und nachträglich abgearbeitet, so daß anfangs in der oberen Leibung an den
Keilfugen auftretende feine Risse später nicht mehr bis in den Gewölbekörper selbst
hineinreichten. Die 3 untersten Blöcke sind ohne Keilstücke ausgeführt.

Ein Seitenstück zur vorher beschriebenen Ausführung bildet die der bereits erwähnten Gmündertobelbrücke bei Teufen (Abschn. F, Nr. 23) mit 79,0 m lichter Spannweite und 26,5 m Pfeilhöhe, also fast dem gleichen Pfeilverhältnis. Bei der Betonierung
wurden die bereits angegebenen Grundsätze befolgt, nämlich die Ausführung in einzelnen
Blöcken oder Streifen in bestimmter Reihenfolge mit kleinen Zwischenräumen. Die

---

[1]) S. a. Schönhöfer, Haupt-, Neben- und Hilfsgerüste im Brückenbau, S. 15, 78 u. f. Berlin 1911. Verlag von
Wilh. Ernst & Sohn.

Herstellung des Gewölbes, welches im Scheitel 1,20, an den Kämpfern 2,13 m stark ist, geschah in einzelnen Streifen, deren Einteilung und Reihenfolge aus Abb. 145 ersichtlich sind und so getroffen wurden, daß die zuerst betonierten Abteilungen 1 bis 8 in

der Hauptsache je über ein ganzes Kranzholz sich erstreckten, während die nur 0,8 bis 1,5 m breiten Schlußabteilungen 9 bis 17 jeweils über den Stößen der Kranzhölzer lagen. Auch die Verteilung der Lasten auf die Joche des Unterbaues war dabei in Betracht zu ziehen. Der beabsichtigte Zweck ist hier, dank der sachgemäßen Einteilung der Abteilungen und der sorgfältigen Ausführung des Lehrgerüstes, in vollkommener Weise erreicht worden, indem nirgends Risse im Gewölberücken entdeckt werden konnten.

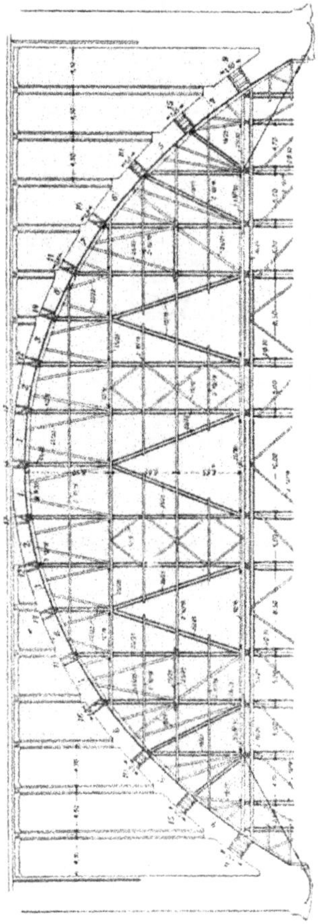

Für die oberen Streifen 1 bis 7, die noch kein Bestreben hatten, auf der Schalung des Lehrgerüstes abzugleiten,

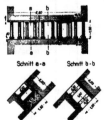

Abb. 146. Absprießung und stufenweise Betonierung der Schlußabteilung 9 der Gmündertobelbrücke.

genügte eine gewöhnliche Einschalung der Wölbeflächen, dagegen mußten die untern Abteilungen 4 bis 6 gegen das Widerlager abgesprießt werden. Da es unmöglich gewesen wäre, bei Herstellung der Schlußabteilungen 9, 10 und 15 diese Absprießungen ganz zu entfernen, wurden, wie aus Abb. 146 ersichtlich ist, in diesen Schlußabteilungen gleichzeitig mit dem Betonieren der unterhalb liegenden Abteilung je 2 Betonsprießen von der halben

Bogendicke und ⅕ der Bogenbreite hergestellt, die in Verbindung mit Holzsprießen den nächsten Streifen stützten. Nach etwa vier Wochen waren dann die Betonblöcke so weit erhärtet, daß die Holzabsprießung daneben herausgenommen und die betreffende

27*

Abb. 145. Ansicht des Hauptbogens der Gmündertobelbrücke mit der Streifeneinteilung für die Betonierung.

Schlußabteilung betoniert werden konnte. Nach Fertigstellung des Aufbaues über dem Gewölbe ist der Gewölberücken mit einem wasserdichten Glattstrich versehen worden.

Für die Festigkeit des Betons im Brückenbau ist die Verwendung von Zement feiner Mahlung und hoher Festigkeit Bedingung. Als Zuschlagstoffe eignen sich be-

	Bau-jahr	Gewölbe Zement:Sand:Kies bezw. Schotter (bis 25 mm)	Pfeiler Zement:Sand: Kies bezw. Schotter	Fundamente Zement:Sand: Kies bezw. Schotter	Gelenke Zement:Sand: Kies bezw. Schotter	Bemerkungen
Isarbrücke bei Grünwald	1903/4	1:2:4 nach 28 Tagen: 261 kg/cm² Druckfestigkeit				Eisenbetonbrücke mit eisernen Wälzgelenken
Wallstraßenbrücke in Ulm	1905	1:3:5 nach 57 Tagen: 346 kg/cm² Druckfestigkeit	1:2¼:6³/₄ n. 64 Tg.: 200 kg/cm² Druckfest. unten: 1:2¼:7³/₄ n. 81 Tg.: 264 kg/cm² Druckfest.	1:12	hinter den Stahlgelenken: 1:1:2,5 n. 44 Tg.: 410 kg/cm² Druckfest.	Betonbrücke mit eisernen Wälzgelenken
Illerbrücke bei Kempten	1906	1:2,5:5 nach 28 Tagen: 291 kg/cm² Druckfestigkeit	1:3:6 unten: 1:4:8	1:5:9	1:2:2 350 kg/cm² Druckfest. n. 90 Tg.: 478 kg/cm² Druckfest.	Betonbrücke mit eisernen Wälzgelenken, in den Nebenöffnungen Bleiplattengelenke
Moselbrücke in Sauvage	1906/7	1:2,5:5	1:3:6	1:3:6	1:2:2 n. 35 Tg.: 368 kg/cm²	Betonbrücke mit Betongelenken
Walnut-Lane-Brücke in Philadelphia	1906 bis 1908	1:2:5 mit Einpackung von flachen Steinen (radial) nach 30 Tagen: ohne Einpackung 144 kg/cm² mit Einpackung 191 kg/cm²	1:3:6 desgl. desgl. 125 kg/cm² desgl. 155 kg/cm²	1:3:6		Betonbrücke ohne Gelenke
Gmündertobelbrücke bei Teufen	1908	1:2:4 nach 28 Tagen: 305 kg/cm²	1:3,5:7	1:4:8		Eisenbetonbrücke ohne Gelenke
Moselbrücke bei Novéant	1907 bis 1909	1:3,9:1,7	1:3:6 und 1:4:8			Eisenbetonbrücke ohne Gelenke
Friedrich-August-Brücke in Dresden	1907 bis 1910	1:4:6	1:6:8	1:6:8	1:2,5:2,5	Betonbrücke mit Betongelenken

sonders reiner Quarzsand und künstlicher Sand, der bei Herstellung von Kalkstein-
porphyr und Basaltschotter als Abfall aus den Steinbrechmaschinen gewonnen wird.
Für das Gewölbe selbst wird als Zuschlag meist Sand und Schotter (bis 25 mm), für
die Widerlager Kies verwendet. Selbstverständlich kommt nur Maschinenbeton in Frage,
da Handbeton nicht so gleichmäßig ist und daher geringere Festigkeit besitzt.

In nebenstehender Zusammenstellung seien zum Vergleich die bei einer Reihe neuerer
Brücken angenommenen Mischungsverhältnisse und zum Teil deren Festigkeiten angeführt.

Eine wichtige Frage bei der Ausführung von Bogenbrücken bilden die Lehrgerüste,
die während derselben unter der zunehmenden Belastung, wie bereits mehrfach
erwähnt, keine zu große Formänderungen erleiden dürfen. Deshalb ist zu empfehlen,
falls keine Durchfahrtsöffnungen freizuhalten sind, die Lasten der einzelnen Stützpunkte
durch lotrechte Stützen, Pfahljoche u. dergl., bezw. abgebundene Pfeiler, Türme usw.
unmittelbar auf den festen Baugrund zu übertragen. Das Lehrgerüst besteht aus dem
unteren eigentlichen Stützgerüst und aus einem oberen Gerüst in der Gewölbeform,
welches mittels der Absenkungsvorrichtung auf dem Untergerüst ruht. Als Absenkungsvorrichtung sind Sandtöpfe wegen ihrer Sicherheit und leichten Handhabung am meisten
im Gebrauch; neben diesen kommen noch Schraubenspindeln und Keile in Frage;
letztere meist für kleinere Brücken. Zur Vermeidung von größeren Formänderungen
sind die Hölzer nur niedrig zu beanspruchen, auch sind zwischen Pfosten und Schwellen
Eichenklötze oder C-Eisenschienen u. dergl. zu legen, um das Einpressen in die
Schwellen zu verhüten. Wirtschaftlich ist die mehrfache Benutzung von Lehrgerüsten,
die nötigenfalls auf Schienen fahrbar angeordnet werden. Auch eiserne Lehrgerüste
können zweckmäßig sein, jedoch sind sie gegen Wärmeänderungen empfindlich, die
dann in Berücksichtigung gezogen werden müssen. Nach diesen allgemein angeführten
Gesichtspunkten sei bezüglich der Ausbildung der Lehrgerüste im besonderen auf
Handbuch Bd. II (2. Aufl.), S. 279 usw. verwiesen.

Das Ablassen des Lehrgerüstes erfolgt in der Regel vom Scheitel nach den beiden
Kämpfern hin. Da Sandtöpfe besonders bequem und auch billiger als Senkschrauben
sind, gelangten sie auch bei der Gmündertobelbrücke bei Teufen zur Verwendung, wo
sie sich gut bewährt haben, während bei der Walnut Lane-Brücke in Philadelphia ausschließlich Eichenkeile, die zwischen Doppelschwellen eingelegt worden waren, benutzt
wurden. Sie zeigten sich jedoch als unzweckmäßig. Der Zwischenraum dieser Schwellen
war, um zur genauen Einstellung des Gerüstes und bei Herausnahme der Keile bei
der Ausrüstung unter Umständen Schraubenspindeln einsetzen zu können, auf 50 cm bemessen. Außer den beiden zusammen 25 cm hohen Keilen mußte daher noch ein 25 cm
hoher Klotz eingelegt werden. Dazu kamen nun noch beiderseits die ebenfalls je 25 cm
starken Doppelschwellen des oberen und unteren Gerüstaufbaues, so daß sich hier also
ein wenig sicherer Aufbau aufeinandergelegter Hölzer ergab.

Bei der Moselbrücke bei Novéant und der Friedrich-August-Brücke in Dresden
(Abschn. F, Nr. 49 u. 12) gelangten Senkschrauben zur Anwendung.

Für Dreigelenkgewölbe empfiehlt Regierungsbaumeister a. D. Colberg die Ausrüstung von der Mitte der beiden Gewölbeschenkel beginnend nach dem Scheitel bezw.
Kämpfern hin, damit der Dreigelenkbogen in seiner Eigenschaft, als aus zwei Gewölben
bestehend, anfange zu tragen. Er hat diese Art der Ausrüstung bei der Illerbrücke
bei Kempten und Moselbrücke bei Sauvage angewendet, ohne daß sich die geringsten
Risse zeigten. In Abb. 143 ist die Absenkungsreihenfolge der Hauptgewölbe der Illerbrücke durch Punktreihen angegeben; die durch eine wagerechte Gerade verbundenen
Punkte sind jeweils um dasselbe Maß abgelassen worden. Die Kämpfer hat man vor-

sichtshalber erst 14 Tage nach vollkommenem Freitragen des Bogens im übrigen Teile
freigegeben.

Bei den Dreigelenkgewölben der Eisenbahnbrücke in Rothenburg O.-L. (Abschn. G,
Nr. 29) wurde der Betonierung entsprechend von den Widerlagern begonnen und nach
dem Scheitel vorgegangen.

Die Einsenkung setzt sich zusammen aus der Einsenkung während des Betonierens
und aus der Einsenkung während des Ausschalens. Hierzu treten unter Umständen,
wenn man von den Wärmeänderungen absieht, noch die Einsenkungen infolge Zusammenpressung des Betons und infolge Widerlagerbewegungen. Die Größe der Einsenkungen gibt natürlich einen Maßstab für die zweckmäßige Ausführung des Lehrgerüstes. Merkliche Einsenkungen unmittelbar nach Ausschalung des Bogens treten
selten auf. Nachstehend sind einige Zahlen angeführt, die einen Anhalt dafür geben
sollen, welche Einsenkungen beim Ausrüsten etwa zu erwarten sind.

Brücke	Lichtweite in m	Einsenkung des Gewölbescheitels in mm	
		während des Betonierens	während des Ablassens
Gmündertobelbrücke bei Teufen	79,0	32 (hiervon 10 mm durch Schwinden der wage-rechten Schwellen)	5
Walnut-Lane-Brücke in Phil-adelphia	71,0	95	3
Isarbrücke bei Grünwald	2.70,0	17	rechte Öffnung 6,5 linke Öffnung 10
Moselbrücke bei Novéant (Strombrücke)	47,0	24,3	6,6
	40,0	14,5	9,5
	33,0	14,3	3
Friedrich - August - Brücke in Dresden (fünf mittlere Öffnun-gen m. eisernen Lehrgerüsten)	32,955—39,3	50	8

Weitere Angaben über die Ausführung von Betonbogenbrücken finden sich ferner
im Abschnitt F.

Zugleich sei auf die Zusammenstellungen bemerkenswerter Bogenbrücken im
Abschnitt G aufmerksam gemacht.

E. Die statische Berechnung.

I. Belastungsannahmen.

1. Ständige Belastung.

Die Belastung der Brücken im allgemeinen ist im Abschnitt D der Balkenbrücken,
S. 121 u. f. bereits behandelt worden. Im besonderen ist aber noch bezüglich der Bogenbrücken einiges hinzuzufügen. Das Eigengewicht der Bogenbrücken ist in der Regel,
anders wie bei den Balkenbrücken, keine gleichmäßig verteilte Last, sondern nimmt
entsprechend der Form der Gewölbe und ihres Überbaues nach den Kämpfern hin zu.

Wenn man zunächst eine gewölbte Betonbrücke ohne oder mit Eiseneinlagen, jedoch
ohne Sparöffnungen betrachtet, so setzt sich die ständige Belastung zusammen aus dem
Gewicht des Gewölbes, dem der Auffüllung durch Erde oder Aufbetonierung und dem
der Fahrbahndecke oder Fahrbahnbefestigung. Diese drei Teile bestehen gewöhnlich

aus verschiedenen Baustoffen mit verschiedenem Einheitsgewicht. Denkt man sich aus der Brücke einen mittleren Längsstreifen von 1 m Breite durch zwei lotrechte gleichlaufend zur Brückenachse gelegte Ebenen herausgeschnitten (Abb. 147), so stellen die von den Gewölbelinien und der Ober- und Unterkante der Fahrbahndecke begrenzten Flächen unmittelbar die Belastungsflächen für das Gewölbe dar. Diese Belastungsflächen, welche zunächst verschiedenes Einheitsgewicht besitzen, werden für die Berechnung zweckmäßig in lotrechte Flächenstreifen von angemessener Breite (1 bis 1,5 m) zerlegt, die als Einzellasten (Streifengewichte) mit der Wirkungslinie in halber Streifenbreite angesehen werden können. Zur weiteren Vereinfachung der Berechnung empfiehlt es sich, die Belastungsflächen auf ein Einheitsgewicht (gewöhnlich auf das des Gewölbes)

Abb. 147.

zurückzuführen, indem man die Ordinaten dieser Flächen (Grenzen der Streifengewichte) im Verhältnis der Einheitsgewichte verkleinert (reduzierte Belastungsflächen).

Bezeichnet z die Höhe der Auffüllung (Erde) an einer bestimmten Stelle (Abb. 147), ferner γ_b das Einheitsgewicht des Betons und γ_e das der Überschüttungserde, so ist die auf Beton (Gewölbe) bezogene Belastungshöhe $z' = z\,\dfrac{\gamma_e}{\gamma_b}$. Desgleichen ist die überall gleiche Höhe der Fahrbahndecke u vom Einheitsgewicht γ_f auf die Höhe $u' = u\,\dfrac{\gamma_f}{\gamma_b}$ zurückzuführen. Wird z. B. ein Eisenbetongewölbe mit einem Einheitsgewicht von 2400 kg/m³ zugrunde gelegt und das der Überschüttungserde zu 1600 kg/m² angenommen, wird außerdem die Fahrbahndecke aus Granitpflaster mit 2800 kg/m³ Gewicht gedacht, so ist $z' = z\,\dfrac{1600}{2400} = \dfrac{2}{3}\,z$ und $u' = u\,\dfrac{2800}{2400} = \dfrac{7}{6}\,u$. Die gesamte ermittelte Belastungshöhe an der fraglichen Stelle ist dann $h = d + z' + u'$. In manchen Fällen empfiehlt es sich, das Eigengewicht als gleichmäßig verteilte Belastung, entsprechend einem mittleren Streifengewicht, einzuführen. Der Fehler, den man hierbei begeht, kommt bei großen Spannweiten und insbesondere kleinen Pfeilhöhen kaum in Betracht. Ferner vernachlässigt man häufig das Mehrgewicht des Fahrbahnpflasters, indem man die Höhe z der Auffüllung bis Straßenoberkante annimmt.

Außer den lotrechten Eigengewichtslasten können noch wagerechte Belastungen infolge des Erddrucks in Frage kommen, die gleichfalls zu den ständigen Lasten zu zählen sind. Bei flachen Gewölben und mittleren Spannweiten ist es gestattet, diese Lasten zu vernachlässigen, bei großen Pfeilhöhen und großen Spannweiten sind sie jedoch in Rechnung zu stellen. Bei Anordnung von Sparöffnungen ist der Erddruck für das Gewölbe wirkungslos.

Bezeichnet (Abb. 148) h die für den Erddruck in Betracht kommende Höhe, γ_e das Einheitsgewicht und ϱ den Reibungswinkel oder natürlichen Böschungswinkel der Erde, ferner p die Auflast (Verkehrslast) für 1 m² Oberfläche, so ergibt sich der Erddruck auf eine lotrechte

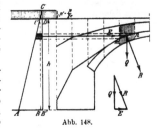

Abb. 148.

glatte Wand für den gewöhnlichen Fall eines wagerechten Geländes, ohne Berücksichtigung der Auflast, zu

$$E_1 = \frac{1}{2}\, \gamma_e\, h^2\, \mathrm{tg}^2 \left(45 - \frac{\varrho}{2}\right) \quad \ldots \ldots \ldots \; 1)$$

und der Erddruck infolge der Auflast p zu

$$E_2 = p\, h\, \mathrm{tg}^2 \left(45 - \frac{\varrho}{2}\right) \quad \ldots \ldots \ldots \; 2)$$

E_1 wird dargestellt durch das Dreieck ABC (Abb. 148) und greift in der Höhe
$\frac{h}{3}$ von unten an, E_2 durch das Rechteck $BB'CD$ und greift in $\frac{h}{2}$ an.

Bezieht man die Auflast auf Erde, trägt man also zur Höhe h noch $p' = \frac{1{,}0}{\gamma_e}\, p$
hinzu, so muß C', der Schnittpunkt von AC und $B'D$, auf einer Wagerechten in der
Höhe p' über der Oberfläche liegen. Für gewöhnliche Fälle kann man setzen $\varrho = 37^{\circ}$
(trockene Dammerde).

Mit diesem Wert ist

$$E_1 = \frac{1}{8}\, \gamma_e\, h^2 \quad \ldots \ldots \ldots \; 3)$$

$$E_2 = \frac{1}{4}\, p\, h \quad \ldots \ldots \ldots \; 4)$$

Man erhält hiernach, ohne Berücksichtigung der Auflast, das Erddruckdreieck, indem
man die Grundlinie $AB = \frac{1}{4}\, h$ annimmt, denn dann ist $E_1 = \frac{1}{4}\, h\, \frac{h}{2}\, \gamma_e = \frac{1}{8}\, \gamma_e h^2$.

Mit Berücksichtigung der Auflast ist dementsprechend die Strecke $AB' = \frac{1}{4}\,(h + p')$
zu machen.

Liegt der ungünstigere Fall der nassen Dammerde vor, dann erhält man mit
$\varrho = 30^{\circ}$

$$E_1 = \frac{1}{6}\, \gamma_e h^2 \quad \ldots \ldots \ldots \; 5)$$

$$E_2 = \frac{1}{3}\, p h \quad \ldots \ldots \ldots \; 6)$$

und man hat die Grundlinie des Erddruckdreiecks gleich $^1/_3$ der Höhe zu machen.

Einem bestimmten Gewölbeteil mn (Abb. 148) innerhalb eines lotrechten Belastungsstreifens entspricht das schraffierte Trapez des Erddruckdreiecks; der Angriffspunkt kann in halber Höhe des wagerechten Belastungsstreifens angenommen werden.
Die Mittelkraft R der beiden Lasten E und Q stellt die dem Bogen mn entsprechende
gesamte ständige Belastung dar.

Für die Widerlager ist unter Umständen auch noch Wasserdruck in Rechnung zu
stellen. Die Größe desselben ergibt sich aus Formel 1), wenn man $\gamma = 1$ und $\varrho = 0$
setzt, zu

Abb. 149.

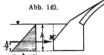

$$W = \frac{1}{2}\, h^2 \quad \ldots \ldots \ldots \; 7)$$

Der Wasserdruck auf eine lotrechte Wand von der Höhe h
wird somit durch ein gleichschenkliges Dreieck (Abb. 149),
dessen Grundlinie gleich der Höhe ist, dargestellt.

Bei Brücken mit Sparöffnungen darf das Eigengewicht der Fahrbahnplatte als
gleichmäßige Last angenommen werden; desgleichen das Eigengewicht des Gewölbes,

für welches man eine mittlere Stärke einführen kann. Ebenso dürfen die Gewichte der Querwände oder Einzelpfeiler, entsprechend einer mittleren Höhe, gleichmäßig auf die Brückenlänge verteilt werden. Man erhält auf diese Weise die Eigengewichtsbelastung für 1 m Brückenlänge, bezw. mit den Feldweiten multipliziert, die Knotenlasten, welche als Einzellasten, in den Pfeilermittellinien wirkend, eingeführt werden können.

2. Verkehrsbelastung.

Die Verkehrsbelastung kann eine gleichmäßige Belastung p sein oder aus Einzellasten (Radlasten) bestehen. Es empfiehlt sich manchmal, die gleichmäßige Belastung p, die in der Regel in kg für 1 m² (kg/m²) angegeben wird, auf eine der ständigen Lasten vom Einheitsgewicht γ zu beziehen und mit dem Eigengewicht zu vereinigen; man erhält dann eine entsprechende Belastungshöhe $p' = \frac{p}{\gamma}$ (S. 424).

Dieser Fall tritt insbesondere ein, wenn Vollbelastung oder einseitige Belastung der Gewölbeuntersuchung zugrunde zu legen ist. Bei Brücken ohne Sparöffnungen verteilen sich Einzellasten infolge der Überschüttung bis Gewölbemitte unter dem Winkel α,

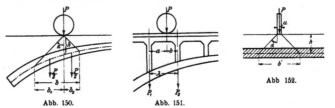

Abb. 152.

Abb. 150.   Abb. 151.

den man gewöhnlich für Erde gleich 30 bis 45°, für Beton gleich 55° setzt; die Verteilungsbreite b ergibt sich am besten zeichnerisch (Abb. 150). Statt der einen Last P führt man dann die beiden Lasten $\frac{P}{2}$, in der Mitte der links und rechts von P liegenden Belastungsbreiten b_1 und b_2 wirkend, ein.

Sind Queröffnungen vorhanden, so verteilt sich die Last P entsprechend den Abständen von den Pfeilermitten; es ist dann (Abb. 151)

$$P_1 = \frac{P \cdot b}{\lambda}$$

$$P_2 = \frac{P \cdot a}{\lambda}.$$

In ähnlicher Weise hat die Verteilung der Einzellast in der Querrichtung zu erfolgen. Ist die Höhe der Fahrbahnoberkante über Gewölbemitte an der betreffenden Stelle h (Abb. 150 u. 152) und die Radbreite a, so ist die Verteilungsbreite

$$b' = a + 2\,h\,\mathrm{tg}\,\alpha$$

für $\alpha = 45°$; $b' = a + 2\,h$,

für 1 m Gewölbebreite ist dann die Einzellast $P' = \frac{P}{b'}$.

Bei Anordnung von Queröffnungen erfolgt die Lastverteilung in entsprechender Weise in der Fahrbahnplatte.

Bezüglich Angaben über die Größe der anzunehmenden gleichmäßigen Verkehrslasten und der Einzellasten (Lastenzüge) sei auf S. 126 u. f. Kap. „Balkenbrücken" verwiesen.

3. Wärmeeinfluß.

Der Wärmeeinfluß ist bei gelenklosen Bogenbrücken größerer Spannweite stets zu untersuchen, da er, insbesondere bei kleinen Pfeilhöhen, sehr beträchtlich sein kann. Für Dreigelenkbogen kommt er nicht in Frage, da eine freie Bewegung des Bogens infolge Anordnung der Gelenke ermöglicht ist. Hierbei ist jedoch für Bewegungsmöglichkeit des Fahrbahnaufbaues durch Einschaltung von bis zur Fahrbahn durchgehenden Fugen über den Gelenken zu sorgen (S. 410 u. f.). Obwohl das Ausdehnungsmaß von Beton etwa das gleiche wie für Eisen ist, ist doch der Einfluß der Wärme auf Beton wesentlich geringer, da er als schlechter Wärmeleiter hauptsächlich außen erwärmt wird, während er im Innern einen wesentlich geringeren Wärmegrad behält. Versuche haben die schlechte Leitungsfähigkeit des Betons bewiesen (vergl. Handbuch IV. Bd., erste Aufl., S. 6). Ferner haben neuere Beobachtungen an Bogenbrücken den geringen Einfluß der Wärme auf die Formänderungen der Bogen bestätigt.[1]

Nach dem Gesagten ist der Wärmeeinfluß bei größeren Querschnittsabmessungen geringer als bei kleineren Abmessungen, da die innersten Teile im ersteren Falle weniger erwärmt werden.

Die Messungen bei der kürzlich vollendeten Walnut-Lane-Brücke in Philadelphia (Abschn. F, Nr. 7) mittels eines elektrischen Thermometers haben für die Wärmeänderungen im Beton einen Spielraum von 24 ° C. ergeben,[2] während die Außenwärme von August 1908 bis Mai 1909 Schwankungen bis 52 ° C. zeigte. Der der Berechnung zugrunde gelegte Wert ± 22 ° C., also ein Spielraum von 44 ° C., war somit reichlich hoch angenommen.[3] Der Eisenbetonausschuß des österreichischen Ingenieur- und Architektenvereins hat einen Spielraum von 40 ° C. für die Wärmeänderungen empfohlen, entsprechend + 25 und − 15 ° C. Im Anschluß hieran schlägt v. Emperger[2] vor, bei mittleren Stärken, größer als 20 cm, für je 10 cm 1 ° C. abzuziehen, so zwar, daß in Frage käme bei einer mittleren Stärke von

$$
\begin{array}{lllll}
20 \text{ cm} & + 25 & - 15\degree \text{ C. entsprechend} & 40\degree \text{ C.} \\
50 \text{ „} \;(3)\!+\!22 & - 12\degree \text{ C.} & \text{„} & 34\degree \text{ C.} \\
100 \text{ „} \;(8)\!+\!17 & - \;\,7\degree \text{ C.} & \text{„} & 24\degree \text{ C.}
\end{array}
$$

Für die statische Untersuchung der Moselbrücke bei Novéant wurde daher mit Rücksicht auf ähnliche Schlußfolgerungen ein Wärmeunterschied von ± 15 ° C. gegenüber der Herstellungswärme, also ein Spielraum von nur 30 ° angenommen. Professor Mörsch hat der Berechnung der Gmündertobelbrücke bei Teufen ± 20 ° C. als Wärmeunterschied zugrunde gelegt. Bei der Walnut-Lane-Brücke wurde, wie bereits erwähnt, mit ± 22 ° C. gerechnet.

II. Berechnung des gelenklosen Gewölbes mittels Stützlinien.[4]

Die Berechnung der Gewölbe mittels Stützlinien beruht auf Lösung der Aufgabe „durch drei in der Fuge der Kämpfer und des Scheitels angenommene Punkte A, B und

---

[1] Die Bogen der großen französischen Brücken in Chatellerault, Imphy, Decize und Pyrimont haben, obwohl sie schon jahrelang im Betrieb sind und obwohl bei der statischen Berechnung der Wärmeeinfluß nicht berücksichtigt wurde, keinerlei Risse gezeigt. (Armierter Beton 1910, S. 6.) Vergl. S. 411.

[2] Beton u. Eisen 1909, S. 380. Vergl. auch den bemerkenswerten Vortrag von v. Emperger über „Temperaturspannungen in Eisenbeton", Zeitschr. d. österr. Ing.- u. Arch.-V. 1909, S. 349 u. 369. — Ferner Österr. Wochenschr. f. d öffentl. Baudienst 1911. S. 38.

[3] Auch die größte gemessene Hebung des Bogenscheitels stimmte mit den für 24 ° C. errechneten Werten ziemlich überein. (Deutsche Bauztg. 1910, S. 41.)

[4] Vergl. Handbuch I. Bd., S. 387. Theorie des Gewölbes usw.

C (Abb. 153) ein Seileck zu legen, welches sich mit einer Reihe gegebener Kräfte im Gleichgewicht hält". Die letzteren sind die im vorigen Abschnitt bestimmten Belastungen des Gewölbes, die Streifengewichte usw., und das Seileck die sogenannte Drucklinie des Gewölbes, die ohne weiteres für die Stützlinie, der Verbindungslinie der Fugenschnittpunkte des Seilecks, gesetzt werden kann.

Die drei Punkte sind so zu wählen, daß die Stützlinie für den betrachteten Belastungsfall auf Grund des Vergleichs mit den Ergebnissen der Elastizitätstheorie die wahrscheinlichste und zugleich ungünstigste Stützlinie darstellt.

Im allgemeinen können folgende Stützlinien gezeichnet werden:[1]

1. Eine Stützlinie für die sogen. „Normalbelastung",[2] d. i. Belastung durch Eigengewicht und Vollbelastung mit der Hälfte der größten Verkehrsbelastung. Diese Stützlinie ist als Mittellinie des Gewölbes anzunehmen, sofern die Gewölbeform nicht durch andere Bedingungen festgelegt ist.

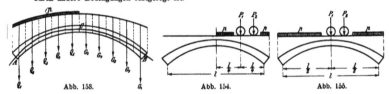

Abb. 153.   Abb. 154.   Abb. 155.

2. Eine Minimalstützlinie für Vollbelastung durch den oberen Drittelpunkt der Scheitelfuge und den unteren Drittelpunkt der Kämpferfugen (Bruchfugen).

3. Eine Stützlinie für Vollbelastung durch den Mittelpunkt der Scheitel- und Kämpferfugen.

4. Eine Minimalstützlinie für einseitige Belastung durch den unteren Drittelpunkt der Kämpferfuge der belasteten Seite, durch den Mittelpunkt der Scheitelfuge und durch den oberen Drittelpunkt der Kämpferfuge der unbelasteten Seite. Für die Belastung der einen Gewölbehälfte ist die größte Verkehrslast zugrunde zu legen, während die andere Gewölbehälfte nur durch Eigengewicht belastet ist (Abb. 153).

5. Eine Stützlinie für einseitige Belastung wie vorher durch den Mittelpunkt der Scheitel- und Kämpferfugen.

Für kleinere und mittlere Spannweiten begnügt man sich mit der Aufzeichnung zweier Stützlinien, und zwar einer Stützlinie wie unter 4. zur Beurteilung des Gewölbes selbst und einer Stützlinie wie unter 3. zur Beurteilung der Standfestigkeit der Widerlager.

Wird eine Dampfwalze der Berechnung zugrunde gelegt, so wird sie bei einseitiger Belastung in der Regel so aufgestellt, daß die Walze P_1, die die schwereren Lasten ergibt, in $\frac{l}{4}$ zu stehen kommt (Abb. 154) oder daß Mitte Abstand der Walzen in $\frac{l}{4}$ liegt.

Bei Vollbelastung wird die schwerere Walze im Scheitel aufgestellt (Abb. 155). Der übrige Teil der Brücke wird in beiden Fällen mit Menschenlast p besetzt gedacht.

---

[1] Handbuch d. Ing.-Wiss. II. Teil, erster Bd., 4. Aufl. Leipzig 1904, S. 174.
[2] Vergl. Tolkmitt, Leitfaden für das Entwerfen und die Berechnung gewölbter Brücken. 2. Aufl. bearbeitet von A. Laskus. Wilh. Ernst u. Sohn. Berlin 1903, S. 22 u. 39.

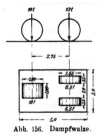

Abb. 156. Dampfwalze.

Die Durchführung der Berechnung im einzelnen möge an den nachfolgenden Beispielen gezeigt werden.

Beispiel 1. Berechnung der Wegeüberführung in km 97,8 + 80 der Strecke Neustettin—Konitz.[1]

1. Allgemeines.

Die Brücke besitzt eine Öffnung von 18,7 m Lichtweite und 4,1 m Pfeilhöhe (Abb. 157).

Die Scheitelstärke ist zu etwa 0,30 m, die Kämpferstärke zu 0,60 m angenommen.

Die vorgeschriebene Belastung besteht in einer Dampfwalze von 23 t Gesamtgewicht nach Abb. 156, außerdem einer gleichmäßig verteilten Menschenlast von 500 kg/m². Die

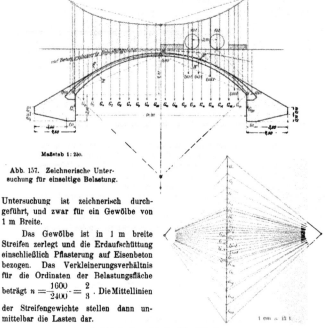

Maßstab 1 : 250.

Abb. 157. Zeichnerische Untersuchung für einseitige Belastung.

Untersuchung ist zeichnerisch durchgeführt, und zwar für ein Gewölbe von 1 m Breite.

Das Gewölbe ist in 1 m breite Streifen zerlegt und die Erdaufschüttung einschließlich Pflasterung auf Eisenbeton bezogen. Das Verkleinerungsverhältnis für die Ordinaten der Belastungsfläche beträgt $n = \dfrac{1600}{2400} = \dfrac{2}{3}$. Die Mittellinien

der Streifengewichte stellen dann unmittelbar die Lasten dar.

2. Untersuchung für einseitige Belastung.

Die linke Gewölbehälfte ist nur durch Eigengewicht belastet, während auf der rechten Hälfte die Dampfwalze aufgestellt ist, und zwar so, daß Mitte Achsstand mit

[1] Ausgeführt von der Aktien-Gesellschaft für Beton- und Monierbau, Berlin.

Mitte rechter Gewölbehälfte zusammenfällt; vor und hinter der 5 m langen Dampfwalze ist eine Menschenlast von 500 kg/m² aufgebracht. Die Lasten der Vorder- und Hinterräder verteilen sich nach Abb. 158 in der Querrichtung des Gewölbes auf eine Breite von 3,07 m bezw. 6,21 m, so daß auf 1 m Gewölbebreite Lasten von

$$P_1 = \frac{10,0}{3,07} = 3,26 \text{ t}$$

$$\text{und } P_2 = \frac{2 \cdot 6,5}{6,21} = 2,10 \text{ t}$$

kommen; P_1 und P_2 sind nunmehr in der Längs- richtung in je zwei Einzellasten $\frac{P_1}{2} = 1,63$ t und $\frac{P_2}{2} = 1,05$ t zerlegt (Abb. 157).

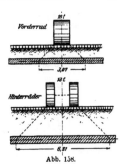

Abb. 158.

Die Stütz- linie ist mittels eines Kräfteplans durch den unteren Kernpunkt auf **der belasteten Seite,** den Mittel- punkt des Schei- telquerschnitts und den oberen Kernpunkt auf der unbelasteten Seite gelegt (Abb. 157). Die

Maßstab 1 : 250.

Abb. 159. Zeichnerische Untersuchung für Voll- belastung.

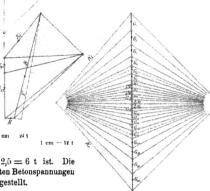

1 cm = 24 t

1 cm = 12 t

Lasten des Kräfteplans er- geben sich durch Abmessen der Mittellinien der auf Eisenbeton bezogenen Strei- fengewichte und Auftragen derselben im Maßstab 1 cm = 12 t, d. h. es sind die halben Mittellinien aufgetra- gen, da für diese 1 cm = 2,4 · 2,5 = 6 t ist. Die **für diesen Belastungsfall** ermittelten Betonspannungen sind in Zahlentafel I zusammengestellt.

Zahlentafel I. Beanspruchungen des Gewölbes bei einseitiger Belastung.

Fuge:	$K = \dfrac{P}{F} \pm \dfrac{M}{W}$	Beanspruchungen oben	unten
I. Kämpfer links	$\dfrac{52\,420}{100\cdot 60} \pm \dfrac{52\,420\cdot 10\cdot 6}{100\cdot 60^2} = 8,74 \pm 8,74 = 17,48$ kg/cm² Druck		0,0 kg/cm² Zug
II. $\dfrac{l}{4}$ links	$\dfrac{38\,210}{100\cdot 46} \pm \dfrac{38\,210\cdot 12\cdot 6}{100\cdot 46^2} = 8,31 \pm 13,00 = 21,31$ kg/cm² Druck		$-$ 4,69 kg/cm² Zug
III. Scheitel	$\dfrac{33\,930}{100\cdot 30} \qquad\qquad = 11,31 \qquad = 11,31$ kg/cm² Druck		
IV. $\dfrac{l}{4}$ rechts	$\dfrac{34\,180}{100\cdot 36} \pm \dfrac{34\,180\cdot 22\cdot 6}{100\cdot 36^2} = 9,50 \pm 34,80 = 44,30$ kg/cm² Druck		$-$ 25,30 kg/cm² Zug
V. Kämpfer rechts	$\dfrac{54\,960}{100\cdot 60} \pm \dfrac{54\,960\cdot 10\cdot 6}{100\cdot 60^1} = 9,16 \pm 9,16 = 0,0$ kg/cm² Zug		18,32 kg/cm² Druck

3. Untersuchung für Vollbelastung.

Die Dampfwalze steht mit dem Vorderrad im Scheitel, vor und hinter derselben befindet sich Menschengedränge von 500 kg/m² (Abb. 159).

Die Lastverteilung in der Querrichtung zeigt Abb. 160. Auf 1 m Gewölbebreite kommen die Lasten

$$P_1 = \frac{10,0}{2,16} = 4,63 \text{ t} \qquad P_2 = \frac{2\cdot 6,5}{3,83} = 3,39 \text{ t}$$

die in der Längsrichtung in je zwei Einzellasten $\dfrac{P_1}{2} = 2,32$ t und $\dfrac{P_2}{2} = 1,70$ t zerlegt sind (Abb. 159).

Abb. 160.

Die Stützlinie ist durch die Mittelpunkte der Scheitel- und Kämpferfugen gelegt; den zugehörigen Kräfteplan zeigt Abb. 159. Der Maßstab ist der gleiche wie vorher.

Die sich ergebenden Betonspannungen sind in Zahlentafel II zusammengestellt.

Zahlentafel II. Beanspruchungen des Gewölbes bei voller Belastung.

Fuge:	$K = \dfrac{P}{F} \pm \dfrac{M}{W}$	Beanspruchungen oben	unten
I. Kämpfer links	$\dfrac{60\,290}{100\cdot 60} \qquad = 10,05 \qquad = 10,05$ kg/cm² Druck		
II. $\dfrac{l}{4}$ links	$\dfrac{41\,360}{100\cdot 35} \pm \dfrac{41\,360\cdot 8\cdot 6}{100\cdot 35^2} = 11,82 \pm 16,21 = 28,03$ kg/cm² Druck		$-$ 4,39 kg/cm² Zug
III. Scheitel	$\dfrac{39\,840}{100\cdot 30} \qquad = 13,28 \qquad = 13,28$ kg/cm² Druck		
IV. $\dfrac{l}{4}$ rechts	$\dfrac{40\,900}{100\cdot 32} \pm \dfrac{40\,900\cdot 9\cdot 6}{100\cdot 32^2} = 12,78 \pm 21,57 = -8,79$ kg/cm² Zug		34,35 kg/cm² Druck
V. Kämpfer rechts	$\dfrac{60\,290}{100\cdot 60} \qquad = 10,05 \qquad = 10,05$ kg/cm² Druck		

4. Bestimmung der Eiseneinlagen.[1])

Die Eiseneinlagen sind angenähert aus den Spannungsflächen ermittelt.

a) Untere Eiseneinlage.

Die größte Zugbeanspruchung unten tritt bei einseitiger Belastung nach Zahlentafel I in $\frac{l}{4}$ rechts auf und beträgt

$$\sigma = 25{,}30 \text{ kg/cm}^2.$$

Der erforderliche Eisenquerschnitt ist somit nach Abb. 161 mit $\sigma_e = 1000$ kg/cm^2

$$f_e = \frac{x \cdot 25{,}30 \cdot 100}{2 \cdot 1000} = \frac{18 \cdot 25{,}30 \cdot 25{,}30 \cdot 100}{34{,}80 \cdot 2 \cdot 1000} = 16{,}6 \text{ cm}^2.$$

Gewählt als untere Eiseneinlage 15 Stäbe 12 mm Durchm. mit $f_e = 16{,}95$ cm^2.

b) Obere Eiseneinlage.

Die größte Zugbeanspruchung oben tritt nach Zahlentafel II bei Vollbelastung in $\frac{l}{4}$ rechts auf und beträgt $\sigma = 8{,}79$ kg/cm^2.

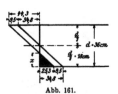

Abb. 161.

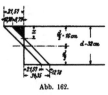

Abb. 162.

Der erforderliche Eisenquerschnitt ist somit nach Abb. 162

$$f_e = \frac{x \cdot 8{,}79 \cdot 100}{2 \cdot 1000} = \frac{16 \cdot 8{,}79 \cdot 8{,}79 \cdot 100}{21{,}57 \cdot 2 \cdot 1000} = 2{,}9 \text{ cm}^2.$$

Gewählt als obere Eiseneinlage 10 Stäbe 10 mm Durchm. mit $f_e = 7{,}90$ cm^2. Als Verteilungsstäbe sind Rundeisen von 7 mm Durchm. angenommen, und zwar im Scheitel in Entfernungen von 10 cm, nach den Kämpfern hin bis 30 cm zunehmend.

5. Beanspruchung des Baugrundes (am linken Widerlager).

Der Erddruck beträgt

$$E = \gamma_e \cdot \frac{h^2}{8} = \frac{1{,}6 \cdot 6{,}85^2}{8} = 9{,}38 \text{ t}.$$

Die Zusammensetzung des Kämpferdrucks K_3 mit den Eigengewichtslasten und dem Erddruck (Abb. 159) ergibt die zur Sohle senkrecht stehende Seitenkraft der Mittelkraft R

$$V = 111{,}0 \text{ t und ihre Abweichung } e = 15 \text{ cm}.$$

Die Bodenpressung ist daher

$$\sigma = \frac{111\,000}{100 \cdot 450} \left(1 \pm \frac{6 \cdot 15}{450} \right)$$
$$\sigma_1 = 3{,}0 \text{ kg/cm}^2 \text{ (Druck innen)}$$
$$\sigma_2 = 2{,}0 \text{ kg/cm}^2 \text{ (Druck außen)}.$$

---

[1]) Das hier gewählte Annäherungsverfahren zur Bestimmung der Eiseneinlagen liefert einen zu großen Eisenquerschnitt und ist nur bei kleineren Wegebrücken, wo geringe Verkehrslasten in Frage kommen, zu empfehlen. Man bestimmt daher in der Regel die Lage der Nullinie aus der bekannten kubischen Gleichung (s. ministerielle Bestimmungen) durch Versuch und ermittelt dann die Beanspruchungen im Beton und in den Eiseneinlagen aus den Spannungsfiguren.

Beispiel 2. Berechnung der Eisenbahnbrücke
über die Ulster.[1]
1. Allgemeines.

Das Anschlußgleis der Gewerkschaft Sachsen-
Weimar schneidet die Ulster in km 7,0 + 83
und wird auf einem massiven Bauwerk über den
Fluß geführt. Die Brücke besitzt drei Öffnungen
und hat eine Gesamtlänge von 70 m und eine
Breite von 4,50 m zwischen den Geländern,
während das Gewölbe selbst nur 3 m breit ist.

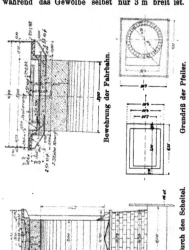

Bewehrung der Fahrbahn. Grundriß der Pfeiler. Querschnitt durch den Scheitel.

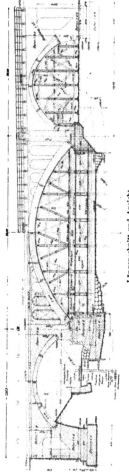

Längenschnitt und Ansicht.

Abb. 163. Allgemeine Anordnung der Brücke über die Ulster.

Die Entfernung der Strompfeiler beträgt von
Mitte zu Mitte 30 m (Abb. 163). Die Pfeiler
sind zwischen Spundwänden fundiert und besitzen
im unteren Teile eine Werksteinverkleidung,
während die eigentliche Brücke, mit Ausnahme
der Fahrbahn, die Eiseneinlagen besitzt, aus
reinem Beton hergestellt ist. Das normalspurige Gleis, welches eine Vollbahn aufnimmt,
hat eine Steigung von 1 : 50. Entsprechend der

----
[1] Beton u. Eisen 1910, S. 29.

Steigung sind die beiden Seitenöffnungen ungleich ausgebildet, indem das linke Seitengewölbe eine lichte Weite von 12,30 m, eine Pfeilhöhe von 3,24 m und das rechte

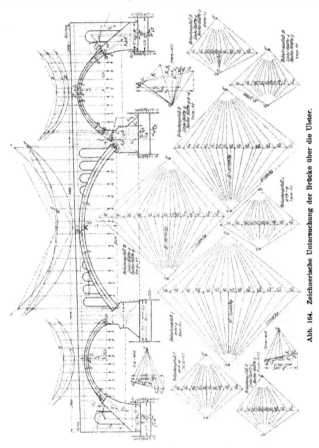

Abb. 164. Zeichnerische Untersuchung der Brücke über die Ulster.

eine lichte Weite von 12,90 m und eine Pfeilhöhe von 4,16 m besitzt. Die statische
Untersuchung, die zeichnerisch durchgeführt ist (vergl. Abb. 164), mußte demnach auf
beide Seitenöffnungen ausgedehnt werden.

Als Verkehrslast ist der Berechnung die Lokomotive des preußischen Lastenzuges, wie er in den Belastungsvorschriften vom 1. Mai 1903 angegeben ist, zugrunde gelegt (Abb. 165).

Das Gesamtgewicht derselben beträgt
$$5 \cdot 17 + 3 \cdot 13 = 124 \text{ t.}$$
Die Belastungsfläche ist
$$18,0 \cdot 3,0 = 54,0 \text{ m}^2.$$
Somit ist der Belastungsgleichwert
$$p = \frac{124}{54} = 2,3 \text{ t/m}^2.$$

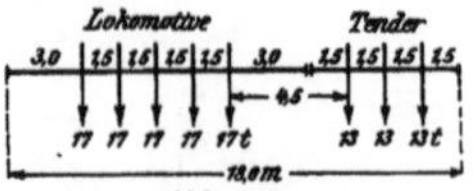

Abb. 165.

Das Eigengewicht der eigentlichen Fahrbahn ergibt sich wie folgt:

Schienen samt Unterlagsplatten . . . . $= \quad 100 \text{ kg}$

Schwellen $1,2 \, (0,24 \cdot 0,16 \cdot 2,5 \cdot 650)$ . . . . . $= \quad 75$ „

Kies $\left(\dfrac{0,3 \cdot 0,4}{2} \cdot 1,5 \cdot 2 - 1,2 \cdot 0,24 \cdot 0,16 \cdot 2,5 \right) \cdot 1800 = 1683$ „

Eisenbeton $\dfrac{0,4 + 0,3}{2} \cdot 1,5 \cdot 2 \cdot 2400$ . . . . . . $= 2520$ „

$2 \, (1,45 \cdot 0,2 \cdot 1,0) \cdot 2400$ . . . . . . $= 1390$ „

$2 \left(\dfrac{0,55 + 0,25}{2} \cdot 0,7 \cdot 0,3 \right) \cdot \dfrac{1}{2} \cdot 2400$ . . $= \quad 202$ „

Geländer . . . . $\underline{\quad\quad 30}$ „

$\overline{\quad\quad 6000 \text{ kg.}}$

Auf 1 m² Brückenbahn entfällt somit
$$g = \frac{6000}{3} = 2000 \text{ kg.}$$

2. Untersuchung der Mittelöffnung.

Der ganze Bogen ist, der durch die Spargewölbe gegebenen Teilung entsprechend, in 12 mittlere Felder von je 2,12 m und 2 seitliche von 1,53 m Breite zerlegt.

Die Eigengewichte der einzelnen Felder ergeben sich zu:

$$G_1 = \left(1,53 \cdot 6,00 - \frac{3,7 + 3,1}{2} \cdot 0,76 - \frac{1,52^2}{4} \cdot \pi \cdot \frac{1}{4} \right) \cdot 2200 + 1,53 \cdot 2000 \;. = 16560 \text{kg}$$

$$G_2 = \left(\frac{5,7 + 4,1}{2} \cdot 2,12 - \left[\frac{3,1 + 2,6}{2} + \frac{2,2 + 1,7}{2} \right] \cdot 0,76 - \frac{1}{2} \cdot \frac{1,52^2 \cdot \pi}{4} \right) \cdot 2200$$
$$+ \, 2,12 \cdot 2000 = 17060 \text{ „}$$

$$G_3 = \left(\frac{4,1 + 2,9}{2} \cdot 2,12 - \left[\frac{1,75 + 1,35}{2} + \frac{1,0 + 0,6}{2} \right] \cdot 0,76 - \frac{1}{2} \cdot \frac{1,52^2 \cdot \pi}{4} \right) \cdot 2200$$
$$+ \, 2,12 \cdot 2000 = 14620 \text{ „}$$

$$G_4 = \left(\frac{2,9 + 2,0}{2} \cdot 2,12 - \left[\frac{0,6 + 0,3}{2} \cdot 0,76 \right] - \frac{1}{2} \cdot \frac{1,52^2 \cdot \pi}{4} \right) \cdot 2200 + 2,12 \cdot 2000 \;. = 12910 \text{ „}$$

$$G_5 = \left(\frac{2,0 + 1,3}{2} \cdot 2,12 - \frac{1,52^2 \cdot \pi}{4} \cdot \frac{1}{4} \right) \cdot 2200 + 2,12 \cdot 2000 \; . \; . \; . \; . \; . = 10980 \text{ „}$$

$$G_6 = \frac{1,3 + 1,0}{2} \cdot 2,12 \cdot 2200 + 2,12 \cdot 2000 \; . \; . \; . \; . \; . \; . \; . \; . = 9600 \text{ „}$$

$$G_7 = \frac{1,0 + 0,9}{2} \cdot 2,12 \cdot 2200 + 2,12 \cdot 2000 \; . \; . \; . \; . \; . \; . \; . = 8670 \text{ „}$$

$$G_8 = \frac{0,9 + 1,1}{2} \cdot 2,12 \cdot 2200 + 2,12 \cdot 2000 \; . \; . \; . \; . \; . \; . \; . = 8900 \text{ „}$$

$$G_9 = \frac{1,1 + 1,5}{2} \cdot 2,12 \cdot 2200 + 2,12 \cdot 2000 \ldots \ldots \ldots \ldots = 10300 \,.$$

$$G_{10} = \left(\frac{1,5 + 2,2}{2} \cdot 2,12 - \frac{1,52^2 \cdot \pi}{4} \cdot \frac{1}{4} \right) \cdot 2200 + 2,12 \cdot 2000 \ldots \ldots = 11870 \,.$$

$$G_{11} = \left(\frac{2,2 + 3,2}{2} \cdot 2,12 - \left[\frac{0,3}{2} + \frac{0,6 + 0,9}{2} \right] \cdot 0,76 - \frac{1}{2} \cdot \frac{1,52^2 \cdot \pi}{4} \right) \cdot 2200$$
$$+ 2,12 \cdot 2000 = 13330 \,.$$

$$G_{12} = \left(\frac{3,2 + 4,5}{2} \cdot 2,12 - \left[\frac{0,9 + 1,3}{2} + \frac{1,7 + 2,1}{2} \right] \cdot 0,76 - \frac{1}{2} \cdot \frac{1,52^2 \cdot \pi}{4} \right) \cdot 2200$$
$$+ 2,12 \cdot 2000 = 15180 \,.$$

$$G_{13} = \left(\frac{4,5 + 6,3}{2} \cdot 2,12 - \left[\frac{2,15 + 2,65}{2} + \frac{3,1 + 3,7}{2} \right] \cdot 0,76 - \frac{1}{2} \cdot \frac{1,52^2 \cdot \pi}{4} \right) \cdot 2200$$
$$+ 2,12 \cdot 2000 = 17480 \,.$$

$$G_{14} = \left(1,53 \cdot 6,5 - \frac{4,7 + 3,8}{2} \cdot 0,76 - \frac{1}{4} \cdot \frac{1,52^2 \cdot \pi}{4} \right) \cdot 2200 + 1,53 \cdot 2000 \,. \ . = 17080 \,.$$

Für Eigengewicht und Verkehrslast erhält man:

$$
\begin{aligned}
Q_1 &= 16560 + 1,53 \cdot 2300 = 20080 \text{ kg} \\
Q_2 &= 17060 + 2,12 \cdot 2300 = 21940 \ \text{„} \\
Q_3 &= 14620 + 4880 \qquad\quad = 19500 \ \text{„} \\
Q_4 &= 12910 + 4880 \qquad\quad = 17790 \ \text{„} \\
Q_5 &= 10980 + 4880 \qquad\quad = 15860 \ \text{„} \\
Q_6 &= \ 9600 + 4880 \qquad\quad = 14480 \ \text{„} \\
Q_7 &= \ 8670 + 4880 \qquad\quad = 13550 \ \text{„} \\
Q_8 &= \ 8900 + 4880 \qquad\quad = 13780 \ \text{„} \\
Q_9 &= 10300 + 4880 \qquad\quad = 15180 \ \text{„} \\
Q_{10} &= 11870 + 4880 \qquad\quad = 16750 \ \text{„} \\
Q_{11} &= 13330 + 4880 \qquad\quad = 18210 \ \text{„} \\
Q_{12} &= 15180 + 4880 \qquad\quad = 20060 \ \text{„} \\
Q_{13} &= 17480 + 4880 \qquad\quad = 22360 \ \text{„} \\
Q_{14} &= 17080 + 3520 \qquad\quad = 20600 \ \text{„}
\end{aligned}
$$

Es wurden für Eigengewicht und Verkehrslast auf der linken bezw. rechten Hälfte die Drucklinien gezeichnet, und zwar auf der belasteten Seite durch den unteren, auf der unbelasteten Seite durch den oberen Drittelpunkt (Kernpunkt) der Fuge (Belastungsfälle II und III, Abb. 164).

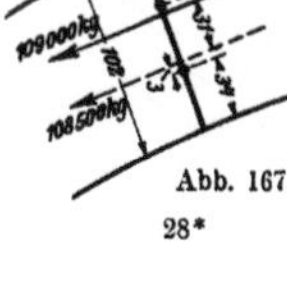

Hiernach ergeben sich folgende Spannungen:

Kämpferfugen I und V (Abb. 166)

$$N = 161000 \text{ kg}$$

$$\sigma_{max} = \frac{2 \cdot 161000}{125 \cdot 100} = 25,8 \text{ kg cm}^2$$

$$\sigma_{min} = 0.$$

Abb. 166.

Fugen II und IV (Abb. 167)

$$N = 109000 \text{ kg}, \qquad \eta_u = 31 \text{ cm}$$

$$\sigma_o = \frac{6 \cdot N \cdot \eta_u}{d^2} = \frac{6 \cdot 109000 \cdot 31}{102^2 \cdot 100} = 19,5 \text{ kg/cm}^2$$

$$\sigma_u = -\frac{6 \cdot N \cdot \eta_o}{d^2} = -\frac{6 \cdot 109000 \cdot 3}{102^2 \cdot 100} = 1,9 \text{ kg/cm}^2.$$

Abb. 167.

28*

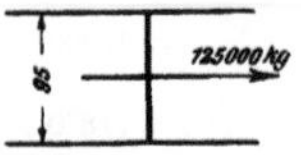

Scheitelfuge III (Abb. 168)

$H_{max} = 125000$ kg

$$\sigma = \frac{125000}{95 \cdot 100} = 13,2 \text{ kg/cm}^2.$$

Abb. 168.

3. Untersuchung der linken Seitenöffnung.

Spannweite des Gewölbes $\qquad l = 12,30$ m

Pfeilhöhe $\qquad\qquad\qquad f = 3,25$ m

$\qquad\qquad\qquad\qquad\quad g = 2,0$ t/m²

$\qquad\qquad\qquad\qquad\quad p = 2,3$ t/m².

Der Bogen ist in 10 Felder von je 1,39 m Breite geteilt, ihre Gewichte ergeben sich wie folgt:

$$G_1 = 3,9 \cdot 1,39 \cdot 2200 + 1,39 \cdot 2000 = 14710 \text{ kg}$$

$$G_2 = \frac{3,3 + 2,1}{2} \cdot 1,39 \cdot 2200 + 2780 = 11040 \text{ ,,}$$

$$G_3 = \frac{2,1 + 1,4}{2} \cdot 1,39 \cdot 2200 + 2780 = 8130 \text{ ,,}$$

$$G_4 = \frac{1,4 + 1,0}{2} \cdot 1,39 \cdot 2200 + 2780 = 6450 \text{ ,,}$$

$$G_5 = \frac{1,0 + 0,9}{2} \cdot 1,39 \cdot 2200 + 2780 = 5690 \text{ ,,}$$

$$G_6 = \frac{0,9 + 1,0}{2} \cdot 1,39 \cdot 2200 + 2780 = 5690 \text{ ,,}$$

$$G_7 = \frac{1,0 + 1,5}{2} \cdot 1,39 \cdot 2200 + 2780 = 6600 \text{ ,,}$$

$$G_8 = \frac{1,5 + 2,2}{2} \cdot 1,39 \cdot 2200 + 2780 = 8440 \text{ ,,}$$

$$G_9 = \frac{2,2 + 3,4}{2} \cdot 1,39 \cdot 2200 + 2780 = 11340 \text{ ,,}$$

$$G_{10} = 4,1 \cdot 1,39 \cdot 2200 + 2780 = 15320 \text{ ,,}$$

Für Eigengewicht und Verkehrslast erhält man:

$$Q_1 = 14710 + 1,39 \cdot 2300 = 17910 \text{ kg}$$
$$Q_2 = 11040 + 3200 = 14240 \text{ ,,}$$
$$Q_3 = 8130 + 3200 = 11330 \text{ ,,}$$
$$Q_4 = 6450 + 3200 = 9650 \text{ ,,}$$
$$Q_5 = 5690 + 3200 = 8890 \text{ ,,}$$
$$Q_6 = 5690 + 3200 = 8890 \text{ ,,}$$
$$Q_7 = 6600 + 3200 = 9800 \text{ ,,}$$
$$Q_8 = 8440 + 3200 = 11640 \text{ ,,}$$
$$Q_9 = 11340 + 3200 = 14540 \text{ ,,}$$
$$Q_{10} = 15320 + 3200 = 18520 \text{ ,,}$$

Durch Zeichnen der Drucklinien ergeben sich, ähnlich wie bei der Mittelöffnung, folgende Beanspruchungen:

Kämpferfuge I (Abb. 169)

$N = 73500$ kg

$$\sigma_{max} = \frac{2 \cdot 73500}{90 \cdot 100} = 16,4 \text{ kg/cm}^2$$

Abb. 169.

$\sigma_{min} = 0.$

Fuge II (Abb. 170)

$$N = 53000 \text{ kg}; \qquad e_1 = 20 \text{ cm}, \quad e_2 = 9 \text{ cm}$$

$$\sigma_{max} = \frac{6 \cdot 53000 \cdot 20}{87^2 \cdot 100} = 8{,}4 \text{ kg/cm}^2$$

$$\sigma_{min} = \frac{6 \cdot 53000 \cdot 9}{87^2 \cdot 100} = 3{,}8 \text{ kg/cm}^2.$$

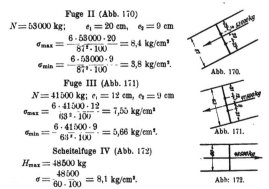

Abb. 170.

Fuge III (Abb. 171)

$$N = 41500 \text{ kg}; \quad e_1 = 12 \text{ cm}, \quad e_2 = 9 \text{ cm}$$

$$\sigma_{max} = \frac{6 \cdot 41500 \cdot 12}{63^2 \cdot 100} = 7{,}55 \text{ kg/cm}^2$$

$$\sigma_{min} = \frac{6 \cdot 41500 \cdot 9}{63^2 \cdot 100} = 5{,}66 \text{ kg/cm}^2.$$

Abb. 171.

Scheitelfuge IV (Abb. 172)

$$H_{max} = 48500 \text{ kg}$$

$$\sigma = \frac{48500}{60 \cdot 100} = 8{,}1 \text{ kg/cm}^2.$$

Abb: 172.

Auf die Wiedergabe der Untersuchung der rechten Seitenöffnung, die in gleicher Weise wie für die linke durchgeführt wurde, kann an dieser Stelle verzichtet werden.

4. Untersuchung der Strompfeiler.

Die Untersuchung ist für den rechten Strompfeiler durchgeführt, und zwar für den Fall, daß jeweilig die linke Hälfte der Mittelöffnung und der rechten Seitenöffnung belastet sind. Für diesen Fall ergibt sich die größte Abweichung der Mittelkraft und somit die ungünstigste Beanspruchung des Pfeilers und Baugrundes.

Die Eigengewichte der einzelnen Teile des Pfeilers ergeben sich zu

$$G_1 = 1{,}6 \cdot 3{,}8 \cdot 7{,}0 \cdot 2200 + 1{,}6 \cdot 3 \cdot 2000 \quad \ldots \ldots \quad = 103\,200 \text{ kg}$$

$$G_2 = 2{,}2 \cdot 0{,}75 \cdot 3{,}0 \cdot 2200 \quad \ldots \ldots \ldots \quad = 10\,890 \text{ „}$$

$$G_3 = \frac{4{,}4^2 \cdot \pi}{4} \cdot 3{,}4 + (3{,}2 \cdot 3{,}0 + 1{,}6 \cdot 0{,}4 \cdot 2) \cdot 2200 \quad \ldots = 123\,270 \text{ „}$$

$$G_4 = \left(\frac{3{,}7 \cdot 4{,}6}{2} + \frac{2{,}2 \cdot 4{,}4}{2} \cdot 2{,}1 - 2{,}1 \cdot \frac{4{,}4^2 \cdot \pi}{4} \cdot \frac{1}{2} \right) \cdot 2200 = 26\,565 \text{ „}$$

$$G_5 = \frac{0{,}8 + 2{,}3}{2} \cdot 2{,}7 \cdot 6{,}0 \cdot 1600 \quad \ldots \ldots \ldots \quad = 40\,180 \text{ „}$$

$$G_6 = 7 \cdot 6 \cdot 2 \cdot 2200 \quad \ldots \ldots \ldots \ldots \quad = 184\,800 \text{ „}$$

$$K_1 = 145\,000 \text{ kg} \qquad K_2 = 76\,000 \text{ kg}.$$

Da die Berechnung der Gewölbe für 1 m Breite durchgeführt ist, so kommt auf das ganze 3 m breite Gewölbe

$$K_1' = 3{,}0 \cdot 145\,000 = 435\,000 \text{ kg} \qquad K_2' = 3{,}0 \cdot 76\,000 = 228\,000 \text{ kg}.$$

Die Größen und Angriffspunkte der Mittelkräfte wurden zeichnerisch ermittelt (Abb. 164).

Fuge I–I.

$$N_1 = 770\,000 \text{ kg} \qquad e = 35 \text{ cm}$$

$$\sigma = \frac{N}{F} \pm \frac{M}{W} = \frac{770\,000}{\left(4{,}5 \cdot 4{,}6 + \frac{2{,}3^2 \cdot \pi}{2} \right) \cdot 100^2} \pm \frac{770\,000 \cdot 35}{35\,000\,000}$$

$$\sigma_1 = 3{,}43 \text{ kg/cm}^2 \qquad \sigma_2 = 1{,}89 \text{ kg/cm}^2.$$

Bodenfuge.
$$N = 990\,000 \text{ kg} \qquad e = 60 \text{ cm.}$$

Die Beanspruchung des Baugrundes wird

$$\sigma = \frac{P}{F} \pm \frac{M}{W} = \frac{990\,000}{700 \cdot 600} \pm \frac{990\,000 \cdot 60}{\frac{1}{6} \cdot 600 \cdot 700^2}$$

$$\sigma_1 = 3{,}57 \text{ kg/cm}^2 \qquad \sigma_2 = 1{,}15 \text{ kg/cm}^2.$$

5. Untersuchung des linken Landwiderlagers.

Bei der Untersuchung der Landwiderlager ist der auf dieselben wirkende Erddruck zugunsten der Sicherheit nicht in Rechnung gestellt worden.

Die Eigengewichte der einzelnen Teile des Widerlagers ergeben sich zu

$$G_1 = \left(\frac{5{,}8 + 2{,}9}{2} \cdot 3 - \frac{3{,}0 + 1{,}7}{2} \cdot 1{,}15 - \frac{1{,}15^2 \cdot \pi}{4}\right) \cdot 3 \cdot 2200 + 3 \cdot 3 \cdot 2000 = 79\,360 \text{ kg}$$

$$G_2 = \left(\frac{8{,}3 + 5{,}8}{2} \cdot 2{,}5 - \frac{4{,}0 + 3{,}0}{2} \cdot 1{,}15 - \frac{1{,}15^2 \cdot \pi}{4}\right) \cdot 3 \cdot 2200 + 2{,}5 \cdot 3 \cdot 2000$$

$$= 97\,500 \text{ „}$$

$$G_3 = \frac{1{,}2 + 4{,}8}{2} \cdot 5{,}0 \cdot 3{,}0 \cdot 2200 \quad \ldots \ldots \ldots \ldots \ldots = 99\,000 \text{ „}$$

$$G_4 = 1{,}4 \cdot 4{,}7 \cdot 3{,}5 \cdot 2200 \quad \ldots \ldots \ldots \ldots \ldots = 50\,700 \text{ „}$$

$$G_5 = 1{,}7 \cdot 4{,}5 \cdot 5{,}75 \cdot 2200 \quad \ldots \ldots \ldots \ldots \ldots = 96\,700 \text{ „}$$

$$K = 3 \cdot 63\,000 = 189\,000 \text{ kg.}$$

Die Größen und Angriffspunkte der Mittelkräfte wurden zeichnerisch ermittelt.

Fuge I - I.
$$N_1 = 468\,300 \text{ kg} \qquad e = 60 \text{ cm}$$

$$\sigma = \frac{P}{F} \pm \frac{M}{W} = \frac{468\,300}{470 \cdot 350} \pm \frac{468\,300 \cdot 60}{\frac{1}{6} \cdot 350 \cdot 470^2}$$

$$\sigma_1 = 5{,}02 \text{ kg/cm}^2 \qquad \sigma_2 = 0{,}68 \text{ kg/cm}^2.$$

Bodenfuge.
$$N = 575\,000 \text{ kg} \qquad e = 50 \text{ cm}$$

$$\sigma = \frac{P}{F} \pm \frac{M}{W} = \frac{575\,000}{575 \cdot 450} \pm \frac{575\,000 \cdot 50}{\frac{1}{6} \cdot 450 \cdot 575^2}$$

$$\sigma_1 = 3{,}38 \text{ kg/cm}^2 \qquad \sigma_2 = 1{,}06 \text{ kg/cm}^2.$$

6. Untersuchung des rechten Landwiderlagers.

Für das rechte Widerlager ergab sich ebenso:

Fuge I—I.
$$N_1 = 483\,300 \text{ kg}; \qquad e = 50 \text{ cm}$$

$$\sigma = \frac{P}{F} \pm \frac{M}{W} = \frac{483\,300}{470 \cdot 50} \pm \frac{483\,300 \cdot 50}{\frac{1}{6} \cdot 350 \cdot 470^2}$$

$$\sigma_1 = 4{,}81 \text{ kg/cm}^2, \quad \sigma_2 = 1{,}07 \text{ kg/cm}^2.$$

$$\text{Bodenfuge.}$$

$$N = 580000 \text{ kg}; \qquad e = 30 \text{ cm}$$

$$\sigma = \frac{580000}{575 \cdot 450} \pm \frac{580000 \cdot 30}{\frac{1}{6} \cdot 450 \cdot 575}$$

$$\sigma_1 = 2{,}94 \text{ kg/cm}^2, \quad \sigma_2 = 1{,}54 \text{ kg/cm}^2.$$

III. Berechnung des gelenklosen Gewölbes als beiderseitig eingespannter elastischer Bogen.

Die Berechnung des Gewölbes als beiderseitig eingespannter elastischer Bogen setzt feste Einspannung an den Kämpfern voraus. Da man mittels der Eiseneinlagen Zugkräfte aufnehmen kann, ist auch bei geeigneter Ausbildung des Eisenbetonbogens eine sichere Einspannung in den Widerlagern leicht zu erzielen.

Die Berechnung erfolgt nach der sogen. Elastizitätstheorie, indem, entsprechend der dreifachen statischen Unbestimmtheit des beiderseitig eingespannten Bogens, von drei Elastizitätsgleichungen ausgegangen wird. Die Grundlagen der Theorie sind im Handbuch I. Bd., Abschn. e behandelt. Im allgemeinen braucht die Elastizitätstheorie nur bei größeren Gewölben (über 20 m) angewendet zu werden, und zwar hauptsächlich in Fällen, wo schwere Einzellasten (Eisenbahnlasten usw.) wirken, während bei kleineren Spannweiten und geringeren Verkehrslasten (Menschengedränge, einzelne Radlasten) die ältere Stützlinienmethode in der Regel genügend genaue Ergebnisse liefert. Die umfangreiche Anwendung der Elastizitätstheorie im Eisenbetonbau hat es mit sich gebracht, daß von verschiedenen Verfassern Berechnungsmethoden entwickelt wurden, die auf möglichst einfachem, meist zeichnerischem Wege, die drei Formänderungsgleichungen lösen. Die sogen. statisch unbestimmten Größen ergeben sich in Form von Einflußlinien.

Eine einfache und übersichtliche Berechnungsmethode gibt Mörsch;[1] sie hat sich in neuerer Zeit sehr eingebürgert und soll an einem Beispiel vorgeführt werden.

Beispiel 3. Berechnung der Wegeüberführung in km 85,692 der Strecke Neuekrug—Langelsheim—Goslar.[2]

1. Allgemeines.

Das Gewölbe ist als eingespannter Eisenbetonbogen ausgebildet und, wie bereits erwähnt, nach dem Verfahren von Mörsch berechnet worden.

Als Belastung ist zur Ermittlung der Größtspannungen im Gewölbe eine Dampfwalze von 23 t Dienstgewicht und 2,75 m Achsabstand, zur Ermittlung der Bodenpressungen eine gleichmäßige volle Belastung (Wagen und Menschengedränge) von 550 kg/m² angenommen.

Nach den „Vorläufigen Bestimmungen für das Entwerfen und die Ausführung von Ingenieurbauten in Eisenbeton im Bezirke der Eisenbahndirektion Berlin",[3] die der Berechnung zugrunde zu legen waren, ist folgendes festgesetzt worden:

Das Elastizitätsmaß des Eisens ist zu dem Zehnfachen von dem des Betons angenommen.

Die Spannungen im Querschnitt des auf Biegung beanspruchten Körpers sind unter der Annahme berechnet, daß sich die Ausdehnungen und die Spannungen wie die Abstände von der Nullinie verhalten und daß

---

[1] Schweiz. Baustg. 1906, Bd. XLVII, Nr. 7 u. 8, auch als Sonderabdruck erschienen, Zürich 1907; ferner Beton-Kalender 1912, II. Teil. S. 284.

[2] Ausgeführt von der Aktiengesellschaft für Beton- und Monierbau, Berlin.

[3] Zentralbl. d. Bauverw. 1906, S. 227; ferner Beton-Kalender 1912, I. Teil, S. 305.

a) die Eiseneinlagen sämtliche Zugkräfte aufzunehmen vermögen und daß
b) der Beton auch an der Aufnahme der Zugkräfte sich voll beteiligt.

Die zulässigen Spannungen bei den auf Biegung beanspruchten Bauteilen sind:

Druckspannung des Betons . . . . $= 60 \text{ kg/cm}^2$

Zugspannung des Betons $=$ der Hälfte der Zugfestigkeit $= \dfrac{30}{2} = 15$ „

Zug- und Druckspannung des Flußeisens . . . . $= 1000$ „

2. Bestimmung der Einflußlinien der drei statisch unbestimmten Größen H, Γ und M.

Der nach der Elastizitätstheorie zu untersuchende Bogen ist in $2 \cdot 9 = 18$ Teile von gleicher Länge $s = 1$ m zerlegt (Abb. 173).

Für einen Bogen von gleichbleibender Breite $b = 1$ m sind die mittleren Höhen h, Querschnitte F, Trägheitsmomente J und elastische Gewichte $w = \dfrac{s}{J}$ in der nachfolgenden Zahlentafel zusammengestellt. Wegen der Symmetrie des Bogens genügt die Zusammenstellung einer Hälfte. Es ist zu setzen

$$F = b \cdot h + (n-1)\, 2 f_e$$
$$J = \frac{b h^3}{12} + (n-1)\, 2 f_e \left(\frac{h}{2} - a \right)^2,$$

ferner ist oben und unten angenommen

$$f_e = \text{rd. } 0{,}0005 \text{ m}^2 \text{ (10 Stäbe 8 mm Durchm.)},$$

außerdem ist

$$b = 1{,}00 \text{ m} \qquad a = 0{,}03 \text{ m} \qquad n = 10.$$

Querschnitt	Höhe h m	Eisenbeton-querschnitt F m²	Trägheits-moment J m⁴	$w = \dfrac{s}{J}$	$\dfrac{s}{F}$
I	0,65	0,659	0,023 668	42	1,517
II	0,58	0,589	0,016 867	59	1,698
III	0,53	0,539	0,012 903	78	1,855
IV	0,48	0,489	0,009 613	104	2,045
V	0,44	0,449	0,007 434	134	2,227
VI	0,41	0,419	0,006 019	166	2,387
VII	0,38	0,389	0,004 803	208	2,571
VIII	0,35	0,359	0,003 762	266	2,786
IX	0,33	0,339	0,003 159	317	2,950

$$\frac{1}{2} \, \Sigma w = 1374; \quad \frac{1}{2} \, \Sigma \frac{s}{F} = 20{,}036$$

Entfernung der Schwerachse x-x, der w-Gewichte vom Scheitelmittelpunkt, vergl. Kräftepläne 1 und 1' (Abb. 173). Die lotrechte Schwerachse y—y der w-Gewichte fällt mit der Scheitellotrechten zusammen. Die statischen Momente $w_y = w \cdot y$ und $w_x = w \cdot x$ der elastischen Gewichte w, auf die x—x- bezw. y—y-Achse bezogen, ergeben sich wie folgt:

$$w_{y_1} = -42\,(3{,}190 - 0{,}60) = -108{,}78$$
$$w_{y_2} = -59\,(2{,}465 - 0{,}60) = -110{,}04$$
$$w_{y_3} = -78\,(1{,}825 - 0{,}60) = -95{,}55$$
$$w_{y_4} = -104\,(1{,}28 - 0{,}60) = -70{,}72$$

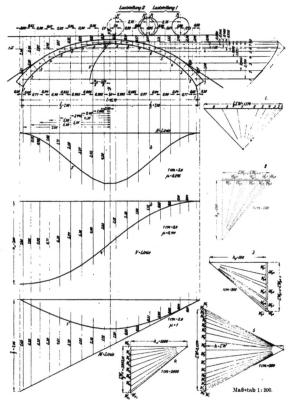

Abb. 173. Untersuchung eines Gewölbes nach der Elastizitätstheorie (Mörsch'sches Verfahren).

$$w_{y_1} = -134\,(0{,}835 - 0{,}60) = -31{,}49$$
$$w_{y_3} = 166\,(0{,}60 - 0{,}495) = 17{,}43$$
$$w_{y_7} = 208\,(0{,}60 - 0{,}245) = 73{,}84$$
$$w_{y_5} = 266\,(0{,}60 - 0{,}08) = 138{,}32$$
$$w_{y_9} = 317\,(0{,}60 - 0) = 190{,}20$$
$$\left.\begin{array}{l}\Sigma w_{y_{1-5}} = -416{,}58\\[2pt]\Sigma w_{y_{5-9}} = 419{,}79\end{array}\right\}\text{ rd. 0.}$$

Durch Zeichnen des Kraftecks 2 und des Seilecks 2' erhält man
$$\Sigma y \cdot w_y = n_y \cdot h \, .$$

Zu den Größen w_y ist nun mit gleicher Polweite h_y das Krafteck 3 und das zugehörige Seileck 3' gezeichnet. Der Horizontalschub H für eine wandernde Last $P = 1$ ist dann, wenn b eine Ordinate unter der Last im Seileck 3' bezeichnet,

$$H = \frac{b \cdot h_y}{n_y h_y + \Sigma \frac{s}{F}} = \frac{b}{n_y + \frac{1}{h_y} \Sigma \frac{s}{F}}$$

Das Seileck 3' stellt also unmittelbar die Einflußlinie für den Horizontalschub H dar mit dem Multiplikator

$$\mu_H = \frac{1 \cdot}{n_y + \frac{1}{h_y} \Sigma \frac{s}{F}}.$$

Nach der vorangehenden Zahlentafel ist

$$\frac{1}{2} \Sigma \frac{s}{F} = 20{,}036 \text{ oder } \Sigma \frac{s}{F} = 40{,}072.$$

Somit ist

$$\mu_H = \frac{1}{3{,}54 + \frac{1}{500} \cdot 40{,}072} = 0{,}276.$$

Ebenso werden die statischen Momente $w_x = w \cdot x$ berechnet:

$$\begin{aligned}
w_{x_1} &= \;\;42 \cdot 7{,}58 \;\; = 318{,}36 \\
w_{x_2} &= \;\;59 \cdot 6{,}89 \;\; = 406{,}51 \\
w_{x_3} &= \;\;78 \cdot 6{,}12 \;\; = 477{,}36 \\
w_{x_4} &= 104 \cdot 5{,}28 \;\; = 549{,}12 \\
w_{x_5} &= 134 \cdot 4{,}38 \;\; = 586{,}92 \\
w_{x_6} &= 166 \cdot 3{,}445 = 571{,}87 \\
w_{x_7} &= 208 \cdot 2{,}48 \;\; = 515{,}84 \\
w_{x_8} &= 266 \cdot 1{,}495 = 397{,}67 \\
w_{x_9} &= 317 \cdot 0{,}50 \;\; = 158{,}50 \\
\hline
& \text{Summe } 3982{,}15
\end{aligned}$$

Hierzu ist Kraft- und Seileck 4 und 4' gezeichnet, und man erhält
$$\Sigma x \cdot w_x = n_x \cdot h_x.$$

Für eine wandernde Last $P = 1$ ist nun, wenn b eine Ordinate unter der Last bezeichnet, die lotrechte Kämpferkraft

$$V = \frac{b \, h_x}{n_x \cdot h_x} = \frac{b}{n_x}.$$

Seileck 4' stellt somit die Einflußlinie für V dar, mit dem Multiplikator

$$\mu_V = \frac{1}{n_x} = \frac{1}{7{,}08} = 0{,}141.$$

Zeichnet man zu den elastischen Gewichten w das Krafteck 5 mit der Polweite $h = \Sigma w$ und das zugehörige Seileck 5', so ist

$$M = \frac{b \cdot \Sigma w}{\Sigma w} = b.$$

Seileck 5' ist also die Einflußlinie für das Kämpfermoment M.

8. Berechnung der Momente.

Sind die drei statisch unbestimmten Größen H, V und M bekannt, so ergibt sich das Moment M_x für einen beliebigen Bogenquerschnitt mit den Schwerpunktkoordinaten x

und y aus der Gleichung $M_x = M_o + M - H \cdot y - V \cdot x$, wo M_o das Moment der äußeren Kräfte links vom betrachteten Schnitt in bezug auf dessen Schwerpunkt bedeutet.

Die ständige Belastung, also Gewölbe mit Überschüttung, ist zur Erhöhung der Übersichtlichkeit der Berechnung derart in lotrechte Streifen zerlegt, daß ihre Gewichte mit denen der w - Gewichte zusammenfallen.

Es sind die beiden Laststellungen I und II (Abb. 173) untersucht worden. In diesen verteilen sich die Raddrücke der Dampfwalze nach Abb. 174 quer zum Gewölbe auf die Breiten

$$\begin{cases} b_1 = 2,68 \text{ m} \\ b_1' = 1,77 \text{ m} \end{cases} \text{bezw.} \begin{cases} b_2 = 6,30 \text{ m} \\ b_2' = 3,59 \text{ m} \end{cases}$$

Somit ist für 1 m Gewölbebreite

$$P_1 = \frac{10}{2,68} = 3,73 \text{ t} \qquad P_2 = \frac{13}{6,30} = 2,06 \text{ t}$$

$$P_1' = \frac{10}{1,77} = 5,65 \text{ t} \qquad P_2' = \frac{13}{3,59} = 3,62 \text{ t}$$

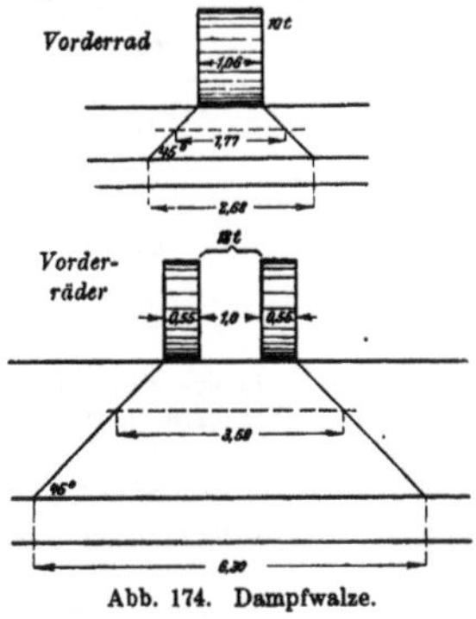

Abb. 174. Dampfwalze.

a) Laststellung I.

Für die Druckverteilung in der Längsrichtung wurde der Einfachheit und zugleich Sicherheit wegen die Annahme gemacht, daß sich die Last des Vorderrades auf 1 Laststreifen und die der Hinterräder auf 2 Laststreifen verteilt. Es ergeben sich demnach folgende Streifengewichte:

$$G_1 = \overline{1,0 \cdot 0,65 \cdot 2,4}^{1,56} + (0,27 \cdot 2,4 + 2,90 \cdot 1,8) \cdot 0,62 = 5,20 \text{ t}$$

$$G_2 = \overline{1,0 \cdot 0,58 \cdot 2,4}^{1,39} + (0,08 \cdot 2,4 + 2,46 \cdot 1,8) \cdot 0,73 = 4,76 \text{ „}$$

$$G_3 = \overline{1,0 \cdot 0,53 \cdot 2,4}^{1,27} + 1,97 \cdot 0,80 \cdot 1,8 \quad . \ . \ . \ . = 4,11 \text{ „}$$

$$G_4 = \overline{1,0 \cdot 0,48 \cdot 2,4}^{1,15} + 1,48 \cdot 0,87 \cdot 1,8 \quad . \ . \ . \ . = 3,47 \text{ „}$$

$$G_5 = \overline{1,0 \cdot 0,44 \cdot 2,4}^{1,06} + 1,07 \cdot 0,92 \cdot 1,8 \quad . \ . \ . \ . = 2,83 \text{ „}$$

$$G_6 = \overline{1,0 \cdot 0,41 \cdot 2,4}^{0,98} + 0,75 \cdot 0,95 \cdot 1,8 \quad . \ . \ . \ . = 2,26 \text{ „}$$

$$G_7 = \overline{1,0 \cdot 0,38 \cdot 2,4}^{0,91} + 0,54 \cdot 0,98 \cdot 1,8 \quad . \ . \ . \ . = 1,86 \text{ „}$$

$$G_8 = \overline{1,0 \cdot 0,35 \cdot 2,4}^{0,84} + 0,39 \cdot 0,99 \cdot 1,8 \quad . \ . \ . \ . = 1,54 \text{ „}$$

$$G_9 = \overline{1,0 \cdot 0,33 \cdot 2,4}^{0,79} + 0,35 \cdot 1,00 \cdot 1,8 \quad . \ . \ . \ . = 1,42 \text{ „}$$

zusammen 27,45 t

$$G_9 = 0,79 + 0,36 \cdot 1,00 \cdot 1,8 \quad \ldots \ldots \ldots = 1,44 \text{ t}$$
$$G_8 = 0,84 + 0,41 \cdot 0,99 \cdot 1,8 \quad \ldots \ldots \ldots = 1,57 \text{ „}$$
$$G_7 = 0,91 + 0,57 \cdot 0,98 \cdot 1,8 \quad \ldots \ldots \ldots = 1,92 \text{ „}$$
$$G_6 + P_1 = 0,98 + 0,81 \cdot 0,95 \cdot 1,8 + 3,73 \ldots \ldots = 6,10 \text{ „}$$
$$G_5 = 1,06 + 1,13 \cdot 0,92 \cdot 1,8 \quad \ldots \ldots \ldots = 2,93 \text{ „}$$
$$G_4 = 1,15 + 1,55 \cdot 0,87 \cdot 1,8 \quad \ldots \ldots \ldots = 3,58 \text{ „}$$
$$G_3 + \frac{P_2}{2} = 1,27 + 2,05 \cdot 0,80 \cdot 1,8 + \frac{2,06}{2} \ldots = 5,25 \text{ „}$$
$$G_2 + \frac{P_2}{2} = 1,39 + (0,08 \cdot 2,4 + 2,55 \cdot 1,8) \cdot 0,73 + \frac{2,06}{2} = 5,91 \text{ „}$$
$$G_1 = 1,56 + (0,27 \cdot 2,4 + 3,0 \cdot 1,8) \cdot 0,62 \ldots \ldots = 5,31 \text{ „}$$
$$\text{zusammen } 34,01 \text{ t}$$

Infolge dieser einseitigen Belastung ergeben sich H, V_L, V_R, M_L und M_R wie folgt:

$$H = 0,276 \cdot [(5,20 + 5,31) \cdot 0 + (4,76 + 5,91) \cdot 0,15 + (4,11 + 5,25) \cdot 0,48$$
$$+ (3,47 + 3,58) \cdot 1,02 + (2,83 + 2,93) \cdot 1,71 + (2,26 + 6,10) \cdot 2,50$$
$$+ (1,86 + 1,92) \cdot 3,27 + (1,54 + 1,57) \cdot 3,93 + (1,42 + 1,44) \cdot 4,29] = \quad 22,33 \text{ t.}$$

$$V_L = 0,141 \cdot (5,20 \cdot 7,08 + 4,76 \cdot 7,02 + 4,11 \cdot 6,92 + 3,47 \cdot 6,71 + 2,83 \cdot 6,39$$
$$+ 2,26 \cdot 5,94 + 1,86 \cdot 5,38 + 1,54 \cdot 4,69 + 1,42 \cdot 3,93 + 1,44 \cdot 3,12$$
$$+ 1,57 \cdot 2,36 + 1,92 \cdot 1,68 + 6,10 \cdot 1,12 + 2,93 \cdot 0,68 + 3,58 \cdot 0,36$$
$$+ 5,25 \cdot 0,16 + 5,91 \cdot 0,04 + 5,31 \cdot 0) \quad \ldots \ldots \ldots = \quad 28,04 \text{ t.}$$

$$V_R = 27,45 + 34,01 - 28,04 \quad \ldots \ldots \ldots \ldots = \quad 33,42 \text{ t.}$$

$$M_L = 5,20 \cdot 7,60 + 4,76 \cdot 6,92 + 4,11 \cdot 6,20 + 3,47 \cdot 5,39 + 2,83 \cdot 4,61$$
$$+ 2,26 \cdot 3,79 + 1,86 \cdot 3,03 + 1,54 \cdot 2,32 + 1,42 \cdot 1,72 + 1,44 \cdot 1,20$$
$$+ 1,57 \cdot 0,82 + 1,92 \cdot 0,53 + 6,10 \cdot 0,33 + 2,93 \cdot 0,20 + 3,58 \cdot 0,09$$
$$+ 5,25 \cdot 0,04 + 5,91 \cdot 0,01 + 5,31 \cdot 0 \quad \ldots \ldots \ldots = 157,14 \text{ mt.}$$

Die Einflußlinie für M_R ist das Spiegelbild der M_L-Linie.

$$M_R = 5,31 \cdot 7,60 + 5,91 \cdot 6,92 + 5,25 \cdot 6,20 + 3,58 \cdot 5,39 + 2,93 \cdot 4,61$$
$$+ 6,10 \cdot 3,79 + 1,92 \cdot 3,03 + 1,57 \cdot 2,32 + 1,44 \cdot 1,72 + 1,42 \cdot 1,20$$
$$+ 1,54 \cdot 0,82 + 1,86 \cdot 0,53 + 2,26 \cdot 0,33 + 2,83 \cdot 0,20 + 3,47 \cdot 0,09$$
$$+ 4,11 \cdot 0,01 + 4,76 \cdot 0,01 + 5,20 \cdot 0 \quad \ldots \ldots \ldots = 187,47 \text{ mt.}$$

Linker Kämpferquerschnitt (Abb. 175).

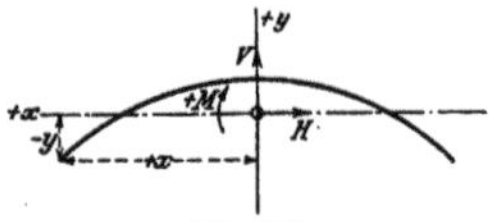

Koordinaten $x = + 7,86$ $y = - 3,00$ m

$$M_x = M_0 + M - H \cdot y - V \cdot x$$
$$M_x = 0 + 157,14 - 22,33 \cdot (-3,0) - 28,04 \cdot 7,86$$
$$= 3,74 \text{ mt.}$$

Abb. 175.

Querschnitt 6 links.

$$x = 3,445 \quad\quad y = 0,105.$$
$$M_0 = - (5,20 \cdot 4,135 + 4,76 \cdot 3,445 + 4,11 \cdot 2,675 + 3,47 \cdot 1,835 + 2,83 \cdot 0,935)$$
$$= - 57,90 \text{ mt.}$$
$$M_x = - 57,90 + 157,14 - 22,33 \cdot 0,105 - 28,04 \cdot 3,445 = 0,30 \text{ mt.}$$

Scheitelquerschnitt.

$$x = 0 \quad\quad y = 0,605.$$
$$M_0 = - (5,20 \cdot 7,58 + 4,76 \cdot 6,89 + 4,11 \cdot 6,12 + 3,47 \cdot 5,28 + 2,83 \cdot 4,38$$
$$+ 2,26 \cdot 3,445 + 1,86 \cdot 2,48 + 1,54 \cdot 1,495 + 1,42 \cdot 0,50) \quad \ldots = - 143,50 \text{ mt.}$$
$$M_x = - 143,5 + 157,14 - 22,33 \cdot 0,605 - 0 = 0,13 \text{ mt.}$$

Querschnitt 6 rechts.

$$x = + 3,445 \qquad y = 0,105 \text{ (Abb. 176)}.$$

$$M_0 = -\,(5,31 \cdot 4,135 + 5,91 \cdot 3,445 + 5,25 \cdot 2,675$$
$$+\,3,58 \cdot 1,835 + 2,93 \cdot 0,935) = -\,65,67 \text{ mt}.$$

$$M_x = -\,65,67 + 187,47 - 22,33 \cdot 0,105 - 33,42 \cdot 3,445$$
$$= +\,4,32 \text{ mt}.$$

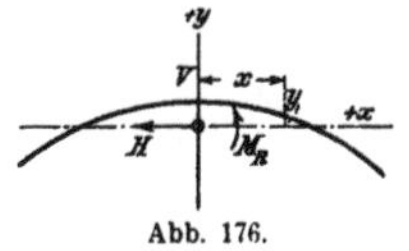

Abb. 176.

Rechter Kämpferquerschnitt.

$$x = 7,86 \qquad y = -\,3,0.$$

$$M_x = 0 + 187,47 - 22,33\,(-\,3,0) - 33,42 \cdot 7,86 = -\,8,22 \text{ mt}.$$

b) Laststellung II.

In der Längsrichtung werden die Lasten als Einzellasten angenommen, also die Last von dem Vorderrad mit Lamellenlast 9 und von den Hinterrädern mit 6 zusammenfallend.

Es ergeben sich demnach folgende Streifengewichte.

Die Lasten links sind gleich den unter Laststellung I angegebenen. Rechts ergibt sich:

$$G_9 = 1,44 + 5,65 = 7,09 \text{ t}$$
$$G_8 \ldots \ldots = 1,57 \text{ „}$$
$$G_7 \ldots \ldots = 1,92 \text{ „}$$
$$G_6 = 2,37 + 3,62 = 5,99 \text{ „}$$
$$G_5 \ldots \ldots = 2,93 \text{ „}$$
$$G_4 \ldots \ldots = 3,58 \text{ „}$$
$$G_3 \ldots \ldots = 4,22 \text{ „}$$
$$G_2 \ldots \ldots = 4,88 \text{ „}$$
$$G_1 \ldots \ldots = 5,31 \text{ „}$$
$$\overline{37,49 \text{ t}}$$

Hieraus wird H, V_L, V_R, M_L und M_R wie folgt berechnet:

$$H = 0,276\ [(5,20 + 5,31)\,0 + (4,76 + 4,88)\,0,15 + (4,11 + 4,22)\,0,48$$
$$+\,(3,47 + 3,58)\,1,02 + (2,83 + 2,93)\,1,71 + (2,26 + 5,99)\,2,50$$
$$+\,(1,86 + 1,92)\,3,27 + (1,54 + 1,57)\,3,93 + (1,42 + 7,09)\,4,29]\quad . = 28,77 \text{ t}.$$

$$V_L = 0,141\ (5,20 \cdot 7,08 + 4,76 \cdot 7,02 + 4,11 \cdot 6,92 + 3,47 \cdot 6,71 + 2,83 \cdot 6,39$$
$$+\,2,26 \cdot 5,94 + 1,86 \cdot 5,38 + 1,54 \cdot 4,69 + 1,42 \cdot 3,93 + 7,09 \cdot 3,12$$
$$+\,1,57 \cdot 2,36 + 1,92 \cdot 1,68 + 5,99 \cdot 1,12 + 2,93 \cdot 0,68 + 3,58 \cdot 0,36$$
$$+\,4,22 \cdot 0,16 + 4,88 \cdot 0,04 + 5,31 \cdot 0) \ldots \ldots \ldots = 30,49 \text{ t}.$$

$$V_R = 27,45 + 37,49 - 30,49 \ldots \ldots \ldots \ldots \ldots = 34,45 \text{ t}.$$

$$M_L = 5,20 \cdot 7,60 + 4,76 \cdot 6,92 + 4,11 \cdot 6,20 + 3,47 \cdot 5,39 + 2,83 \cdot 4,61$$
$$+\,2,26 \cdot 3,79 + 1,86 \cdot 3,03 + 1,54 \cdot 2,32 + 1,42 \cdot 1,72 + 7,09 \cdot 1,20$$
$$+\,1,57 \cdot 0,82 + 1,92 \cdot 0,53 + 5,99 \cdot 0,33 + 2,93 \cdot 0,20 + 3,58 \cdot 0,09$$
$$+\,4,22 \cdot 0,04 + 4,88 \cdot 0,01 + 5,31 \cdot 0 \ldots \ldots \ldots = 163,83 \text{ mt}.$$

$$M_R = 5,31 \cdot 7,60 + 4,88 \cdot 6,92 + 4,22 \cdot 6,20 + 3,58 \cdot 5,39 + 2,93 \cdot 4,61$$
$$+\,5,99 \cdot 3,79 + 1,92 \cdot 3,03 + 1,57 \cdot 2,32 + 7,09 \cdot 1,72 + 1,42 \cdot 1,20$$
$$+\,1,54 \cdot 0,82 + 1,86 \cdot 0,53 + 2,26 \cdot 0,33 + 2,83 \cdot 0,20 + 3,47 \cdot 0,09$$
$$+\,4,11 \cdot 0,04 + 4,76 \cdot 0,01 + 5,20 \cdot 0 \ldots \ldots \ldots = 183,24 \text{ mt}.$$

Linker Kämpferquerschnitt.

$$x = 7,86 \qquad y = -\,3,0.$$

$$M_x = M_0 + M - H \cdot y - V \cdot x.$$

$$M_x = 0 + 163,83 - 28,77\,(-\,3,0) - 30,49 \cdot 7,86 = 10,49 \text{ mt}.$$

Querschnitt 6 links.
$$x = 3{,}445; \qquad y = 0{,}105$$
$$M_0 = -57{,}90 \text{ mt (S. 444)}$$
$$M_x = -57{,}90 + 163{,}83 - 28{,}77 \cdot 0{,}105 - 30{,}49 \cdot 3{,}445 = -2{,}13 \text{ mt.}$$

Scheitelquerschnitt.
$$x = 0; \qquad y = 0{,}605$$
$$M_0 = 143{,}50 \text{ mt (S. 444)}$$
$$M_x = -143{,}50 + 163{,}83 - 28{,}77 \cdot 0{,}605 - 0 = 2{,}92 \text{ mt.}$$

Querschnitt 6 rechts.
$$x = +3{,}445; \qquad y = 0{,}105 \text{ (wie vor)}$$
$$M_0 = -(5{,}31 \cdot 4{,}135 + 4{,}88 \cdot 3{,}445 + 4{,}22 \cdot 2{,}675 + 3{,}58 \cdot 1{,}835 + 2{,}93 \cdot 0{,}935)$$
$$= -59{,}37 \text{ mt}$$
$$M_x = -59{,}37 + 183{,}24 - 28{,}77 \cdot 0{,}105 - 34{,}45 \cdot 3{,}445 = 2{,}17 \text{ mt.}$$

Rechter Kämpferquerschnitt.
$$x = 7{,}86; \qquad y = -3{,}0$$
$$M_x = 0 + 183{,}24 - 28{,}77 \cdot (-3{,}0) - 34{,}45 \cdot 7{,}86 = -1{,}23 \text{ mt.}$$

4. Bestimmung der Beanspruchungen.

Es wird nach dem Vorhergehenden zu untersuchen sein:

A. Querschnitt 6 rechts (Laststellung I) $M = 4{,}32$ mt;

B. linker Kämpferquerschnitt (Laststellung II) $M = 10{,}49$ mt.

Statt der Normalkräfte ist der wagerechte Gewölbeschub eingeführt.

A. Querschnitt 6 rechts.

Abb. 177.

$$M_6 = 4{,}32 \text{ mt (Laststellung I)}$$
$$H = 22{,}33 \text{ t}$$
$$V_6 = 33{,}42 - (5{,}31 + 5{,}91 + 5{,}25 + 3{,}58 + 2{,}93) = 10{,}44 \text{ t}$$
$$R_6 = \sqrt{22{,}33^2 + 10{,}44^2} = 24{,}65 \text{ t (Abb. 177).}$$

Der Abstand c der Kraft R_n vom Bogenmittelpunkt ist
$$c = \frac{M_6}{R_6} = \frac{4{,}32}{24{,}65} = 0{,}175 \text{ m.}$$

a) Die Eiseneinlagen nehmen sämtliche Zugkräfte auf.

Die Gewölbestärke beträgt $h = 41$ cm, $a = 3$ cm.

Eiseneinlagen oben: $f_e = $ rd. 5 cm² (10 Stäbe 8 mm Durchm.)

unten: $f_e = $ 5 cm² (10 Stäbe 8 mm Durchm.).

Gewölbebreite $b = 100$ cm, $n = 10$.

Nach den ministeriellen Bestimmungen für die Ausführung von Konstruktionen aus Eisenbeton bei Hochbauten vom 24. Mai 1907 III D 10 ist (Abb. 178)

$$\frac{b}{6\,n f_e} x^3 - \frac{b \cdot e}{2\,n f_e} x^2 - (2e - h)x = 2a^2 + h^2 - (2a + e)h$$

$$e = \frac{41}{2} - 17{,}5 = 3 \text{ cm.}$$

Abb. 178.   Somit:

$$\frac{100}{6 \cdot 10 \cdot 5{,}0} x^3 - \frac{100 \cdot 3}{2 \cdot 10 \cdot 5{,}0} x^2 - (2 \cdot 3 - 41)x = 2 \cdot 3^2 + 41^2 - (2 \cdot 3 + 3)\,41$$
$$x = 16{,}8 \text{ cm.}$$

Beanspruchung des Betons:

$$\sigma_b = \frac{P}{\dfrac{bx}{2} + \dfrac{nf_e}{x}\,(2x - h)}$$

$$\sigma_b = \frac{24\,650}{\dfrac{100 \cdot 16,8}{2} + \dfrac{10 \cdot 5,0}{16,8}\,(2 \cdot 16,8 - 41)} = 30,1 \text{ kg/cm}^2.$$

Beanspruchung des gezogenen Eisens:

$$\sigma_{e_z} = n\sigma_b\,\frac{h - a - x}{x}$$

$$\sigma_{e_z} = 10 \cdot 30,1\,\frac{41 - 3 - 16,8}{16,8} = 380 \text{ kg/cm}^2.$$

b) Der Beton ist an der Aufnahme der Zugkräfte voll beteiligt.

Die Gleichung für Druck bei Biegung lautet:

$$\sigma = \frac{P}{F} \pm \frac{M}{W}$$

$$F_6 = 4190 \text{ cm}^2$$

$$W_6 = \frac{J_b}{\dfrac{h_6}{2}} = \frac{601\,900}{\dfrac{41}{2}} = 29\,361 \text{ cm}^3$$

$$P = R_6 = 24\,650 \text{ kg}$$

$$M_6 = 432\,000 \text{ cmkg}$$

$$\sigma = \frac{24\,650}{4190} \pm \frac{432\,000}{29\,361} = 5,9 \pm 14,7$$

$$= 20,6 \text{ kg/cm}^2 \text{ (Druck) oben}$$

$$= 8,8 \quad \text{„} \quad \text{(Zug) unten.}$$

B. Linker Kämpferquerschnitt.

$$M_x = 10,49 \text{ mt (Laststellung II)}$$
$$H = 28,77 \text{ t}$$
$$V_x = 30,49 \text{ t}$$
$$R_x = \sqrt{28,77^2 + 30,49^2} = 41,90 \text{ t}$$
$$c = \frac{10,49}{41,90} = 0,25 \text{ m.}$$

Berechnung nach a).

Gewölbestärke: $h = 75$ cm

oben: $f_e = 5,0$ cm^2

unten: $f_e = 5,0$ cm^2

$b = 100$ cm

$n = 10$

$$e = \frac{75}{2} - 25 = 12,5 \text{ cm}$$

$$\frac{100}{6 \cdot 10 \cdot 5,0}\,x^3 - \frac{100 \cdot 12,5}{2 \cdot 10 \cdot 5,0}\,x^2 - (2 \cdot 12,5 - 75)\,x = 2 \cdot 3^2 + 75^2 - (2 \cdot 3 + 12,5)\,75$$

$$x = 41,3 \text{ cm}$$

$$\sigma_b = \frac{41\,900}{\dfrac{100 \cdot 41,3}{2} + \dfrac{10 \cdot 5,0}{41,3}(2 \cdot 41,3 - 75)} = 20,2 \text{ kg/cm}^2$$

$$\sigma_{e_s} = 10 \cdot 20,2 \frac{75 - 3 \cdot 41,3}{41,3} = 150 \text{ kg/cm}^2.$$

Berechnung nach b).

$$P = R_x = 41\,900 \text{ kg}$$

$$M_x = 1\,049\,000 \text{ cmkg}$$

$$F = 75 \cdot 100 + (10 - 1)\,2 \cdot 5,0 = 7590 \text{ cm}^2$$

$$W = \frac{J}{\dfrac{e}{2}} = \frac{1}{75}\left[\frac{100 \cdot 75^3}{12} + (10 - 1)\,2 \cdot 5,0\left(\frac{75}{2} - 3\right)^2\right] = 96\,607 \text{ cm}^3$$

$$\sigma_b = \frac{41\,900}{7590} \pm \frac{1\,049\,000}{96\,607} = 5,5 \pm 10,9$$

$$= 16,4 \text{ kg/cm}^2 \text{ (Druck) oben}$$

$$= 5,4 \quad \text{„} \quad \text{(Zug) unten.}$$

In der vorangehenden Berechnung sind die Wärmeänderungen mit Rücksicht auf die kleine Spannweite vernachlässigt worden.

Beispiel 4. Berechnung der Seitenöffnungen der Stubenrauchbrücke zu Oberschöneweide bei Berlin.

Die statische Berechnung der im Abschn. F, Nr. 21 näher beschriebenen Stubenrauchbrücke wurde vom Verfasser[1]) aufgestellt, und zwar auf Grund der in den Vorlesungen von Müller-Breslau (gehalten an der Technischen Hochschule zu Berlin) gegebenen Theorie, die hier zum ersten Male auf die Berechnung eines Eisenbetongewölbes angewendet worden ist. Da sich diese Berechnungsweise als sehr einfach erwiesen hat, mögen ihre Grundlagen nachstehend entwickelt werden. Die Elastizitätsgleichungen für den beiderseitig eingespannten Bogen (Müller-Breslau, Neuere Methoden der Festigkeitslehre 1904, S. 122, Gl. 6 u. 9 lauten unter Vernachlässigung der Normalkräfte und der Wärmeänderungen:

$$\left.\begin{array}{l} \int \dfrac{M\,ds}{EJ} = 0 \\[2mm] \int \dfrac{Mx\,ds}{EJ} = 0 \\[2mm] \int \dfrac{My\,ds}{EJ} = 0 \end{array}\right\} \quad \ldots \ldots \ldots \quad 1)$$

Hinsichtlich des Trägheitsmomentes ist die Annahme erlaubt

$$J \cos \varphi = J' = \text{konst.};$$

dann gehen die drei Gleichungen, da außerdem $ds \cos \varphi = dx$ gesetzt werden kann, über in

$$\left.\begin{array}{l} \int M\,dx = 0 \\[2mm] \int Mx\,dx = 0 \\[2mm] \int My\,dx = 0 \end{array}\right\} \quad \ldots \ldots \ldots \quad 2)$$

[1]) Als damaliger Oberingenieur des Bureaus von Regierungsbaumeister a. D. und Privatdozent Karl Bernhard, dessem Bureau sämtliche Entwurfsarbeiten dieses Bauwerks entstammen.

Die Koordinaten x und y eines beliebigen Punktes des symmetrisch vorausgesetzten Bogens sind hierbei auf ein durch einen bestimmten Punkt O gelegtes rechtwinkliges Achsenkreuz bezogen (Abb. 179).

Der Punkt O soll so gewählt werden, daß die lotrecht angenommene y-Achse Symmetrieachse des Bogens ist und die wagerechte x-Achse in der Höhe liegt, daß die später auftretenden Integrale $\int y\,dx$ und $\int x\,dx = 0$ werden.

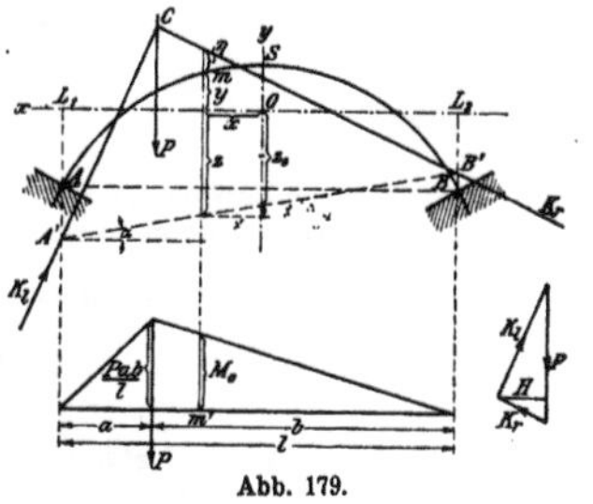

Dieser Fall tritt ein, wenn die x-Achse bezw. die sogenannte Ausgleichslinie $L_1 L_2$ so gelegt wird, daß Rechteck $AL_1 L_2 B =$ Bogenfläche ASB wird.

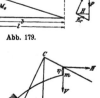

Abb. 179.

Für eine Einzellast P an beliebiger Stelle sind die Kämpferdrücke, die sich mit P in einem Punkte schneiden müssen, K_l und K_r; sie seien als bekannt vorausgesetzt.

Zieht man die Linie $A'B'$, so läßt sich die Fläche $A'B'C$ als Culmannsche Momentenfläche mit den Schlußlinien $A'B'$ für den einfachen Balken von der Stützweite l auffassen. Die Polweite des zugehörigen, aus K_l, K_r und P gezeichneten Kraftecks ist H. Das Moment M_0 für irgend einen Punkt m' des einfachen Balkens läßt sich nun mit den in Abb. 179 u. 180 angegebenen Bezeichnungen schreiben:

Abb. 180.

$$M_0 = H(\eta + y + z) \quad \dots \dots \dots \dots \; 3)$$

das Moment für den Punkt m des Bogens ist

$$M = H\eta \quad \dots \dots \dots \dots \dots \dots \; 4)$$

Wird der Wert $H\eta$ aus Gleichung 3) in Gl. 4) eingesetzt, so ergibt sich

$$M = M_0 - Hz - Hy.$$

Nach Abb. 179 ist

$$z = z_0 + x\,\mathrm{tg}\,\alpha,$$

so daß vorstehende Gleichung übergeht in

$$M = M_0 - Hz_0 - Hx\,\mathrm{tg}\,\alpha - Hy.$$

Setzt man nun

$$Hz_0 = C \qquad H\,\mathrm{tg}\,\alpha = C',$$

dann erhält man

$$M = M_0 - C - C'x - Hy \quad \dots \dots \dots \; 5)$$

und die erste Elastizitätsgleichung geht über in

$$\int M\,dx = \int M_0\,dx - C\int dx - C'\int x\,dx - H\int y\,dx = 0.$$

Da infolge der Wahl des Koordinatensystems $\int x\,dx$ und $\int y\,dx = 0$ werden und $\int dx = l$ ist, so ergibt sich aus dieser Gleichung

$$C = \frac{\int M_0\,dx}{l}.$$

Der Zähler stellt den Inhalt der Momentenfläche für den einfachen Balken dar; nach Abb. 179 ist für die Einzellast P

$$\int M_0\, dx = \frac{Pab}{l}\cdot\frac{l}{2} = \frac{Pab}{2},$$

somit
$$C = \frac{Pab}{2\,l} \quad \ldots \ldots \ldots \ldots \ldots \ 6)$$

Zwecks Bestimmung von C' ist der Wert von M nach Gleichung 5) in die zweite Elastizitätsgleichung einzusetzen, und man erhält:

$$\int M x\, dx = \int M_0 x\, dx - C\int x\, dx - C'\int x^2\, dx - H\int x y\, dx = 0.$$

Nun ist
$$\int x\, dx = 0, \quad \int x y\, dx = 0,$$

ferner $\int\limits_{-l/_2}^{+l/_2} x^2\, dx = 2\,\frac{l^3}{8\cdot 3} = \frac{l^3}{12},$ somit $C' = \frac{12\int M_0 x\, dx}{l^3}.$

Das Integral des Zählers stellt das statische Moment der Momentenfläche für den einfachen Balken dar, bezogen auf die Mittellotrechte; es ergibt sich (Abb. 181)

$$\int M_0 x\, dx = \frac{Pab}{l}\,\frac{l}{2}\,\frac{\xi}{3} = \frac{Pab}{2}\,\frac{\xi}{3},$$

und somit ist
$$C' = \frac{2\,Pab\xi}{l^3} \quad \ldots \ldots \ldots \ldots \ 7)$$

Abb. 181.

Setzt man schließlich Gleichung 5) in die dritte Elastizitätsgleichung ein, so erhält man

$$\int M y\, dx = \int M_0 y\, dx - C\int y\, dx - C'\int x y\, dx$$
$$- H\int y^2\, dx = 0.$$

Die Beiwerte von C und C' geben wieder Null, so daß man erhält:

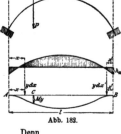

$$H = \frac{\int M_0 y\, dx}{\int y^2\, dx} \quad \ldots \ldots \ldots \ 8)$$

Durch diesen Ausdruck läßt sich die H-Fläche leicht als Momentenfläche eines einfachen Balkens AB (Abb. 182) mit der y-Fläche als Belastungsfläche erklären.

Abb. 182.

Denn

$$\int M_0 y\, dx = \underbrace{\int\limits_0^a \frac{Pb}{l}\, x\cdot y\, dx}_{\text{links von } P} + \underbrace{\int\limits_0^b \frac{Pa}{l}\, x'\cdot y\, dx'}_{\text{rechts von } P}.$$

Das Moment an der Stelle C ergibt sich nun wie folgt:

$$y\, dx' \text{ erzeugt } M_y = y\, dx'\,\frac{x'}{l}\, a,$$

$$y\, dx \quad \text{,} \quad M_y = y\, dx\,\frac{x}{l}\, b.$$

Im ganzen entsteht also

$$M_y = \int_0^a \frac{a}{l}\, yx' \cdot dx' + \int_0^b \frac{b}{l}\, yx \cdot dx;$$

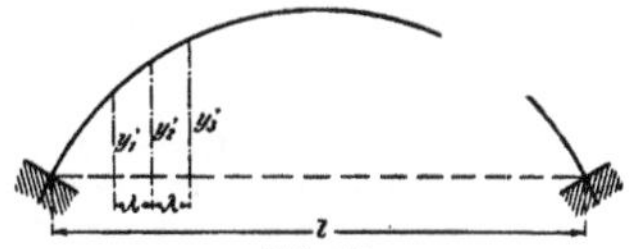

somit ist

$$\int M_0\, y\, dx = P M_y$$

und Gleichung 8) geht über in

$$H = \frac{P M_y}{\int y^2 dx} \quad \dots \dots \dots \quad 9)$$

Abb. 183.

Um nun die H-Linie zu bestimmen, wurde die Fläche zwischen der Gewölbemittellinie und ihrer Sehne zwischen den Kämpferpunkten genügend genau in Streifen von 1,738 m (Endfelder 1,928 m), entsprechend den Feldweiten, geteilt und die Höhe der Ausgleichlinie allgemein (Abb. 182 u. 183) zu $ha = \frac{\Sigma y'\lambda}{l}$ bestimmt.

Ebenso sind zur Berechnung der Biegungslinie für die y-Fläche als Belastungsfläche endliche Feldweiten λ eingeführt, wobei noch zur Vereinfachung die durch λ geteilten Flächen, also die Ordinaten y, aufgetragen wurden. Die infolge dieser Belastung berechneten Ordinaten M_y sind schließlich noch durch $\int y^2 dx = \Sigma y^2\lambda$ geteilt, und da die durch λ geteilten Flächen als Gewichte angenommen sind, wird der Nenner $\frac{\Sigma y^2\lambda}{\lambda} = \Sigma y^2$.

Abb. 184. Gewölbe der Stubenrauchbrücke.

Die Ergebnisse waren die folgenden (vergl. Abb. 184):

$$\Sigma y^2 = 8,811;$$

Punkt	$M y$ m²	$H = \frac{M y}{\Sigma y^2}$
1	2,217	0,252
2	5,780	0,656
3	9,430	1,070
4	12,298	1,396
5	13,862	1,573

Nach Bestimmung der H-Linie sind die Einflußlinien für die Momente nach Gleichung 5) ermittelt, indem in den Werten C und C', Gleichungen 6) und 7), $P = 1$ gesetzt wurde. Der Ausdruck ist für die wandernde Last 1 in den Knotenpunkten,

29*

zwischen denen die Einflußlinie geradlinig verläuft, berechnet worden. Die Werte M_0 wurden vorher aus den Einflußlinien für den einfachen Balken bestimmt.

Die Berechnung ist für das Gewölbe unter der Fahrbahn und unter dem Fußweg getrennt durchgeführt. Unter der Fahrbahn ist ein Gewölbestreifen von 1,50 m Breite zugrunde gelegt, und zwar der ungünstigst belastete, das ist der unter der inneren Schiene liegende Streifen (Abb. 185). Der andere Teil des Gewölbes, vom Ende dieses Streifens angefangen, ist 0,95 m zu beiden Seiten der Brückenachse ausgespart, da er geringere Verkehrsbelastung erhält. Es ist angenommen, daß sich der Raddruck nach beiden Seiten auf eine gleiche Strecke verteilt, eine Annahme, die infolge der Höhe der Aufbetonierung und Fahrbahnbefestigung über dem Gewölbe, sowie namentlich infolge der vorgesehenen Druckverteilungsstäbe gerechtfertigt ist. Wegen der mittleren Aussparung erhält der benachbarte Gewölbestreifen noch die Eigen- und Verkehrslast des mittleren Fahrbahnstreifens.

Wie aus der Beschreibung der Brücke (Abschn. F, Nr. 21) hervorgeht, sind für die Bauausführung Gelenke eingeschaltet worden,

Abb. 185.

Abb. 186.

Abb. 187.

so daß die Gewölbe für die Eigengewichtslasten als Dreigelenkbogen anzusehen waren.

Die ständige Belastung ist in den Abständen von 1,74 m zusammengefaßt, auch für den mittleren Teil des Gewölbes, wo das Gewicht der Fahrbahn nicht mehr in Form von Einzellasten, sondern als gleichmäßig verteilte Last wirkt.

Die Knotenlasten sind (vergl. Abb. 186):

$$G_0 = 1,08 \text{ t (Gewölbeteil über dem Gelenk)}$$
$$G_1 = 12,70 \text{ t}$$
$$G_2 = 11,13 \text{ t}$$
$$G_3 = 10,60 \text{ t}$$
$$G_4 = 9,11 \text{ t}$$
$$G_5 = 7,99 \text{ t}$$

Da die Brücke vorübergehend auch mit Güterwagen der Staatsbahn, die von einer elektrischen Lokomotive von 14 t Gewicht gezogen werden, befahren werden sollte, so sind die Verkehrslasten, mit denen die Einflußflächen zu besetzen waren, nach Abb. 187:

a) von den Güterwagen die Radlasten von 6,5 t in Abständen von 3,0 m,

b) von den 20 t schweren Lastwagen die beiden Achslasten von je $\dfrac{10,0 \cdot 0,575}{1,9}$ $= 3,03$ t, gleichfalls in Abständen von 3,0 m,

c) von dem Menschengedränge (400 kg/m²) vor und hinter dem Lastwagen $p = 0,4 \cdot 0.95 = 0,38$ t/m (als gleichmäßig verteilte Last).

Das Gewölbe ist zunächst als Dreigelenkbogen durchgerechnet worden. Die Einflußlinien wurden sowohl mit den Eigengewicht- als auch mit den Verkehrslasten ausgemittelt, die letzteren zum Vergleich mit den sich aus der Berechnung als eingespannter Bogen ergebenden Werte.

Das Gewölbe unter dem Fußweg wurde, da es wesentlich geringer als das Gewölbe unter der Fahrbahn belastet ist, besonders berechnet. Es ist der äußerste

Streifen des Gewölbes von 1,50 m Breite der Berechnung zugrunde gelegt. Dieser erhält außer der unmittelbaren Belastung noch die Last des auskragenden Gesimses samt Verkehrslast. Die Hohlräume unter dem Fußwege wurden für die Bestimmung des Eigengewichtes als mit Sand gefüllt angenommen für den Fall, daß die vorgesehenen Rohrleitungen nicht verlegt werden. Für das Gewölbe unter dem Fußweg wurden besondere Einflußlinien gezeichnet.

Die Knotenlasten für Eigengewicht waren die folgenden:

$$G_0 = \;\; 0{,}94 \text{ t} \qquad G_3 = 10{,}24 \text{ t}$$
$$G_1 = 12{,}92 \text{ t} \qquad G_4 = \;\; 9{,}12 \text{ t}$$
$$G_2 = 11{,}40 \text{ t} \qquad G_5 = \;\; 8{,}30 \text{ t}$$

Die Belastung infolge Menschengedränges beträgt

$$p = 0{,}4 \cdot 2{,}0 = 0{,}8 \text{ t/m (Abb. 188).}$$

Abb. 188.

Für die Ausmittlung der Einflußlinien wurden die Knotenlasten bestimmt, und zwar ist

$$P = 0{,}8 \cdot 1{,}74 = 1{,}39 \text{ t.}$$

Auf Grund vorstehender Ergebnisse sind die Querschnitte des Gewölbes bestimmt.

Die für das Gewölbe als Dreigelenkbogen ermittelten Querschnitte wurden nun der Berechnung des Gewölbes als beiderseitig eingespannten Bogens zugrunde gelegt.

Für diesen sind die Momente infolge Verkehrslast nur durch Ausmittlung der Einflußlinien bestimmt, während die Normalkräfte aus der Berechnung als Dreigelenkbogen entnommen sind. In der Zahlentafel 1 sind die der endgültigen Querschnittbestimmung zugrunde gelegten Momente und Normalkräfte zusammengestellt. Die Momente infolge Eigenlast sind der Berechnung als Dreigelenkbogen entnommen.

Die Momente infolge Verkehrslast für das Gewölbe unter dem Fußweg ergaben sich ebenfalls durch Ausmittlung der Einflußlinien für die gleichmäßige Belastung $p = 0{,}8$ t/m bezw. für die Knotenlast $P = 1{,}39$ t, wogegen die Momente infolge Eigenlast sowie die Normalkräfte der Berechnung als Dreigelenkbogen entnommen wurden (Zahlentafel 2).

Zahlentafel 1.					Zahlentafel 2.				
Punkt	Dreigelenk M_g mt	eingespannt M_p mt	$\max\limits_{\min} M_{g+p}$ mt	N_{g+p} t	Punkt	M_g mt	M_p mt	$\max\limits_{\min} M_{g+p}$ mt	N_{g+p} t
Kämpfer	0	+ 39,1 — 13,5	+ 39,1 — 13,5	156,5	Kämpfer	0	+ 10,63 — 2,91	+ 10,63 — 2,91	112,8
1	— 8,6	+ 8,2 — 5,7	— 0,4 — 14,3	139,9	1	— 8,64	+ 1,52 — 1,54	— 7,12 — 10,09	112,8
2	— 8,0	+ 9,9 — 12,1	+ 1,9 — 20,1	134,7	2	— 11,28	+ 1,98 — 3,22	— 9,30 — 14,50	106,9
3	— 3,7	+ 12,3 — 13,5	+ 8,6 — 17,2	120,3	3	— 5,2	+ 2,65 — 3,52	— 2,55 — 8,72	101,0
4	+ 2,2	+ 11,9 — 10,6	+ 14,1 — 8,4	106,4	4	— 0,56	+ 2,54 — 2,70	+ 1,98 — 3,26	98,4
5	+ 3,09	+ 9,9 — 7,8	+ 12,99 — 4,71	114,3	5	+ 2,76	+ 2,12 — 1,93	+ 4,88 + 0,83	94,6

Die statische Untersuchung der Pfeiler erfolgte zeichnerisch. Die Strompfeiler wurden für vollbelastete Seitenöffnung und unbelastete Mittelöffnung, ferner für Eigengewicht der Seitenöffnung und ohne Mittelöffnung und Pfeileraufbau berechnet.

Die Landpfeiler sind für den ungünstigsten Fall untersucht worden, daß die Seitenöffnung vollbelastet ist (beide Gleise mit Lastenzügen), während das Widerlager frei von Verkehrslast gedacht ist.

Außerdem ist noch die Untersuchung für den Bauzustand durchgeführt, in dem sich der Bogen noch auf der Rüstung befindet und die Hinterfüllungserde bereits angeschüttet ist.

Als größte Baugrundpressung wurden in diesem Falle 4 kg/cm² zugelassen. Die Untersuchung der Pfeiler ist aus früher genannten Gründen jedoch für die Gewölbe als Dreigelenkbogen durchgeführt worden.

IV. Berechnung des Gewölbes mit drei Gelenken.

Der Dreigelenkbogen ist statisch bestimmt, denn die Lage der Stützlinie ist durch die drei Stützpunkte der Gewölbeschenkel eindeutig festgelegt.

Im Gegensatz zu dem gelenklosen Gewölbe, dessen Berechnung immer an Annahmen gebunden ist, ist für das Dreigelenkgewölbe eine einwandfreie Berechnung möglich. Auch kommen hier nur ständige und Verkehrslasten in Frage, da Wärmeänderungen keinen Einfluß haben. Desgleichen ist das Gewölbe mit drei Gelenken unabhängig von Widerlagerverschiebungen, Zusammenpressungen des Bogens usw., die bei gelenklosen Gewölben größerer Spannweite zu berücksichtigen sind. Ist man von der Höhenlage der Gelenke und der Bogenform unabhängig, so wird man dem Gewölbe eine solche Form geben, daß seine Mittellinie mit der Stützlinie für Normalbelastung $(g + \frac{1}{2} p)$ zusammenfällt.

Bei einseitiger Belastung zeigt dann die Stützlinie in $\frac{1}{4} l$ und $\frac{3}{4} l$ ($l=$Stützweite) die größte Abweichung von der Mittellinie, die nach oben und unten, lotrecht gemessen,

$$\delta = 0{,}0313 \frac{pl^2}{H}\,^{[1]} \text{ beträgt (Abb. 189).}$$

Soll also die Stützlinie innerhalb des Kerns verlaufen, so muß die lotrecht gemessene Gewölbestärke mindestens

$$s = 3\,\delta = 0{,}094 \frac{pl^2}{H}$$

sein, wo der Schub H der Normalbelastung entspricht. Ferner muß die senkrecht zur Mittellinie gemessene Gewölbestärke mindestens sein (Abb. 189)

$$d = s \cos \alpha = 0{,}094 \frac{pl^2}{H} \cdot \cos \alpha.$$

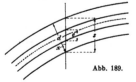

Abb. 189.

Entsprechend diesem Ausschlag der Stützlinie in $\frac{1}{4} l$ bezw. $\frac{3}{4} l$ läßt man die Gewölbestärke vom Scheitel bezw. den Kämpfern nach der Mitte der beiden Gewölbeschenkel hin zunehmen, wodurch man zu der eigenartigen Gewölbeform, wie sie die Gelenkbrücken meist aufweisen, gelangt.

[1] Vergl. G. Tolkmitt, Leitfaden für das Entwerfen und die Berechnung gewölbter Brücken. Bearbeitet von A. Laskus. Berlin 1902, 2. Aufl., S. 76. Verlag von Wilh. Ernst u. Sohn.

Die Berechnung kleinerer Gelenkbrücken wird noch vielfach, da sie hier genügend genaue Ergebnisse liefert, zeichnerisch mittels Stützlinien durchgeführt, wobei Einzellasten in ihren ungünstigsten Stellungen angenommen werden (S. 427). Bei größeren Gelenkbrücken und namentlich schweren Einzellasten (Eisenbahnbrücken) ist die Berechnung jedoch nach der genauen Theorie des Dreigelenkbogens [1]) durchzuführen, d. h. die Einflußlinien darzustellen und bei den ungünstigsten Laststellungen auszumitteln. Die genaue Berechnung mittels Einflußlinien ergibt wesentlich größere Momente (bis zum doppelten Wert) als die unter Annahme einseitiger Verkehrsbelastung. Im allgemeinen empfiehlt es sich, die Einflußlinien der Momente für die Kernpunkte zu ermitteln, da sich dann die Randspannungen nach einfachen Formeln ermitteln lassen.[2])

Die Möglichkeit, das Gewölbe mit drei Gelenken genau berechnen zu können, erlaubt die Zulassung wesentlich höherer Beanspruchungen als bei gelenklosen Gewölben, die von den Formänderungen zu sehr abhängig sind. Darin liegt der wirtschaftliche Vorteil des Gelenkgewölbes, für welches scheinbar die beträchtlichen Mehrkosten für die Gelenke aufzuwenden sind. Die Gelenke selbst sind in ihren Einzelheiten bereits S. 382 u. f. behandelt worden.

Im Nachfolgenden seien zwei Beispiele angegeben, welche die Berechnung des Dreigelenkbogens mittels Stützlinien und mittels Einflußlinien zeigen sollen.

Beispiel 5. Berechnung der Straßenbrücke über die Spree bei Neu-Hartmannsdorf.[3])

1. Allgemeines.

Die Brücke besitzt drei Öffnungen, und zwar eine Mittelöffnung von 22 m und zwei Seitenöffnungen von je 18 m Lichtweite (Abb. 190). Ihre Breite beträgt zwischen den Geländern 8 m, wovon 6 m auf den Fahrdamm und je 1 m auf die beiderseitigen Fußwege, die durch ausgekragte eiserne Träger mit dazwischengespannten Eisenbetonplatten gebildet werden, entfallen. Die Breite der Gewölbe beträgt 6,50 m. Die beiden

[1]) Müller-Breslau, Die graphische Statik der Baukonstruktionen. Bd. I, S. 190, 3. Aufl. Leipzig 1901. — Mehrtens, Vorlesungen über Ingenieurwissenschaften. Teil I, Bd. 2, S. 182, 2. Aufl. Leipzig 1910.
[2]) Vergl. Beton-Kalender 1912, II. Teil, S. 279 u. 295.
[3]) Ausgeführt von der Aktien-Gesellschaft für Beton- und Monierbau, Berlin.

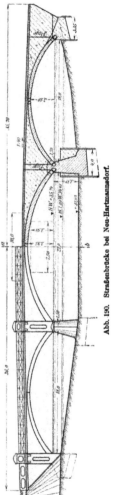

Abb. 190. Straßenbrücke bei Neu-Hartmannsdorf.

Mittelpfeiler erhalten in Kämpferhöhe eine Stärke von 1,50 m, so daß sich eine Gesamtlänge der Brücke zwischen den Landwiderlagern von

$$L = 22,0 + 2 (18,0 + 1,5) = 61,0 \text{ m}$$

ergibt.

Die Gewölbe stellen Dreigelenkbogen dar. Die Pfeilhöhe der Mittelöffnung beträgt $f_1 = 3,95$ m, die der Seitenöffnungen $f_2 = 3,59$ m.

Die Form der Gewölbe ist derart gewählt, daß bei den verschiedenen Laststellungen die Drucklinie stets im mittleren Drittel verbleibt, Betonzugspannungen also nicht auftreten können, somit Eiseneinlagen nicht erforderlich werden.

Als Belastung ist angenommen: a) für die Berechnung der Gewölbe eine Dampfwalze von 20 t Gewicht, b) für die Pfeiler und Widerlager eine gleichmäßig verteilte Nutzlast von 0,400 t/m² (Menschengedränge).

Die statische Untersuchung der einzelnen Teile des Bauwerks ist zeichnerisch mittels Stützlinien durchgeführt, wobei ein Gewölbe von 1 m Breite zugrunde gelegt wurde.

2. Untersuchung der Seitenöffnung.

Um die Stützlinien zeichnen zu können, ist das ganze Gewölbe in 12 Streifen eingeteilt, die mit Ausnahme der Kämpferstreifen je 1,5 m breit sind (Abb. 191). Das

Abb. 191. Zeichnerische Untersuchung der Brücke bei Neu-Hartmannsdorf.

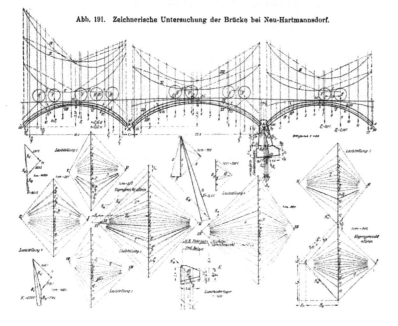

Gewicht der Überschüttungserde wurde auf Beton umgerechnet, indem die Höhen der Streifen im Verhältnis $\dfrac{\text{Erde}}{\text{Beton}} = \dfrac{1,6}{2,2}$ verkleinert wurden.

Die Streifengewichte sind ermittelt zu

$$
\begin{aligned}
G_1 &= 3,05 \cdot 1,9 \;\;\cdot 2,2 = 10,7 \text{ t}\\
G_2 &= 2,2 \;\;\cdot 1,5 \;\;\cdot 2,2 = \;\;7,3\;,,\\
G_3 &= 1,6 \;\;\cdot 1,5 \;\;\cdot 2,2 = \;\;5,3\;,,\\
G_4 &= 1,2 \;\;\cdot 1,5 \;\;\cdot 2,2 = \;\;4,0\;,,\\
G_5 &= 0,9 \;\;\cdot 1,5 \;\;\cdot 2,2 = \;\;3,0\;,,\\
G_6 &= 0,7 \;\;\cdot 1,5 \;\;\cdot 2,2 = \;\;2,3\;,,\\
G_7 &= 0,7 \;\;\cdot 1,5 \;\;\cdot 2,2 = \;\;2,3\;,,\\
G_8 &= 0,85 \cdot 1,5 \;\;\cdot 2,2 = \;\;2,8\;,,\\
G_9 &= 1,1 \;\;\cdot 1,5 \;\;\cdot 2,2 = \;\;3,6\;,,\\
G_{10} &= 1,4 \;\;\cdot 1,5 \;\;\cdot 2,2 = \;\;4,6\;,,\\
G_{11} &= 1,9 \;\;\cdot 1,5 \;\;\cdot 2,2 = \;\;6,3\;,,\\
G_{12} &= 2,75 \cdot 1,85 \cdot 2,2 = 11,2\;,,
\end{aligned}
$$

$P_1 = 3,9$ t, $\quad P_2 = 2,62\;,,$

Mit diesen Gewichten ist gezeichnet:

a) Die Drucklinie II im Gewölbe nur infolge Eigengewichts unter Zuhilfenahme des Kräfteplanes 1 (Pol I und II).

b) Die Drucklinie IV im Gewölbe infolge Eigengewichts und Dampfwalze in Laststellung 1, d. i. vordere Walze im Abstand 1 m vom Scheitel, unter Zuhilfenahme des Kräfteplanes 2 (Pol III und IV).

Die Lasten der Dampfwalze ergeben sich für 1 m Gewölbebreite bei Verteilung des Druckes unter 45° wie folgt (Abb. 192):

für das Vorderrad

$$P_1 = \frac{9,0}{2,30} = 3,9 \text{ t}$$

für die beiden Hinterräder zusammen

$$P_2 = \frac{2 \cdot 5,5}{4,20} = 2,62 \text{ t.}$$

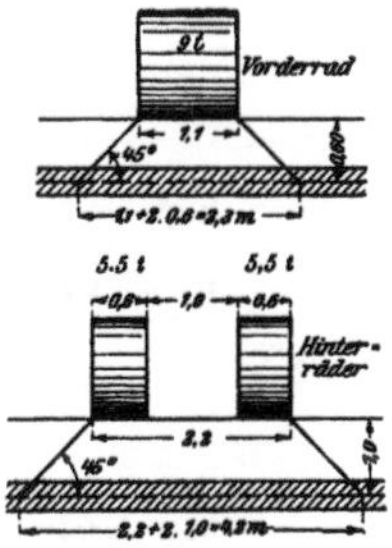

c) Die Drucklinie VI im Gewölbe infolge Eigengewichts und Dampfwalze in Laststellung 2 auf der dem Landwiderlager zunächstliegenden Gewölbehälfte unter Zuhilfenahme des Kräfteplanes 3 (Pol V und VI).

Verteilungsbreite der vorderen Walze

$$b_1 = 1,1 + 2 \cdot 0,9 = 2,9 \text{ m, somit } P_1 = \frac{9,0}{2,9} = 3,1 \text{ t,}$$

für die beiden hinteren Walzen

$$b_2 = 2,20 + 2 \cdot 2,05 = 6,3 \text{ m} \qquad P_2 = \frac{2 \cdot 5,5}{6,3} = 1,75 \text{ t,}$$

oder auf zwei Angriffspunkte verteilt $\dfrac{P_2}{2} = $ rd. $0,9$ t.

Abb. 192.

d) Die Drucklinie VIII im Gewölbe infolge Eigengewichts und Dampfwalze in Laststellung 3, entsprechend Laststellung 1 auf der anderen Gewölbehälfte unter Zuhilfenahme des Kräfteplanes 4 (Pol VII und VIII).

$$P_1 = \frac{9,0}{1,10 + 2 \cdot 0,65} = 3,8 \text{ t} \qquad P_2 = \frac{11,0}{2,20 + 2 \cdot 1,20} = 2,4 \text{ t.}$$

e) Die Drucklinie X im Gewölbe infolge Eigengewichts und Dampfwalze in Last-stellung 4, entsprechend Laststellung 2 auf der anderen Gewölbehälfte unter Zuhilfe-nahme des Kräfteplanes 5 (Pol IX und X).

3. Untersuchung der Mittelöffnung.

In ähnlicher Weise wie bei der Seitenöffnung ergeben sich mit einer Streifenbreite von 1,5 bezw. 0,9 m folgende Streifengewichte:

$$G_1 = 0,9 \cdot 3,4 \cdot 2,2 = 6,7 \text{ t} \qquad G_5 = 1,5 \cdot 1,4 \ \cdot 2,2 = 4,6 \text{ t}$$
$$G_2 = 1,5 \cdot 2,9 \cdot 2,2 = 9,6 \text{ t} \qquad G_6 = 1,5 \cdot 1,1 \ \cdot 2,2 = 3,6 \text{ t}$$
$$G_3 = 1,5 \cdot 2,3 \cdot 2,2 = 7,6 \text{ t} \qquad G_7 = 1,5 \cdot 0,9 \ \cdot 2,2 = 3,0 \text{ t}$$
$$G_4 = 1,5 \cdot 1,8 \cdot 2,2 = 5,9 \text{ t} \qquad G_8 = 1,5 \cdot 0,75 \cdot 2,2 = 2,5 \text{ t}$$

Es sind folgende Drucklinien gezeichnet:

a) die Drucklinie XII im Gewölbe nur infolge Eigengewichts, und zwar wegen der Symmetrie nur für eine Hälfte unter Zuhilfenahme des Kräfteplanes 5a (Pole XI und XII);

b) die Drucklinie XIV im Gewölbe infolge Eigengewichts und Dampfwalze in Laststellung 4a, d. i. Vorderwalze 1,0 m vom Scheitel entfernt, unter Zuhilfenahme des Kräfteplanes 6 (Pole XIII und XIV)

$$P_1 = \frac{9,0}{1,1 + 2 \cdot 0,6} = 3,9 \text{ t} \qquad P_2 = \frac{11,0}{2,2 + 2 \cdot 0,9} = 2,8 \text{ t};$$

c) die Drucklinie XV im Gewölbe infolge Eigengewichts und Dampfwalze in Last-stellung 5 unter Zuhilfenahme des Kräfteplanes 7 (Pole XI und XV)

$$P_1 = \frac{9,0}{1,1 + 2 \cdot 1,3} = \text{rd. } 2,5 \text{ t} \qquad \frac{P_2}{2} = \frac{1}{2} \cdot \frac{11,0}{2,20 + 2 \cdot 2,35} = 0,8 \text{ t}.$$

4. Bestimmung der größten Betonbeanspruchungen.

a) In den Seitengewölben.

Die größte Kraft, die im Kräfteplan 4 mit Pol VIII zwischen den Lasten 9 und 10 liegt, beträgt

$$S = 36 \text{ t}; \qquad \text{Gewölbestärke } d = 70 \text{ cm}.$$

Da die Kraft durch den Kernrand geht, ist die Beanspruchung des Betons

$$\sigma_b = \frac{2 \cdot 36000}{70 \cdot 100} = 10,3 \text{ kg/cm}^2.$$

b) Im Mittelgewölbe.

Die größte Kraft, die im Kräfteplan 6 mit Pol XIV zwischen den Lasten 4 und 5 liegt, beträgt

$$S = 52,5 \text{ t}; \qquad \text{Gewölbestärke } d = 75 \text{ cm}.$$

Da die Kraft durch den Kernrand geht, ist die Beanspruchung des Betons

$$\sigma_b = \frac{2 \cdot 52500}{75 \cdot 100} = 14,0 \text{ kg/cm}^2.$$

5. Berechnung der Widerlager und Pfeiler.

a) Landwiderlager.

Für diese ist gleichmäßig verteilte Menschenlast auf dem ganzen Seitengewölbe berücksichtigt, wobei über und hinter dem Widerlager keine Nutzlast angenommen ist. Der Seitenschub infolge Eigengewichts allein ist H_g (Kräfteplan 1), der lotrechte Auflagerdruck V_g. Die Verkehrslast (0,4 t/m²) beträgt für 1,0 m Gewölbebreite, da die nutzbare Fahrbahn 8,0 m und das Gewölbe 6,5 m breit ist,

$$p = \frac{0,4 \cdot 8,0}{6,5} = \text{rd.} \, 0,5 \text{ t/m}^2.$$

Somit ist der wagerechte Schub (Abb. 193)

$$H_p = \frac{p \cdot l^2}{8 f} = \frac{0,5 \cdot 18,4^2}{8 \cdot 3,59} = 5,9 \text{ t,}$$

der lotrechte Auflagerdruck

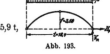

Abb. 193.

$$V_p = \frac{0,5 \cdot 18,4}{2} = 4,6 \text{ t.}$$

Der Kämpferdruck infolge Eigen- und Verkehrslast K_M ist im Kräfteplan 1 bestimmt. Die Streifengewichte 1 bis 3 der Widerlager (einschl. der auf Beton bezogenen Erdlasten) sind

$$G_1 = 2,55 \cdot 0,33 \cdot 2,2 = 1,85 \text{ t}$$
$$G_2 = 5,40 \cdot 0,65 \cdot 2,2 = 7,70 \text{ t}$$
$$G_3 = \frac{5,3 + 4,4}{2} \cdot 2,40 \cdot 2,2 = 25,60 \text{ t.}$$

Die hieraus bestimmte Mittelkraft I ist mit dem Erddruck

$$E = \frac{\gamma \cdot h^2}{8} = \frac{1,6 \cdot 6,5^2}{8} = 8,5 \text{ t}$$

zur Mittelkraft II (Kräfteplan 8) und diese wieder mit K_M zur Mittelkraft R vereinigt. Der Durchgangspunkt der letzteren durch die Bodenfuge liegt 7 cm von Sohlenmitte entfernt. Somit ist die größte Baugrundpressung

$$\sigma_B = \frac{75\,300}{100.345} \left(1 + \frac{6 \cdot 7}{345} \right) = \text{rd.} \, 2,5 \text{ kg/cm}^2.$$

b) Mittelpfeiler.

α) Mittelöffnung voll belastet (durch Menschengedränge), Seitenöffnung unbelastet.

Für die Mittelöffnung ist (Abb. 194)

$$H_p = \frac{0,5 \cdot 22,3^2}{8 \cdot 3,95} = 7,9 \text{ t}$$
$$V_p = \frac{0,5 \cdot 22,3}{2} = 5,6 \text{ t.}$$

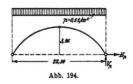

Abb. 194.

Der sich hieraus ergebende Kämpferdruck ist im Kräfteplan 5 zu $K_M = 70,5$ t ermittelt. Da das Gewölbe, der aufgehende Pfeiler und das Fundament verschieden breit sind, wird mit den vollen Gewichten für die ganze Breite gerechnet. Demnach ist der Kämpferdruck $K_M = 6,5 \cdot 70,5 = 458$ t. Die mittlere Breite des aufgehenden Pfeilers ist zu 7,50 m angenommen.

Der Kämpferdruck der unbelasteten Seitenöffnung folgt aus Kräfteplan 1 zu $K_g = 42,5$ t, somit für die ganze Breite

$$K_g = 6,5 \cdot 42,5 = 276 \text{ t.}$$

Durch Zusammensetzung dieser beiden Kämpferdrücke ergibt sich R_K aus Kräfteplan 9.. Die lotrechten Lasten sind

$$G_1 = 3,6 \cdot 0,8 \,(6,50 + 2 \cdot 0,30) \cdot 2,2 = \quad 45 \text{ t}$$

$$G_2 = -\frac{1,5 + 2,5}{2} \cdot 3,35 \cdot 7,5 \cdot 2,2 = 110 \text{ t}$$

$$G_3 = \frac{2,5 + 3,8}{2} \cdot 0,50 \cdot 7,5 \cdot 2,2 = \quad 26 \text{ t}$$

$$G_4 = \frac{1,1 + 1,5}{2} \cdot 4,00 \cdot 8,3 \cdot 2,2 = \quad 95 \text{ t}$$

$$\overline{\text{Summe } R_g = 276 \text{ t}}$$

R_g aus Kräfteplan 10 zusammengesetzt mit R_K im Kräfteplan 9 gibt die Mittelkraft R_I mit der normalen Seitenkraft $N_I = 820$ t. Der Abstand ihres Durchgangspunktes von Sohlenmitte beträgt $e = 28$ cm. Die größte Pressung des Baugrundes ist somit

$$\sigma_B = \frac{820000}{830 \cdot 400} \left(1 + \frac{6 \cdot 28}{400}\right) = 3,5 \text{ kg/cm}^2.$$

β) **Seitenöffnung vollbelastet, Mittelöffnung unbelastet.**

Der Kämpferdruck der Mittelöffnung beträgt

$$K_g = 6,5 \cdot 61,0 = \text{rd. } 397 \text{ t (Kräfteplan 5a)},$$

der Kämpferdruck der Seitenöffnung

$$K_{M'} = 50 \cdot 6,5 = 325 \text{ t (Kräfteplan 1)}.$$

Durch Zusammensetzung dieser Kämpferdrücke in Kräfteplan 11 ergibt sich die Mittelkraft R_{II} mit der normalen Seitenkraft $N_{II} = 805$ t, die ebenfalls im Abstand $e = 28$ cm von Sohlenmitte durch die Bodenfuge geht. Somit ist die Bodenpressung

$$\sigma = \frac{805000}{830 \cdot 400} \left(1 + \frac{6 \cdot 28}{400}\right) = 3,4 \text{ kg/cm}^2.$$

Beispiel 6. Berechnung der Unterführung der Prinz-Regenten-Straße in Wilmersdorf bei Berlin.[1]

A. Allgemeines.

Die Eisenbahnbrücke, deren Gesamtanordnung im Längenschnitt (Abb. 210) ersichtlich ist, ist als Eisenbetonbogen mit drei Gelenken (Stahlbolzen in gußeisernen Lagerkörpern) ausgeführt.

Bei einer Stützweite $l = 24,40$ m zwischen den Kämpfergelenken beträgt die Pfeilhöhe für die Einrüstung 2,21 m; nach Abzug der S. 474 berechneten größten Senkung des Scheitelgelenkes

$$\delta_{max} = \text{rd. } 15 \text{ cm}$$

ist der in die Rechnung einzuführende Pfeil

$$f = 2,21 - 0,15 = 2,06 \text{ m}.$$

Maßgebend für die Berechnung waren die „Vorläufigen Bestimmungen für das Entwerfen von Ingenieurhochbauten in Eisenbeton des Eisenbahndirektionsbezirks Berlin" vom 21. Februar 1906.[2] Das Gewicht des Betons wurde zu 2000 kg/m³ angenommen und für die Eiseneinlage im Bogen und an den Kämpfern 45 kg/m³ zugeschlagen.

---

[1] Vergl. Beschreibung dieser Brücke Abschnitt F, Nr. 24.
[2] Siehe Fußnote [2] S. 439.

Dammerde wurde mit 1600 kg/m³, Schotter mit 1900 kg/m³ gerechnet. Bei einem Lastverteilungswinkel von 45° und 0,5 m hohem Schotterbett ergibt sich für den Oberbau die Verteilungsbreite

$$2{,}70 + 2 \cdot 0{,}5 = 3{,}70 \text{ m (Abb. 195).}$$

Nach dem Taschenbuch „Hütte", 18. Auflage, II. Teil, S. 523, wiegt 1 m Oberbau mit Schienenprofil 8a auf eisernen Querschwellen 170 kg. Für 1 m² Grundfläche sind dann $\frac{170}{3{,}70} = 46$ kg Oberbau zu rechnen.

Abb. 195.

B. Berechnung des Gewölbes.

Die Berechnung des Dreigelenkgewölbes erfolgt mit Hilfe der Einflußlinien für die Kernmomente (Abb. 201) für die Querschnitte I bis VII einer Bogenhälfte von 1 m Breite. Bei der Symmetrie der ganzen Anordnung genügt die Untersuchung einer Hälfte.

1. Bestimmung der Mittelpunktkoordinaten der Querschnitte und der Kernhalbmesser.

a) Mittelpunktkoordinaten (Abb. 196).

Zahlentafel I.

Abb. 196.

Querschnitt	I	II	III	IV	V	VI	VII
x	0,80	2,20	4,20	6,20	8,20	10,20	11,50
y	0,279	0,731	0,268	1,66	1,90	2,04	2,056

b) Kernhalbmesser.

Querschnitt I (Abb. 197).

Betonquerschnitt: $F_b = 100 \cdot 65$ cm
Eisenquerschnitt: $F_e = 66{,}48$ cm² (2 mal 8 Stäbe 23 mm Durchm.)
Trägheitsmoment des Eisenbetonquerschnitts:

$$J = \frac{100 \cdot 65^3}{12} + (10-1) \cdot 66{,}48 \cdot 29{,}35^2 = 2\,799\,791 \text{ cm}^4$$

Eisenbetonquerschnitt: $F = 100 \cdot 65 + (10-1) \cdot 66{,}48 = 7098$ cm²

Widerstandsmoment:

$$W = \frac{2\,799\,791}{32{,}5} = 86\,147 \text{ cm}^3$$

Kernhalbmesser:

$$k = \frac{86\,147}{7098} = \text{rd. } 12{,}15 \text{ cm.}$$

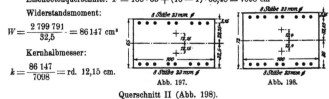

Abb. 197.   Abb. 198.

Querschnitt II (Abb. 198).

$$F_b = 100 \cdot 72 \text{ cm} \qquad F_e = 66{,}48 \text{ cm}^2$$

$$J = \frac{100 \cdot 72^3}{12} + (10-1) \cdot 66{,}48 \cdot 32{,}85^2 = 3\,755\,460 \text{ cm}^4$$

$$F = 100 \cdot 72 + (10-1) \cdot 66{,}48 = 7798 \text{ cm}^2$$

$$W = \frac{3\,755\,460}{36{,}0} = 104\,319 \text{ cm}^3$$

$$k = \frac{104\,319}{7798} = \text{rd. } 13{,}4 \text{ cm.}$$

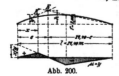

Abb. 199.

Querschnitte III und IV (Abb. 199).

$F_b = 100 \cdot 75$ cm

$F_e = 83{,}10$ cm² (2 mal 10 Stäbe 23 mm Durchm.)

$J = \dfrac{100 \cdot 7{,}5^3}{12} + (10-1) \cdot 83{,}10 \cdot 34{,}35^2 = 4\,398\,089$ cm⁴

$F = 100 \cdot 75 + (10-1)\,83{,}10 = 8248$ cm²

$W = \dfrac{4\,398\,089}{37{,}5} = 117\,282$ cm³

$k = \dfrac{117\,282}{8248} = $ rd. 14,2 cm.

In ähnlicher Weise wurden die Kernhalbmesser der Querschnitte V bis VII ermittelt zu

$$k_V = 13{,}8 \text{ cm} \qquad k_{VI} = 11{,}3 \text{ cm} \qquad k_{VII} = 9{,}0 \text{ cm}.$$

2. Bestimmung der Kernmomente.

a) Ermittlung der geometrischen Hilfsgrößen.

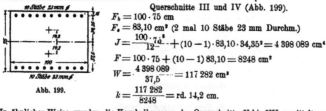

Abb. 200.

Die Einflußlinie der Kernmomente (Abb. 201) sind mit dem Reduktionsfaktor $\mu = y$ gezeichnet und haben die in Abb. 200 angegebene allgemeine Form. In Zahlentafel II sind die Werte x, $y = \mu$ und x/y für die oberen und unteren Kernpunkte der Querschnitte I bis VII zusammengestellt.

Zahlentafel II.

Moment	x	$y = \mu$	x/y
M_I^o	0,76	0,39	1,949
M_{II}^o	2,16	0,86	2,512
M_{III}^o	4,17	1,41	2,957
M_{IV}^o	6,18	1,80	3,433
M_V^o	8,19	2,04	4,014
M_{VI}^o	10,20	2,15	4,744
M_{VII}^o	11,50	2,15	5,349
M_I^u	0,84	0,16	5,250
M_{II}^u	2,24	0,60	3,733
M_{III}^u	4,23	1,13	3,743
M_{IV}^u	6,22	1,52	4,092
M_V^u	8,21	1,76	4,655
M_{VI}^u	10,20	1,93	5,285
M_{VII}^u	11,50	1,97	5,838

In Zahlentafel III sind die Abstände der Belastungsscheiden vom linken Kämpfergelenk ermittelt. Mit den Bezeichnungen der Abb. 200 gilt allgemein:

$$h = e \cdot \frac{y}{x} = (24{,}40 - e)\,\frac{2{,}06}{12{,}20} \qquad e = \frac{24{,}40 \cdot \dfrac{2{,}06}{12{,}20}}{\dfrac{y}{x} + \dfrac{2{,}06}{12{,}20}} = \frac{4{,}12}{\dfrac{y}{x} + 0{,}16885}.$$

Zahlentafel III.

Moment	$\sim$	y	$\dfrac{y}{x}$	e	(zur Kontrolle) h
M_{I}^{o}	0,76	0,39	5,51316	6,04	3,10
M_{II}^{o} ·	2,16	0,86	0,39815	7,27	2,89
M_{III}^{o}	4,17	1,41	0,33813	8,13	2,75
M_{IV}^{o}	6,18	1,80	0,29126	8,95	2,61
M_{V}^{o}	8,19	2,04	0,24908	9,86	2,46
M_{VI}^{o}	10,20	2,15	0,21078	10,85	2,29
M_{VII}^{o}	11,50	2,15	0,18696	11,58	2,16
M_{I}^{u}	0,84	0,16	0,19048	11,47	2,18
M_{II}^{u}	2,24	0,60	0,26786	9,43	2,53
M_{III}^{u}	4,23	1,13	0,26714	9,45	2,52
M_{IV}^{u}	6,22	1,52	0,24437	9,97	2,44
M_{V}^{u}	8,21	1,76	0,21437	10,75	2,30
M_{VI}^{u}	10,20	1,93	0,18922	11,51	2,18
M_{VII}^{u}	11,50	1,97	0,17130	12,11	2,07

b) Momente infolge Eigengewichts.

Die Gewichte der Belastungsstreifen, in welche der 1 m breite Bogen mit Überschüttung und Gleis durch Schnitte in 2,2 bezw. 2 m Abständen zerlegt wird, setzen
sich folgendermaßen zusammen:

$$\text{Beton} \qquad \text{Eisen} \qquad \text{Überschüttung}$$
$$G_1 = (2,28 \cdot 1,0 \cdot 0,69 \cdot 2000 + 2,28 \cdot 1,0 \cdot 45 + 2,20 \cdot 1,0 \cdot 1,45 \cdot 1600$$

$$\text{Schotterbett} \qquad \text{Oberbau}$$
$$+ 2,20 \cdot 1,0 \cdot 0,5 \cdot 1900 + 2,2 \cdot 1,0 \cdot 46) \cdot \frac{1}{1000} = 10,55 \text{ t}$$

Ebenso ist $G_2 = 8,07$ t $\quad G_3 = 6,73$ t $\quad G_4 = 5,75$ t $\quad G_5 = 4,82$ t $\quad G_6 = 4,20$ t.

Momente der oberen Kernpunkte (Abb. 201).

$$M_I^o g = 0,39 \, [10,55 \, (1,594 - 0,179) + 8,07 \, (0,916 - 0,521) + 6,73$$
$$(0,271 - 0,847) - 5,75 \, (0,374 + 1,173) - 4,82 \, (1,020 + 1,499)$$
$$- 4,20 \, (1,665 + 1,825)] = \quad . \quad . \quad . \quad . \quad . \quad . \quad . \quad . \quad - 8,84 \text{ mt}$$

$$M_{II}^o g = 0,86 \, [10,55 \, (0,899 - 0,153) + 8,07 \, (1,408 - 0,433) + 6,73$$
$$(0,715 - 0,712) + 5,75 \, (0,024 - 0,991) - 4,82 \, (0,667 + 1,270)$$
$$- 4,20 \, (1,358 + 1,550)] = \quad . \quad . \quad . \quad . \quad . \quad . \quad . \quad . \quad . \quad - 9,78 \text{ mt.}$$

In ähnlicher Weise sind die übrigen Momente der oberen sowie die der unteren
Kernpunkte aus den entsprechenden Einflußlinien bestimmt und in Zahlentafel V zusammengestellt.

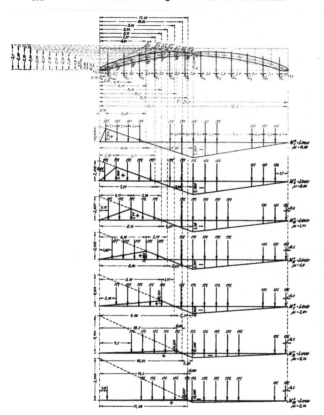

Abb. 201. Einflußlinien der oberen Kernpunktsmomente.

c) Momente infolge Verkehrslast.

Der Berechnung ist der durch Ministerialerlaß vom 5. April 1901 vorgeschriebene Lastenzug zugrunde gelegt. Dabei ist angenommen, daß die Lastverteilung durch Schwellen, Schotterbett und Erdschüttung senkrecht zur Fahrtrichtung unter 45° bis zur Bogenmittellinie stattfindet. Als größte Verteilungsbreite über dem Gewölbe ist der Gleisabstand von 4,50 m gewählt. Es ergeben sich dann die in Zahlentafel IV zusammengestellten Verteilungsbreiten.

Zahlentafel IV.

Abstand vom Kämpfer x in m	Tiefe unter S.-U. h in m	Verteilungsbreite $b = 2,70 + 2h$ in m
12,2	0,67	4,04
11,5	0,67	4,04
11,0	0,68	4,06
10,5	0,69	4,08
10,0	0,70	4,10
9,5	0,72	4,14
9,0	0,75	4,20
8,5	0,79	4,28
8,0	0,83	4,36
7,5	0,88	4,46
7,2	0,90	4,50

Zwischenwerte sind geradlinig einzuschalten.

Momente der oberen Kernpunkte (Abb. 201).

$$M^o_{I\,p_{max}} = +0,39 \cdot \frac{18}{4,50} (1,704 + 1,220 + 0,736 + 0,252) = \quad . \quad + 6,10 \text{ mt}$$

$$M^o_{I\,p_{min}} = -0,39 \left[17 \left(\frac{1,020 + 1,500}{4,19} + \frac{1,504 + 1,744}{4,08} + \frac{1,988}{4,04} \right) \right.$$
$$\left. + \frac{13}{4,50} (0,766 + 0,521 + 0,277) \right] = \quad . \quad . \quad . \quad . \quad . \quad -14,29 \text{ mt}$$

$$M^o_{II\,p_{max}} = +0,86 \cdot \frac{17}{4,50} (0,540 + 1,766 + 1,248 + 0,729$$
$$+ 0,211) = \quad +14,60 \text{ mt}$$

$$M^o_{II\,p_{min}} = -0,86 \left[17 \left(\frac{0,667 + 1,285}{4,19} + \frac{1,185 + 1,494}{4,08} + \frac{1,703}{4,04} \right) \right.$$
$$\left. + \frac{13}{4,50} (0,656 + 0,447 + 0,238) \right] = \quad . \quad . \quad . \quad . \quad . \quad -25,91 \text{ mt.}$$

Die übrigen Momente der oberen sowie die der unteren Kernpunkte sind in Zahlentafel V zusammengestellt.

8. Berechnung der Normalspannungen.

a) Der Beton beteiligt sich voll an der Aufnahme der Zugkräfte.

In Zahlentafel V sind die aus Eigen- und Verkehrslast sich ergebenden Größtmomente zusammengestellt und hieraus die größten Randspannungen gemäß den „Direktionsbestimmungen" II C 2 b unter Voraussetzung geradliniger Spannungsverteilung für Zug und Druck bestimmt.

Es ist

$$\sigma_u = \frac{M^o}{W} \qquad\qquad\qquad \sigma_o = \frac{M^u}{W}$$

Zahlentafel V.

	Kernmomente infolge Eigengewichts mt	Verkehrs- last mt	Größt- momente mt	Widerstands- moment des Querschnitts cm³	Beanspruchung des Betons kg/cm²	
					σ_u	
M^o_I	$-\ 8{,}84$	$+\ 6{,}10$ $-14{,}29$	$-\ 2{,}74$ $-23{,}13$	$86\ 147$	$-26{,}85$	Druck
M^o_{II}	$-\ 9{,}78$	$+14{,}60$ $-25{,}91$	$+\ 4{,}82$ $-35{,}69$	$104\ 319$	$+\ 4{,}62$ $-34{,}21$	Zug Druck
M^o_{III}	$-12{,}92$	$+21{,}36$ $-35{,}89$	$+\ 8{,}44$ $-48{,}81$	$117\ 282$	$+\ 7{,}20$ $-41{,}62$	Zug Druck
M^o_{IV}	$-15{,}59$	$+21{,}76$ $-37{,}72$	$+\ 6{,}17$ $-53{,}31$	$117\ 282$	$+\ 5{,}26$ $-45{,}45$	Zug Druck
M^o_V	$-14{,}48$	$+17{,}81$ $-31{,}22$	$+\ 3{,}33$ $-45{,}70$	$111\ 606$	$+\ 2{,}98$ $-40{,}95$	Zug Druck
M^o_{VI}	$-13{,}32$	$+\ 8{,}48$ $-19{,}94$	$-\ 4{,}84$ $-33{,}26$	$74\ 378$	$-44{,}72$	Druck
M^o_{VII}	$-\ 8{,}93$	$+\ 1{,}20$ $-\ 9{,}67$	$-\ 7{,}73$ $-18{,}60$	$47\ 573$	$-39{,}10$	Druck
					σ_o	
M^u_I	$+17{,}73$	$+10{,}56$ $-\ 0{,}84$	$+28{,}29$ $+16{,}89$	$86{,}147$	$-32{,}84$	Druck
M^u_{II}	$+18{,}02$	$+19{,}86$ $-10{,}35$	$+37{,}88$ $+\ 7{,}67$	$104{,}319$	$-36{,}31$	Druck
M^u_{III}	$+15{,}81$	$+27{,}14$ $-19{,}35$	$+42{,}95$ $-\ 3{,}54$	$117\ 282$	$-36{,}62$ $+\ 3{,}02$	Druck Zug
M^u_{IV}	$+12{,}86$	$+27{,}96$ $-21{,}89$	$+40{,}82$ $-\ 9{,}03$	$117\ 282$	$-34{,}81$ $+\ 7{,}70$	Druck Zug
M^u_V	$+12{,}56$	$+24{,}83$ $-17{,}42$	$+37{,}39$ $-\ 4{,}86$	$111\ 606$	$-33{,}50$ $+\ 4{,}36$	Druck Zug
M^u_{VI}	$+\ 8{,}08$	$+16{,}13$ $-10{,}29$	$+24{,}21$ $-\ 2{,}21$	$74\ 378$	$-32{,}55$ $+\ 2{,}97$	Druck Zug
M^u_{VII}	$+\ 8{,}92$	$+\ 8{,}74$ $-\ 1{,}34$	$+17{,}66$ $+\ 7{,}58$	$47\ 573$	$-37{,}10$	Druck

Das Schaubild der größten Kernmomente zeigt Abb. 211.

b) Die Eiseneinlagen nehmen sämtliche Zugkräfte auf.

Die bleibenden Senkungen des Scheitelgelenkes infolge von Lasten und Setzungen des Lehrgerüstes betragen $1{,}6 + 4{,}0 = 5{,}6$ cm (vergl. S. 473 u. 474). Um diesen Wert muß die Bettungshöhe vergrößert werden. Dieselbe beträgt dann von Schwellenunterkante bis Gelenkaufbetonierung nach Abb. 202

$$19 + 5{,}6 = 24{,}6 \text{ cm.}$$

Nach den „Direktionsbestimmungen" ist erforderlich:

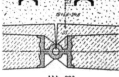

Abb. 202.

Drucksicherheit für Beton bei 0,15 m Bettungshöhe $m = 4$,

bei 0,50 m ,, $m_l = 3$,

demnach muß bei 0,246 m Bettungshöhe die Sicherheit sein

$$m = 4 - \frac{24,6 - 15}{50 - 15}(4 - 3) = 3,73.$$

Entsprechend ergibt sich für Zug

$$s = 2 - \frac{24,6 - 15}{50 - 15}(2 - 1,5) = 1,87.$$

Wie am Querschnitt 4 als höchst beanspruchten gezeigt werden soll, ergibt die Untersuchung des Gewölbes nach den „Direktionsbestimmungen" II C 2 a eine nur wenig abweichende Druckbeanspruchung gegen die nach II C 2 b ermittelte der Zahlentafel V. Unter II C 2 a wird gefordert, daß die Eiseneinlagen allein die Zugkräfte aufzunehmen vermögen (s. auch Bestimmungen für Hochbau, III. D. 7.).

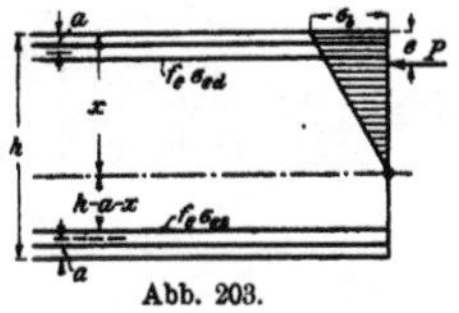

Mit den Bezeichnungen der Abb. 203 wird diese Forderung erfüllt durch die Gleichungen

Abb. 203.

$$\frac{b}{6\,nfe}\,x^3 - \frac{be}{2\,nfe}\,x^2 - (2\,e - h)\,x = 2\,a^2 + h^2 - (2\,a + e)\,h$$

$$\sigma_b = \frac{P}{\dfrac{bx}{2} + \dfrac{nfe}{x}\,[x - a - (h - x - a)]} = \frac{P}{\dfrac{bx}{2} + \dfrac{nfe}{x}\,(2\,x - h)}$$

$$\sigma_{ed} = n \cdot \sigma_b \cdot \frac{x - a}{x},$$

$$\sigma_{es} = n \cdot \sigma_b \cdot \frac{h - a - x}{x}.$$

Die Größe und Lage der Längskraft P für den Belastungszustand

$$M_{\mathrm{IV}}^o = M^o{}_{\min}$$

betragen nach Abb. 211

$$P = 155,5\ \mathrm{t} = 155\,500\ \mathrm{kg} \qquad e = 37,5 - 20 = 17,5\ \mathrm{cm}.$$

Ferner ist $\quad b = 100\ \mathrm{cm} \qquad h = 75\ \mathrm{cm} \qquad a = 3,15\ \mathrm{cm} \qquad n = 10\ \mathrm{cm}$

$$F_e = 41,55\ \mathrm{cm}^2\ (10\ \text{Stäbe 23 mm Durchm.}).$$

Dann ist

$$\frac{100}{6 \cdot 10 \cdot 41,55}\,x^3 - \frac{100 \cdot 17,5}{2 \cdot 10 \cdot 41,55}\,x^2 - (2 \cdot 17,5 - 75)\,x = 2 \cdot 3,15^2 + 75^2$$
$$- (2 \cdot 3,15 + 17,5) \cdot 75$$
$$x^3 - 52,5\,x^2 + 997\,x = 96\,226$$
hieraus $x = 61,6\ \mathrm{cm}$.

Probe: $\qquad 233\,745 - 199\,214 + 61\,415 = \mathrm{rd.}\ 95\,946.$

$$\sigma_{bd} = \frac{155\,500}{\dfrac{100 \cdot 61,6}{2} + \dfrac{10 \cdot 41,55}{61,6} \cdot (2 \cdot 61,6 - 75)} = 45,67\ \mathrm{kg/cm}^2$$

$$\sigma_{ed} = 10 \cdot 45,67 \cdot \frac{61,6 - 3,15}{61,6} = 433\ \mathrm{kg/cm}^2$$

$$\sigma_{es} = 10 \cdot 45,67 \cdot \frac{75 - 3,15 - 61,6}{6} = 76\ \mathrm{kg/cm}^2.$$

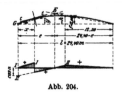

Abb. 204.

Die im Gewölbe verwendete Betonmischung von 1 Teil Zement, $2\frac{1}{2}$ Teilen Kleinschlag und $2\frac{1}{2}$ Teilen Kies weist nach Zeugnis eine Druckfestigkeit von 317,2 kg/cm² und die Mischung $1:1\frac{1}{2}$ eine Zugfestigkeit von 50 kg/cm² auf. Bei höchster Druckbeanspruchung $\sigma_{b\,d}=45,67$ kg/cm² ist somit eine $m_0=\dfrac{317,2}{45,67}=6,9$ fache Sicherheit vorhanden und für höchste Zugbeanspruchung

$$\sigma_{b\,s}=7,70\,\text{kg/cm}^2$$

eine $s_0=\dfrac{50}{7,70}$

$=6,5$ fache Sicherheit.

4. Bestimmung der Auflager- und Querkräfte.

a) Ermittlung der geometrischen Hilfsgrößen.

Die Auflager- und Querkräfte werden wie die Kernmomente durch Einflußlinien bestimmt (Abb. 205). Die Linie der lotrechten Auflagerkraft L ist bestimmt durch die Koordinaten $y=1/x=0$ und $y=0/x=24,40$. Wegen der Symmetrie des Gewölbes und gleicher Höhe der Kämpfer ist sie unabhängig vom Horizontalschub. Die H-Linie zeigt für $x=0$ und $x=24,40$ die Ordinate $y=0$, für $x=\dfrac{24,40}{2}$ unter dem Scheitelgelenk die Ordinate

$$y=\frac{24,40}{4\cdot 2,06}=2,96.$$

Abb. 204 zeigt die allgemeine Form der Querkraftlinien. Die Belastungsscheiden der Querkraftlinien

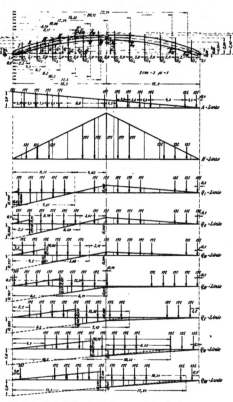

Abb. 205. Einflußlinien der Auflager- und Querkräfte.

sind mit Bezug auf Abb. 204 gegeben durch die Doppelgleichung

$$h = e\,\mathrm{tg}\alpha = \frac{(24{,}40 - e)\cdot 2{,}06}{12{,}20}.$$

Daraus folgt

$$e = \frac{24{,}40\cdot\dfrac{2{,}06}{12{,}20}}{\mathrm{tg}\alpha + \dfrac{2{,}06}{12{,}20}} = \frac{4{,}12}{\mathrm{tg}\alpha + 0{,}16885}.$$

Zahlentafel VI.

Querschnitt	$\mathrm{tg}\alpha$	α	$\cos\alpha$	e	h
I	$\dfrac{0{,}47}{1{,}40} = 0{,}33571$	$18°30$	$0{,}948$	$8{,}17$	$2{,}74$
II	$\dfrac{0{,}600}{2{,}00} = 0{,}30000$	$16°40$	$0{,}958$	$8{,}79$	$2{,}64$
III	$\dfrac{0{,}480}{2{,}00} = 0{,}24000$	$13°30$	$0{,}972$	$10{,}08$	$2{,}42$
IV	$\dfrac{0{,}330}{2{,}00} = 0{,}16500$	$9°20$	$0{,}987$	$12{,}34$	$2{,}04$
V	$\dfrac{0{,}200}{2{,}00} = 0{,}10000$	$5°40$	$0{,}995$	$15{,}32$	$1{,}53$
VI	$\dfrac{0{,}060}{2{,}00} = 0{,}03000$	$1°40$	$1{,}000$	$20{,}72$	$0{,}62$
VII	$\dfrac{0{,}016}{1{,}30} = 0{,}01231$	$0°40$	$1{,}000$	$22{,}74$	$0{,}28$

b) Auflager- und Querkräfte infolge Eigengewichts.

(Gewichte s. S. 463.)

$Lg = Rg = 10{,}55 + 8{,}07 + 6{,}73 + 5{,}75 + 4{,}82 + 4{,}20 = 40{,}12$ t

$Hg = 2\,(10{,}55\cdot 0{,}267 + 8{,}07\cdot 0{,}776 + 6{,}73\cdot 1{,}262 + 5{,}75\cdot 1{,}747 + 4{,}82\cdot 2{,}232$
$\quad + 4{,}20\cdot 2{,}717) = $ rd. 99,60 t.

$Q_{\mathrm{I}}\ g = 10{,}55\,(0{,}820 - 0{,}042) + 8{,}07\,(0{,}577 - 0{,}123)$
$\qquad + 6{,}73\,(0{,}345 - 0{,}200) + 5{,}75\,(0{,}113 - 0{,}277)$
$\qquad - 4{,}82\,(0{,}119 + 0{,}353) - 4{,}20\,(0{,}351 + 0{,}430) = \ \ldots\ \ +6{,}35$ t

$Q_{\mathrm{II}}\ g = \ldots\ldots\ldots\ldots\ldots\ldots\ldots\ldots\ -0{,}65$ t

$Q_{\mathrm{III}}\ g = \ldots\ldots\ldots\ldots\ldots\ldots\ldots\ldots\ -2{,}48$ t

$Q_{\mathrm{IV}}\ g = \ldots\ldots\ldots\ldots\ldots\ldots\ldots\ldots\ -1{,}75$ t

$Q_{\mathrm{V}}\ g = \ldots\ldots\ldots\ldots\ldots\ldots\ldots\ldots\ -0{,}94$ t

$Q_{\mathrm{VI}}\ g = \ldots\ldots\ldots\ldots\ldots\ldots\ldots\ldots\ +1{,}22$ t

$Q_{\mathrm{VII}}\,g = \ldots\ldots\ldots\ldots\ldots\ldots\ldots\ldots\ -1{,}22$ t.

c) Auflager- und Querkräfte infolge Verkehrslast.

$$L_p = 17{,}0\left[\frac{1}{4{,}50}\,(1{,}000 + 0{,}939 + 0{,}878 + 0{,}817 + 0{,}755 + 0{,}262)\right.$$
$$\left. + \frac{0{,}509}{4{,}04} + \frac{0{,}447}{4{,}08} + \frac{0{,}385}{4{,}18} + \frac{0{,}323}{4{,}42}\right] + \frac{13}{4{,}50}\,(0{,}078 + 0{,}017) = \ \ldots\ \ 24{,}66\ \text{t}$$

$$H_p = 2\left[17\left(\frac{2{,}960}{2\cdot 4{,}04} + \frac{2{,}595}{4{,}08} + \frac{2{,}230}{4{,}18}\right) + \frac{13}{4{,}50}\,(1{,}140 + 0{,}777 + 0{,}412)\right] = 65{,}68\ \text{t}$$

$$Q_I \quad p_{max} = + \frac{17}{4,50} \, (0,855 + 0,681 + 0,507 + 0,333 + 0,159) = \quad . . \quad + 9,58 \text{ t}$$

$$Q_I \quad p_{min} = - \left[17 \left(\frac{0,093}{4,50} + \frac{0,293 + 0,410}{4,08} + \frac{0,468}{4,04} + \frac{0,353}{4,18} + \frac{0,295}{4,42} \right) \right.$$
$$\left. + \frac{13}{4,50} \, (0,123 + 0,065 + 0,008) \right] = \quad . . . . \quad - 8,39 \text{ t}$$

$Q_{II} \ p_{max} = \ $ . . . . $+ 7,41$ t

$Q_{II} \ p_{min} = \ $ . . . . $- 7,89$ t

$Q_{III} \ p_{max} = \ $ . . . . $+ 5,33$ t

$Q_{III} \ p_{min} = \ $ . . . . $- 6,16$ t

$Q_{IV} \ p_{max} = \ $ . . . . $+ 4,94$ t

$Q_{IV} \ p_{min} = \ $ . . . . $- 4,68$ t

$Q_V \ p_{max} = \ $ . . . . $+ 6,48$ t

$Q_V \ p_{min} = \ $ . . . . $- 6,46$ t

$Q_{VI} \ p_{max} = \ $ . . . . $+ 8,59$ t

$Q_{VI} \ p_{min} = \ $ . . . . $- 6,84$ t

$Q_{VII} p_{max} = \ $ . . . . $+ 8,08$ t

$Q_{VII} p_{min} = \ $ . . . . $- 7,64$ t.

Die größten auftretenden Werte

$$A_{max} = A_g + A_{p\ max}$$
$$A_{min} = A_g + A_{p\ min}$$

sind in Zahlentafel VII zusammengestellt.

$$L = R = 40,12 + 24,66 = 64,78 \text{ t}$$
$$H = 99,60 + 65,68 = 165,28 \text{ t}.$$

Zahlentafel VII.

Querschnitt	Q_g t	Q_p t	Q
I	$+ 6,35$	$+ 9,58$	$+ 15,93$
		$- 8,39$	$- 2,04$
II	$- 0,65$	$+ 7,41$	$+ 6,76$
		$- 7,89$	$- 8,54$
III	$- 2,48$	$+ 5,33$	$+ 2,85$
		$- 6,16$	$- 3,68$
IV	$- 1,75$	$+ 4,94$	$+ 3,19$
		$- 4,68$	$- 6,43$
V	$- 0,94$	$+ 6,48$	$+ 5,54$
		$- 6,46$	$- 7,40$
VI	$+ 1,22$	$+ 8,59$	$+ 9,81$
		$- 6,84$	$- 5,62$
VII	$- 1,22$	$+ 8,08$	$+ 6,86$
		$- 7,64$	$- 8,86$

5. Berechnung der Schub- und Haftspannungen.

Für einen durch Achsialkraft und Biegungsmoment beanspruchten Querschnitt ist die Lage der Nullachse bestimmt durch die Gleichung (s. auch S. 467)

$$\frac{b}{6\,nfe} \, x^3 - \frac{be}{2\,nfe} \, x^2 - (2\,e - h)\,x = 2\,a^2 + h^2 - (2\,a + e)\,h.$$

Die Querschnitte sind sämtlich mit einer Breite $b = 100$ cm gerechnet. Nach den „Direktionsbestimmungen" ist $n = 10$ angenommen.

Da die Größe und Lage der Längskraft im allgemeinen nicht ermittelt wurden, ist hinreichend ungünstig mit der Annahme gerechnet, daß die Längskraft in der Achse der Eiseneinlage wirke. Die Schub- und Haftspannungen in den einzelnen Querschnitten ergeben sich wie folgt:

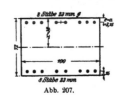

Abb. 206.

Querschnitt I (Abb. 206.)

$F_e = 33,24$ cm² (8 Stäbe 23 mm Durchm.)

$$e = a = 3,15 \text{ cm}; \quad h = 65 \text{ cm}$$

$$\frac{100}{6 \cdot 10 \cdot 33,24} x^3 - \frac{100 \cdot 3,15}{2 \cdot 10 \cdot 33,24} x^2 + (65 - 2 \cdot 3,15) x = 2 \cdot 3,15^2 + 65^2$$
$$- (2 \cdot 3,15 + 3,15) \cdot 65$$

$$x^3 - 9,45 x^2 + 1171 x = 72\,409$$
$$x = 35,0 \text{ cm.}$$

Probe: $\qquad 42\,875 - 11\,566 + 40\,985 = 72\,294$

$$\max Q = 15,93 \text{ t} = 15\,930 \text{ kg.}$$

Größte Schubspannung

$$\tau = \frac{Q}{b\left(h - a - \dfrac{x}{3}\right)} = \frac{15\,930}{100\left(65 - 3,15 - \dfrac{35,0}{3}\right)} = 3,18 \text{ kg/cm}^2.$$

Haftspannung

$$\tau_1 = \frac{\tau_0 \cdot b}{U \text{ (Eisenumfang)}} = \frac{3,18 \cdot 100}{8 \cdot 7,226} = 5,50 \text{ kg/cm}^2, \text{ zul. } 4,5 \text{ kg/cm}^2.$$

Die Mehrbeanspruchung von 1 kg/cm² wird von den Schrägeisen aufgenommen. Sie entspricht einer Kraft von $P = 1,414 \cdot 8 \cdot 7,226 \cdot 1 = 82$ kg.

Bei 4 Eisen 5 mm Durchm. beträgt die Beanspruchung des Eisens

$$\sigma_e = \frac{82}{4 \cdot 0,196} = 105 \text{ kg/cm}^2.$$

Querschnitt II (Abb. 207).

$$F_e = 33,24 \text{ cm}^2$$
$$e = a = 3,15 \text{ cm}; \quad h = 72 \text{ cm}$$

$$\frac{100}{6 \cdot 10 \cdot 33,24} x^3 - \frac{100 \cdot 3,15}{2 \cdot 10 \cdot 33,24} x^2 + (65 - 2 \cdot 3,15) x = 2 \cdot 3,15^2 + 72^2 - 72$$
$$(2 \cdot 3,15 + 3,15)$$

$$x^3 - 9,45 x^2 + 1310 x = 90\,415$$
$$x = 38 \text{ cm.}$$

Probe: $54\,872 - 13\,646 + 49\,780 = 91\,006$

$$\max Q = 8,54 \text{ t} = 8540 \text{ kg.}$$

$$\tau_0 = \frac{8540}{100\left(72 - 3,15 - \dfrac{38}{3}\right)} = 1,52 \text{ kg/cm}^2$$

$$\tau_1 = \frac{1,52 \cdot 100}{8 \cdot 7,226} = 2,63 \text{ kg/cm}^2,$$

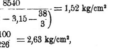

Abb. 207.

ebenso

Querschnitt III.

$F_e = 41,55$ cm² (10 Stäbe 23 mm Durchm.)

$e = a = 3,15$ cm; $h = 75$ cm

$x = $ rd. 41 cm

max $Q = 3,68$ t $= 3680$ kg

$$\tau_0 = \frac{3680}{100\left(75 - 3,15 - \frac{41}{3}\right)} = 0,63 \text{ kg/cm}^2$$

$$\tau_1 = \frac{0,63 \cdot 100}{10 \cdot 7,226} = 0,87 \text{ kg/cm}^2.$$

Querschnitt IV wie III.

max $Q = 6,43$ t $= 6430$ kg.

$$\tau_0 = \frac{6430}{100\left(75 - 3,15 - \frac{41}{3}\right)} = 1,11 \text{ kg/cm}^2$$

$$\tau_1 = \frac{1,11 \cdot 100}{10 \cdot 7,226} = 1,54 \text{ kg/cm}^2.$$

Querschnitt V.

$F_e = 41,55$ cm²

$e = a = 3,15$ cm; $h = 73$ cm

$x = 40,1$ cm

max $Q = 7,40$ t $= 7400$ kg

$$\tau_0 = \frac{7400}{100\left(73 - 3,15 - \frac{40,1}{3}\right)} = 1,31 \text{ kg/cm}^2$$

$$\tau_1 = \frac{1,31 \cdot 100}{10 \cdot 7,226} = 1,81 \text{ kg/cm}^2.$$

Querschnitt VI.

$F_e = 33,24$ cm² (8 Stäbe 23 mm Durchm.)

$e = a = 3,15$ cm; $h = 60$ cm

$x = $ rd. 33 cm

max $Q = 9,81$ t $= 9810$ kg

$$\tau_0 = \frac{9810}{100\left(60 - 3,15 - \frac{33}{3}\right)} = 2,14 \text{ kg/cm}^2$$

$$\tau_1 = \frac{2,14 \cdot 100}{8 \cdot 7,226} = 3,70 \text{ kg/cm}^2.$$

Querschnitt VII.

$F_e = 33,24$ cm²

$e = a = 3,15$ cm; $h = 47$ cm

$x = 27,3$ cm

max $Q = 8,86$ t $= 8860$ kg

$$\tau_0 = \frac{8860}{100\left(47 - 3,15 - \frac{27,3}{3}\right)} = 2,55 \text{ kg/cm}^2$$

$$\tau_1 = \frac{2,55 \cdot 100}{8 \cdot 7,226} = 4,41 \text{ kg/cm}^2.$$

Zugunsten der Sicherheit und aus baulichen Gründen sind die in je 20 cm Entfernung liegenden Eisen durch Schrägen und senkrechte Drähte und Flacheisen verbunden; an den Gelenken, namentlich an den Kämpfern, hat der Bogen eine besonders kräftige Eiseneinlage erhalten.

C. Ermittlung der Senkung des Mittelgelenkes.

1. Einfluß von Eigengewicht und Verkehrslast.

Der größte Kämpferdruck ist, angenähert und ungünstig gerechnet,

$$K_{max} = \sqrt{H_{max}^2 + L_{max}^2}$$
$$= \sqrt{165,28^2 + 64,75^2} = \text{ rd. } 177,5 \text{ t.}$$

Länge der Bogensehne (Abb. 208)

$s = \sqrt{12,30^2 + 2,06^2} = 12,373$ m $= 1237,3$ cm.

Abb. 208.

Nach dem Hookeschen Gesetz ist dann die Sehnenverkürzung infolge $K = K_{max}$

$$s = \frac{K \cdot s}{E_m \cdot F_m},$$

wobei E_m und F_m das Elastizitätsmaß bezw. den mittleren Querschnitt des stellvertretenden Betonkörpers bedeuten.

Wird zugunsten der Sicherheit das Verhältnis $\frac{E_e}{E_b} = n = 15$ gesetzt, so ist für den mittleren Querschnitt (Abb. 209) bei Annahme

Abb. 209.

$$E_e = 2\,150\,000 \text{ kg/cm}^2$$
$$E_b = \text{rd. } 143\,000 \text{ kg/cm}^2$$
$$E_m = \frac{(70 \cdot 100 - 2 \cdot 33,24)\,143\,000 + 2 \cdot 33,24 \cdot 2\,150\,000}{70 \cdot 100} = \text{rd. } 162\,000 \text{ kg/cm}^2$$
$$F_m = 70 \cdot 100 = 7000 \text{ cm}^2$$
$$\varDelta s = \frac{177,5 \cdot 1000 \cdot 1237,3}{162\,000 \cdot 7000} = \text{rd. } 0,2 \text{ cm}$$
$$s - \varDelta s = 1237,3 - 0,2 = 1237,1 \text{ cm.}$$

Dann beträgt die Scheitelsenkung infolge der Längskraft

$$\sigma = 206 - \sqrt{1237,1^2 - 1220^2} = 206 - 204,97 = 1,03 \text{ cm.}$$

Der Einfluß der Querkräfte und Biegungsmomente findet genau genug Berücksichtigung durch einen Zuschlag von 50 vH. zu diesem Werte, so daß als Einfluß der Lasten auf die Scheitelsenkung gefunden wird:

$$\delta_1 = 1,03 \cdot 1,5 = \text{rd. } 1,6 \text{ cm.}$$

2. Einfluß einer Wärmeänderung.

Beton und Eisen haben annähernd den gleichen Wärmeausdehnungskoeffizienten, für 100° C. etwa $\frac{1}{850}$. Die durchschnittliche Wärme während der Bauzeit ist $+ 10°$ C. Einer Wärmeabnahme von 20° C. entspricht dann die Sehnenverkürzung

$$\varDelta s = \frac{1237,3}{850} \cdot \frac{20}{100} = 0,29, \text{ rd. } 0,3 \text{ cm}$$
$$s - \varDelta s = 1237,3 - 0,3 = 1237,0 \text{ cm}$$

und die Scheitelsenkung

$$\delta_2 = 206 - \sqrt{1237,0^2 - 1220^2} = 206 - 204,4 = 1,6 \text{ cm.}$$

3. Einfluß einer mit der Zeit erfolgten Zusammenziehung um $\frac{1}{2000}$ der Länge infolge Austrocknens des Bogens.

Sehnenverkürzung des halben Bogens

$$\varDelta s = \frac{1237,3}{2000} = \text{rd. } 0,62 \text{ cm}$$
$$s - \varDelta s = 1237,3 - 0,62 = 1236,68 \text{ cm.}$$

Scheitelsenkung

$$\delta_3 = 206 - \sqrt{1236,68^2 - 1220^2} = 206 - 202,43 = 3,57, \text{ rd. } 3,6 \text{ cm.}$$

In den von Erde umhüllten Widerlagern ist eine Zusammenziehung des Betons infolge Austrocknens wohl ausgeschlossen.

4. Einfluß des Ausweichens der Widerlager um 1,5 cm infolge seitlicher Zusammenpressung des Baugrundes.

Verlängerung der halben Stützweite

$$\frac{\varDelta l}{2} = \frac{1,5}{2} = 0,75 \text{ cm,} \qquad 1120 + 0,75 = 1220,75 \text{ cm.}$$

Scheitelsenkung

$$\delta_4 = 206 - \sqrt{1237,3^2 - 1220,75^2} = 206 - 201,94 = 4,06 \text{ cm.}$$

5. Einfluß durch Zusammenpressung und Setzen des Lehrgerüstes.

Schätzungsweise wird derselbe zu $\delta_5 = 4,0$ cm angenommen. Die gesamte zu erwartende Senkung des Scheitels beträgt demnach

$$\sum_1^5 \delta = 1,6 + 1,6 + 3,6 + 4,06 + 4,0 = 14,86 = \text{rd. } 15 \text{ cm.}$$

Der Bogen ist mit Überhöhung derart eingerüstet worden, daß dieselbe im Scheitel 15 cm betrug (vergl. S. 460.)

D. Berechnung der Widerlager.

1. Einfluß von Eigengewicht und Erddruck.

Das Gewicht des halben Bogens, einschließlich Überschüttung, Schotterbett und Bahnoberbau, ist für 1 m Breite (s. S. 469) $L_g (= R_g) = 40,12$ t, der Horizontalschub infolge Eigengewichts $H_g = 99,60$ t.

Gewichte der Widerlagerstreifen.

Beton   Eisen

$$P_1 = \frac{1,0}{2} \cdot 0,75\,(0,40 + 0,60) \cdot 2,0 + 1,0 \cdot 0,75 \cdot 0,045 = \text{rd. } 0,8 \text{ t}$$

$$P_2 = \frac{1,0}{2} \cdot 1,20\,(0,55 + 0,50) \cdot 2,0 + 1,0 \cdot 0,7 \cdot 0,045 = 1,3 \text{ t}$$

$$P_3 = \frac{1,0}{2} \cdot 2,15\,(1,20 + 0,75) \cdot 2,0 = 4,2 \text{ t}$$

$$P_4 = \frac{1,0}{2} \cdot 3,85\,(1,35 + 1,20) \cdot 2,0 = 9,8 \text{ t}$$

$$P_5 = \frac{1,0}{2} \cdot [3,85\,(1,50 + 3,90) + 5,8\,(4,75 + 2,05)] \cdot 2,0 = 59,2 \text{ t}.$$

Gewicht für Überschüttung, Schotterbett und Bahnoberbau.

Überschüttung   Bettung   Oberbau

$$G_1 = \frac{1,0}{2} \cdot 0,75\,(1,95 + 2,15) \cdot 1,6 + 1,0 \cdot 0,5 \cdot 0,75 \cdot 1,9 + 1,0 \cdot 0,70 \cdot 0,045 = \text{rd. } 3,2 \text{ t}$$

$$G_2 = 3,2 \text{ t}, \qquad G_3 = 7,2 \text{ t}, \qquad G_4 = 13,1 \text{ t}, \qquad G_5 = 30,2 \text{ t}.$$

Erddruck.

$$E_1 = \frac{1,6}{8}\,(2,65^2 - 2,45^2) \cdot 1,0 = 0,20 \text{ t} \qquad E_4 = \frac{1,6}{8}\,(3,34^2 - 2,97^2) \cdot 1,0 = 0,47 \text{ t}$$

$$E_2 = \frac{1,6}{8}\,(2,75^2 - 2,65^2) \cdot 1,0 = 0,11 \text{ t} \qquad E_5 = \frac{1,6}{8}\,(6,51^2 - 3,34^2) \cdot 1,0 = 6,24 \text{ t}.$$

$$E_3 = \frac{1,6}{8}\,(2,97^2 - 2,75^2) \cdot 1,0 = 0,26 \text{ t}$$

Die zeichnerische Untersuchung des Widerlagers siehe Abb. 210. Die Drucklinie für Eigengewicht ist strichpunktiert eingetragen.

Kantenpressungen.

Querschnitt I.

$b = 100$ cm; $h = 83$ cm; Exzentrizität der Drucklinie $e = 3$ cm.

Druckkraft $N = 106$ t.

$$\sigma = \frac{106\,000}{100 \cdot 85} \pm \frac{106\,000 \cdot 3 \cdot 6}{100 \cdot 83^2} = 12,77 \pm 2,77$$

$$\sigma_1 = 15,54 \text{ kg/cm}^2, \qquad \sigma_2 = 10,00 \text{ kg/cm}^2.$$

Querschnitt II.

$b = 100$ cm; $h = 116$ cm; $e = 10$ cm; $N = 108,5$ t.

$$\sigma = \frac{108\,500}{100 \cdot 116} \pm \frac{108\,500 \cdot 10 \cdot 6}{100 \cdot 106^2} = 9,36 \pm 4,84$$

$$\sigma_1 = 14,20 \text{ kg/cm}^2, \qquad \sigma_2 = 4,52 \text{ kg/cm}^2.$$

Querschnitt III.

$b = 100$ cm; $h = 204$ cm; $e = 17$ cm; $N = 114,5$ t.

$$\sigma = \frac{114\,500}{100 \cdot 204} \pm \frac{114\,500 \cdot 17 \cdot 6}{100 \cdot 204^2} = 5,61 \pm 2,81$$

$$\sigma_1 = 8,42 \text{ kg/cm}^2, \qquad \sigma_2 = 2,80 \text{ kg/cm}^2.$$

Querschnitt IV.

$b = 100$ cm; $h = 385$ cm; $e = 38$ cm; $N = 128$ t.

$$\sigma = \frac{128\,000}{100 \cdot 385} \pm \frac{128\,000 \cdot 38 \cdot 6}{100 \cdot 385^2} = 5,32 \pm 1,97$$

$\sigma_1 = 5,29$ kg/cm², $\sigma_2 = 1,35$ kg/cm².

Querschnitt V (Fundamentunterkante).

$b = 100$ cm; $h = 786$ cm; $e = 3$ cm; $N = 202$ t.

$$\sigma = \frac{202\,000}{100 \cdot 786} \pm \frac{202\,000 \cdot 3 \cdot 6}{100 \cdot 786^2} = 2,57 \pm 0,06$$

$\sigma_1 = 2,63$ kg/cm², $\sigma_2 = 2,51$ kg cm².

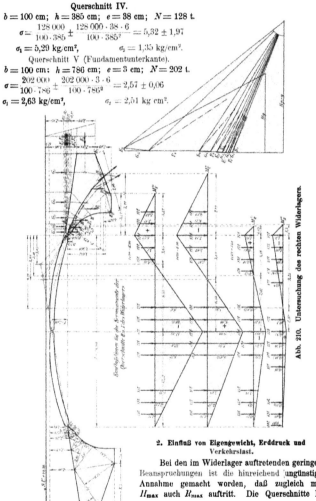

Abb. 210. Untersuchung des rechten Widerlagers.

2. Einfluß von Eigengewicht, Erddruck und Verkehrslast.

Bei den im Widerlager auftretenden geringen Beanspruchungen ist die hinreichend ungünstige Annahme gemacht worden, daß zugleich mit H_{max} auch R_{max} auftritt. Die Querschnitte II

und V sind genau berechnet. Zu den Kräften unter 1) sind hinzuzufügen
$$Lp \,(=Rp) = 24,66 \text{ t}, \qquad Hp = 65,68 \text{ t}.$$
Die Drucklinie ist in Abb. 210 durch einen starken Strich gekennzeichnet.

Querschnitt I.

$$b = 100 \text{ cm}; \quad h = 83 \text{ cm}; \quad e = 3 \text{ cm}; \quad N = 175 \text{ t}.$$
$$\sigma = \frac{175\,000}{100 \cdot 83} \pm \frac{175\,000 \cdot 3 \cdot 6}{100 \cdot 83^2} = 21,09 \pm 4,13$$
$$\sigma_1 = 25,22 \text{ kg/cm}^2, \qquad \sigma_2 = 16,96 \text{ kg/cm}^2.$$

Querschnitt II.

$$b = 100 \text{ cm}; \quad h = 116 \text{ cm}.$$

Der Querschnitt ist mit Hilfe der Einflußlinien für die Kernmomente untersucht worden (Abb. 210).

$$M_{\text{II}}^{\text{u}} p_{\max} = + \frac{17}{4,50} (1,15 + 0,81 + 0,48 + 0,12) = + 9,67 \text{ mt}$$

$$M_{\text{II}}^{\text{u}} p_{\min} = - \frac{17}{4,50} (1,21 + 1,545 + 1,35 + 1,16 + 0,875)$$
$$- \frac{13}{4,50} (0,59 + 0,40 + 0,21) = - 26,67 \text{ mt}.$$

$$M_{\text{II}}^{\text{o}} p_{\max} = 6,45 \text{ mt} \qquad M_{\text{II}}^{\text{o}} p_{\min} = 16,6 \text{ mt}.$$

Daraus ergeben sich folgende Randspannungen:

in E_1

$$\sigma_{\text{Zug}} = \frac{967\,000 \cdot 6}{100 \cdot 116^2} = 4,3 \text{ kg/cm}^2$$

$$\sigma_{\text{Druck}} = \frac{2\,667\,000 \cdot 6}{100 \cdot 116^2} = 11,9 \text{ kg/cm}^2.$$

in E_2

$$\sigma_{\text{Zug}} = \frac{645\,000 \cdot 6}{100 \cdot 116^2} = 2,88 \text{ kg/cm}^2$$

$$\sigma_{\text{Druck}} = \frac{1\,660\,000 \cdot 6}{100 \cdot 116^2} = 7,4 \text{ kg/cm}^2.$$

Demnach sind die größten auftretenden Randspannungen aus ständiger Last und Verkehr

in E_1 max $\sigma_1 = 4,52 + 11,9 = 16,42 \text{ kg/cm}^2$
           min $\sigma_1 = 4,52 - 4,3 = 0,22 \text{ kg/cm}^2$,

in E_2 max $\sigma_2 = 14,20 + 7,4 = 21,6 \text{ kg/cm}^2$
           min $\sigma_2 = 14,20 - 2,88 = 11,32 \text{ kg/cm}^2$.

Querschnitt III.

$$b = 100 \text{ cm}; \quad h = 204 \text{ cm}; \quad e = 5 \text{ cm}; \quad N = 128,5 \text{ t}$$
$$\sigma = \frac{182\,500}{100 \cdot 204} \pm \frac{182\,500 \cdot 5 \cdot 6}{100 \cdot 204^2} = 8,94 \pm 1,32$$
$$\sigma_1 = 10,26 \text{ kg/cm}^2, \ \sigma_2 = 7,64 \text{ kg/cm}^2.$$

Querschnitt IV.

$$b = 100 \text{ cm}; \quad h = 385 \text{ cm}; \quad e = 5 \text{ cm}; \quad N = 194 \text{ t}$$
$$\sigma = \frac{194\,000}{100 \cdot 385} \pm \frac{194\,000 \cdot 5 \cdot 6}{100 \cdot 385^2} = 5,04 \pm 0,39$$
$$\sigma_1 = 5,04 + 0,39 = 5,43 \text{ kg cm}^2, \ \sigma_2 = 5,04 - 0,39 = 4,65 \text{ kg/cm}^2.$$

Querschnitt V (Fundamentsohle).

$$b = 100 \text{ cm}; \quad h = 786 \text{ cm}.$$

Der Einfluß der Verkehrslast ist wie bei Querschnitt II mit Hilfe der Einfluß-linien der Kernmomente (Abb. 210) ermittelt worden.

$$M_V^u\, p_{max} = + \frac{17}{4,5}\, (3,10 + 5,27 + 3,77 + 2,27 + 0,93) = + 58 \text{ mt}$$

$$M_V^u\, p_{min} = - 218,95 \text{ mt} \qquad M_V^o\, p_{max} = + 155,4 \text{ mt} \qquad M_V^o\, p_{min} = - 106 \text{ mt}.$$

Daraus ergeben sich die folgenden Randspannungen

in E_1 $\qquad \sigma_{Zug} = + \dfrac{5\,800\,000 \cdot 6}{100 \cdot 786^2} = + 0,56 \text{ kg/cm}^2$

$\qquad\qquad\qquad \sigma_{Druck} = - \dfrac{21\,895\,000 \cdot 6}{100 \cdot 786^2} = - 2,13 \text{ kg/cm}^2$

in E_2 $\qquad \sigma_{Zug} = + \dfrac{15\,540\,000 \cdot 6}{100 \cdot 786^2} = + 1,51 \text{ kg/cm}^2$

$\qquad\qquad\qquad \sigma_{Druck} = - \dfrac{10\,600\,000 \cdot 6}{100 \cdot 786^2} = - 1,03 \text{ kg/cm}^2.$

Die größten Kantenpressungen infolge ständiger Last und Verkehrs sind dann

$$\sigma_{max} = \sigma_g + \sigma_p$$

in E_1 $\qquad \sigma_{max} = 2,63 + 2,13 = 4,76 \text{ kg/cm}^2$

in E_2 $\qquad \sigma_{max} = 2,51 + 1,03 = 3,54 \text{ kg/cm}^2.$

Mit Rücksicht darauf, daß der passive Erddruck nicht in Rechnung gestellt worden ist, erscheinen die Beanspruchungen des Baugrundes nicht zu hoch.

E. Berechnung der Stirnmauern.
(Abb. 211.)

Die Stirnmauer erhält über den Gelenken durchgehende senkrechte Fugen.

Belastungsannahmen:

Betongewicht . . . . 2,0 t/m³,

Schotter . . . . . 1,9 t/m³,

Erdboden . . . . . 1,6 t/m³,

Bahnoberbau wie vor　0,046 t/m²,

Verkehrslast $\dfrac{17,0}{1,5 \cdot 4,5} = 2,52 \text{ t/m}^2.$

Auf Erdschüttung umgerechnet entsprechen 0,5 m Schotterbett einer Höhe von $0,5 \cdot \dfrac{1,9}{1,6} = 0,6 \text{ m}$, 0,046 t/m² Bahnoberbau $\dfrac{0,046}{1,6} = 0,03 \text{ m}.$

Die Spitze des Erddruckdreiecks liegt demnach

$$0,6 - 0,5 + 0,03 = \text{rd. } 0,2 \text{ m}$$

über Mauerkrone. Die Richtung des Erddrucks wird wagerecht angenommen, von Reibung zwischen Wand- und Hinterfüllung also abgesehen.

Gewichte und Kräfte.

Gewicht des auflastenden Erdkörpers einschließlich Bettung und Oberbau

$$G_1 = (2,5 + 0,2) \cdot \frac{1}{2}\, (1,8 + 0,3)\, 1,6 = 4,5 \text{ t/m}.$$

Gewichte der Stirnwand.

$$G_2 = \frac{0,5 + 1,9}{2} \cdot 2,5 \cdot 2,0 = 6,0 \text{ t/m}$$

$$G_3 = 2,2 \cdot 1,7 \cdot 2,0 = 7,5 \text{ t/m}.$$

Belastungszustand $M_{IV}^{0} = M_{min}^{0}$.

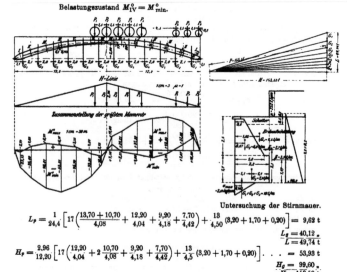

Untersuchung der Stirnmauer.

$$L_p = \frac{1}{24,4}\left[17\left(\frac{13,70 + 10,70}{4,08} + \frac{12,20}{4,04} + \frac{9,20}{4,18} + \frac{7,70}{4,42}\right) + \frac{13}{4,50}(3,20 + 1,70 + 0,20)\right] = 9,62 \text{ t}$$

$$\frac{L_g = 40,12\ _n}{L = 49,74 \text{ t}}$$

$$H_p = \frac{2,96}{12,20}\left[17\left(\frac{12,20}{4,04} + 2\frac{10,70}{4,08} + \frac{9,20}{4,18} + \frac{7,70}{4,42}\right) + \frac{13}{4,5}(3,20 + 1,70 + 0,20)\right]\ \ldots\ = 53,93 \text{ t}$$

$$\frac{H_g = 99,60\ _n}{H = 153,53 \text{ t}}$$

Abb. 211.

Wagerechter Erddruck infolge Verkehrslast

$$E_p = \frac{2,52}{4}\cdot 4,20 = 2,7 \text{ t/m.}$$

Erddruck

$$E = \frac{1,6}{8}(4,20 + 0,20)^2 = 3,9 \text{ t/m.}$$

Momentengleichung für die untere Wandvorderkante (Abb. 211)

$$4500 \cdot 162 + 6000 \cdot 67 + 7500 \cdot 110 - 2700 \cdot 210 - 3900 \cdot 147 - (4500 + 6000 + 7500) \cdot x = 0.$$

$x = 45,32$ cm = Abstand der Mittelkraft von der Vorderkante.

Dann ist die Kantenpressung

$$\sigma_b = \frac{(4500 + 6000 + 7500)^2}{3 \cdot 100 \cdot 45,32} = 2,65 \text{ kg/cm}^2.$$

Die Wand ist auf das Widerlager aufgesetzt; die weitere Untersuchung ist deshalb entbehrlich.

F. Berechnung der Gelenke.

Die Berechnung der Gelenke ist als Beispiel S. 407 durchgeführt.

F. Beschreibung ausgeführter Brücken.

I. Betonbogenbrücken ohne Eiseneinlagen.

Nr. 1. Straßenbrücke über die Donau bei Munderkingen in Württemberg,[1]) ausgeführt im Jahre 1893 nach den Entwürfen des Präsidenten Karl v. Leibbrand in Stuttgart von der Stuttgarter Zementfabrik Blaubeuren (Abb. 212).

Die Brücke wurde als Gelenkbrücke mit einer Spannweite von 50 m und 5 m Pfeilhöhe ausgeführt. Die Berechnung erfolgte unter Annahme einer Verkehrslast von 400 kg/m²; von Einzellasten, wie Dampfwalzen und dergl., hat

Abb. 212. Donaubrücke bei Munderkingen.

man mit Rücksicht auf das große Eigengewicht der Brücke abgesehen. Die dem Bogen zu gebende Form wurde auf dem Wege des Versuchs gefunden; sie ist der mittleren Drucklinie für Vollbelastung des Gewölbes annähernd gleichlaufend. Die innere Leibung ist auf der linken Gewölbehälfte nach einem Halbmesser von 65 m, auf der rechten dagegen vom

Längenschnitt.   Querschnitt im Scheitel.

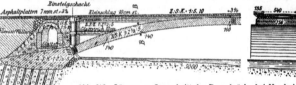

Abb. 213. Längen- u. Querschnitt der Donaubrücke bei Munderkingen.

Scheitel auf ²/₃ der Gewölbehälfte nach 70 m, weiterhin nach 46 m Halbmesser gekrümmt. Die Gewölbestärke im Scheitel beträgt 1 m, und dabei erreicht die größte Inanspruchnahme 34,2 kg/cm²; in den Kämpfern beträgt die Gewölbestärke je 1,1 m, wobei links 34,4, rechts 34,9 kg/cm², also annähernd derselbe Druck wie im Scheitel als Höchstbeanspruchung auftritt. In den sogenannten Bruchfugen BB (Abb. 213) nähert sich die Druckkurve der inneren oder äußeren Leibung, je nachdem die eine oder andere Gewölbehälfte voll belastet ist; in beiden Bruchfugen ist nun die Gewölbestärke so vergrößert und die Form des Gewölbes so gewählt worden, daß die daselbst auftretenden größten Beanspruchungen an der inneren und äußeren Leibung des Gewölbes gleich groß und gleich der größten Belastung des Scheitels und Kämpfers werden; im Entwurf war dies vollständig erreicht, bei der Ausführung haben sich kleine Abweichungen dahin ergeben, daß in der linkseitigen Bruchfuge die größten Be-

---

[1]) Die Geschichte dieses Baues, unstreitig eine der bedeutendsten Betonbrücken seiner Zeit, sowie die bemerkenswerten Einzelheiten desselben wurden vom Präsidenten Karl v. Leibbrand in einer von der Königlichen Ministerialabteilung für Straßen- und Wasserbau herausgegebenen, mit Plänen, Tafeln und Aufnahmen ausgestatteten Beschreibung niedergelegt.

Vergl. außerdem Zeitschr. f. Bauw. 1894, S. 541.

anspruchungen 36,7 kg/cm², in der rechtsseitigen dagegen 38 kg/cm² erreichen. Die Gelenke sind bereits S. 403 näher beschrieben worden. Der durch die eisernen Kastenträger derselben auf den Beton gleichförmig übertragene Druck erreicht hierbei in den Kämpfern 57 kg/cm².

Die unvermeidlichen Wärmebewegungen der Brücke, welche eine Verlängerung des Bogens zwischen den Kämpfern und demgemäß eine Bewegung des Scheitels verursachen würden, haben zur Folge, daß in den Stirn- und Zwischenmauern über den Kämpfern Spannungen entstehen, welche erfahrungsgemäß die Bildung von Rissen daselbst und in den darüber befindlichen Gehwegen begünstigen.

Um dies zu vermeiden, sind sowohl in den Stirnmauern hinter den vorspringenden Umrahmungen der Seitenbogen als in den Zwischenmauern der Entlastungsräume offene Schlitze belassen worden, welche die freie Bewegung des Hauptbogens ermöglichen. Unter der Fahrbahn und den Gehwegen sind diese Schlitze mit zwei L-Eisen, die aufeinander zu schleifen vermögen, abgedeckt.

Die Arbeiten begannen am 11. April 1893. Die Betonbereitung für die Fundamente erfolgte von Hand, möglichst trocken und unter kräftiger Verwendung der Handstößel.

Für das Gewölbe und alle folgenden Betonarbeiten wurde die Mischtrommel verwendet, welche auf einem Holzgerüst aufgestellt wurde. Kies, Sand und Zement sind mit Rollwagen auf Rampen zu der Plattform des Gerüstes geführt worden. Die Entnahme des fertigen Betons erfolgte in die Schwebegefäße einer Luftbahn, mittels welcher der Beton an jede Stelle des Baues gebracht werden konnte.

Die eisernen Gelenke an den Kämpfern wurden vom 15. bis 17. Juli vor dem Beginn des Wölbens versetzt; jedes der 0,5 m langen Gelenke wiegt an Flußeisen 385 kg, an Stahl 16 kg und kostete 115 Mark; die Gelenke sind in je 10 cm Abstand treppenförmig versetzt, wie dies dem englischen Fugenschnitte des schrägen Brückenbogengewölbes entspricht.

Das Lehrgerüst ist vor Beginn des Wölbens im Scheitel mit Kies und Eisenwerk im Gesamtgewicht von 25 t belastet worden. In Längen von 1 bis 1,5 m, der Bogenlinie nach gemessen, wurden nun winkelrecht auf die Bogenleibung Dielwände auf Gewölbedicke aufgestellt, die nach dem englischen Fugenschnitt gerichtet und in drei Absätzen, der Breite der Brücke nach, abgetreppt waren. Diese, große Gewölbequaderformen vorstellenden Kasten, wurden nun in Schichten von etwa 30 cm Höhe ausbetoniert und festgestampft. Die aus lose nebeneinanderliegenden Hölzern von 10/10 cm Stärke bestehende Einschalung des Bogens ist vor dem Einbringen des Betons mit starkem Packpapier überzogen; dieses ist mit Leinöl bestrichen, und hierauf sind kleine trapezförmige Leisten aufgenagelt worden, um der inneren Leibung eine Teilung nach der Richtung des englischen Fugenschnittes zu geben. Die Stirnen der Gewölbe mußten vollständig mit gehobelten Brettern eingeschalt werden, auf welche keilförmig verjüngte Hölzer aufgenagelt wurden, um die Abfasung und die Bosseneinteilung des Bogens zu erhalten; auch dieses Holzwerk wurde geölt.

Ehe der Beton an den Stirnen der Gewölbe eingebracht wurde, ist daselbst mit trockenem Zementmörtel im Verhältnis 1 Farbzement zu 2 feinem Sand auf etwa 10 cm Dicke die Stirn des Gewölbes vorgesetzt und auf das sorgfältigste festgeklopft und festgestoßen worden. Der feuchter als gewöhnlich gehaltene Gewölbebeton hat sich mit der ihm vorausgehenden Stirnverkleidung in tadelloser Weise verbunden. Übrigens wurde nie unterlassen, Betonflächen, welche schon getrocknet erschienen, beim Ansetzen weiteren Betons zuvor mit dünnflüssigem Zementmörtel zu bewerfen, um eine innige Verbindung aller Teile des Gewölbes zu bewirken. Es wurde abwechslungsweise, je auf der einen und der anderen Seite des Bogens, vom Kämpfer her gegen die Mitte betoniert. Ein Betonklotz blieb drei Stunden in Ruhe, ehe die Schalung abgenommen und gegen den Scheitel vorgerückt wurde.

Als die Wölbung auf etwa je 8 m des Gewölbes von beiden Kämpfern aus vorgeschritten war, wurden zwei künstliche Widerlager, 16 m von den Kämpfern entfernt, hergestellt, von welchen aus, ehe man den übrigen Teil des Gewölbes ausführte, gegen den Scheitel betoniert wurde; im Scheitel blieben hierbei 2 m frei.

Zufolge einer ungenügenden Unterstützung der Enden des Lehrgerüstes hatten sich die Enden des Brückenbogens während des Wölbens gegenüber den Widerlagern um 6,5 bis 14 mm gesenkt, und die Stahlgelenke sind demgemäß teils lose, teils exzentrisch geworden; es mußte deshalb der Beton zu beiden Seiten der Gelenke ausgespitzt und die letzteren genau versetzt und in ihrer Lage gesichert werden; dies ist mit sehr einfachen Mitteln dadurch geschehen, daß die beiden ein Gelenk zwischen sich tragenden eisernen Kasten unverrückbar zusammengeschraubt und an feste Punkte der danebenbefindlichen Betonmauer aufgehängt wurden. Die Scheitelgelenke wurden gleichfalls zusammengeschraubt, auf mit Eisen beschlagene Hölzer der Schalung aufgestellt und mit eisernen Keilen genau in die richtige Lage gebracht. So gelang es, die Gelenke völlig genau zusammenzupassen und sie auch in dieser Lage zu erhalten.

Vom 1. bis 7. August wurden die Kämpfer und Scheitelgelenke zu beiden Seiten sorgfältig einbetoniert; das Gewölbe war sonach in 19 Tagen geschlossen.

Nach Schluß des Gewölbes hat man die Verschraubung der beiden Hälften eines Gelenkes beseitigt.

Zehn Tage nach dem Gewölbeschluß wurde das Gewölbe im Scheitel um 30 mm gesenkt, um dessen Auftreiben durch etwaiges Aufquellen des Lehrgerüstes zu verhüten; das letztere wurde übrigens während des Wölbens durch Anspritzen gleichmäßig feucht erhalten.

Tag	Lufttempe-ratur 8 Uhr morgens ° C.	Gesamtscheitel-senkung		Senkung auf 10° C. Lufttemperatur berichtigt	
		flußauf mm	flußab mm	flußauf mm	flußab mm
7. August 1893 Gewölbeschluß	15	—	—	—	—
17. „ „ vor dem ersten Ablassen	10	23	7	23	7
22. „ „ nach „ „ „	12	43	40	45	42
4. Septbr. „ vor dem zweiten Ablassen	8	45	34	43	32
4. „ „ nach dem völligen Ausschalen.	16	75	72	82	79
19. „ „	12	93	82	95	84
25. „ „	8	105	96	108	94
26. „ „	10	107	96	107	96
12. Oktbr. „	12	115	107	117	109
13. „ „	11	121	114	122	115
26. „ „	10	127	122	127	122
1. Novbr. „	4	131	130	124	123
13. „ „	1	139	134	129	124
18. Januar 1894 „	− 3	147	144	133	130

Das Ausdehnungsmaß für Beton wurde hierbei zu 0,0000088 für 1° C. angenommen, was einer Scheitelbewegung um 1,1 mm für 1° C. entspricht.

28 Tage nach dem Gewölbeschluß wurde der Bogen ausgeschalt; das Lösen der Keile war jedoch recht zeitraubend und schwierig, Schraubenstützen wären entschieden

besser gewesen. Mit dem Aufführen der Stirnmauern der Mauern zwischen den Ent-
lastungsräumen ist schon nach dem ersten Senken des Scheitels begonnen worden.

Die Bewegungen des Scheitels der Brücke sind aus vorstehender Zusammenstellung ersichtlich.

An dem linkseitigen Widerlager wurden wagerechte Bewegungen nach dem Ausschalen von 2 bis 6,5 mm, Senkungen von 3,5 bis 4 mm gemessen, am rechtseitigen
Widerlager dagegen sind wagerechte Verschiebungen bis 3,6 mm und Senkungen bis
2 mm beobachtet worden. ·

Die eisernen Gelenke wurden schon am 26. Oktober 1893, wie bereits erwähnt,
mit Zementmörtel in der Mischung 1 Zement zu 2 Sand auf das sorgfältigste ausgefüllt,
weil der Fortgang der Arbeiten die spätere Füllung nicht mehr möglich gemacht hätte
und weil die Beobachtung der Scheitelbewegungen gezeigt hatte, daß der Bogen zur Ruhe
gekommen war. Die Umhüllung der Gelenke mit Zementmörtel soll nur Gewähr dafür
geben, daß sie unversehrt erhalten bleiben und im Laufe der Jahre nicht durch Rost
zu Schaden kommen. Bei sorgfältiger Aufsicht und Überwachung hätten die Gelenke
auch freibleiben können; hierdurch würde ein ungehindertes Spiel des Bogens, insbesondere bei Wärmeänderungen, welche bei Schwankungen von 50° C. Bewegungen
des Scheitels von etwa 55 mm zur Folge haben, ermöglicht werden, ohne daß Nebenspannungen im Gewölbe auftreten. An der Druckverteilung im Gewölbe wird die
Füllung und Umhüllung der Gelenke mit Zementmörtel nichts ändern, denn an der
zuvor schon vorhandenen Übertragung des Druckes auf die Gelenke wird die lose
eingebrachte Mörtelfüllung nicht nachträglich teilnehmen.

Die Gesamtsenkung des Gewölbescheitels hat nach Abzug der durch das Zusammen-
drücken des Lehrgerüstes während des Wölbens entstandenen Senkung von 23 bezw.
7 mm 110 bezw. 123 mm, im Mittel sonach 116 mm betragen; die Lehrbogen wurden
um 120 mm im Scheitel überhöht, was ausreichend war.

Nach siebenmonatlicher Bauzeit konnte die Brücke am 16. November 1893 dem
Verkehr übergeben werden.

Der Kostenaufwand für die Brücke unter Ausschluß der Zufahrten hat zusammen
71 000 Mark betragen. Es kostet sonach 1 m² Verkehrsfläche bei 50 m sichtbarer
Spannweite und 8 m Breite zwischen den Geländern 177 Mark. Wird jedoch der
Berechnung die mittlere Stützweite zwischen der Fundamentmitte von 59 m zugrunde
gelegt, so betragen die Brückenbaukosten für 1 m² Verkehrsfläche 150 Mark.

Nr. 2. Straßenbrücke über die Donau bei Inzigkofen (Hohenzollern),[1]
ausgeführt von der Akt.-Ges. Liebold u. Co. in Holzminden nach den Entwürfen des
Landesbaurats Max Leibbrand in Sigmaringen. Das Brückengewölbe stellt einen
Dreigelenkbogen dar. Die Stützweite des Brückenbogens beträgt (zwischen den Gelenkbolzen) 43,0 m und die Pfeilhöhe 4,38 m. Die Brückenbahn zwischen den Geländern
hat eine Breite von 3,8 m; hiervon entfallen auf die Straßenfahrbahn 2,50 m, auf die
beiderseitigen Fußwege je 65 cm. Die Breite des tragenden Gewölbestreifens beträgt
am Scheitel 3,45 m, am Kämpfer 4,45 m. Die Fahrbahntafel wird durch kleine Pfeiler,
welche frei auf dem Gewölbe aufstehen und in der Längsrichtung durch kleine Bogen
verbunden sind, unterstützt (Abb. 214). Bemerkenswert ist die Anordnung, daß die Endfelder der Fahrbahntafel auf den Widerlagerpfeilern mit Rollenlagern aufruhen und der
letzte Sparbogen mit Eisenbahnschienen bewehrt ist. Um das Spiel der offengelassenen
Gelenke nicht zu beeinträchtigen, ist die Fahrbahntafel über dem Scheitelgelenk durch
Zores-Eisen gebildet, welche ihr Auflager auf den beiden Gewölbehälften haben. Bei

---

[1] Zeitschr. f. Bauw. 1896 S. 279. Auch als Sonderdruck, Verlag von Wilh. Ernst u. Sohn, Berlin.

dem Brückenentwurf bezw. der Berechnung wurde die Belastung durch eine Dampfstraßen-
walze von 15 t sowie Menschengedränge daneben angenommen; nach den Regeln für
den Dreigelenkbogen wurden die Lastscheiden ermittelt und für die sich hieraus
ergebende Lage der Belastung die größten Pressungen gefunden. Die Gewölbestärke beträgt am Scheitelgelenk 70 cm, in der Mitte der Gewölbeschenkel 110 cm
und am Kämpfergelenk 78 cm. Die Höhe der Berührungsflächen beträgt am Scheitel
60 cm, am Kämpfer 68 cm, und es sind mit Rücksicht darauf, daß zwischen den
einzelnen Gelenken Zwischenräume von 8 cm gelassen wurden und hierdurch Pressungen
bis zu 42,5 kg/cm² auftraten, die Mischungsverhältnisse für die Anschlußteile an die
Gelenke fetter gewählt worden als sonst (Abb. 214). Die größte Druckbeanspruchung

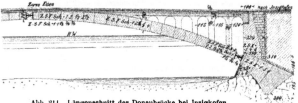

Abb. 214. Längenschnitt der Donaubrücke bei Inzigkofen.

im Gewölbe beträgt 36,5 kg/cm² (bei 110 cm Stärke). Die Pressungen in der Sohle des
Widerlagers sind rechts (Fels) 7,5 kg/cm², links 3,6 kg/cm². Die Gelenke, welche in
Abb. 126 dargestellt sind, bestehen aus gußeisernen Stühlen und Stahlbolzen. Die
letzteren erfahren am Gewölbescheitel eine größte Inanspruchnahme von 225 kg/cm²,
am Kämpfer eine solche von 212 bis 283 kg cm². In den gußeisernen Stühlen treten
Biegungsspannungen am Scheitel von 124 kg/cm², am Kämpfer von 95 bis 127 kg/cm²
auf. In der angegebenen Quelle sind die Ausführungsarbeiten und die dabei besonders
zu beachtenden Vorkehrungen genau beschrieben; deshalb sollen im nachstehenden nur
noch einige die Ausrüstung betreffenden Mitteilungen gemacht werden.

Das Lehrgerüst wurde sofort nach Fertigstellung der Fahrbahn, fünf Wochen
nach Gewölbeschluß gelüftet. Um bei der weiteren Absenkung die Bewegungen des
Scheitels und der Widerlager genau beobachten zu können, waren Zeigerwerke mit
den Kämpfer- und Scheitelgelenken an beiden Schauseiten verbunden. Die Zeiger von
1,10 m Länge waren der leichteren Beweglichkeit wegen aus Aluminium gefertigt. Die
Zeigeranordnungen, mit zehnfacher Übersetzung arbeitend, ermöglichten, die senkrechte
und wagerechte Bewegung der Widerlager und die Senkung des Scheitels auf $^1/_{10}$ mm
genau zu beobachten. Die Absenkung der Sandtöpfe nächst den Widerlagern um 1 cm
verursachte die Hebung des Scheitels um 2,5 mm; nach Absenkung aller Töpfe um
1 cm zeigte sich eine Scheitelsenkung von 5 mm und eine Loslösung des Gewölbes
auf eine große Strecke von den Widerlagern her. Bei der Absenkung aller Töpfe um
einen weiteren Zentimeter wurde das Gewölbe überall frei, und es zeigte sich eine
weitere Einsenkung des Scheitels flußaufwärts um 2,5 mm, flußabwärts um 2,7 m.

Die Zeiger an dem auf Felsen gegründeten Widerlager ließen keine Spur einer
Bewegung erkennen, ebensowenig die Zeiger an dem auf Kies gegründeten Widerlager eine Bewegung in senkrechter Richtung. Dagegen war dieses Widerlager flußaufwärts um 0,3 mm vor-, flußabwärts um 0,3 mm zurückgerückt. Die Absenkung
erforderte nur 25 Minuten Zeit. Das Ergebnis der Absenkung ist ein überraschend

günstiges und das umsomehr, als der Gewölbeschluß bei der außerordentlich hohen Wärme von 50° C. erfolgt war, während die Absenkung bei nur 7° C. geschah. Schon bei Aufbringung der Belastung des Lehrgerüstes im Scheitel war eine einfache Vorrichtung zur Beobachtung der Scheitelsenkung angebracht worden. Diese Belastung erzeugte eine Scheitelsenkung von 12 mm, welche während des Wölbens bis 35 mm wuchs. Während der ersten acht Tage nach dem Gewölbeschluß trat eine weitere Senkung um 11 mm ein; von da ab blieb der Scheitel trotz der Aufmauerung der Bogenzwickel und Aufbringung der Fahrbahntafel stehen bis zum Moment der Absenkung des Lehrgerüstes. Seit dem Ablassen des Lehrgerüstes machte die Scheitelsenkung allerdings in stets zunehmendem Verhältnis bis zum 8. Januar weitere Fortschritte, wie aus der nachstehenden Zahlentafel ersichtlich ist.

Nr.	Tag	Mittlere Tagestemperatur °C.	Scheitelsenkung		Bemerkungen
			fluß-		
			aufwärts mm	abwärts mm	
1	15. Aug. 1895 Vollendung des Lehrgerüstes	15	—	—	Nr. 1 bis 5 durch
2	29. „ „ Beginn des Wölbens . . .	17	12,0	9,0	Abstiche an der Scheitellatte beob-
3	7. Sept. „ Gewölbeschluß	20	35,0	34,0	achtet.
4	12. „ „	15	49,0	43,0	Während dieser Zeit
5	12. Okt. „ vor dem Ablassen	6	49,0	43,0	trat keine weitere Senkung ein.
6	12. „ „ nach dem Ablassen	6	56,5	50,7	Nr. 6 bis 10 mittels
7	18. „ „	8	60,5	55,2	des Zeigerwerks
8	24. „ „	6	65,6	60,0	beobachtet.
9	31. „ „	0	69,0	62,5	
10	4. Nov. „	6	70,0	63,0	
11	8 „ „	12	71,0	65,0	
12	15. „ „	6	74,0	70,0	12. Nov. Brücke voll- endet.
13	29. „ „	— 1	80,0	76,0	Nr. 11 bis 15 durch Nivellement beob- achtet.
14	8. Januar 1896	— 3	83,0	80,0	Seit 8. Januar keine Senkung mehr.
15	10. Februar 1896	+ 2	83,0	80,0	

Die Gesamtsenkung seit Gewölbeschluß beträgt sonach 47 mm oder, auf 20° C. umgerechnet, nur 32 mm. Dieser Senkung $s = 32$ entspricht eine Zusammendrückung c des Bogens, da $s = \dfrac{cl}{4f}$, $c = 13,3$ mm $= 310$ Millionstel. — Die Berechnung der beobachteten Senkung auf eine bestimmte Wärme ist bei häufig wechselnden Wärmegraden mit Sicherheit nicht durchzuführen, da das Gewölbe den Wärmeänderungen sehr langsam folgt.

Die Gesamtkosten der Brücke betragen 29 200 Mark oder bei 44 m Lichtweite und 3,8 m Nutzbreite 175 Mark f. 1 m² Grundfläche.

Nr. 3. Straßenbrücke de la Coulouvrenière über die Rhône in Genf,[1] erbaut 1895 von Ingenieur Butticaz nach dem Entwurf von M. Bois (Abb. 215). An Stelle einer eisernen, nicht mehr tragfähigen Jochbrücke sollte ein massives Bauwerk errichtet werden. Auf Grund eines Wettbewerbs entschied man sich zu einer Ausführung in Beton ohne Eiseneinlage mit Stahlgelenken nach Art der Brücke in Munderkingen.

[1] Genie civil 1896, S. 129.

Das Bauwerk hat vier Öffnungen, und zwar haben die beiden Hauptöffnungen je 40 m Lichtweite und 5,55 m Pfeilhöhe und die beiden Nebenöffnungen 14 bezw. 12 m Lichtweite. Die linke Nebenöffnung liegt in der Strommitte, während die rechte Neben-

Abb. 215. Rhônebrücke de la Coulouvrenière in Genf.

öffnung eine Durchfahrt am rechten Ufer unter der Zufahrtrampe bildet (Abb. 216). Die Brücke hat 20 m Breite. Die Fundamente der rechtseitigen Uferpfeiler und des

Landpfeilers sowie die der beiden Mittelpfeiler wurden unmittelbar auf dem Kiesboden gegründet, während das Fundament des linken Widerlagers auf eingerammte Pfähle gesetzt wurde.

Die Stahlgelenke der beiden großen Öffnungen sind ähnlich den Gelenken der Munderkinger Brücke (Abb. 121), während in den beiden kleinen Öffnungen nur schmale Bleistreifen in den Fugenmitten eingelegt wurden. Die freie Beweglichkeit der Haupt-

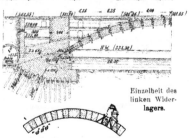

Einzelheit des linken Widerlagers.

Abb. 216. Längenschnitt und Einzelheiten der Rhônebrücke de la Coulouvrenière.

bogen wird durch über den Kämpfern lotrecht aufgehende Trennungsfugen ermöglicht.

Die Gewölbestärke der großen Öffnungen nimmt, der Schwankung der Stützlinien bei einseitiger Belastung entsprechend, vom Scheitel mit 1,0 m erst zu, bis 1,4 m, und dann gegen die Kämpfer auf 1,2 m ab (Abb. 216).

Die Ausschalung erfolgte erst $2^{1}/_{2}$ Monate nach Schluß des Gewölbes, wobei sich am rechten Ufer eine Scheitelsenkung von 22 mm ergab, die bis zur Fertigstellung des

Bauwerks auf 42 mm zunahm. Am linken Ufer betrug die Scheitelsenkung 30 mm und nahm während der Ausschalung bis 40 mm zu. Am linken Landpfeiler ist hierbei eine Senkung von 2 bis 3 mm, ferner ein wagerechtes Ausweichen um 4 bis 5 mm wahrgenommen worden, während die lotrechten Trennungsfugen über den Kämpfern Bewegungen bis zu 8 mm zeigten.

Das Eigengewicht der Brücke wurde durch Anordnung von gewölbten Sparöffnungen in drei Geschossen wesentlich verringert.

Die Brücke ist zum Teil durch Granit und Sandstein verkleidet und der Gewölbebeton bearbeitet, so daß sie äußerlich einer Steinbrücke gleicht.

Die Belastungsproben zeigten durchweg günstige Ergebnisse.

Nr. 4. **Eisenbahnbrücken über die Iller bei Kempten im Algäu**[1]) ausgeführt von den Firmen Dyckerhoff u. Widmann, Karlsruhe, und A. Kunz u. Co., Kempten, nach den Entwürfen des Regierungsrats Beutel.

Bei Gelegenheit des Umbaues des Bahnhofs Kempten ergab sich die Notwendigkeit, drei neue Betonbrücken zu erbauen. Alle Brücken tragen zwei Gleise. Von diesen drei Brücken stehen zwei mit nur 10 cm Zwischenraum auf einem gemeinsamen Fundament, während die dritte Brücke etwa 60 m oberhalb unter einem spitzen Winkel zur Doppelbrücke und nur rd. 1,82 m höher als diese liegt. Die Abmessungen der drei Brücken sind dieselben. Es sind im ganzen bei jeder Brücke vier Gewölbe vorhanden, und zwar ein Hauptbogen von 64,5 m Spannweite und drei kleine Bogen von je 21,5 m Spannweite. Die Fahrbahn liegt bei beiden Brücken im Gefälle von 10 vT. Bei der Doppelbrücke, welche also viergleisig ist, wurde deshalb eine 10 cm breite Fuge gelassen, um bei der großen Breitenausdehnung des Bogens bei einseitiger Belastung Nebenspannungen möglichst zu vermeiden. Da alle drei Brücken gleiche Spannweiten haben, wurde auch das Untergerüst des Lehrgerüstes aus Eisen ausgeführt (vergl. S. 416, ferner zweite Aufl., II. Band, S. 312). Das Hauptgewölbe stellt einen Dreigelenkbogen mit Stahlgelenken im Scheitel und an den Kämpfern dar, und zwar erstreckt sich der eigentliche Dreigelenkbogen nur über eine Spannweite von

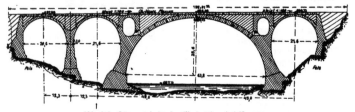

Abb. 217. Längenschnitt der Illerbrücken bei Kempten.

rd. 50 m, während der Rest der Spannweite durch die Auskragung der eigenartig geformten Widerlagspfeiler erreicht wird (Abb. 217). Die größten auftretenden Pressungen waren im Hauptgewölbe 35 kg/cm², in den Nebengewölben 26 kg/cm², in den Pfeilern oben 26 kg/cm², am Sockel 19 kg/cm², der größte Bodendruck 8,15 kg/cm² auf den harten Mergel des Untergrundes. Die Massen, welche bei diesen Brücken zur Verwendung kamen, waren außerordentlich große. Allein für den Fundamentbeton in Mischung

[1]) Deutsche Bauztg. 1906, S. 219, 232, 261, 315; s. a. Schönhöfer, Haupt-, Neben- und Hilfsgerüste im Brückenbau, S. 92. Berlin 1911. Verlag von Wilh. Ernst u. Sohn.

1 : 5 : 9 handelte es sich um rd. 4500 m², bei den Widerlagern und Pfeilern in Mischung
1 : 4 : 8 um rd. 6000 m³, bei den Hauptwiderlagern in 1 : 3 : 6 um rd. 5000 m³, bei den
Gewölben der Überbogen in 1 : 3 : 6 um rd. 1600 m³, beim Hauptbogen in 1 : 2,5 : 5 um
rd. 2500 m³, bei den Stirnabschlußwänden, Füllbeton und Pfeilern um rd. 2000 m³ und
bei der Schlackenbetonhinterfüllung um rd. 2200 m³. Das ergibt im ganzen eine Menge
von rd. 24000 m³ Beton. Bei der Betonierung des Bogens mußte sehr vorsichtig zu
Werke gegangen werden, da das eiserne Lehrgerüst in der Mitte und an den Enden
nicht unterstützt war und dort deshalb Durchbiegungen erwartet werden mußten. Der
Betonierungsvorgang ist S. 417 näher beschrieben.

Der Hauptbogen besitzt im Scheitel und in den Kämpfern Stahlgelenke (Abb. 218).
Der Stahlguß sollte eine Bruchfestigkeit gegen Zug und Druck von 5000 bis 5500 kg/cm²
bei einem Elastizitätsmaß von 2200000 kg/cm²
haben. Die Berührungsflächen der Stahlgelenke waren auf 1 cm Tiefe zu härten;
die Breite des Berührungsstreifens beträgt
rechnungsgemäß 4,72 cm bei Vollbelastung
und der Höchstdruck alsdann 1625 kg cm².

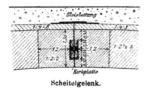

Scheitelgelenk.

Kämpfergelenk.

Abb. 218. Gelenke des Hauptbogens der Illerbrücke.

Die Anlageflächen am Beton werden im Höchstfall mit 66 kg/cm² gedrückt. Die Neben-
gewölbe erhielten Betonquadergelenke mit Bleiplatteneinlagen. Um bei den Stahlgelenken der Hauptbogen Verschiebungen der beiden Gelenkhälften gegeneinander, wie
sie beim Versetzen leicht unterlaufen, zu verhindern, wurden diese Teile vor dem
Versetzen genau aufeinandergepaßt und mit je vier 16 mm starken Eisenbolzen miteinander verschraubt. Diese zusammengeschraubten Gelenke wurden alsdann einbetoniert,
wobei jedoch beiderseits der Walzflächen zur Erzielung des nötigen Spieles der Gelenke
Korkplatten von 1 cm Stärke, zwischen Zinkblechen von ¼ mm Stärke gefaßt, eingelegt wurden. Vor dem Einbringen des letzten Betons zwischen Korkplatte und Stahl-
teil wurden die vorgenannten Eisenbolzen durchgesägt.

Über die Ausrüstung des großen Bogens wurde S. 421 bereits näheres mitgeteilt.
Als Erhärtungsdauer wurden bei dem Hauptbogen 6 Wochen, bei den Nebenbogen
14 Tage als mindeste Dauer vor dem Ablassen der Lehrgerüste festgehalten.

Nr. 5. Wallstraßenbrücke in Ulm a. d. Donau,[1] ausgeführt von der Firma
A. Kunz u. Co., Kempten, entworfen unter der Oberleitung des Oberbaurats Neuffer
von der Königl. Eisenbahnbausektion Ulm (vergl. Ergänzungsbd. I, Abb. 81). Die Brücke
ist mit drei Gelenken aus Stahlguß ausgeführt. Ihre Lichtweite zwischen den Widerlagern
beträgt 65,45 m und, da die Kämpfergelenke auf Vorkragungen der Widerlager liegen,

[1] Deutsche Bauztg. 1907, Zementbeilage, S. 1, 7 u. 11.

wird die Stützweite des Dreigelenkbogens auf 57 m herabgemindert (Abb. 219). Die Pfeilhöhe zwischen Scheitel und Verbindungslinie der gleich hoch liegenden Kämpfergelenke beträgt 5,8 m, also nahezu $^1/_{10}$ der Stützweite. Die untere Leibungslinie hat Korbbogenform mit einem Scheitelhalbmesser von 60 m. An den Kämpfern ist die Bogenlinie des besseren Aussehens wegen etwas über die theoretisch notwendige Leibungslinie heruntergezogen worden, so daß die Kämpfergelenke nicht mehr in der Mitte der Kämpferfugen liegen. Die Fahrbahn wurde im Scheitel rund 15 m über Schwellenhöhe des Bahnhofs gelegt. Gegen Süden hat die Brücke ein Gefälle von 4,4 vH., gegen Norden ein solches von 1,2 vH.

Die Breite zwischen den mächtigen Geländerbrüstungen beträgt 10 m; hiervon entfallen 6 m auf die Fahrbahn und je 2 m auf die beiderseitigen Gehwege.

Die Widerlager und das Gewölbe der Brücke bestehen aus Beton ohne Eiseneinlagen, während die Fahrbahn samt Stützpfeilern, die 80 cm weit ausgekragten Gehwege, die Konsolen und die Brüstung aus Eisenbeton hergestellt sind.

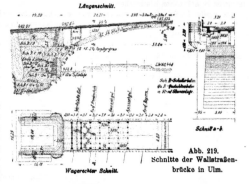

Abb. 219.
Schnitte der Wallstraßenbrücke in Ulm.

Von einer Bewehrung des Bogens wurde abgesehen, da es zweckmäßig erschien, dem Bogen gegenüber dem darüber lagernden Eisenbetonüberbau eine möglichst große Masse zu geben. Die Gewölbestärke beträgt im Scheitel 1,06 m, an den Kämpfern 1,50 m und an den Bruchfugen 1,60 m. Die Berechnung des Gewölbes wurde zunächst auf zeichnerischem Wege ausgeführt durch Ermittlung der für verschiedene Belastungsfälle auftretenden Stützlinien. Danach erfolgte die genaue Berechnung für mehrere Querschnitte mit der allgemein üblichen Bestimmung der Kernpunktmomente aus Einflußlinien und die Berechnung der Kantenpressungen hieraus. Die Bogenform wurde so bestimmt, daß für jeden Querschnitt bei Eintritt der ungünstigsten Belastung die Kantenpressung von 40 kg/cm² nicht überschritten wird und Zugspannungen im Gewölbe überhaupt nicht auftreten. Die Gewölbeachse ist der Drucklinie für Eigengewicht angepaßt. Als Verkehrslasten wurden Menschengedränge von 450 kg/m² auf den Gehwegen und 400 kg/m² auf der Fahrbahn sowie eine Dampfwalze von 18 t Gesamtgewicht angenommen. Die Gewölbestirnfläche hat einen Anlauf von $^1/_{20}$; die Gewölbebreite beträgt im Scheitel 8,8 m, an den Kämpfern 9,43 m und am Bogenfuß 10,10 m. Die Berechnung der Gelenke (Abb. 220), als Wälzgelenke aus Siemens-Martin-Gußstahl hergestellt, geschah unter Zugrundelegung der Hertzschen Formeln für die Breite der Eindrückungsfläche und des daselbst herrschenden größten Druckes. Die Berührungsflächen, welche auf eine Tiefe von 4 mm gehärtet wurden, sind nach Halbmessern von 40 und 55 cm erhaben bezw. hohl gekrümmt und geschliffen. Für den Stahl war eine Zugfestigkeit von 50 kg/mm² bei rund 10 vH. Dehnung sowie an den gehärteten Stellen eine Druckfestigkeit von 43 kg/mm² vorgeschrieben. Der größte rechnungsmäßige Druck an den Gelenkflächen beträgt rund 35 kg/mm². Im Scheitel und in jedem Kämpfer sitzen je 13 Stück Gelenke von 65 cm Höhe und 63 bezw. 67 cm Länge. Das Abgleiten der einzelnen Gelenkflächen voneinander wird verhütet durch je zwei Stück Stahldollen von 30 mm Durchm., die in der einen Gelenkfläche festsitzen und in eine etwas weitere Öffnung der anderen eingreifen, und welche gegen die größte auftretende Querkraft auf Abscheren berechnet sind. Das Mischungsverhältnis des

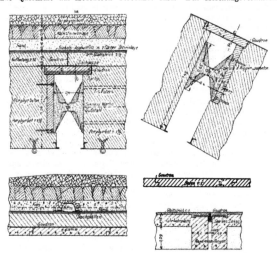

Abb. 220. Gelenke und Einzelheiten der Wallstraßenbrücke in Ulm.

Bogens war folgendes: 1 Teil Portlandzement, 3 Teile Donausand, 5 Teile harter Kalksteinschotter. Der Beton zu beiden Seiten der Gelenke hatte wegen der hohen Inanspruchnahme ein besseres Mischungsverhältnis, und zwar 1 Teil Portlandzement, 1 Teil reinen Donausand, 2,5 Teile Porphyrgeschläge. Die Fahrbahntafel besteht aus einer 16 cm starken, durch Längs- und Querträger versteiften Eisenbetonplatte, welche auf 30 × 30 bis 45 × 45 cm starken Pfeilern aus Eisenbeton aufruht, während die Fußwege auf 80 cm weit auskragenden Konsolen liegen, die ebenso wie die Geländer mit Eisen bewehrt sind. Die äußersten Pfeiler erhielten in der Sichtfläche aus Schönheitsgründen eine Breite von 60 cm. Die Fahrbahntafel erhielt behufs Entwässerung ein beiderseitiges Quergefälle nach der Mitte zu, wo das Wasser unter einem Zores-Eisen abgeführt wird. Die Fahrbahn wurde, um selbst wasserdicht zu sein, durch einen 2 cm starken Glattestrich aus Zementmörtel und eine darüber liegende Siebelsche Asphaltfilzschicht mit doppelter Bleieinlage abgedichtet. Die Ausdehnungsfugen in der Fahrbahntafel wurden mit gefalteten Zinkblechen überdeckt und mit Goudron ausgegossen. Über die Betonierung des Gewölbes ist S. 416 bereits Näheres angegeben worden.

Besondere Sorgfalt mußte auf das Einbringen der Gußstahlgelenke verwendet werden, deren Ausbildung und Abdeckung in Abb. 220 dargestellt ist. Die beiden Gelenkhälften wurden schon von dem liefernden Hüttenwerk in ihre richtige Lage gebracht und gegen Verschieben durch vier Schraubenbolzen gesichert. Letztere mußten vor dem Ablassen des Lehrgerüstes durchgesägt werden. Zur Festlegung der genauen Lage der Gelenke wurden zunächst in die Gelenkbetonstreifen Schrauben in Abständen von 67 cm einbetoniert, welche etwa 7 cm über den Beton vorstanden. Auf die vorstehenden Gewinde wurden Schraubenmuttern aufgesetzt und diese genau in die Flucht der Gelenkauflagerflächen gebracht. Gegen diese Muttern wurden die mit einem fahrbaren Flaschenzug emporgehobenen Gelenke gelehnt, und zwar jedes Gelenk gegen vier Schrauben; weiterhin waren in jedem Gelenk an den Kopfenden zwei zylindrische Stahlzäpfchen etwa 15 mm tief in die Achsen eingesteckt, so daß sie von einem Gelenkstück zum anderen übergriffen. Hierdurch wurde eine gute Zentrierung ermöglicht sowie der Abstand der einzelnen Gelenkstücke voneinander geregelt. Ferner war auf den Gelenkrückenflächen die Mittellinie aufgerissen, so daß die Gelenke auch in genaue Höhenlage gebracht werden konnten. Endlich ruhte die eine Gelenkhälfte auf einem vorstehenden, mit Zementmörtel genau abgeglichenen Absatz des anschließenden Betons. Der zwischen dieser Gelenkhälfte und dem schon vorher eingebrachten Gewölbebeton verbleibende Raum von 7 cm Breite wurde mit Zementmörtel (1 Teil Portlandzement, 2 Teile Porphyrsand) mittels kleiner eiserner Stößel satt ausgestampft, so daß ein vollständiges Aufliegen der Gelenke gesichert war. Sämtliche 39 Gelenke wurden von drei Mann in einer Woche versetzt. Sie sind von unten her sichtbar, nach oben dagegen mit abnehmbaren Betonplatten abgedeckt, deren Fugen durch Ausgießen mit Goudron geschlossen sind. An den Stirnen wurden die Gelenke durch Betonmasken mit 6 mm breiten Fugen verdeckt. Die Betonierung des ganzen Bogens samt Versetzen der 39 Gelenke sowie Herstellung des Gelenkbetons an den Widerlagern nahm 15 Tage in Anspruch. In dieser Zeit wurden insgesamt 770 m³ Gewölbebeton hergestellt und 28,5 t Stahlgelenke versetzt. Mit der Ausführung der Fahrbahnkonstruktion wurde sofort nach Schluß des Gewölbes vorgegangen.

Die Absenkung erfolgte neun Wochen nach Fertigstellung des Gewölbes und nahm einen glatten Verlauf. Der herrschende hohe Wärmegrad hatte übrigens bewirkt, daß der Bogen schon vorher teilweise zur Tragwirkung gekommen war, indem er sich im Scheitel ein wenig von der Schalung loslöste. Besondere Sorgfalt wurde auf die allmähliche Ausrüstung des Gewölbes verwendet. Zur Bedienung der 104 Sandtöpfe, aus denen der Sand durch Drehen des Ringes zu entfernen war, wurden je zwei Mann, im ganzen also einschließlich der nötigen Aufsicht rund 220 Mann verwendet. Die Absenkung erfolgte dann von der Mitte aus nach beiden Seiten gleichmäßig, und zwar in drei Abteilungen nach Trompetensignalen mit kurzen Zwischenpausen. Das jeweilige Einsenkungsmaß wurde durch Höhenmarken an den Sandtopfstempeln bestimmt. Es wurde zunächst in allen drei Abteilungen eine Senkung um 3 mm erzielt, dann in der mittleren allein um 5 mm, sodann in der mittleren gleichzeitig mit den beiden anschließenden um weitere 3 mm, und schließlich wurden auch die beiden äußeren Abteilungen wieder herangezogen. Die Ablesungen an den aufgestellten Meßapparaten ergaben hierbei unter dem Scheitel eine Senkung von 7,4 mm. An den vier Schiebern, welche zur Messung der Bewegung an den Gelenken angebracht waren, konnte eine Verschiebung nicht festgestellt werden. Am südlichen Widerlager wurde eine wagerechte Ausweichung von 0,3 mm, am nördlichen eine solche von 0,2 mm ermittelt, welche auf die Zusammendrückung der Widerlager zurückzuführen sein dürfte. Die längere Zeit hindurch wiederholten Nivellements ergaben den höchsten Stand des Bogens am 4. August 1905 bei $+27^{\circ}$C. mit einer Senkung von nur 4,5 mm gegenüber der Höhe des Bogens vor dem Ablassen, und den niedrigsten Stand am 4. Januar 1906 bei -12°C. mit einer Senkung von 53 mm. Bei einem Wärmeunterschied von 39°C. betrug sonach der Unterschied in der Scheitelhöhe 48,5 mm. Nach der Formel $c = \alpha \cdot \tau^0 \left(f + \dfrac{l^2}{4f} \right)$, wobei das Ausdehnungsmaß für Beton $\alpha = 0,0000088$, Pfeil $f = 5,8$ m, Stützweite $l = 57$ m, sollte $c = 50$ mm sein; mithin war eine sehr gute Übereinstimmung mit der gemessenen Größe vorhanden. Die Kosten der Brücke belaufen sich auf rund 158 700 Mark. Bei einer Gesamtmasse von 4540 m³ Beton kommen daher auf 1 m³ rund 35 Mark Kosten.

Nr. 6. Die Straßenbrücke über den Piney Creek in Washington,[1]) ausgeführt von der Peno Bridge Company nach den Entwürfen von H. W. J. Douglas, besteht aus einem Betonbogen, der nach einer Parabel gekrümmt ist, von 38,1 m Lichtweite und 11,88 m Pfeilhöhe (Abb. 221). Der Bogen hat nur an seiner Stirnfläche einige

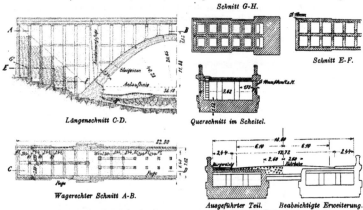

Abb. 221. Schnitte der Brücke über den Piney Creek in Washington.

schwache Rundeiseneinlagen, welche zur Befestigung des Gesimses dienen. Die Gesamtlänge der Brücke ist rd. 82 m. Die Scheitelstärke des Bogens beträgt 1,52 m, die Stärke am Kämpfer 2,34 m. Die bisher ausgeführte Brücke liegt nicht in der Achse des anschließenden Straßenzuges, da sie nur einen Teil der endgültigen Straßenbrücke darstellt. Die Brücke wurde bisher in einer Breite von 7,5 m hergestellt. Bis die erforderlichen Baukosten bewilligt sein werden, wird gleichlaufend zu diesem Bogen in einer Achsenentfernung von 12 m ein ganz gleicher Bogen hergestellt; der dazwischen liegende Zwischenraum von rd. 5 m wird durch eine Plattenbalkendecke überspannt, wie dies zum ersten Male bei der Überbrückung des Pétrussetales in Luxemburg und inzwischen bei einer Reihe anderer amerikanischer Brücken (s. später) erfolgt ist.

[1]) Eng. News 1905, S. 510 und 1907, S. 682.

Der jetzige wie auch der endgültige Querschnitt der Brücke ist in Abb. 221 zu
sehen. Der Aufbau auf diesem Betonbogen ist ganz in Eisenbeton ausgeführt. Er
besteht aus zwei Stirnwänden und zwei zwischen diesen befindlichen Eisenbetonsäulen,
welche alle eine Plattenbalkendecke tragen, zur Aufnahme der Fahrbahn. Die höheren
Säulen sind in beiden Richtungen durch wagerechte Eisenbetonbalken versteift. Der
Eisenbetonüberbau setzt sich über die Widerlager fort, und zwar in der Weise, daß
nur eine Reihe von Säulen angeordnet wurde (Abb. 221); die tieferen Lagen dieser
Säulen sind durch senkrechte Stampfbetonwände verbunden, so daß dadurch feste
Zellen gebildet werden, welche mit Erde ausgefüllt wurden. In der natürlichen
Böschungslinie (*A F* der Abb. 221) hören die Zwischenmauern auf. Wie aus derselben
Abbildung zu ersehen ist, wurden sowohl über den Widerlagern als auch über dem
Scheitel Ausdehnungsfugen ausgeführt, welche aber viel zu eng hergestellt wurden
und daher nicht ordentlich zur Wirkung kamen. Bemerkenswert ist die Ausführung
durch Betonquadern- bezw. blöcke, die in besonderen Formen hergestellt und dann ver-
setzt wurden.

Nr. 7. Straßenbrücke über den Wissahickon Creek im Zuge der Walnut
Lane in Philadelphia,[1]) entworfen von den Ingenieuren G. S. Webster und H. H.
Quimby der Tiefbauverwaltung in Philadelphia, ausgeführt in den Jahren 1906 bis 1908
von der Unternehmung Reilly u. Riddle (Abb. 222).

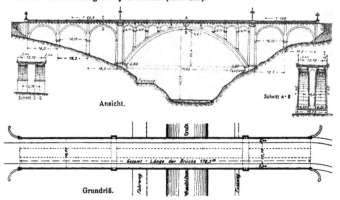

Abb. 222. Gesamtanordnung der Walnut Lane-Brücke in Philadelphia.

Das gewaltige Bauwerk, welches im Fairmount-Park zu Philadelphia liegt, stellt
mit seinem Mittelbogen von 71,03 m Spannweite und 21,42 m Pfeilhöhe eine der weitestgespannten Betonbrücken ohne Eiseneinlagen dar.

Wie bei der vorher beschriebenen Brücke besteht das Bauwerk aus zwei getrennten
Tragwerken in bestimmtem Abstande, deren Zwischenraum durch eine Eisenbetontafel
überdeckt ist; beide Teile besitzen jedoch ein gemeinschaftliches Fundament. Die

[1]) Deutsche Baustg. 1910. S. 25, 41 u. 49; ferner Proceedings of the American Society of Civil Engineers vom
August 1909; s. a. Schönhöfer, Haupt-, Neben- und Hilfsgerüste im Brückenbau, S. 86 u. f. Berlin 1911. Verlag von
Wilh. Ernst u. Sohn.

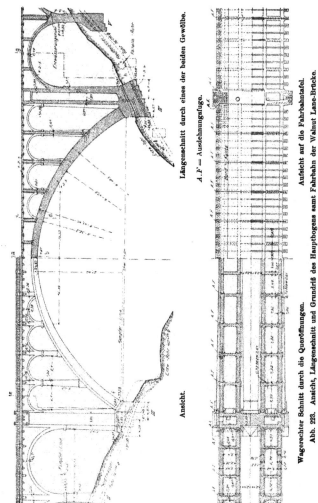

Ansicht.

Längenschnitt durch eines der beiden Gewölbe.

A.F = Ausdehnungsfuge.

Aufsicht auf die Fahrbahntafel.

Wagerechter Schnitt durch die Queröffnungen.

Abb. 223. Ansicht, Längenschnitt und Grundriß des Hauptbogens samt Fahrbahn der Walnut Lane-Brücke.

Brücke überschreitet den Wissahickon Creek in einer Höhe von rd. 45 m und verbindet die beiden belebten Stadtteile Germantown und Roxborough.

An die Mittelöffnung von 71,03 m schließen sich auf der einen Seite zwei, auf der anderen drei Öffnungen von je 16,15 m Lichtweite an, so daß sich eine gesamte Brückenlänge von 178,3 m ergibt. Die Brückenbreite ist rd. 17,07 m, wovon 12,19 m auf die Fahrstraße und je 2,44 m auf die beiderseitigen Gehwege entfallen.

Die Fahrbahn ruht über der Mittelöffnung mittels Stützen in 6,11 m lichtem Abstand auf den beiden Teilen des Hauptgewölbes.

Das Bauwerk besteht ganz aus Beton. Nur in den dünnen Wandungen der Pfeiler und Querwände, in den sehr hohen Widerlagern und vor allem in der Fahrbahntafel sind Eiseneinlagen vorhanden; auch an anderen Stellen sind vereinzelt Stäbe, jedoch nur zu untergeordneten Zwecken, eingelegt.

Wie schon bemerkt, wird die Brückentafel nicht von einem in voller Breite durchgehenden Gewölbe getragen, sondern von zwei getrennten Gewölben von je 5,49 m Breite im Scheitel und 4,88 m lichtem Abstand (Abb. 223 u. 224). Zur Erhöhung der Standfestigkeit ist den Gewölbstirnen ein Anlauf von 1 : 40 gegeben, so daß sich das Gewölbe nach den Kämpfern zu bis auf 6,55 m verbreitert.

Die Fahrbahntafel wird gebildet von I-förmigen eisernen Walzträgern in 1,83 m Abstand mit dazwischen gespannten Betongewölben, so daß die Walzträger vollkommen in Beton eingebettet sind (Abb. 224). Bei der Berechnung ist die Verbundwirkung jedoch unberücksichtigt geblieben.

Als Hauptgrund für diese Ausführungsweise galt der, daß die Walzträger zur Befestigung der Schalung mitbenutzt werden konnten, denn in der großen Höhe war es wichtig, vor allem feste Stützpunkte zu bekommen.

Die Querwände über dem Hauptgewölbe sind dazu benutzt worden, um den Belastungsunterschied auszugleichen, den die ansteigende Fahrbahn der Brücke sonst in beiden Bogenhälften bedingen würde. Diese Mauern sind auf der niedrigeren Südhälfte so viel stärker gemacht als auf der höheren Nordhälfte, daß die Belastung des Bogens durch die tote Last eine völlig symmetrische wird.

Die Mittellinie des Gewölbes ist einem mittleren Belastungszustand angepaßt.

Die Stützlinie des Gewölbes wurde für sechs verschiedene Belastungszustände ermittelt, nämlich: Vollbelastung des ganzen Gewölbes mit rd. 450 kg/m², desgl. halbe Belastung, desgl. mit 61 vH. und 30 vH. der Vollast, Belastung nur durch tote Last und schließlich Gewölbering ohne Auflast und ohne die Aufbauten. Die Mittellinie des Gewölbes, die gemittelt wurde zwischen den äußersten Abweichungen der verschiedenen Stützlinien und die 73,15 m Spannweite und 28,49 m Pfeil besitzt, fällt mit einer kleinen Abweichung am Kämpfer mit der Stützlinie für Eigengewicht fast zusammen.

Im übrigen sind die beiden Leibungen, wie Abb. 223 zeigt, aus je drei Mittelpunkten geschlagen. Die Scheitelstärke ist 1,67, die Kämpferstärke 2,89 m. Die aus der Belastung sich ergebenden Spannungen erreichen mit 24,9 kg/cm² am Kämpfer ihr Höchstmaß, während die mittlere Spannung dort nur 11,7 kg/cm² beträgt. Es ist aber außerdem noch der Einfluß der Wärme[1]) berücksichtigt, und zwar wurde gegenüber der mittleren Wärme eine Abweichung der Bogenwärme von 22° C. nach oben und unten zugrunde gelegt, was einer Verkürzung bezw. Verlängerung der Bogenachse um 25,4 mm und bei der gewählten Bogenform einer ebenso großen Hebung bezw. Senkung im Scheitel entspricht. Die größte überhaupt auftretende Druckspannung beträgt dann am Kämpfer 29,3 kg/cm². Auch die niedrigsten Spannungen im Gewölbe sind noch Druckspannungen von solcher Höhe, daß man von Eiseneinlagen im Gewölbe völlig absehen konnte. Mit den Annahmen der Rechnung stimmen die Beobachtungen am fertigen Bau ziemlich gut überein. Die größte Hebung des Brückenscheitels betrug

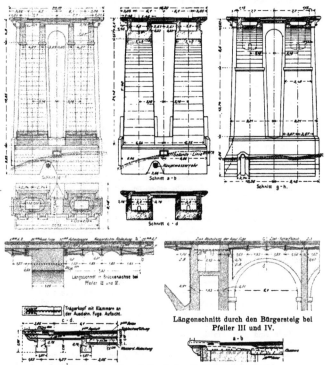

Abb. 224. Querschnitte und Einzelheiten der Walnut Lane-Brücke.

28,5 mm, der durch in das Gewölbe eingesetzte Thermometer gemessene größte Wärme-unterschied rd. 24° C.

Damit eine Bewegungsmöglichkeit bei Wärmeänderungen oder sonstigen Einflüssen vorhanden ist, sind über den Pfeilern des Mittelbogens in den Stirnmauern und in der Fahrbahntafel Ausdehnungsfugen angeordnet (Abb. 223).

Die beiden Gewölbe des Hauptbogens stützen sich auf einen durchgehenden Fundamentklotz, der mit Abtreppungen in den festen Fels, Glimmerschiefer, eingreift

(Abb. 223 u. 224). Dieser Fundamentklotz trägt gleichzeitig den Hauptpfeiler, der Haupt- und Seitengewölbe trennt. Er trifft beiderseits auf ein vorhandenes gußeisernes Hauptrohr der Wasserleitung, das entsprechend überwölbt ist. Zur größeren Sicherheit wurden in die Wölbung noch Eisenstäbe eingelegt. Auch die übrigen Pfeiler und Widerlager sind unmittelbar auf Fels gegründet und werden in gleicher Weise von dem Wasserleitungsrohr durchbrochen.

Die Fahrbahn wird in dem 18,3 m langen Mittelstück des Bogens von geschlossenen, 76 cm starken Stirnmauern getragen, die sich unmittelbar auf den Gewölberücken stützen und noch durch Quermauern ausgesteift werden. Im übrigen werden die Stirnmauern von Quergewölben von 6,11 m Spannweite getragen, die sich auf schlanke Pfeiler stützen, welche die Fahrbahnlast auf den Gewölberücken abgeben. Diese Quergewölbe gehen aber, um noch weiter an totem Gewicht zu sparen, nicht in voller Breite des Gewölberückens durch (vergl. Querschnitt e—f, Abb. 224), sondern sind selbst wieder in je zwei Bogen von je 1,07 m Breite und 4,27 m Abstand von Mitte zu Mitte aufgelöst, und die sie stützenden Pfeiler werden nur durch eine dünne Querwand miteinander verbunden, in welche zur größeren Sicherheit noch wagerechte Eisenstäbe eingebettet sind. Diese Quermauern sind auf der Nordhälfte der Brücke aus den früher angeführten Gründen nur 61 cm, auf der niedrigeren Südhälfte dagegen 72 cm dick (Abb. 223). Wo diese Pfeiler auf den Rücken des Hauptgewölbes aufsetzen, sind zur besseren Druckverteilung je eiserne Querstäbe eingelegt; außerdem sind in die Füße der beiden äußersten Pfeiler, die auf dem stark geneigten Gewölberücken stehen, Eisenstäbe eingebettet, die, rechtwinklig umgebogen, auch in das Gewölbe eingreifen, um die hier aus dem Bestreben des Abgleitens entstehenden Scherspannungen aufzunehmen.

Die seitlichen Bögen von 16,15 m Lichtweite bestehen ebenso wie die Hauptgewölbe aus zwei getrennten Gewölben, die hier aber eine gleichmäßige Breite von je 5,49 m besitzen (vergl. Querschnitt g—h, Abb. 224). Sie tragen geschlossene Stirnmauern, die ebenfalls durch Quermauern verbunden sind.

Die Brückentafel besteht aus drei Teilen, der mittlere, mit Rücksicht auf die Einbettung von Schienen und Schwellen für die Straßenbahn etwas tiefer liegende überbrückt den Zwischenraum der beiden Teilgewölbe, die beiden äußeren spannen sich über die beiderseitigen Stirnmauern der letzteren. Diese Stirnmauern sind nicht bündig mit den Stirnen der Wölbrippen, sondern gegen diese um 23 cm zurückgesetzt, um die Wölbkanten nicht unmittelbar zu belasten (Abb. 224). Die Träger der Fahrbahntafel laufen nicht in voller Breite der Fahrbahn durch, sondern haben unter den Bürgersteigplatten nur 38 cm, in der Fahrbahnplatte 51 cm Höhe. Die drei Teile sind aber kräftig miteinander verlascht, so daß sie doch eine durchgehende Versteifung abgeben. An den Ausdehnungsfugen sind die Träger doppelt verlegt, und der Schub der Gewölbe ist hier durch Verankerung der Endfelder aufgenommen (Abb. 224). Damit der Beton mit den Seitenflächen der I-Träger eine innigere Verbindung eingeht, sind hier Bügel umgelegt. Unter den Trägerunterflanschen sind aus gleichem Grunde Längsdrähte in den Beton eingebettet. In den Bürgersteigplatten fallen über den Quermauern, über denen auch die Ausdehnungsfugen liegen, die I-Träger fort; hier sind nur Eisenstäbe längs der Plattenkanten eingelegt. Die Fahrbahntafel ist mit Teerpappe abgedeckt, die Bürgersteigoberfläche hat einen widerstandsfähigen Estrich erhalten.

Der Stampfbeton ist mit Einpackungen größerer flacher Steine, die in den wagerechten Schichten der Pfeiler und Mauern 30 bis 40 vH., im Gewölbe 25 bis 30 vH. der fertigen Masse ausmachen, hergestellt.

Der Beton selbst besitzt in den Gewölben ein Mischungsverhältnis 1 : 2 : 5, und die Einpackungen bestehen hier aus besonders flachen Steinen, die in radialer Richtung in die Betonmasse eingepreßt sind. Der Beton jedes Ringes der Seitengewölbe wurde dabei ohne Unterbrechung in je einem Tage hergestellt, der des Hauptgewölbes wie bereits Seite 418 näher beschrieben, in einzelnen, in einer Tagesschicht zu beendigenden Blöcken von etwa 57 m³ Inhalt.[1]) In 1 : 2 : 5 wurde auch der Beton der Fahrbahntafel hergestellt, in 1 : 3 : 6 derjenige der Fundamente, Pfeiler, Mauern.

Das Bauwerk erforderte an Baustoffen: 14 590 m³ Beton, davon 1760 m³ in den Fundamenten, 2370 m³ in den beiden Teilen des Hauptgewölbes, 140 t Walzeisen der Fahrbahnträger und 55 t Eisenstäbe in den Fundamenten, Pfeilern, Flügeln und Zwischenmauern des Aufbaues. Die Gesamtkosten der Brücke (ohne Rampen) einschließlich Beleuchtungskörper und der elektrischen Zuleitungen betragen 1 120 000 Mark (267 000 Dollar). Die Kosten für 1 m² Grundfläche der Brückenbahn (zwischen den Stirnen der Hauptgesimse gemessen) belaufen sich demnach auf 343 Mark.

Nr. 8.   Straßenbrücke über den Bober bei Boberullersdorf, entworfen und ausgeführt von der Unternehmung B. Liebold u. Co. in Holzminden (Abb. 225).

Das Bauwerk, das eine der weitestgespannten Betonbrücken darstellt und ohne Gelenke ausgeführt ist, ist im Jahre 1908 ausgeführt worden und dient zur Ueber-

Abb. 225. Boberbrücke bei Boberullersdorf.

führung der Kreisstraße von Boberullersdorf nach Boberröhrsdorf über den Stauspiegel der Talsperre bei Mauer am Bober.

Das Gewölbe der Brücke hat eine Spannweite von 58,10 m. Die Pfeilhöhe beträgt 8,80 m bezw. 9,60 m, da der linke Kämpfer 0,80 m tiefer liegt als der rechte (Abb. 226 u. 227).

Die Stärke des Gewölbes beträgt im Scheitel 1 m, am Kämpfer 1,30 m.

Über dem Gewölbe sind Sparöffnungen aus Eisenbeton angeordnet, um den Überbau möglichst leicht zu machen.

Für die statische Untersuchung ist als Verkehrslast eine gleichmäßig verteilte Belastung von 1190 kg/m² zugrunde gelegt. Die Größe dieses Belastungsgleichwertes ergibt sich nach der in Abb. 227 dargestellten Lastverteilung aus dem Gewicht einer Dampfwalze von 23 t und der Belastung der übrigen Gewölbebreite mit Menschengedränge von 400 kg/m².

Die größte Beanspruchung des Gewölbebetons beträgt bei voller Belastung der einen Gewölbehälfte 40 kg/cm² im Scheitel und 34 kg/cm² am Kämpfer. Wegen

[1]) Über das Lehrgerüst dieser Brücke vergl. auch Handbuch Band II (2. Aufl.) S. 391.

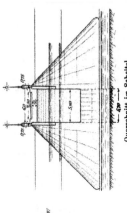

der hohen Betonspannung im Scheitel sind an
dieser Stelle nahe an der Leibung Rundeisen von
20 mm Durchm. und 12 m Länge in 0,25 m Abstand
eingelegt worden (Abb. 227).

Die Breite des Gewölbes ist 5,40 m. Die
Fußwege sind in Eisenbeton ausgekragt, so daß
die nutzbare Brückenbreite zwischen den Geländern
6 m beträgt.

Die Pfeiler und Bogen der Spargewölbe sind
mit Rundeisen bewehrt. Zur Ausgleichung der
Wärmespannungen sind im Überbau des Gewölbes
sowohl an den Enden wie auch in der Mitte der
Gewölbezwickel Bewegungsfugen angeordnet.

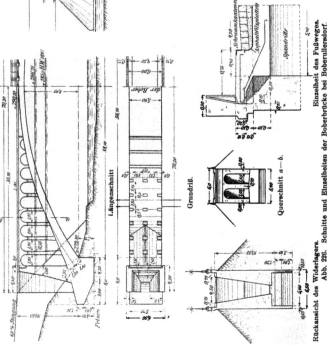

Abb. 226. Schnitte und Einzelheiten der Boberbrücke bei Boberullersdorf.

Die Flügelmauern sind bei der Ausführung, abweichend von Abb. 226 u. 227, durch Auskragung um 1,50 m verlängert worden.

Die Fundamente der Brücke sind bis auf den festen Felsen herabgeführt.

Die Betonmischungen waren folgende:

Für die Fundamente und Flügelmauern 1 : 10, für das Gewölbe 1 : 7$\frac{1}{2}$, für die Sparöffnungen 1 : 5.

Die Ansichtflächen des Bauwerks sind mit glattem Zementputz versehen, da die Brücke nach Fertigstellung der Bobertalsperre bei Mauer zum größten Teil in dem Stauweiher verschwindet und daher auf die Ausbildung der Ansichtflächen kein Gewicht zu legen war.

Das Lehrgerüst für das Gewölbe bestand aus sieben Bindern. Für das Gerüst einschl. Unterbau und Schalung waren rd. 180 cbm Holz erforderlich. Abb. 227 zeigt die Ausbildung des Lehrgerüstes.

Nr. 9. Straßenbrücke über die Mosel bei Schweich, entworfen und ausgeführt in den Jahren 1905/06 von der Firma B. Liebold u. Co., A.-G., Holzminden (Abbildung 228).

Die drei Stromöffnungen der Brücke sind Korbbogen von 46 m lichter Weite und 6,17 m Pfeilhöhe. Die Scheitelstärke beträgt bei diesen Bogen 1 m, die

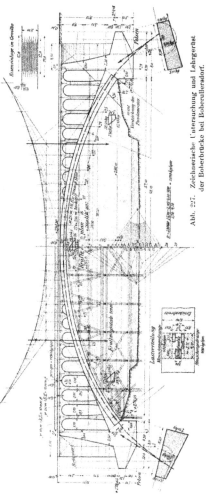

Abb. 227. Zeichnerische Untersuchung und Lehrgerüst der Boberbrücke bei Boberullersdorf.

Kämpferstärke 1,30 m (Abb. 229).[1]) Auf dem rechten Ufer der Mosel folgen noch drei Öffnungen von 10 m Weite, die den Anschluß mit der auf diesem Ufer sehr hoch liegenden Straße vermitteln, und von denen eine gleichzeitig als Überführung über die Moselbahn dient (Abb. 228).

Am linken Moselufer schließt sich eine Rampenbrücke von neun Öffnungen an, deren lichte Weiten zwischen 10 und 15 m liegen.

Diese Rampenbrücke ist deshalb angeordnet, weil kein Platz für die Böschungen einer Erdrampe vorhanden war, und weil außerdem auch die Beschaffung von Anfüllungsboden für eine Rampe zwischen Stirnmauern mit großen Schwierigkeiten verknüpft gewesen wäre.

Die drei einzelnen Teile der Brücke sind durch Gruppenpfeiler, die auf beiden Ufern der Mosel stehen, voneinander getrennt.

Die Länge des Bauwerks beträgt rd. 326 m.

Abb. 228. Moselbrücke bei Schweich.

Zum Ausgleich der Wärmebewegungen dienen lediglich Fugen, die an den Kämpfern der Gewölbe angeordnet sind und die bis durch die Abdeckplatten hindurchgehen.

Die Brücke ist gänzlich aus Beton hergestellt; nur die Vorköpfe der beiden Strompfeiler sind mit Granit aus dem Odenwald verkleidet.

Zum Beton wurde Sand und Kies in derselben Zusammensetzung verwendet, wie er an Ort und Stelle aus der Mosel gebaggert wurde.

Die Mischungsverhältnisse waren für das Gewölbe 1 : 7½, für die übrigen Teile des Bauwerks 1 : 10. Die Bogen der Sparöffnungen sind mit Eisen bewehrt.

Die Pfeiler der Brücke sind auf Felsen gegründet.

Die ganzen Ansichtsflächen haben einen Vorsatz aus farbigem Zementmörtel

---

[1]) Außer dieser Brücke führte dieselbe Firma noch drei Moselbrücken gleicher Art aus. Die Hauptabmessungen dieser vier Moselbrücken sind:

Moselbrücke bei	Baujahr	Lichtweiten m	Gesamtlänge m	Fahrbahnbreite m
Mehring	1903/04	4 · 46 + 15	228	6,5
Schweich	1905/06	3 · 16 + 3 · 10 + 9 (10 bis 15)	326	7,0
Trittenheim	1907/08	3 · 46 + 30 + 6.2	208	6,5
Longuich	1909/10	46 + 2 · 43 + 34 + 17	247,5	4,6

unter Zusatz von Silberkies erhalten und sind nach dem Ausschalen gestockt und scharriert worden.

Die Stromöffnungen mit ihren Aufbauten sind in rötlichem, die übrigen Teile in grauschwarzem Ton gehalten.

Die Breite der Gewölbe beträgt 6,60 m, die Nutzbreite der Fahrbahn zwischen den Geländern 7 m.

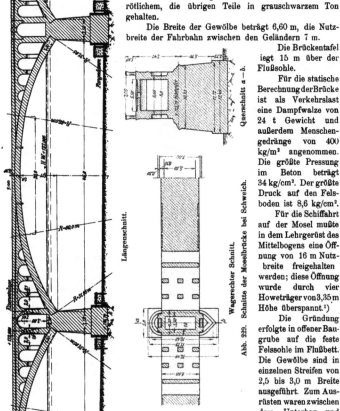

Abb. 229. Schnitte der Moselbrücke bei Schweich.

Die Brückentafel iegt 15 m über der Flußsohle.

Für die statische Berechnung der Brücke ist als Verkehrslast eine Dampfwalze von 24 t Gewicht und außerdem Menschengedränge von 400 kg/m² angenommen. Die größte Pressung im Beton beträgt 34 kg/cm². Der größte Druck auf den Felsboden ist 8,6 kg/cm².

Für die Schiffahrt auf der Mosel mußte in dem Lehrgerüst des Mittelbogens eine Öffnung von 16 m Nutzbreite freigehalten werden; diese Öffnung wurde durch vier Howeträger von 3,35 m Höhe überspannt.[1]

Die Gründung erfolgte in offener Baugrube auf die feste Felssohle im Flußbett. Die Gewölbe sind in einzelnen Streifen von 2,5 bis 3,0 m Breite ausgeführt. Zum Ausrüsten waren zwischen dem Unterbau und dem Lehrgerüst Keile aus Eichenholz angeordnet. Im ganzen enthält die Brücke 7000 m³ Beton, wovon 1100 m³ auf die Gewölbe der Stromöffnungen und 550 m³ auf die der Flutbogen entfallen.

Der Beton für die Gewölbe der Stromöffnungen und

---

[1] Vergl Schönhöfer. Die Haupt-, Neben- und Hilfsgerüste im Brückenbau. Berlin 1911. Seite 90 Verlag von Wilh. Ernst u. Sohn.

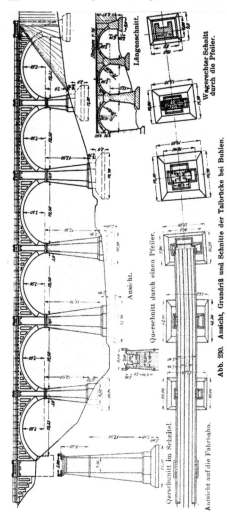

Abb. 230. Ansicht, Grundriß und Schnitte der Talbrücke bei Buhlen.

Aufbauten wurde auf einem Fördergerüst, das mitten über der Brücke lag, mit Seilaufzug auf schiefer Ebene herangeschafft. Die Bearbeitung der Sichtflächen, deren Schalung aus gehobelten Brettern mit Gipsformen hergestellt wurde, erfolgte von einem fahrbaren Arbeits- bezw. Hängegerüst aus. Die Kosten der fertigen Brücke einschl. der Rampen betrugen 250 000 Mark.

Nr. 10. Talbrücke bei Buhlen im Zuge der Eisenbahnstrecke Wildungen—Corbach, ausgeführt von der Firma B. Liebold u. Co., A.-G. in Holzminden (Abb. 230).

Die Talbrücke ist in den Jahren 1907/08 im Auftrage der Königlichen Eisenbahndirektion Kassel, die auch die Entwürfe anfertigte, an der Neubaustrecke Wildungen—Corbach erbaut worden.

Die Gesamtlänge des Bauwerks beträgt, zwischen den Außenkanten der Flügelmauern gemessen, rd. 153 m.

Die Brücke besteht aus sechs Öffnungen von je 19,5 m lichter Weite und 7,5 m Pfeilhöhe (Abb. 230). Ihre größte Höhe über der Talsohle ist rd. 30 m.

Die Brücke liegt auf 33,66 m in einer Geraden, der übrige Teil liegt in einem Bogen von 700 m

Halbmesser. Ihre Oberkante besitzt durchgängig eine Steigung 1 : 75. Entsprechend dieser Steigung sind die Gewölbe mit geneigten Kämpferlinien ausgeführt. Ausschließlich der bogenförmigen Widerlager über den Pfeilergesimsen beträgt die Spannweite der Gewölbe 18,2 m, die Pfeilhöhe 5,5 m.

Die Pfeiler, die an allen vier Seiten mit Strebepfeilern versehen sind, sind in der Krümmung radial gestellt. Sie sind zum Teil auf Felsen, zum Teil auf festem, sandigem Lehm gegründet. Der Anlauf der Strebepfeiler ist rd. 1 : 11. Der zweite und vierte Zwischenpfeiler sind als Gruppenpfeiler ausgebildet, um die Ausführung der Gewölbe in drei Abschnitten zu ermöglichen.

Die äußeren seitlichen Strebepfeiler sind bis unter die Abdeckplatten geführt, hinter ihnen sind die Bewegungsfugen für die Gewölbe angeordnet.

Das ganze Bauwerk ist aus Stampfbeton hergestellt. Der Kies, der aus der Eder gewonnen und mittels einer Schmalspurbahn an die Baustelle befördert wurde, konnte ohne weiteres zum Beton verarbeitet werden.

Abb. 231. Talbrücke bei Buhlen während der Ausführung.

Folgende Mischungsverhältnisse waren von der Verwaltung vorgeschrieben:
für die Fundamente 1 : 9 bis 1 : 12, für die Pfeiler, Stirnmauern, Widerlager und Flügel 1 : 6 bis 1 : 9, für die Gewölbe 1 : 4 bis 1 : 6.

Die Ansichtsflächen des Bauwerks sind durchweg mit Vorsatzbeton aus gefärbtem Zement versehen und wurden nach dem Ausschalen mit Steinmetzwerkzeugen bearbeitet.

Die Pfeiler, Gewölbe, Gesimse, Abdeckplatten und Brüstungen haben einen rötlichen Ton erhalten. Die Stirnmauern sind hellgrau, die Nischen in denselben dunkelgrau gefärbt.

Wie Abb. 231 erkennen läßt, ist eine vollständige Einrüstung der ganzen Brücke bis zur Höhe der Pfeilergesimse ausgeführt, um beim Aufbau der Pfeiler den Beton, der mittels eines Fahrstuhls auf die erforderliche Höhe gehoben wurde, mit Hilfe der durchgehenden Arbeitsgerüste an jede beliebige Verwendungsstelle bringen zu können.

Die Ausführung der Gewölbe war ursprünglich, entsprechend der Anordnung der Gruppenpfeiler, in drei Abschnitten geplant. Später sind allerdings, wie Abb. 231 zeigt, vier Gewölbe zu gleicher Zeit ausgeführt worden, um die Fertigstellung des Bauwerks zu beschleunigen.

Für die Gründung der Pfeiler und Widerlager der Talbrücke waren rd. 5100 m³ Erde auszuheben.

An Beton enthält die Brücke rd.: Fundamentbeton 2810 m³, aufgehenden Beton 4730 m³, Gewölbebeton 760 m³, Füllbeton 650 m³.

Außerdem waren noch 75 m³ Werksteine für die Auskragungen und Abdeckplatten zu versetzen

Mit den Arbeiten wurde im September 1907 begonnen, beendet wurden dieselben im November 1908.

Nr. 11. Straßenbrücke über die Mosel in Sauvage bei Metz,[1]) Entwurf von Geh. Baurat Blumhardt in Straßburg, Ausführung sämtlicher Betonarbeiten von der Unternehmung Dyckerhoff u. Widmann in Karlsruhe, der Gründungsarbeiten von der Firma Th. Heydt in Straßburg (1906/07).

Die Brücke verbindet den Süden der Stadt Metz mit dem am linken Ufer gelegenen Flecken Sauvage im Zuge der sogen. Kriegsstraße, die sich bis dahin, gegenüber von Sauvage, mangels eines Überganges, totlief.

Da man mit den vorher hergestellten Moselbrücken gleicher Ausführung in und bei Metz günstige Erfahrungen gemacht hatte (S. 389), fiel die Wahl auf eine gewölbte Betonbrücke mit vier Stromöffnungen, und zwar von 36 m bezw. 2×34 m und 30 m Spannweite, vom linken zum rechten Ufer zählend, welche als Dreigelenkbogen auf zwei Landwiderlagern und drei Strompfeilern ruhen (Abb. 232). Über den beiden

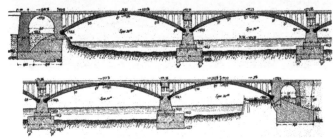

Abb. 232. Längenschnitte der Moselbrücke in Sauvage bei Metz.

Landwiderlagern sind noch Öffnungen von 5 bezw. 8 m Spannweite angeordnet, um den Verkehr den Ufern entlang zu vermitteln. Der Anschluß der Überführung über die Bahngleise auf dem linken Ufer nach Sauvage ist durch eiserne Träger bewerkstelligt.

Für die Entwicklung des Längsschnittes der Brücke waren in der Hauptsache maßgebend die Überführung der Brückenfahrbahn über die zweigleisige Bahn Metz—Diedenhofen auf dem linken (Sauvage-) Ufer sowie der Hochwasserspiegel der Mosel ($+ 167$ N.-N.). Das Bestreben, die Kämpfergelenke höchstens 1 m tief in das Hoch-

¹) Deutsche Bauztg. 1907, Zementbeilage, S. 69 u. 73.

wasserprofil zu senken, führte zu Pfeilverhältnissen der Dreigelenkbogen, welche zwischen 1 : 6,8 und 1 : 8,3 schwanken.

Zwecks leichterer Ausgestaltung der Brücke wird die Last der Fahrbahn auf die Hauptbogen mittels Pfeiler und darauf ruhenden Entlastungsbogen übertragen. Diese Entlastungsbogen sind indessen nicht als solche durchgeführt, sondern es wurden sozusagen die Gewölbe in die Fahrbahndecke hineingeschoben, indem die Unterkante der Fahrbahndecke mit der Leibung der Gewölbe im Scheitel zusammenfällt (Abb. 233). Diese Anordnung ist besonders im Interesse raschen Fortarbeitens zweckmäßig, denn sie gestattet, nach Herstellung der Bogenschalung die Fahrbahnplatte mit den Pfeilern zusammen aufzustampfen, ohne hierbei auf eine Betonierung der Gewölbe besonders

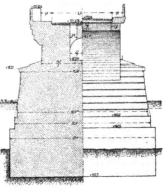

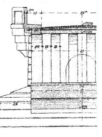

| Querschnitt neben einem Strompfeiler. | Querschnitt durch einen Strompfeiler. | Querschnitt in Gewölbemitte. |

Abb. 233. Querschnitte der Moselbrücke in Sauvage.

Rücksicht nehmen zu müssen. Die Wirkung der Gewölbe als solche kommt einfach in der Fahrbahnplatte selbst zum Ausdruck.

Die Fahrbahnplatte besitzt eine Stärke von 22 bis 26 cm, auf ihr ruht ein Steinpflaster, in Sand versetzt, in Höhe von 22 cm an der stärksten Stelle. Die Breite der Fahrbahn beträgt 5,50 m, an dieselbe schließen sich beiderseits Gehwege von je 1 m Breite an, welche zum Teil auf Eisenbetonauskragungen ruhen. Während sich so eine Breite der Brücke von 7,50 m zwischen den Geländerbrüstungen ergibt, stellt sich die Breite der Hauptgewölbe zwischen den Stirnen nur auf 7 m.

Für die statische Berechnung wurden als Verkehrslasten zwei Straßenwalzen und neben diesen eine gleichmäßig verteilte Last von 500 kg/m² angenommen. Die hieraus errechneten größten Bodenpressungen unter den Pfeilern betrugen 3,3 kg/cm², die Höchstbeanspruchungen in den Gewölben 28,6 kg/cm² Druck bezw. 0,8 kg/cm² Zug. Die Gelenke erhalten ihre höchste Beanspruchung an den Kämpfern, und zwar beträgt der größte auftretende Kämpferdruck 150 t für 1 m Brückenbreite. Der bei den gewählten Krümmungshalbmessern der Gelenksteine hieraus rechnerisch sich ergebende größte Druck erreicht die stattliche Höhe von 103,6 kg/cm². Gegenüber diesen Beanspruchungen wurden seitens der Bauleitung folgende Mischungsverhältnisse vorgeschrieben: für die Pfeiler 1 Teil Zement : 3 Teilen Moselsand : 6 Teilen

Moselkies; für die Gewölbe, ausschließlich der Gelenksteine, entsprechend 1 : 2,5 : 5; für die Pfeileraufbauten auf den Hauptgewölben und die Fahrbahndecke 1 : 3 : 6.

Bezüglich der Herstellung der hochbeanspruchten Gelenksteine lagen seitens der Bauleitung bereits die Erfahrungen mit den Gelenksteinen der vier vorher gebauten Moselbrücken vor, (s. S. 389 u. f.) auch kamen der Firma Dyckerhoff u. Widmann hierbei Erfahrungen an anderen Brücken zustatten. Es wurde eine größere Reihe von Probekörpern verschiedenster Mischungen und Zusammensetzungen der einzelnen Betonbestandteile, und zwar sowohl hinsichtlich der Gesteins- bezw. Sandarten als auch insbesondere der Korngrößen hergestellt und den Zug- bezw. Druckproben unterworfen. Man entschied sich daher zu einem Mischungsverhältnis von 1 Teil Dyckerhoffschen Zementes : 2 Teilen Moselsand von 0 bis 7 mm Korngröße : 2 Teilen Dolomitschotter von Perl a. d. Mosel, und zwar davon je ein Drittel von 4 bis 15 mm bezw. 15 bis 25 mm bezw. 25 bis 35 mm Korngröße.

Die Betonierung der Gewölbe ist bereits S. 415 näher beschrieben worden.

Zur ausreichenden Erhärtung wurden die Gewölbe fünf Wochen auf der Schalung belassen, während welcher die Betonierung der Strompfeileraufbauten und die Einschalung der Pfeiler über den Gewölben vorgenommen wurden.

Beim Ablassen der Lehrgerüste wurde, wie bereits S. 421 erwähnt, von den Mitten der Gewölbeschenkel nach den Gelenken zu vorgegangen.

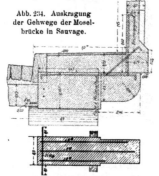

Abb. 234. Auskragung
der Gehwege der Mosel-
brücke in Sauvage.

Die Geländerbrüstung der Brücke machte eine Bewehrung der um 46 cm aus dem Hauptgewölbe herausgekragten Betonsteine erforderlich, da unter Festhaltung der Innenflucht des ursprünglich geplanten Eisengeländers der Schwerpunkt der an sich schon schwereren Betonbrüstung nach außen rückte. Die in hölzernen Formen aufgestampften Kragsteine wurden, wie aus Abb. 234 ersichtlich, mit je 3 Rundeisen von 10 mm bewehrt, derart, daß zwei dieser nach oben herausstehenden Eisen beim Versetzen der Kragsteine in die Geländerbrüstung mit einbetoniert wurden. In Abständen von je 3,4 m, entsprechend je zwei Feldern der Außenflächeneinteilung, wurden keilnutförmige, durch die ganze Höhe der Geländerbrüstung durchlaufende Ausdehnungsfugen vorgesehen.

Über die Ausbildung der Ausdehnungsfugen in der Fahrbahntafel vergl. S. 414.

Nr. 12. Die Friedrich-August-Brücke in Dresden,[1] entworfen von Professor W. Kreis in Düsseldorf, als Architekt, und Oberbaurat Klette † in Dresden, ausgeführt von den Firmen Philipp Holzmann u. Cie. in Frankfurt a. M. und Dyckerhoff u. Widmann in Dresden (Abb. 235).

An Stelle der historisch berühmten, wohl fünf- bis sechshundert Jahre alten Augustusbrücke in Dresden wurde vor kurzer Zeit eine neue Brücke vollendet. Als Baustoff wurde Beton gewählt, und nur für die Sichtflächen mit Ausnahme der Gewölbeleibungen wurden mit Sandsteinquadern verkleidet. Die Brücke besitzt neun

[1] Deutsche Baustg. 1910, S. 354, 365, 385; s. a. Schönhöfer, Haupt-, Neben- u. Hilfsgerüste im Brückenbau, S. 96 u. 117. Berlin 1911, Verlag von W. Ernst u. Sohn.

Öffnungen in Weiten von 17,6 m bis 39,3 m, die mit Dreigelenkgewölben überdeckt sind, und eine Gesamtlänge, zwischen den Hochuferlinien gemessen, von 327,92 m (Abb. 235). Die Breite des Wasserspiegels vor der Brücke beträgt bei Mittelwasser 165 m. Die beiden Schiffahrtöffnungen (dritte und vierte Öffnung von der Altstadt aus), besitzen eine Weite von 36,0 bezw. 39,3 m und eine lichte Höhe über Nullwasser von 9 bezw. 10 m.

Die Gewölbestärken betragen im Scheitel von 0,50 bis 0,95 m und die Stärke der Brückenpfeiler, in Kämpferhöhe gemessen, 5,0 bis 7,5 m.

Die Breite der Brückenbahn beträgt, zwischen den Geländerbrüstungen gemessen, 18 m; hiervon entfallen auf die Fahrbahn 11 m und auf die beiderseitigen Fußwege je 3,5 m (Abb. 236).

Die Brückenbahn ist über der ersten Öffnung (Altstadt) auf 30 m verbreitert worden, wodurch aus städtebaulichen Rücksichten ein Vorplatz geschaffen werden sollte. Die Breite der Brückengewölbe beträgt 16,8 m (in der ersten Öffnung 30,5 m).

Die Gelenke wurden bei den kleineren Brückengewölben von 17,6 bis 24,05 m Spannweite durch Bleiplatteneinlagen im mittleren Viertel der Fugenbreite gebildet, dagegen haben die großen Gewölbe, mit Ausnahme der Stirngelenke, die aus Sandsteinquadern hergestellt sind, Wälzgelenke aus Eisenbeton erhalten (Abb. 112). Die Gelenkbetonquadern sind, wie bereits S. 394 erwähnt, in Formen gestampft worden, deren Boden aus einem Betonkörper bestand, der oben die genaue Wälzfläche besaß und deren Seitenflächen zerlegbare Holzwände waren.

Die drei Gelenkfugen eines jeden Bogens setzen sich in dem darüberliegenden Füllbeton senkrecht nach oben bis zur Isolierschicht fort (Abb. 236), an den Stirnflächen verlaufen sie in offenen Stoß- und Lagerfugen der Quaderverkleidung nach oben, welche nachträglich von der Außenfläche her etwa 5 cm tief mit einer nachgiebig bleibenden Mischung von Kalkmörtel und Asbest ausgestopft worden sind.

Bei den vier kleinsten Brückenöffnungen kamen hölzerne Lehrgerüste in gewöhnlicher Anordnung mit Wölbgerüstschrauben zur Anwendung, während die fünf größeren Gewölbe über eisernen Lehrgerüsten hergestellt wurden, um für den Hochwasserabfluß und nötigenfalls auch für die

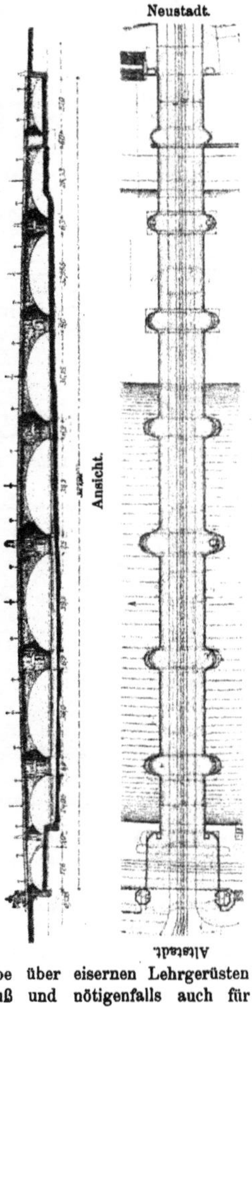

Abb. 235. Friedrich-August-Brücke in Dresden.

Schiffahrt möglichst große Profile freihalten zu können. (Vergl. hierüber Handbuch Bd. II. 2. Aufl. S. 323.)

Nach etwa vierwöchiger Erhärtung des Gewölbebetons ergaben sich beim Ausrüsten der Bogen durch Lockern der Gerüstschrauben noch Scheitelsenkungen von

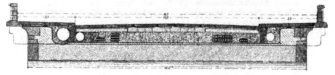

Querschnitt im Scheitel eines Bogens.

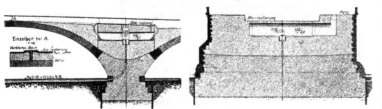

Längen- und Querschnitt durch einen Landpfeiler.

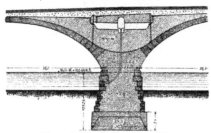

Längenschnitt durch einen Strompfeiler.

Abb. 236.   Schnitte der Friedrich-Augustbrücke in Dresden.

im Durchschnitt 5 mm bei den hölzernen und 8 mm bei den eisernen Gerüsten, nachdem sich die Gerüste während des Betonierens bis zum Schluß der Bogen im Mittel bereits um 40 bezw. 50 mm gesetzt hatten. Nachträgliche Scheitelsenkungen sind in erheblichem Maße nicht beobachtet worden, sind aber wahrscheinlich beim Aufbringen der Brückenbahn, der Rechnung entsprechend, noch in geringem Maß eingetreten. Dagegen war bei erheblichen, länger anhaltenden Wärmeänderungen ein geringes Auf- und Absteigen der Gewölbescheitel festzustellen, je nachdem die Wärme zu- oder abgenommen hatte.

Die Anordnung der Oberflächenentwässerung und Isolierung des Mauerwerks ist in Abb. 236 dargestellt. In jedem Pfeiler ist über H.-W. ein geräumiger, von der Brückenbahn aus bequem zu erreichender Quergang angelegt, in welchem eine Sohlenrinne die Zuflüsse von den Regenwassereinläufen in den Bordschwellen, von den Wasserableitungen aus den Straßenbahnschienen und aus den Kabelschächten sowie von der Isolierschicht aufnimmt. Diese werden einem gußeisernen Fallrohr in Pfeilermitte zugeführt, welches bei den Strompfeilern unter Niederwasser, bei den Landpfeilern auf der Uferpflasterung ausmündet oder mit dem Straßenkanal in Verbindung gebracht ist. Die Gründung der Endwiderlager und der Landpfeiler erfolgte in trockener, etwa 4 m tiefer Baugrube mittels Stampfbeton 1 : 6 : 8, die der fünf Strompfeiler dagegen mittels Druckluft etwa 8 m tief unter der Flußsohle.

Bei den Gründungsarbeiten waren im ganzen etwa 20 000 m³ Kies auszuheben, welcher zum großen Teil sogleich wieder bei der Betonierung verwendet werden konnte, ferner waren rd. 15 000 m³ Beton und 2500 m³ Quadermauerwerk herzustellen. Für letzteres kam neben den Abbruchgesteinen der alten Brücke fast ausschließlich Elbsandstein aus sächsischen Brüchen zur Verwendung.

Die Gründungsarbeiten für den Neubau wurden im August 1907 beendet. Sie erforderten bis zur Kämpferhöhe des Gewölbes (0,4 m über Nullwasser) einen Gesamtaufwand von 1 670 000 Mark.

Die Bauarbeiten über Grund, von 0,4 m über Null bis zur Höhe der Brückenbahn, erforderten die Herstellung von 3000 m³ Quadermauerwerk und etwa 26 000 m³ Beton. Von letzterem entfallen auf die Gewölbe rd. 4500 m³ im Verhältnis 1 : 4 : 6 gemischt, außerdem 500 m³ auf die Gelenkquader im Mischungsverhältnis 1 : 2,5 : 2,5 und 7000 m³ auf die Pfeiler, Widerlager und Stirnmauern im Mischungsverhältnis 1 : 6 : 8. Der Rest ist Füllbeton, gemischt im Verhältnis 1 : 10 : 14. Die Betonoberfläche liegt durchschnittlich 1 m unter der Brückenbahn und ist durch eine Isolierschicht im Ausmaße von 7000 m², bestehend aus einer Bleiblecheinlage zwischen asphaltierten Pappen (Siebelsche Bleiisolierung), gegen das Eindringen von Wasser geschützt worden.

Die Kosten für diesen Teil des Brückenbaues betragen rd. 1 430 000 Mark, einschließlich einer Summe von über 50 000 Mark für die Kassettierung der Gewölbeleibungsflächen, welche nach einem Vorschlag von Professor Kreis zur Anwendung gelangt ist, um die Einförmigkeit der großen glatten Betonflächen zu beseitigen (Vergl. Handbuch II. Bd. 2. Aufl. S. 325 Abb. 86).

Bemerkenswert sind noch die nach dem Schleuderverfahren hergestellten Betonmaste für die Oberleitung der Straßenbahn und die Kandelaber, die auf den steinernen Brüstungen aufgestellt wurden. Kopf und Fuß erhielten Metallverkleidungen, ebenso wurden die Beleuchtungsträger aus Metall hergestellt.

Nr. 13. Straßenbrücke über die Fulda in Kassel, entworfen und ausgeführt 1909/10 von der Firma B. Liebold u. Co., A.-G. in Holzminden.

Das Bauwerk, welches als Ersatz einer dreibogigen, massiven Brücke erbaut ist, überspannt den Fluß mit einem Gewölbe von 57,50 m Lichtweite und 5,23 m Pfeilhöhe; es ist also mit $\frac{1}{11}$ Pfeilverhältnis die flachste weitgespannte Bogenbrücke, die bisher in reinem Beton ausgeführt ist. Sieht man vor den Blendmauern vor den Widerlagern ab, so beträgt die Lichtweite zwischen den letzteren 66,77 m (Abb. 237).

Vor Beginn des Neubaues mußte, da die neue Brücke genau an der Stelle der alten liegt, die alte Fuldabrücke abgebrochen werden. Zur Aufrechterhaltung des Fußgängerverkehrs und zur Überführung der auf der alten Brücke liegenden Rohrleitungen und Kabel wurde eine hölzerne Notbrücke von 4 m Breite unmittelbar neben der alten Brücke errichtet und mit hölzernen Unterbauten auf die Spitzköpfe der vorhandenen Pfeiler aufgelagert.

Die linksseitige Öffnung der Notbrücke hatte 19,85 m Stützweite, die Mittelöffnung 27,98 m und die rechte Seitenöffnung 20,80 m. Als Tragkonstruktion sind Howeträger verwendet, auf deren Untergurt die Fahrbahn aufruht.

Bei dem Abbruch der alten Brücke, die aus drei Öffnungen von 22,40 m Lichtweite bestand, ist mit großer Sorgfalt verfahren, um die hierbei gewonnenen und gut erhaltenen Quadersteine tunlichst ohne Beschädigung aus dem Verbande herauszunehmen und zu weiterer Verwendung geeignet zu erhalten.

Der Abbruch der Pfeiler bis auf die Spitzköpfe, die die Notbrücke trugen, erfolgte unter Mittelwasser im Schutz von Fangedämmen. Die Pfeiler und Widerlager der alten Brücke waren auf einem dichten Rost von starken, eichenen Pfählen gegründet, die beim Abbruch gleichfalls mit beseitigt wurden.

Die neue Brücke besteht aus dem bereits erwähnten Hauptbogen von 57,50 m Lichtweite und 5,23 m Pfeilhöhe, an den sich auf jeder Seite, durch 3,70 m breite Pfeilervorlagen getrennt, Durchfahrten anschließen, die durch Gewölbe von 4,50 m Spannweite und 1,85 m Pfeil überdeckt sind.

Die Breite der Brücke zwischen den Stirnen beträgt 16,60 m, wovon 10 m auf die Fahrbahn, je 2,80 m auf die beiden Fußwege und je 0,50 m auf die Geländerbrüstungen entfallen. Über den Durchfahrten ist die Brücke 19 m breit.

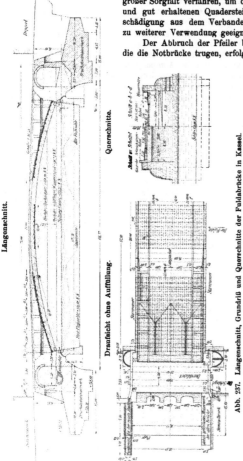

Längsschnitt. Querschnitte. Draufsicht ohne Auffüllung.

Abb. 237. Längenschnitt, Grundriß und Querschnitte der Fuldabrücke in Kassel.

Das Hauptgewölbe hat 1,10 m Scheitel und 1,30 m Kämpferstärke. Es ist trotz der großen Spannweite und der geringen Pfeilhöhe ohne Gelenke ausgeführt. Im Scheitel sind an der Gewölbeleibung und an den Kämpfern am Gewölberücken zur Erhöhung der Sicherheit Rundeiseneinlagen im Beton angeordnet.

Die Widerlager des Hauptgewölbes, die nach dem Verlauf der Stützlinie geformt sind, haben eine Länge von je 15 m. Die Fundamentsohle liegt am tiefsten Punkt 7,50 m unter dem Spiegel des Mittelwassers und 14,50 m unter der Straßenoberkante. Die Widerlager sind auf festem, trockenem Rötmergel gegründet.

Die Gesamtlänge der Brücke zwischen den äußersten Punkten der Widerlager beträgt rd. 97 m.

Die Fundamente der Widerlager des großen Bogens sind der Kostenersparnis wegen aus den beim Abbruch gewonnenen Steinen in Zementmörtel als Bruchsteinmauerwerk hergestellt.

Das Hauptgewölbe besteht aus Beton in Mischung 1 : 2 : 3, die übrigen Bauteile aus Beton in Mischung 1 : 4 : 6 bis 1 : 3 : 4½.

Die Ansichtsflächen der Brückenstirnen sind mit Quadern aus Mainsandstein von gelblicher Farbe verkleidet. Die Steine der Bogenkränze haben einen 7 cm breiten Kantenschlag erhalten; der mittlere glatte Spiegel tritt um 6 cm vor.

Über dem Bogen ist zur Betonung der Gewölbelinie ein 20 cm hoher und 16 cm weit vorspringender Wulst angeordnet. Die Geländerbrüstungen sind aus demselben Steinmaterial, reich mit Bildhauerarbeit verziert, hergestellt.

Hinter den Stirnmauern ist unter den Fußwegen zur Vermeidung von Setzungen eine Eisenbetondecke angeordnet, die mit Betonpfeilern auf das Gewölbe abgestützt ist.

Vor der Betonierung des großen Gewölbes wurden durch umfangreiche Versuche die geeignetsten Mörtel- und Betonzusatzstoffe aus den in Betracht kommenden Baustoffe festgestellt.

Es wurde schließlich eine Mischung von 1 Teil Vorwohler Portlandzement, 1 Teil Basaltsand, 1 Teil Fuldasand und 3 Teilen Basaltkleinschlag verschiedener Korngrößen gewählt, die nach 40 Tagen eine mittlere Druckfestigkeit von 349 kg/cm² ergab.

Die Ausschachtung der tiefen Baugruben für die Widerlager mußte mit der größten Vorsicht ausgeführt werden, weil auf beiden Ufern alte Häuser unmittelbar neben der Baugrube standen. Die Fundamente dieser Gebäude sind stückweise sorgfältig unterfangen und bis auf die neue Fundamentsohle der Widerlager herabgeführt, ohne daß die geringsten Beschädigungen an den Häusern aufgetreten sind.

Das Lehrgerüst des Hauptbogens bestand aus 17 Bindern. Das Absenken des Gerüstes ist mit Hilfe von eichenen Keilen ausgeführt. In der Mitte des Gerüstes war eine Schiffahrtsöffnung von 6 m Nutzbreite freigehalten, die mit hölzernen Parallelträgern überdeckt war.

Das Lehrgerüst hatte im Scheitel eine Überhöhung von 15 cm erhalten. Während der Herstellung des Gewölbes setzte sich das Gerüst um 10 cm, und beim Ausrüsten des Bogens wurde eine weitere Senkung von 4 cm beobachtet.

Nr. 14. Straßenbrücke über die Fulda bei Dennhausen, ausgeführt 1909/10 von der Aktien-Gesellschaft für Beton- und Monierbau in Kassel (Abb. 238).

Das Bauwerk besteht aus drei Öffnungen, die durch Dreigelenkgewölbe aus Beton überbrückt werden. Die drei Bogen haben eine theoretische Spannweite von 36 m zwischen den Betongelenken. Die lichte Weite zwischen den Pfeilern beträgt 38 m, die Stärke der Zwischenpfeiler in Kämpferhöhe ist 3 m. Die Pfeilhöhe der Außenöffnung ist 3,83 m, die der Mittelöffnung 4,03 m (Abb. 239). Die Bogen besitzen eine Stärke von 75 cm

an den Kämpfern, 70 cm im Scheitel und 92 cm in
der Bruchfuge. Die Fahrbahnbreite beträgt 3,50 m,
ferner sind an jeder Seite sind 55 cm breite Fußsteige
vorhanden. Bei der Fundierung haben sich erhebliche Schwierigkeiten gezeigt, denn der kiesige
Untergrund bot dem Eindringen der Spundwände

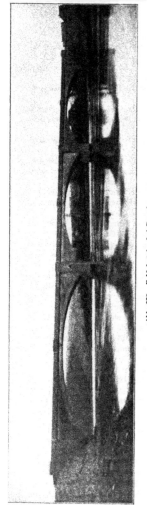

Abb. 238. Fuldabrücke bei Dennhausen.

Längenschnitt.

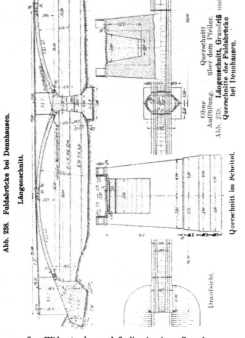

Abb. 238. Längenschnitt, Grundriß und
Querschnitte der Fuldabrücke
bei Dennhausen.

Querschnitt
über dem Pfeiler,
Ohne
Auffüllung,

Querschnitt im Scheitel.

Draufsicht.

großen Widerstand, so daß die einzelnen Spund-
bohlen kaum in der richtigen Lage eingerammt
werden konnten. Die Baugruben waren deshalb
schwer dicht zu bekommen, und nur durch Anwendung großer Dampfpumpen konnte das ein-
dringende Wasser abgehalten werden. Aus diesem
Grunde wurde die im Jahre 1909 begonnene Brücke
nicht mehr in demselben Jahre, sondern erst im
Jahre 1910 fertiggestellt. Die Betongelenke sind

in eisernen Formen gestampft und nach genügender Erhärtung in die richtige Lage gebracht worden. Die für die Gewölbe und Pfeiler angewandten Mischungsverhältnisse gehen aus Abb. 239 hervor.

Für die Gelenksteine wurde eine Mischung von 1 Zement : 1 Sand, 1¹/₂ Basaltsplitt und 1 Teil Basaltschotter gewählt. Die statische Untersuchung wurde zeichnerisch mittels Stützlinien durchgeführt, wobei sich eine größte Druckbeanspruchung des Gewölbebetons von 37,6 kg/cm² ergab. Die Ansichtsflächen erhielten einen 6 cm starken Vorsatzbeton aus 1 Zement, 2 Sand und 1 Silberkies, welcher nach der Bearbeitung der Brücke derselben ein granitartiges Aussehen gab. Bei der Ausrüstung des Bauwerks haben sich keine nennenswerten Setzungen gezeigt.

Nr. 15. Straßenbrücke über die Alme bei Elsen, entworfen und ausgeführt 1910 von der A.-G. B. Liebold & Co. in Holzminden (Abb. 240).

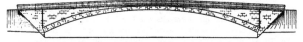

Abb. 240. Almebrücke bei Elsen.

Die Brücke, die im Zuge der Kreisstraße Paderborn—Elsen—Bentfeld liegt, ist an Stelle einer im Jahre 1892 erbauten dreibogigen Brücke aus Bruchsteinmauerwerk, die bei dem großen Hochwasser im Februar 1909 infolge der Auskolkung

Längenschnitt.

Querschnitt im Scheitel.   Rückansicht des Widerlagers.

Grundriß.

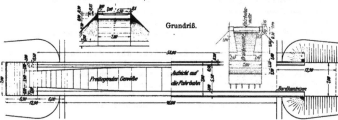

Abb. 241. Längenschnitt, Grundriß und Querschnitte der Almebrücke bei Elsen.

der Flußsohle und der Unterspülung eines Pfeilerfundaments zerstört wurde, ausgeführt. Da dieses lediglich auf die allmähliche Vertiefung und Auskolkung der leichtbeweglichen, sandigen Flußsohle zurückzuführen war, so wurden bei dem

Entwurf der neuen Brücke Zwischenpfeiler von vornherein vermieden. Außerdem wurde das Durchflußprofil gegenüber der alten Brücke, die drei Öffnungen von je 12 m Lichtweite besaß, erheblich vergrößert.

Die Brücke ist mit einem Bogen von 46 m Spannweite und 5,10 m Pfeilhöhe, also nur $^1/_9$ Pfeilverhältnis ohne Gelenke, ausgeführt. Die Fahrbahn liegt im Scheitel der Brücke 7 m über der Flußsohle. Die Stärke des Gewölbes beträgt im Scheitel 0,80 m, an den Kämpfern 1,10 m (Abb. 241).

Die Widerlager der Brücke sind auf festgelagerten Sand fundiert. Die Gründung mußte bei der großen Spannweite des Gewölbes und der geringen Pfeilhöhe mit der größten Sorgfalt ausgeführt werden, um ein ungleichmäßiges Setzen und demzufolge Risse in dem gelenklosen Bogen zu vermeiden. Um den Boden zu verdichten, sind unter jedem Fundament 70 Stück Altschienen von 3,30 m Länge eingerammt, die oben fest miteinander durch Rundeisen verankert sind.

Die Länge der Widerlager beträgt je 12,90 m. Die Breite der Brücke zwischen den Stirnen ist ebenso wie die Nutzbreite der Fahrbahn 7 m. Die eigentliche Fahrstraße ist 5,50 m breit, die beiderseitigen Gehwege 1,0 bzw. 0,5 m (Abb. 241).

Die Brücke ist gänzlich aus Beton hergestellt, die Ansichtsflächen sind mit hammerrecht bearbeiteten Kalkbruchsteinen verkleidet. Die Abdeckplatten der Stirnmauern bestehen aus Zementkunststein. Für die Fundamente und Stirnmauern ist Beton in Mischung 1:10 verwendet worden, für das Gewölbe Mischung 1:6. Im ganzen sind etwa 1400 m³ Beton verarbeitet. Vor Beginn des Brückenbaues sind durch Prüfung von Probekörpern die geeignetsten Zuschläge festgestellt worden. Verwendet wurde zu gleichen Teilen Fluß- und Schlackensand, zum Mörtel als Zuschlagstoff Kleinschlag aus festem Kalkstein.

Das Lehrgerüst für das Gewölbe enthielt 7 Binder, die 1,08 m gegenseitigen Abstand hatten. Das Ausrichten und Absenken des Lehrgerüstes erfolgte mit Hilfe von Keilen aus Eichenholz.

Das Gewölbe ist für eine gleichmäßig verteilt gedachte Verkehrslast von 1000 kg/m² sowohl nach der Stützlinientheorie als auch nach der Elastizitätstheorie berechnet. Dabei ergab sich als größte Druckbeanspruchung des Betons durch Verkehrslast und Wärme 54 kg/cm². An der Leibung des Gewölbescheitels sind zur Aufnahme der bei ungünstigster Laststellung hier auftretenden Zugspannungen Rundeisen in den Beton eingelegt. An den Kämpfern des Gewölbes sowie an sechs anderen gleichweit voneinander entfernten Stellen der Brückenstirnen gehen offene Fugen durch die Stirnmauern und Abdeckplatten, so daß die kleinen Bewegungen des Bogens ungehindert erfolgen können.

Nr. 16. Connecticut-Straßenbrücke über den Rock-Creek in Washington[1]) (Ver.-St.), ausgeführt von der District Construction Co. (Abb. 242).

Dieses Bauwerk stellt eine der größten neueren Betonbrücken dar. Die Endgewölbe bestehen aus Betonquadern, die vorher auf einem besonderen Werkplatz in Formen gegossen wurden, während die anderen Gewölbe an Ort und Stelle, aber auch in Abschnitten, entsprechend den Wölbsteinen der Endgewölbe, betoniert worden sind.

Die Brücke durchschneidet das Tal des Rock-Creek in einem der verkehrsreichsten Vororte Washingtons; die Tiefe des Tales beträgt 40 m.

Das 409 m lange Bauwerk besitzt fünf Öffnungen von je 45,75 m Lichtweite (Abb. 243), welche durch 6,1 m breite Pfeiler getrennt sind, und zwei Endöffnungen

---

[1]) Eng. News. 1905, 1. Juni; Eng. Record 1907 16. Febr. u. 1909, 3. April; Génie Civil 1908, 5. Sept.

von je 25 m, die nach innen durch 11,8 m breite Zwischenpfeiler begrenzt sind. Über den Hauptbogen, die im Scheitel 1,51 m und an den Kämpfern 3,05 m stark sind, befinden sich Entlastungsbogen von 4,3 m Spannweite, welche die Fahrbahn durch Vermittlung einer Erdschüttung von 1,2 m Höhe tragen. In den beiden Endöffnungen sind diese kleinen Queröffnungen durch eine volle Wand verdeckt. Die Gesamtbreite der Brücke ist etwa 16 m, von denen 11 m auf die Fahrbahn und je 2,5 m auf die beiderseitigen Bürgersteige entfallen.

In Abbildung 244 sind Einzelheiten der Fahrbahn dargestellt.

Bemerkenswert ist die Entwässerung derselben durch Drainröhren, da sie in ganzer Länge wagerecht liegt. Diese Drainröhren, die in Abständen von 5,2 m verlegt sind, führen das Wasser in einen doppelten Längskanal von 30 cm Durchm. aus gebranntem Ton, dessen Neigung sich zwischen 0,66 und 1,06 vH. ändert. Der Kanal besitzt drei Abflußstellen längs des vierten Mittelpfeilers, wo sich ein Abfallrohr von 30 cm Durchm. befindet, und an den Widerlagern, wo das Wasser in Abflußröhren geleitet wird.

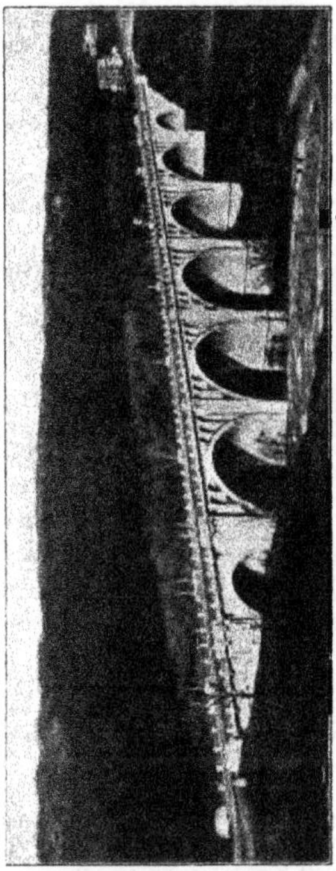

Das Bauwerk ist ganz aus Beton, nur in den Entlastungsbogen sind Eiseneinlagen angeordnet, da

Abb. 242. Connecticut-Straßenbrücke in Washington (Ver. St.)

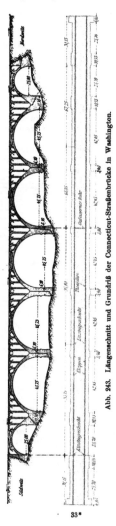

Abb. 243. Längenschnitt und Grundriß der Connecticut-Straßenbrücke in Washington.

33*

diese in der Mitte Dehnungsfugen erhalten haben. Wie bereits erwähnt, ist die
Betonierung der Gewölbe mit Ausnahme der Endbogen an Ort und Stelle ausgeführt worden. Die Quadern der Endgewölbe sind in hölzernen Formen betoniert
und mittels Maschinen bearbeitet, die Kanten, Winkel und die Ornamentierung sind
jedoch durch Handarbeit hergestellt worden.

Der Kran zum Versetzen der Quadern, ein sogen. Derrick, hatte einen Mast
und einen Schwenkarm von 28 m Ausladung, der mittels eines am Mast angebrachten
wagerechten Rades gedreht wurde; das letztere wurde durch einen Motor mittels
Kabelübertragung angetrieben. Diese Arbeitsweise ist auf den amerikanischen Bau-
plätzen sehr verbreitet.

Die Wölbquadern sind mit einem Zwischenraum von etwa 2 cm versetzt worden.
Man hätte diese Stärke verringern können, hat sie aber doch des Aussehens wegen
beibehalten.

Was das Mischungsverhältnis des Betons betrifft, ist folgendes zu bemerken.
Je nach dem Zweck hat man verschiedene Mischungen verwendet.

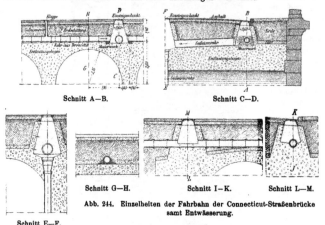

Schnitt A—B.   Schnitt C—D.

Schnitt G—H.   Schnitt I—K.   Schnitt L—M.

Abb. 244. Einzelheiten der Fahrbahn der Connecticut-Straßenbrücke
samt Entwässerung.

Schnitt E—F.

Der Beton A für die Wölbquadern besteht aus 1 Teil Portlandzement, 2 Teilen
Sand und 4,5 Teilen Kleinschlag.

Der Beton B wurde überall dort verwendet, wo es sich weder um Wölbquadern,
noch um Füllbeton in der Nähe des Scheitels handelte; er besteht aus 1 Teil Portlandzement, 2,5 Teilen Sand und 6 Teilen Kleinschlag.

Endlich wurde der Beton C in der Nähe des Scheitels genommen, wo kein Platz
mehr war, um Entlastungsbogen anzuordnen. Er dient nur als Füllbeton und ist
deshalb magerer gemischt; er besteht aus 1 Teil Portlandzement, 3 Teilen Sand und
10 Teilen Kies.

Der Beton ist ganz feucht, fast naß verarbeitet worden und wurde daher sehr
wenig gestampft. Täglich wurden etwa 150 m³ verarbeitet. Seine Beförderung

wurde durch neun Derricks bewerkstelligt, von denen fünf einen Schwenkarm von 28 m Ausladung und vier einen solchen von 21 m besaßen. Sie wurden in der Längsachse der Brücke aufgestellt und mit dem Fortschreiten der Arbeit von Zeit zu Zeit gehoben.

Abb. 245 zeigt die Anlage des Bauplatzes. Rechts gegen die Flügelmauern hin befindet sich die Betonmischmaschine, welcher der Zement durch eine Rohrleitung aus Holz zugeführt wird, ferner sind zwei Gleise zu sehen, die von den Sand- und

Abb. 245. Ausführung der Connecticut-Straßenbrücke.

Kieslagerplätzen kommen. Sobald die Mischung fertig ist, fällt sie aus der Mischmaschine in einen Behälter, der auf einem Wagen ruht; letzterer rollt nun infolge seines Eigengewichts auf dem geneigten Doppelgleis hinab. Das letztere ist auf einem besonderen Gerüst aufgebaut und läuft das ganze Bauwerk entlang. Der Wagen wird, wo erforderlich, angehalten, durch einen Derrick gehoben und an die Verwendungsstelle gesetzt.

Um eine gleichmäßige Belastung des Lehrgerüstes zu erzielen, wurden je zwei symmetrische Gewölbstücke zugleich hergestellt, in der Reihenfolge, wie die Zahlen der Abb. 246 es angeben. Ein mittleres Gewölbstück bedurfte 75 m³ Beton, und da es ohne Unterbrechung gegossen werden sollte, ergab sich eine erforderliche Tagesleistung von 150 m³.

Damit die fertiggestellten Gewölbeteile nicht nach den Widerlagern hin gleiten konnten, wurden sie zuerst durch Holzstreben abgesteift. Gleichzeitig stellte man solche Streben aus Beton her, so daß, sobald diese erhärtet waren, die Holzsteifen entfernt werden konnten. In der Nähe des Scheitels, wo die Reibung ausreichend war, konnten die Steifen fehlen.

Vor Ausrüstung der großen Gewölbe wurden zuerst die Entlastungsbogen fertiggestellt, die im Scheitel, wie bereits erwähnt. eine Ausdehnungsfuge erhielten. Infolge dieser Unterbrechung bilden die einzelnen Halbgewölbe Kragträger, die oben Zug-

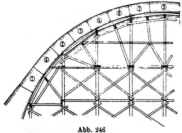

spannungen erhalten, so daß hier Eiseneinlagen erforderlich waren. Man hat die Bewegung dieser Ausdehnungsfugen Sommer und Winter beobachtet und fand zur Frostzeit ein Öffnen dieser Fugen um 3 mm.

Die Brücke wurde nach einer Bauzeit von drei Jahren im Jahre 1908 vollendet. Die Gesamtkosten belaufen sich auf 3 645 000 Mark.

Der erste Entwurf der Brücke stammt von G. S. Morison; er wurde neu bearbeitet von J. Biddle, H. C. Newcomer und J. J. Morrow. Die Bauleitung wurde von den Distrikts-

Abb. 246
Betonierungsfolge der Connecticut-Straßenbrücke.

ingenieuren W. C. Douglas und F. A. Perley bewerkstelligt.

Nr. 17. Straßenbrücke über den Rockyfluß bei Cleveland, Ohio,[1] ausgeführt 1908 bis 1910 von der Unternehmung Gebrüder Schillinger u. Co. in Columbus, Ohio (Abb. 247).

Der Entwurf stammt von dem Ingenieur A. M. Felgate, während die Oberleitung in den Händen der Ingenieure A. B. Lea und F. R. Lander der Grafschaft Cuyahoga, die die Brücke erbaute, lag.

Die Gesamtlänge der Brücke, von Ende bis Ende Widerlager gemessen, beträgt 215,8 m. Sie besitzt eine Mittelöffnung von 85,3 m lichter Spannweite und

Abb. 247. Ansicht der Straßenbrücke über den Rockyfluß bei Cleveland, Ohio.

auf der einen Seite drei Öffnungen von rd. 13,4 m lichter Weite, ferner auf der anderen Seite zwei solcher Öffnungen. Die übrigen Hauptabmessungen zeigt Abb. 247. Die Brückenbreite in Fahrbahnhöhe beträgt 18,39 m und die Fahrbahnbreite zwischen den Geländern 17,07 m; hiervon entfallen 12,19 m auf die eigentliche Fahrstraße und je 2,44 m auf die beiderseitigen Gehwege.[1] Der Hauptbogen besteht aus zwei Betongewölben von je 6,71 m Breite und 3,35 m Stärke an den Kämpfern, abnehmend auf 5,49 m Breite und 1,83 m Stärke im Scheitel (Abb. 248 u. 249). Der Bogen ist nach der Drucklinie infolge ständiger Belastung geformt. Da nur Druckkräfte auftreten, ist der Beton unbewehrt. Das Mischungsverhältnis für denselben ist 1 Teil Portlandzement :

---

[1] Eng. Record 1909, 23. Januar und 1910, 1. Januar. — Proceedings of the American Society of Civil Engineers 1911, April, S. 507.
[2] Diese Abmessungen sind, ebenso wie die Gewölbebreiten im Scheitel, die gleichen wie bei der Walnut-Lane-Brücke (s. S. 492).

2 Teilen Sand : 4 Teilen Kleinschlag. Die Mischung wurde so gewählt, daß Überschuß an Zement im Mörtel und Überschuß an Mörtel im Beton bleibt.

In die Gewölbe wurden Steinplatten so dicht als möglich senkrecht zur Schalung eingebettet, um die Zusammendrückbarkeit des Mauerwerks zu verringern. Die beiden

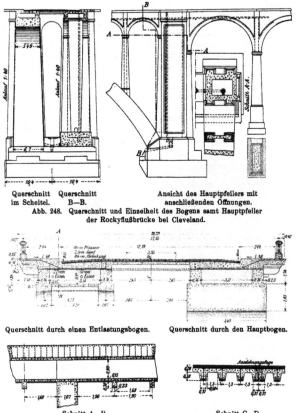

Querschnitt   Querschnitt   Ansicht des Hauptpfeilers mit
im Scheitel.   B—B.   anschließenden Öffnungen.
Abb. 248. Querschnitt und Einzelheit des Bogens samt Hauptpfeiler
der Rockyflußbrücke bei Cleveland.

Querschnitt durch einen Entlastungsbogen.   Querschnitt durch den Hauptbogen.

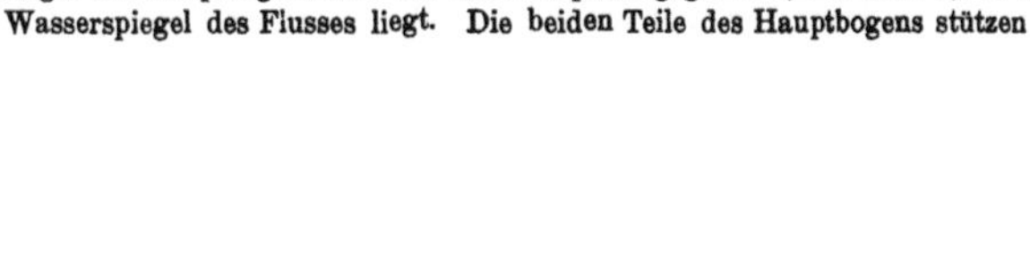

Schnitt A—B.   Schnitt C—D.
Abb. 249. Einzelheiten der Fahrbahn der Rockyflußbrücke bei Cleveland.

Widerlager des Hauptbogens sind auf eine Felsplatte gegründet, die etwa 7,3 m unter dem Wasserspiegel des Flusses liegt. Die beiden Teile des Hauptbogens stützen sich

gegen ein gemeinschaftliches Fundament von solcher Stärke, daß der Druck auf
die Felsplatte 7 kg/cm² nicht übersteigt. Der durch den Bogen erzeugte Schub wird
vollständig durch das Gewicht des Widerlagers mit dem darüber befindlichen hohen
Pfeiler abgelenkt, so daß der Druck auf den Felsboden nur so groß, wie angegeben, wird.

Die Fahrbahn wird auf 15,2 m zu beiden Seiten des Scheitels des Hauptbogens
von vier Wänden, zwei über jedem Bogenteil, getragen. Zwischen beiden Enden
dieser Wände und den beiden Widerlagerpfeilern des Hauptbogens sind je vier Entlastungsbogen von 6,4 m Weite errichtet, die die Fahrbahn tragen. Diese Entlastungsbogen bestehen aus je zwei Einzelbogen, die durch Versteifungswände, ferner
durch eine 15 cm starke Eisenbetonplatte verbunden sind (Abb. 248 u. 249). Den
Entlastungsbogen entsprechend bestehen auch die Seitenöffnungen aus vier einzelnen
Bogen und Pfeilern, die durch Platten und Wände entsprechend versteift sind.
Wie aus dem Querschnitt zu ersehen ist, ist zu beiden Seiten des Fahrweges ein
Hohlraum von rd. 1 m Höhe und 3,51 m Breite für Wasser, Gas, Kanalisation usw.
angeordnet. Die Fahrbahndecke über jedem dieser Hohlräume besteht aus je einer
an der schwächsten
Stelle 40 cm starken
Eisenbetonplatte. Zwi-
schen den beiden Teilen
des Hauptbogens wird
die Fahrbahnplatte
durch querliegende I-
Eisen mit Betonkappen
gebildet (Abb. 249).
Die hier liegenden
Straßenbahnschienen
sind unmittelbar auf
diesen, sonst vollständig
in Beton eingebetteten
I-Eisen befestigt.

Das in Abb. 250
dargestellte Lehrgerüst
der Brücke verdient
besondere Erwähnung.

Abb. 250. Lehrgerüst der Rockyflußbrücke bei Cleveland.

Es wurde so ausgebildet, daß jeder der beiden Teile des Hauptbogens für sich
ausgeführt werden konnte. Es bestand im wesentlichen aus zwei als Dreigelenkbogen ausgeführten eisernen Tragwänden, die in 7 m Abstand durch einen Verband
entsprechend verstrebt waren. Als Pfetten dieses Lehrgerüstes wurden die I-Eisen
benutzt, die später für den mittleren Teil der Fahrbahn verwendet wurden.

Die beiden Fußgelenke des Lehrgerüstes wurden als Rollenlager nach Abb. 251
ausgebildet, deren Gleitbahn auf durchgehenden Auskragungen der beiden Widerlager
angeordnet wurde. Das ganze Lehrgerüst konnte somit nach Vollendung des ersten
Bogenteils, ohne auseinandergenommen zu werden, nach der anderen Seite verschoben werden.

Wie noch später erörtert, war die Anordnung eines solchen eisernen Lehrgerüstes
hauptsächlich wegen des starken Eisganges im Frühling erforderlich, da damit gerechnet werden mußte, daß während der Bauzeit eines Jahres höchstens der eine

Teil des Bogens vollendet werden konnte. Die kräftigen Lagerkörper waren so ausgebildet, daß das Lehrgerüst leicht und unter steter Kontrolle abgelassen werden
konnte. Das Absenken des Gerüstes erfolgte durch eine doppeltwirkende Keil-
vorrichtung (Abb. 251), die sehr sorgfältig bearbeitet war und eine lotrechte Senkung
von 165 mm erlaubte. Jeder der beiden Bogenteile wurde in einzelnen Abteilungen,
die symmetrisch zum Scheitel lagen, ausgeführt. Diese Abteilungen waren so
bemessen, daß je ein zusammengehöriges Paar in einer Tagesleistung hergestellt
werden konnte. Der eiserne Lehrbogen wurde auf einem Holzgerüst, welches bis
zur Höhe des Hauptpfeilerkopfes geführt wurde, aufgestellt (Abb. 250). Das Holzgerüst war fest verstrebt und gegen die Pfeiler abgesteift.

Zur Verwendung des eisernen Lehrgerüstes führten verschiedene Vergleichsberechnungen mit Holzgerüsten. Der Dreigelenkbogen wurde als die zweckmäßigste
und sparsamste Ausführung erkannt. Die Gründe, die hauptsächlich zur Verwendung
eines solchen eisernen, freitragenden Lehrgerüstes führten, waren die folgenden:

1. Dieses Lehr-
gerüst wurde
wenigstens um
63 000 Mark
(15 000 Dollar)
billiger geschätzt
als Holzgerüste
der gewöhn-
lichen Art.

2. Es be-
steht nicht die
Gefahr, daß es
durch den Eis-
gang wegge-
rissen wird. Es

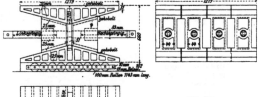

Abb. 251.
Rollenlager des Lehrgerüstes
der Rockyflußbrücke bei Cleveland.

war klar, daß dieses Lehrgerüst wenigstens einen Winter im Fluß bleiben mußte,
und deshalb wäre es sehr gefährlich gewesen, das Gerüst im Frühling stehen zu
lassen, wenn es aus Holz in gewöhnlicher Art ausgeführt worden wäre.

3. Der Dreigelenkbogen ist ein statisch bestimmtes Tragwerk, und es war eine einfache Sache, die genauen Kräfte und Formänderungen für jede Laststellung zu ermitteln.

4. Die Formänderung des Dreigelenkbogens unter den Lasten wurde viel
geringer gefunden als die bei den üblichen Lehrgerüsten aus Trägern und Sprengewerken.

Da eiserne Lehrgerüste bis dahin bei Steingewölben von so großer Spannweite nie
versucht worden waren, so waren diese Untersuchungen sehr wesentlich. Das eiserne
Lehrgerüst bei der Ausführung der 45,72 m weiten Öffnungen der Delawareflußbrücke auf
der Delaware-, Lackawanna- und Western-Eisenbahn[1]) wurde einige Monate später entworfen, als das hier beschriebene Lehrgerüst schon auf dem Wege zur Werkstatt war.

Bei der Berechnung des Lehrgerüstes wurde die Annahme gemacht, daß nur
die radialen Seitenkräfte der Lasten jedes Wölbstreifens auf das Lehrgerüst wirken,
während die tangentialen Kräfte durch die Kranzhölzer oder die Eisenbetonspreizen,
die in die Schlußteile eingesetzt wurden, aufgenommen werden sollten. Das Lehrgerüst wurde durch die Interstate Engineering Company in Cleveland ausgeführt.

---

[1]) Beton u. Eisen 1911, S. 52. Vergl. ferner die Zusammenstellung am Schluß dieses Kapitels.

II. Eisenbetonbogenbrücken mit voll durchgehenden Gewölben.

1. Brücken mit schlaffen Eiseneinlagen.

Bauweise Monier.

Nr. 18. Überbrückung und Einwölbung der Wiener Stadtbahn.

Beim Bau der Wiener Stadtbahn wurde die Eisenbetonbauweise zum ersten Male in größerem Maße von Bahnverwaltungen bei Brücken und überwölbten Einschnitten angewendet. Einige bemerkenswerte Fälle sollen hier vorgeführt werden. Die normalen Eisenbetonbrücken besitzen Gewölbe von 10 m Lichtweite bei 1,95 m Pfeilhöhe. Es wurden drei Musterentwürfe aufgestellt, und zwar Entwurf I für

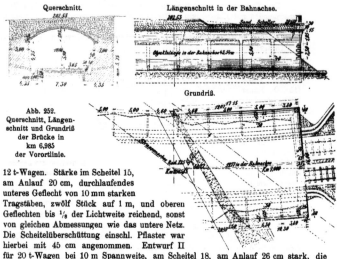

Querschnitt. Längenschnitt in der Bahnachse.

Grundriß.

Abb. 252.
Querschnitt, Längen-
schnitt und Grundriß
der Brücke in
km 6,985
der Vorortlinie.

12 t-Wagen. Stärke im Scheitel 15, am Anlauf 20 cm, durchlaufendes unteres Geflecht von 10 mm starken Tragstäben, zwölf Stück auf 1 m, und oberen Geflechten bis $1/8$ der Lichtweite reichend, sonst von gleichen Abmessungen wie das untere Netz. Die Scheitelüberschüttung einschl. Pflaster war hierbei mit 45 cm angenommen. Entwurf II für 20 t-Wagen bei 10 m Spannweite, am Scheitel 18, am Anlauf 26 cm stark, die Eiseneinlagen wie bei Entwurf I. Nur die Widerlager zeigen gegenüber Entwurf I, wo ihre Breite 3,40 m beträgt, eine Verbreiterung auf 4,35 m. Entwurf III, im Scheitel 22, an den Kämpfern 32 cm stark, für Wagen von 39 t Gesamtgewicht. Diese Gewölbe haben zwei durchlaufende Geflechte von je zwölf Stück 10 mm starken Tragstäben. Die Widerlager sind 4,50 m breit.

Derartige Brücken wurden bis zu 5 m Fahrbahnbreite ausgeführt. Als Beispiel diene die Bahnüberbrückung in km 6,985 im Zuge der Vorortlinie der Wiener Stadtbahn. Das Bauwerk ist auch aus dem Grunde bemerkenswert, weil der Straßenzug den senkrecht überbrückten Bahnkörper schräg kreuzt. Die Anordnung ist aus Abb. 252 ersichtlich. Nach diesem Muster wurden ungefähr 600 m Bahnstrecke auf der Vorort- und Gürtellinie überwölbt.

Auf der Vorortlinie wurde außerdem ein Bauwerk mit zwei Öffnungen, die größere mit 20,25 m, die kleinere mit 11,40 m Lichtweite ausgeführt (Abb. 253).

Dieses in der Verlängerung der Kreuzgasse in km 4,938 gelegene Bauwerk ist für einen 20 t-Wagen ausgebildet. Entwurf und Ausführung lagen in den Händen der Firma G. A. Wayss u. Co. in Wien, die auch eine Reihe anderer Bauwerke der Wiener Stadtbahn herstellte.

Die große Öffnung besitzt eine Pfeilhöhe von 2,26 m, eine Stärke im Scheitel von 27 cm und an den Kämpfern von 38 cm, die kleine Öffnung eine Pfeilhöhe von 1,74 m, eine Stärke im Scheitel von 20 cm, an den Kämpfern von 25 cm (Abb. 254). Der große Bogen hat ein unteres durchlaufendes Geflecht von zwölf Stück 12 mm starken Tragstäben und zwölf Stück 7 mm starken Verteilungsstäben, ferner ein gleich

Abb. 253. Brücke in km 4,938 der Vorortlinie.

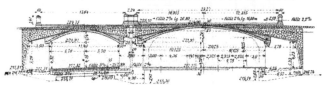

Abb. 254. Längenschnitt der Brücke in km 4,938 der Vorortlinie.

bemessenes oberes Netz, welches bis in ⅛ der Spannweite reicht, während ein schwächer bemessenes Netz, beiderseits an jenes anschließend, bis in die Nähe des Scheitels geführt ist. Das Lehrgerüst des großen Bogens wurde, um schädlichen Setzungen zu begegnen, an verschiedenen Stellen mit Bruchsteinen belastet.

Von Bauwerken größerer Lichtweite als die normalen sind zu erwähnen ein Steg von 11,5 m Lichtweite, eine

Abb. 255. Einwölbung am Karlsplatz.

Brücke von 15,8 und eine von 14,1 m Lichtweite. Bei der unteren Wientallinie kamen ebenfalls mehrere gewölbte Bauwerke zur Ausführung, und zwar am Karlsplatz zwischen den beiden Stationsgebäuden ein Bauwerk von 14,3 m Lichtweite, 3,4 m Pfeilhöhe, 26 cm Scheitelstärke, 42 cm Kämpferstärke mit doppelter Eiseneinlage (Abb. 255). Ferner an jener Stelle, wo die großen Gasrohre über die Bahn geführt werden, ein Gewölbe von 4 m Länge, 13,3 m Spannweite, 25 cm Stärke am Scheitel, 35 cm Stärke am Anlauf und einer Pfeilhöhe von 1,9 m mit doppelter

Eiseneinlage. Daran anschließend ein Gewölbe von etwa 25 m Länge, 13,3 m Lichtweite und ebenfalls zwei Eiseneinlagen. Ferner an dieses Gewölbe anschließend ein

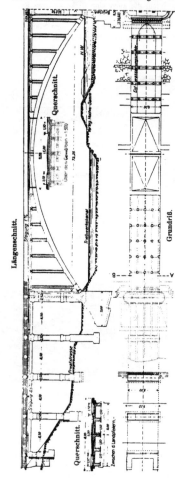

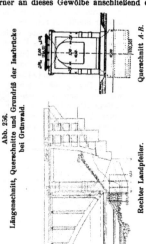

Abb. 256. Längenschnitt, Querschnitte und Grundriß der Isarbrücke bei Grünwald.

Teil von etwa 10 m Lichtweite auf 8,7 m Lichtweite übergehend. Sodann folgt bis zum Anschluß an die Eiseneindeckung ein Gewölbe von 8,7 m Lichtweite auf etwa 120 m Bahnlänge.

Nr. 19. Straßenbrücke über die Isar bei Grünwald,[1] ausgeführt 1903/04 nach den Entwürfen von Professor Mörsch durch die Eisenbetongesellschaft München[2] (vergl. Ergänzungsband I. Abb. 80).

Die Brücke führt oberhalb München von Grünwald nach Höllriegelsgereuth und besitzt zwei Öffnungen von je 70 m Spannweite und 12,8 m Pfeilhöhe. Der eine der beiden Bogen überspannt die an dieser Stelle 70 m breite Isar, während der andere Bogen den links der Isar

[1] Schweiz. Bauztg. 1904, Bd. XLIV, Nr. 23 u. 24, auch Sonderabdruck, Zürich 1910, ferner E. Mörsch, Der Eisenbetonbau. Dritte Aufl. Stuttgart 1908. S. 289 u. f. Deutsche Bauztg. 1904, Zementbeilage. S. 11, 45 u. 49.
[2] Gesellschafter: Wayss u. Freytag A.-G. in Neustadt a. d. H. und Heilmann u. Littmann in München.

fließenden Werkkanal des Elektrizitätswerks in einem gleich großen Bogen überbrückt (Abb. 256). An diese beiden Hauptöffnungen schließen sich auf dem rechten Ufer eine, auf dem linken vier Nebenöffnungen von je 8,5 m Lichtweite an, die gerade Überbauten besitzen, so daß die Gesamtlänge des Bauwerks rd. 220 m beträgt.

Um die Auffahrten auf beiden Seiten tunlichst leicht zu gestalten, wurde die Fahrbahn der Brücke möglichst hoch gelegt. Dadurch ergab sich auch der schönheitliche Vorteil, daß die reizvolle Gegend des Isartales nicht durch ein plumpes Bauwerk versperrt wird, sondern die Fernsicht unter den beiden großen, leicht geschwungenen Bogen ungehindert gewahrt bleibt. Die Brücke, deren beide Hauptbogen als Dreigelenkbogen mit Stahlgelenken ausgeführt sind (vergl. Abb. 124), hat eine Gesamtbreite von 8 m, wovon 5 m für die Fahrbahn und je 1,5 m für die Bürgersteige bestimmt sind. Infolge des kleinen Eigengewichts des Überbaues in Eisenbeton gegenüber anderen Entwurfsarten war es möglich, für die beiden großen Bogen mit verhältnismäßig mäßigen Abmessungen auszukommen. Infolge des im Verhältnis zur Größe der Bogen mäßigen Schubes wären nur verhältnismäßig kleine Widerlager erforderlich gewesen, wenn diese nicht in Anbetracht der tiefen Lage des guten tragfähigen Bodens ganz beträchtliche Abmessungen hätten erhalten müssen.

Die Bogen selbst haben eine Stärke von 80 cm im Scheitel, 90 cm an den Kämpfern und 1,20 m in der Bruchfuge. Die Beanspruchung des Betons in den Bogen beträgt bei den ungünstigsten Verkehrslasten höchstens 36 und mindestens 2,5 kg/cm². Obwohl rechnerisch keine Zugspannungen ermittelt wurden, erhielten die Bogen in Anbetracht des Umstandes, daß die Druckspannungen beinahe Null werden, Eiseneinlagen von beträchtlicher Stärke, welche den Bogen auch zugfest machen (Abb. 257). Dies geschah auch mit Rücksicht darauf, daß bei den großen, ver-

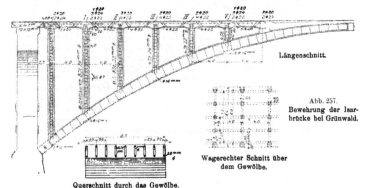

Längenschnitt.

Abb. 257.
Bewehrung der Isarbrücke bei Grünwald.

Wagerechter Schnitt über dem Gewölbe.

Querschnitt durch das Gewölbe.

hältnismäßig schlanken Bogen auch nur ganz geringe Verschiebungen im Lehrgerüst bei der Betonierung wesentliche Änderungen der Spannungen zur Folge haben konnten. Obgleich die Standfestigkeit des Bogens bei der vorzüglichen Ausführung auch ohne Bewehrung hätte gesichert sein müssen, so wurde doch nicht darauf verzichtet, dem Bauwerk eine gleich hohe Sicherheit in allen Teilen zu geben. Das Einbringen des Betons erfolgte in kleinen Streifen, und zwar so, daß eine möglichst gleichförmige Belastung des Lehrgerüstes gewährleistet war. Der Schluß des Bogens selbst wurde an mehreren Stellen des Gewölbes gleichzeitig vorgenommen, so daß zusammenhängende Bogenteile größerer Länge erst zum Schluß erstanden. Zur Herstellung des Betons wurde Blaubeurer Portlandzement, Isarsand und Isarkies im Mischungsverhältnis 1 : 2 : 4 verwendet.

Die 20 cm starke Fahrbahnplatte, welche oben mit Asphaltfilzplatten abgedeckt ist und Fußweg sowie Fahrbahnbeschotterung trägt, ist durch Längs- und Querträger, ebenfalls in Eisenbeton, unterstützt und ruht auf einer Reihe von Eisenbetonsäulen, welche in der Mitte des Bogens eine Stärke von 40 × 40 cm besitzen und an der Außenseite, um eine zu schlanke Erscheinung der letzteren zu vermeiden, auf 60 cm verbreitert sind (Abb. 257). Die Einzelheiten der Bewehrung der Fahrbahntafel und der Stützen gehen gleichfalls aus Abb. 257 hervor.

Bemerkenswert ist noch der Aufbau des rechtseitigen Landwiderlagers, bei welchem in den Mauern, um bei den gewaltigen Stärken und großen Höhen an Beton zu sparen, zellenartige Aussparungen vorgesehen sind (Abb. 256). Um das zur Aufnahme des Erddrucks nötige Eigengewicht der Mauer auf einfache Weise zu erzielen, wurden diese Aussparungen mit Erde ausgefüllt. Die Brücke erhielt ein Betongeländer von einfachen, aber wirkungsvollen Formen.

Die Herstellung des Endwiderlagers am rechten Ufer war eine verhältnismäßig leichte, da fester tragfähiger Mergel zutage trat. Die Mittelpfeiler der beiden großen Bogen, im Flutgebiet der Isar liegend, boten ungünstigere Umstände und große Schwierigkeiten im Bau, da diese Pfeiler in eine frühere Stromrinne zu liegen kamen, die mit grobem Geschiebe ausgefüllt war. Von Anwendung einer Luftdruckgründung mußte wegen zu großer Kosten abgesehen werden. Es wurde also versucht, den guten Baugrund, durch einen offenen Schacht zu erreichen. An die Eintreibung einer Spundwand war nicht zu denken, da das massenhafte Vorhandensein von Steinblöcken dies nicht gestattet hätte. Es wurde daher eine senkrechte Abteufung vorgenommen, welche sich bei den vorhandenen Verhältnissen als die beste und zweckmäßigste Ausführungsweise bewährt hat. Der Wasserzudrang war infolge des großen Geschiebes ein ganz gewaltiger und konnte erst nach sorgfältiger Einschlämmung der benachbarten Flußsohle bewältigt werden. Um den Schacht, welcher etwa 7 m unter Gelände und etwa 6 m unter Wasserspiegel der Isar liegt, wasserfrei zu halten, waren fünf elektrisch betriebene Kreiselpumpen, welche Tag und Nacht in Betrieb waren, mit einer Gesamtleistung von 40 m³ in der Minute nötig.

Der Schacht war von vornherein so angelegt, daß nach erfolgter Ausschachtung bezw. Bloßlegen des guten Baugrundes das Betonfundament vollkommen trocken eingebracht werden konnte.

Mit der Ausführung der Brücke wurde im Herbst 1903 begonnen; die Ausrüstung in ihren Hauptteilen erfolgte Anfang August 1904, und wurde das Bauwerk Ende 1904 seiner Bestimmung zugeführt.

Die Kosten des Brückenbaues belaufen sich auf 260 000 Mark.

Nr. 20. Die Straßenbrücke über die Bormida bei Altare (Italien),[1] ausgeführt von der Firma Maciachini in Mailand (Abb. 258), besitzt eine Öffnung von 18 m Lichtweite. Die Pfeilhöhe des Gewölbes, welches im Scheitel 30 cm und an den Kämpfern 50 cm stark ist, beträgt 2,10 m. Der Bogen stützt sich einerseits gegen einen alten Mauerwerkspfeiler, anderseits gegen ein neu hergestelltes Eisen-

---

[1] Beton u. Eisen 1908, S. 8.

betonwiderlager. Die Brücke ist 7,6 m breit, hat keine Fußsteige und als Fahrbahn-
träger eine Platte von 10 cm Stärke, die, durch Längs- und Querrippen verstärkt, in
Abständen von 1,46 m auf Pfeilern 30 × 30 cm ruht; die letzteren werden von dem
Bogen getragen. Die Platte ist nach zwei Richtungen mit Rundeisen von 16 mm
Stärke in Abständen von 20 cm bewehrt. Die Rippen haben 4 R.-E. 20 mm unten
und 3 R.-E. 14 mm oben, die mit Bügeln nach Bauweise Maciachini verbunden sind

Abb. 258. Ansicht und Querschnitt der Brücke über die Bormida.

(Abb. 259). Die Pfeiler sind mit 4 R.-E. 12 mm bewehrt
und alle 40 cm mit wagerechten Bügeln versehen. Die
Bewehrung des Bogens besteht aus einer oberen und

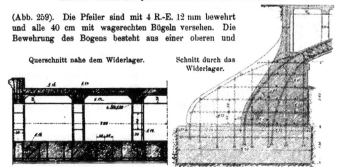

Querschnitt nahe dem Widerlager.   Schnitt durch das
Widerlager.

Abb. 259. Bewehrungseinzelheiten der Brücke über die Bormida.

unteren Eiseneinlage von Rundeisen 16 mm Durchm. in Abständen von 20 cm, die
weit in das Eisenbetonwiderlager hineingeführt sind, und entsprechenden Verteilungsstäben. Während unten die Bewehrung durchgeht, fehlt sie oben im
mittleren Drittel. Die beiden Drahtnetze sind durch 5 mm starke Bügel, die abwechselnd senkrecht und unter 45° zum Bogen gerichtet sind, verbunden. Diese
Anordnung der Bügel ist eine Eigenart der Ausführungen dieser Firma. Weitere
Einzelheiten zeigt Abb. 259.

Nr. 21. Straßenbrücke (Stubenrauchbrücke) über die Spree in Oberschöneweide bei Berlin,[1] entworfen von Regierungsbaumeister a. D. und Privatdozent Karl Bernhard in Berlin, ausgeführt von der Aktiengesellschaft für Beton- und
Monierbau in Berlin (vergl. Handbuch, Ergänzungsband I, Abb. 83).

Die Stubenrauchbrücke, die die Spree zwischen Nieder- und Oberschöneweide
überschreitet, zeigt die Verbindung eines eisernen Überbaues, nämlich den der 56 m
im Lichten messenden Mittelöffnung, mit zwei Seitenöffnungen in Eisenbeton von je
19,5 m Lichtweite (Abb. 260). Aus diesem Grunde und der damit zusammenhängenden

[1] Zeitschr. d. V. deutscher Ing. 1909, auch Sonderabdruck. Deutsche Bauztg. 1908, S. 470 u. 477.

Abb. 260. Rechte Seitenöffnung der Stubenrauchbrücke
in Oberschöneweide-Berlin.

Querschnitt A—B.   Schnitt C—D.

Längenschnitt in der Brückenachse.

Wagerechter Schnitt
durch die Queröffnungen.

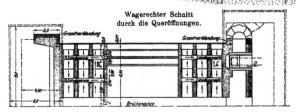

Abb. 261. Schnitte der linken Seitenöffnung der Stubenrauchbrücke.

eigenartigen Ausführungsweise der gleichgestalteten Seitenöffnungen mit drei vorübergehenden Gelenken, die später geschlossen wurden, ist das Bauwerk bemerkenswert.

Besonders zu erwähnen ist, daß die Brücke außer dem Straßenverkehr auch noch zur Überführung von Güterwagen der preußischen Staatseisenbahnen mit 13 t Achslast und 3 m Achsentfernung dient, die von den benachbarten Fabriken durch eine elektrische Lokomotive von 14 t Gewicht nach dem Bahnhof Niederschöneweide gebracht werden. Außer diesen Lasten war für die Fahrbahn der Seitenöffnungen, von denen hier nur die Rede sein soll, ein 20 t-Wagen, ferner eine gleichmäßig verteilte Menschenbelastung von 400 kg/m² und für die Gehwege die letztere Belastung vorgeschrieben. Die Breite der Fahrbahn beträgt zwischen den Geländern 14,90 m, hiervon entfallen je 3,3 m auf die beiderseitigen Bürgersteige. Die Lichtweite der Seitenöffnungen beträgt, wie bereits erwähnt, 19,5 m, ihre Pfeilhöhe 3,56 m (Abb. 261).

Die Stärke der Gewölbe beträgt im Scheitel 50 cm. an den Kämpfern 75 cm. Zum Zwecke der Baustoffersparnis sind die Gewölbe auf einem mittleren Längsstreifen von 1,90 m ausgespart (Abb. 262) und mit einem 1 Stein starken Klinkergewölbe verbunden. Hierdurch zerfällt das Gewölbe in zwei Teile von 6 m Breite. In den Gewölbezwickeln sind in Abständen von 1,74 m Pfeiler angeordnet, die mit 1 Stein starken Klinkerkappen überwölbt sind; nur unter den Fußwegen sind statt dieser,

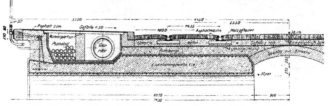

Abb. 262. Querschnitt im Scheitel einer Seitenöffnung der Stubenrauchbrücke.

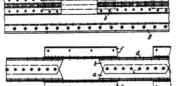

Abb. 263. Gelenke der Seitenöffnungen der Stubenrauchbrücke.

um Raum zu gewinnen, Eisenbetonplatten gespannt. Die Fußwege liegen zum Teil auf 0,45 m weiten Auskragungen in Eisenbeton. Die Gewölbe sind, wie erwähnt, mit drei Gelenken ausgeführt und später, nachdem sich die Brücke vollkommen gesetzt hatte und als im Gewölbe und an den Pfeilern keinerlei Bewegungen mehr wahrgenommen werden konnten, in eingespannte Gewölbe umgewandelt. Die Gewölbe wirken also für die Verkehrslasten als eingespannt. Durch diese Maßnahmen soll erreicht werden, daß die ungleichen Sackungen nicht bloß gleich nach der Ausschalung, sondern noch während der Ausführung der Seitenöffnungen und des eisernen Überbaues der Mittelöffnung ohne Einfluß auf die Gewölbe bleiben und hierdurch Nebenspannungen und Rißbildungen in denselben völlig vermieden werden.

Die Gelenke (Abb. 263) bestehen aus Winkeleisen, deren Schenkel a und b einander paarweise übergreifen und durch Bolzen c zusammengehalten werden. Da diese Bolzen nur lose eingesetzt sind, ist genügende Gelenkigkeit vorhanden, wobei zugleich die Gewölbeteile nach allen Richtungen sicher verbunden sind. Die Winkel sind auf

Platten d aufgenietet, die den Gelenkdruck auf den Beton der Gewölbe übertragen. Um das nachträgliche Vergießen und Umstampfen der Gelenke in einwandfreier und leicht zu überwachender Weise zu ermöglichen, sind diese in mehrere Teile von etwa 1,0 m Länge aufgelöst, zwischen denen Hohlräume von etwa 0,50 m Weite ausgespart sind. An diesen Stellen, wo die Winkelaussteifung fehlt, sind auf der Rückseite der Platte d zwei ⊏-Eisen f aufgenietet, die die Platte genügend aussteifen. Die nach-

Abb. 264. Ausführung der Gewölbe der Stubenrauchbrücke.

träglicheVerspannung der Gelenke ist in der Weise erfolgt, daß die Winkel g, in welche die oberen und unteren Eiseneinlagen einge- hakt sind, durch Bol- zen h angespannt wurden.

Das Eisenbeton- gewölbe trägt die Fahrbahn in der Mitte unmittelbar, in den Zwickeln mittels der Pfeiler mit den Klinker- kappen.

Abb. 265. Scheitelgelenk der Seitenöffnungen der Stubenrauchbrücke (von oben gesehen).

Die Eiseneinlagen des Gewölbes bestehen im mittleren Teil aus je 10 Eisen von 14 mm Durchm. parallel zur oberen und unteren Leibung, in der Mitte der Gewölbeschenkel aus je 8 Eisen von 12 mm Durchm. auf 1 m. Die Kämpfergelenke sind mit je 10 Eisen von 14 bezw. 23 mm Durchm. im Gewölbe bezw. Pfeiler und Widerlager verankert. Quer zu den Gewölbeeisen sind auf 1 m je 12 Stück 7 mm starke Verteilungsstäbe eingelegt, außer- dem sind die ersteren durch 7 mm starke Bügel zusammengehalten. Das Mischungs- verhältnis des Gewölbebetons ist 1 : 4. Die Stirnen der Gewölbe erhielten einen Vorsatz- beton mit Steinzusatz von 8 cm Stärke, der später werksteinmäßig bearbeitet wurde.

Bezüglich der statischen Berechnung des Gewölbes sei auf Beispiel 4, S. 448 verwiesen.

Die Anordnung der Pfeiler bezw. Wider- lager geht aus Abb. 261 hervor.

Mit der Ausführung des Bauwerks wurde im Juli 1907 begonnen. Die Eisen- betongewölbe konnten nicht eher gestampft werden, als die genieteten Gelenke, die in der vorgeschriebenen Lage durch Holzstreben usw. gehalten wurden, aufgestellt waren. Abb. 264 zeigt Vorgänge beim Herstellen der Gewölbe, links die auf den Lehrbogen verlegten unteren Eiseneinlagen, die durch untergelegte Ziegelsteinstücke in der vorgeschriebenen Entfernung von der Unterkante gestützt waren. Die Betonierung erfolgte von den beiden Kämpfern gegen die Mitte zu gleichzeitig, und zwar ununterbrochen innerhalb etwa 36 Stunden in der einen Gewölbehälfte. Während des Stampfens wurden die senkrechten Bügel zur Verbindung der oberen mit der unteren Eiseneinlage aufgestellt, wie in Abb. 264 (rechts) deutlich zu sehen ist, ebenso die oberen Eiseneinlagen in der vorgeschriebenen Höhe verlegt. Nach Fertigstellung der Gewölbe wurden auch sogleich die kleinen Pfeiler über dem Gewölbe und die Querkappen hergestellt. Nach 14 Tagen etwa wurden die Lehrbogen der Gewölbe etwas gelüftet und nach vier Wochen vollständig entfernt, wobei sich der Scheitel beider Gewölbe, der um 4 cm überhöht worden war, um etwa 2 cm senkte. Die übrigen 2 cm verschwanden allmählich nach Aufbringung der gesamten Eigenlasten.

Abb. 265 stellt das Scheitelgelenk, von oben gesehen, mit der Vorrichtung zum Verspannen dar. Man sieht die Bolzen, welche die lotrechten Winkelschenkel zusammenziehen sollen, und darunter die eigentlichen Gelenkwinkel mit ihrer Verbolzung.

Die Gewölbe und Seitenöffnungen sind noch im Herbst 1907 fertiggestellt worden, die Gelenke aber erst im Frühling 1908 verspannt und einbetoniert, nachdem festgestellt war, daß irgendwelche Bewegungen in den Pfeilern nicht mehr zu beobachten waren.

Nr. 22. Die Fußgängerbrücke über die Saale bei Merseburg,[1] entworfen und ausgeführt im Jahre 1905 von der Firma Rud. Wolle in Leipzig (Abb. 266), zeichnet sich durch ihr leichtes und gefälliges Aussehen aus, welches hauptsächlich durch ihre geringe Breite im Vergleich zu der bedeutenden Spannweite, ferner durch die Auflösung des Gewölbeüberbaues in einzelne Pfosten und Fahrbahnplatte bedingt ist. Die Spannweite beträgt, zwischen den Vorderkanten der Widerlager gemessen, 51,2 m und ihre Breite nur 1,5 m, also $^1/_{34}$ der Spannweite (Abb. 267).

[1] Deutsche Bauztg. 1909, Zementbeilage, S. 53 u. 57.

Abb. 266. Saalebrücke bei Merseburg.

34 *

Die Pfeilhöhe des Gewölbes ist 5,7 m, seine Stärke im Scheitel 0,4 m und an den Kämpfern 0,45 m.

Die Gewölbemittellinie entspricht der Stützlinie für den mittleren Belastungszustand, d. h. für Eigengewicht und halbe Verkehrslast. Am Rücken und der inneren

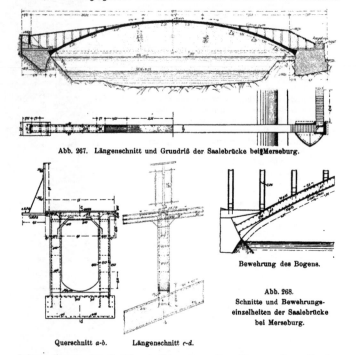

Abb. 267. Längenschnitt und Grundriß der Saalebrücke bei Merseburg.

Bewehrung des Bogens.

Abb. 268.
Schnitte und Bewehrungs-
einzelheiten der Saalebrücke
bei Merseburg.

Querschnitt *a-b*.   Längenschnitt *c-d*.

Leibung liegt in dem Gewölbe ein Netzwerk aus Tragstäben von 15 mm Durchm. und Verteilungsstäben von 5 mm Durchm. (Abb. 268)

Die Widerlager sind verschieden tief gegründet, entsprechend der unterschiedlichen Höhenlage des tragfähigen Baugrundes an den beiden Ufern. Mit Rücksicht auf die durch den Winddruck hervorgerufenen wagerechten Kräfte mußte den Widerlagern eine möglichst große Auflagerfläche gegeben werden, sie wurden daher absatzweise bis auf 2,6 m verbreitert.

Die Fußwegplatte schmiegt sich im Scheitel dem Gewölberücken an, fällt dann nach beiden Seiten mit 1 : 10 und endigt auf dem rechten Ufer in einer kleinen Treppenanlage (Abb. 267). Sie lagert sich auf 1,7 m voneinander entfernte Querträger auf, deren Last durch zwei Pfeiler auf das Gewölbe übertragen wird. Die Platte ist 8 cm stark und hat eine Eiseneinlage von 7 mm-Rundeisen in 10 cm Abstand. Die Querträger sind bei einer Breite von 25 cm und einer Höhe von 16 cm mit vier Stück 10 mm-Rundeisen bewehrt. Die Pfeiler haben einen Betonquerschnitt von 25×25 cm und eine Eiseneinlage von vier Stück 12 mm-Rundeisen. Diese greifen 20 bis 25 cm in den Gewölbebeton ein, außerdem sind zwei zusammengehörige Pfeiler noch durch eine besondere, bewehrte Schwelle verbunden, damit die Einzellasten der Säulen besser auf die ganze Gewölbebreite der Brücke übertragen werden.

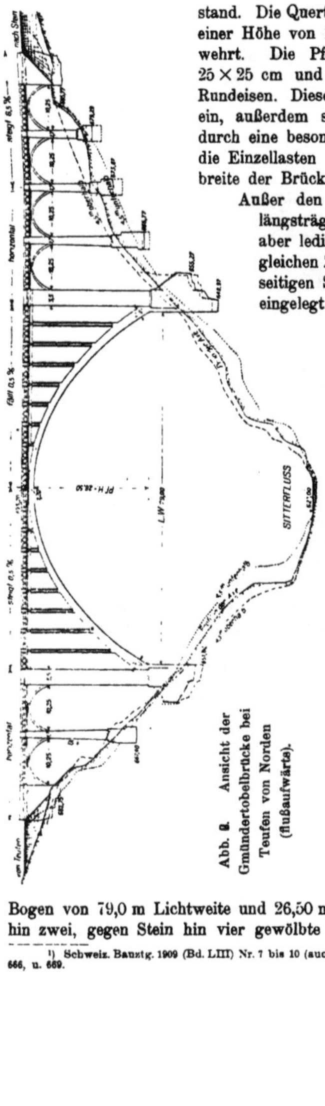

Außer den Querträgern sind noch besondere Randlängsträger zwischen die Pfeiler eingespannt, welche aber lediglich zur Längsversteifung dienen. Zu dem gleichen Zweck sind auch im Gewölbe an den beiderseitigen Stirnflächen je 13 Stück 15 mm-Rundeisen eingelegt worden.

Schließlich ist noch eine besondere Windverstrebung in der Ebene der Fußwegplatte angeordnet, welche den Winddruck auf die Widerlager zu übertragen hat. Es sind deshalb außerhalb der Platte zu beiden Seiten derselben in 0,5 m Abstand vom Plattenrande wagerecht liegende ⌐-Eisen N.-P. 8 als Windgurtungen angeordnet, welche durch querliegende ⊏-Eisen N.-P. 8 als Windpfosten fest verbunden sind (Abb. 268).

Der Bogen wurde innerhalb 18 Stunden gestampft.

Nr. 23. Die Gmündertobelbrücke bei Teufen im Kanton Appenzell (Schweiz),[1] entworfen von Professor E. Mörsch in Neustadt a. d. H., ausgeführt von der Firma Froté, Westermann u. Co., A.-G., in Zürich (vergl. Ergänzungsband I Abb. 82).

An Stelle einer baufällig gewordenen eisernen Gitterbrücke über die Sitter wurde der Bau einer Eisenbetonbrücke beschlossen, trotzdem sich die Kosten für eine eiserne Brücke etwa gleichhoch gestellt hätten. Die Brücke, die zur Zeit eine der weitestgespannten Eisenbetonbrücken darstellt, überspannt die Sitter mit einem großen Bogen von 79,0 m Lichtweite und 26,50 m Pfeilhöhe, an welchen sich gegen Teufen hin zwei, gegen Stein hin vier gewölbte Seitenöffnungen von je 10,25 m Lichtweite

Abb. 2. Ansicht der Gmündertobelbrücke bei Teufen von Norden (flußaufwärts).

---

[1] Schweiz. Bauztg. 1909 (Bd. LIII) Nr. 7 bis 10 (auch Sonderabdruck). — Deutsche Bauztg. 1908, S. 614, 637, 649, 666, u. 689.

anschließen (Abb. 269). Die Breite der Brückenfahrbahn beträgt 6,90 m zwischen den Brüstungen, hiervon sind für die Straße 5,70 m nutzbar, während je 0,60 m auf die beiderseits vorgesehenen Gehwege kommen (Abb. 270).

Der große Bogen ist als eingespanntes Gewölbe ohne Gelenke ausgeführt. Seine Stärke wächst im Scheitel von 1,20 m gegen die Kämpfer hin auf 2,13 m an. Die Gewölbebreite nimmt vom Scheitel nach den Kämpfern hin von 6,50 m auf 7,50 m

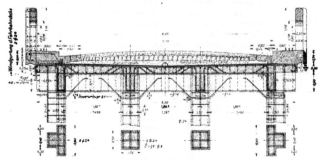

Abb. 270. Querschnitt durch die Fahrbahn der Gmündertobelbrücke bei Teufen.

zu. Es ist dabei angenommen, daß die Stirnbogen der unteren Leibung in zwei geneigten Ebenen vom Anlauf 1:54,66 liegen. Die Berechnung ist nach der von Professor Mörsch in der Schweiz. Bauztg. 1906 (Bd. XLVII, S. 83) veröffentlichten Methode durchgeführt, und zwar für eine Belastung durch eine 20 t schwere Dampfwalze in Verbindung mit 450 kg/m² Menschengedränge. Die Stützweite ist $l = 79,64$, die theoretische Pfeilhöhe $f = 25,50$, somit $\dfrac{f}{l} = \dfrac{1}{3{,}12}$. Eine Wärmeänderung von $\pm 20°$ C. gegenüber der Herstellungswärme wurde in der Berechnung der Spannungen berücksichtigt. Die Mittellinie des Bogens entspricht der .Stützlinienform für die ständige Last: die tatsächliche Stützlinie für Eigengewicht weicht aber von dieser Mittellinie infolge Verkürzung des Bogens durch die Normalkräfte ab. Eine Übersicht über die auftretenden Randspannungen gibt die folgende Zahlentafel:

Abb. 271		Eigenlast kg/cm²	Verkehr kg/cm²		Wärme kg/cm²		Grenzwerte kg/cm²	
Scheitel	σ_o	17,6	7,9	$-3,6$	5,8	$-5,8$	**31.3**	8,2
	σ_u	13,9	4,8	$-6,4$	6,2	$-6,2$	24,9	1,3
4	σ_o	16,9	9,1	$-6,7$	4,0	$-4,0$	30,0	6,2
	σ_u	14,2	8,1	$-7,8$	4,6	$-4,6$	26,9	1,8
10	σ_o	14,5	4,9	$-5,3$	1,4	$-1,4$	20,8	7,8
	σ_u	15,4	7,2	$-4,3$	1,2	$-1,2$	23,8	9,9
14	σ_o	13,5	3,9	$-3,3$	4,8	$-4,8$	22,2	5,4
	σ_u	16,4	4,6	$-2,9$	4,6	$-4,6$	2,56	8,9
Kämpfer	σ_o	12,7	9,9	$-6,1$	6,2	$-6,2$	28,8	**0,4**
	σ_u	16,5	7,2	$-8,9$	6,0	$-6,0$	29,7	1,6

Theoretisch wäre also eine Bewehrung des Gewölbes nicht notwendig gewesen,
sie wurde aber gleichwohl durchgeführt, um dem wichtigsten Teil der Brücke eine

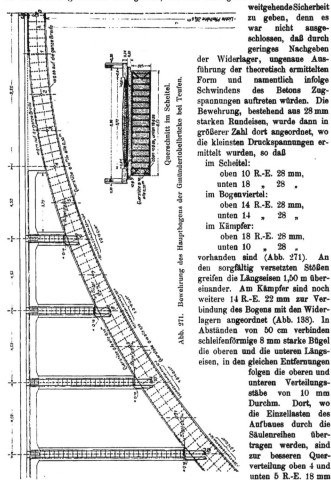

Abb. 271. Bewehrung des Hauptbogens der Gmündertobelbrücke bei Teufen.

Querschnitt im Scheitel.

weitgehende Sicherheit
zu geben, denn es
war nicht ausge-
schlossen, daß durch
geringes Nachgeben
der Widerlager, ungenaue Ausführung der theoretisch ermittelten
Form und namentlich infolge
Schwindens des Betons Zugspannungen auftreten würden. Die
Bewehrung, bestehend aus 28 mm
starken Rundeisen, wurde dann in
größerer Zahl dort angeordnet, wo
die kleinsten Druckspannungen ermittelt wurden, so daß
    im Scheitel:
        oben 10 R.-E. 28 mm,
        unten 18   „   28   „
    im Bogenviertel:
        oben 14 R.-E. 28 mm,
        unten 14   „   28   „
    im Kämpfer:
        oben 18 R.-E. 28 mm,
        unten 10   „   28   „
vorhanden sind (Abb. 271). An
den sorgfältig versetzten Stößen
greifen die Längseisen 1,50 m übereinander. Am Kämpfer sind noch
weitere 14 R.-E. 22 mm zur Verbindung des Bogens mit den Widerlagern angeordnet (Abb. 138). In
Abständen von 50 cm verbinden
schleifenförmige 8 mm starke Bügel
die oberen und die unteren Längseisen, in den gleichen Entfernungen
folgen die oberen und
unteren Verteilungs-
stäbe von 10 mm
Durchm. Dort, wo
die Einzellasten des
Aufbaues durch die
Säulenreihen über-
tragen werden, sind
zur besseren Quer-
verteilung oben 4 und
unten 5 R.-E. 18 mm

im Gewölbe eingelegt worden. Die Ausführung des Gewölbes erfolgte in einzelnen Streifen bezw. Blöcken, worüber S. 418 u. f. schon Angaben gemacht wurden.

Der Aufbau über dem Gewölbe wurde mit Rücksicht auf die Ausführbarkeit eines so weitgespannten Gewölbes möglichst leicht gehalten. Er besteht aus Eisenbetonsäulen, welche die ebenfalls aus Eisenbeton gebildete Fahrbahntafel tragen. Den vier Säulen in jeder Reihe entsprechen oben vier Längsträger der Fahrbahn. Die Säulen besitzen eine Längsbewehrung von 8 Rundeisen von 24 mm Stärke, die in Abständen von 30 cm jedesmal durch 6 schleifenförmige Bügel von 8 mm Stärke verbunden sind (vergl. Abb. 270).

Mit Rücksicht auf den Anlauf der Stirnflächen des Gewölbes sind die äußeren Säulen mit ⊥-förmigem Querschnitt ausgeführt worden in der Weise, daß der nach

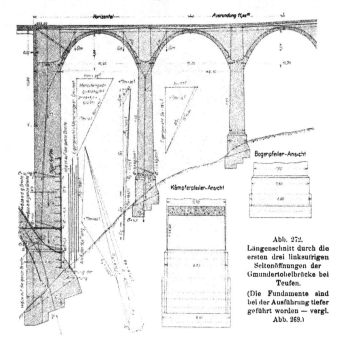

Bogenpfeiler-Ansicht

Kämpferpfeiler-Ansicht

Abb. 272.
Längenschnitt durch die ersten drei linksufrigen Seitenöffnungen der Gmundertobelbrücke bei Teufen.

(Die Fundamente sind bei der Ausführung tiefer geführt worden — vergl. Abb. 269.)

außen gerichtete Steg des ⊥-Querschnitts den Anlauf von 1 : 54,66 der Stirnflächen des Gewölbes aufweist. Auf diese Weise erscheinen die Säulen etwas breiter (0,80 m), und durch den äußeren Anlauf wird ein befriedigendes und sicheres Aussehen erreicht. Die inneren Säulen haben einen Querschnitt von 50 × 50 cm.

Von der Fahrbahn erhalten die Säulen nur lotrechte Lasten, denn die wagerechten Windkräfte, die auf die Fahrbahn und deren Brüstungen wirken, werden von der Fahrbahnplatte auf den Bogenscheitel und die starken Pfeiler über den Widerlagern übertragen. Die Fahrbahnplatte ist hierzu eigens durch je zwei Rundeisen von 24 mm Stärke an den Rändern bewehrt. Im Gewölbe selbst ergibt der Winddruck nur ganz geringe Zusatzspannungen.

Über die elastisch bewegliche Auflagerung der Fahrbahn am Anschluß an die großen Pfeiler, um eine Ausdehnungsmöglichkeit bei Wärmeänderungen usw. zu schaffen, wurde schon S. 413 Näheres mitgeteilt.

Die Eisenbetonplatte der Fahrbahn wurde als durchlaufender Balken, auf den Längsträgern der Fahrbahn frei aufliegend, berechnet und demgemäß mit oben und unten durchgehenden sowie abgebogenen Eisen versehen, die in Abb. 270 ersichtlich sind. Infolge der zahlreich angeordneten Verteilungsstäbe wirkt eine größere Plattenlänge zur Aufnahme der einzelnen Raddrücke mit.

Die Überdeckung der Seitenöffnungen erfolgte durch eingespannte bewehrte Betonbogen von 4,64 m Pfeilhöhe (Abb. 272). Über jedem Kämpfer der kleinen Gewölbe ist eine Ausdehnungsfuge angeordnet, so daß bei Wärmeänderung die Bogen frei spielen können, also die Zwischenpfeiler nicht beeinflussen.

Die Form der kleinen Bogen ist, wie beim großen Bogen, so gewählt, daß ihre Mittellinie eine Stützlinienform für die ganze ständige Belastung ist. Diese Form ist statisch richtiger als die sonst für Viadukte übliche Halbkreisform. Dort, wo die Fahrbahn ansteigt, wurden die Kämpfer der Seitenöffnungen in dieselbe Steigung gelegt, und die statisch richtige Bogenform ergab sich dann mit den gleichen Ordinaten wie bei den anderen Gewölben, jedoch vom schiefwinkligen Achsenkreuz aus aufgetragen.

Die Bewehrung der nur wenig beanspruchten kleinen Gewölbe, deren Scheitelstärke 35 cm beträgt, besteht aus je 5 Stäben Durchm. 14 mm auf 1 m oben und unten. Die Verteilungsstäbe sind 8 mm stark und in Entfernungen von 25 cm angeordnet; 7 mm starke schleifenförmige Bügel verbinden in Abständen von 40 cm die Längseisen. Über dem Mittelpfeiler sind die Kämpfer der beiden anliegenden Gewölbe zur besseren Sicherung der Einspannung durch 5 R.-E. 14 mm auf 1 m verankert worden.

Über das Lehrgerüst vergl. Handbuch Bd. II (2. Aufl.) Seite 300. Während des Betonierens ergab sich nur eine Senkung von 32 mm.

Die Senkung des Gewölbescheitels beim Ablassen betrug nur 5 mm; an den Widerlagern konnte keinerlei Senkung wahrgenommen werden. Der Aufbau war zur Zeit des Ablassens bis auf die Chaussierung fertiggestellt.

Die Mischungsverhältnisse der verwendeten Betonarten, für welche Zuschläge (Gerölle, Kies und Sand) aus der Sitter zur Verfügung standen, waren die folgenden: Fundamentbeton 1 Z. : 4 S. : 8 K., Pfeilerbeton 1 Z. : $3\frac{1}{2}$ S. : 7 K., Gewölbe- und Eisenbeton 300 kg Z. : 420 l S. : 840 l K. (1 : 2 : 4).

Bei der für die Gewölbe verwendeten Mischungsverhältnis ergab sich die Druckfestigkeit: nach 28 Tagen zu 305 kg/cm², nach drei Monaten zu 395 kg/cm², nach sechs Monaten zu 447 kg/cm².

Da die größte Spannung im großen Bogen zu nur 31,3 kg/cm² berechnet wurde, so ist eine sehr große Sicherheit vorhanden, denn diese Spannung ist nur der 14. Teil der nach sechs Monaten erreichten Würfelfestigkeit.

Die Gesamtkosten der Brücke belaufen sich auf rund 324 000 Mark, entsprechend etwa 243 Mark für 1 m² überbaute Fläche.

Die Arbeiten umfaßten etwa 5300 m³ Erdaushub, 8400 m³ Beton, 1500 m³ Holz für Lehrgerüst, 60 t Eisenteile und Schrauben für das letztere, 70 t Eisen für die Bewehrung.

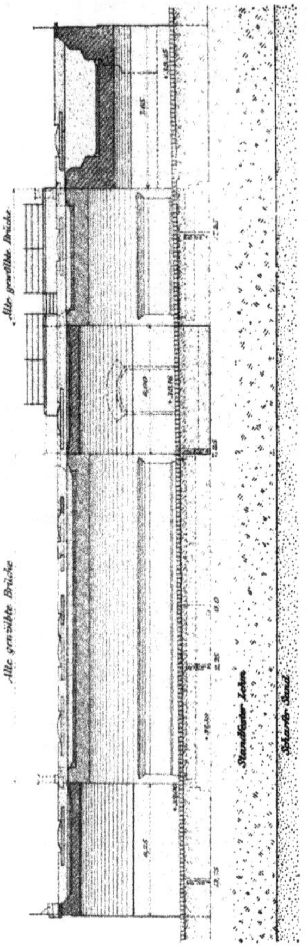

Zum Schluß sei noch auf die in der Schweiz. Bauztg. (vergl. Fußnote S. 533) enthaltenen ausführlichen Angaben über die statische Berechnung der Brücke verwiesen.

Nr. 24. Eisenbahnbrücke über die Prinzregentenstraße in Wilmersdorf bei Berlin,[1]) entworfen von der Königl. Eisenbahndirektion Berlin, ausgeführt im Jahre 1907 von der Aktiengesellschaft für Beton- und Monierbau, Berlin.

Diese Brücke verdient besondere Beachtung, da hier zum ersten Male die Eisenbetonbauweise im Bereiche der preußischen Staatseisenbahnverwaltung zur Anwendung kam. Das Bauwerk wurde anläßlich der Erweiterung der Bahnhofsanlagen in Wilmersdorf-Friedenau errichtet. Die bisherige Überführung der Ringbahn bestand bis dahin aus zwei in Klinkern gewölbten Brücken von 15 m Spannweite im lichten Abstand von 6 m (Abb. 273.)

Die neu herzustellende Überführung umfaßte diesen freigebliebenen Zwischenraum sowie Erweiterungen um 6,25 und 7,65 m zu beiden Seiten der bestehenden Bauwerke. Die Lichtweite der neuen Brücken wurde, mit Rücksicht auf die zu erwartende Verbreiterung der Prinzregentenstraße auf 24 m, ebenso groß angenommen.

Als Tragwerk wurde der Dreigelenkbogen gewählt, da ein Bauwerk ohne Gelenke oder mit zwei Gelenken bei nur $\frac{1}{12,7}$ Pfeilverhältnis, wie sich bei den Vorberechnungen herausstellte, zu große Zusatzspannungen infolge Wärmeänderungen ergeben hätte (vergl. Fußnote S. 382). Die Lage der Gelenke war durch den erforderlichen lichten Straßenraum bedingt, so daß die in Abb. 274 dargestellten Abmessungen ermittelt wurden. Die Mittellinie des Gewölbes wurde zuerst nach der Stützlinie für Eigen-

[1]) Zeitschr. f. Bauw. 1908, S. 59, ferner Beton u. Eisen 1908, S. 92.

Abb. 273. Querschnitt der Prinzregentenbrücke in Wilmersdorf.

gewicht und gleichmäßig verteilte halbe Verkehrslast gestaltet, dann die Einflußlinien für die Kernpunktmomente rechnerisch aufgetragen und die Form der Mittellinie dahin berichtigt, daß die größten Zugspannungen in der oberen und unteren Leibung annähernd gleich wurden. Für die Wahl der Gelenke kamen nur eiserne in Frage, da bei dem geringen Stich Steingelenke zu hohe Pressungen erhalten hätten und zu befürchten war, daß ihr Berührungspunkt schon bei kleinen Bewegungen des Scheitels seine Lage zu sehr veränderte. Im vorliegenden Falle mußte aber mit einer Scheitelsenkung von 10 cm gerechnet werden, umsomehr, als ein geringes Nachgeben der Widerlager nicht ausgeschlossen war, und bei dieser Senkung würde sich die Stützlinie bis nahe an die Leibung verschoben haben.

Die Eiseneinlagen sind so bemessen, daß sie sämtliche Zugspannungen aufnehmen können.

Nach den „Vorläufigen Bestimmungen für das Entwerfen und die Ausführung von Ingenieurbauten in Eisenbeton"[1]) sind außerdem die Spannungen im Gewölbe

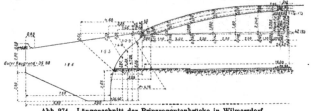

Abb. 274. Längenschnitt der Prinzregentenbrücke in Wilmersdorf.

unter der Annahme berechnet worden, daß der Beton sich an der Aufnahme der Zugkräfte voll beteiligt, und diese berechneten Spannungen der Wahl der Betonmischung zugrunde gelegt. Die gewählten Mischungsverhältnisse (Abb. 274) entsprechen demnach folgenden geforderten Spannungen:

$$
\begin{array}{l}
\text{Widerlager}
\begin{cases}
1:6:6 & S_{bd} \geq \ \ 36 \ \text{kg/cm}^2 \\
1:5:5 & S_{bd} > \ \ 75 \ \text{\textquotedbl} \\
1:3:3 & S_{bd} \geq 100 \ \text{\textquotedbl}
\end{cases}
\\[1mm]
\text{Gewölbe} \ \ 1:2\tfrac{1}{2}:2\tfrac{1}{2} \ \ S_{bd} \geq 135 \ \text{\textquotedbl}
\end{array}
$$

Die von der ausführenden Firma auf Grund von Versuchen des Materialprüfungsamtes in Groß-Lichterfelde (mit Probewürfeln von der üblichen Seitenlänge von 30 cm) nachgewiesenen kleinsten Festigkeitszahlen waren:

$$
\begin{array}{llll}
1:6:6 & S_{bd} = 137 \ \text{kg/cm}^2 & \text{Probewürfel} \ \ 76 \ \text{Tage alt} \\
1:5:5 & S_{bd} = 115 & \text{\textquotedbl} & \text{\textquotedbl} & 132 \ \text{\textquotedbl} & \text{.} \\
1:3:3 & S_{bd} = 225 & \text{\textquotedbl} & \text{\textquotedbl} & 69 \ \text{\textquotedbl} & \text{\textquotedbl} \\
1:2\tfrac{1}{2}:2\tfrac{1}{2} & S_{bd} = 322 & \text{\textquotedbl} & \text{\textquotedbl} & 64 \ \text{\textquotedbl} & \text{\textquotedbl}
\end{array}
$$

Die Eisenspannungen sind durchweg gering.

Die Gelenke sind S. 406 dargestellt und näher beschrieben.

Die obere Hälfte der Gelenke ist zur Erzielung einer Abwässerung mit Beton ausgefüllt, doch ist natürlich die Bewegungsfreiheit durch einen Schlitz gesichert. Um die Gelenkkörper vor Nässe bezw. vor Rost zu schützen, erhielten sie eine

[1]) Zentralbl. d. Bauverw. 1906. S. 327. — Beton-Kalender 1912, I. Teil. S. 305.

besondere Kupferabdeckung. Der von unten sichtbare Teil der Gelenkkörper ist mit Silikatfarbe gestrichen.

Die Eiseneinlagen (Abb. 275 u. 276) bestehen oben und unten aus je acht Stäben von 23 mm Durchm. für 1 m Breite. In der Nähe der Bruchfuge sind auf eine Strecke von rd. 6 m, d. h. je 3 m links und 3 m rechts, noch weitere zwei Stäbe von 23 mm Durchm. unten und oben hinzugefügt. Zur Vermehrung der Sicherheit ist eine Verstrebung der oberen und unteren Eisenstäbe durch schräge und senkrechte 5 mm starke Rundeisen ausgeführt.

Die Eiseneinlagen jedes Bogens wurden in einer Frist von etwa 4 Tagen verlegt.

Die Betonierung der Gewölbe erfolgte ununterbrochen bei Tag- und Nachtbetrieb und beanspruchte für jedes Gewölbe etwa 38 Stunden.

Als Betonmischungen kam für den Kern der Gewölbe eine Mischung $1 : 2^1/_2 : 2^1/_2$ und für diejenigen Stellen, wo die Zugspannungen auftreten, eine

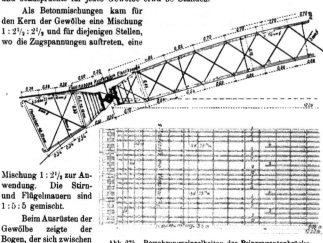

Mischung $1 : 2^1/_2$ zur Anwendung. Die Stirn- und Flügelmauern sind $1 : 5 : 5$ gemischt.

Beim Ausrüsten der Gewölbe zeigte der Bogen, der sich zwischen den alten Bauwerken befindet, keinerlei Senkung,

Abb. 275. Bewehrungseinzelheiten der Prinzregentenbrücke in Wilmersdorf.

während bei dem einen äußeren Bogen eine Senkung von 10 mm an der freien Stirnseite und 8 mm am Anschluß an das alte Bauwerk ermittelt wurde. Beim anderen äußeren Bogen betrug die Senkung ziemlich gleichmäßig 4 mm. Das Fehlen einer Senkung beim mittleren Bogen ist sicherlich auf die Reibung an den alten Bauwerken zurückzuführen, obgleich eine Isolierung durch Pappstreifen zwischen den alten und den neuen Bauteilen geschaffen war. Die Ausrüstung erfolgte 5 Wochen nach beendeter Betonierung.

Nach Ablauf eines halben Jahres und nachdem die neuen Bauwerke schon 3 bis 4 Monate dem Betrieb übergeben waren, sind die Senkungen nochmals gemessen worden. Hierbei haben sich Senkungen im Scheitel beim Mittelbogen von 5,2 cm, bei den äußeren Bogen von 7.8 cm und 8,3 cm gezeigt.

Die wasserdichte Abdeckung der Gewölbe ist in sorgfältigster Weise mit doppelten Lagen einer sehr elastischen Pappe bei Verwendung eines sehr guten Klebematerials erfolgt. Vorher wurde der Gewölberücken mit einer Zementputzschicht abgeglichen. Die Pappe ist gegen Zerstörungen von oben mit einer Ziegelsteinflachschicht abgedeckt. Die Rückflächen der Stirnmauern erhielten den üblichen Goudronanstrich. Über den Gelenken befinden sich in den Stirnmauern die bekannten Dehnungsfugen zur Vermeidung von Rissebildungen.

Die Entwässerung erfolgt über die Gewölberücken und die Widerlager hinweg. in eine am Ende der Widerlager aufbetonierte Rinne, welche Verbindung mit einer an

Abb. 276. Eisengerippe der Prinzregentenbrücke in Wilmersdorf.
(Unten ist das Kämpfergelenk zu sehen.)

die Straßengullys angeschlossenen Rohrleitung besitzt. Der Rinnenkörper bedeutet gleichzeitig eine Verstärkung der Widerlager, insoweit bei der Aufnahme des bedeutenden Schubes der passive Erddruck in Mitleidenschaft gezogen wird.

Die Fußsteige der 24 m breiten unterführten Straße sind durch Scheinmauern aus Beton begrenzt.

Die Ansichtsflächen sind werksteinartig durch Steinmetzen bearbeitet, indem den äußeren Betonmassen auf eine Stärke von etwa 6 cm Muschelkalkmehl zugesetzt ist.

Die Berechnung der Brücke ist S. 460 als Beispiel angegeben.

Nr. 25. Überwölbung eines Teiles des Kanals Saint-Martin in Paris,[1]) ausgeführt von der Unternehmung M. Boussiron in Paris.

Der Kanal St. Martin, der Paris durchquert und die Seine mit dem Bassin de la Villette verbindet, ist seit 1860 teilweise überwölbt. Über dem Kanal befindet

[1]) Le Genie Civil 1910, 30. Juli u. 6. August.

sich der Boulevard Richard-Lenoir. Diese Überwölbung ist vor kurzem über das Bassin du Temple verlängert worden (Abb. 277).

Das Bauwerk ist dadurch bemerkenswert, daß es als Dreigelenkbogen mit Federgelenken, deren Anordnnng sich hier als besonders wirtschaftlich erwiesen hat, ausgeführt wurde. Die eigenartigen Gelenke, in Frankreich als Halbgelenke

Abb. 277. Lageplan der Überwölbung eines Teiles des Kanals Saint-Martin in Paris.

(semi - articulations) bezeichnet, sind bereits S. 409 eingehend beschrieben worden. Wie dort bereits gesagt, waren hier Dreigelenkgewölbe wegen der zu erwartenden Widerlagerbewegungen allein ausführbar.

Die Gesamtanordnung des Bauwerks zeigt Abb. 278. Die Stützweite des Dreigelenkbogens beträgt 27 m, die lichte Weite 24,52 + 2 · 1,56 = 27,64 m.

Die Gewölbemittellinie wurde als Stützlinie für Eigengewicht und Vollbelastung durch Verkehr angenommen.

Das Gewölbe ist durch Rippen versteift und besitzt etwa im Viertel der Stützweite eine Stärke von 45 cm, die nach dem Scheitel auf 27 cm und nach den Kämpfern hin auf 29 cm abnimmt (Abb. 279). Die Rippen besitzen einen Abstand von 13 m

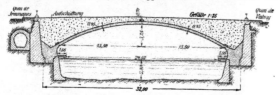

Abb. 278. Querschnitt durch das Bassin du Temple mit der Überwölbung.

und wurden hauptsächlich wegen der Erschütterungen durch Verkehrslasten auf Verlangen der Behörde angeordnet. Sie erwiesen sich auch insbesondere während des Aufbringens der Aufschüttungserde als sehr nützlich und sollen ferner bei ungleichmäßigen Belastungen infolge nachträglicher Erdarbeiten versteifend wirken. Sie sind nicht besonders berechnet worden, sondern haben den angegebenen Abstand erhalten, um die Gewölbehälfte etwa in Quadrate von 13 m Seitenlänge einzuteilen. Die Stärke der Rippen beträgt 0,35 m, ihre Höhe an der Stelle, wo das größte Moment auftritt, 1 m.[1]

Die Bewehrung des Gewölbes besteht oben und unten aus Tragstäben von 16 mm Durchm. in Abständen von 20 cm, und quer zu diesen liegen in gleichen Entfernungen Verteilungsstäbe von 10 mm Durchm. Die Rippen besitzen als Einlagen 3 Rundeisen 35 mm Durchm., um welche Flacheisenbügel 30 × 3 mm in Abständen von 0,8 m gelegt sind. Weitere Einzelheiten gehen aus Abb. 279 hervor.

Bemerkenswert ist noch der Anschluß der Überwölbung an die im Grundriß halbkreisförmigen Enden des Bassin du Temple (Abb. 277). Um den Übergang von

---

[1] Da die Rippen an der Lastübertragung des Gewölbes nicht teilnehmen, wozu auch ihr Abstand zu groß wäre, so ist dieses Bauwerk hier und nicht bei den später behandelten Rippengewölben besprochen worden.

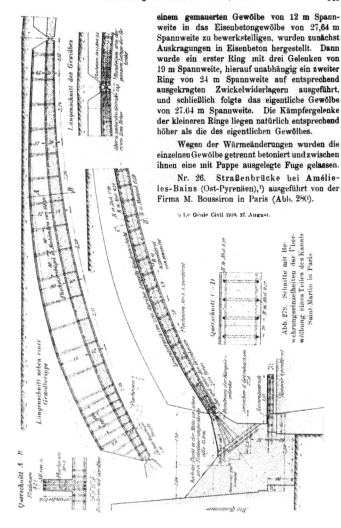

einem gemauerten Gewölbe von 12 m Spannweite in das Eisenbetongewölbe von 27,64 m
Spannweite zu bewerkstelligen, wurden zunächst
Auskragungen in Eisenbeton hergestellt. Dann
wurde ein erster Ring mit drei Gelenken von
19 m Spannweite, hierauf unabhängig ein zweiter
Ring von 24 m Spannweite auf entsprechend
ausgekragten Zwickelwiderlagern ausgeführt,
und schließlich folgte das eigentliche Gewölbe
von 27.64 m Spannweite. Die Kämpfergelenke
der kleineren Ringe liegen natürlich entsprechend
höher als die des eigentlichen Gewölbes.

Wegen der Wärmeänderungen wurden die
einzelnen Gewölbe getrennt betoniert und zwischen
ihnen eine mit Pappe ausgelegte Fuge gelassen.

Nr. 26. Straßenbrücke bei Amélie-
les-Bains (Ost-Pyrenäen),[1] ausgeführt von der
Firma M. Boussiron in Paris (Abb. 280).

[1] Le Génie Civil 1910. 27. August.

Abb. 279. Schnitte mit Bewehrungseinzelheiten der Überwölbung eines Teiles des Kanals
Saint-Martin in Paris.

Die Brücke überschreitet den Tech an Stelle eines steinernen Bauwerks mit drei Öffnungen. Sie ist wie die vorher beschriebene Überwölbung des Kanals Saint-Martin in Paris mit drei Federgelenken ausgeführt worden.

Sie besitzt jedoch die wesentlich größere Spannweite von 44 m. Die Stützweite des Dreigelenkbogens beträgt 41 m, seine Pfeilhöhe 4.70 m. Die nutzbare Brückenbreite ist 6,60 m, wovon 4.50 m auf die Fahrbahn und je 1.05 m auf die Gehwege entfallen (Abb. 281).

Abb. 280. Straßenbrücke bei Amélie-les-Bains.

Die Gewölbestärke beträgt im Scheitel 40 cm, an den Kämpfern 45 cm und in den Bruchfugen 65 cm. Trotz der größeren Spannweite konnten fast die gleichen

Ansicht.

Abb. 281. Allgemeine Anordnung der Brücke bei Amélie-les-Bains.

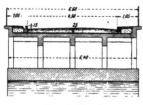

Querschnitt a—b.

Gelenke wie bei dem früher genannten Bauwerk verwendet werden; nur wurde hier die Stärke der Rundeisen etwas größer, nämlich im Scheitel zu 27 mm und an den Kämpfern zu 28 mm angenommen.

Daß man bei dieser Brücke nur unwesentlich stärkere Gelenkeisen benötigte, lag an dem viel geringeren Eigengewicht, denn während die hier in Frage stehende Brücke einen leichten Überbau erhielt, wurde bei der Überwölbung des Kanals Saint-Martin eine schwere Erdauffüllung ausgeführt.

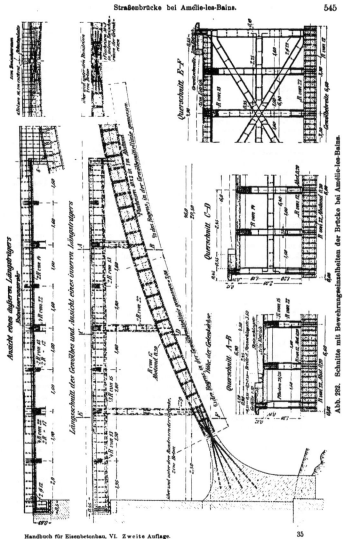

Abb. 282. Schnitte mit Bewehrungseinzelheiten der Brücke bei Amélie-les-Bains.

Das Pfeilverhältnis ist hier etwas kleiner gegen früher, nämlich $\dfrac{4,7}{41,0} = \dfrac{1}{8,7}$

$\left(\text{früher } \dfrac{3,75}{27,0} = \dfrac{1}{7,2}\right)$. Die Fahrbahntafel ist durch schwache Eisenbetonpfosten unterstützt, die die Lasten auf das Gewölbe übertragen. Die Fahrbahntafel ist auf den Endpfeilern beweglich gelagert, und zwar auf drei Stahlwalzen von 40 mm Durchm. Da hier keine gemeinsame Drehachse vorhanden ist, werden kleine Biegungsmomente entstehen, die jedoch vernachlässigt werden können. Zwecks Verminderung der Biegungsmomente infolge Verkehrslasten sind die Widerlagergelenke um 1,5 m vor die Kämpferlinien vorgerückt worden, so daß man zu dem bereits angegebenen Abstand der Kämpfergelenke von 41 m gelangt.

Der 14 cm breite Schlitz über dem Scheitelgelenk wurde gegen die Überschüttungserde durch ein 7 mm starkes Blech überdeckt; hierdurch wollte man verhindern, daß die Beweglichkeit des Gelenkes durch eindringenden Sand und Kies aufgehoben würde.

Bemerkenswert sind noch die Diagonalversteifungen in der Ebene der letzten Pfostenreihe. Weitere Einzelheiten, insbesondere hinsichtlich der Bewehrung des Gewölbes und der Fahrbahn, gehen aus den Abb. 282 hervor.

Die Belastungsprobe wurde für ruhende Lasten mittels Sandsäcke, für bewegliche mittels vier Dampfwalzen von je 18 t Gewicht in verschiedenen Stellungen vorgenommen (Abb. 280). Infolge der letzteren ergab sich eine Durchbiegung von 5 mm, die nach Entfernung der Walzen wieder verschwand. Einzelheiten dieser Belastungsprobe sind in der angegebenen Quelle enthalten.

Die Kosten des Bauwerks betrugen 41 400 Mark, d. i. 136 Mark für 1 m² Brückenfläche.

Bauweise Johnson.

Nr. 27. Eisenbahnbrücke zu Danville der Cleveland, Cincinnati, Chicago and St. Louis-Eisenbahn,[1] ausgeführt von der St. Louis Expanded Metal Fireproofing Company (Abb. 283).

Das Bauwerk stellt eine doppelgleisige Eisenbahnbrücke von 99 m Gesamtlänge vor und besitzt einen Mittelbogen von 30,5 m und zwei Seitenbogen von je 24 m Lichtweite. Die Pfeilhöhe des Mittelbogens ist 12 m, und seine Kämpfer liegen 7,8 m über der Flußsohle. Die Pfeilhöhe der Seitenöffnungen beträgt 9 m, und ihre Kämpfer befinden sich 3 m über jenen des Mittelbogens, so daß die Scheitel sämtlicher Bogen in einer Ebene, und zwar 21 m über der Flußsohle liegen. Die Schienenunterkante befindet sich rd. 6 m oberhalb des Rückens dieser Gewölbe. Die Gleise ruhen in einem Schotterbett von 1,5 m Stärke, welches durch kleine halbkreisförmige Quergewölbe mit Pfeilern aufgenommen wird. Die Sparbogen haben eine Scheitelstärke von 60 cm und durchweg 2,40 m Lichtweite und ruhen auf 60 cm starken Zwischenpfeilern. Ihr Rücken ist mit Beton wagerecht abgeglichen. Der ganze Bauteil oberhalb der Kämpfer der Hauptbogen ist mit Johnsoneisen bewehrt. Die Einzelheiten der Bewehrung sind aus Abb. 284 zu ersehen. Die Eiseneinlage des Bogens besteht aus 25 mm-Quadrateisen, welche in 30 cm Entfernung angeordnet und durch 21 mm starke Quereisen verbunden sind. Die Bewehrung ist sowohl an der inneren Leibung, als auch am Rücken der Hauptbogen die gleiche. Die Enden dieser Einlagen greifen tief in die Zwischenpfeiler bezw. Landwiderlager ein. Die Sparöffnungen sind in drei voneinander getrennten

---

[1] Eng. Record 1906, 3. März.

Teilen ausgeführt, entsprechend den drei Hauptgewölben. Die Sparbogen jedes Teiles sind durch Eiseneinlagen miteinander verbunden, während sie von den anschließenden Teilen durch Fugen getrennt sind (Abb. 284). Die Mittelpfeiler sind oberhalb der

Abb. 283. Brücke zu Danville.

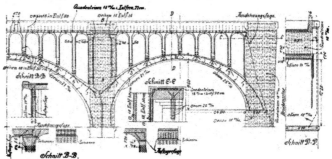

Abb. 284. Längenschnitt und Einzelheiten der Brücke zu Danville.

Bogenanfänge hohl und durch Eisenbetonwände abgeschlossen. Dieser Raum wird von einer 60 cm starken und 3,9 m weiten Eisenbetonplatte überdeckt. Was die Betonierung der Bogen anbelangt, so wurde der Mittelbogen in elf, die Seitenbogen in je neun Abschnitten nach der Reihe der in Abb. 284 angegebenen Zahlen ausgeführt.

Nr. 28. Die Eisenbahnbrücke über den Grand River bei Painesville, Ohio,[1]) ist dem vorher beschriebenen Bauwerk ähnlich. Sie wurde 1909 nach zweijähriger Bauzeit vollendet und dient zur Überführung der Hauptlinie der Seeküsten- und Michigan-Südbahn über den Grand River. Die Gesamtlänge der Brücke ist rd. 122 m und ihre Höhe rd. 27 m; sie besitzt drei Öffnungen, und zwar eine Stromöffnung von 48,77 m und zwei Landöffnungen von je 21,24 m Spannweite.

---

[1]) Eng. Rec. 1909. 24. April u. 1. Mai.

Die Scheitelstärke des Hauptbogens beträgt 2,21 m, während er am Kämpfer eine Stärke von 3,96 m besitzt. Die beiden Seitenbogen sind im Scheitel je 1,37 m stark, dagegen ist die Stärke am Kämpfer bei beiden Bogen verschieden, je nach der Höhenlage der Kämpferlinie (Abb. 285).

Die Anordnung der Eiseneinlagen ist aus Abb. 285 zu ersehen. Die Bewehrung der Außenwölbung des Hauptbogens besteht in der Längsrichtung aus zwei Lagen von 25 mm starken Quadrateisen; sie liegen 12,5 bezw. 25 cm von der Außenkante entfernt und sind in Abständen von 10 cm versetzt gegeneinander angeordnet; die

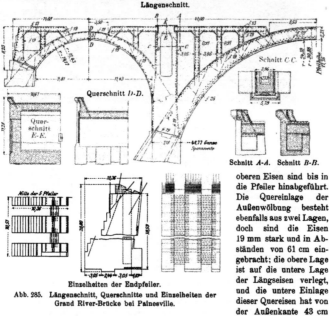

Längsschnitt.

Querschnitt *D-D.*

Schnitt *C-C.*

Querschnitt *E-E.*

Schnitt *A-A.*   Schnitt *B-B.*

Einzelheiten der Endpfeiler.

Abb. 285.   Längsschnitt, Querschnitte und Einzelheiten der
Grand River-Brücke bei Painesville.

oberen Eisen sind bis in die Pfeiler hinabgeführt. Die Quereinlage der Außenwölbung besteht ebenfalls aus zwei Lagen, doch sind die Eisen 19 mm stark und in Abständen von 61 cm eingebracht; die obere Lage ist auf die untere Lage der Längseisen verlegt, und die untere Einlage dieser Quereisen hat von der Außenkante 43 cm Entfernung. Die Bewehrung der Innenwölbung entspricht der der Außenwölbung. Die beiden Seitenbogen sind mit 19 mm starken Quadrateisen bewehrt, und die Einlagen sind ähnlich denen des Hauptbogens angeordnet, doch sind sie hier in einfachen Lagen kreuzweise verlegt. Die Längseisen der Innenwölbung gehen bis tief in die Pfeiler hinab, während die der Außenwölbung am Widerlager endigen.

Die Ausbildung der Endpfeiler ist aus Abb. 285 ersichtlich; es sind in einer Reihe fünf Strebepfeiler in Abständen von 1,90 m angeordnet, die ihrerseits als Verbindungsglieder 1,52 m starke Pfeiler haben. Die Höhe dieser Strebepfeiler beträgt bis zur Kämpferlinie 18,59 m; sie sind nach unten zu in der Längenrichtung absatzweise verbreitert, und ihre Länge beträgt au der Grundlinie 10,36 m; die beiden Außenpfeiler haben 2,28 m und die anderen 2,95 m Breite. Oben ist quer über die Strebepfeiler ein Widerlagerbalken von 10,36 × 21,03 m Grundfläche verlegt.

Die Gleisbettung ruht auf der Mitte des Hauptbogens auf eine Länge von 17,07 m und über jedem Endbogen auf 7,01 m unmittelbar auf den Eisenbetonbogen, während die Bogenzwickel zunächst durch 1,07 m starke Platten überdeckt sind. Letztere werden auf je 3,05 m Spannweite von 91 cm starken Wänden getragen; an geeigneten Stellen wurden Ausdehnungsfugen angeordnet. Die Mittel- und Endpfeiler sind über den Widerlagern der Bogen hohl ausgeführt, und die Seitenwände sind ebenfalls 91 cm stark. Die Eisenbewehrung der Zwickelpfeiler besteht aus 19 mm starken Quadrateisen; die senkrechten Einlagen sind auf 61 cm Entfernung von Mitte zu Mitte und die wagerechten auf 46 cm Entfernung verlegt. Oben sind die Pfeiler voutenartig verstärkt und in die Verstärkung auf je 30 cm ein 13 mm starkes Eisen eingelegt. Die Platte selbst ist beiderseitig mit 19 mm starken Quadrateisen bewehrt. Die unteren Längseisen haben je 15 cm und die Quereisen 38 cm Entfernung von Mitte zu Mitte und liegen 7,6 cm von der Unterseite ab. An der Oberseite sind als Einlage Quereisen in 15 cm Abständen und quer über den Stützlinien Eisen von je 3,35 m Länge zur Aufnahme der negativen Momente eingelegt. Die Fahrbahnplatten sind mit den Bogen durch zweifache Eiseneinlagen gut verankert. An der Stelle, wo sie auf den Hauptpfeilern aufliegen, wurden 38 mm starke Ausdehnungsfugen mit Teerpappeneinlagen angeordnet. Zur Abdeckung der hohlen Pfeiler wurden Platten von 1,6 m Stärke benutzt..

Die Höhe der Stirnwände schwankt zwischen 1,14 m über den Pfeilern und 2,67 m über den Mitten der Endbogen; sie sind mit der Fahrbahnplatte durch 19 mm starke und 30 cm voneinander entfernte Eiseneinlagen verbunden.

Die Fahrbahnplatte und die mittleren Teile der Bogen, die zur Aufnahme der Bettung dienen, wurden mit fünf Lagen geteertem Filz abgedeckt, um so eine möglichst hohe Wasserdichtigkeit zu erzielen; das gleiche geschah auch bei den Seitenwänden bis etwas über Oberkante Auffüllung. Zur Entwässerung wurden eiserne Röhren von 10 cm lichter Weite an geeigneten Stellen in die Bogen einbetoniert.

Als Mischungsverhältnisse für Beton kamen 1 : 2 : 4 und 1 : 2 : 5 zur Anwendung. Für die Eisenbewehrung wurden rd. 586 t Eisen verbraucht.

Bauweise Thacher.

Nr. 29. Factorystraßenbrücke über den Doverkanal in Ohio,[1] ausgeführt 1905/06 von Zivilingenieur Lamdor (Abb. 286).

Abb. 286. Brücke über den Doverkanal in Ohio.

[1] Eng. Record 1907. S. 144

Drei Eisenbetonbogen von je 32,5 m Lichtweite und 3,58 m Pfeilhöhe übersetzen den Fluß, woran sich noch eine durch mächtige Widerlager getrennte Seitenöffnung von 21,36 m Lichtweite anschließt (Abb. 287). Die Hauptgewölbe sind im Scheitel 61 cm stark und verstärken sich auf 167 cm an den Kämpfern. Sie sind sowohl an der inneren Leibung als auch am Gewölberücken mit Eisen bewehrt. Die Bewehrung

Abb. 287. Längenschnitt der Brücke über den Doverkanal in Ohio.

besteht aus 30 mm starken Thachereisen, welche in Entfernungen von rund 30 cm angeordnet sind. Die Leibung ist korbbogen- förmig ausgeführt. Die

Abb. 288. Querschnitt der Brücke über den Doverkanal in Ohio.

Zwischenpfeiler haben eine Stärke von 3 m. Die nutzbare Brückenbreite beträgt 16,16 m, wovon 11,58 m auf die Fahrbahn und je 2,29 m auf die beiderseitigen Fußsteige entfallen (Abb. 288). In der Mitte der Fahrbahn liegt ein Straßenbahngleis. Die Fußsteige sind als Kragträger ausgebildet und dementsprechend bewehrt. Das Mischungs- verhältnis des Betons für die Tragkonstruktion ist 1 : 2 : 4, während jenes für die Zwischenpfeiler und Widerlager 1 : 3,5 : 5 ist. Sowohl Zwischenpfeiler als auch End- widerlager sind auf Holzpfählen gegründet. Nach fünfwöchentlicher Erhärtung der Gewölbe wurden diese ausgerüstet, wobei sich eine Scheitelsenkung von 12,5 mm zeigte, welche sich nach Ausführung der Stirnmauern und der Hinterfüllung um 10,5 mm vergrößerte, so daß sich eine Gesamtsenkung von 23 mm ergab.

Die Kosten des Bauwerks betrugen 441 000 Mark.

Nr. 30. Jacksonville-Brücke,[1]) ausgeführt von der Concrete Steel Engi- neering Co. in New-York.

Diese rund 254 m lange Brücke hat eine Breite von 18 m und dient zur Über- leitung des Straßenverkehrs in einer Höhe von 9 m über die Gleise der Atlantic

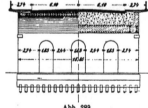

Abb. 289.
Querschnitt der Jacksonville-Brücke.

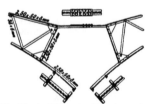

Abb. 290. Ausbildung der Melanrippen über den Zwischenpfeilern der Jacksonville-Brücke.

Coast-Linie, der Seaboard Air-Linie und der Ost-Florida-Küstenbahn. Sie besitzt

[1]) Eng. Record 1907. S. 605.

11 Öffnungen, eine mit 10,5 m, eine mit 18 m und 9 mit 20 bis 21 m. Von der nutzbaren Brückenbreite von 17,68 m kommen je 2,74 m auf die beiden Gehwege, während 12,20 m für die Fahrstraße verbleiben. Die Bewehrung der Bogen erfolgte hier insofern nicht einheitlich, als unter den Stirnwänden und unter jedem Straßenbahngleis, deren zwei vorhanden sind, Eisenrippen nach Bauweise Melan angeordnet wurden, während auf der übrig bleibenden Strecke des tragenden Gewölbequerschnitts Thachereisen eingelegt wurden. Die 7 mittleren Öffnungen sind jede nach einem Korbbogen aus 3 Kreisen geformt. Ihre Pfeilhöhe beträgt 2,10 m, ihre Scheitelstärke 40 cm und ihre Kämpferstärke rund 70 cm. Die Bewehrung besteht aus 20 Thachereisenrippen in Entfernungen von 375 mm und aus 8 Melanrippen in Entfernungen von 75 cm unter den Stirnwänden und je einer unter den Straßenbahngleisen (Abb. 289).

Die Melanrippen bestehen aus Fachwerkbogen mit Gurtungen aus je zwei Winkel 50 × 50 × 8 mm, vergittert durch Flacheisen 38 × 6 mm. Über den Zwischenpfeilern hören die unteren Winkel, die am Ende kurze angenietete Querwinkel erhalten, auf, während die oberen Winkel wagerecht abgebogen und über die Pfeiler durchgeführt sind (Abb. 290). Die Thachereiseneinlagen bestehen je aus einem oberen und unteren Eisen von rund 30 mm Stärke und sind miteinander durch 38 mm starke Quereisen in Entfernungen von 90 cm verbunden. Jedes Eisen ist aus drei beinahe gleich langen Teilen zusammengesetzt, die durch geschweißte Röhren gestoßen sind Die Pfeiler, Widerlager und Fundamente wurden im Mischungsverhältnis 1 : 3 : 7, die Stirnwände 1 : 2,5 : 6 und die Bogen 1 : 2 : 4 ausgeführt. Die Gesamtmenge des verwendeten Betons betrug rund 8200 m³, die des Eisens rund 155 t und die Zahl der geschlagenen Pfähle 1730 Stück.

Die Kosten des Bauwerks beliefen sich auf rd. 630 000 Mark.

Bauweise Luten.

Nr. 31. Die Wayne Street-Brücke in Peru, Ind. (Abb. 291), besitzt 7 Öffnungen mit Lichtweiten, die von den Enden gegen die Mitte zunehmen und 22,6, 26,6, 29,0, 30,0, 29,0, 26,6 und 22,6 m betragen (Abb. 292). Die Pfeilhöhe wächst

Abb. 291. Wayne Street-Brücke in Peru, Ind.

von 4,05 m bis 7,70 m, während die Höhe der Öffnungen von 7,2 bis 8,4 m sich ändert. Die Fahrbahnbreite beträgt 9 m. Die Scheitelstärken bewegen sich zwischen 52 und 62 cm. Die Bogenbewehrung besteht aus 18 mm-Rundeisen, welche in Entfernungen von 15 bis 30 cm angeordnet sind. Durch die verschiedenen Lichtweiten werden in den Zwischenpfeilern schiefe Stützendrücke auftreten, welche sich durch eine Verflachung der kleineren Lichtweiten hätten beseitigen lassen. Dies konnte jedoch mit Rücksicht auf die durchfließende Hochwassermenge nicht ausgeführt werden. Es wurde hingegen zur teilweisen Herabminderung der schiefen Stützen-drücke in den Zwischenpfeilern die Anordnung getroffen, daß der Kämpfer der kleineren Öffnung am Zwischenpfeiler stets etwas höher gelegt wurde als der

Abb. 292.	Abb. 293.
Längsschnitt der Wayne Street-Brücke.	Längsschnitt einer Öffnung der Wayne Street-Brücke.

gegenüberliegende Kämpfer der größeren Anschlußöffnung, so daß die Stützlinie T_4 mit jener von T_3 sich auf der Seite gegen die größere Lichtweite zu schneiden und die gemeinsame Mittelkraft R_4 noch immer im mittleren Drittel verläuft (Abb. 293).

Die Anordnung der Bewehrung ist aus Abb. 293 ersichtlich.

Bei dieser Brücke wurden rd. 4500 m³ Beton und rd. 50 t Eisen verarbeitet.

2. Brücken mit steifen Eiseneinlagen.

Bauweise Wünsch.

Nr. 32. Straßenbrücke über die Neutra bei Neuhäusel (Ungarn)[1] (Abb. 294).

Die Brücke hat sechs Öffnungen von 17 m Lichtweite, eine Länge von 115 m und eine Breite von 6 m (Abb. 295).

Die Gewölbe besitzen 1,13 m Pfeilhöhe ($^1/_{15}$ Stich), 0,25 m Scheitelstärke und 1,38 m Stärke an den Widerlagern. Die Bewehrung wird durch 13 Träger ge-

Abb. 294. Neutrabrücke bei Neuhäusel.

bildet, welche nur in den Widerlagern verankert sind, weil die Obergurte über die ganze Brücke durchlaufen. Die Untergurte wurden über den Pfeilern nur zur Er-leichterung der Aufstellung mit je zwei Nieten verbunden. Einzelheiten der Eisen-bewehrung sind in Abb. 296 dargestellt.

Auf 1 m Gewölbbreite entfallen je zwei Bogenträger, deren jeder Gurt 12,32 cm² Eisenquerschnitt besitzt.

Als Verkehrsbelastung ist ein Raddruck von 3000 kg angenommen.

---

[1] Zeitschr. d. österr. Ing.- u. Arch.-V. 1893, Nr. 21.

Der Bau der Brücke wurde am 19. August 1892 begonnen. Um sie vor den fortwährenden Veränderungen des Neutrabettes zu sichern, hat man beschlossen, die Pfeiler mittels Pfähle auf den blauen Tegel zu stellen und die unterhalb der Pfeiler befindliche Schottermenge durch eine bis zum Tegel reichende Spundwand gegen Auswaschung zu umschließen (Abb. 295).

Große Schwierigkeiten bereitete das Versetzen der Anker und deren Verbindungseisen infolge des großen Wasser- und Sandzudranges.

Nachdem das Fundament betoniert war, wurde die Schalung des aufgehenden Pfeilers und in dessen obere Kante das mit Klauen versehene Winkeleisen versetzt,

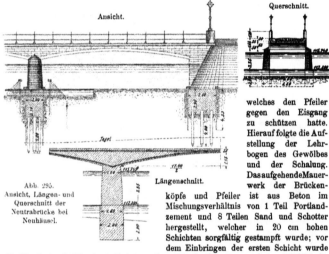

Ansicht.

Querschnitt.

Abb. 295.
Ansicht, Längen- und
Querschnitt der
Neutrabrücke bei
Neuhäusel.

Längenschnitt.

welches den Pfeiler gegen den Eisgang zu schützen hatte. Hierauf folgte die Aufstellung der Lehrbogen des Gewölbes und der Schalung. Das aufgehende Mauerwerk der Brückenköpfe und Pfeiler ist aus Beton im Mischungsverhältnis von 1 Teil Portlandzement und 8 Teilen Sand und Schotter hergestellt, welcher in 20 cm hohen Schichten sorgfältig gestampft wurde; vor dem Einbringen der ersten Schicht wurde die Oberfläche des Fundamentbetons aufgerauht, der Schutt weggefegt, schließlich die Oberfläche mit Zementmilch reichlich begossen. Die Pfeiler wurden nur bis zur Höhe von 50 cm unterhalb des Kämpfers ausgeführt, der übrige Teil wurde mit den Gewölben zusammen betoniert. Ein Pfeiler benötigte etwa 34 m³ Beton und ist in fünf Stunden fertiggestellt worden.

Mit der Aufstellung der Eisenrippen wurde am 15. Oktober begonnen; sie wurde in elf Tagen vollendet. Als das Eisengerippe eines Gewölbes fertiggestellt war, wurde die Schalung unter letzterem mit Teerpappe abgedeckt, um das Holzwerk gegen die Feuchtigkeit des Betons zu schützen. Der erste Bogen wurde am 24. Oktober betoniert, und zwar in zweierlei Mischung; der eigentliche Bogen in der Stärke von 25 bis 30 cm besteht aus 1 Teil Portlandzement und 6 Teilen Sand und Kies, während die Nachbetonierung aus 1 Teil Portlandzement und 8 Teilen Sand und Kies gemischt ist. Das Betonieren wurde von den beiden Enden eines Gewölbes gleichzeitig begonnen und in der Mitte geschlossen. Die einzelnen Schichten sind nach zwei Richtungen

gestampft. nämlich senkrecht zur Gewölbeleibung (von oben nach unten) und senkrecht
zur Ebene der Gewölbehalbmesser (von der Seite). Auf das gehörige Unterstampfen
der Untergurte der Eisenkonstruktion wurde besondere Aufmerksamkeit verwendet.
Die Arbeit war derartig eingeteilt, daß jeder Bogen an einem Tage vollendet werden
konnte und so einen einheitlichen Körper bildete. Die Oberfläche des Gewölbes hat
gegen die Pfeiler zu ein sanftes Gefälle erhalten, und die Schnittlinien dieser Flächen
setzen sich zum Zwecke der Wasserableitung in Eisenröhren durch die Brüstungsmauern ins Freie fort.

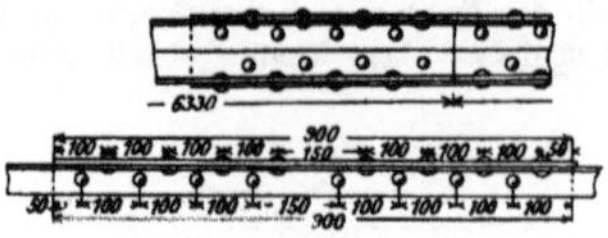

Die Gewölbe sind mit einer doppelten Lage von Asphaltpappe abgedeckt,

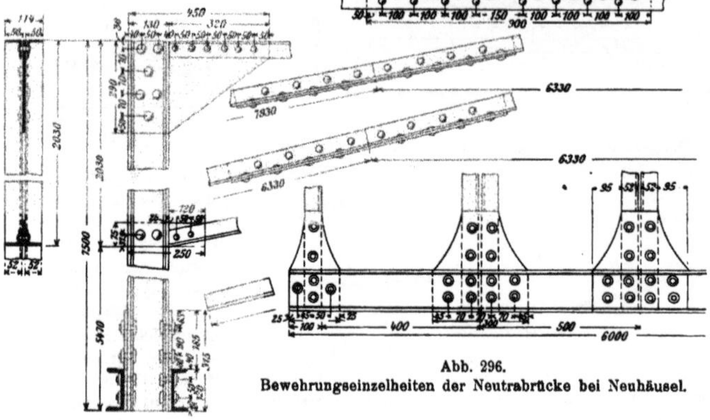

Abb. 296.
Bewehrungseinzelheiten der Neutrabrücke bei Neuhäusel.

welche mit einer dünnen Schicht von Holzzement verbunden sind. Auf der Pappe
liegt der Straßenkörper.

Der Bau der Brücke hat vier Monate gedauert.

Während dieser Zeit ist in den Fundamenten 367 m³ Aushub unter Wasser ausgeführt worden; der gesamte Betonbedarf hat 1029 m³ betragen; das eingebaute
Eisengerüst wiegt 40 t.

Bemerkenswert sind die Beobachtungen, welche über die Einsenkungen der
Gewölbe während der Ausschalung angestellt worden sind. Die unten folgenden Angaben sind Ergebnisse eines genauen Nivellements, welches auf beiden Brüstungen
vor und nach der Ausschalung der Bogen vorgenommen wurde. Danach senkte sich
der Scheitel der Gewölbe infolge der Ausrüstung, vom rechten Ufer gerechnet:

im I. Bogen, welcher 43 Tage eingeschalt war, um 2 mm
„ II. „   „ 41 „   „   „ „ 6 „
„ III. „   „ 40 „   „   „ „ 12 „
„ IV. „   „ 36 „   „   „ „ 14 „
„ V.   „   „ 32 „   „   „ „ 17 „
„ VI. „   „ 31 „   „   „ „ 15 „

Bevor die Brücke dem Verkehr übergeben wurde, ist sie vom 2. bis 6. Januar 1893 einer Probebelastung unterzogen worden. Als ruhende Belastung ist, einem Gewicht von 400 kg/m² entsprechend, eine Schotterschicht von 27 cm Stärke über die ganze Fahrbahn und die Brüstungsmauern ausgebreitet worden. Nach Abnahme der ruhenden Last ist noch eine Probe mit beweglicher Belastung vorgenommen worden, für welche zwei nebeneinanderfahrende, mit Wasser gefüllte Lokomobilen benutzt wurden. Diese wurden von je fünf Pferden gezogen und hatten 6,5 t Gewicht, 2 m Achsenentfernung und 1,6 m Spurweite bezw. 5,8 t Gesamtgewicht, 2 m Achsenentfernung und 1,67 m Spurweite.

Bauweise Melan.

Nr. 33. Schwimmschulbrücke in Steyr,[1]) ausgeführt 1897/98 von der Firma Pittel u. Brausewetter in Wien (Abb. 297).

Dieses Bauwerk dürfte das erste sein, welches nach Bauweise Melan ausgeführt wurde, und ist außerdem dadurch bemerkenswert, daß es eine Gelenkbrücke ist.

Das Gewölbe besitzt eine Lichtweite von 42,2 m, eine Stützweite von 42,4 m und eine entwurfsmäßige Pfeilhöhe von nur 2,617 m (¹/₁₆ Stich). Der Halbmesser der Bogenleibung ist rd. 85 m. Bei diesen Verhältnissen war es geboten, das Gewölbe als Dreigelenkbogen auszuführen, um et-

Abb. 297. Schwimmschulbrücke in Steyr.

waige Verschiebungen der Widerlager, die bis zu einem gewissen Grade zu gewärtigen waren, sowie den Einfluß der Wärmeänderungen für das Gewölbe selbst unschädlich zu machen. Die Stärke des Stampfbetongewölbes beträgt im Scheitel 0,60 m, an den Kämpfern 0,70 m mit einer Anschwellung in den Mitten der beiden Gewölbehälften auf 0,80 m (Abb. 298). Die Bewehrung des Gewölbes besteht aus eisernen Dreigelenkträgern, die im gegenseitigen Abstand von 1 m liegen und untereinander an sechs Stellen durch leichte Winkeleisenquerrahmen verbunden sind. Die Gurtungen der Bogenträger bestehen aus je zwei Winkeleisen $\frac{120 \times 120}{15}$ mm mit Verstärkung durch aufgenietete Flacheisen (250 × 12 mm) in der Nähe der Kämpfer- und Scheitelgelenke (Abb. 298). Die Träger haben im Scheitel und an den Kämpfern 0,50 m, im Viertel der Spannweite 0,70 m Höhe. Das Flacheisengitterwerk besitzt durchaus gleichen Querschnitt (90 × 10 mm) und ist durch radial gestellte Winkeleisen $\frac{65 \times 65}{7}$ mm ausgesteift. Die Bogen wurden in je sechs Stücken angeliefert, die bei der Aufstellung durch Verlaschung der Gurte zusammengefügt wurden. Die Lager haben 80 mm starke Gelenkzapfen und sind aus Stahlguß ange-

---

[1]) Zeitschr. d. österr. Ing.- u. Arch.-V. 1898, 23. Dezember.

fertigt; nur die auf die Widerlager aufgesetzten Lagerkörper sind aus Gußeisen auf stählerner Lagerplatte. Ein Bogenträger enthält 6000 kg Flußeisen, 600 kg Gußstahl und 360 kg Gußeisen; der gesamte Eisenbedarf einschließlich der Querrahmen betrug 37,1 t Flußeisen, 3,6 t Gußstahl und 2,1 t Gußeisen. Das Flußeisenmaterial wurde

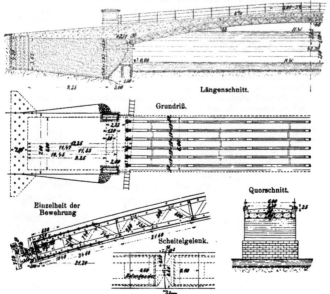

Abb. 298. Schnitte und Einzelheiten der Schwimmschulbrücke in Steyr.

Abb. 299. Betonierungsbild der Schwimmschulbrücke in Steyr.

von der Kladnoer Hütte geliefert, und die Güteproben ergaben 39,5 bis 44 kg/mm² Zugfestigkeit bei 30 bezw. 26,5 vH. Längsdehnung und einer Spannung an der Elastizitätsgrenze von 23,8 bezw. 27,2 kg/mm². Die Anfertigung des Eisentragwerks erfolgte durch die Firma J. Biro in Wien.

Die Gelenke im Gewölbe sind nach dem Muster einiger von Köpcke in Sachsen erbauten Brücken in der Art gebildet, daß im Scheitel und in den Kämpfern Beton-quadern angeordnet wurden, die sich mit zylindrischen Lagerflächen von etwas ver-schiedenem Krümmungshalbmesser berühren. Die Halbmesser wurden groß genug gewählt, um an der Berührungsstelle unzulässige Pressungen im Beton zu vermeiden, überdies sind die Gelenkquadern mit besonderer Sorgfalt und in gutem Mischungsverhältnis (1 : 4) bereits in den Wintermonaten hergestellt und an den Berührungs-flächen fluatiert worden. Es war ferner beabsichtigt, zwischen die Gelenkquadern zur besseren Druckverteilung und Ausgleichung von Unebenheiten einen 10 cm breiten und 2 mm dicken Bleistreifen einzulegen Leider wurden diese Bleiplatten nicht recht-zeitig an die Baustelle geliefert, und da die Arbeit drängte, so behalf man sich mit einer 10 cm breiten Einlage aus 4 mm dicken Asbestplatten, was sich aber wegen der Zusammendrückbarkeit dieses Materials nicht als zweckmäßig erwiesen hat. Die Quadern erhielten eine Breite von 50 cm, und es verblieben daher zwischen jedem Quader und den benachbarten Bogenträgern Zwischenräume von je 25 cm Breite, welche unter Zuhilfenahme von Asbestplatteneinlagen in den Gelenkfugen mit Beton ausgestampft wurden.

Die Herstellung des Gewölbes erfolgte in der Art, daß zuerst die Gelenkquadern *a* (Abb. 299) in den Kämpfern und im Scheitel versetzt und in die richtige Lage ge-bracht wurden. Anschließend hieran konnten die Widerlagerstücke *b* unter Benutzung einer nach dem Halbmesser der Kämpferquadern gekrümmten Schalung eingestampft werden. Hierauf begann die Betonierung des Bogens, und zwar gleichzeitig von den Kämpfern und vom Scheitel aus. Die Lücken *c* blieben hierbei vorläufig ausgespart, wozu im Scheitel wieder eine nach Form der Gelenkquadern gekrümmte Schalung verwendet wurde. Erst nach vollständiger Ausführung des Bogens sind diese Lücken durch Ausstampfen mit Beton geschlossen worden, nachdem vorher in Übereinstimmung mit den Gelenkfugen Asbestplatten eingelegt worden sind. Da die Betonierungs-arbeiten mit vier Mischabteilungen nicht ununterbrochen durchgeführt, sondern nachts ausgesetzt wurden, so mußte das Gewölbe stückweise hergestellt werden, und zwar geschah dies in über die ganze Gewölbebreite reichenden Streifen, die radial ein-geschalt wurden. Der Gewölbebeton wurde in dem Mischungsverhältnis 1 : 2 : 4 an-gefertigt.

Die Widerlager bestehen je aus einem 12 m langen Betonklotz, dessen unter 1 : 3 geneigte Fundamentfläche entwurfsgemäß bis auf 3,5 m unter Null reichen sollte. In Wirklichkeit sind aber die Widerlager, namentlich jenes am linken Ufer, wo Fels angetroffen wurde, etwas weniger tief geführt worden und dadurch etwas schwächer ausgefallen.

Noch ist zu erwähnen, daß in den beiden Stirnmauern und den diese bekrönenden Deckplatten sowohl über dem Gewölbescheitel, als auch im Anschluß an die Wider-lager, hier allerdings abgedeckt, offene Fugen gelassen wurden, um die Bewegungen des Bogens für die Stirnmauern unschädlich zu machen.

Die Widerlager waren Ende März fertiggestellt worden, worauf das Lehrgerüst errichtet und die Eisenbogen aufgestellt wurden. Dem Lehrgerüst war über der Bogensehne von 42 m Länge eine Bogenpfeilhöhe von 2,85 m gegeben worden. Die Betonierung des Gewölbes begann am 2. Mai und wurde am 4. Mai vollendet. Das erste Ablassen des Gewölbes wurde bereits am 23. Mai vorgenommen, und dabei stellte sich (die 50 mm-Senkung während der Ausführung darin einbegriffen) innerhalb dreier Tage eine Scheitelsenkung von 100 mm heraus, welche sich nach Aufbringung der Stirnmauern und des größten Teiles der Überschüttung nach weiteren drei Tagen auf 130 mm vergrößerte. An den Widerlagern ließ sich keine Verschiebung feststellen. Da die Senkung infolge der elastischen Zusammendrückung des Bogens unter Zu-grundelegung eines Elastizitätsmaßes von 100 000 kg/cm² für den noch frischen Beton bloß 70 mm betragen sollte, so kommen weitere 60 mm auf Rechnung der bleibenden Zusammendrückung, die sich teils durch die Zusammendrückung des verhältnismäßig

noch frischen Zementvergusses unter den Kämpferquadern und unter den Lagerplatten, teils durch die Zusammendrückung der Fugen zwischen den Einlagblechen in
den Gelenken der eisernen Bogenträger sowie der Asbestplatten zwischen den Gelenkquadern erklären läßt. Der Senkung von 60 mm entspricht eine Verkürzung des
ganzen Bogens um rd. 15 mm.

Die Ermittlung der im Brückengewölbe auftretenden Spannungen hat zu den
folgenden Ergebnissen geführt: Der Stützweite von 42,40 m entspricht nach der Ausführung eine Pfeilhöhe von 2,65 m. Bezeichnet für 1 m Gewölbebreite H den wagerechten Schub, V den lotrechten Druck im Kämpfer, $K = \sqrt{H^2 + V^2}$ den Kämpferdruck, so ergibt sich unter Zugrundelegung eines Gewichtes von 2,4 t/m³ für den
Beton und von 1,7 t/m³ für die Überschüttung:

1. für das Eigengewicht des Gewölbes allein $H = 161$ t. $V = 40,76$ t, $K = 166,1$ t,
2. für das Gewölbe samt Überschüttung . $H = 234$ t, $V = 66,62$ t, $K = 243,3$ t,
3. einschließlich Vollbelastung mit 460 kg/m² $H = 273$ t, $V = 76,37$ t, $K = 283,4$ t,
4. einschließlich halbseitiger Belastung mit

460 kg/m² . . . . $H = 253,5$ t, $V = 73,93$ t, $K = 264,1$ t,

5. ferner wird für die Belastung durch einen 12 t schweren Wagen, wenn man
sich denselben, auf 1 m Gewölbebreite bezogen, durch zwei im Abstande von 3,6 m
befindliche Lasten von je 4 t ersetzt denkt, und für eine Stellung dieses Wagens im
Viertel der Spannweite . . . . $H = 250$ t, $V = 72,62$ t $K = 260,3$ t.

Der Gurtquerschnitt eines eisernen Bogens beträgt $F_2 = 135$ cm² im Scheitel,
an den Kämpfern $F_2 = 195$ cm², und es werden unter Einführung eines Elastizitätsmaßes für Beton $E_1 = 200$ t/cm², für Eisen $E_2 = 2000$ t/cm², also eines Verhältnisses
$\nu = E_2 : E_1 = 10$, die nachstehenden auf Beton bezogen gedachten Querschnittsgrößen
erhalten:

im Gewölbescheitel, Querschnittsfläche $F_1 + \nu F_2 = 7350$ cm²,

im Kämpfer, Querschnittsfläche $F_1 + \nu F_2 = 8950$ cm²,

im Kämpfer, Trägheitsmoment, bezogen auf die gedachte Schwerachse
$J = 3\,928\,906$ cm⁴,

im Kämpfer, Abstand der gedachten Schwerachse von der inneren Leibung
$e = 33,91$ cm,

im Viertel der Spannweite, Querschnittsfläche $F_1 + \nu F_2 = 9350$ cm²,

im Viertel der Spannweite, Trägheitsmoment $J = 5\,619\,974$ cm⁴.

Die mit Einführung dieser Querschnittsgrößen für die obigen fünf Belastungsfälle berechneten größten Spannungen im Gewölbebogen sind in der nachstehenden
Zahlentafel zusammengestellt.

Es werden hiernach nur bei selten vorkommender ungünstigster Belastung die
Kantenpressungen im Beton 30 kg/cm² und die Druckspannungen im Eisen 1100 kg/cm²
etwas überschreiten. Zugspannungen treten im Gewölbe überhaupt nirgends auf.

Bei einer nachgewiesenen Druckfestigkeit des Gewölbebetons nach achtwöchent-
licher Erhärtung von mindestens 130 kg/cm² ist sonach eine vierfache Sicherheit vorhanden.

Der größte von einem Eisenbogen bei Vollbelastung aufzunehmende wagerechte
Schub, das ist der Druck im Scheitelgelenk, beträgt vom halben Eigengewicht
des Gewölbes als unmittelbarer Belastung 80,5 t, jener von der übrigen Belastung
$(273 - 80,5) \cdot \dfrac{1350}{7350} = 35,4$ t, zusammen 115,9 t. Der größte Druck im Kämpfer wird

ebenso $(83,05 + 283,4 - 83,05) \frac{1950}{8950} = 126,7$ t. Für diese Kräfte wurden die Auflager und Scheitelgelenke der eisernen Bogen bemessen.

	Scheitel		Kämpfer				Im Viertel der Spannweite							
							auf der belasteten Seite				auf der unbelasteten Seite			
			Beton		Eisen		Beton		Eisen		Beton		Eisen	
	Beton	Eisen	obere	untere	obere	untere	obere	untere	obere	untere	obere	untere	obere	untere
			Leibung		Gurtung		Leibung		Gurtung		Leibung		Gurtung	
	Druckspannungen kg/cm²													
Gewölbe auf Schalung liegend. Eigengewicht des Gewölbebogens zur Hälfte von den Eisenbogen getragen	—	596	—	—	427	427	—	—	392	808	—	—	—	—
Ausgerüstete Brücke. Volle Eigengewichtswirkung	21,0	806	12,1	23,3	572	652	10,1	23,2	501	1032	—	—	—	—
Volle Belastung mit 460 kg/m²	26,2	858	15,0	29,0	609	708	11,3	30,6	516	1102	—	—	—	—
Halbseitige Belastung mit 460 kg/m²	23,5	831	13,6	26,2	590	680	19,9	17,7	589	987	1,5	36,0	428	1148
Belastung durch einen 12 t-Wagen	23,0	826	13,4	25,8	588	676	28,1	8,7	660	688	3,1	33,8	441	1127

Auf das Betongewölbe kommt bei Vollbelastung und für 1 m Gewölbebreite im Scheitel ein Druck von 273 — 115,9 = 157,1 t, im Kämpfer von 283,4 — 126,7 = 156,7 t.

Die größte Druckbeanspruchung s in den zylindrischen Gelenkflächen ergibt sich nach der Formel $\left(\frac{1}{r_1} - \frac{1}{r_2}\right) = \frac{16}{9} \pi \cdot \frac{\sigma^2}{PE} = 5,58 \cdot \frac{\sigma^2}{PE}$. Hierin ist zu setzen $E = 200$ t/cm² $= 2\,000\,000$ t/m², ferner für das Scheitelgelenk $r_1 = 2,5$ m, $r_2 = 3,5$ m, $P = 157,1$ t, dies ergibt $\sigma = 2654$ t/m² $= 265$ kg/cm²; ferner für das Kämpfergelenk ist $r_1 = 3$ m, $r_2 = 4$ m, $P = 156,7$ t, daher $\sigma = 2273$ t/m² $= 227$ kg/cm².

Die Kosten des Brückenbaues beliefen sich insgesamt auf rd. 66 000 Kronen (rd 56 000 Mark).

Nr. 34. Straßenbrücke über die Schwarza in Payerbach,[1] ausgeführt 1900,01 nach dem Entwurf von Professor Melan durch die Firma Pittel u. Brausewetter in Wien (Abb. 300).

Bei diesem Bauwerk wurden die Tragrippen bis ins Widerlager hinein verlängert und dort kräftig verankert.

Die Lichtweite der Brücke, in der Hochwasserlinie gemessen, war zu 26 m festgesetzt worden. Infolge der niedrigen Straßenoberkante an den beiden Ufern, die nicht erhöht werden konnte, stand für den Gewölbebogen nur eine geringe Höhe zur Verfügung; es mußte daher das mit 6 vH. als zulässig erklärte Ansteigen der Brückenbahn ausgenutzt und überdies das Gewölbe im Scheitel tunlichst schwach gehalten werden, um eine Pfeilhöhe von 1,80 m zu erreichen. Anderseits war es aber bei dem flachen

[1] Beton u. Eisen 1902, Heft V.

Stichverhältnis wünschenswert, den Schub des Gewölbes möglichst herabzumindern, um keine zu starken Widerlager zu erhalten, diese hätten, insbesondere bei dem linken Widerlager, welches in einen alten Kolk des Flußbettes zu stehen kam, große Kosten verursacht. Damit begründet sich die Wahl des Tragwerks, nämlich Anordnung eines an den Kämpfern kräftig verstärkten und in den Widerlagern verankerten Gewölbebogens mit Scheitelgelenk; letzteres zu dem Zwecke, um Biegungsspannungen in dem im Scheitel nur schwachen Gewölbe zu verhindern und daselbst die Stützlinie festzulegen.

Die Form der inneren Leibung wurde nach einem an den Kämpfern etwas herabgezogenen Korbbogen gewählt, während die obere Leibung bis zum Kämpfer parallel zur Straßenoberfläche geführt ist. Die Stärke des Gewölbes beträgt im Scheitel 0,45 m, in den Kämpfern 1,66 m (Abb. 301).

Zur Aussteifung des 5,5 m breiten Gewölbes dienen fünf Gitterträger, deren Gurte parallel zu den Gewölbeleibungen, von diesen 5 cm abstehend, verlaufen und aus je zwei Winkeleisen $\dfrac{120 \times 120}{13}$ bestehen. Diese Träger sind konsolförmig in die Widerlager hinein verlängert und hier durch zwei übergelegte [-Eisen mittels je eines Paares 35 mm starker Rundeisen in dem Betonklotz des Widerlagers verankert. Der Untergurt der Träger ist am Auflager derart abgebogen, daß hier eine Stützung gegen die in der

Abb. 300.   Schwarzabrücke in Payerbach.

Kämpferschicht angeordneten Betonquadern erzielt wird (Abb. 302 u. 303). Diese Stützung wurde anstatt der anfänglich vorgesehenen wagerechten Auflagerung ausgeführt, um die Verankerung zu entlasten.

Die Brücke ist schief (Kreuzungswinkel 83°); die eisernen Bogenträger sind daher etwas gegeneinander verschoben und an vier Stellen durch leichte Winkeleisenquerrahmen miteinander verbunden.

Die Scheitelgelenke der Bogenträger sind stählerne Zapfenlager, welche mittels Keile zum Nachspannen eingerichtet sind. Das Gewölbe erhielt Köpckesche Gelenke unter Verwendung von Betonquadern.

Nach Aufstellung der Eisenträger, welche auf dem ziemlich leicht ausgebildeten, nur von zwei Zwischenjochen gestützten Lehrgerüst erfolgte, wurden die Träger in den Widerlagern verankert, und vor Beginn der Betonierung wurden die Scheitelgelenke der Eisenbogen durch Eintreiben der Keile zum Schluß gebracht. Dadurch wurden die Bogen vom Lehrgerüst frei, so daß sie die Last des Betons, mit der sie umstampft wurden, bereits aufzunehmen hatten. Daß sie dies auch wirklich taten, zeigte sich an den beobachteten Senkungen. Nach der unten folgenden Zusammenstellung trat nämlich die größte Senkung des Lehrgerüstes (98 mm) bereits nach Belastung durch die Eisenbogen ein, wogegen unter dem viel größeren Gewichte des Betongewölbes das jetzt durch die Eisenbogen ausgesteifte Gerüst nur mehr eine Scheitelsenkung von

32 mm erfuhr. Rechnet man hierzu noch die Senkung nach dem Ausrüsten (11 mm), so ergibt sich insgesamt eine Scheitelsenkung von 141 mm, welcher in der Anlage des Lehrgerüstes durch eine Scheitelüberhöhung von 150 mm Rechnung getragen worden ist.

Die Berechnung der in den Eisenträgern und in deren Verankerung auftretenden Spannungen konnte allerdings nur eine angenäherte sein; die nachstehenden Annahmen hatten aber jedenfalls eine reichliche Sicherheit gewährleistet.

Während der Betonierung, d. i. solange im Beton noch keine Gewölbewirkung vorhanden war, wirkten auf einen Eisenbogen folgende Kräfte (Abb. 303):

das eigene Gewicht und ein Teil desGewichtesder Betonmasse G;

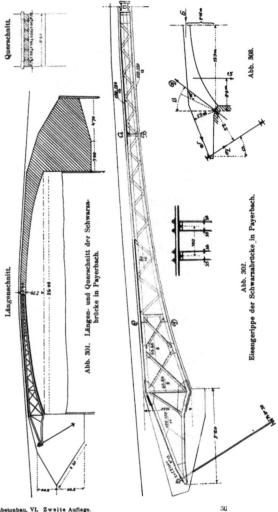

Abb. 301. Längen- und Querschnitt der Schwarzabrücke in Payerbach.

Abb. 302. Eisengerippe der Schwarzabrücke in Payerbach.

Abb. 303.

die Horizontalkraft im Scheitelgelenk H;

der Auflagerdruck D; derselbe ist unter einem Reibungswinkel von $10°$ gegen die Normale zur Stützfläche angenommen worden, was eine für die Ermittlung des Zuges in der Verankerung genügend ungünstige Annahme ist, da in Wirklichkeit die Reibung zwischen dem Eisenträger, der Bleizwischenlage und dem Betonquader beträchtlich größer ist;

der Zug in der Verankerung Z.

Zwischen diesen Kräften sind nachstehende Gleichgewichtsbedingungen möglich:

$$G \cdot 5{,}3 - H = 2{,}16 - Z \cdot 2{,}2 = 0$$
$$Z \sin \alpha + D \sin \beta - H = 0$$
$$Z \cos \alpha - D \cos \beta + G = 0.$$

Mit $\sin \alpha = 0{,}5$, $\cos \alpha = 0{,}866$, $\sin \beta = 0{,}46$, $\cos \beta = 0{,}890$ folgt aus obigen Gleichungen

$$Z = 0{,}985\ G, \quad H = 1{,}45\ G, \quad D = 2{,}08\ G.$$

Das Gewicht der Betonmasse samt Eisenträger beträgt für die halbe Spannweite für 1 m Gewölbebreite 23 t; rechnet man davon die Hälfte als wirksame Belastung des Eisenbogens, also $G = 11{,}5$ t, so wird

$$Z = 11{,}3\ \text{t}, \quad H = 16{,}67\ \text{t}, \quad D = 23{,}92\ \text{t}.$$

Die Anker, aus zwei Rundeisen von 35 mm Durchm., 30 mm Kerndurchm. bestehend, erfahren hiernach bei einer nutzbaren Querschnittsfläche von $2 \times 7{,}068 = 14{,}136\ \text{cm}^2$ eine Inanspruchnahme von rund 800 kg/cm².

Im Obergurt des Trägers entsteht eine Zugkraft $S = \dfrac{2{,}2}{1{,}3}\ Z = 19{,}1$ t, sonach bei einem nutzbaren Querschnitt von 53,3 cm² eine Inanspruchnahme von $\dfrac{19\,100}{53{,}3}$ $= 358$ kg/cm²; die Druckspannung im Auflager des Untergurtes wird etwa 500 kg/cm². Beim Zusammenwirken von Beton und Eisen wird die durch den bleibenden Teil des Eigengewichts und durch die zufällige Belastung hervorgerufene Randspannung in den Eisenträgern höchstens etwa 160 kg/cm² Zug und 450 kg/cm² Druck betragen, so daß die sich ergebende Gesamtspannung jedenfalls unter 1000 kg/cm² bleibt.

Mit dem Bau der Brücke wurde im Oktober 1900 begonnen, und die Widerlager waren anfangs Dezember fertiggestellt. Nach Überwinterung des Bauwerks wurden im Frühjahr 1901 die Eisenbogen aufgestellt und Ende Mai die Betonierung des Gewölbes ausgeführt. Am 6. Juli erfolgte das Absenken des Lehrgerüstes, am 20. Juli 1901 wurde die Belastungsprobe vorgenommen und die Brücke hierauf dem Verkehr übergeben.

Es betrug:

die Senkung des Lehrgerüstes infolge Montage der Eisenträger . . . 98 mm

die Senkung vor Beginn der Betonierung bis zum Ausschlagen des
    Lehrgerüstes (24 Mai bis 6 Juli) . . . . 32 „

die Senkung des Gewölbes unmittelbar nach dem Ausrüsten (6. Juli) 3 - (5 mm)

die Senkung vom Momente vor dem Ausrüsten bis zur Probebelastung
    (6. Juli bis 19. Juli) . . . . 11 „

die Senkung unter der halbseitigen Probebelastung (590 kg für 1 m²) 3 „

desgl. (nach zeichnerischer Ermittlung) . . . . 3,8 „

Nach Wegnahme der Belastung ging die beobachtete Einsenkung von 3 mm (bezw. 3,8 mm) wieder vollkommen zurück.

Nr. 35. Die Straßenbrücke über die Werra in Meiningen (Abb. 304), entworfen und ausgeführt im Jahre 1900 von der Unternehmung B. Liebold u. Co., A.-G.

in Holzminden, stellt eine der wenigen nach Bauweise Melan bewehrten Brücken Deutschlands dar.

Nachdem für diese Brücke von der genannten Firma schon verschiedene Entwürfe mit mehreren Öffnungen ausgearbeitet worden waren, fiel schließlich die Wahl auf den Entwurf mit nur einer Öffnung von 40 m Spannweite, bei dem das Flußbett der Werra unverändert blieb, und der auch für den Abfluß des Hochwassers die günstigsten Bedingungen bot.

Das Gewölbe wurde diesem Entwurf gemäß mit biegungsfesten, eisernen Gitterträgern nach Bauweise Melan bewehrt, um die hohen Druckspannungen, die sich für den Beton ergaben, zu vermindern.

Das Gewölbe der Brücke hat, wie schon erwähnt, die für die damalige Zeit bedeutende Spannweite von 40 m bei 3,70 m Pfeilhöhe. Seine Stärke beträgt im Scheitel 0,70 m, an den Kämpfern 0,90 m.

Die nutzbare Brückenbreite beträgt 7,40 m, wovon 4,50 m auf die Fahrbahn und je 1,45 m auf die beiderseitigen Fußwege entfallen.

Die Breite des Gewölbes ist 7,50 m. Bewehrt ist der Bogen mit 7 Gitterträgern, deren Abstand voneinander von der Mitte nach den

Abb. 304. Werrabrücke in Meiningen.

Stirnen zu wachsend 0,90, 1,00 und 1,10 m beträgt. Die äußeren Träger liegen 0,75 m von der Gewölbestirn entfernt (Abb. 305).

Die eisernen Bogenträger haben im Scheitel 0,50 m, an den Kämpfern 0,70 m Höhe. Die beiden Gurte sind gleich stark ausgebildet und bestehen aus 2 Winkeleisen 50 × 100 × 10 und einer Gurtplatte von 15 × 120 mm Querschnitt.

Die Wand zeigt Dreieckstrebenfachwerk. Die Wandglieder sind Flacheisen von 10 × 60 mm Querschnitt.

Von einem Anhängen der Gewölbeschalung an die Bogenträger wurde abgesehen. Es wurde vielmehr für das Gewölbe ein regelrechtes Lehrgerüst aufgebaut (Abb. 304); auf der Schalung wurden die eisernen Fachwerkträger, die in der Schmiedewerkstatt der Firma Liebold in Holzminden ausgeführt worden waren, aufgestellt und dann der Beton des Gewölbes eingebracht.

Die eisernen Bogenträger greifen auf jeder Seite 3 m weit in den Beton der Widerlager ein. An den Enden sind die Träger oben und unten durch Winkeleisen miteinander verbunden.

Die Mischungsverhältnisse des Betons waren für die Fundamente 1 : 10, für die Widerlager, soweit die Eisenträger eingreifen, 1 : 7½ bis 1 : 6½, für das Gewölbe 1 : 6½.

Über den Gewölben sind Sparöffnungen angeordnet, die ohne Eiseneinlagen hergestellt sind.

36*

Die Flügelmauern am linken Widerlager sind viertelkreisförmig mit einem Halbmesser von 6 m ausgebildet, um einen bequemen Übergang der Fuhrwerke aus der
Straße gleichlaufend mit der Werra auf die Brücke zu vermitteln.

Die Ansichtsflächen der Brücke sind geputzt.

Das Geländer besteht aus Zementkunststein.

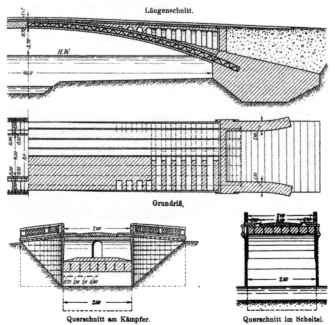

Abb. 305. Längenschnitt, Grundriß und Querschnitte der Werrabrücke in Meiningen.

Nr. 36. Straßenbrücke Montbenon-Chauderon in Lausanne,[1]) ausgeführt
1904/05 nach dem Entwurf von Professor Melan durch die Firma Bellorini u. Rochat
in Lausanne (Abb. 306).

Die Gesamtlänge der Talbrücke, die eine neue Verbindung zwischen dem nördlichen Stadtteil von Lausanne mit dem südlichen, in welchem sich auch der Bahnhof der
Jura-Simplon-Bahn befindet, darstellt, beträgt rd. 227 m Es sind sechs gleiche Öffnungen
von je 28,75 m Spannweite angeordnet auf Mittelpfeilern von 3,5 m Stärke in Kämpferhöhe, $^1/_{25}$ Anlauf der Seitenflächen (Abb. 307). Die Kämpfer der Korbbogengewölbe sind

[1]) Zeitschr. d. österr. Ing.- u. Arch.-V. 1906, Nr. 22; ferner: Melan u. Kluge, Einige neuere Bauausführungen in Eisenbeton nach Bauweise Melan. Zweite Aufl., Berlin 1911. Verlag von W. Ernst u. Sohn.

in eine solche Höhe gelegt, daß auf
dem künftigen, durch Anschüttung
zu gewinnenden Talboden neben
dem ersten Pfeiler, in 5 m Abstand von ihm, noch das Gleis einer
schmalspurigen Bahn durchgeführt
werden kann. Die Fahrbahnfläche

Abb. 306. Talbrücke Montbenon-Chauderon in Lausanne.

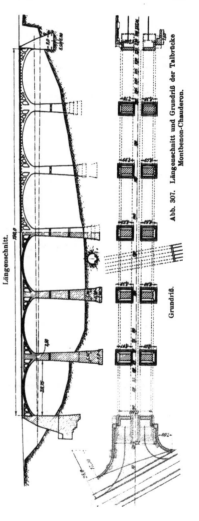

Abb. 307. Längenschnitt und Grundriß der Talbrücke
Montbenon-Chauderon.

Längenschnitt.

Grundriß.

der Talbrücke hat eine Steigung
von 1,66 vH., die Breite der Brückenbahn zwischen den Geländern beträgt 18 m, wovon 11 m auf die
Fahrbahn und je 3,5 m auf die
beiderseitigen Bürgersteige entfallen.
Mit Rücksicht auf die große Breite

und Höhe der Pfeiler wurde das Bauwerk als zwei parallele Brücken von je 5,8 m Breite und 5 m lichtem Abstande voneinander ausgeführt, deren Mittelteil durch eine von Eisenbetonbalken getragene Platte überdeckt ist (Abb. 308).

Der Teilung der Brückengewölbe entspricht auch die Teilung der Pfeiler in zwei 5 m voneinander abstehende, bloß oben und in halber Höhe durch Riegel verbundene Pfeilerhälften. Diese haben an der Außenseite einen Anzug von 1 : 20 erhalten.

Querschnitt im Scheitel.

Abb. 308. Querschnitte und Einzelheit der Talbrücke Montbenon-Chauderon.

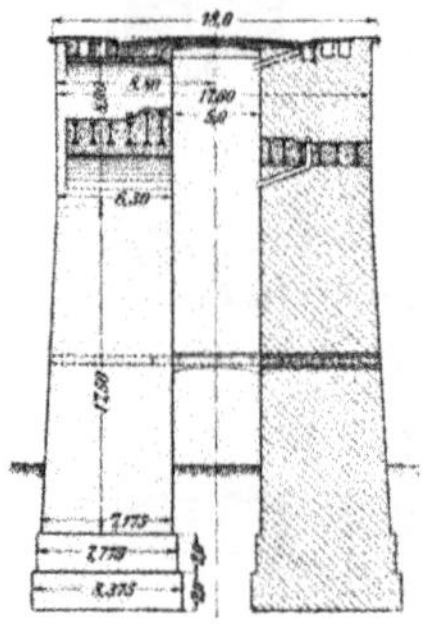

Die Fußwege sind mittels bewehrter und verankerter Platten 0,7 m weit über die Gewölbe ausgekragt. Unter ihnen sind Kanäle zur Aufnahme der Gas-, Wasser- und elektrischen Leitungen ausgespart. Die Decke der Fahrbahn besteht aus einer 7 cm starken Lage von Stampfasphalt auf einer 15 cm starken Betonunterlage.

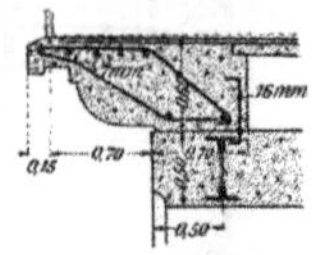

Einzelheit der Konsolen.

Querschnitt am Kämpfer durch den Pfeiler.

Die Betongewölbe der Brückenöffnungen sind durch eiserne Gitterbogenträger bewehrt (Abb. 309). Es sind keine Gelenke angeordnet, die Gewölbe wirken daher als eingespannte Bogen; diesem Umstande ist durch die kräftige Verstärkung an den Kämpfern Rechnung getragen.

Die Gewölbe sind an dem inneren, gegen die Fahrbahnmitte zu gelegenen Rande stärker belastet als an der äußeren Seite. Es ist deshalb hier die Scheitelstärke von 50 cm auf 75 cm vergrößert, auch liegen die Eisenbogen hier näher, nämlich in 0,8 m Abstand, wogegen ihr Abstand in dem übrigen, schwächer belasteten Teile des Gewölbes 1 m beträgt (Abb. 308).

Bei der Rechnung wurde angenommen, daß sich die Belastung des mittleren, zwischen den beiden Brückenhälften gelegenen Fahrbahnteiles beiderseits nur auf einen 1,8 m breiten Gewölbestreifen überträgt Es ist dies jedenfalls eine genügend ungünstige Annahme, da in Wirklichkeit die Lastverteilung durch den Zusammenhang des Betons und durch die zwischen den Eisenbogen angeordneten steifen Querrahmen in einer größeren Breite erfolgen dürfte.

Die Gurte der Eisenbogen bestehen aus je zwei Winkeleisen 80 × 120 × 10 mm; sie sind durch Flacheisengitterwerk und durch einzelne zur Aussteifung dienende Winkeleisenpfosten verbunden. Die Höhe der Bogenträger beträgt im Scheitel bei den äußeren Bogen 420 mm, bei den inneren Bogen 670 mm; im Kämpfer 910 bezw. 1100 mm (Abb. 309). Die Austeilung der Stöße ist eine derartige, daß jeder äußere Bogen aus zwei, jeder der inneren Bogen aus drei fertig genieteten Stücken zusammengesetzt werden konnte.

Die Fahrbahn stützt sich auf den Hauptbogen einer jeden Brückenöffnung mittels Entlastungsbogen von 1,8 und 2 m Spannweite, deren 18 cm starkes Gewölbe mit gebogenen, in 1 m Abstand liegenden Walzträgern von 12 cm Höhe versehen ist.

Für die Ausdehnung der Fahrbahnplatte wurde durch Anordnung von Dehnungsfugen über jedem Mittelpfeiler Vorsorge getroffen.

Der statischen Berechnung wurden die Belastungsannahmen der schweizerischen Brückenverordnung vom August 1892 für Brücken in Hauptstraßen zugrunde gelegt; nämlich eine gleichförmig verteilte Belastung von 450 kg/m² und ein 20 t schwerer zweiachsiger Lastwagen mit 4 m Radstand. Außerdem war verlangt, daß die durch eine Wärmeänderung von ± 20° erzeugten Spannungen berücksichtigt werden sollten, und daß das Verhältnis der Elastizitätsmaße von Eisen und Beton mit der niedrigsten Zahl 11 eingeführt werde.

Für die statische Untersuchung des Gewölbes als eingespann-

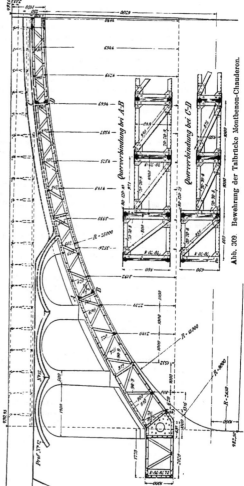

Abb. 309 Bewehrung der Talbrücke Montbenon-Chauderon.

ter elastischer Bogen gelangte ein zeichnerisches Verfahren zur Anwendung.[1] Für den stärker belasteten Randbogen ergibt sich ohne Berücksichtigung der Wärmeänderungen eine größte Druckspannung von 25 kg/cm², die sich jedoch, wenn man die Wärmeänderungen in Betracht zieht, auf 40 kg/cm² erhöht. Die letzteren rufen insbesondere im Scheitel und in der Nähe der Kämpfer nicht unbedeutende Zusatzspannungen hervor. Nicht berücksichtigt ist bei der Berechnung, daß ein Teil der Gewölbelast gemäß der Ausführung auf die eisernen Bogen kommt; infolgedessen wird die größte Druckspannung im Beton etwa 35 kg/cm² betragen, während das Eisen höchstens 800 kg/cm² Beanspruchung erhält. Das Lehrgerüst diente zuerst zur Aufstellung der Bogen, und als diese vollendet war, wurde es an jedem Eisenbogen in 5 Punkten mittels Überlagsbalken und Hängeeisen angehängt, um beim Aufbringen des Betons die Senkungen des Gerüstes möglichst herabzumindern.

Dieser Zweck wurde auch erreicht, denn es betrug die Senkung des Gerüstes im Bogenscheitel im Mittel 8 mm, an der ungünstigsten Stelle 14 mm, was mit Rücksicht auf die große Höhe des Gerüstes als sehr gering bezeichnet werden kann. Die dem Lehrgerüst bei der Aufstellung gegebene Scheitelüberhöhung von 30 mm erwies sich demnach mehr als ausreichend.

Das Mischungsverhältnis des Gewölbebetons ist etwa 1 : 5½. Die Probebelastung wurde in der Weise durchgeführt, daß eine Brückenöffnung zuerst halbseitig, dann voll durch Kies im Gewicht von 450 kg/m² belastet wurde; die Belastung verblieb jedesmal 48 Stunden auf der Brücke. · Weiter wurden zwei Wagen von je 20 t Gewicht auf eine Brückenöffnung aufgefahren und daselbst 24 Stunden belassen. Die Bewegungen des Scheitels waren nur gering; die größte Senkung des belasteten Bogens ergab sich zu 1,5 mm und die größte Hebung des benachbarten unbelasteten Bogens zu 2,5 mm. Hierbei hatten die Wärmeänderungen großen Einfluß. Über die Meßvorrichtungen, die Ablesungen auf Zehntelmillimeter genau ermöglichten, vergleiche die angegebenen Quellen (Fußnote S. 564).

Der gesamte Eisenaufwand beträgt 298 t; für die Bewehrung der Eisenbetongewölbe wurden 87 kg für 1 m² Grundfläche verbraucht.

Die Gesamtkosten des Bauwerks belaufen sich auf etwa 900 000 Francs (729 000 Mark).

Nr. 37. Straßenbrücke über den Polcevera-Wildbach in Genua[2] nach dem Entwurf von Professor Melan, ausgeführt von der Società anonima Cementi armati in Genua.

Die Brücke erhielt fünf Öffnungen von je 21 m lichter Weite und eine seitliche Eisenbahndurchfahrt von 8 m Weite (Abb. 310). Die Brücke ist schief, der Winkel zwischen Brücken- und Pfeilerachse beträgt 76°. Die Breite der Brückenbahn zwischen den Geländerbrüstungen ist 20 m, wovon 15 m auf die Fahrbahn und je 2,5 m auf die beiderseitigen Fußwege entfallen. Fußwege und Geländer durften nicht ausgekragt werden, weshalb die Brückengewölbe die Breite von 20,5 m erhielten. Die Pfeiler wurden auf eisernen Senkkasten mittels Luftdruck in einer Tiefe von rund 10 m unter dem Meeresspiegel gegründet. Die Gründungsarbeiten wurden am 24. Januar 1903 begonnen und waren am 12. Januar 1904 vollendet. Oberhalb des Fundamentabsatzes, der auf der Höhe + 1,80 m liegt, sind die Pfeiler und Widerlager ganz aus Stampfbeton ausgeführt, und zwar kam dabei das Mischungsverhältnis 250 kg Zement auf 1,2 m³ Kies und Sand (2 : 1) zur Anwendung. Die Brückenbogen sind mit einer

[1] Die Berechnung ist im Handbuch, I. Bd. (1. Aufl.), S. 448 als Beispiel durchgeführt.
[2] Technische Blätter des Deutschen polytechnischen Vereins in Böhmen, 37. Jahrgang, I. u. II. Heft.

Pfeilhöhe von 2,05 m ohne Gelenke ausgeführt und nach einem Korbbogen geformt. Die Höhenlage des Bogenanlaufs war auf + 6,40 m vorgeschrieben. Die Gewölbestärke im Scheitel und beiderseits davon bis zur Mitte der Schenkel beträgt 45 cm; sie vergrößert sich bis auf 79 cm an den Kämpfern. Über den Gewölben ist eine volle Überschüttung ausgeführt, und zwar liegt die Mitte der beschotterten Fahrbahn 30 cm über dem Gewölbescheitel. Die Straßenfahrbahnhöhe mit der Höhe + 9,20 ist in der ganzen Brückenlänge wagerecht. Unter jedem Fußwege war für die Gas-, Wasser- und elektrischen Leitungen ein Kanal von 90 cm Breite und 50 cm Höhe

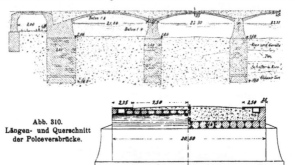

Abb. 310.
Längen- und Querschnitt
der Polceverabrücke.

auszusparen. Wegen der geringen Bauhöhe war es notwendig, diesen Kanal im Scheitel in das Gewölbe einzuschneiden; er wird mit Eisenbetonplatten von 10 cm Stärke überdeckt.

Zur Bewehrung der Gewölbe dienen eiserne Gitterbogen, deren Gurte aus je zwei Winkeleisen $70 \times 90 \times 8$ mm bestehen (Abb. 311). In jedem Gewölbe liegen

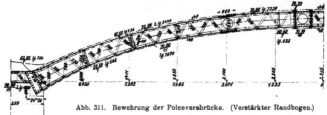

Abb. 311. Bewehrung der Polceverabrücke. (Verstärkter Randbogen.)

20 solcher Eisenbogen. Über den Pfeilern sind die Bogen der angrenzenden Öffnungen miteinander verbunden, stützen sich aber gleichzeitig auf die Pfeiler, wie aus Abb. 311 zu ersehen ist. Auf 1 m² Grundrißfläche entfallen rund 62 kg Eisen.

Der statischen Berechnung der Gewölbe wurde, einer Bestimmung des Programms entsprechend, eine gleichmäßig verteilte Verkehrslast von 1500 kg/m² zugrunde gelegt. Es ist dies für eine Straßenbrücke eine ziemlich hohe Annahme. Außerdem wurde auch noch die Belastung mit in einer Querreihe stehenden einachsigen Wagen von

10 t Gewicht in Verbindung mit einer gleichförmig verteilten Belastung von 600 kg/m²
auf den von den Wagen freigelassenen Fahrbahnflächen untersucht und die Wärme-
einwirkung von ± 20° C. in Rechnung gezogen. Bei der Berechnung wurde ferner
der Umstand berücksichtigt, daß durch teilweise Anhängung des Lehrgerüstes an die
Eisenbogen ein Teil, und zwar der Annahme nach ein Drittel des Gewölbegewichts
unmittelbar von den Eisenbogen getragen wird. Die größten Druckbeanspruchungen
im Beton erreichen hiernach unter Summierung der ungünstigsten Einwirkungen durch
die Belastung und Temperatur im Scheitel und Kämpfer rund 42 kg/cm², die Eisenspannungen 1000 bis 1100 kg/cm². Das Mischungsverhältnis für den Gewölbebeton
ist 300 kg Portlandzement auf 1,2 m² Kies und Sand.

Der Aufbau der Pfeiler und Widerlager wurde im Juni 1906 begonnen und im
Oktober vollendet. Die Gesamtkosten der Brücke ausschließlich der Pfeilerfundamente
stellen sich ungefähr auf 257 000 Lire (208 000 Mark).

Die statische Untersuchung des Gewölbes ist im Handbuch, I. Bd. (1. Aufl.)
S. 433 als Beispiel durchgeführt.

Bauweise Ribera.

Nr. 38. Christinenbrücke in San Sebastian,[1]) entworfen von Ingenieur
Ribera und Architekt Zapata (Abb. 312). Die durch ihre vornehme architektonische
Ausbildung hervorragende Brücke des spanischen Kur- und Hafenortes San Sebastian
stellt die Verbindung des Bahnhofs mit dem eigentlichen Kurorte her und besteht

aus drei Bogen von 24 m
Spannweite und nur 1,9 m
Stich. Jeder Bogen ist mit
13 Eisenrippen bewehrt,
welche im Abstande von
1,52 m angeordnet sind und
aus je zwei Winkeleisen von
50 × 50 × 5 mm Stärke im
Ober- und Untergurt be-
stehen, welche durch Flach-
eisenschrägen   verbunden
sind (Abb. 313). Diese
Eisenrippen reichen tief in
die Zwischenpfeiler und Endwiderlager und   spannen
daher die Gewölbe fest ein.

Abb. 312. Christinenbrücke in San Sebastian.

Die nutzbare Fahrbahnbreite beträgt 19 m, wovon 12 m auf die Fahrbahn und
je 3,5 m auf die beiderseitigen Fußwege entfallen. Die Fahrbahn besteht aus
einer Asphaltpflasterung, welche unmittelbar auf einer 20 cm starken Eisenbetonplatte liegt, die mit 10 mm starken Rundeisen bewehrt ist. Diese Platte ruht
wieder auf 20 cm starken Eisenbetonwänden, welche in Achsenentfernungen von
1,52 m parallel zur Brückenachse laufen (Abb. 313). Die dadurch geschaffenen Hohlräume gehen auch über die zwei Mittelpfeiler und die Landwiderlager. Die in der
Abb. 313 ersichtliche Fundamentplatte ruht auf Eisenbetonpfählen von 5 m Länge,
25 cm im Quadrat und 25 t Tragfähigkeit. Die Herstellung der Brücke erfolgte in
drei Längsstreifen. Mit Rücksicht auf den vornehmen Stadtteil hat man ihr, wie

[1]) Beton u. Eisen 1907, S. 168.

bereits erwähnt, eine an Formen und Farben sehr reiche architektonische Ausschmückung gegeben. Die Stirnflächen sind mit Kunststein verkleidet. Die 4,18 m hohen Obelisken, gestützt auf je drei Säulengruppen, machen trotz ihrer monumentalen Bauart einen sehr leichten Eindruck.

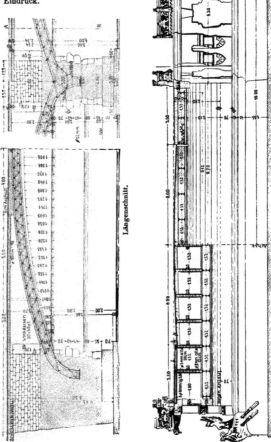

Abb. 318. Längen- und Querschnitt der Brücke in San Sebastian.

Bauweise Möller.

Nr. 39. Die Königsbrücke in Düsseldorf,[1]) entworfen von Professor Möller stellt einen flach gespannten Bogen von 16 m Spannweite und 1,41 m Pfeilhöhe, also $\frac{1}{11,3}$ Pfeilverhältnis, dar. Der in Abb. 313 eingezeichneten Drucklinie wurde ein übliches Pfeilverhältnis von rund $^1/_7$ gegeben, so daß dadurch die Widerlager nicht zu groß wurden; sie erhielten in diesem besonderen Falle immerhin beträchtliche

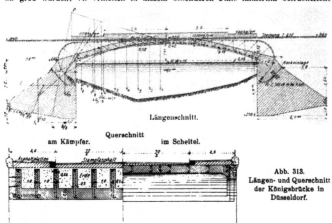

Längenschnitt.

Querschnitt
am Kämpfer.   im Scheitel.

Abb. 313.
Längen- und Querschnitt
der Königsbrücke in
Düsseldorf.

Abmessungen, da dem Baugrunde nur der geringe Druck von 2,5 kg/cm² an der meistbeanspruchten Kante zugemutet werden konnte.

Der im Entwurf der Bauverwaltung ursprünglich vorgesehene flache Gewölbebogen wurde aber beibehalten; er verläuft daher in der Mitte mit seiner Unterkante unterhalb der Drucklinie, so daß diese nun unterhalb des Gewölbes gegen den

**Abb. 314. Bewehrungsnetz der
Königsbrücke in Düsseldorf.**

Kämpfer hin durch die Luft geht. Das führt zur Entstehung eines vom Gewölbescheitel gegen die Kämpfer anwachsenden negativen Biegungsmomentes, dem durch eine entsprechende Eisenbetonanordnung begegnet werden mußte; es entsteht Zug oben und eine Vermehrung des Druckes unten. Um diese durch die Biegungsspannung veranlaßten Kräfte nun möglichst klein zu halten, sind die gezogenen Eisen aus dem Gewölbe herausgelegt, so daß ihr Abstand von dem Druckbogen und

[1]) Deutsche Bauztg. 1907, Zementbeilage, S. 25.

daher ihr Hebelarm groß wurde. Sie liegen unmittelbar unter der Fahrbahn in Betonrippen, welche nun die Verbindung der oberen gezogenen Eisengurte mit dem Gewölbe herstellen (Abb. 313).

Die Verbindung der gezogenen Eisen mit dem oberen Teile des Widerlagers erfolgt durch bogenförmige, in das Widerlager eingreifende Fortsetzungen der oberen gezogenen Eisen, welche etwa einen Viertelkreis bilden und an ihren Enden durch quer aufgenietete Winkeleisen mit dem Beton des Widerlagers verbunden sind (Abb. 314).

Unterhalb dieser gebogenen Eisen, da, wo die Vereinigung der Einspannkräfte mit dem als Luftlinie auftretenden Gewölbedruck

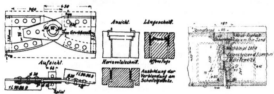

Scheitelgelenk der Eisenrippen.   Scheitelgelenk.   Widerlagergelenk.

Abb. 315. Gelenke der Königsbrücke in Düsseldorf.

erreicht ist, befindet sich im Widerlager eine Fuge mit Gelenk. Somit ist neben der Einspannung durch diese Anordnung und durch das vorhandene Scheitelgelenk dem Bogen die Möglichkeit gegeben, sich in seinen Längenverhältnissen der Wirkung der wechselnden Wärme anzupassen, ohne daß im Baustoff nachteilige Wärme-

Abb. 316. Königsbrücke in Düsseldorf während der Ausführung.

spannungen entstehen können. Das Gelenk im Widerlager ist durch eine Bleiplatte gebildet und in Abb. 315 zu sehen. Ein Gleiten vom oberen Teile des Widerlagers auf der Bleiplatte ist durch senkrecht zur Berührungsebene stehende einbetonierte Flacheisen verhindert. Die sichere Offenhaltung der Fugen bei Herstellung des Betonkörpers des oberen Widerlagerstückes ist durch Eisenbetonplatten bewirkt, welche im voraus hergestellt und im erhärteten Zustande, als Schalung dienend, eingebaut sind. Mit Haken versehene Rundeisen von 10 mm Stärke stellen die dauernde Verbindung dieser Platten mit dem oberen Teile des Widerlagers her. In ähnlicher Weise ist die Scheitelfuge gebildet (Abb. 315); sie ist oben durch eine Eisenbetonplatte abgedeckt. Der Hohlraum unter letzterer ist durch ein Rohr entwässert. Auch das Eisentragwerk hat ein Scheitelgelenk erhalten (Abb. 315). Die Mittellinien der Eisen sind so geführt, daß sie angenähert in eine gerade Linie fallen. Um der Brücke das erwünschte massige Aussehen zu geben, ist der Stirnbogen im Scheitel stärker gehalten als das Gewölbe im Inneren. Dort verläuft die Drucklinie durch das obere Drittel des Bogens, welchem Umstande bei der Lage der Bleiplatte, welche das Kämpfergelenk ersetzt, Rechnung zu tragen ist. Die Betonierung dieser Brücke ist am 10. Oktober 1906 beendet worden. Die Abb. 316 gibt ein Bild der Brücke während der Ausführung. Bei der am 15. Februar 1907 erfolgten Belastungsprobe, die mit einer schnellfahrenden, 17,5 t schweren Dampfwalze ausgeführt wurde, ergab sich eine vorübergehende Durchbiegung von 0,3 mm im Gewölbescheitel.

3. Brücken mit schlaffen und steifen Eiseneinlagen.

Nr. 40.   Straßenbrücke in der Fair Street in New Haven, Ver. St. (Abb. 317).[1]

Die Brücke besitzt vier Öffnungen und eine Gesamtlänge von 45 m; sie überspannt acht Gleise. Ihre Breite beträgt 12 m, und zwar entfallen hiervon 7,8 m auf die Fahrbahn und je 2,1 m auf die beiderseitigen Gehwege.

Die innere Leibung des Gewölbes ist ein Korbbogen und ähnelt sehr einer flachen Ellipse. Das Eisengerippe besteht aus einer unteren Altschiene, welche nach der Form der Leibung gekrümmt ist, mit ihrem Fuß nach oben gekehrt, und aus einer oberen Altschiene, die mit ihrem Fuß nach unten gekehrt ist.

Abb. 317. Brücke in der Fair Street in New Haven.

Die Anordnung ist so getroffen, daß über den äußersten Schienenkanten noch stets 75 mm Beton verbleiben. Diese durchgehenden Eisenrippen sind am Scheitel vernietet und an den anderen Stellen durch alte Flacheisen verbunden, die an der Vernietungsstelle winkelartig gebogen sind. In den Mittelpfeilern sind diese Schienen mit einer lotrecht einbetonierten Schiene verbunden, während sie in die Widerlager tief eingreifen (Abb. 318). Die Entfernung der Schienenrippen beträgt 90 cm. Auf diese Rippen wurde ein Geflecht von 13 mm starken Ransomeeisen gelegt, und zwar über den oberen und unter den unteren Schienen. Die senkrecht zur Brückenachse liegenden Ransomeeisen besitzen einen Abstand von 60 cm und die zur Brückenachse parallelen sind 30 cm entfernt.

---

[1] Concrete Engineering 1907, 1. u. 15. Mai.

Die Kreuzungspunkte sind durch lotrechte, bügelartige Ransomeeisen von 6 mm Stärke verbunden. Die Eisenbewehrung ist demnach sehr bedeutend und beträgt

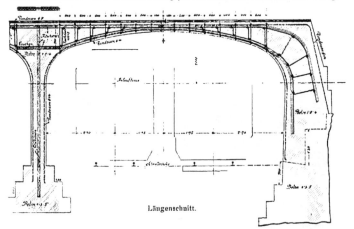

Längenschnitt.

Querschnitt.

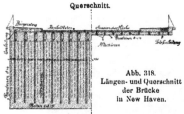

Abb. 318.
Längen- und Querschnitt
der Brücke
in New Haven.

2 vH. Die Scheitelstärke beträgt 35 cm.

Nr. 41. Unterführung der Mainstraße in Winnipeg, Manitoba,[1]) ausgeführt von der Firma Deeks u. Deeks in Winnipeg nach dem Entwurf von Ingenieur Henry (Abb. 319 u. 320).

Acht Gleise der Canadian Pacific-Eisenbahn kreuzen die Mainstraße in Winnipeg, Manitoba, unter einem Winkel von 86° 9' auf einer Eisenbetonbrücke von 30 m Länge und 42,7 m Gesamtbreite (Abb. 321). Das ganze Bauwerk wird durch vier Reihen von je elf Pfählen getragen. Die Brücke hat fünf Öffnungen, von denen die drei mittleren je 7 m, die beiden äußeren je 3,50 m Lichtweite besitzen. Die Leibung setzt sich aus sieben Kreisbogen zusammen und hat das Aussehen einer Ellipse. In der Längenrichtung besteht die Brücke aus elf Haupttragwerken, die in der Querrichtung durch eine plattenartige Decke von etwa 45 cm Stärke miteinander verbunden sind.

Die einzelnen Haupttragwerke sind oben und unten durch Eisenbahnschienen bewehrt; ebenso besitzen die Querdecken unten eine Einlage aus Schienen, die durch Rundeisen zusammengehalten werden. Die letzteren sind an den Enden aufgebogen und stellen die Verankerung der einzelnen Tragwerke in der Querrichtung her (Abb. 321).

¹) Eng. Record 1906, 15. Sept., S. 293.

Die untere Fläche der Querdecke ist ebenfalls gewölbt und schließt sich entsprechend dem Hauptgewölbe an (Abb. 320).

Zwischen je zwei Gleispaaren sind zwei Plattformen, eine von 4,5 m und eine von 3,0 m Breite, angeordnet, welche Oberlichte besitzen.

Die Fundamente der Pfeiler ruhen auf Holzpfählen, deren Köpfe in einer Betonplatte eingebettet sind; die letztere ist ebenfalls mit Eisenbahnschienen bewehrt.

Abb. 319. Unterführung der Mainstraße in Winnipeg.

Jeder Pfeiler ist mit zwei Eisenbahnschienen und sechs Rundeisen von 18 mm Stärke, welche durch Bügel in 90 cm Entfernung zusammengehalten werden, bewehrt. In den Trägern liegen die Schienen mit ihrem Steg wagerecht, während an den lotrechten

Abb. 320. Innenansicht der Mainstraßenunterführung in Winnipeg.

Schienenfüßen je zwei Flacheisen angenietet sind, die mit den Schienen als Gurtungen Gitterträger bilden.

Die Träger sind in jenen Teilen, wo die größten Momente auftreten, also in der Mitte unten, über den Pfeilern oben, mit 4,5 m langen Eisenbahnschienen bewehrt.

Jedes Schienenpaar ist durch 18 mm starke Rundeisen in Entfernungen von 45 cm verbunden. Der Beton für die Bogenkonstruktion wurde im Verhältnis 1:2:4 gemischt.

III. Eisenbetonbogenbrücken mit Rippengewölben.

Nr. 42. Straßenbrücke über die Vienne zu Châtellerault[1]) (Abb. 322).

Das Bauwerk wurde 1899 errichtet und liegt in der Verlängerung der Straße Saint Marc auf dem linken Ufer und des Château d'eau auf dem rechten Ufer der Vienne und ist ganz aus Eisenbeton hergestellt, sowohl Gründung, Mittelpfeiler und Landwiderlager, als

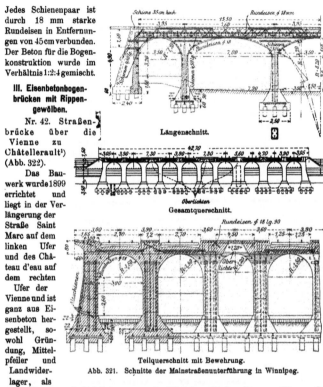

Längenschnitt.

Gesamtquerschnitt.

Teilquerschnitt mit Bewehrung.

Abb. 321. Schnitte der Mainstraßenunterführung in Winnipeg.

auch Bogen und Fahrbahn; nur das Brückengeländer ist aus Eisen. Die Brücke besitzt drei Öffnungen; die Mittelöffnung hat eine Lichtweite von 50 m und eine Pfeilhöhe von 4,80 m, die beiden Seitenöffnungen je 40 m Lichtweite und 4 m Pfeilhöhe. Die Gesamtlichtweite zwischen den Landwiderlagern beträgt 135 m, die Länge der Fahrbahn 144 m (Abb. 323). Die Fahrbahnbreite ist 8 m und teilt sich in eine Straße von 5 m und zwei Fußsteige von je 1,50 m Breite. Jeder Bogen besteht aus dem Gewölbe und vier Rippen von 50 cm Breite und einer Gesamtstärke im Scheitel von 54 cm, am Kämpfer von 91 cm beim Mittelbogen, während die Seitenbogen eine Scheitelstärke von 44 cm und eine Kämpferstärke von 80 cm besitzen. Die Gesamtbreite jedes Bogens beträgt 6 m.

[1]) Béton Armé 1905.

Die Bogenrippen sind in Achsenentfernungen von 1,90 m angebracht. Auf diesen Bogen befinden sich in Entfernungen von 2 m Pfeilerreihen von je vier Eisenbetonsäulen, die einen Querschnitt von 20 × 20 cm besitzen (Abb. 324). Auf diesen Pfeilern ruht die Fahrbahn, welche ebenfalls als Plattenbalken ausgeführt ist. Die Balken der

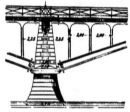

Fahrbahn sind 30 cm breit und 20 cm hoch. Die Plattenstärke beträgt 20 cm.

Die Fußsteige kragen 1 05 m über den Randträger aus und besitzen an der Einspannstelle eine Stärke von 15 cm, welche sich gegen den Rand auf 10 cm verringert. Die Bewehrung der Bogenrippen besteht aus Rundeiseneinlagen, welche zu beiden Seiten jeder Rippe angeordnet und

Abb. 322. Brücke über die Vienne zu Châtellerault.

Abb. 323. Ansicht der Brücke zu Châtellerault.

durch Flacheisenbügel verbunden sind; über den Mittelpfeilern sind diese außerdem durch stärkere Eiseneinlagen verankert und mittels einer stehenden wandartigen Rippe von 12 cm Stärke in Verbindung gebracht, welch letztere bis zur Pfeilersohle herunterreicht und mit dieser ebenfalls innig verbunden ist. In ähnlicher Weise ragen die Bogenrippen in die beiden Landwiderlager hinein. Die aufgehenden Säulen und die Fahrbahn sind in ähnlicher Weise bewehrt.

Abb. 324. Ansicht eines Mittelpfeilers der Brücke zu Châtellerault.

Die Brücke wurde ursprünglich für einen Verkehr von 16 t schweren Lastwagen in zwei Reihen und von 400 kg/m² Nutzlast auf den Fußsteigen berechnet. Die größte zulässige Bodenpressung war 4,5 kg/cm², die zulässige Eisenspannung 1000 kg/cm² und die Druckbeanspruchung des Betons 15 kg/cm².

Die Belastungsprobe wurde für eine zweifache Nutzlast, also 800 kg/m², für den Straßenteil und die 1¹/₂fache, also 600 kg/m², für die Fußsteige durchgeführt. Außer dieser Belastungsprobe mit gleichmäßig verteilter Last wurde die Brücke auch mit rollender Last besetzt, und zwar mit einer Straßenwalze von 16 t, ferner mit zwei Lastwagen von 16 t und sechs Lastwagen von 8 t.

Bezüglich der beweglichen Belastung wurde folgendes beobachtet:

1. 2 Lastwagen, rechte Seitenöffnung im Scheitel größte Senkung 4,1 mm, größte Hebung 0.8 mm, in den Gewölbeviertelpunkten größte Senkung 3 mm, größte Hebung 0,5 mm. In der Mittelöffnung im Scheitel größte

Senkung 4,4 mm, größte Hebung 0,8 mm, in den Viertelpunkten größte Senkung 2 mm, größte Hebung 0,5 mm.

Linke Seitenöffnung im Scheitel größte Senkung 4,8 mm, größte Hebung 1,2 mm.

2. Ruhende Einzellasten sämtlicher Lastwagen im Scheitel der Mittelöffnung brachten eine Senkung des Scheitels von 5,6 mm und in den Viertelpunkten 1,5 mm hervor.

3. Belastung mit 250 Infanteriesoldaten in Viererreihen, Paradeschritt marschierend, rechte Seitenöffnung größte Senkung 1 mm, größte Hebung 0,7 mm, daher ein Spielraum von 1,7 mm; Mittelöffnung größte Senkung 1,9 mm, größte Hebung 1,2 mm, daher ein Spielraum von 3,1 mm.

4. Belastung wie früher, jedoch ohne Schritt

Rechte Seitenöffnung größte Senkung 0,8 mm, größte Hebung 0,5 mm, daher größter Spielraum 1,3 mm. Mittelöffnung größte Senkung 1.6 mm, größte Hebung 1 mm, daher größter Spielraum 2,6 mm. Linke Seitenöffnung größte Senkung 0,7 mm, größte Hebung 0,2 mm, daher größter Spielraum 0,9 mm. Endlich wurde die Mittelöffnung auf Stoßwirkungen erprobt.

Zu diesem Zwecke wurden Hölzer von 5 cm Stärke in Entfernungen von 2 m quer über die Brücke gelegt. Nachdem drei Lastwagen von 8 t über die so gebildeten Stufen hinübergingen, ergab sich eine größte Scheitelsenkung im Mittelbogen von 54 mm Die Straßenwalze ergab 70 mm Scheitelsenkung im mittleren Bogen. Die Gesamtkosten der Brücke betrugen 175 000 Francs (rd. 142 000 Mark), während eine Eisenbrücke samt Pfeiler auf 250 000 Francs (rd. 203 000 Mark) veranschlagt war.

Nr. 43. Straßenbrücke über die Sill zwischen Innsbruck und· Pradl, ausgeführt 1906 von der Firma Westermann u. Co. in Innsbruck (Abb. 58).

Die Spannweite der Brücke, die den rasch sich entwickelnden Stadtteil Pradl mit der Landeshauptstadt Innsbruck verbindet, beträgt 27 m und ihre Pfeilhöhe 3,375 m.

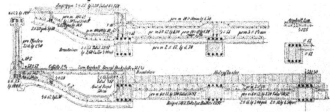

Abb. 325. Bewehrungsplan der Fahrbahn und der Gewölbe der Sillbrücke.

Das durch Rippen verstärkte Gewölbe hat eine Scheitelstärke von 40 cm und eine Kämpferstärke von 60 cm. Das Gewölbe selbst ist nur 16 cm stark. Die Entfernung der 40 cm breiten Rippen beträgt 2 m, ihre Zahl, wie bereits auf S. 364 angegeben, fünf (Abb. 59).

Jede Rippe ist symmetrisch bewehrt, und zwar an der Ober- und Unterkante durch je vier Rundstäbe von 40 mm Durchm., die in Abständen von 30 cm abwechselnd durch Bügel von Rundeisen 8 mm Durchm. und Flacheisen 30 × 2 mm

37*

verbunden sind. Die Bewehrung des eigentlichen Gewölbes besteht aus Rundeisen von
14 mm Durchm., welche an der Rückenfläche in Abständen von 20 cm liegen (Abb. 325).
In der Querrichtung sind oben drei Verteilungsstäbe 12 mm Durchm. und unten zwei
solcher Stäbe auf 1 m Länge angeordnet. Auf diesem Bogen stehen, und zwar oberhalb der Rippen in Entfernungen von 2 m auf jeder Brückenhälfte fünf Reihen von
je fünf Eisenbetonsäulen von einer
Stärke 24 × 24 cm; deren Bewehrung
besteht aus vier 12 mm starken Rundeisen, welche in Entfernungen von
50 cm durch Flacheisenbügel 30 × 2 mm
verbunden sind. Diese Säulen tragen
Unterzüge aus Eisenbeton, auf

welchen wieder die Fahrbahn,
als Plattenbalken ausgebildet,
ruht. Die Bewehrung dieser
Unterzüge besteht aus je vier Rundeisen von
18 mm Stärke mit den entsprechenden Flacheisenbügeln. Ebenso sind auch die Balken der Fahrbahn, die über den Bogenrippen liegen, bewehrt.

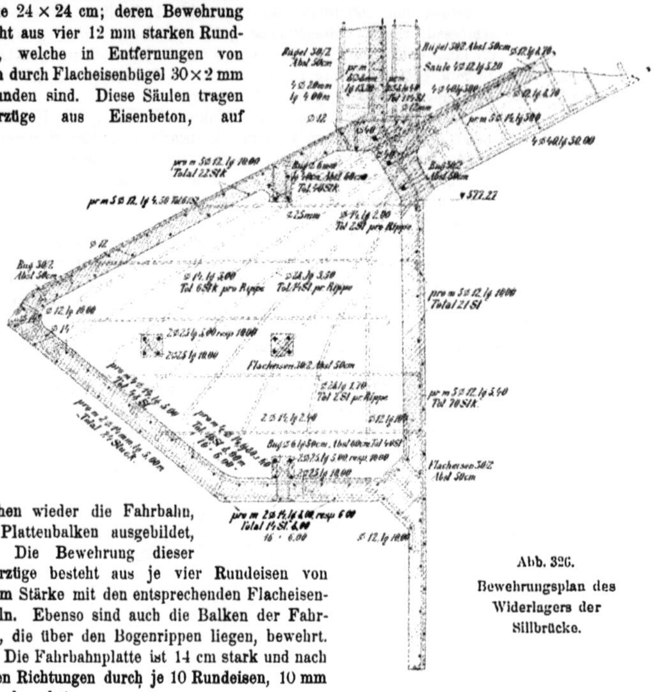

Die Fahrbahnplatte ist 14 cm stark und nach
beiden Richtungen durch je 10 Rundeisen, 10 mm
stark, bewehrt.

Abb. 326.
Bewehrungsplan des
Widerlagers der
Sillbrücke.

Die Auskragungen für die beiderseitigen Fußwege befinden sich in der Verlängerung der einzelnen Unterzüge, und ihre Bewehrung besteht im Zuggurt aus je vier
Rundeisen von 25 mm Stärke, während im Druckgurt ebenfalls je zwei solcher Rundeisen vorhanden sind und weit in den Unterzug hineinreichen, so daß eine sichere Einspannung gewährleistet ist. Zwischen den Auskragungen ist unten eine Eisenbetonplatte, welche die verschiedenen Leitungen zu tragen hat und ebenso stark wie die
Fahrbahnplatte ist, angeordnet. Der so gebildete Hohlraum ist durch abhebbare Eisenbetonplatten abgedeckt. Die Auskragung beträgt 2 m (Abb. 325).

Das Eisenbetongeländer, als Fachwerkträger ausgebildet, ist im Druckgurt mit sechs Rundeisen von 24 mm und im Zuggurt mit sechs Rundeisen von 25 mm Stärke bewehrt. Es muß sich selbst tragen, da es erst nachträglich angeordnet wurde und die Auskragungen für seine Last nicht berechnet waren.

Wie aus den Abb. 59 u. 326 ersichtlich, wurden auch die Widerlager aus Eisenbeton hergestellt, und zwar aus dem Grunde, weil für andere Widerlager nicht genügend Platz vorhanden war. Auf der einen Seite war der Raum durch einen Fabrikkanal beschränkt, unter welchem die Widerlager keinesfalls eingreifen durften, auf der anderen Seite beschränkte die gleichfalls hart an der Baugrube vorbeigehende Straße, die für den Verkehr nicht abgesperrt werden durfte, die Ausbreitung des Widerlagers.

Die Eisenbetonwiderlager wurden unmittelbar auf einer Betonunterlage ausgeführt und die Hohlräume durch Magerbeton ausgefüllt. Einzelheiten derselben zeigt Abb. 326. Die Bodenbeschaffenheit war beiderseits recht gut, fester Schottergrund, so daß keine besonderen Vorkehrungen, wie Pfahlrammungen usw., getroffen zu werden brauchten. Das Wasser machte keinerlei Schwierigkeiten.

Da eine Regulierung der Sill vorgesehen war, womit eine Vertiefung des Flußbettes verbunden ist, wurde als besondere Vorkehrung gegen das etwa mögliche Auskolken an der Stirnseite der Widerlager eine 2 m tief hinabreichende Eisenbetonplatte als Schutzwand angeordnet.

Die vier Obelisken sowie die daran befindlichen Ruhebänke sind ebenfalls in Eisenbeton ausgeführt. Sämtliche sichtbaren Betonteile wurden gestockt.

Die Belastungsprobe ergab bei gleichmäßig verteilter Last durch Sand höchstens 2,4 mm, bei ungünstigster Belastung durch eine 19 t schwere Dampfwalze 1,4 mm Durchbiegung.

Nr. 44. Die Eisenbahnbrücke zu Avranches, nach dem Entwurf von Considère ausgeführt, übersetzt den Fluß Sée und die Gleise der französischen Ostbahn. Sie besteht aus vier Öffnungen, und zwar einer Bogenöffnung von 33,6 m Lichtweite, zwei anschließenden Balkenöffnungen von 10,4 und 10,37 m Stützweite und endlich einem parabelförmigen Fachwerkbalken von 30,20 m Stützweite (Abb. 327). Der Bogen besitzt eine Pfeilhöhe von 7,15 m. Die Scheitelstärke desselben beträgt 35 cm, welche gegen die Kämpfer hin auf 45 cm zunimmt. Seine Breite beträgt durchweg 3,20 m. Bemerkenswert ist dieser Bogen dadurch, daß von den Viertelpunkten gegen die Widerlager zu drei Eisenbetonrippen am Rücken des Gewölbes herauswachsen, welche 45 cm breit und am Widerlager 40 cm hoch sind. Sie sind an ihrer Oberkante mit je zehn 33 mm starken Rundeisen bewehrt, welche die daselbst auftretenden Zugkräfte aufzunehmen haben. Die Bewehrung des Gewölbes ist, wie aus Abb. 328 zu ersehen ist, mittels der von Considère eingeführten spiralförmigen Eiseneinlagen erfolgt. Einzelheiten der Einspannung des Bogens läßt Abb. 329 erkennen.

Auf dem Bogen stehen in Entfernung von 2,20 m Eisenbetonpfeilerreihen zu je zwei Stützen von 50 cm Breite und einer Stärke von 14 cm in der Mitte bis 35 cm am Widerlager. Ihre Bewehrung ist ebenfalls aus Abb. 328 zu ersehen. Diese Säulen tragen Längsträger von 45 cm Breite. Ihre Höhe beträgt in der Mitte 70, an den Widerlagern 90 cm. Jeder Längsträger ist oben und unten mit je zehn Rundeisen von 29 mm Stärke bewehrt, welche durch Bügel verbunden sind. Diese Längsträger tragen die Fahrbahn, welche aus einer 14 cm starken Eisenbetonplatte besteht, die zwischen den Pfeilern durch 20 cm hohe Querrippen verstärkt ist. Auf dieser Fahrbahnplatte befindet sich das 2,2 m breite und 25 cm hohe Schotterbett zur Aufnahme des 1 m-spurigen Gleises. Außerdem tragen die Längsträger mittels Auskragungen die Platte

des Fußsteiges (Abb. 328). Die größten Spannungen, die in der Bogenöffnung auftreten, betragen im umschnürten Beton des Gewölbes 52 kg/cm² auf Druck, in den Längsträgern 39 kg/cm² und im Eisen 1100 kg/cm² auf Zug.

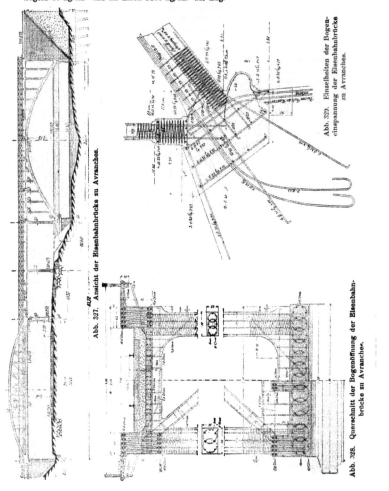

Abb. 327. Ansicht der Eisenbahnbrücke zu Avranches.

Abb. 329. Einzelheiten der Bogeneinspannung der Eisenbahnbrücke
zu Avranches.

Abb. 328. Querschnitt der Bogenöffnung der Eisenbahnbrücke zu Avranches.

Nr. 45. **Eisenbahnbrücke Saint-Jean-la-Rivière,**[1]) ausgeführt 1908 von der Unternehmung M. M. Thorrand et Durandy in Nizza.

Das Bauwerk, welches der Bogenöffnung der vorher beschriebenen Brücke ähnlich ist, dient zur Überführung einer elektrischen Bahn über die Vésubie bei dem

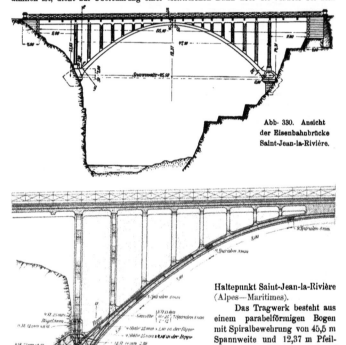

Abb. 330. Ansicht
der Eisenbahnbrücke
Saint-Jean-la-Rivière.

Abb. 331. Längenschnitt der Brücke Saint-Jean-la-Rivière.

Haltepunkt Saint-Jean-la-Rivière (Alpes—Maritimes).

Das Tragwerk besteht aus einem parabelförmigen Bogen mit Spiralbewehrung von 45,5 m Spannweite und 12,37 m Pfeilhöhe, dessen Kämpfer sich auf Eisenbetonwiderlager stützen, die in dem festen Fels eingespannt sind. Das Gewölbe trägt die Fahrbahnplatte mittels Stützpfosten. Die Fahrbahnplatte ruht außerdem an den Enden auf gemauerten Landpfeilern im Abstand von 65,1 m. Die Gesamtlänge des Bauwerks ist 75 m, seine Höhe über dem höchsten Hochwasserstand 35 m (Abb. 330). Das Gewölbe hat im Scheitel eine Stärke von 0,45 m und an den Kämpfern eine

¹) Nouvelles Annales de la Construction 1910, September u. Oktober. Le Ciment armé, Oktober 1909.

solche von 0,55 m auf 1,9 m innerer Breite. An den Stirnseiten sind Rippen angeordnet, die gleichfalls parabolisch verlaufen und im Scheitel eine Stärke von 0,55 m,

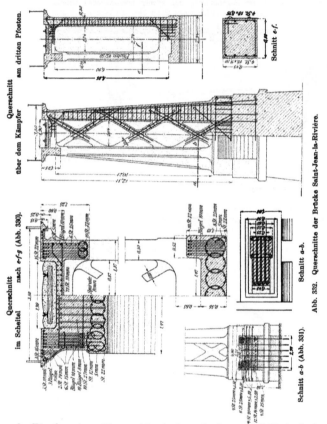

an den Kämpfern eine solche von 1,1 m besitzen; der Bogen erhält hierdurch eine
Gesamtbreite von 2,94 m (Abb. 331 u. 332).

Wie bereits angedeutet, besteht der Bogen aus umschnürtem Beton. Die Bewehrung des Bogens wird gebildet durch 48 Längseisen, und zwar durch 32 Stäbe
13 mm Durchm. im mittleren Teil und 16 Stäbe 25 mm Durchm. in den Rippen,

die über die ganze Bogenlänge durchgehen. Diese Längseisen sind durch 7 bezw. 8 bezw. 9 schraubenförmige Spiralen oder Bügel verbunden, die aus Stahldraht von 8 mm Durchm., in Gängen von 60 mm gerollt, bestehen und entsprechend dem Durchmesser zwischen 400 und 500 mm wechseln. Außerdem sind 2 Stäbe 22 mm Durchm. am inneren Winkel der Rippen angeordnet und werden durch 5 mm starke Bügel mit den Rippen verbunden. Anderseits besitzen die Rippen, auf eine Länge von 16 m von den Widerlagern an gerechnet, eine besondere Bewehrung, bestehend je aus 2 Eiseneinlagen übereinander von 5 Stäben 22 mm Durchm. und 18 bezw. 15,5 m Länge. Diese Stäbe sind mit den Stäben von 25 mm Durchm., welche im Gewölbe liegen, durch lotrechte Bügel von 10 mm Stärke verbunden. Endlich liegt im oberen Teil der Rippen, zwischen den Abschnitten von 16 m, in jedem Winkel 1 Stab 12 mm Durchm. (Abb. 332).

Die Verbindung der Eiseneinlagen des Gewölbes mit der der Widerlager, ebenso die der letzteren mit dem festen Fels zeigt Abb. 331. Das linke Widerlager ist im Fels etwa auf 2 m Tiefe eingespannt; entsprechend seiner Form liegen im unteren Teil 6 Stäbe 20 mm Durchm. und 4,3 m Länge, im oberen Teil 8 Stäbe 25 mm Durchm. und 4,5 m Länge. Im senkrechten Sinne ist der Betonkörper mit 20 Eisen 20 mm Durchm. und 5,3 m Länge bewehrt. Die Einspannung ist vollendet durch 40 Stäbe von 22 bis 30 mm Durchm., welche 2 m bis 2,5 m tief in den Fels eingreifen. Das rechte Widerlager ist unmittelbar auf dem Fels gegründet. Die erste Stütze über dem Gewölbe besitzt eine Höhe von 12,31 m. Sie wird durch einen Rahmen gebildet, der aus zwei Pfosten von 0,55 × 0,55 m Querschnitt im Abstand 1,64 m besteht, und unten wie oben durch Querriegel verbunden ist (Abb. 332). Der untere Riegel ist 0,8 m dick und bildet einen Sockel, der auf dem Widerlager ruht, während der obere Riegel zu gleicher Zeit einen Bestandteil der Fahrbahn darstellt.

Dieser Rahmen wird durch drei Andreaskreuze von 0,25 × 0,20 m Querschnitt verstrebt, ferner wird er durch Rippen von 0,45 m Dicke verstärkt. Die Anordnung der Eisenbewehrung zeigen Abb. 332.

Die Fahrbahn besteht aus einer Platte von 1,9 × 0,18 m Querschnitt und zwei Längsbalken 1,25 × 0,45 m, welche die Stützpfosten miteinander verbinden und mit der Platte einen Trog zur Aufnahme der Bettung des Bahnkörpers bilden. Außer durch diese Längsbalken wird die Fahrbahnplatte noch durch die oberen Querstreifen der Stützrahmen getragen. Die Gehwege, die zum Teil durch die Längsbalken gebildet werden, sind durch Auskragungen an den Pfosten auf 0,8 m verbreitert. Das Lehrgerüst wurde ohne jede Zwischenstütze mittels eines Hängeseils, das später zur Materialförderung benutzt wurde, aufgestellt. Die Aufstellung desselben, die in ihren Einzelheiten in der angegebenen Quelle (Nouvelles Annales usw.) eingehend behandelt ist, dauerte 45 Tage. Die Betonierungsarbeiten erforderten einen Monat. Das Ausrüsten erfolgte erst nach zwei Monaten. Die Gesamtkosten des Bauwerks, ohne Mauerwerk der Landpfeiler, beliefen sich auf 48 600 Mark.

Nr. 46. Straßenbrücke Niederwöhren—Wiedensahl über den Ems-Weser-Kanal, entworfen und ausgeführt 1910/11 von der Aktien-Gesellschaft für Beton- und Monierbau, Berlin.

Der Ems-Weser-Kanal kreuzt in km 34 + 20 die Landstraße Niederwöhren—Wiedensahl, deren hohe Lage für die Ausführung einer Bogenbrücke an dieser Stelle günstig war.

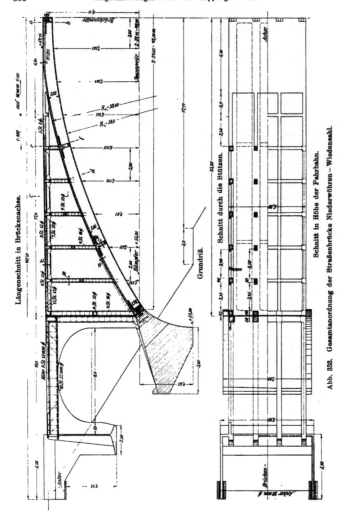

Abb. 338.　Gesamtanordnung der Straßenbrücke Niederwöhren — Wiedensahl.

Das Bauwerk erhielt drei Öffnungen, und zwar eine Mittelöffnung, die als Drei-gelenkbogen von 49,90 m Stützweite und 8,15 m Pfeilhöhe ausgebildet ist, und zwei mit Plattenbalken von je 10,00 m Stützweite überdeckte Seitenöffnungen (Abb. 333).

Die Brückenbreite beträgt zwischen den Geländern 7,80 m, hiervon entfallen 5,80 m auf die Fahrbahn und 0,80 bezw. 1,20 m auf die beiderseitigen Gehwege, die zum Teil auf den 0,70 m weit ausladenden Konsolen liegen (Abb. 334).

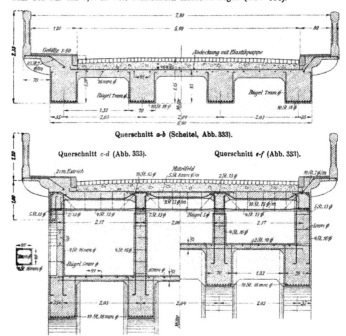

Querschnitt *a-b* (Scheitel, Abb. 333).

Querschnitt *c-d* (Abb. 333).　　　　　　Querschnitt *e-f* (Abb. 333).

Abb. 334. Querschnitte der Straßenbrücke Niederwöhren—Wiedensahl.

Der Bogen besteht aus einem 0,15 m starken Gewölbe mit vier unteren Rippen von 0,70 m Breite und rd. 2,0 m Abstand. Die Stärke einer Bogenrippe beträgt im Scheitel 0,85 m, in der Bruchfuge 1,10 m und am Kämpfer 0,97 m. Die Rippen sind in jeder Bogenhälfte an zwei Stellen durch Querrippen von 0,30 m Breite gegeneinander versteift. Die Fahrbahntafel besteht aus quer zur Brückenachse gelegten Platten-balken zwischen vier Längsträgern über den Bogenrippen. Die Längsträger ruhen auf 2,80 m entfernten Pfeilern, die die Fahrbahnlasten auf den Bogen übertragen. Die Bewehrung des Bogens und der Fahrbahn geht aus den Abb. 333 bis 335 hervor.

Die anschließenden Plattenbalken der Seitenöffnungen sind vollständig getrennt gelagert, um Bewegungen bei Wärmeänderungen und bei Setzungen zu ermöglichen. Sie sind an den äußeren Enden mit den Endpfeilern aus Eisenbeton, an welche sich Flügelwände, gleichfalls aus Eisenbeton, anschließen, fest verbunden. Einzelheiten dieser Anordnung zeigt Abb. 336.

Die Gelenke sind als Bolzengelenke aus

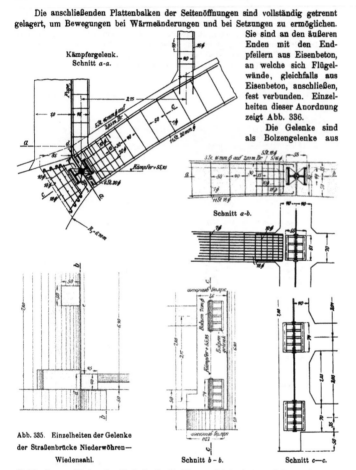

Abb. 335. Einzelheiten der Gelenke der Straßenbrücke Niederwöhren—
Wiedensahl.

Stahlguß ausgeführt und vollständig in die Rippen einbetoniert, so daß nur eine enge Fuge, um die Bewegungen zu ermöglichen, verbleibt (Abb. 335).

Für die statische Berechnung war eine Dampfpfluglokomotive nach Abb. 337 von 23 t Dienstgewicht und Menschengedränge von 400 kg/m² vorgeschrieben.

Der statischen Untersuchung ist eine mittlere Rippe, die mit dem anschließenden Gewölbe einen Plattenbalkenquerschnitt bildet, zugrunde gelegt. Die äußeren Kräfte sind aus den Einflußlinien für die rechnungsmäßig bestimmten Kernpunkte ermittelt worden.

Die Bogenform ist so angenommen, daß bei unbelasteter Brücke die Drucklinie ungefähr mit der Mittellinie des Gewölbes zusammenfällt.

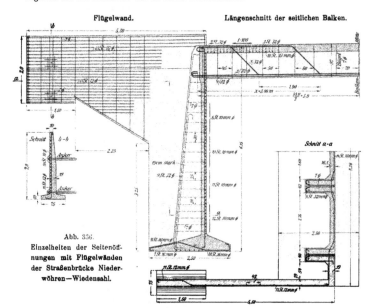

Flügelwand.　　　　　Längenschnitt der seitlichen Balken.

Abb. 336.
Einzelheiten der Seitenöffnungen mit Flügelwänden der Straßenbrücke Niederwöhren—Wiedensahl.

Die größte Druckspannung im Beton ist zu etwa 50 kg/cm² angenommen; als Mischungsverhältnis ist 1 Teil Zement zu 3 Teilen Weserkies gewählt.

Aus architektonischen Gründen wurden die äußeren Balken bogenartig ausgeführt.

Die Ansichtflächen sind steinmetzartig bearbeitet.

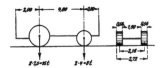

Abb. 337. Dampfpfluglokomotive.

Nr. 47. Überführung des Kohlenweges über den Ems-Weser-Kanal, entworfen und ausgeführt im Jahre 1910/11 von der Aktien-Gesellschaft für Beton- und Monierbau in Berlin.

Das Bauwerk ist als Dreigelenkbogen von 46,50 m theoretischer Spannweite und 4,12 m Pfeilhöhe, also mit $^1/_{11}$ Pfeilverhältnis, ausgeführt. Die allgemeine Anordnung zeigt Abb. 338. Die Bogenform ist so gewählt, daß in Entfernung von 18,10 m zu beiden Seiten der Kanalachse noch eine Durchfahrthöhe von 3,00 m über dem Leinpfad frei bleibt.

Das Gewölbe besteht aus einem Eisenbetonbogen, der in einer Entfernung von etwa 7,0 m von den Kämpfern allmählich aus dem vollen Querschnitt in den eines Plattenbalkens übergeht. Die Breite des Gewölbes beträgt 4,00 m. Die Stärke des Bogens ist im Scheitel 0,75 m, an der stärksten Stelle 1,03 m und am Kämpfer 0,85 m (Abb. 338). Die Breite der mittleren Rippen ist 0,35 m, die der äußeren 0,40 m; ihr Abstand

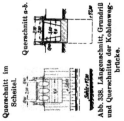

Abb. 338. Längenschnitt, Grundriß und Querschnitte der Kohlenwegbrücke.

ist 1,20 m (Abb. 339). Die Leibungslinie des Bogens besteht aus drei Kreisbogen.

Die Gewölbezwickel sind bis Fahrbahnhöhe mit Erde aufgefüllt, so daß die Verkehrslasten nur im Scheitel unmittelbar auf den Bogen wirken.

Die statische Untersuchung des Bogens ist für 1,20 m Breite, entsprechend dem Rippenabstand, durchgeführt. Als Verkehrslast ist eine Dampfpfluglokomotive von 23 t Dienstgewicht (Abb. 337), ferner Menschengedränge von 400 kg/m² angenommen.

Die Bestimmung der äußeren Kräfte ist mittels der Einflußlinien für die Kernpunkte durchgeführt. Die Spannungen sind für drei Querschnitte ermittelt, und zwar für einen Querschnitt im vollen Gewölbe, für einen Querschnitt an der Übergangsstelle vom vollen zum Rippengewölbe und für einen Querschnitt in der Nähe des

Scheitels. Die Eiseneinlagen des Bogens bestehen für 1,20 m Breite im vollen Gewölbe unten aus 9 Stäben 30 mm Durchm., oben aus 7 Stäben 30 mm Durchm., an

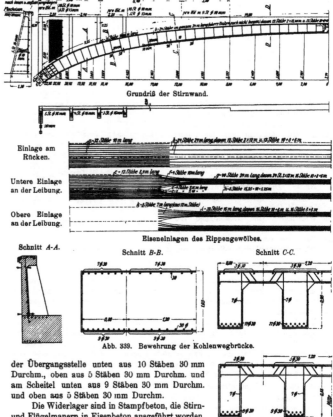

Abb. 339. Bewehrung der Kohlenwegbrücke.

der Übergangsstelle unten aus 10 Stäben 30 mm
Durchm., oben aus 5 Stäben 30 mm Durchm. und
am Scheitel unten aus 9 Stäben 30 mm Durchm.
und oben aus 5 Stäben 30 mm Durchm.

Die Widerlager sind in Stampfbeton, die Stirn-
und Flügelmauern in Eisenbeton ausgeführt worden.
Die Abb. 339 zeigen die Anordnung der Eiseneinlagen im Bogen sowie in den Stirnmauern und
deren Rippen. Um ein Herausdrücken der Flügelmauern zu vermeiden, sind dieselben
durch in Beton eingehüllte Eisenanker zusammengehalten.

Mit Rücksicht auf die schmale Brücke ist von der Ausführung eines massiven Geländers Abstand genommen und ein solches aus Eisen hergestellt worden.

Längenschnitt.

Querschnitt.

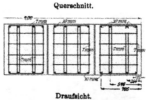

Draufsicht.

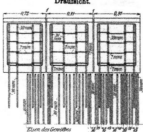

Mit der Ausführung der Brücke wurde im Spätsommer 1910 begonnen. Nach etwa 12 Wochen war sie fertig betoniert. Mit Rücksicht auf den Winter ist der Bogen bis zum Frühjahr in der Rüstung geblieben, und bei der am 6. April 1911 erfolgten Ausrüstung zeigte sich im Scheitel eine Setzung von 3,23 cm.

Nr. 48. Die Straßenbrücke über die Maas in Bouvignes,[1]) ausgeführt von der Firma M. Prax in Liége, hat zwischen den Widerlagern eine Gesamtlänge von 119,95 m. Ihre allgemeine Anordnung zeigt Abb. 341. Sie besitzt eine Mittelöffnung

Abb. 340   Bewehrung der Kämpfergelenke
der Kohlenwegbrücke.

von 32,5 m und zwei Seitenöffnungen von je 41,0 m; die Pfeilhöhe beträgt 3,9 bezw. 3,4 m, d. i. $\frac{1}{8,3}$ bezw. $\frac{1}{12}$ der Spannweite. Die Fahrbahnbreite beträgt 4,0 m zwischen den Geländern, wovon 2,5 m auf die Fahrstraße und je 0,75 m auf die beiderseitigen Gehwege kommen. Die Fahrbahndecke ist aus Asphalt hergestellt und unmittelbar auf die Eisenbetonplatte gebracht, so daß die Fahrbahn eine gewisse Elastizität besitzt.

Die Bogen bestehen aus einem Gewölbe von 0,18 m Stärke in den Seitenöffnungen und 0,40 cm Stärke in der Mittelöffnung, verstärkt an den beiden Außenseiten durch Rippen von 0,72 × 0,25 m bezw. 0,94 × 0,25 m Querschnitt. Auf diesen Rippen stehen die Pfosten, die die Fahrbahntafel tragen. Die Betonierung jedes Gewölbes wurde in einem Tage ausgeführt, mit Ausnahme der Rippen, die erst am zweiten oder dritten Tage unter Verwendung besonderer Sorgfalt betoniert wurden.

Die Pfeiler sind unmittelbar mittels Kasten auf Fels gegründet. Die Kasten sind mit dünnen Eisenbetonwänden hergestellt, die durch Eisenbetonsteifen verbunden sind. Sie wurden vollständig am Bauplatz gestampft und nach genügender Erhärtung des Betons mittels acht Schrauben versenkt. Vorher wurden durch Taucher zwei Lagen von Betonsäcken auf den Felsgrund des Flusses gelegt, um für die Kasten eine genügend wagerechte Sohle herzustellen. Nach Versenkung der Kasten wurden die

---

[1]) Ann. d. Travaux Publics de Belgique 1909, Dezember, Nr. 6, S. 1261. — Le Béton armé 1910, Mai.

Ränder im Inneren durch Taucher
untersucht, worauf sie bis zu einer
Höhe von etwa 2,5 m mittels Trichter
ausbetoniert wurden. Der Schüttbeton wurde trocken durch Hand
gemischt, und zwar im Verhältnis
von 250 kg Zement auf 1,35 m³ Flußkies. Sobald der Schüttbeton abgebunden war, wurden die Kasten
mittels einer Kreiselpumpe, die durch
eine auf einem Kahn aufgestellte
Lokomobile angetrieben wurde, aus-
gepumpt. Hierauf wurde der Kasten
in Lagen von etwa 20 cm Stärke
sorgfältig ausbetoniert. Der Kasten
des linken Pfeilers ist 6,0 m, der des
rechten 5,8 m hoch; sie ragen 1,03 m
über den normalen Wasserstand.

Die Fundamente der Widerlager
sind auf eine Gruppe von Pfeilern,
die nach dem Compressol-Verfahren
hergestellt wurden, aufgesetzt. Aus-
genommen sind die fünf Pfeiler von
1.3 m Durchm., die durch Hand ausgeführt sind, und zwar an dem Teil
des linken Widerlagers, der an der
Bahn nach Nordbelgien liegt. Alle
Grundpfeiler sind im Boden eingespannt, der aus festem Kies besteht;
sie sind auch in der Ordinate +88,77 m
mit den beiden Widerlagern verspannt.
Die Widerlager bestehen aus einem
zellenartigen Gerippe aus Eisenbeton,
dessen Hohlräume mit Grobbeton mit
Einlagen aus kantigen Bruchsteinen
und grobem Flußkies ausgefüllt sind.

Nr. 49. Straßenbrücke über
die Mosel bei Novéant,[1] entworfen
und ausgeführt 1907/09 von der Firma
Ed. Züblin u. Cie. in Straßburg i. E.

Das bemerkenswerte Bauwerk
verbindet den letzten deutschen Eisen-
bahnhaltepunkt Novéant vor der
deutsch-französischen Grenze am linken
Moselufer mit der am rechten Ufer an
der Staatsstraße von Metz nach
Pont-à-Mousson gelegenen Ortschaft

[1] Armierter Beton 1910, S. 1, 49 u. 113.

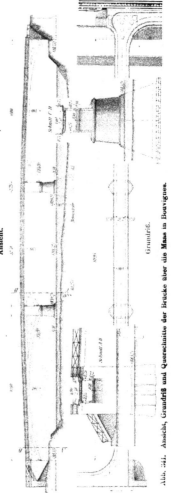

Abb. 741. Ansicht, Grundriß und Querschnitte der Brücke über die Maas in Bouvignes.

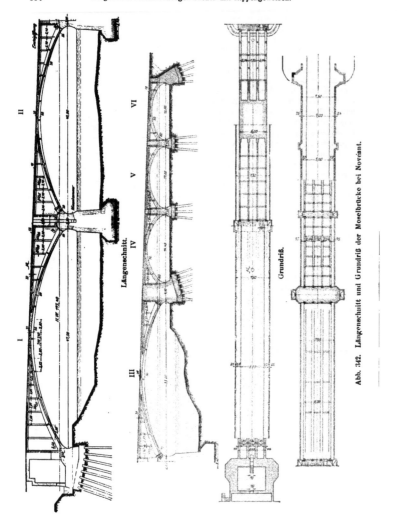

Abb. 342. Längenschnitt und Grundriß der Moselbrücke bei Novéant.

Corny. Die Brücke, die im ganzen sechs Öffnungen besitzt, überschreitet die daselbst gegen 110 m breite Mosel mit 3 Bogen von 47, 40 und 33 m Lichtweite, an welche sich über das breite Vorland am rechten Ufer hinweg noch eine Flutbrücke mit drei Öffnungen von 14,40, 13 und 12 m Weite anschließt (Abb. 342). Das Längsgefälle der Fahrbahn war zu 3,57 vH. gegeben. Die Kämpferlinie wurde jedoch des besseren Aussehens wegen wagerecht angenommen, was in diesem Falle wohl angängig war, da der Überbau so leicht gehalten ist, daß dadurch noch keine wesentliche unsymmetrische Belastung der Bogen entsteht. Die Pfeilhöhe der Bogen war durch die Vorschrift begrenzt, daß die Kämpfer möglichst wenig ins Hochwasser eintauchen sollten. Demnach ergaben sich folgende Pfeilhöhen und Stichverhältnisse für die unteren Bogenleibungen (Abb. 342):

Strombrücke

	Spannweite	Pfeilhöhe	Stich-verhältnis
Bogen I	$l = 47,0$ m	$f = 7,00$ m	1 : 6,7
„ II	$l = 40,0$ „	$f = 5,20$ „	1 : 7,7
„ III	$l = 33,0$ „	$f = 3,90$ „	1 : 8,5

Flutbrücke

	Spannweite	Pfeilhöhe	Stich-verhältnis
Bogen IV	$l = 14,4$ m	$f = 2,90$ m	1 : 5,0
„ V	$l = 13,0$ „	$f = 2,40$ „	1 : 5,4
„ VI	$l = 12,0$ „	$f = 1,90$ „	1 : 6,3

Die Scheitelordinaten der Gewölbeachse weichen allerdings teilweise von den vorstehenden Pfeilhöhen um einige Zentimeter ab (Bogen I: $f_1 = 6,96$; II: $f_1 = 5,30$; III: $f_1 = 3,92$; IV: $f_1 = 2,94$; V: $f_1 = 2,40$; VI: $f_1 = 1,90$ m), und zwar sind als theoretische Kämpfer (Kämpfer der Bogenachse) in der statischen Berechnung diejenigen Punkte der Bogenachse angenommen worden, welche sich senkrecht über den Punkten der stärksten Einschnürung der Pfeiler befinden.

Die theoretischen Spannweiten waren also gleich den Lichtweiten der Gewölbe, diese Annahme erscheint mit Rücksicht auf die Ausrundung und starke Querschnittvergrößerung an den Kämpfern berechtigt. Die sämtlichen Gewölbe sind als eingespannte Eisenbetonbogen ohne Gelenke ausgeführt worden. Bei der Berechnung der Moselbrücke bei Novéant begnügte man sich mit der Berücksichtigung eines Wärmeunterschiedes von $\pm 15°$ gegenüber der Herstellungstemperatur, also eines Spielraums von 30°.[1]

Die drei großen Gewölbe sind als Rippengewölbe ausgebildet (Abb. 342). Jeder Bogen besteht aus vier Rippen von rechteckigem Querschnitt, die unter sich durch ein durchgehendes Gewölbe verbunden sind. Dieses Gewölbe ist im Längenschnitt so geführt, daß es am Kämpfer mit der Unterkante der Rippen bündig liegt und dann gegen den Scheitel allmählich bis zu deren Oberkante ansteigt, so daß also der Querschnitt im Scheitel eine normale, im Kämpfer eine umgekehrte Rippenplatte darstellt. Diese Anordnung hat den Vorteil, daß sie der allgemeinen Verteilung der Biegungsmomente (im Scheitel vorwiegend positive, im Kämpfer vorwiegend negative Biegungsmomente) am besten entspricht, somit die günstigste Stoffverteilung darstellt, außerdem aber liefert sie günstige Werte, d. h. kleine Druckspannungen für die von der Form-

---

[1] Vergl. S. 426; ferner Armierter Beton 1910, S. 9.

38*

änderung durch die Normalkräfte und von der Wärme herrührenden Spannungen, und zwar aus dem Grunde, weil die Plattenbalkenquerschnitte verschieden große Widerstandsmomente bezüglich der beiden äußersten Fasern haben und immer das größere derselben für Druckseite (Scheitel oben, Kämpfer unten) zutrifft. Endlich bietet die Ausbildung des Gewölbequerschnittes als Rippenplatte gegenüber der üblichen Rechteckform den großen Vorzug, daß bei gleichem Stoffaufwand ein erheblich größeres Trägheitsmoment vorhanden ist; die Einsenkungen und Schwingungen der Brücke werden dadurch verringert, so daß die Brücke an Steifigkeit gegen dynamische Wirkungen trotz der geringeren Masse einem Betongewölbe gleichkommt.

Das verbindende Gewölbe dient gleichzeitig zur Versteifung der Rippen in wagerechtem Sinne; zu gleichem Zwecke sind außerdem bei den Gewölben I und II je sieben und beim Gewölbe III fünf starke Querrippen eingezogen.

Die Abmessungen der drei großen Gewölbe sind nun im einzelnen die folgenden:

	Breite des Rippengewölbes	Rippenhöhe	Rippenbreite	Gewölbestärke
Bogen I				
Scheitel...	6,00 m	0,88 m	44 cm	0,26 m
Kämpfer ..	6,00 „	1,35 „	44 „	0,28 „
Bogen II				
Scheitel...	6,00 „	0,86 „	44 „	0,26 „
Kämpfer ..	6,00 „	1,30 „	44 „	0,28 „
Bogen III				
Scheitel...	6,00 „	0,80 „	44 „	0,26 „
Kämpfer ..	6,00 „	1,30 „	44 „	0,28 „

An den Kämpfern schließen sich sowohl die Rippen, als auch die Verbindungsplatte mittels kräftiger Vouten an die Pfeiler an.

Der gesamte Aufbau über den Gewölben ist in reiner Eisenbetonbauweise ausgeführt und dementsprechend außerordentlich leicht. Die Fahrbahntafel besteht aus der im Mittel 0,14 m starken, kräftig bewehrten Fahrbahnplatte, die ihre Last auf vier Längsträger, welche den Gewölberippen entsprechen, überträgt (Abb. 343). Die Längsträger wieder stützen sich in Abständen von 2,50 bis 3,00 m mittels schlanker Pfosten von 20 × 20 bis 30 × 30 cm Querschnitt unmittelbar auf das Gewölbe und sind über diesen Pfosten durch Querträger versteift.

Querschnitt im Scheitel.

Querschnitt am Kämpfer.

Abb. 343. Querschnitte durch die Fahrbahn der Moselbrücke bei Novéant.

Die drei kleinen Überbauten der Flutbrücke bestehen aus

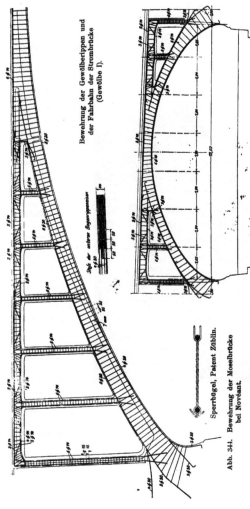

Bewehrung der Gewölberippen und der Fahrbahn der Strombrücke (Gewölbe I).

Bewehrung der Bogenträger und der Fahrbahn der Flutbrücke (Gewölbe V).

Sperrbügel, Patent Züblin.

Abb. 344. Bewehrung der Moselbrücke bei Novéant.

vier einzelnen Bogenträgern von Rechteckquerschnitt. Das verbindende Gewölbe ist hier weggelassen, weil es sich gemäß der durchgeführten statischen Berechnung als überflüssig erwies. Bei allen drei Flutbogen haben die Bogenträger einen Querschnitt von 50×35 cm im Scheitel und 80×35 cm im Kämpfer; die wagerechte Versteifung derselben ist mittels starker Querriegel sichergestellt.

Der statischen Berechnung wurden folgende Annahmen zugrunde gelegt:

Als Verkehrsbelastung wurde angenommen eine Dampfwalze von 16 t Dienstgewicht sowie Menschengedränge von 500 kg/m² für die von der Dampfwalze nicht bedeckte Fläche der Fahrbahntafel. Für die Querschnittbestimmung der Fahrbahnteile war außerdem die Belastung durch einen Lastwagen von 20 t Gewicht in Berücksichtigung zu ziehen.

Die Berechnung der Querschnitte, Trägheitsmomente usw. erfolgte genau wie für eine homogene Fläche, indem der Eisenquerschnitt durch den n-fachen Betonquerschnitt ersetzt wurde, und zwar wurde die Zahl $n = 10$ angenommen. Die Bogenachse für die sämtlichen sechs Gewölbe ist einer Stützlinie für Eigengewicht angepaßt und wurde analytisch bestimmt durch Division der Momente im Scheitel durch den Bogenschub. Für die Ermittlung der Auflagerkräfte H, V und M für die Einzellast $P = 1$ wurde der Wert $J \cdot \cos \varphi$ als konstant angenommen und außerdem zur weiteren Vereinfachung der Rechnung für die Bestimmung von H parabolische Bogenachse vorausgesetzt. Aus den Gleichungen für die drei Auflagerkräfte konnten dann die Einflußlinien für die Kernpunktmomente der Verkehrslast berechnet und zeichnerisch aufgetragen werden. Aus diesen wurden dann schließlich die ungünstigsten Kernpunktmomente für die verschiedenen Schnitte und, nach Division durch die entsprechenden Widerstandsmomente, die äußersten Spannungen von der

Abb. 345. Bewehrung eines großen Bogens (Strombrücke) der Moselbrücke bei Novéant und Beginn des Einschalens der Rippen.

Verkehrslast ermittelt. Hierbei wurde von der lastverteilenden Wirkung der Fahrbahnquerträger ganz abgesehen und angenommen, daß sich die Dampfwalzenbelastung nur auf die beiden mittleren Gewölberippen verteilt.

Die Spannungen von Eigengewicht und Wärmeänderungen dagegen wurden auf andere Weise bestimmt, und zwar mit Rücksicht auf die Stützlinienform der Gewölbe sehr einfach mit Hilfe der Ergänzungskraft. Durch Summation der Spannungen von Eigengewicht, Wärme und Verkehrslast wurden dann die Grenzwerte der Betonbeanspruchung bestimmt und, wo sich Zugspannungen ergaben, auch die Beanspruchung der Eiseneinlagen[1] $\sigma_e = \dfrac{Z}{f_e}$, wo $Z =$ Inhalt der Zugspannungsfläche.

Die Eiseneinlage in den Bogenrippen der drei großen Gewölbe (Abb. 344) besteht für jede Rippe aus acht durchgehenden Rundeisen 20 mm Durchm. am oberen und vier solchen am unteren Rande, außerdem sind unten auf die mittleren $^2/_3$ der ganzen Spannweite weitere vier Eisen 20 mm Durchm. eingelegt. An den Kämpfern greifen beide Eiseneinlagen sehr weit in die Pfeiler ein; zur weiteren Sicherung der Einspannung der Bogen in die Pfeiler erhielt ferner jede Bogenrippe am Kämpfer vier obere, über die ganze Pfeilerstärke durchgehende und in die beiden anstoßenden Bogen etwa 3 m eingreifende Eisen 20 mm Durchm.

Abb. 346. Bewehrung eines kleinen Bogens (Flutbrücke) der Moselbrücke bei Novéant.

Das Gewölbe wurde oben und unten mit einem gleichen Eisennetz bewehrt, bestehend aus Rundeisen 14 mm Durchm. in der Längen- wie in der Querrichtung, mit einer Maschenweite von 35 bis 40 cm; die Querversteifungsrippen erhielten je 3 Rundeisen 16 mm Durchm., oben und unten.

Die Bogenträger der Flutbrücken (Abb. 344) wurden oben und unten mit je sechs durchgehenden Rundeisen 18 mm Durchm. bewehrt und wie bei der Strombrücke unter sich durch über die Pfeiler greifende Eisen verspannt. Trotz der geringen Beanspruchung wurden die äußeren Bogen ebenso bewehrt wie die inneren.

Zur Sicherstellung der Schubfestigkeit der Gewölbe waren überall die oberen und unteren Eisen, wie aus Abb. 344 ersichtlich, durch zahlreiche Bügel (sog. „Sperrbügel", Patent Züblin, D. R.-P. Nr. 186951), welche aus 7 mm-Draht hergestellt wurden,

---

[1] Weitere Einzelheiten der Berechnung vergl. die angegebene Quelle.

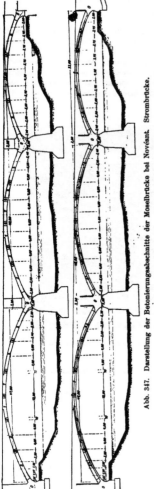

Abb. 347. Darstellung der Betonierungsabschnitte der Moselbrücke bei Novéant. Strombrücke.

unverschieblich verbunden. Die Eiseneinlagen bildeten infolge der festen Verbindung von Bügel und Längseisen eine Art
Fachwerk (Abb. 345 u. 346), welches in
einzelnen Teilstücken vorher hergestellt und
als fertiges Gerippe auf die Schalung verlegt
wurde, so daß eine Verschiebung der Eisen
weder beim Betreten noch durch das
Betonieren möglich war. Ganz besonders
reichlich wurden auch die in das Hochwasser eintauchenden Kämpferzwickel mit
Bügeln versehen.

Die Pfeiler erhielten außer den erwähnten Verbindungseisen zwischen den einzelnen
Bogen sowie außer der Bewehrung des
untersten Banketts über den Eisenbetonpfählen der Fundamente keinerlei Bewehrung,
sondern wurden in reinem Stampfbeton ausgeführt.

Bei der Ausführung der Gewölbe wurde
der Beton, um eine gleichmäßige Setzung
des Lehrgerüstes zu erzielen und um möglichst lange keine großen geschlossenen
Bogenstücke zu erhalten, streifenweise aufgebracht (Abb. 347), indem gegen sog.
„künstliche Widerlager“ betoniert wurde.
Die Reihenfolge der einzelnen Lamellen
konnte — mit Rücksicht auf die Flachheit
der Bogen — so gewählt werden, daß man
nach erstmaliger Herstellung der konsolartigen Kämpferstücke, im Scheitel beginnend, nach beiden Seiten symmetrisch
fortschritt, wobei jeweils die kurzen keil-
artigen Stücke gerade über den Stützungs-
punkten der Schalung zur Vermeidung von
Rißbildungen zuletzt betoniert wurden.
Die gleichzeitig aufgebrachten und in
Abb. 347 gleich numerierten großen Streifen
entsprachen einer Tagesleistung.

Dieses Verfahren hat sich sehr gut
bewährt. Es konnten nach der Ausrüstung
auf dem Gewölberücken nirgends die geringsten Rissebildungen wahrgenommen
werden. Allerdings ist die Herstellung
der künstlichen Widerlager für die
Lamellen bei bewehrten Gewölben mit so
vielen Eiseneinlagen nicht ganz leicht,
wenn auch wegen der großen Haftung an

den Eiseneinlagen der Beton nicht so stark gegen diese Widerlager drückt wie bei Betongewölben.

Wenn schon bei jeder Bogenbrücke eine ganz besondere Vorsicht bezüglich der Wahl der Gründung geboten erscheint, so trifft dies bekanntlich noch in erhöhtem Maße für eine Brücke mit elastisch eingespannten Bogen zu. Es mag daher fast als Kühnheit erscheinen, daß bei einem so bedeutenden Bauwerk wie der Brücke über die Mosel bei Novéant eine für Bogenbrücken ganz neue Gründungsart, nämlich die Rammung von Eisenbetonpfählen, in ausgedehntem Maße angewendet wurde. Die Ausführung dieser Gründung dürfte daher auch besondere Beachtung beanspruchen.

Es wurden allerdings nur die sämtlichen Landpfeiler auf einen Rost von Eisenbetonpfählen gestellt, nicht aber die beiden Strompfeiler, bei welchen diese Gründungsart wegen der für das Rammen notwendigen schweren Gerüste und der erforderlichen Ummantelung der Pfähle von Flußsohle bis über Wasser mit Beton gegenüber der Fangdammgründung keine Vorteile mehr geboten hätte.

Bei Festsetzung der Zahl der Pfähle wurden nun im Interesse einer möglichst hohen Sicherheit nur etwa halb so hohe Belastungen für jedes der beiden Pfahlprofile angenommen, als sonst üblich. Die Einzelheiten der Gründung sind in der angegebenen Quelle ausführlich dargestellt.

Die Anordnung der Ausdehnungsfugen, der hier besondere Sorgfalt zugewendet wurde, ist S. 411 bereits beschrieben worden. Die Probebelastung wurde mit zwei Dampfwalzen von 16 bis 18 t Dienstgewicht vorgenommen und ergab die größte Einsenkung, im Bogen I, von 2,3 mm.

Nr. 50. Die Straßenbrücke über den Inn bei Juoz[1]) liegt in einer Seehöhe von 1670 m, und es ist ein Verdienst der Gemeinde Juoz, daß sie sich nicht

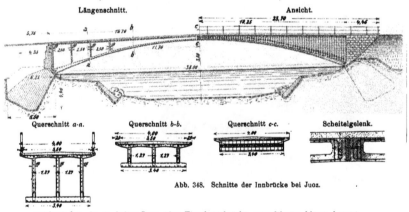

Abb. 348. Schnitte der Innbrücke bei Juoz.

geschaut hat, in so hoher Lage eine Eisenbetonbrücke auszuführen; hierzu kommt noch, daß das Klima der Gegend sehr veränderlich ist, indem die Wärmeunterschiede selbst im Sommer innerhalb 24 Stunden sehr beträchtliche sind. Die Spannweite der

[1]) Bulletin technique de la Suisse romande 1903, 10. Febr., S. 83.

Brücke beträgt 38 m, die Pfeilhöhe 3,80 m und die Breite der Fahrbahn, die gegen den Scheitel ansteigt, 4,0 m (Abb. 348). Sie besitzt drei Bleiplattengelenke. Die Gewölbestärke beträgt im Scheitel 20 cm und an den Kämpfern 60 cm. Auf dem Gewölbe stehen in Abständen von 1,27 m bewehrte Längswände von 16 cm Stärke, die in den äußeren Bogendritteln, in Entfernungen von 2,50 m, noch durch 10 cm starke Querwände aus Eisenbeton verbunden sind; außerdem besitzen die Gewölbe Bleiplattengelenke (Bauweise Maillart). Auf jeder Seite befinden sich vier solcher Wände, welche senkrecht zur Längenrichtung der Brücke stehen. Die letzte dieser Wände ist knapp an der Abschlußmauer des Stampfbetonwiderlagers und unabhängig von diesem durch Anordnung einer Zwischenfuge ausgeführt und ermöglicht dem ganzen Tragwerk eine freie Bewegung infolge von Wärmeeinflüssen usw. Auf den Längsrippen ruht eine Eisenbetonplatte, welche die Fahrbahn zu tragen hat. Sämtliche Eiseneinlagen bestehen aus Rundeisen kleinen Durchmessers, von denen die stärksten 15 mm betragen und deren Anordnung und Form in Abb. 348 zu ersehen sind. Der Beton wurde aus Innschotter und Sand mit 300 kg Portlandzement von Wallenstadt für 1 m³ zubereitet. Die Arbeiten wurden im Herbst 1900 begonnen, anfangs Juni 1901 wieder fortgesetzt, sodann vom 24. bis 27. Juli der Bogen, vom 28. Juli bis 12. August die Längsrippen und Querwände betoniert und die ganze Brücke bis anfangs Oktober fertiggestellt, worauf am 11. und 12. Oktober die Belastungsprobe stattfand.

Die Ergebnisse der Belastungsprobe seien kurz angeführt: Die Senkung des Scheitels betrug nach durchgeführter Ausrüstung 38 mm am Abend des 10. Oktober und erreichte 55 mm am 11. Oktober vormittags vor Beginn der Probe. Die volle Belastung veranlaßte eine weitere Senkung um 13 mm, so daß die gesamte Senkung 68 mm betrug. Entlastet in der Mitte zeigte die Brücke am 12. morgens eine Senkung von 75 mm, welche nach vollständiger Entlastung sich auf 72 mm ermäßigte.

Der Berechnung waren 350 kg/m² Nutzlast zugrunde gelegt; eine Erprobung wurde durch rollende Last mit einem Lastwagen von 6 t und 5 Pferden von zusammen 2 t vorgenommen.

Die Gesamtkosten des Bauwerks betrugen 26200 Frcs. (21 200 Mark).

Nr. 51. Die Straßenbrücke über den Rhein bei Tavanasa (Abb. 349) ist ebenso wie die vorher beschriebene Brücke nach Bauweise Maillart ausgeführt. Sie hat eine Spannweite von 51 m und eine Fahrbahnbreite von 3,60 m

Abb. 349. Rheinbrücke bei Tavanasa.

und besteht aus einem parabelförmigen Gewölbe, dessen Stärke überall 18 cm beträgt und sich erst kurz vor dem Widerlager vergrößert (Abb. 350). Auf diesem Bogen stehen in Achsentfernungen von 1,96 m zwei lotrechte Längsrippen, welche eine Stärke von 16 cm besitzen und die 12 cm starke Fahrbahntafel

tragen; die letztere ist über die Längsrippen hinaus beiderseitig frei ausgekragt
(Abb. 351).

In einer Entfernung von 7 m vom Widerlager sind die beiden Längsrippen durch
eine 10 cm starke Querwand versteift, wodurch ihr Zwischenraum abgeschlossen wird.
Von dieser Stelle aus gabeln sich die Längsrippen in eine 65 cm hohe Rippe zur Unterstützung der Fahrbahn und in eine andere, welche über dem Gewölbe zum Widerlager
geht (Abb. 350 u. 351). Am Widerlager ist eine Querwand auf die ganze Brücken-

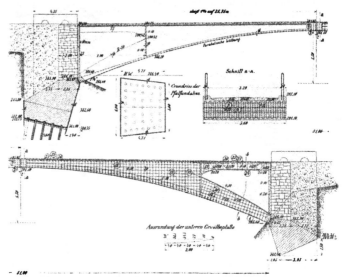

Abb. 350. Längenschnitt der Rheinbrücke bei Tavanasa.

breite unabhängig von dem dahinter befindlichen Steinmauerwerk angeordnet. Die Brücke
besitzt ein Scheitel- und zwei Kämpfergelenke aus Bleiplatten, die in Abb. 352 zu
sehen sind.

Dementsprechend ist der Scheitel der Brücke ausgebildet, indem sich die Fahrbahnplatte mit dem Gewölbe beiderseits zu 60 cm starken Eisenbetonkörpern vereinigt,
zwischen welchen die Bleiplatte gelagert ist. Die Bewehrung des Bogens besteht aus
Rundeisen von 12 mm Stärke in der Längsrichtung in Entfernungen von 40 cm und
15 mm starken Rundeisen in der Querrichtung in 30 cm Entfernung. Die Bewehrung
der Längsrippen besteht aus 10 mm starken Rundeisen parallel zum Bogen und 15 mm
starken Rundeisen senkrecht dazu, welche gitterförmig mit einer Maschenweite von 30 cm
angeordnet sind. Der gegen das Widerlager zu laufende obere Ast der Längsrippen, der
zugleich als Betonbalken des Endfeldes dient, ist demgemäß stärker bewehrt und be-

sitzt 20 mm starke Rundeisen, welche, im unteren Teile (Zuggurt) angeordnet, mittels 10 mm starker Rundeisenbügel mit der Fahrbahnplatte zusammenhängen. Die Querwände sind mit 10 mm starken Rundeisen sowohl in lotrechter als auch wagerechter Richtung in Maschen von 30 cm bewehrt. Nur in der Endquerwand sind, da diese größeren Inanspruchnahmen ausgesetzt ist, in lotrechter Richtung außer den bereits erwähnten Bewehrungen noch 20 mm starke Rundeisen eingelegt.

Die Fahrbahnplatte ist in beiden Richtungen mit 10 mm starken Rundeisen bewehrt,

Querschnitt b-b (Abb. 350).

Querschnitt neben dem Scheitel.

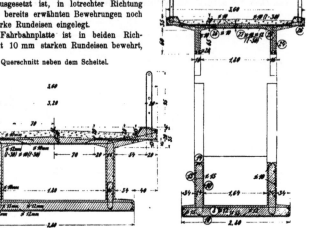

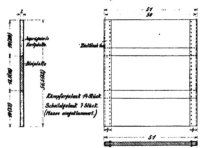

Abb. 351. Querschnitte der Rheinbrücke bei Tavanasa.

Abb. 352. Bleiplattengelenk der Rheinbrücke bei Tavanasa.

in Entfernungen von 20 cm. Die Bewehrung des Betonkörpers am Scheitelgelenk ist aus Abb. 350 (Schnitt a—a) ersichtlich. Der Gesamtbedarf an Beton für die Tragkonstruktion betrug kaum 100 m³. Die Brücke wurde anfangs 1905 gebaut und hat insgesamt 27 000 Francs (rd. 22 000 Mark) gekostet.

Nr. 52. Die Brücke der Wiedergeburt über den Tiber in Rom,[1] entworfen und ausgeführt 1910/11 von der Società Porcheddu in Turin (Abb. 353), die die Firma Hennebique, Paris, in Italien vertritt, stellt mit 100 m Spannweite die bisher weitestgespannte Eisenbetonbrücke

¹) Beton u. Eisen 1911. Heft XIV u. XV; ferner erweiterter Sonderdruck Th. Gesteschi. Die Brücke der Wiedergeburt über den Tiber in Rom. Berlin 1911. Verlag von Wilhelm Ernst & Sohn.

und Massivbrücke überhaupt dar. Die allgemeine Anordnung des Bauwerks sowie die Hauptabmessungen desselben gehen aus Abb. 354 hervor.

Das eigentliche Gewölbe ist im Scheitel 20 cm, an den Kämpfern 50 cm stark. Wie bereits bemerkt, hat es eine Spannweite von 100 m und eine Pfeilhöhe von 10 m. An den Stirnseiten besitzt der Bogen sogenannte Kuhhörner (Abb. 353 u. 354), d. s. längs der Unterkante gegen die Widerlager zunehmende Abschrägungen, so daß der Pfeil der Bogenkante an den Stirnen nur 8 m beträgt. Die über dem dünnen Gewölbe angeordneten Verstärkungsrippen, sieben an der Zahl, haben in ganzer Länge eine Stärke von 20 cm. Im Scheitel des Bogens sind zwischen den 20 cm starken Längsrippen 10 cm starke Wände in der Quer- und Längsrichtung eingefügt, die bis zur Fahrbahntafel reichen, die hier an der Aufnahme der Bogenkräfte teilnimmt.[1]

Die Gesamtstärke des Scheitels beträgt 85 cm. Hiervon entfallen 20 cm auf die von Balken getragene Brückenbahn, einschließlich der 15 cm starken Fahrbahnplatte,

Abb. 353. Brücke der Wiedergeburt über den Tiber in Rom.

und 45 cm auf die Höhe der leeren Zellenräume. Rechnet man noch die Höhe des Bürgersteiges hinzu, so ist die gesamte Scheitelstärke 1,15 m. Dieses äußerst geringe Maß, welches dem Bogen ein sehr leichtes Aussehen verleiht, hätte rechnungsgemäß noch verringert werden können, wenn nicht wegen der Kanalisationsrohre unter den Bürgersteigen ein bestimmter lichter Raum erforderlich gewesen wäre. Wo die Quer- und Längswände, die nur in der Nähe des Scheitels vorhanden sind, fehlen, wird die 15 cm starke Fahrbahnplatte durch Balken von 18 × 25 cm Stärke, die auf den Längsrippen ruhen, getragen.

Die Breite der Brücke, zwischen den Geländerinnenkanten gemessen, beträgt 19,2 m. Auf die Fahrstraße entfallen hiervon 13,0 m und auf die beiderseitigen Gehwege je 3,1 m, das Maß von Außenkante bis Außenkante der Brüstung ist 20 m. Die Zufahrtstraßen erweitern sich vor der Brücke auf 26,5 m.

Besondere Erwähnung verdienen die Eiseneinlagen, die einen neuartigen Querschnitt besitzen. Auf Vorschlag von Ingenieur G. A. Porcheddu wurden nämlich, um eine bessere Verbindung derselben zu erzielen, statt der gewöhnlichen Rundeisen Stäbe von

---

[1] In dieser Hinsicht zeigt das Bauwerk eine gewisse Verwandtschaft mit den im folgenden Abschnitt behandelten eigentlichen Brücken Hennebiquescher Bauweise (Vergl. auch S. 367).

Halbkreisquerschnitt benutzt. Die Verteilung der Stäbe wurde so bewerkstelligt, daß im ganzen Bauwerk nur zwei Querschnitte, nämlich solche von 110 und 380 mm², verwendet wurden. Die lotrechten Wände sind mit Eisennetzen aus lotrechten und wagerechten Stäben, die an den Kreuzungsstellen miteinander verbunden sind, bewehrt (Abb. 355). Das Gewölbe hat ähnliche Eiseneinlagen, nur besitzen die Längsstäbe bedeutend größeren Querschnitt.

Für die Berechnung wurde eine Verkehrslast infolge Menschengedränge von 500 kg/m² bezw. drei Straßenwalzen von je 15 t Gewicht angenommen. Die Berechnung wurde nach einem sehr einfachen, von Hennebique angegebenen Verfahren durchgeführt.

Die Widerlager sind in Längs- und Querwände aufgelöst (Abb. 354 u. 356) und ruhen in den Kreuzungspunkten derselben auf Eisenbetonbrunnen oder -pfeilern, die nach dem „Compressol-Verfahren" in den Untergrund eingebaut wurden und eine Verdichtung des Bodens sowie eine Übertragung der Lasten auf tiefere festere Schichten bezwecken. Bezüglich Einzelheiten der Gründung sei auf die in der Fußnote (S. 604) angegebenen Quellen verwiesen.

Die Längswände der Widerlager sind 30 cm stark und liegen in der Verlängerung der 20 cm starken Bogenrippen.

Nach dem Gesagten ruht die Erdauffüllung der Zellen der Widerlager unmittelbar auf dem Baugrund. Die Zellen an der Wasserseite wurden nicht mit Erde gefüllt, um die Last am Widerlagerrande gegen die Flußseite hin zu verringern. Außerdem wurden die leeren Zellen durch unter den Kämpfern angeordnete Öffnungen verbunden, um im Inneren der Brücke Besichtigungen vornehmen zu können. Die Querwände über dem Bogen, die die Längsrippen verbinden, sind ebenfalls mit Öffnungen versehen, so daß die ganze Brücke im Inneren begehbar ist.

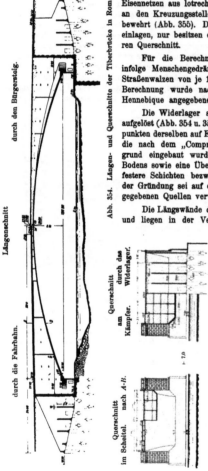

Abb. 354. Längen- und Querschnitte der Tiberbrücke in Rom.

Die Widerlagerfundamente am rechten Ufer wurden noch durch eine 50 m lange Eisenbetonspundwand gegen die Wasserseite hin gesichert. Die einzelnen mit Feder und Nut versehenen Spundpfähle von 35 × 35 cm Querschnitt waren in der Mitte mit einem Kanal versehen, in welchen Druckwasser eingepreßt wurde, so daß die Pfähle unter geringer Belastung von selbst in das gelockerte Erdreich einsanken. Am linken Ufer war ein solcher Schutz nicht erforderlich, da er hier durch eine natürliche Felswand gebildet wird.

Besondere Schwierigkeiten ergaben sich für die Ausführung des Lehrgerüstes, da die veränderlichen Wasserverhältnisse des Tibers dieses ernstlich gefährdeten. Während der Hochwasserzeit, vom Beginn des Herbstes bis zum Eintritt des Frühjahrs, steigt das Wasser 6 bis 8 m über den niedrigsten Wasserstand. Da die Arbeiten möglichst beschleunigt werden mußten, durf-
ten sie in dieser
langen Zeit natür-
lich keine wesent-
lichen Unter-
brechungen erlei-
den. Um dies zu
erreichen, wurde
das Lehrgerüst von
Ingenieur Por-
cheddu vollständig
in Eisenbeton ent-
worfen, und zwar
sowohl die Gerüst-
pfeiler als auch
die Tragbalken.

Für jeden
Gerüstpfeiler wur-
den 16 Eisenbeton-
pfähle in zwei   Abb. 355. Ausführung der Bogenrippen der Tiberbrücke in Rom.
Reihen von einem   (Betonierung in wagerechten Zügen zwischen Schalwänden besonderer Art.)
Ponton aus ein-
gerammt. Diese Pfähle waren mit besonderen flügelartigen Verzahnungen versehen, um den Widerstand gegen Einsinken in die tiefen Sandschichten zu vergrößern. Auf jede so gebildete, am Kopf mit Holmen versehene Pfahlgruppe wurden lotrechte Eisenbetonstützen gestellt, welche am oberen Ende durch Eisenbetonbalken verbunden wurden, so daß man ein leichtes, aber kräftiges Lehrgerüst erhielt, welches zugleich dem Wasser nur einen geringen Widerstand bot. Im mittleren Teile wurden, da eine größere Durchfahrt freigehalten werden mußte, die Balken durch trapezförmige Binder ersetzt, die in Abb. 353, welche die Gesamtanordnung des Lehrgerüstes zeigt, zu er-kennen sind.

Auf die oberen Eisenbetonbalken wurden in der Querrichtung Holzbalken gelegt und auf diesen die Schalbretter befestigt. Die Querbalken wurden auf Keile gesetzt, mittels welcher man leicht in allen Punkten die erforderliche Höhenlage bezw. die Form der inneren Leibung herstellen konnte. Diese Art des Lehrgerüstes zeigte sich in der Folge sehr zweckmäßig und sicher. Ohne die Hilfe von Zimmerleuten wurden, nachdem die Grundpfähle eingerammt waren, von den Zementarbeitern von einfachen Flößen aus die einzelnen Teile des Gerüstes, für die jede schwerfällige Form und Verbindung vermieden worden war, zusammengebaut. Die Befestigung der einzelnen Glieder untereinander geschah durch Verbindung der Eiseneinlagen und Vergießen der Knotenpunkte mit Beton. Die Hochwasser, welche in der ersten Zeit oft Unterbrechungen der Arbeiten veranlaßten, waren für die Aufstellung des Lehrgerüstes nicht hinderlich, da der Gußbeton leicht erhärtete, während die verwendeten Geräte vor dem Hochwasser rasch wieder entfernt werden konnten.

Bei der Betonierung des Bogens machte man für die Materialförderung von einer Schwebebahn Gebrauch, durch die die Baustoffe leicht an die Verwendungsstelle gebracht werden konnten.

Abb. 356. Hinteransicht eines Widerlagers der Tiberbrücke in Rom während der Ausführung (ohne Auffüllung).

Auch die Herstellung der Balken der Fahrbahn war eigenartig. Zur Einfachheit wurden alle 18×25 cm starken Balken einzeln angefertigt und nach Betonierung der Bogenrippen in der vorgeschriebenen Höhe verlegt. Die Balken wurden so gestaltet, daß sie die Schalung für die Betonierung der Fahrbahnplatte aufnehmen konnten, wodurch besondere Stützen gespart wurden. Auf diese Weise konnte die Ausführung der Fahrbahnplatte sehr schnell erfolgen. Der Beton wurde sehr naß mit 300 kg Zement auf 1 m³ Beton verarbeitet. Das Vorziehen von dünnflüssigem Beton hat sich hier sehr gut bewährt.

Nach Vollendung der Brücke im April 1911 wurden Belastungsproben für ruhende und bewegliche Lasten vorgenommen. Als ruhende Belastung wurde 500 kg/m², zuerst auf · die eine Hälfte der Brücke, dann über die ganze Brücke (1000 t) verteilt, angenommen. Bei der Probe für bewegliche Belastung ließ man sieben Dampfwalzen über die Brücke fahren. Die Ergebnisse waren vollkommen befriedigend.

Die Gesamtkosten des Bauwerks betrugen 1 250 000 Lire (1 012 500 Mark), und zwar hatte die Firma Porcheddu die Ausführung für diese Summe in Pauschal übernommen.

IV. Eisenbetonbogenbrücken mit Rippenplattenquerschnitt (Bauweise Hennebique).

Nr. 53. Straßenbrücke über die Aisne zu Soissons,[1] ausgeführt von der Firma Hennebique, Paris (Abb. 357).

[1] Beton armé 1904, S. 237. Genie Civil 1904, 13 Februar.

Die Brückenachse schneidet die Aisne unter 60° (Abb. 357). Das Bauwerk besitzt drei Öffnungen von 24,25, 24,48 und 24,25 m Lichtweite und zwei Zwischenpfeiler von 1,50 m Stärke, welche ebenso wie die Landwiderlager ganz in Eisenbeton ausgeführt sind. Die Überbauten der drei Öffnungen lösen sich in sieben Bogenrippen auf, welche mit der Fahrbahnplatte durch Eiseneinlagen verbunden sind. Die Breite der Brücke beträgt 14 m und gliedert sich in einen 4,90 m breiten Streifen zur Überleitung

Ansicht.

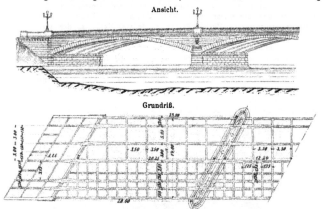

Grundriß.

Abb. 357. Ansicht und Grundriß der Brücke zu Soissons.

des Lokalbahnverkehrs von Soissons nach Rethel, ferner in einen 6,0 m breiten Fahrstraßenteil und zwei 1,55 m breite Gehwege (Abb. 358). Die Pfeilhöhe der Bogenrippen beträgt 2,42 bezw. 2,48 m; ihre Höhe mißt im Scheitel 30 cm, an den Landwiderlagern 2,52 m und an den Zwischenpfeilern 2,75 m. Die Breite der sieben Rippen ist nicht

Schnitte des Mittelpfeilers.   Schnitte des Endwiderlagers.

Scheitelquerschnitt.

Auflagerquerschnitt.

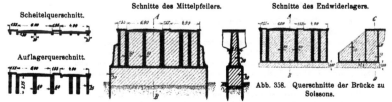

Abb. 358. Querschnitte der Brücke zu Soissons.

gleich; die schwächer belasteten Randrippen sind 25 cm breit, die übrigen 30 cm auf eine Strecke von 6,0 m zu beiden Seiten des Scheitels und dann gegen die Kämpfer hin auf 60 cm zunehmend. Die Bewehrung besteht aus vier Reihen Rundeisen, welche nach oben und unten durch Bügel verankert sind. Die oberste Reihe liegt in der Platte, die unterste 30 bis 40 cm von der Leibung entfernt. Die beiden mittleren Reihen sind in flachgekrümmten Linien angeordnet.

Die Stärke der Rundeisen beträgt in den Randrippen, wo nur 8 Stäbe liegen, 18 mm, während sie in den Mittelrippen, wo 12 Stäbe vorhanden sind, 28 bis 30 mm mißt.

Die Rippen gehen über die Strompfeiler durch, ebenso ihre Eiseneinlagen, so daß der Überbau ein durchlaufendes Tragwerk darstellt.

Die Fahrbahn stellt im allgemeinen eine Platte von 10 cm Stärke mit Querrippen dar; die letzteren, 20 × 25 cm stark, sind unter Fahrstraße und Gehwegen in Entfernungen von 3,50 m, unter der Kleinbahn in 1,75 m Abstand angeordnet (Abb. 357).

Die Brücke kostete insgesamt 198 500 Francs (rd. 161 000 Mark), so daß 1 m² Brücke auf rd. 190 Francs (154 Mark) zu stehen kam. Von den zu gleicher Zeit eingegangenen Angeboten betrug der Preis für eine Mauerwerkbrücke 243 000 Francs (197 000 Mark), für eine Eisenbrücke 233 000 Francs (189 000 Mark). Verbraucht wurden an Beton rund 1830 m³ und an Eisen 133 t, wovon 129 t auf die Bewehrung und 4 t auf Pfahlschuhe entfielen. Die Brücke wurde zweimal einer strengen Belastungsprobe, die sehr günstig verlief, sowohl durch ruhende und rollende Last als auch auf Stoßwirkungen unterzogen.

Näheres hierüber findet sich in Le Béton armé 1904, S. 237 bis 243.

Nr. 54. Straßenbrücke bei Los Angeles in Kalifornien,[1] entworf n von Zivilingenieur H. Michele de Palo in Los Angeles (Abb. 359 u. 360).

Die Brücke wurde 1905/06 für die Los Angeles Pacific Eisenbahn in Playa del Rey, nahe Los Angeles, Kal., erbaut. Ihre Gesamtlänge ist 62,69 m, ihre Spannweite

Abb. 359. Brücke bei Los Angeles in Kalifornien.

44,50 m und ihre Pfeilhöhe 5,49 m; ihre Breite beträgt 5,80 m. Die Widerlager sind in sandigem Baugrund auf Pfählen gegründet, die, den Uferböschungen entsprechend, in verschiedener Höhe abgeschnitten und mit einer Betonplatte von 76 cm Stärke überdeckt sind; die letztere ist durch zwei sich kreuzende Lagen von Eisenschienen, verlegt in 107 cm Abstand, bewehrt. Das Tragwerk besteht aus drei Bogenträgern von je 36 cm Breite und 61 cm Höhe im Scheitel, einschließlich der rund 10 cm starken Fahrbahndecke. Die beiden äußeren Träger bilden gleichzeitig die Brückenstirnen. Die Fahrbahn folgt im mittleren Teile der Bogenkrümmung, wodurch die Brücke ein äußerst leichtes und vornehmes Aussehen erhalten hat. Diese Hauptrippen sind durch elf Querträger von 15 cm Breite und wechselnder Höhe verbunden. Die Bewehrung der Hauptrippen besteht aus je vier in den Ecken angeordneten Winkeleisen von rund 89 × 64 × 13 mm Stärke, welche in radialer Richtung durch Flacheisen von 6 × 38 mm Stärke verbunden sind; nahe der unteren Leibung sind außer-

¹) Deutsche Bauztg 1906, Zementbeilage, S. 51.

dem drei alte Eisenbahnschienen von rund 12 kg/m Gewicht angeordnet. Die Querträger sind mit je einer Schiene von gleichem Gewicht verstärkt, an deren Kreuzungen Aussteifungsplatten angenietet sind. Die Einlage der Brückentafel besteht aus einem Netzwerk von 10 mm starken, diagonal verlaufenden Eisenstäben mit Abständen von rund 13 cm. Sieben Wochen nach Fertigstellung des Betons wurde mit der Ausschalung begonnen und bei Entfernung des Lehrgerüstes ein Senken des Scheitels von 10 mm festgestellt; am folgenden Tage erreichte die Durchbiegung nahezu 17 mm; danach waren weitere Bewegungen nicht mehr zu bemerken. Folgende Probebelastungen wurden

Abb. 360. Untersicht der Brücke bei Los Angeles.

vorgenommen: 1. gleichmäßig verteilte Belastung von 4250 kg auf 1 m², welche eine zeitweilige Durchbiegung im Scheitel von 10 mm hervorrief; 2. Einzellast im Scheitel von 33,5 t, bei welcher eine Durchbiegung nicht festgestellt werden konnte.

Nr. 55. Der Nelson-Street-Viadukt in Atlanta[1]) (Abb. 361) ist rund 136 m lang und besitzt zehn flachgewölbte Öffnungen, und zwar sieben mit 12 bis 15 m, die übrigen mit 22,5, 16 und 6 m Lichtweite. Das Tragwerk einer Öffnung besteht aus vier Mittelbalken und zwei Randbalken. Die Gesamtbreite des Viaduktes beträgt 15,6 m, von der 9,6 m auf die Fahrbahn und je 2,75 m auf die beiderseits angeordneten Fußwege entfallen (Abb. 362). In der Mitte liegen zwei Straßenbahngleise. Die Fahrbahn steigt gegen die Mitte beiderseits um 2 vH. Die Mittelbalken verlaufen in Entfernungen von je 1,5 m unter jeder Schiene, während die Randbalken

---

[1]) Eng. Record 1907, 12. Oktober. S. 409.

an der Grenze zwischen Fußsteig und Straßenkörper liegen (Abb. 362) Die Fußsteige werden durch Kragträger getragen, deren Entfernung voneinander 3 m beträgt. Das Tragwerk wurde berechnet für eine gleichmäßige Last von 450 kg/m²

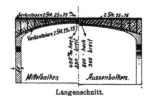

Abb. 361. Nelson-Street-Viadukt in Atlanta.

auf den Fußsteigen, ferner für den Verkehr von 12 t schweren Lastwagen und eine
Reihe von je 40 t schweren elektrischen Straßenbahnwagen. Die Abmessungen

der Rippen unter den Gleisen
betragen im Scheitel 35 cm in
der Breite und 45 cm in der Höhe,
bei den Randbalken 30 bezw.
80 cm, in den Höhenmaßen ist
die 15 cm starke Eisenbetonplatte
mit einbegriffen. Jeder Balken
ist sowohl an seiner unteren, als
auch oberen Fläche mit je zwei
Kahneisen von 25 × 75 mm Stärke

Querschnitt im Scheitel.

Abb. 362.
Längen- und
Querschnitte
des Nelson-
Street-
Viaduktes in
Atlanta.

Langenschnitt.   Querschnitt an der Stütze.

bewehrt, welche durch 12 mm starke Rundeisen verbunden sind, die als senkrechte
Bügel dienen (Abb. 362). Über den vier Mittelrippen ist die Fahrbahnplatte um 10 cm

vertieft zwecks Unterbringung der Straßenbahnschienen. Der übrige Teil der Straßenfahrbahn wurde mit einem Holzstöckelpflaster versehen. Die Pfeilerwände haben eine Stärke von 60 cm und besitzen zwei Öffnungen von je rund 3 m, so daß Pfeilerbreiten außen von 90 cm, in der Mitte von 180 cm übrig bleiben. Oberhalb der Pfeiler sind je zwei Kahneisen von 25 × 75 mm Stärke eingebettet; ebensolche Eisen, und zwar vier an der Zahl, gehen in jedem Pfeilerschaft senkrecht vom Pfeilerfuß bis zur Fahrbahn hinauf. Die Mischung des Betons des Tragwerks geschah 1 : 2 : 4, jene der Pfeiler 1 : 3 : 5. Im ganzen wurden rund 2200 m³ Beton und 100 t Eisen verarbeitet.

Nr. 56. Hochbahn zwischen Zomerhofstraat und Bergweg in Rotterdam,[1]) ausgeführt von der Hollandsche Maatschappy. Das insgesamt 1950 m lange Bauwerk besitzt folgende Öffnungen:

Abb. 363. Unterführung der Zomerhofstraat.

Abb. 364. Unterführung der Teylingerstraße.

_____
[1]) De Ingenieur 1907, 9. November.

a) 1 Öffnung von 21,60 m Spannweite über der Zomerhofstraat (Abb. 363),
b) 8 Öffnungen von 8,40 m zwischen den Pfeilermitten,
c) 1 Öffnung von 10 m über der Simonstraat,
d) 8 Öffnungen von 7,88 m zwischen den Pfeilermitten,
e) 2 Öffnungen von 13,50 m über der Teylingerstraße (Abb. 364),
f) 15 Öffnungen von 8 m zwischen den Pfeilermitten,
g) 1 Öffnung von 20 m,
h) 15 Öffnungen von 7,96 m zwischen den Pfeilermitten,
i) 1 Öffnung von 15 m,
j) 17 Öffnungen von 8,35 m zwischen den Pfeilermitten,
k) 1 Öffnung von 20 m über den Bergweg.

Die Hochbahn dient für den Verkehr einer zweigleisigen elektrischen Bahn. Die Achsenentfernung der beiden Schienenpaare beträgt 3,60 m. Unter jeder Schiene befindet

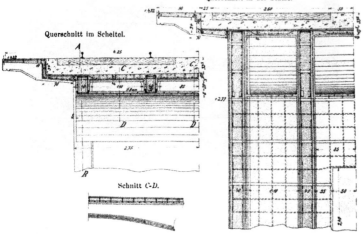

Abb. 365. Querschnitte der Hochbahn in Rotterdam.

sich eine gebogene Rippe, welche bei den kleinen Spannweiten im Scheitel 30 cm breit und 45 cm hoch ist; die Höhe vergrößert sich an den Kämpfern auf 145 cm (Abb. 365). An der Leibung sind diese Bogenrippen durch eine 8 cm starke Eisenbetonplatte verbunden, so daß die Untersicht dieses Bauwerks ein voll durchgehendes Gewölbe vermuten läßt. An der Oberkante sind die Rippen ebenfalls durch eine Eisenbetonplatte von 12 cm Stärke verbunden, welche auf einer anderen, 4 bezw. 5 cm starken Platte gestampft wurden (Abb. 365). Die obere Platte ist über die Außenrippen vorgekragt, zur Aufnahme des 35 cm starken Schotterbettes knieförmig nach oben gebogen und schließlich zur Aufnahme eines Gehweges von 90 cm Breite wieder wagerecht geführt. Der letztere ist durch lotrechte Kragrippen unterstützt.

Die Bogenrippen ruhen auf Pfeilern von 40 × 65 cm Stärke, die in der Querrichtung durch je zwei Eisenbetonwände von 8 cm Stärke, an die untere Verbindungsplatte der Rippen anschließend, verbunden sind (Abb. 366). Die Bewehrung der Rippen

Längenschnitt *A-B* (Abb. 365).

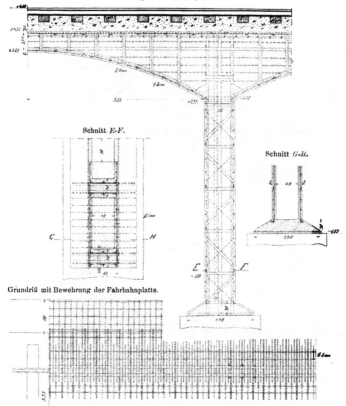

Abb. 366. Längenschnitt und Einzelheiten der Hochbahn in Rotterdam.

besteht aus Formeisen, derart, daß in den Ecken der Balken Winkeleisen liegen. Die
oberen Winkel sind mit den gekrümmten unteren Winkeln durch lotrechte Winkeleisen
verbunden. Das ganze Gerippe für das Tragwerk und die Pfeiler wurde, soweit es aus

steifen Gliedern bestand, zuerst ohne Zuhilfenahme einer Schalung aufgestellt, wie aus Abb. 367 zu ersehen ist.   Stellenweise wurden jedoch auch Rundeiseneinlagen verwendet, wobei ein festes Schalgerüst notwendig war (Abb. 368).   Alle anderen Einzel-

Abb. 367. Aufstellung des steifen Eisengerippes beim Bau der Hochbahn in Rotterdam.

Abb. 368. Verlegung der Rundeiseneinlagen auf der Schalung beim Bau der Hochbahn in Rotterdam.

heiten sind aus den Abb. 365 u. 366 zu ersehen. Für die Berechnung dieses Bauwerks wurden Verkehrslasten auf beiden Gleisen von 105,5 t schweren Lokomotiven und außerdem 400 kg/m² auf den Fußsteigen in Betracht gezogen. Außerdem wurde ein

Wärmeunterschied von ± 12° C. berücksichtigt. Das Bauwerk wurde einer strengen Belastungsprobe unterzogen, und die elastischen Durchbiegungen betrugen bei 20 m Spannweite $\frac{1}{6140}$, bei 15 m $\frac{1}{9550}$, bei 13,5 m $\frac{1}{9600}$ der jeweiligen Spannweite. Die übrigen Einzelheiten über diese Belastungsproben sind zu finden in der Druckschrift van Hemerts' „Beproeving der Viadukt in Gewapend Beton te Rotterdam".

Zum Wettbewerb wurden außer der vorerwähnten Eisenbetonfirma noch zwei Eisenfirmen aufgefordert. Die Gesamtkosten dieser drei Angebote verhielten sich wie 100 : 128 : 133, woraus die Wirtschaftlichkeit des Eisenbetons deutlich hervortritt.

V. Eisenbetonbogenbrücken mit einzelnen Hauptträgern.

1. Brücke mit obenliegender (gestützter) Fahrbahn.

Nr. 57. Straßenbrücke über den Hudson bei Sandy Hill, New-York.[1])

Die Brücke dient dem Straßenverkehr und gleichzeitig zur Überführung eines Normalspurgleises zur Bedienung der auf beiden Seiten des Flusses liegenden bedeutenden Papierfabriken.

Die Bodengestaltung und die dortigen Wasserverhältnisse, welche den größten Teil des Jahres einen gleichmäßigen Wasserstand aufweisen, der felsige Untergrund

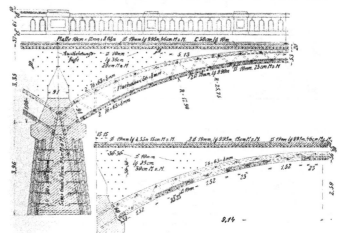

Abb. 369. Längenschnitte der Hudsonbrücke bei Sandy Hill.

sowie die geringe Höhe der Fahrbahn über dem Wasserspiegel, dies alles führte zur Lösung der Brücke mit vielen und kleinen Öffnungen.

Das rd. 313 m lange Bauwerk besitzt 15 Öffnungen von je 18,28 m Spannweite und 2,59 m Pfeilhöhe (Abb. 369). Die Gesamtbreite beträgt 10,86 m; hiervon kommen auf den Fahrdamm 8,16 m und auf den einseitigen Bürgersteig 1,60 m (Abb. 370).

[1]) Eng. News 1907, S. 497. Proceedings of the American Society of Civil Engineers 1907, 4. April.

Jede Öffnung wird von sieben Bogenträgern überspannt. Davon bestehen die beiden Stirnbogen aus Betonblöcken, ebenso wie die gesamte Verkleidung der Pfeiler und der Brückenstirn, mit einer Scheitelstärke von 46 cm, einer Kämpferstärke von 76 cm. Unter den beiden Schienen des Gleises sind stärkere Hauptträger von 91 × 91 cm Kämpfer und 91 × 56 cm Scheitelstärke angeordnet. Die drei übrigen Hauptträger liegen in je 1,77 m Abstand und besitzen nur 81 × 69 bezw. 81 × 31 cm Stärke. Die Bogenträger sind mit vier Winkeleisen von 76 × 63 × 8 mm, verbunden durch Flacheisen von 56 × 8 mm Stärke, bewehrt, wobei mindestens eine Betondicke von 8 cm allseitig vorhanden ist (Abb. 369). Um an Zeit und Transportkosten zu sparen, sind diese Eiseneinlagen an Ort und Stelle mit den einfachsten Hilfsmitteln zugerichtet und zusammengesetzt, und zwar mit Verschraubung der Einzelteile. Die Eiseneinlagen sind fest mit dem Eisengerippe der Pfeiler verbunden, so daß die Hauptträger also fest einge-

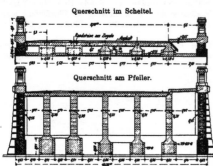

Querschnitt im Scheitel.

Querschnitt am Pfeiler.

Abb. 370. Querschnitte der Hudsonbrücke bei Sandy Hill.

spannt sind. Zu diesem Zweck sind auch die Zwischenpfeiler durch je vier Winkeleisen von 100 × 100 × 11 mm bewehrt, welche in der Ebene der jeweiligen Eisenrippen der Bogen liegen und mit diesen durch geeignete Laschen verbunden sind. Die unter den Schienen liegenden Träger sind an der unteren Leibung durch eine durchgehende, 15 cm starke Eisenbetonplatte verbunden, die übrigen durch eine Platte, die in Abständen von 1,83 m auf je 1,52 m behufs Erleichterung der Konstruktion Unterbrechungen zeigt.

Auf den schweren Hauptträgern stehen 38 cm, auf den leichteren 31 cm starke Längswände, welche die 20 cm starke Fahrbahn bezw. 12 cm starke Fußwegplatte tragen, die in beiden Richtungen mit Eisen bewehrt sind. Auch die Zwickelmauern besitzen Eiseneinlagen. Mit Ausnahme des Gerippes der Hauptträger und Pfeiler sind durchweg Thachereisen verwendet worden.

Die Brücke ist berechnet für eine gleichmäßige Verkehrslast von rd. 500 kg/m² für Fahrstraße und Fußweg, eine Schneelast von 60 kg/m² und außerdem hinsichtlich der Träger unter dem Gleis für einen Lastenzug von auf zwei vierrädrigen Drehgestellen ruhenden Güterwagen mit je 55 t Gewicht. Bei der Fahrbahntafel wurden auch Einzelraddrücke berücksichtigt. Das Verhältnis von $E_e : E_b = 1 : 15$ gesetzt, die größte zulässige Beanspruchung des Betons auf Druck ist zu 35 kg/cm² angenommen, erreicht aber nirgends mehr als 28 kg/cm². Die Zugspannung des Betons wurde nicht in Rechnung gestellt.

Ausdehnungsfugen sind vorgesehen in Fahrbahn und Zwickelmauern im Scheitel und über den Kämpfern (dagegen anscheinend nicht in Stirnmauern und Geländer). Die Überdeckung der Fugen in der Fahrbahn geschieht durch 12 mm starke Bleche.

Wie schon bemerkt, sind die Stirnen mit Betonblöcken verkleidet, die in Holzformen in der Nähe des Bauplatzes vorher hergestellt wurden und Aussparungen und Ausklinkungen zeigen, die, beim Versetzen mit Mörtel ausgefüllt, zusammen mit den vielfach eingelegten Klammern eine feste Verbindung aller Teile sichern. Als Kernstücke dienten bei der Einformung der Blöcke mit Sand gefüllte Papiersäcke, die nach Fertigstellung durch Anstechen geleert wurden und leicht entfernt werden konnten. Von den Geländern sind nur die Pfosten als Formblöcke hergestellt, alle wagerechten Teile dagegen am Ort eingestampft. Mischung 1 : 2 : 4, für die Blockstirnen 1 : 2 (Steingrus).

Der Bau wurde in der Zeit vom 1. März 1906 bis 4. Januar 1907 mit einem Kostenaufwand von 308 000 Mark hergestellt. Die Gründung bot allerdings keine Schwierigkeit, da sie in nur 0,6 bis 0,9 m tiefem Wasser zwischen kleinen Fangedämmen unmittelbar auf die felsige Flußsohle erfolgen konnte.

Nr. 58. Wegüberführung bei Otting der Eisenbahn Donauwörth—Treuchtlingen,[1] entworfen und ausgeführt 1906 von der Firma Gebr. Rank in München.

Längenschnitt c-d.

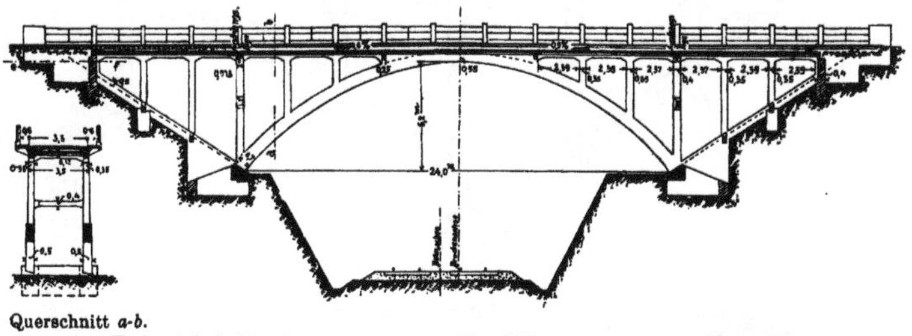

Querschnitt a-b.
Horizontalschnitt e-f.　　　　Grundriß.　　　　Untersicht.

Abb. 371. Gesamtanordnung der Wegüberführung bei Otting.

In der Nähe der Station Otting, bei km 23,4 der Bahnlinie, überführt das durch sein leichtes und gefälliges Aussehen bemerkenswerte Bauwerk einen rd. 4,5 m breiten Feldweg, welcher den an dieser Stelle etwa 12,5 m hohen Bahneinschnitt unter einem Winkel von 68,5° kreuzt. Der im Einschnitt zutage tretende gute Fels legte den Bau einer Bogenbrücke nahe, und so entstand die in Abb. 371 im Längs- und Querschnitt sowie Grundriß dargestellte Gesamtanordnung.

Die Bogenöffnung besteht aus zwei getrennten Hauptträgern, auf welche die Last der Fahrbahn durch einzelne, im Abstande von rd. 2,7 m stehende Pfeiler übertragen wird; aus Schönheitsgründen wurden Bogen sowie Pfeiler nach dem Winkel der Bahnachse versetzt angeordnet. An den bogenförmigen mittleren Teil schließen sich zu beiden Seiten gerade Balkenträger an, deren Fundamente unter sich und mit dem Bogen-

---

[1] Deutsche Baustg. 1907, Zementbeilage, S. 9.

widerlager durch mehrere in der Böschung liegende Eisenbetonriegel verbunden sind. Die Bogenträger besitzen eine Spannweite von 24 m und eine Pfeilhöhe von 6,2 m; die Bogenform entspricht als Korbbogen mit ganz geringen Abweichungen der Drucklinie für den Normalbelastungsfall. Der Querschnitt wächst allmählich von 35 × 55 cm im Scheitel auf 50 × 70 cm im Kämpfer an. Die 12 cm starke Fahrbahnplatte trägt den gepflasterten 3,8 m breiten Fahrweg, von welchem beiderseits die 60 cm breiten Fußwege konsolartig auskragen; die gesamte Brückentafel wurde mit Rücksicht auf die Wärmewirkungen durch zwei über den Kämpfern liegende Ausdehnungsfugen in drei voneinander unabhängige Teile zerlegt. Je ein kräftiger Querrahmen über den Bogenwiderlagern hat die Wirkung der wagerechten Kräfte, besonders die des Wind-

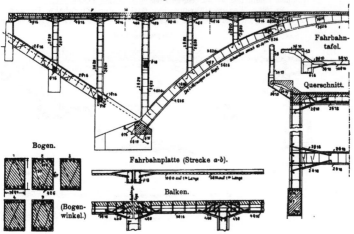

Abb. 372. Bewehrung der Wegüberführung bei Otting.

drucks, zu übernehmen. Die Brücke erhielt gegen die Kämpfer zu einen schwachen Anlauf, um die Standfestigkeit des im Verhältnis zu seiner Höhe sehr schmalen Bauwerks zu vergrößern.

Der statischen Berechnung wurde ein 4 t schwerer Wagen und 360 bezw. 540 kg/m² gleichmäßige Belastung zugrunde gelegt.

Die Bewehrung des Bogens (Abb. 372) besteht aus oben und unten symmetrisch zur Achse eingebetteten Rundeisen, und zwar im Scheitel je drei mit 26 mm Durchm., gegen die Bogenviertel zu wachsend auf je fünf zu 26 mm, welche gegen die Kämpfer wieder auf je vier zu 26 mm Durchm. abnehmen. Die größte Beanspruchung tritt bei halbseitiger Belastung ungefähr im Bogenviertel auf und beträgt im Beton rd. 38 kg·cm² Druck und 9 kg/cm² Zug, im Eisen 531 kg/cm² Druck und 97 kg/cm² Zug. Auf die Bewehrung durch Bügel wurde große Sorgfalt verwendet; sie wurden bei gegenseitiger

Entfernung von 40 bis 50 cm in aufeinander folgenden Querschnitten des Bogens in verschiedener Weise und zwar derart angeordnet, daß die Eisen nicht nur am Umfang entlang, sondern auch schräg verbunden sind, womit erreicht werden soll, daß ein Nachgeben eines Rundeisens in irgend einer Richtung verhindert und der Beton allseitig fest umschnürt wird. Die Fahrbahn wurde gekreuzt bewehrt, und zwar in der Querrichtung mit zehn Eisen von 10 mm Durchm. auf 1 m Länge, in der Längsrichtung mit fünf zu 10 mm und zweimal drei zu 8 mm in den Schrägen. Ein Teil des Eisens wurde hochgebogen, um zugleich die Bewehrung der Fußwegplatte zu bilden (Abb. 372).

Der gesamte Eisenbeton wurde im Mischungsverhältnis 1 : 1,5 bis 1 : 5 hergestellt. Die Eisenbetonarbeiten konnten rasch gefördert werden; so wurde jeder Bogenträger, nachdem das Eisengerippe vorher verlegt war, in einem Tage betoniert; die Pfeiler nahmen zwei, die Fahrbahn fünf Tage in Anspruch.

Nr. 59. Straßenbrücke über die Rhône bei Pyrimont,[1] ausgeführt 1906/07 nach dem Entwurf des Ingenieurs de Mollin in Lausanne von der Gesellschaft „La Grenobloise", Grenoble (Abb. 373).

Wie aus Abb. 374 ersichtlich, besteht diese Brücke aus drei Bogen von je 51,50 m Lichtweite und einem auf der Ainseite gelegenen einhüftigen Bogen. Der letztere war dadurch begründet, daß der auf der Ainseite befindliche Zwischenpfeiler nicht in das daselbst tiefe Rhônebett, sondern auf eine in der Ufernähe befindliche Felsnase zu stehen kam. Die beiden anderen Zwischenpfeiler wurden mittels Luftdrucks gegründet, und ihre Ausführung bot große Schwierigkeiten. Die beiden Bogenträger einer Öffnung, die mit den Pfeilern bezw. Widerlagern fest verspannt sind, sind in der Nähe

Abb. 373. Rhônebrücke bei Pyrimont.

des Scheitels oben und in der Nähe der Kämpfer unten durch eine Eisenbetonplatte von 15 bezw. 20 cm Stärke verbunden, die bei der Verteilung der Druckkräfte mitwirkt.

An je zwei Stellen der Bogenträger, wo die Drucklinie den geringsten Ausschlag aufweist, ist keine Querwand vorhanden, sondern die beiden Träger sind nur durch zwei bewehrte Querriegel verbunden. Die Bogenträger sind 40 cm breit und verbreitern sich kurz vor den Auflagern auf 75 cm; ihre Höhe beträgt im Scheitel 60 cm, an den Kämpfern 100 cm (Abb. 375).

Die Bewehrung der Bogenträger besteht aus acht 30 mm starken Rundeisen oben

[1] Schweiz. Bauztg. 1907, 7. Dez. — Beton u. Eisen 1907, S. 98; 1908, S. 167. — Annales des Ponts et Chaussées 1907. Bd. V, S. 60.

und vier 25 mm starken Rundeisen unten sowie den üblichen Bügeln (Abb. 375). Die
größte Betondruckspannung beträgt 34 kg/cm² und die Zugspannung des Eisens
1046 kg/cm². Die Fahrbahn besteht aus einer 10 cm starken Eisenbetonplatte, welche
durch Quer- und Längsträger getragen wird, die auf dünnen Eisenbetonstützen ruhen.
Sie wurde für einen 6 t schweren Wagen und eine gleichmäßig verteilte Last von

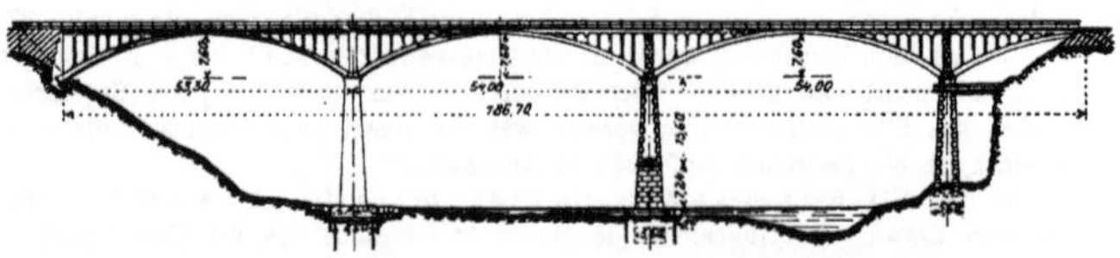

Längenschnitt.   Ansicht.

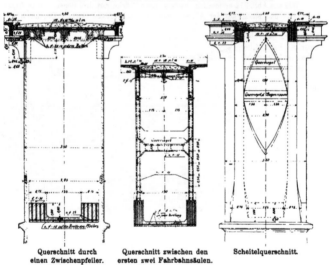

Abb. 374. Längenschnitt und Ansicht der Brücke bei Pyrimont.

Querschnitt durch   Querschnitt zwischen den   Scheitelquerschnitt.
einen Zwischenpfeiler.   ersten zwei Fahrbahnsäulen.

Abb. 375. Querschnitte der Brücke bei Pyrimont.

200 kg/m² ausgebildet. Die Breite der Brücke zwischen den Geländern ist 3,74 m, wovon
je 0,77 m auf die beiderseitigen Fußwege entfallen.

Erwähnenswert ist auch die Ausbildung der Fahrbahn, um auf der rd. 187 m langen
Brücke das Kreuzen von Wagen zu ermöglichen. Zu diesem Zwecke wurde sie
über den Zwischenpfeilern in einer Länge von 10 m auf 5,24 m verbreitert, wovon
4,5 m auf die eigentliche Straße entfallen (Abb. 375). Diese Verbreiterung wurde

durch Auskragungen erreicht. Die Fahrbahn besitzt 28 Ausdehnungsfugen, welche mit Goudron vergossen sind. Die Brücke wurde im Mai 1907 einer strengen Belastungsprobe unterzogen, welche vollkommen zufriedenstellende Ergebnisse aufwies.

Die Gesamtkosten des Bauwerks betragen 212000 Francs (172000 Mark).

Nr. 60. Die Straßenbrücke in Trembowla, Galizien, ausgeführt von der Firma Sosnowski u. Zachariewicz in Lemberg (Abb. 376), besitzt zwei Öffnungen von 21,80 m Lichtweite,

Brücke 376. Brücke in Trembowla.

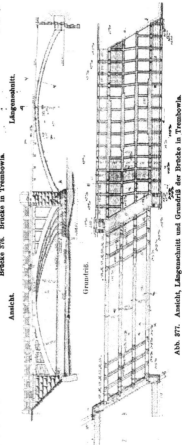

Abb. 377. Ansicht, Längenschnitt und Grundriß der Brücke in Trembowla.

Ansicht.   Längenschnitt.   Grundriß.

2,65 m Pfeilhöhe und ist schief (Abb. 377). Sie besteht aus vier Bogenträgern, von denen die beiden mittleren 40 cm im Scheitel und 45 cm an den Kämpfern breit sind, während die beiden äußeren Träger eine Breite von 45 bezw. 50 cm haben. Ihre Höhe nimmt von 59 cm im Scheitel auf 70 cm an den Kämpfern zu. Die einzelnen Hauptträger sind durch Querriegel verbunden, die, entsprechend der Schiefe der Brücke, in Richtung der Pfeilerfluchten liegen. Die Lasten der Fahrbahn, die als

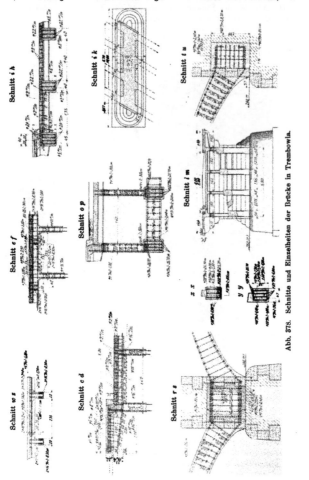

Abb. 378. Schnitte und Einzelheiten der Brücke in Trembowla.

Plattenbalken ausgebildet ist, werden durch Einzelpfeiler in Abständen von 1,40 m auf die Hauptbogen übertragen. Die Breite der Fahrbahntafel beträgt 8 m. Hiervon entfallen 5 m auf die Fahrstraße und je 1,50 m auf die beiderseitigen Gehwege, die auf Kragträgern ruhen (Abb. 378). Die Hauptträger sind mit den Widerlagern und dem Strompfeiler fest verspannt (Abb. 378, Schnitt tu und rs). Ihre Bewehrung ist symmetrisch, und zwar besitzen die beiden mittleren Bogenträger oben und unten je sechs Stück 22 mm starke Rundeisen, die beiden äußeren je acht Stück 24 mm starke Rundeisen. In den Bruchfugen (Abb. 377, sowie Schnitte xx und yy der Abb. 378) sind außerdem je drei Stück 22 mm, bezw. je vier Stück 24 mm starke Rundeisen hinzugefügt worden. Sämtliche Eiseneinlagen der Hauptträger sind durch Rundeisenbügel entsprechend verbunden. Weitere Einzelheiten gehen aus den Abb. 377 u. 378 hervor.

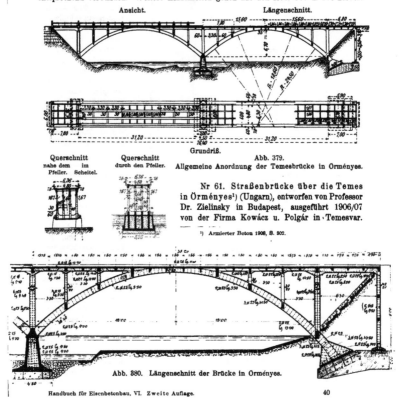

Ansicht.   Längenschnitt.

Querschnitt   Querschnitt   Grundriß.
nahe dem   im   durch den Pfeiler.   Abb. 379.
Pfeiler. Scheitel.   Allgemeine Anordnung der Temesbrücke in Orményes.

Nr 61. Straßenbrücke über die Temes in Orményes[1] (Ungarn), entworfen von Professor Dr. Zielinsky in Budapest, ausgeführt 1906/07 von der Firma Kowácz u. Polgár in Temesvar.

[1] Armierter Beton 1908, S. 302.

Abb. 380. Längenschnitt der Brücke in Orményes.

Die im Zuge der Staatsstraße Lugos—Orsova liegende Temesbrücke besitzt zwei Öffnungen von je 30 m Lichtweite und 6,7 m Pfeilhöhe (Abb. 379).

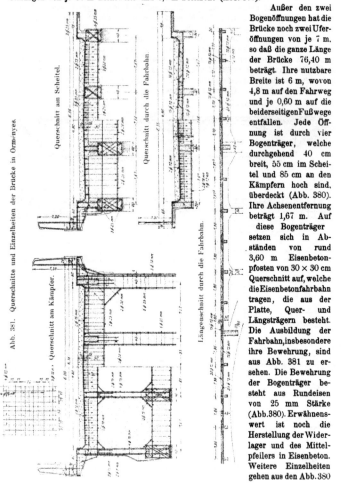

Abb. 381.   Querschnitte und Einzelheiten der Brücke in Ormányes.

Außer den zwei Bogenöffnungen hat die Brücke noch zwei Uferöffnungen von je 7 m. so daß die ganze Länge der Brücke 76,40 m beträgt. Ihre nutzbare Breite ist 6 m, wovon 4,8 m auf den Fahrweg und je 0,60 m auf die beiderseitigen Fußwege entfallen. Jede Öffnung ist durch vier Bogenträger, welche durchgehend 40 cm breit, 55 cm im Scheitel und 85 cm an den Kämpfern hoch sind, überdeckt (Abb. 380). Ihre Achsenentfernung beträgt 1,67 m. Auf diese Bogenträger setzen sich in Abständen von rund 3,60 m Eisenbetonpfosten von 30 × 30 cm Querschnitt auf, welche die Eisenbetonfahrbahn tragen, die aus der Platte, Quer- und Längsträgern besteht. Die Ausbildung der Fahrbahn, insbesondere ihre Bewehrung, sind aus Abb. 381 zu ersehen. Die Bewehrung der Bogenträger besteht aus Rundeisen von 25 mm Stärke (Abb.380). Erwähnenswert ist noch die Herstellung der Widerlager und des Mittelpfeilers in Eisenbeton. Weitere Einzelheiten gehen aus den Abb. 380

u. 381 hervor. Sämtliche Fundamente reichen bis an den Felsboden. Das Mischungsverhältnis war für die Fundamente 1:7, für die Bogen 1:5, und für die übrigen Teile 1:6. Die Bogen wurden ohne Unterbrechung Tag und Nacht betoniert und innerhalb zweier Tage fertiggestellt. Die Herstellung der Fahrbahn dauerte sechs Tage.

Als Belastung der Brücke war vorgeschrieben eine Dampfwalze von 20 t Gewicht oder zwei Fuhrwerke von je 16 t Gewicht oder 400 kg gleichmäßige Belastung für 1 m².

Die Brücke wurde einer Probebelastung unterzogen mit 2400 kg für 1 m Brückenlänge in fünf Abschnitten, und zwar Vollbelastung einer Öffnung, halbseitige Belastung, Scheitelbelastung und Belastung des Mittelpfeilers und Entlastung. Alle beobachteten Durchbiegungen entsprachen oder blieben unter der Grenze der berechneten Durchbiegungen. Die größte Durchbiegung der Bogen betrug 1,8 mm.

Die gesamten Baukosten beliefen sich auf rund 81 000 Mark.

Nr. 62. Eisenbahnbrücken der ungarischen Lokalbahn Fogaras—Kronstadt[1], entworfen von Professor Dr. Zielinsky in Budapest (Abb. 78 u. 79). Auf die beiden Talbrücken der Bahnlinie Fogaras—Kronstadt (Siebenbürgen) ist schon S. 375 hingewiesen worden, während Abb. 382 die allgemeine Anordnung der kleineren der beiden Brücken darstellt, die im großen und ganzen die gleiche Ausbildung wie die größere Brücke aufweist.

Sie besitzt eine Bogenöffnung von 33,6 m Spannweite, 16,5 m Pfeilhöhe und anschließende Balkenöffnungen von den in Abb. 382 angegebenen Abmessungen. Bemerkenswert ist die Klarheit der Ausbildung des Tragwerks, insbesondere der bis zu den Sockeln der Widerlagspfeiler herabgeführten Ausdehnungsfugen zwischen Bogenöffnung und Anschlußbrücken. Die Gesamtlänge der Talbrücke beträgt 99,4 m. Die beiden Hauptträger sind durch Riegel von rechteckigem Querschnitt in Abständen von 3,60 m verbunden, und zwar an den Stellen, wo die Pfosten zur Übertragung der Fahrbahnlasten aufsetzen. Die Pfosten selbst sind oben mit den kräftigen Querträgern zu Portalen verbunden, welche die beiden Rippen der längslaufenden Plattenbalken der Fahrbahn aufnehmen (Abb. 382). Die Fahrbahn hat durchgehende Beschotterung erhalten und besitzt deshalb in Abständen von 1,4 m von der Gleisachse bezw. Brückenachse Kiesleisten aus Eisenbeton. Die Brücke liegt vollkommen in der Krümmung und die Fahrbahn in 15 vT. Gefälle. Die Höhe der Bogenträger ist im Scheitel 1 m, an den Kämpfern 1,90 m, ihre Breite 0,50 m. Der Berechnung waren als Belastungsannahme zugrunde gelegt ein Eisenbahnzug, gebildet aus zwei Lokomotiven von 4×12 t Achsdruck bei einem Achsabstand von 1,2 m und einer Gesamtlänge von je 8,4 m mit angehängten Güterwagen von 2×12 t Achsdruck in Abständen von je 3 m. Die lotrechte Belastung war zu multiplizieren mit $\mu = 1,5 + 0,0007 \, (20 - l)^2$, wo $\mu = 1,5$ für $l > 20$ m anzunehmen war. Für Ermittlung der Beanspruchungen aus Winddruck, Bremskraft und Fliehkraft war $\mu = 1$ zu setzen; als Wärmeänderung war $\pm 25^\circ$ zugrunde zu legen. Unter Zulassung von $\sigma = 50$ kg/cm² für Beton und $\sigma = 1200$ kg/cm² für Eisen ergab sich eine größte Beanspruchung von 52 kg/cm² in der unter 60° geneigten Fuge.

Bei der Probebelastung zeigten sich für die Senkungen (+) bezw. Hebungen (−) folgende Werte:

$$\text{Laststellung im Scheitel} + 1,16 \text{ mm}$$
$$\text{Last halbseitig: in } \tfrac{1}{4} \, l \left\{ \begin{array}{l} + 1,00 \text{ mm} \\ - 0,76 \text{ ,,} \end{array} \right.$$

Die Ergebnisse deckten sich mit den durch Rechnung ermittelten Werten.

---
[1] Schweiz. Bauz. 1909, 29. Mai.

40*

Die größere der beiden Brücken besitzt bei einer Gesamtlänge von $3 \cdot 10{,}5$ $+ 14{,}0 + 10{,}5 + 2{,}5 + 60{,}0 + 2{,}5 + 10{,}5 + 14{,}0 + 2 \cdot 10{,}5 = 166{,}5$ m eine Bogen-öffnung von etwa 56 m Stützweite, 20,7 m Pfeilhöhe, ferner ist die Trägerhöhe im Scheitel 1,35 m, an den Kämpfern 3,20 und die Trägerbreite 0,60 m. Die Entfernung der Stützpfosten über den Bogenträgern ist 5,0 m.

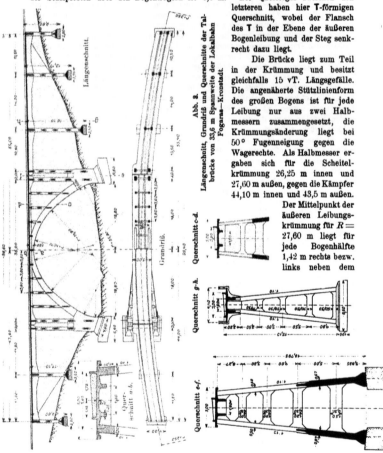

Abb. 8.
Längenschnitt, Grundriß und Querschnitte der Tal-brücke von 33,6 m Spannweite der Lokalbahn Fogaras–Kronstadt.

Die Querriegel zwischen den letzteren haben hier T-förmigen Querschnitt, wobei der Flansch des T in der Ebene der äußeren Bogenleibung und der Steg senk-recht dazu liegt.

Die Brücke liegt zum Teil in der Krümmung und besitzt gleichfalls 15 vT. Längsgefälle. Die angenäherte Stützlinienform des großen Bogens ist für jede Leibung nur aus zwei Halb-messern zusammengesetzt, die Krümmungsänderung liegt bei 50° Fugenneigung gegen die Wagerechte. Als Halbmesser er-gaben sich für die Scheitel-krümmung 26,25 m innen und 27,60 m außen, gegen die Kämpfer 44,10 m innen und 43,5 m außen.

Der Mittelpunkt der äußeren Leibungs-krümmung für $R =$ 27,60 m liegt für jede Bogenhälfte 1,42 m rechts bzw. links neben dem

Mittelpunkt für $R = 26{,}25$ m der inneren Leibung, aber auf gleicher Höhe, so daß die äußere Leibung im Scheitel eine 2,84 m lange wagerechte Zwischengerade aufweist. Bei der Berechnung, die unter den gleichen Voraussetzungen wie die kleinere Brücke durchgeführt wurde, ergab sich als Größtspannung im Scheitel 49,5 kg/cm². Die Probebelastung ergab folgende Durchbiegungen:

Laststellung im Scheitel $+\,2{,}5$ mm

Last halbseitig: in $\dfrac{1}{4}\,l \left\{ \begin{array}{l} +\,2{,}24\ \text{mm} \\ -\,1{,}60 \end{array} \right.$.

Nr. 63. Garamkövesder Brücke über den Garamfluß bei Párkány-Nána in Ungarn, ausgeführt 1907/08 von der Firma G. A. Wayss u. Co. in Budapest (Abb. 383).

Die Brücke dient dem Straßenverkehr und hat drei Öffnungen, die durch je zwei eingespannte Bogenträger von 40 m lichter Weite und 4 m Pfeilhöhe überspannt sind. Die Bogen sind an den Kämpfern 1,30 m breit und 1,20 m hoch, im Scheitel 1,30 m breit und 0,77 m hoch. Die Fahrbahn ruht auf diesen Bogen mittels kleiner Pfosten von 20 × 30 cm Querschnitt, die in einem Abstand von 2,30 bis 2,40 m paarweise stehen (Abb. 384). Die Fahrbahnbreite beträgt zwi-

Abb. 383. Garamkövesder Brücke über den Garamfluß bei Párkány-Nana (Ungarn).

schen den Geländern 6,0 m; hiervon entfallen auf die Fahrstraße 4,8 m und auf die Gehwege, die zum Teil auf Auskragungen liegen, je 0,60 m. Die 6,3 m breite Fahrbahntafel wird durch Längs- und Querbalken, die mit der 17 cm starken Fahrbahnplatte zu Plattenbalken verbunden sind, gebildet. Die Fahrbahndecke besteht aus 4 cm starken Asphaltplatten, während die Fußwege eine 2 cm starke Asphaltdecke besitzen.

Die Fahrbahn hat an den Pfeilern und Widerlagern Ausdehnungsfugen. Während dreier Jahre wurden diese Fugen beobachtet, wobei eine jährliche Größtbewegung von 3 mm festgestellt wurde.

Die Bewehrung der Hauptträger und der Fahrbahn geht aus Abb. 385 hervor.

Für die statische Berechnung war als Belastung ein Wagen von 20 t oder zwei Wagen von 16 t Gewicht, bezw. Menschengedränge von 400 kg/m² vorgeschrieben.

Die Pfeiler und Widerlager wurden zwischen Spundwänden ohne Pfähle fundiert. Das Mischungsverhältnis der Hauptträger und Fahrbahn ist 1 : 4, das der Fundamente 1 : 4 : 6, und das des aufgehenden Mauerwerks 1 : 7. Die vom Wasser bespülten Teile sind mit Beton in Mischung 1 : 3 furnierartig verkleidet.

Die Pfeilerköpfe zeigen eine Steinverkleidung, und zwar auf beiden Seiten, weil die Brücke nahe an der Mündung des Garamflusses liegt und das Hochwasser der

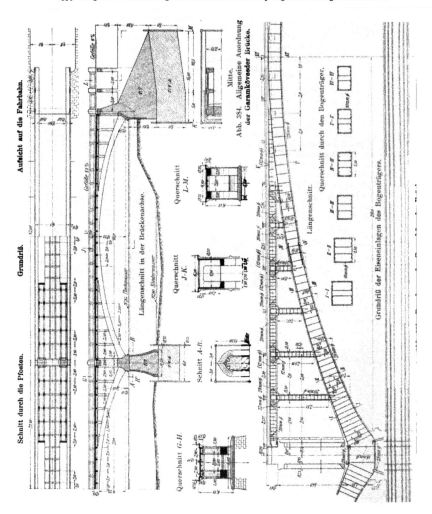

Abb. 384. Allgemeine Anordnung
der Garamkövesder Brücke.

Donau auf denselben zurückwirkt, ein Eisstoß von dieser Seite also auch in Betracht kommt.

Da die Bogen erst Ende November 1907 betoniert werden konnten, mußte der Brückenbau eingestellt, die Gerüste wegen der Gefahr eines Eisstoßes abgetragen

Abb. 386. Garamkövesder Brücke während der Ausführung.

und die Fahrbahn im folgenden Frühjahr von den fertigen Bogen aus hergestellt werden.

Die Anordnung des Lehrgerüstes, sowie der Schalung der Bogen zeigt Abb. 386.

Nr. 64. Eisenbahnbrücke über den Tiefengraben der Linie Agonitz— Klaus,[1] ausgeführt von der Firma Wayss u. Freytag A.-G. und Meinong in Innsbruck (Abb. 387).

Abb. 387. Eisenbahnbrücke über den Tiefengraben der Linie Agonitz—Klaus.

[1] Nowak, Die Eisenbetonbogenbrücken der Eisenbahnlinie Klaus – Agonitz. Zeitschr. d. österr. Ing.- u. Arch.-V. 1911, auch Sonderdruck. Wilhelm Ernst u. Sohn, Berlin 1911; ferner Handbuch für Eisenbetonbau. zweite Auflage, VII. Band, S. 55 u. f.

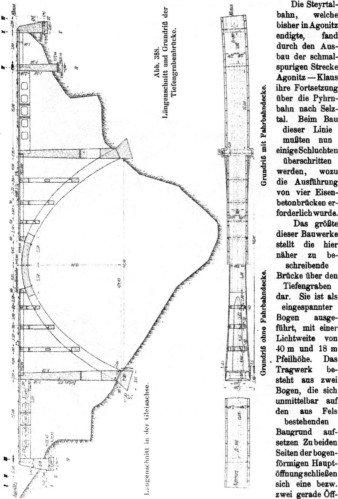

Abb. 388.
Längenschnitt und Grundriß der
Tiefengrabenbrücke.

Grundriß mit Fahrbahndecke.

Grundriß ohne Fahrbahndecke.

Längenschnitt in der Gleisachse.

Die Steyrtalbahn, welche bisher in Agonitz endigte, fand durch den Ausbau der schmalspurigen Strecke Agonitz—Klaus ihre Fortsetzung über die Pyhrnbahn nach Selztal. Beim Bau dieser Linie mußten nun einige Schluchten überschritten werden, wozu die Ausführung von vier Eisenbetonbrücken erforderlich wurde.

Das größte dieser Bauwerke stellt die hier näher zu beschreibende Brücke über den Tiefengraben dar. Sie ist als eingespannter Bogen ausgeführt, mit einer Lichtweite von 40 m und 18 m Pfeilhöhe. Das Tragwerk besteht aus zwei Bogen, die sich unmittelbar auf den aus Fels bestehenden Baugrund aufsetzen Zu beiden Seiten der bogenförmigen Hauptöffnung schließen sich eine bezw. zwei gerade Öffnuogen an (Abb. 388). Über den Bogenwiderlagern erheben sich kräftige Pfeiler, die sich nach oben verjüngen; über den Bogen selbst sind in lichten Abständen von 4,0, 3,5, 3,0 und 2,5 m Stützen angeordnet, die die Fahrbahn tragen. Die Breite der Stützen nimmt gegen die Bogenmitte ab, sie beträgt 80, 70 bezw. 60 cm. Die Fahrbahn besitzt über den genannten Stützen Ausdehnungsfugen.

Die Verkleinerung der Abstände und Breiten der Stützen gegen den Bogenscheitel hin ist aus Schönheitsgründen geschehen. An den Hauptpfeilern sind in Höhe der Fahrbahn auf Auskragungen Nischen angeordnet, die ein Beiseitetreten beim Herannahen des Zuges ermöglichen.

Der Bogenquerschnitt ist vom Scheitel beiderseitig auf je 5,5 m ein volles Rechteck und gabelt sich von da ab in zwei Einzelbogen, die in den Knotenpunkten durch Querstreifen verbunden sind (Abb. 388 u. 389).

Im Scheitel beträgt die Überschüttung, die durch Stirnwände aus Eisenbeton abgeschlossen ist, 1,0 m. Die Stirnwände besitzen im Scheitel eine Ausdehnungsfuge.

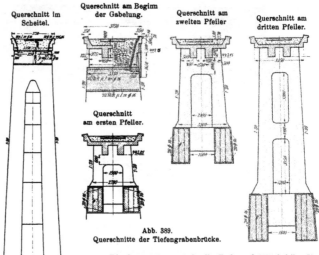

Querschnitt im Scheitel.

Querschnitt am Begim der Gabelung.

Querschnitt am zweiten Pfeiler.

Querschnitt am dritten Pfeiler.

Querschnitt am ersten Pfeiler.

Abb. 389.
Querschnitte der Tiefengrabenbrücke.

Die Bogenträger sowie die End- und Mittelpfeiler über den letzteren besitzen außen einen Anlauf von 1/20, so daß die gesamte Breite der Bogenöffnung von 3,25 m im Scheitel auf 5,2 m an den Widerlagern zunimmt. Die Bogenstärke beträgt im Scheitel 1,2 m, an den Kämpfern 2,1 m. Für die statische Untersuchung der Bogen wurden Wärmeschwankungen von $+ 30°$ bis $- 20°$ C. berücksichtigt. Die Grenzwerte der Spannungen im Beton ergaben 30,9 kg/cm² Druck und 11,7 kg/cm² Zug. Mit Rücksicht auf die hauptsächlich durch die Wärmeschwankungen hervorgerufenen Zugspannungen mußte der Bogen bewehrt werden, entgegen der ursprünglichen Absicht, nur unter jedem Pfosten zur besseren Lastverteilung im Bogen ein Eisennetz anzuordnen. Die Bewehrung besteht aus einer oberen und unteren Rundeiseneinlage, und zwar im Scheitel von je 10 Stäben 16 mm Stärke auf 1 m, im übrigen Bogenteil von je 20 Rundeisen gleicher Stärke auf 1 m, entsprechend einer mittleren Bewehrungsziffer von 0,3 vH. Die oberen und unteren Eiseneinlagen sind durch radiale Bügel miteinander verbunden. Die Bewehrung der Pfosten ist wie die der Bogen aus Abb. 389 zu ersehen. Über die Anordnung des Lehrgerüstes und den Vorgang beim Ausrüsten vergl. Handbuch II. Bd. (zweite Aufl.), S. 297.

Nr. 65. Meadow-Straßenbrücke in Pittsburg, Pa.[1]), ausgeführt 1910 von der Friday Contracting Co. in Pittsburg (Abb. 390).

Abb. 390. Meadow-Straßenbrücke in Pittsburg, Pa.

Das Bauwerk besitzt eine Gesamtlänge von 138,4 m und in Bogenmitte eine größte lichte Höhe von 23,8 m. Die Spannweite der Hauptöffnung beträgt 63,70 m

Ansicht.

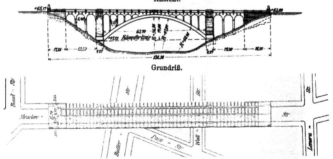

Abb. 391. Ansicht und Grundriß der Meadow-Straßenbrücke.

und die Pfeilhöhe 14,06 m. Sie ist durch drei Bogenträger überdeckt, deren beide äußeren 1,14 m und deren mittlerer 1,52 m breit sind. Alle drei Bogenträger haben

---

[1]) Engl. News 1910, 1. Dez. — Concrete und Constr. Eng. 1911, März.

eine Stärke von 1,52 m im Scheitel, die auf 1,88 m an den Kämpfern zunimmt. Die Bogenträger sind durch 26 wagerechte Quersteifen von 30 cm Breite verbunden, deren Höhe mit Ausnahme nahe am Scheitel die gleiche wie die der Hauptträger ist. Die letzteren stützen sich gegen die beiden Hauptpfeiler von 11,51 m Länge und 4,27 m Breite. Zwischen Hauptpfeiler und Endwiderlager sind je drei kleinere

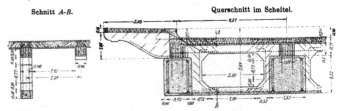

Schnitt *A-B*. Querschnitt im Scheitel.

Bogen von 6,40 m Spannweite (Abb. 391).

Die nutzbare Brückenbreite ist 15,24 m, wovon 9,14 m auf die Fahrstraße und je 3,05 m auf die beiderseitigen Bürgersteige entfallen (Abb. 392).

Die Fahrbahnplatte, die als Plattenbalken ausgebildet ist, ruht auf den Entlastungsbogen, deren Pfosten 0,61 × 0,61 m Querschnitt, sowie einen Abstand von 4,57 m, von Mitte zu Mitte, besitzen. In den kleineren Seitenöffnungen ist die Fahrbahnplatte ähnlich ausgebildet, nur ist der Abstand der Stützen 6,40 m und ihr Querschnitt 0,61 × 0,91 m, der nach unten über dem Felsboden noch verbreitert ist. Der Fußweg wird von einer Eisenbetonplatte von 15 cm Stärke auf Kragbalken getragen.

Erwähnung verdient die eigenartige Bewehrung der Bogenträger mit Monolitheisen, hergestellt von der Monolith Steel Co. Sie besteht für jeden Bogen aus acht 38 mm

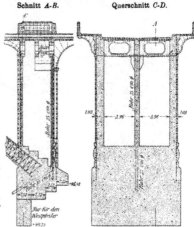

Schnitt *A-B*. Querschnitt *C-D*.

Hauptpfeiler.
Abb. 392. Querschnitte und Einzelheiten der Meadow-Straßenbrücke.

starken Rilleneisen, in vier Paaren angeordnet, jedes Paar verbunden mit 13 mm starken Rundeisen in Abständen von etwa 30 cm. Die Bindeeisen sind in die Rillen der 38 mm starken Längseisen gelegt, wodurch lotrechte vergitterte Bogenrippen, die den Hauptträgern angepaßt sind, entstehen. Die oberen und unteren Eiseneinlagen haben etwa einen Abstand von 10 cm von den Außenkanten. Die Gitterträger wurden paarweise auf jeder Seite der Hauptträger aufgestellt, dann wurden quer über die oberen und unteren Eisen der ersteren, Stäbe, mit Haken versehen, gelegt. Diese Stäbe wurden um die Längseisen der Gitterträger umgehakt, so daß diese genau in ihrer Lage gehalten wurden, wodurch kastenförmige Bogenträger entstanden, die eine seitliche Versteifung der Hauptträger bilden.

Die ganze Bewehrung wurde aufgestellt und in der Schalung vor dem Betonieren abgebunden. Die Einlagen der Versteifungen zwischen den Hauptträgern wurden

ähnlich als Gitterträger ausgebildet und mit den Eiseneinlagen der ersteren verbunden. Die Eiseneinlagen der Stützpfosten sind 32 mm stark und in Abständen von 23 cm angeordnet; um dieselben sind gleich starke Bügel gelegt.

Der Beton wurde in folgenden Mischungsverhältnissen angewendet: für die Hauptträger, Stützpfosten und Entlastungsbogen, Bogen der Seitenöffnungen, Fahrbahntafel, Geländer das Verhältnis $1 : 2 : 4$, für den Beton der Hauptpfeiler, Nebenpfeiler und Endwiderlager das Verhältnis $1 : 2^{1}/_{2} : 5$; Steinschlag wurde in Abmessungen von 6 bis 63 mm für die Hauptträger und in Abmessungen von 6 bis 38 mm für alle anderen Bauteile verwendet.

Abb. 393. Betonierung der Hauptträger der Meadow-Straßenbrücke.

Für die statische Berechnung wurde angenommen: Eisenbeton zu 2400 kg/m³, Asphaltpflaster einschließlich 15 cm Betonunterlage, Sandschüttung unter dem Pflaster und Straßenbahngleise zu 2200 kg/m³. Als Verkehrslast wurde zugrunde gelegt ein Straßenbahnwagen von 35 t, in dem Teil aufzustellen, wo die Gleise liegen, ferner eine gleichförmig verteilte Last von 490 kg/m² für die Fahrstraße und 200 kg/m² für die Gehwege.

Abb. 393 zeigt die Betonierung der drei Hauptträger.

Nr. 66. Die Graftonbrücke in Auckland, Neu-Seeland,[1]) ausgeführt 1907 bis 1910 von der Ferro-Concrete Company of Australasia, Ltd. (Abb. 394).

Im April 1910 wurde eine der weitgespanntesten Eisenbetonbrücken, die bisher ausgeführt wurden, in Neu-Seeland dem Verkehr übergeben.[2])

Auckland wird, wie mehrere andere Städte Neu-Seelands, durch eine Zahl ziemlich tiefer Wasseradern durchzogen und eine dieser, als Cemetery-Einschnitt bekannt, trennt das Newtongebiet vom Graftongebiet. Über diesen Einschnitt führte bis zur Herstellung der Graftonbrücke mit Straßenverkehr eine gewöhnliche hölzerne Fußgängerbrücke, die sich bereits in einem sehr schlechten Zustande befand. Wie Abb. 395 zeigt, besitzt das Bauwerk außer der bogenförmigen Mittelöffnung von

[1]) Eng. Record 1911. 18. Februar; Eng. News 1910, 4. August; The Engineer 1910, 17. Juni.
[2]) Die Graftonbrücke wird zur Zeit nur von der im Frühjahr 1911 vollendeten Tiberbrücke in Rom mit 100 m Spannweite übertroffen (Vergl. Seite 604).

97,54 m Spannweite noch eine Anzahl gerader Öffnungen von etwa 10 bis 25 m Weite. Die Gesamtlänge der Brücke ist rd. 284 m. Die Hauptpfeiler zu beiden Seiten der Hauptöffnung haben am oberen Ende eine Breite von 5,49 m.

Die Breite der Brücke beträgt 10,98 m, wovon 7,32 m auf die Fahrstraße und je 1,83 m auf die beiderseitigen Gehwege entfallen.

Der Überbau ist durch Ausdehnungsfugen unterbrochen, und zwar sind solche an folgenden Stellen angeordnet: eine befindet sich an dem linken Ende, eine zwischen dem zweiten und dritten Balken, eine zwischen dem sechsten Balken und dem linken Hauptpfeiler, ferner je eine am westlichen Ende der Hauptöffnung, in der Mitte und am östlichen Ende derselben; außerdem sind solche noch zwischen dem östlichen Hauptpfeiler und dem siebenten Balken und dem achten und neunten Balken vorhanden.

Die Seitenöffnungen, die aus je drei Balken mit der Fahrbahnplatte bestehen, wurden fertiggestellt, ehe mit dem Lehrgerüst des Bogens begonnen wurde.

Die Hauptöffnung besteht aus zwei Einzelbogen, die sich auf je zwei voneinander unabhängige Pfeiler stützen. Die Abmessungen der Bogen sind 1,83 × 1,40 m an den Kämpfern, 3,05 × 1,31 m in den Viertelpunkten und 1,68 × 1,22 m am Scheitelgelenk.

Abb. 394. Graftonbrücke in Auckland, Neu-Seeland.

Die Eiseneinlagen bestehen aus Längseisen von 28,6 mm Stärke, und zwar sind 24 Stück an den Enden, abnehmend auf 8 Stück in den Viertelpunkten, eingelegt und von hier ab ist diese Anzahl bis zum Scheitel beibehalten. Diese Eisen sind durch 9,5 mm starke Bügel in Abständen von 10 bis 30 cm verbunden, bis auf 10,7 m von den Pfeilern entfernt; hierauf durch 6,4 mm starke Bügel in 30 cm Abstand bis auf 3,81 m von dem Mittelgelenk entfernt, von welchem Punkt ab 6,4 mm starke Bügel im Abstand von 15,2 cm angeordnet sind.

Die beiden Bogenträger sind durch Quersteifen von 2,54 × 0,51 m aus Eisenbeton in Abständen von 6,4 m verbunden.

Das Lehrgerüst, welches das ganze Gewicht des Bogens, Quersteifen usw. zu tragen hatte, mußte sehr kräftig ausgebildet werden (Abb. 396). Die Schalung wurde aus 5,1 cm starken Bohlen hergestellt.

Für die Betonierung wurde die ganze Länge des Bogens in Abschnitte, entsprechend den Quadern bei Gewölben, eingeteilt.

Der erste Abschnitt, der betoniert wurde, war etwa 1,8 m vom Mittelgelenk entfernt; die gleichliegenden vier Abschnitte wurden immer zugleich fertiggestellt, um Formänderungen des Lehrgerüstes zu verhüten. Die Betonierung wurde nach und nach vom Scheitel bis zum Bogenende fortgesetzt, wobei je ein Abschnitt übersprungen wurde. Nun wurden die Kämpfergelenke, die genau versetzt waren, hinterbetoniert bezw.

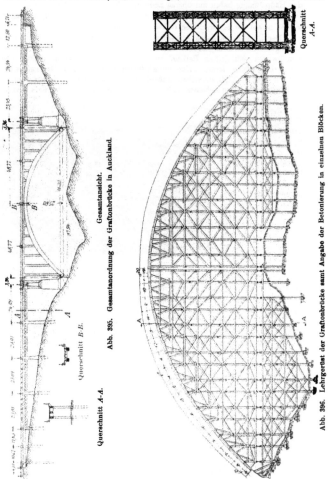

Querschnitt *A-A.*

Gesamtansicht.

Abb. 395. Gesamtanordnung der Graftonbrücke in Auckland.

Abb. 396. Lehrgerüst der Graftonbrücke samt Angabe der Betonierung in einzelnen Blöcken.

Querschnitt *A-A.*

ausgegossen, schließlich die ausgesparten Teile, vom Scheitel angefangen, fertiggestellt, nachdem vorher die Querverschalungen entfernt worden waren. Die letzten
Abschnitte, die an die Reihe kamen, waren die Quadern, gegen die sich das Scheitelgelenk legt. Die Betonierungsfolge ist in Abb. 396 durch Zahlen gekennzeichnet.

Der ganze Beton des Bogens und der Windstreben, etwa 940 m³, wurde in
14 Arbeitstagen durch Hand gemischt und verarbeitet.

Die Stützweite zwischen den Kämpfergelenken beträgt 96 m und die Pfeilhöhe
25,6 m. Die tatsächliche Länge des durch den Bogen getragenen Überbaues ist, wie
erwähnt, 97,54 m (Abb. 395).

Die Gelenke, die als stählerne Wälzgelenke ausgebildet sind, sind in Abb. 397
dargestellt. Sie sind deutsches Fabrikat (Mannheim), während die Eiseneinlagen aus
England stammen.

Der Überbau besteht aus sieben Pfeilern
von T-Querschnitt. Die drei höchsten Pfeiler
jeder Hälfte sind durch wagerechte Quersteifen von T-Querschnitt in Abständen von
etwa 9 m verbunden. Auf den Pfeilern ruhen
Balken von 1,09 × 0,25 m Querschnitt, die die
Fahrbahn tragen. Die eigentliche Fahrbahndecke der Hauptöffnung besteht aus fünf
parallel zur Brückenachse laufenden Balken
von 51 × 25 cm Querschnitt (Abb. 395), die
Fahrbahnplatte selbst ist bewehrt und 15 cm
stark. Die Gehwege liegen auf Auskragungen
in Verlängerung der Querträger, die Stärke
der dazwischenliegenden Fahrbahnplatte ist
14 cm. Ein äußerer Längsbalken von
30 × 15 cm Querschnitt verbindet die Krag-
arme unter den Geländern. Die Mischung des Betons des Tragwerks ist im allgemeinen 1 : 6 angenommen und besteht aus Portlandzement mit Flußkies, welchem
15 bis 25 vH. Steinschlag beigemengt ist.

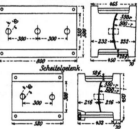

Kämpfergelenk.

Scheitelgelenk.

Abb. 397. Gelenke der Graftonbrücke
in Auckland.

Der gesamte Verbrauch an Beton war folgender:

zwei Pfeiler über den Bogenwiderlagern	656 m³
vier Widerlager	610 „
Bogenträger und Quersteifen	940 „
Bogenüberbau	417 „
Fundamente	252 „
Fahrbahn, Pfeiler und Balken	1230 „
Geländer	103 „
Zusammen	4208 m³.

Der Bedarf an Eiseneinlagen war etwa 337 t.

Der Brückenbau dauerte 2 Jahre, 7 Monate.

Die Kosten betragen für die Brücke selbst rd. 689 000 Mark, ausschließlich Fahrbahnbefestigung.

Der Entwurf des Bauwerks stammt von B. F. Moore, Oberingenieur der genannten Unternehmung, und W. E. Bush, Stadtingenieur in Auckland.

Nr. 67. Die Straßenbrücke über den Gudena bei Langaa, Jütland,[1]) entworfen und ausgeführt 1906 von der Unternehmung Christiani u. Nielsen, Kopenhagen (Abb. 398), ist trotz der geringen Spannweite ihrer drei Öffnungen von nur 12,5 m wegen der eigenartigen Ausführung der Strompfeiler als einzelne Joche bemerkenswert.

Abb. 398. Brücke über den Gudena, Jütland.

Die drei Bogen tragen mittels Einzelpfeiler Plattenbalken, die den Straßenkörper aufnehmen (Abb. 399).

Da der gute Baugrund etwa 6 m unter dem normalen Wasserspiegel sich befand, wurde die Gründung mit Pfählen ausgeführt, und zwar für jeden Strompfeiler mit acht gerammten Eisenbetonpfählen. In der Wasserlinie sind diese Pfähle durch wagerechte Holme, in welche die Pfähle hineingeführt sind, verbunden.

Diese eigenartigen Pfahljoche sind natürlich nicht imstande, bedeutende Kräfte in der Richtung der Brücke zu übertragen, weshalb die Bogen derartig berechnet und ausgebildet sind, daß der wagerechte Schub auf die Endpfeiler übertragen werden kann.

Die Schwierigkeiten, die sich infolge des schlechten Baugrundes vom wirtschaftlichen Standpunkte aus einer Bogenbrücke entgegenstellten, sind überwunden durch

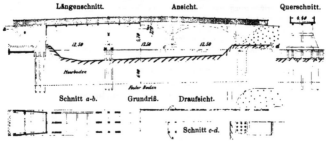

Abb. 399. Allgemeine Anordnung der Brücke über den Gudena.

Anordnung der Reibungswiderlager nach Professor Möller (Beton u. Eisen 1904, Heft II). Diese Anordnung ist — soweit bekannt — hier zum ersten Male bei einer größeren Brückenanlage ohne schräge Pfähle zur Ausführung gelangt.

Die lotrechten Seitenkräfte der Kämpferdrücke werden an jedem Endwiderlager durch Betonpfeiler auf drei Holzpfahlreihen übertragen, während die wagerechten Kräfte durch den Reibungswiderstand einer belasteten Eisenbetonplatte aufgenommen werden, welche in der Weise gelagert ist, daß sie den Betonpfeiler infolge ihrer

¹) Beton u. Eisen 1907, S. 7.

Reibung mit dem Erdreich am Ausweichen hindert; die Wirkungsweise dieser Anordnung veranschaulicht Abb. 399.

Die Platte, die ohne feste Verbindung mit dem Pfeiler ist, kann sich ungehindert senken, ohne die Sicherheit des Bauwerks im geringsten zu gefährden; sie wird durch einen 4,5 m hohen Erddamm belastet, wodurch bei dem schlechten Baugrunde bedeutende Senkungen der Platte erfolgen mußten. Um diese so weit zu beschränken, daß die Platte nicht aufhörte, die Rückseite des Pfeilers zu berühren, hat man bei der Ausführung folgendes Verfahren angewandt.

Zuerst wurden die 25 m² großen Platten hergestellt und dann die Belastung aufgebracht; die Platten, die anfangs sehr stark sanken, haben nach Verlauf von drei Monaten eine Ruhestellung erreicht. Die Platte nach der der Station Langaa zu gelegenen Seite war 0,9 m gesunken, die andere Platte hatte sich vorn 0,1 m, hinten 0,6 m gesenkt. Hierauf wurden die Pfähle der Endpfeiler eingerammt und die Betonpfeiler mit den zugehörigen Eisenbetonflügeln ausgeführt.

In Abb. 399 sieht man links den fertigen Pfeiler, dessen Unterkante 0,75 m unter der Platte liegt, nebst der ersten Lage der Platte (punktiert); rechts sind der Pfeiler und die zwei Lagen der Platte punktiert.

Nach Vollendung der Brücke wurde von den Behörden eine Probebelastung mit 550 kg/m² vorgenommen, indem die ungünstigsten Stellungen untersucht wurden. Nachdem die Belastung drei Tage auf die Brücke gewirkt hatte, wurde an den Meßapparaten eine größte Durchbiegung von 5 mm (in den Endfeldern) festgestellt.

Die Brücke zeigte nicht die kleinsten Risse und hat sich seither auch im Betriebe ausgezeichnet bewährt.

Nach ihrem Erbauer hat die Brücke den Namen „Regierungspräsident-Hoppe-Brücke" erhalten.

Nr. 68. Tuktonbrücke in Bournemouth, England,[1]) ausgeführt 1905 durch die Yorkshire Hennebique Construction Co. (Abb. 400).

Die Brücke übersetzt den Stourfluß zu Hampshire und ist die erste Eisenbetonbrücke dieser Art in England; sie nimmt eine zweigleisige elektrische Bahn auf. Das ganze Bauwerk ist 116 m lang und besteht aus zwölf bogenförmigen Öffnungen, wovon eine 12,50 m und die anderen elf 7,80 m Stützweite besitzen (Abb. 401).

An diese Öffnungen schließen sich noch beiderseits zwei Halbbogen von 4,50 bezw. 5,0 m Stützweite an. Der Unterbau der Brücke besteht aus Eisenbetonpfahljochen, und zwar wird jedes Pfahljoch durch drei quadratische Pfähle von 38 × 38 cm Querschnitt in Abständen von 2,87 m gebildet. Die drei Pfähle sind am Kopf durch bogenförmige Querträger, die als Auflager der durch Plattenbalken gebildeten Fahrbahn dienen, verbunden. Zwischen den beiden äußeren Pfahlreihen sind die Bogenträger angeordnet, die in gleicher Breite bis zur Fahrbahnplatte gehen und mit Ausschnitten versehen sind. Hierdurch wird auch eine feste Verbindung der beiden Tragwände mit den äußeren Pfählen erreicht. Die Bogenträger sind im Scheitel 70 cm und an den Kämpfern 166 cm stark; ihre Breite beträgt 23 cm.

Die Entfernung von Außenkante bis Außenkante Pfahljoch beträgt 6,23 m und die nutzbare Brückenbreite 9,70 m; hiervon entfallen auf die beiden ausgekragten Gehwege 1,97 m (Abb. 401). Die bogenförmigen Querträger der Pfahljoche sind im Scheitel 53 cm, an den Bogenanfängen 123 cm stark; ihre Breite ist gleichfalls 23 cm.

Die Plattenbalken der Fahrbahn wurden so ausgebildet, daß vier Balken von 15 cm Breite und 23 cm Höhe in der Längsrichtung und je zwei Balken von 23 cm

[1]) Beton u. Eisen 1906, S. 102.

Breite und 36 cm Höhe in jeder Öffnung in der Querrichtung gelegt wurden. Die Kragträger der Fußwege sind 15 cm breit und an den Hauptträgern 61 cm, an den Geländern 15 cm hoch.

Bei der Belastungsprobe wurden drei Lastwagen von zusammen 48 t Gewicht auf die 12,50 m weit gespannte Mittelöffnung gebracht, wodurch eine Senkung des Scheitels von 3,2 mm erzeugt wurde.

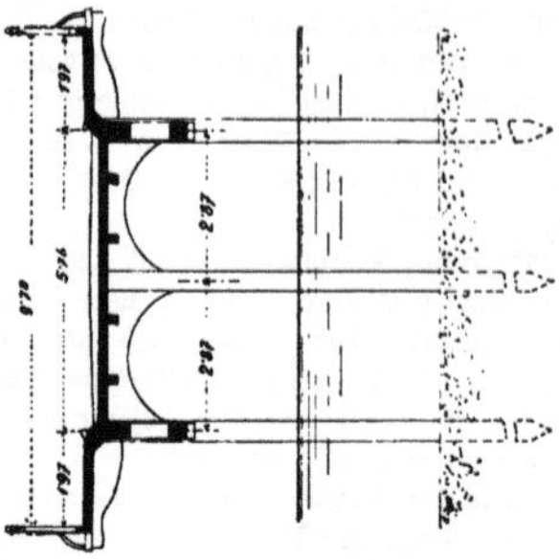

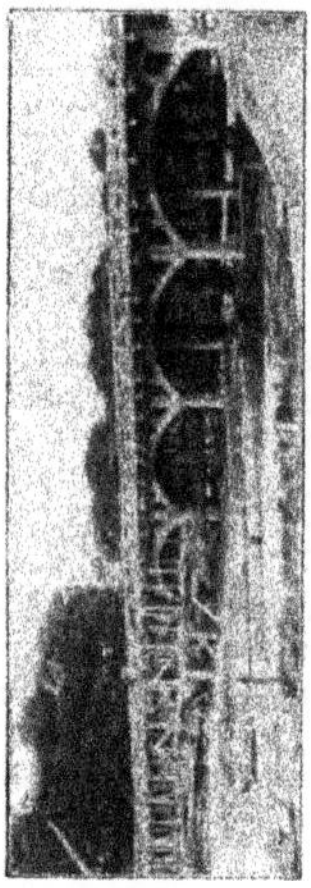

Nr. 69. Hochbahn zur neuen Valby-Gasanstalt bei Kopenhagen,[1]) ausgeführt von der Firma Schiotz (Abb. 402). Die Gesamtanordnung des Bauwerks zeigt Abb. 403.

Die 565,6 m lange Hochbahn bildet die Fortsetzung eines Erddammes und trägt eine vollspurige Eisenbahn, welche mittels Steigungen von 22 vT. und 10 vT. bis zu einer Höhe von 13,60 m über dem Boden gehoben wird. Die letzte Strecke von 155 m ist infolge der dort angeordneten Entladungsvorrichtungen wagerecht. Diese Brücke besitzt im übrigen zwei Krümmungen von 63 und 94 m Halbmesser.

Von großer Bedeutung ist die Ausbildung der Ausdehnungsfugen, da die Wärmeschwankungen bei einem so langen Bauwerk eine große Rolle spielen. Die Ausdehnungsfugen (Abb. 404) sind meist in Abständen von rund 55 m, und zwar nach folgenden Gesichtspunkten angeordnet. Im halben Abstand zweier Ausdehnungsfugen kommt ein fachwerkartiger Turmpfeiler von 6,3 m Länge zu stehen, an welchen sich zu beiden Seiten je zwei mit Pendeljochen versehene Öffnungen von 9,727 m Stützweite anschließen; in der Mitte einer kleineren Öffnung von 5,0 m Stützweite ist dann die Ausdehnungsfuge angeordnet, so

Abb. 400. Tuktonbrücke in Bournemouth.

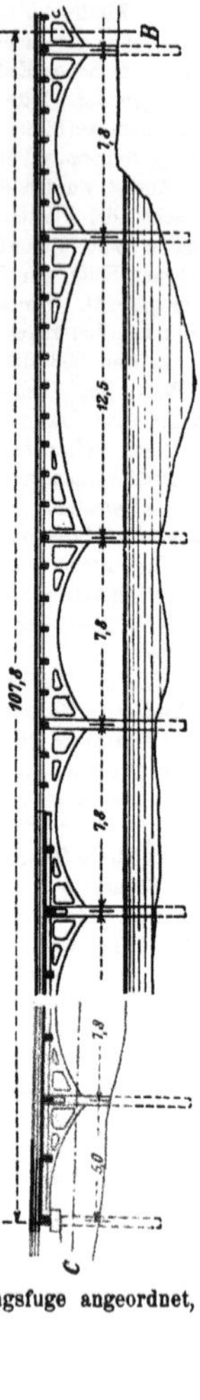

Abb. 401. Längenschnitt, Ansicht und Querschnitt der Tuktonbrücke.

Querschnitt A-B.

Ansicht.

Längenschnitt.

[1]) Ingeniören 1907, 11. Mai, S. 149.

daß die Bogenträger an dieser Stelle frei auskragen. Die Pendelbewegung ist mittels Bleieinlagen am Jochfuß und -kopf ermöglicht, wobei die Verbindung des Tragwerks mit den Jochen bezw. der Joche mit den Fundamenten durch 19 mm starke Dorne gesichert ist (Abb. 404).

Die beiden Hauptträger haben 2 m Achsentfernung und erhalten in

Abb. 402. Hochbahn zur Valby-Gasanstalt bei Kopenhagen.

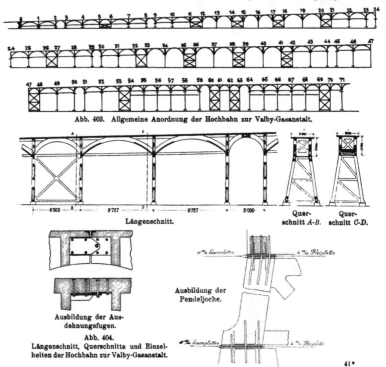

Abb. 403. Allgemeine Anordnung der Hochbahn zur Valby-Gasanstalt.

Längenschnitt.

Quer-schnitt A-B.   Quer-schnitt C-D.

Ausbildung der Ausdehnungsfugen.

Ausbildung der Pendeljoche.

Abb. 404.
Längenschnitt, Querschnitte und Einzelheiten der Hochbahn zur Valby-Gasanstalt.

41*

der Nähe des Bogenscheitels unmittelbar die Fahrbahnlasten, während über die Bogen-zwickel Längsbalken gestreckt sind, die dort die Fahrbahnplatte aufnehmen. Die Breite der letzteren beträgt 3,0 m.

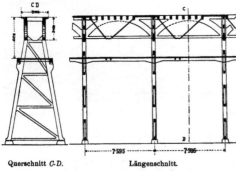

In Abb. 405 sind Längen- und Quer-schnitt der Entlade-vorrichtungen in der am Ende der Hochbahn befindlichen wagerech-ten Strecke dargestellt.

Das Bauwerk ist für zwei 25 t-Loko-motiven und 18 t-Kohlenwagen mit einer Stoßzahl von 1,2 und 170 kg/m² Winddruck berechnet; die größten ermittelten Spannun-gen betragen 32,8 kg/cm² im Beton. 1045 kg/cm² im Eisen.

Querschnitt C-D.   Längenschnitt.

Abb. 405. Längen- und Querschnitt der Entladevorrichtung der Hochbahn zur Valby-Gasanstalt.

2. Brücken mit untenliegender (angehängter) Fahrbahn.

Nr. 70. Straßenbrücke über die Schlitz in Bernhausen,[1] ausgeführt 1904 von der Firma Drenckhahn u. Sudhop in Braunschweig.

Die geringe verfügbare Bauhöhe von 0,60 m, einschließlich Fahrbahnbefestigung, führte zu der Lösung, das Tragwerk der 20,0 m im Lichten messenden Brücke über der Fahrbahn anzuordnen; als solches wählte man zwei Bogenträger mit aufgehobenem Horizontalschub (Abb. 406).

Die Nutzbreite der Brücke sollte 4,25 m betragen. Als Nutzlast war ein 10 t schweres Landfuhrwerk mit 3 m Achsstand und 1,30 m Spurweite vorgeschrieben.

Die Hauptträger bilden zwei massive, zu beiden Seiten der Fahrbahn angeordnete Eisenbetonbogen mit ¹/₆ Pfeilverhältnis. Die wagerechte Seitenkraft des Bogendrucks ist durch wagerechte, in der Fahrbahntafel liegende, an den Enden mit schweren guß-eisernen Platten verankerte Rundeisen aufgehoben, so daß nur lotrechte Druckkräfte auf die Widerlager wirken. Hierdurch konnten die zwischen Spundwänden in Beton ausgeführten Widerlager verhältnismäßig schwach hergestellt werden. An die Bogen ist die Fahrbahntafel durch vier mit Beton umkleidete Hängepfosten in je 4 m Abstand aufgehängt.

Die Rundeisen des Zugbandes liegen in einer durchlaufenden Längsrippe, die zu-gleich die Lasten der 1,38 m auseinander liegenden Zwischenquerrippen der Fahrbahn auf die Hängepfosten zu übertragen hat, während die zwischen zwei gegenüberliegenden Hängepfosten befindlichen Hauptquerrippen unmittelbar mit den letzteren fest verbunden sind. Die über die Querrippen laufende Platte ist 14 cm stark (Abb. 406).

Der Bogen wurde zeichnerisch für volle und einseitige Nutzlast untersucht und so geformt, daß die Drucklinie nicht aus dem Kern heraustritt. Zur weiteren Sicherung

[1] Deutsche Bauztg. 1905, Zementbeilage, S. 81

ist der Beton mit zwölf Rundeisen von 20 mm Durchm., welche in Abständen von rund 60 cm durch Bügel von 5 mm Durchm. verbunden sind, bewehrt worden (Abb. 407). Zur Sicherung gegen Knickgefahr in der wagerechten Ebene hat der Bogen im Scheitel Kreuzform von 80 × 80 cm Außenmaß erhalten. Nach den Widerlagern hin geht die Kreuzform über in diejenige eines hochgestellten Rechtecks von 1,30 m Höhe und 0,35 m Stärke. Durch diese Verjüngung des Querschnitts nach den Widerlagern hin wurde an Nutzbreite gewonnen, während gleichzeitig durch Vergrößerung der Höhe des Querschnitts eine größere Biegungsfestigkeit des Bogens bei einseitiger Belastung und

Längenschnitt.   Ansicht.

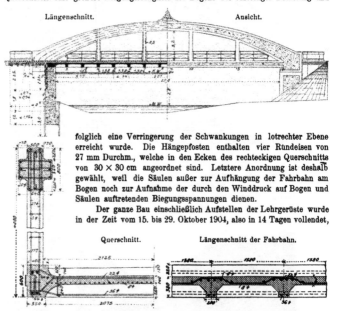

folglich eine Verringerung der Schwankungen in lotrechter Ebene erreicht wurde. Die Hängepfosten enthalten vier Rundeisen von 27 mm Durchm., welche in den Ecken des rechteckigen Querschnitts von 30 × 30 cm angeordnet sind. Letztere Anordnung ist deshalb gewählt, weil die Säulen außer zur Aufhängung der Fahrbahn am Bogen noch zur Aufnahme der durch den Winddruck auf Bogen und Säulen auftretenden Biegungsspannungen dienen.

Der ganze Bau einschließlich Aufstellen der Lehrgerüste wurde in der Zeit vom 15. bis 29. Oktober 1904, also in 14 Tagen vollendet,

Querschnitt.   Längenschnitt der Fahrbahn.

Abb. 406. Längenschnitt, Ansicht und Querschnitt der Schlitzbrücke in Bernhausen.

jedoch ohne die Widerlager und die Pfahlrammungen. Die Ausrüstung fand am 26. November 1904 statt. Dabei wurden zuerst die Stützen der beiden Bogen entfernt, und erst nachdem sich die Bogen frei trugen, wurde die Ausrüstung der Brückentafel, von der Mitte beginnend und nach den beiden Landwiderlagern allmählich beiderseits fortschreitend, bewirkt. Erwähnenswert sind die während dieser Ausrüstung beobachteten und sowohl unter dem Scheitel der Bogen wie unter der Brückentafel in der Brückenmitte gemessenen Durchbiegungen. Die Scheitelsenkung des flußaufwärts gelegenen Bogens betrug nach erfolgter Ausrüstung des ganzen Bogens 0,75 mm.

Die Gesamtkosten des Bauwerks betrugen 12 300 Mark, das entspricht einem Einheitspreise von 145 Mark für 1 m² Nutzfläche.

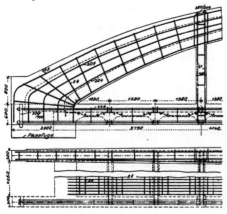

Abb. 407. Bewehrung der Brücke in Bernhausen.

Nr. 71. Eisenbahnbrücke über die Rhône bei Chippis im Kanton Wallis,[1]) entworfen und ausgeführt von Frotté, Westermann u. Cie. in Zürich (Abb. 408).

Das Bauwerk überschreitet unter einem schiefen Winkel die Rhône und stellt eine Verbindung der am linken Ufer gelegenen Baulichkeiten der Aluminium-Industrie-Aktiengesellschaft Neuhausen mit dem am rechten Ufer gelegenen Bahnhofe Siders dar. Die lichte Weite zwischen den Widerlagern beträgt 59 m. Die Höhenverhältnisse waren bei diesem Bauwerk sehr ungünstige, da bei einer bleibenden lichten Höhe von 10 m zwischen Hochwasserspiegel und Brückenunterkante nur mehr 70 cm Bauhöhe zur Verfügung standen. Unter diesen Bedingungen mußte daher ein Bauwerk mit untenliegender Fahrbahn zur Ausführung kommen.

Da auf beiden Seiten der Rhône auf guten Kiesgrund zu rechnen war, schlugen die Verfasser des Entwurfs vor, zwei Hauptträger über der Fahrbahn als eingespannte elastische Bogen herzustellen, an denen die Querträger der Fahrbahn mittels Hängepfosten angehängt sind. Der Gehweg ist auf Auskragungen der Querträger gelegt. Die ganze Fahrbahnplatte ist in der Brückenmitte unterbrochen, um die Übertragung der durch Wärmeschwankungen sich ergebenden Schubkräfte der Fahrbahn auf die Widerlager zu verhindern.

Abb. 408. Eisenbahnbrücke über die Rhône bei Chippis.

---

[1]) Schweiz. Bauztg. 1907, 22. u. 29. Juni. — Vergl. auch Handbuch, Ergänzungsband I, S. 128.

Die Bogenachse fällt mit der Drucklinie für Eigengewicht zusammen. Die Spannweite zwischen den Schwerpunkten der Auflagerquerschnitte der Bogenträger ist

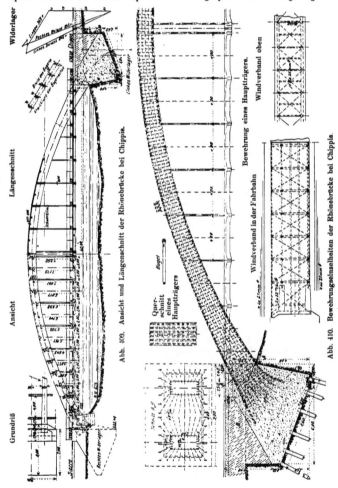

Abb. 409. Ansicht und Längenschnitt der Rhônebrücke bei Chippis.

Abb. 410. Bewehrungseinzelheiten der Rhônebrücke bei Chippis.

60,44 m, die Pfeilhöhe im Scheitel 9,15 m. An den Auflagern ist die Höhe der Bogenträger 2,6 m, die Breite 1,2 m, im Scheitel 1,5 m bezw. 0,8 m; Hängepfosten und
Querträger sind in einem Abstande von je 4 m angeordnet, mit alleiniger Ausnahme
der Brückenmitte, wo zu beiden Seiten der bezeichneten Ausdehnungsfuge je ein Hängepfosten, dementsprechend auch je ein Querträger, angeordnet wurde (Abb. 409 u. 410).

Unter jeder Schiene sowie unter jedem Hauptträger, als auch am Rande des
auskragenden Fußsteiges befinden sich Längsträger. Die Achsenentfernung der Hauptträger beträgt 4,80 m. Sie sind, soweit es die erforderliche Durchfahrtshöhe über der
Fahrbahn erlaubt, mittels bewehrter Querriegel und einer über diese gehenden Eisenbetonplatte verbunden, wodurch eine größere Steifigkeit, insbesondere auch gegen
Windkräfte, erzielt werden soll. Diese Riegel liegen in der Ebene der Hängepfosten
und reichen von der oberen bis zur unteren Bogenkante (Abb. 409 u. 411).

Als Grundlagen für die Berechnung waren vorgeschrieben, daß der
über die Brücke verkehrende Zug aus
einer Lokomotive von 30 t Gewicht,
3,5 m Radstand und 7,5 m Pufferweite
mit einseitig angehängten 30 t schweren
Güterwagen von 4 m Radstand und
8 m Pufferweite bestehe. Auf der flußabwärts gelegenen Seite der Brücke
sollte überdies ein 1,5 m breiter Fußweg hergestellt werden, für den eine
Belastung von 200 kg/m² maßgebend
war. Mit Rücksicht auf die
Stoßwirkungen der Eisenbahn-
betriebsmittel sind für die am
stärksten beanspruchten Teile
der Fahrbahn die Größt-
spannungen der Eiseneinlagen
zu 800 kg/cm² und diejenigen
des Betons zu 20 kg/cm² festgesetzt worden. Als Verhältnis
zwischen den Formänderungs-
zahlen des Eisens und des
Betons wurde 15 in Rechnung gestellt.

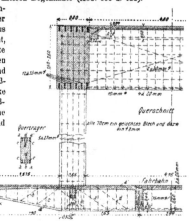

Abb. 411. Querschnitt der Rhônebrücke bei Chippis.

Zur Erzielung einer sicheren Kontinuität und einer guten Übertragung der
Schubkräfte ist die Eisenbewehrung der Längsträger an den Kreuzungsstellen mit
den Querträgern, als ihren Auflagerpunkten, besonders sorgfältig ausgeführt worden.
Dadurch, daß sich diese Auflagerpunkte infolge Formänderung der Hängepfosten
und Hauptträger heben und senken, wäre, streng genommen, die Berechnung dieser
durchlaufenden Längsträger eine sehr umständliche gewesen; hiervon wurde aber
abgesehen und lieber die zulässigen Spannungen kleiner angenommen, als erlaubt war.
Die Querträger, die Platte und die Hängesäulen sind reichlich bewehrt, Bewehrungseinzelheiten sind in den Abb. 410 u. 411 zu sehen. Bei Berechnung der Spannungen infolge Winddrucks ist angenommen worden, daß die Fahrbahnplatte in den Widerlagern
und zwischen den Hauptträgern eingespannt sei. Die Randträger der Fahrbahn sind
als Windgurtungen ausgebildet und entsprechend bewehrt.

Erwähnenswert ist noch die Belastungsprobe; diese fand mittels eines Zuges statt, der aus einer Lokomotive von 14 t Gewicht und 1,5 m Radstand und sechs zwei-achsigen Wagen von je 31 t Gewicht und 5 m Radstand bei 10 m Pufferabstand zusammengesetzt war. Das Gesamtgewicht betrug 196 t, die Zuglänge 58 m, das Gewicht für das Längenmeter ungefähr acht Neuntel des der Berechnung zugrunde gelegten. Die Durchbiegungen, die unter dieser Last berechnet und auch durch Meß-apparate beobachtet wurden, sind in nachstehender Zahlentafel zusammengestellt.

Befestigung des Apparates	Belastungsart	Durchbiegung in mm	
		gemessen	gerechnet
Scheitel	Lokomotive allein in Mitte	0,5	0,7
„	Belastung der mittleren Viertel	2,6	2,7
„	„ „ drei ersten Viertel	2,3	2,4
„	„ „ drei letzten Viertel	2,3	2,4
„	Gesamtbelastung	2,0	2,2
Bruchfuge	Lokomotive allein im ersten Viertel	0,7	1,0
„	„ „ letzten Viertel	— 0,3	— 0,6
„	Belastung der rechten Hälfte	2,8	3,9
„	„ „ drei ersten Viertel	2,8	2,5
„	„ des letzten Viertels	— 0,7	— 2,3
„	Gesamtbelastung	1,5	1,6

Aus dieser Zusammenstellung geht die Übereinstimmung der Berechnung mit den tatsächlich beobachteten Werten, mit Ausnahme kleinerer Abweichungen bei den Belastungen mit der Lokomotive allein, hervor; die Abweichung dürfte durch die versteifende Wirkung der Fahrbahnplatte verursacht sein, welche die Einzellasten auf eine größere Anzahl von Hängepfosten verteilt. Abb. 408 zeigt das Bauwerk während der Belastungsprobe.

Nr. 72. Straßenbrücke über die Spree in Lübben, Nieder-Lausitz,[1]) aus-geführt 1908 von der Aktien-Gesellschaft für Beton- und Monierbau in Berlin.

Während die bisherigen Ausführungen dieser Art von Brücken Hauptträger besitzen, die mit den Widerlagern fest verspannt sind, ist bei dieser Brücke, wie bereits S. 380 erwähnt, nur das eine Auflager eingespannt, während das andere beweglich ist, indem die Hauptträger auf Pendel aus Beton gesetzt sind (Abb. 412).

Das Bauwerk mußte an Stelle einer Holzbrücke, die dem gesteigerten Verkehr nicht mehr gewachsen war und von Jahr zu Jahr große Ausbesserungen erforderte, errichtet werden.

Die Spree besitzt an der Baustelle eine Breite von 33,50 m zwischen den Land-widerlagern der alten Holzbrücke. Da wegen der anschließenden Straßen nur eine Gesamtbauhöhe von 0,90 m zur Verfügung stand, konnte, trotzdem die Durchflußbreite auf 25 m eingeengt werden durfte, die Anwendung eines anderen massiven Tragwerks kaum in Frage kommen.

Die Fahrbahndecke ist über die in einer lichten Entfernung von 25 m stehenden Pfeiler geführt und bis auf die Widerlager der alten Holzbrücke fortgesetzt (Abb. 412). Dadurch wurde nicht nur das Abtragen dieser Widerlager erspart, sondern es konnte auch auf besondere neue Flügelmauern verzichtet werden. Der auf beiden Seiten überhängende Teil der Fahrbahn hat fernerhin eine Entlastung des Mittelteils bezw. eine Verminderung der Durchbiegung in der Mitte zur Folge.

Die Gesamtbreite zwischen den Geländern beträgt 9,20 m, wovon 6,20 m auf die Fahrbahn zwischen den Bogen und je 1,10 m auf die ausgekragten Fußsteige entfallen (Abb. 413). Das Tragwerk besteht aus den beiden 6,00 m breiten, im Scheitel 0,60 m

---

[1]) Armierter Beton 1909, S. 110.

uud an den Auflagern 0.86 m hohen Bogen mit einer Stützweite von 26,20 m. Den Bogenschub nehmen die beiden Zugbänder auf, von denen jedes aus 26 Stück Rundeisen von 30 mm Durchm. besteht, die hinter eisernen Ankerplatten verschraubt und

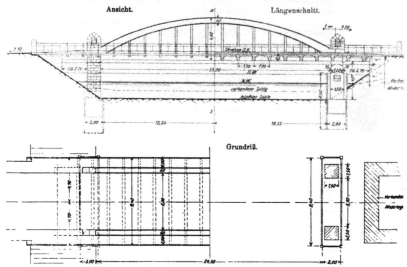

Abb. 412. Ansicht, Längenschnitt und Grundriß der Brücke in Lübben.

durch einen Betonkörper von 65 cm Höhe und 60 cm Breite umhüllt sind. Die Kämpfer der Bogen sind in Fahrbahnhöhe an den Auflagern mit den Zugbändern sicher verbunden, so daß kein Abgleiten, Abscheren oder Verschieben eintreten kann. Die Übertragung der Kräfte findet durch passende Eiseneinlagen (Abb. 414) statt. Die in Entfernungen von 1,70 m liegenden Querbalken sind an die Zugbänder angeschlossen, kragen 1,00 m

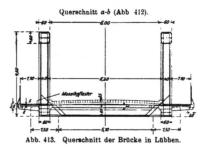

Abb. 413. Querschnitt der Brücke in Lübben.

aus und werden durch Randbalken verbunden. Die 8 cm starken Fußsteigplatten spannen sich von den Randbalken nach den Zugbalken. Die Fahrbahnplatte zwischen den 30 × 48 cm massiven Balken ist 17 cm stark. Gleichfalls in Entfernungen

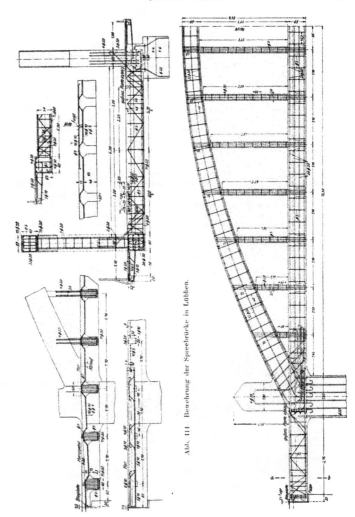

Abb. 111 Bewehrung der Spreebrücke in Lübben.

von 1,70 m stehen die 40 × 25 cm starken Pfosten, durch welche die Fahrbahn an die Bogen aufgehängt ist.

Die rund 4 m hohen Pfeiler mit einem Querschnitt von 1,50 × 1,50 m sind auf Eisenbetonplatten von 9,40 × 2,00 m Größe und 1,50 m Stärke gegründet. Als Verkehrslasten waren eine 20 t schwere zweiachsige Dampfwalze sowie außerdem Menschengedränge und Wagenlasten mit 0,5 t/m² vorgeschrieben.

Die Pfeiler und die Fundamentplatten sind in Mischung 1 : 5 hergestellt, das eigentliche Tragwerk in Mischung 1 : 3; bei dem Pendelgelenk sind die Pfeiler mit einer dem Krümmungshalbmesser angepaßten besonderen eisernen Schablone in der Mischung 1 : 1 abgezogen. Nach Erhärtung der Oberfläche wurden Streifen aus allerbester Pappe derart nach und nach aufgeklebt, daß die Oberfläche die richtige Krümmung für den Halbmesser des Pendels erhielt. Die Oberfläche des Pendels wurde in ähnlicher Weise wie diejenige des Pfeilers behandelt, und durch einen Abschlußsattel ist das Auflager hergestellt.

Die Eiseneinlagen (Abb. 414) wurden neben der Baustelle nach genauen Arbeitszeichnungen gebogen, und auf ein sorgfältiges Einbringen wurde besonders geachtet. Das Eisen der Zugbänder besteht aus 8 bis 12 m langen Stäben, die mit der nötigen Vorsicht zusammengeschweißt sind, und früher angestellte Zerreißproben haben gezeigt, daß die Zugfestigkeit des Eisens bei richtiger Bearbeitung keine Beeinträchtigung erleidet. Die Schweißstellen sind so angeordnet, daß sich nicht mehr als vier Verbindungen in demselben Querschnitt befinden. Von den 26 Stäben jedes Zugbandes sind 8 Stück bis zu den Widerlagern geführt, während die anderen 18 Stäbe, an deren Enden Gewinde eingeschnitten waren, an einer 600 bis 650 mm großen und 3 mm starken flußeisernen Platte mittels starker Muttern befestigt sind.

Nr. 73. Straßenbrücke über die Werle bei Salzuflen in Lippe,[1] entworfen von der Lolat-Eisenbeton-Aktiengesellschaft in Düsseldorf, ausgeführt von Hofarchitekt Strunck in Salzuflen (Abb. 415).

Mit Rücksicht auf den erforderlichen Durchfahrtquerschnitt und das geringe Maß zwischen höchstem Hochwasserstand und Fahrbahnoberkante wurde eine Bogenbrücke mit angehängter Fahrbahn gewählt.

Die Spannweite der Brücke beträgt 28,0 m und die Pfeilhöhe der Bogen etwa 4,6 m. Der lichte Abstand der Hauptträger, der zugleich die Fahrdammbreite darstellt, ist 2,80 m, wäh-

Abb. 415. Straßenbrücke über die Werle bei Salzuflen.

[1] Beton u. Eisen 1910. S. 274.

Querschnitt E-F.

Querschnitt A-B.

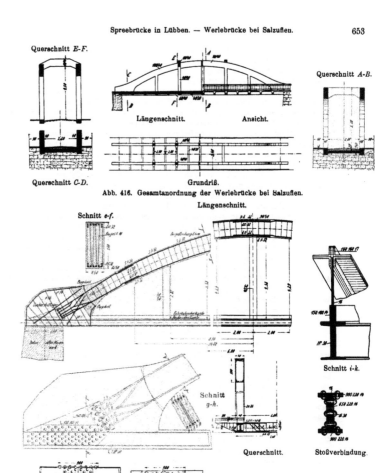

Längenschnitt.   Ansicht.

Querschnitt C-D.   Grundriß.

Abb. 416. Gesamtanordnung der Werlebrücke bei Salzuflen.

Längenschnitt.

Schnitt e-f.

Schnitt g-h.

Schnitt i-k.

Querschnitt.   Stoßverbindung.

Stoßverbindung.

Verteilung der Stöße.

Abb. 417. Einzelheiten der Bewehrung der Werlebrücke bei Salzuflen.

rend die 0,90 m breiten Bürgersteige auf Auskragungen liegen. Die gesamte Breite der Fahrbahntafel ist 5,40 m (Abb. 416).

Das statische System ist das eines Zweigelenkbogens mit Zugstange, die gleichzeitig als Fahrbahnträger benutzt wird.

Der eigentliche Bogen wurde, wie aus Abb. 417 ersichtlich ist, als gut umschnürter Betonkörper mit den üblichen Rundeiseneinlagen ausgeführt. Die Zugstange ist jedoch mit Rücksicht auf den großen erforderlichen Eisenquerschnitt und die sicherere Verbindung aus ꓕ-Eisen mit angemessener Vernietung hergestellt worden.

Die Hängesäulen wurden in einfachster und wirksamster Weise mit der Zugstange verbunden, indem die Eiseneinlagen der ersteren als unten geschlossene Schlingen um die ꓕ-Eisen der letzteren gelegt und oben im Bogen verankert wurden.

Da die ꓕ-Eisen an sich nicht genügten, um gleichzeitig die Biegungsmomente infolge der unmittelbaren Last der Fahrbahn aufzunehmen, so wurde der die ꓕ-Eisen einhüllende Beton noch durch Rundeisen bewehrt. Auf diesen Längsträgern ruhen dann Querbalken, welche die Fahrbahndecken tragen.

Die Ausbildung der Zugeisen ist in Abb. 417 dargestellt.

Der Ausführung der Gelenkpunkte ist große Sorgfalt gewidmet worden, da hier die Hauptkräfte übertragen werden müssen. Ein kräftiges Knotenblech, welches die Eisen zusammenhält und auch mit den Rundeisen des Bogens verbunden ist, sorgt für den Zusammenhang, und dies alles wird umhüllt von einem Betonkörper, welcher eine starke Umschnürung besitzt.

Die Bogen sind an den höheren Punkten durch Quersteifen verbunden, welche die Aufnahme der Windkräfte bewirken und gleichzeitig die Knicklänge der Bogen verringern.

Die Widerlager der Brücke bestanden zum Teil aus altem Mauerwerk, dessen im Wasser liegende Fundamente sich einer genauen Untersuchung entzogen. Es wurden deshalb Fundamentverstärkungen angeordnet, welche die sichere Übertragung der bedeutenden Lasten gewährleisten sollten.

Der Gang der Ausführung war, kurz angedeutet, folgender:

Nachdem die Widerlager hergestellt waren, wurde der untere Teil des Lehrgerüstes errichtet, auf welchem die unteren Brückenkonstruktionen, Unterzüge, Decken und Zugband ausgeführt wurden. Es waren hierbei schon die Hängeeisen mit angebracht und durch Abstützung nach Möglichkeit gestreckt worden. Alsdann wurde das Lehrgerüst der Bogen und oberen Aussteifungen aufgebracht und darauf die Herstellung dieser Teile auf das sorgfältigste durchgeführt. Die Ausführung erfolgte vom September bis November 1909. Die Brücke hat sich bei der Probebelastung mittels Dampfwalze bestens bewährt.

Als Verkehrsbelastung war eine Dampfwalze von 23 t Gesamtgewicht und 400 kg/m² gleichmäßige Last angenommen.

Nr. 74. Straßenbrücke über die Pfreimd bei Kaltenthal[1]) (Oberpfalz), entworfen und ausgeführt 1908 von der Unternehmung Gebr. Rank in München.

Das bemerkenswerte Bauwerk stellt eine der größten Brücken dieser Art dar, welche bisher in Deutschland ausgeführt wurden. Seine Lichtweite beträgt in Hochwasserhöhe 42 m.

Wie aus der Gesamtanordnung (Abb. 418) hervorgeht, besteht das Tragwerk aus zwei voneinander unabhängigen, nach der Kreislinie gewölbten gelenklosen Eisenbetonbogen, die bis auf die 2,5 m unter dem gewachsenen Boden liegende Fundament-

---

[1]) Deutsche Bauztg. 1910, Zementbeilage, S. 42; vergl. auch Handbuch, Ergänzungsband I, Abb. 89 u. 90.

platte reichen. Unterhalb der Fahrbahn ist der Querschnitt der Bogen rechteckig, darüber jedoch oben abgeschrägt, um ein Besteigen zu erschweren. Der kleinste Hauptträgerquerschnitt im Scheitel ist 65 cm breit und 1,2 m hoch. Zwischen den Hauptträgern sind drei Quersteifen angeordnet. Der lichte Abstand der 40 cm breiten Bogen

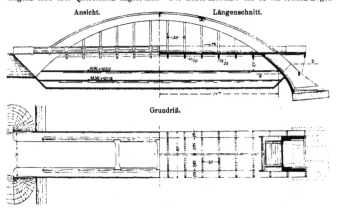

beträgt 4,5 m. Diese Breite ist als Fahrbahnbreite angenommen, während neben den Bogen beiderseitig noch 75 cm breite Gehwege auf Auskragungen in Verlängerung der Querträger geschaffen sind. Das Geländer ist gleichfalls massiv in Eisenbeton hergestellt.

Bemerkenswert ist die Ausbildung des Widerlagers. Dieses wird nach vorne durch eine zwischen die Bogen eingespannte Eisenbetonplatte gebildet, nach den Seiten teils durch die Bogen selbst, teils durch Flügelmauern, welche auf den Bogen, mit deren Außenkante bündig, aufbetoniert wurden (Abb. 418). Zwei Versteifungsbalken sorgen für den nötigen Zusammenhang der Seitenwände des Widerlagers. Diese Anordnung bedeutet gegenüber einem massiven Widerlager aus Stampfbeton, wie man es sonst

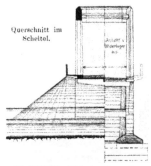

Abb. 418. Allgemeine Anordnung der Brücke bei Kaltenthal.

meistens ausführt, eine bedeutende Ersparung an Baustoff. Die Bogen erhalten unten stark verbreiterte Füße, wodurch eine gleichmäßige Verteilung des Druckes auf die Fundamentplatte erzielt wird. Zur Druckverteilung tragen außerdem noch einige in die Platte einbetonierte alte Schienen bei.

Als Verkehrslasten waren der Berechnung eine Straßenwalze von 13 t Gesamtgewicht und daneben eine gleichmäßige Last von 360 kg m², beides mit dem 1,5 fachen

Wert, zugrunde zu legen, außerdem noch eine Schneelast von 100 kg/m² auf der Fahrbahn und 50 kg/m² auf den Fußwegen. Die Fahrbahnlasten werden durch Hängepfosten auf die Bogen übertragen.

Die Hauptträger sind als gelenklose Bogen nach dem Verfahren von Dr. Schönhöfer[1]) berechnet worden.

Damit die Fahrbahntafel nicht als Zugband wirke, was bei dem ziemlich beträchtlichen Bogenschub bedenklich gewesen wäre, ist in deren Mitte eine Trennungsfuge angeordnet worden.

Besondere Aufmerksamkeit wurde dem Einfluß der Wärmeänderungen auf den Bogen zugewendet, die sich als ziemlich bedeutend ergaben. Als Grenzen wurden + 25° C. und — 15° C. festgesetzt, wobei eine mittlere Ausführungswärme von + 10° C. angenommen wurde. Der Einfluß betrug an der Einspannungsstelle 20 vH., im Scheitel sogar 69 vH. des Momentes für Eigen- und Nutzlast.

Als zulässige Beanspruchungen wurden der Rechnung zugrunde gelegt: für Eisen 1000 kg cm², für den Beton auf Druck bei der Fahrbahn 40 kg/cm²; beim Bogen wurde jedoch bis zu 50 kg/cm² gegangen. Das erscheint durchaus nicht hoch, wenn man berücksichtigt. daß es sich um sehr große Querschnitte handelt und daß bei der Bewehrung des Bogens namentlich auf eine gute Querverbindung durch Bügel großer Wert gelegt wurde. Außerdem darf nicht außer acht gelassen werden, daß die Nutzlasten für jene abgelegene Gegend an sich schon hoch sind und dazu noch mit ihrem anderthalbfachen Wert in die Rechnung eingesetzt werden mußten. Die vorausgesetzten, den Einflußlinien entsprechenden ungünstigsten Laststellungen dürften ebenfalls kaum vorkommen. weder allein, noch viel weniger in Verbindung mit den äußersten Wärmegraden.

Die Betonierung je eines Hauptträgers samt Hängepfosten wurde in einem Guß ausgeführt und zwar nahm die eine Tragwand etwa 18 Stunden, die andere wegen Verzögerungen etwa 22 Stunden in Anspruch.

Beim Ausrüsten zeigte sich in Brückenmitte eine Senkung von 6 mm. Die Baukosten der eigentlichen Brücke betrugen ausschließlich Erdarbeiten, Wasserhaltung und Beschotterung 88 Mark für 1 m² Fahrbahn.

Abb. 419. Niedernholzer Straßenbrücke über den Ems-Weser-Kanal.

Nr. 75. Niedernholzer Straßenbrücke über den Ems-Weser-Kanal (Abb. 419).

Das Bauwerk wurde im Jahre 1909 von der Aktien-Gesellschaft für Beton- und Monierbau, Berlin, entworfen und ausgeführt und ist besonders dadurch bemerkenswert, daß die beiden Hauptträger als Dreigelenkbogen ausgebildet sind. Sie weisen die beträchtliche Stützweite (Mitte bis Mitte Kämpfergelenk) von 47,90 m und eine Pfeilhöhe von 8,02 m auf. Abb. 420 zeigt die Gesamtanordnung des Bauwerks, aus welcher die Hauptmaße ersichtlich sind.

¹) Schönhöfer, Statische Untersuchung von Bogen- und Wölbtragwerken usw. 2. Aufl. Berlin 1911. Wilh. Ernst u Sohn.

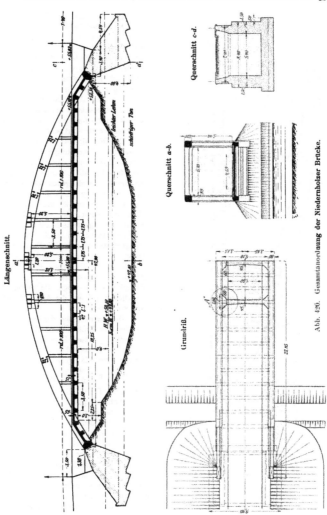

Abb. 430. Gesamtanordnung der Niedernholzer Brücke.

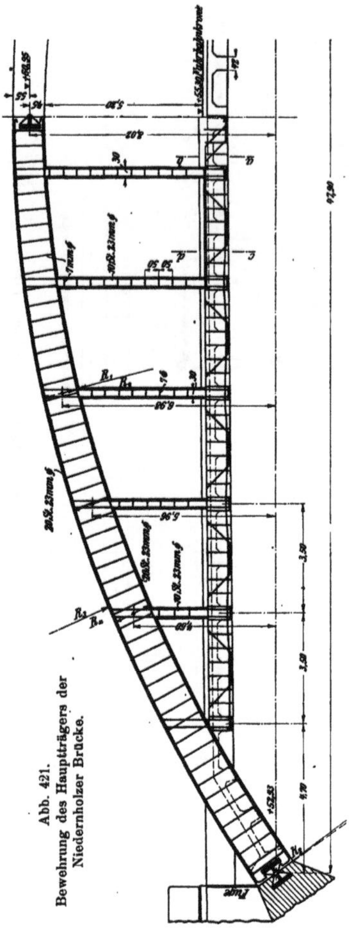

Abb. 421.
Bewehrung des Hauptträgers der
Niedernholzer Brücke.

Der Abstand der Hängepfosten voneinander beträgt 3,50 m, die äußersten Hängepfosten sind von den Kämpfergelenken je 4,70 m entfernt. Im mittleren Teile sind die Hauptträger, soweit es die Durchfahrt gestattet, d. i. an drei Stellen, durch Querriegel gegeneinander abgesteift, die an den Anschlußstellen, um auch in wagerechtem Sinne eine wirksamere Aussteifung zu erhalten, entsprechend verbreitert sind.

Die Höhe der nahezu parabolisch gekrümmten Hauptträger beträgt im Scheitel 1,00 m und nimmt nach den Kämpfern hin auf 1,38 m zu, während die Breite überall gleich 0,80 m ist. Ihre Bewehrung (Abb. 421) besteht aus je 20 Stäben 23 mm Durchm. oben und unten, die durch 7 mm starke, radial gestellte Bügel in 0,50 m Abstand verbunden sind. In den Hängepfosten sind je 10 Stäbe 23 mm Durchm. eingelegt, außerdem sind 7 mm starke Quereisen in 0,45 m Abstand angeordnet (Abb. 422). Bezüglich der sonstigen Bewehrungseinzelheiten sei auf die Abb. 421 bis 423 verwiesen.

Die Aufhängung der Fahrbahn an die Hauptträger geschieht durch Vermittlung eines Randlängsträgers in der Hauptträgerebene. An diesen Träger sind die Querträger in Abständen von $\frac{3,50}{2} = 1,75$ m angeschlossen. Die Querträger bilden mit der Fahrbahnplatte Plattenbalken. Die letzteren sind an den Brückenenden zwischen den Hauptträgern, zwecks Aussteifung derselben, schräg nach unten geführt (Abb. 420).

Die Gelenke sind als Bolzengelenke ausgeführt und bestehen aus Stahlguß. Die Lagerkörper sind vollständig in den Beton eingelassen, so daß zwischen Hauptträger und Widerlager nur ein im Mittel etwa 2 cm weiter Schlitz verbleibt (Abb. 423). Im Fahrbahnaufbau ist eine entsprechende Bewegungsfuge angeordnet.

Der statischen Berechnung wurde eine Dampfpfluglokomobile von 23 t Dienstgewicht nach Abb. 337, außerdem eine gleichmäßige Belastung durch Menschengedränge von 0,4 t/m² zugrunde gelegt. Die Berechnung der Hauptträger erfolgte mittels Einflußlinien, die für die Kernpunkte gezeichnet wurden.

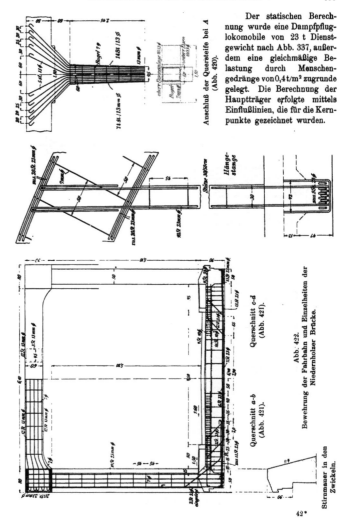

Abb. 422.
Bewehrung der Fahrbahn und Einzelheiten der Niedernholzer Brücke.

Die Ausführung geschah in der Weise, daß zunächst die Fahrbahn betoniert wurde und dann erst die Bogen. Nach dem Ausrüsten der Fahrbahn und der Bogen erfolgte erst die Ausbetonierung der Hängesäulen. Für die Platte wurde eine

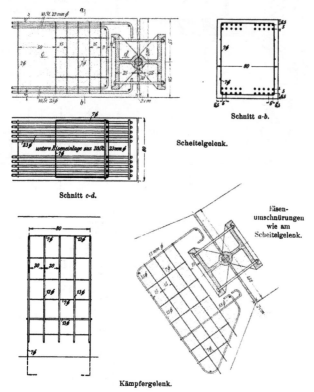

Abb. 423. Einzelheiten der Gelenke der Niedernholzer Brücke.

Mischung von 1 Teil Zement zu 4 Teilen Weserkies und für die Bogen die Mischung 1 : 3 gewählt.

Die Brücke ist seit längerer Zeit dem Verkehr übergeben, irgendwelche Risse oder Undichtigkeiten haben sich bis jetzt nicht gezeigt.

G. Zusammenstellung bemerkenswerter Betonbogenbrücken ohne und mit Eiseneinlagen.

Die nachstehenden Zusammenstellungen sollen eine Übersicht über die bisher ausgeführten unbewehrten und bewehrten Betonbogenbrücken geben; sie sollen außerdem für den entwerfenden Ingenieur Anhaltspunkte über die anzunehmenden Hauptabmessungen darstellen und ferner ein Urteil über die Möglichkeit der Ausführung unter gegebenen Verhältnissen durch Vergleich gestatten.

Im allgemeinen sind nur Brücken mit Öffnungen von und über 30 m Spannweite berücksichtigt, nur bei den Brücken mit untenliegender bezw. angehängter Fahrbahn, die die neuesten Ausführungsformen darstellen, sind schon Bauwerke von 20 m Spannweite ab angeführt worden.

Die Zusammenstellungen geben zugleich ein Bild von der Entwicklung des Baues massiver Brücken im allgemeinen und solcher aus Beton und Eisenbeton im besonderen, die mit der Spannweite von 100 m (Nr. 89) ihre erste Stufe abgeschlossen hat. Vergleicht man die Baujahre neben den Spannweiten der angeführten Brücken, so wird man finden, daß die letzteren in verhältnismäßig wenigen Jahren beträchtlich zugenommen haben. Zugleich haben sich aber auch die Ausführungsformen vermehrt, indem die entwerfenden und ausführenden Ingenieure alle die Vorteile herauszufinden versucht haben, die die Anpassungsfähigkeit des Baustoffes ergibt.

Nr.	Bauwerk	Ver-kehrs-weg.	Baujahr	Spannweite[1] m	Pfeilhöhe m	Pfeil-verhältnis	Lagerung
						I. Betonbogenbrücken	
1.	Donaubrücke bei Munderkingen	Str.	1893	50,0	5,0	1 : 10	Eis. Wälzgelenke
2.	Donaubrücke bei Inzigkofen	„	1895	43,0	4,38	1 : 9,8	Zapfengelenke
3.	Flutbrücke der Eisenbahn-brücke über die Elbe in Dresden	Eis.	1894/96	5×31,35 (28,0) +15,6	6,5 (5,0)	1 : 4,8 (1 : 5,6)	Betongelenke Sandsteingelenke
4.	Rhônebrücke de la Coulou-vrenière in Genf	„	1895/96	2×40,0 +14,0+12,0	5,55	1 : 7,2	Eis. Wälzgelenke
5.	Neckarbrücke bei Gemmrigheim	Str.	1896	4×38,0	5,5	1 : 6,9	Bleiplattengelenke
6.	Eyachbrücke bei Imnau, Württemberg	„	1896	30,0	3,0	1 : 10,0	Granitgelenke
7.	Dollerbrücke bei Burzweiler	„	1897	34.0	4,05	1 : 8,4	Zapfengelenke
8.	Chemnitztalbrücke b. Chemnitz	Eis.	1898/99	43,10 +6×26,65 +4×27,90	7,8	1 : 5,5	Granitgelenke
9.	Stauffacherbrücke in Zürich	Str.	1899	39,0 (39,6)	3,31 (3.7)	1:11,8 (1:10,7)	Eis. Wälzgelenke
10.	Leinebrücke bei Grasdorf	„	1900	40,0	4,5	1 : 8,9	Granitgelenke
11.	Neckarbrücke b. Neckarhausen	„	1901	50,0	4,55	1 : 11,0	Zapfengelenke
12.	Nalontalbrücke bei Segados, Asturien	„	1901	50,0	4,5	1 : 11,1	Gelenke
13.	Staatsstraßenbrücke über den Neckar bei Tübingen	„	1901	39,40 +36,23	3,53 3,0	1 : 11,2 1 : 12,1	Stahlgelenke
14.	Schlitzabrücke bei Tarvis, Kärnten	„	1902	30,00	3,1	1 : 9,7	Eis. Wälzgelenke
15.	Illerbrücke b. Lautrach, Bayern	Eis.	1903	59,0 (57,16)	(9,82)	(1 : 5,8)	„
16.	Reichenbachbrücke über die Isar in München	Str.	1903	44.0 (41,0) +28,0+27,0 +26,0	(4,1)	(1 : 10)	„
17.	Etschbrücke bei Forst, Tirol	„	1903	31,0	3,07	1 : 10,1	„
18.	Moselbrücke bei Mehring	„	1903/04	4×46,0+15,0	6,17	1 : 7,5	Eingespannt
19.	Teltowkanalbrücke in Britz bei Berlin	„	1904	39,0 (36,42)	(4,83)	(1 : 7,5)	Betongelenke
20.	Lahnbrücke bei Staffel	„	1904	37,10 +2×16,40	5,8	1 : 6,4	„
21.	Wallstraßenbrücke in Ulm a. D.	„	1905	65,45 (57,0)	(5,8)	(1 : 9,8)	Eis. Wälzgelenke
22.	Moselbrücke bei Moulins	„	1905	44,0 +2×40+2×8,0	5,68 4,78	1 : 7,8 1 : 8,4	Betongelenke
23.	Moselbrücke bei Schweich	„	1905/06	3×46,0 +3×10,0 +9×(10 bis 15)	6,17	1 : 7,5	Eingespannt
24.	Illerbrücken b. Kempten, Algäu	Eis.	1906	64,5 (50,0) +2×21.5+21,5	31,6 (8,7)	1 : 2,0 (1 : 5,8)	Eis. Wälzgelenke, Bleiplattengelenke
25.	Brücke über den Piney Creek in Washington	Str.	1906	38,10	11,88	1 : 3,2	Eingespannt
26.	Neckarbrücke in Mannheim	„	1906/07	2×59,5 (58,5)* +9,5+10,0	(5,52)	(1 : 10,6)	Eis. Wälzgelenke

[1] Bei Gelenkbrücken stimmt, wenn nicht besonders angegeben, die Spannweite mit der Stützweite, d. i. Abstand der Gelenkmittelpunkte, überein. Im anderen Falle sind die auf den Dreigelenkbogen bezüglichen Größen in Klammern ( ) gesetzt.

Bogenstärke			Nutzbare Brücken-breite m	Bemerkung	Ausführung	Beschreibung[2] (Abschn. F) bezw. Quelle
Scheitel m	Kämpfer m	Bruch-fuge[1] m				

ohne Eiseneinlagen.

1,00	1,10	1,40	8,5	—	Stuttgarter Zementfabrik Blaubeuren	Nr. 1
0,70	0,78	1,10	3,8	—	B. Liebold & Co., A.-G., Holzminden	Nr. 2
1.15	1,30	1,50	18,6	—	Dyckerhoff & Widmann, A.-G., Dresden	Der Portlandzement und seine Anwendung im Bauwesen. 3. Aufl., Berlin 1905, S. 475
1,00	1,20	1,40	20,0	—	Butticaz, Genf	Nr. 3
0,80	0,90	—	—	—		
0,45	0,50	0,80	4,0	—	B. Liebold & Co., A.-G., Holzminden	Zeitschr. f. Bauw. 1898 (auch Sonderdruck)
0,70	0,70	1,05	—	—		
1,10	1,25	1,5	4,0—4,4	—	Dyckerhoff & Widmann, A.-G., Dresden	Der Portlandzement und seine Anwendung im Bauwesen. 3. Aufl., S. 471
0,78	0,72	0,95	20,0	—	Fietz & Leuthold, Zürich	Schweiz. Bauztg. 1899, 11. März
0,85	0,90	1,16	—	—		
0,85	0,80	1,21	5,5	—	Wayss & Freytag, A.-G., Neustadt a. d. H.	Zeitschr. f. Bauw. 1903 (auch Sonderdruck)
1,10	1,10	1,40	—	—	—	Schweiz. Bauztg. 1902, 3. Mai
—	—	—	—	—	—	Österr. Wochenschr. f. d. öff. Baudienst 1903, Heft 22
0,70	0,70	0,82	6,0	—		
1,10	1,40	1,65	4,8	Lokalbahn Legau—Memmingen	B. Liebold & Co., A.-G., Holzminden	Deutsche Bauztg 1904, S. 441, 453
0,70	0,80	—	20,0	—	Sager & Woerner, München	Beton u. Eisen 1904, S. 9
0,70	0,70	0,82	6,8	—	—	Österr. Wochenschr. f. d. öff. Baudienst 1904, Heft 27
1,00	1,30	—	6,5	—	B. Liebold & Co., A.-G., Holzminden	—
0,75	0,80	1,12	15,0	—	Windschild & Langelott, Cossebaude bei Dresden	Deutsche Bauztg. 1905, S. 433
	—	—	—	—		
1,06	1,50	1,60	10,0	—	A. Kunz & Co., Kempten	Nr. 5
0,95	1,15	1,40	7,0	—	Windschild & Langelott, Cossebaude bei Dresden	Deutsche Bauztg. 1906, S. 287. Bericht des Deutschen Beton-Vereins 1908, S. 85
0,90	1,05	1,30				
1.00	1,30	—	7,0	—	B. Liebold & Co., A.-G., Holzminden	Nr. 9
1,35	1,85	2,00	16,5*	*Breite der viergleisigen Doppelbrücke	Dyckerhoff & Widmann, Karlsruhe u. A.Kunz&Co., Kempten	Nr. 4
1,52	2,34	—	18,6	Aus besonders geformten Betonquadern	Peno Bridge Company	Nr. 6
1,07	1,16	1,48	15,0	*Mittelöffnung von 113 m Stützweite durch Blech-bogen überdeckt	Grün & Bilfinger, A.-G., Mannheim	Zentralbl. d. Bauverw. 1908, S. 277

[1] Die Bruchfuge, im Viertel der Stützweite liegend, kommt nur für Dreigelenkbrücken in Betracht.
[2] Die Quellenangaben für die besprochenen Brücken finden sich als Fußnoten bei den betreffenden Beschreibungen.

Nr.	Bauwerk	Ver-kehrs-weg	Baujahr	Spannweite m	Pfeilhöhe m	Pfeil-verhältnis	Lagerung
27.	Moselbrücke in Sauvage b. Metz	Str.	1906/07	36,0 + 2 × 34,0 + 30,0 + 5,0 + 8,0	5,3 bis 3,62	1 : 6,7 bis 1 : 8,3	Betongelenke
28.	Sensebrücke bei Guggersbach, Schweiz	„	1907	50,7	8,22	1 : 6,2	Eingespannt
29.	Neißebrücke in Rothenburg, Ober-Lausitz	Eis.	1907	5 × 30,5	4,2	1 : 7,3	Eisenbetongelenke
30.	Connecticut-Straßenbrücke über den Rock Creek in Washington, Ver. St.	Str.	1905/08	5 × 45,75 + 2 × 25,0	22,88	1 : 1	Eingespannt
31.	Walnut Lane-Brücke in Philadelphia	„	1906/08	71,03 + 2 × 16,15 + 3 × 16,15	21,42	1 : 3,3	„
32.	Landwasserbrücke bei Wiesen, Schweiz	Eis.	1906/08	55,0 + 4 × 20,0 + 2 × 20,0	33,34	1 : 1,7	„
33.	Moselbrücke bei Trittenheim	„	1907/08	3 × 46,0 + 30,0 + 6,2	6,17 4,47	1 : 7,5 1 : 6,7	„
34.	Boberbrücke b. Boberullersdorf	„	1908	58,1	9,2	1 : 6,3	„
35.	Friedrich-August-Brücke in Dresden	Str.	1907/10	2 × 39,3 (34,1) + 36,0 + 36,15 + 32,955 + 28,33 + 24,05 + 22,0 + 17,6	etwa 9,5 (4,95)	1 : 4,1 (1 : 6,9)	Eisenbetongelenke und Bleiplattengelenke
36.	Rockyflußbrücke bei Cleveland, Ohio	„	1908/10	85,3 + 2 × 13,4 + 3 × 13,4	24,38	1 : 3,5	„
37.	Almebrücke bei Elsen	„	1909/10	46,0	5,1	1 : 9	Eingespannt
38.	Fuldabrücke in Kassel	„	1909/10	57,50	5,23	1 : 11	„
39.	Fuldabrücke bei Dennhausen	„	1909/10	3 × 38,0 (36,0)	(4,03 u. 3,83*)	(1 : 8,9 u. 1 : 9,4)	Betongelenke
40.	Moselbrücke bei Longuich	„	1909/10	46,0 + 2 × 43,0 + 34,0 + 17,0	6,17 5,34 3,40	1 : 7,5 1 : 8,1 1 : 10,0	„
41	Monroe-Straßenbrücke über der Spokaneﬂuß in Spokane, Washington	„	1909/11	85,65 + 2 × 36,58 + 30,48	35,05	1 : 2,4	Eingespannt

II. Eisenbetonbogenbrücken mit

1. Brücken mit
Bauweise

42.	Ausstellungsbrücke in Bremen	Fußg.	1890	40,0	4,5	1 : 8,9	Eingespannt
43.	Brücke in Wildegg, Schweiz	Str.	1890	39,0	3,5	1 : 11,1	„
44.	Ybbsbrücke b. Groß-Hollenstein, Oesterreich	„	1896/97	40,0 + 9,5	4,55	1 : 8,8	„
45.	Ybbsbrücke in Waidhofen, Oesterreich	„	1898	44,0	8,0	1 : 5,5	„
46.	Brücke bei Allersdorf, Oesterr.	„	1900/01	2 × 46,0	4,7	1 : 9,8	„
47.	Ennsbrücke b. Raming, Oesterr.	„	1902	35,0	3,95	1 : 8,9	„

Bogenstärke			Nutzbare Brücken-breite	Bemerkung	Ausführung	Beschreibung (Abschn. F) bezw. Quelle
Scheitel m	Kämpfer m	Bruch-fuge m	m			
0,70	0,80	1,15	7,5	—	Dyckerhoff & Widmann, Karlsruhe u. Th. Heydt, Straßburg	Nr. 11
1,10	1,60	—	5,0	Betonquadern in 2 Ringen	Gribi, Haßler & Cie., Burgdorf	S. 341
0,55	0,70	1,00	4,5	—	Akt.-Ges. f. Beton- u. Monierbau, Berlin	Deutsche Bauztg. 1908, Zementbeilage Nr. 20 u. 21
1,51	3,05	—	16,0	Die beiden Endöffnungen sind in Betonquadern hergestellt	District Construction Company, Washington	Nr 16
1,67	2,89	—	17,1	2 Gewölbe von je 5,49 m oberer Breite und 4,88 m ob. Abstand auf gemeinschaftl. Fundament	Reilly & Riddle, Philadelphia	Nr. 7
1,80	3,00	—	4,0	Betonquadern in 3 Ringen	Froté, Westermann & Co., Zürich	Schweiz. Bauztg. 1909, 19. Juni
1,00 0,70	1,30 0,90	—	6,5	—	B. Liebold & Co., A.-G., Holzminden	—
1,00	1,30	—	6,0	—	B. Liebold & Co., A.-G., Holzminden	Nr. 8
0,95	1,25	—	18.0	—	Philipp Holzmann & Co., Frankfurt a M. u. Dycker-hoff & Widmann, Dresden	Nr. 12
1,83	3,35	—	17,1	2 Gewölbe von je 5,49 m oberer Breite und 4,88 m ob. Abstand auf gemeinschaftl. Fundament (wie bei Nr. 81)	Gebrüder Schillinger & Co., Columbus, O.	Nr. 17
0,80	1,10	—	7,0	—	B. Liebold & Co., A.-G., Holzminden	Nr. 15
1.10	1,30	—	15,60	Beiderseits Durchfahrten von 4,5 m Weite	B. Liebold & Co., A.-G., Holzminden	Nr. 13
0,70	0,75	0,92	4,60	*Für die beiden Seiten-öffnungen	Akt.-Ges. für Beton- u. Monierbau, Kassel	Nr. 14
1,00 0,95 0,90	1,30 1,20 1,10	—	4,6	—	B. Liebold & Co., A.-G., Holzminden	—
2,06 1,22 1,07	5,64 2,44 2,13	—	20,7	2 Gewölbe von je 4,88 m oberer Breite und 6,09 m ob. Abstand auf gemeinschaftl. Fundament Seitenöffn. aus 4 Einzelbogen von 1,22 m Breite	—	Eng. News 1909, 2. Sept. und 1911, 4. Mai

voll durchgehenden Gewölben.

schlaffen Eiseneinlagen.

Monier.

0,25	0,50	—	2,7	—	Akt.-Ges. f. Beton- u Monierbau, Berlin	Seite 334
0,23	0,65	—	3,60	—	Akt.-Ges. f. Beton- u. Monierbau, Berlin	Seite 335
0,38	0,50	—	etwa 5,0	—		Handbuch, 1. Aufl., III. Bd., 3. T., S. 100
0,40	0,60	—	etwa 6,0	—	G. A. Wayss & Co., Wien	Handbuch. 1. Aufl..III. Bd., 3. T., S. 103
0,48	0,70	—	etwa 6,0	—	—	Hdb., 1. Aufl, III. Bd., 3. T., S. 108
0,30	0,50	—	5,0	—	—	Hdb., 1. Aufl., III. Bd., 3. T., S. 109

Nr.	Bauwerk	Ver-kehrs-weg	Baujahr	Spannweite m	Pfeilhöhe m	Pfeil-verhältnis	Lagerung
48.	Isarbrücke bei Grünwald	Str.	1903/04	2 × 70,0*	12,8	1 : 5,5	Eis. Wälzgelenke
49.	Saalebrücke bei Merseburg	Fußg.	1905	48,0* 51,2**	5,7	1 : 8,4	Eingespannt
50.	Brücke über die Idriaschlucht bei St. Lucia-Tolmein	Str.	1905/06	55,0*	13,0	1 : 4,2	,,
51.	Brücke über den Irati in Liedena, Spanien	,,	1907	2 × 30,0	3,0	1 : 10,0	,,
52.	Albulabrücke bei Sils i. D.	,,	1907	37,0	4,7	1 : 7,9	Bleiplattengelenke
53.	Gmündertobelbrücke b. Teufen, Schweiz	,,	1908	79,0	26,5	1 : 2,9	Eingespannt
54.	Fnjoskábrücke bei Akureyri, Island	,,	1908	54,9	8,52	1 : 6,5	,,
55.	St. Karlibrücke über die Reuß in Luzern	,,	1907/09	51,3	5,0	1 : 10,2	Eis. Wälzgelenke
56.	Brücke über den Tech bei Amélie-les-Bains, Frankreich	,,	1909	44,0 (41,0)	(4,7)	1 . 8,7	Federgelenke
57.	Allerheiligenbrücke über den Pramfluß in Schärding, Ober-Oesterreich	,,	1909/10	43,0	5,0	1 : 8,6	Eingespannt
							Bauweise
58.	Chagrinfluß-Brücke bei Willoughby, O.	Eis.	1904	46,0	10,80	1 : 4,3	Eingespannt
59.	Brücke zu Danville, Ver. St.	Str.	1905	30,0 + 2 × 24,0	12,0	1 : 2,5	,,
60.	James River-Brücke zu Richmond	,,	1905	5 × 33,0	3,8	1 : 8,7	,,
							Bauweise
61.	Grand-River-Brücke bei Painesville, O.	Eis.	1908/09	48,77 + 2 × 21,24	21,89	1 : 2,2	Eingespannt
62.	Pauline Kill-Brücke, Ver. St. (Delaware, Lackawanna und Western-Eisenbahn)	,,	1908/10	5 × 36.6 + 2 × 30,5	18,29 15,25	1 : 2 1 : 2	,,
63.	Delawarebrücke bei Slateford, Ver. St. (Delaware, Lackawanna und Western-Eisenbahn)	,,	1908/10	5 × 45,72 + 2 × 36,57 + 2 × 9,14	12,19 12,19	1 : 3,8 1 : 3,0	,,
64.	Brücke in Goat-Islands, Niagara	Str.	1900	33,53 + 2 × 31,55	3,50 3,05	1 : 9,6 1 : 10,3	,,
65.	Brücke über den Jacaguasfluß bei Juana Diaz, Portorico	,,	1900	36,57 + 2 × 30,48	3,66 3,44	1 : 10,0 1 : 8,9	,,
66.	Brücke in Zanesville, O.	,,	1901	3 × 37,21 + 36,75 + 30,17 + 3 × 24,69	3,2	1 : 11,6	,,
67.	Factory-Straßenbrücke über den Doverkanal, O.	,,	1905/06	3 × 32.5 + 21,3	3,58	1 : 9,1	,,
							Bauweise
68.	Wagarawbrücke über den Passaicfluß bei Patterson, New-Jersey	Str.	1907	32,4 + 2 × 28,8	3,6	1 : 9,0	Eingespannt

Bogenstärke			Nutzbare Brückenbreite	Bemerkung	Ausführung	Beschreibung (Abschn. F) bezw. Quelle
Scheitel m	Kämpfer m	Bruchfuge m	m			
0,80	0,90	1,20	8,0	*Außerdem 5 gerade Oeffnungen von je 8,5 m Lichtweite	Wayss&Freytag,Neustadt a. d. H. u. Hellmann & Littmann, München	Nr. 19
0,40	0,45	—	1,5	*Zwisch. d. eigentl. Kämpfera **Zwisch. d.Widerlagersohlen	Rud. Wolle, Leipzig	Nr. 22
0,55	0,95	—	6,0	*Außerdem 2 gerade Oeffnungen von je 12,5 m Lichtweite	G. A. Wayss & Co., Wien	Beton u. Eisen 1906, S. 301 u. 1907, S. 5
0,60	1,00	—	6,0	—	Société Générale des Ciments Portland in Sestao	Génie Civil, Bd. 53, Nr. 10
0,48	0,58	—	5,0	—	E. Froté & Co., Zürich	Kersten. Bogenbrücken, 2. Aufl., Berlin 1910, S. 149
1,20	2,13	—	6,9	—	Froté, Westermann & Co., Zürich	Nr. 23
0,50	1,00	—	2,5	—	Christiani & Nielsen, Hamburg	Beton u. Eisen 1909. S. 188
—	—	—	—	—	J. Blattner, Luzern u. F. Pulfer, Bern	Schweiz. Bauztg. 1909, 2. Jan., Schweiz. Baukunst 1909, Monatsbeilage v. 19. November
0,40	0,45	0,65	6,6	—	M. Boussiron, Paris	Nr. 26
0,55	0,80		7,3	—	Schratz & Sohn, Urfahr-Linz	Österr. Wochenschr. f. d. öff. Baudienst 1911, S. 38
Johnson.						
—	—	—	19,20	—	—	Zement und Beton 1905, S. 115
1,20	3,60	—	8,7	Gewölbebreite 9,9 m	St. Louis Expanded Metal Fireprooving Company	Nr. 27
0,75	1,67	—	7,5	—	—	S. 349
Thacher.						
2,21	3,96	—	rd. 20,0	—	—	Nr. 28
1,83 1,52	3,66 3,66	—	8,5	Gewölbebreite 10,36 m	John Goll & Company, Philadelphia	Eng. Record 1906, 15. August, 1909, 24. April u. 1910, 16. Juli, Beton u. Eisen 1911, S. 51
1,83 1,63	5,4 5,4	—	8,5	Gewölbebreite 10,36 m	—	Eng. Record 1906, 15. August. Eng. News 1909, 30. Dezember. Beton u. Eisen 1911, S. 51, Arm. Beton 1910, S. 87
1,02 0,96	1,93 1,78	—	11,6	Flacheiseneinlagen	—	Eng. Record 1901, 5. Jan.
—	—	—	5,49	Flacheiseneinlagen	Thacher	Eng. Record 1901, 3. Aug. Eng. News 1901, 1. August
0,76	2,40	—	12,8	Dreiarmige Brücke, Flacheiseneinlagen	Mehrere Gesellschaften	S. 351
0,61	1,67	—	16,16	Thachereisen	Ing. Lamdor, Ohio	Nr. 29
Kahn.						
0,70	2,25	—	12,0	—	—	Zement und Beton 1908, S. 380

Nr.	Bauwerk	Verkehrs-weg	Baujahr	Spannweite m	Pfeilhöhe m	Pfeil-verhältnis	Lagerung
							2. Brücken mit Bauweise
69.	Brücke in Stockbridge, Mass.	Fußg.	1895	30,48	3,05	1 : 10	Eingespannt
70.	Kansasbrücke in Topeka, Ver.St.	Str.	1896/97	38.09 +2 × 33,53 +2 × 29,72	5,71 4,95	— —	„
71.	Schwimmschulbrücke in Steyr	„	1897/98	42.2	2,61	1 : 16,2	Bolzen- u. Betongelenk
72.	Werrabrücke in Meiningen	„	1900	40,0	3,7	1 : 10,8	Eingespannt
73.	Kaiser-Franz-Josefs-Jubiläums-brücke in Laibach	„	1901	33,0 (33,36)	(4,37)	(1 : 7,6)	Zapfengelenke
74.	Jefferson-Straßenbrücke in South Bend, Ind.	„	1904/05	4 × 33,53	4,83	1 : 6,9	Eingespannt
75.	Elbebrücke bei Döberney, Böhmen	„	1908	34,0 +13,0	3,9	1 : 8,7	..
76.	Brücke über das Menomoneetal, Milwaukee, Wis.	„	1909	76,8	17,39	1 : 4,4	.,
							III. Eisenbetonbogenbrücken 1. Brücken mit
77.	Viennebrücke in Châtellerault	Str.	1899	50,0 +2 × 40,0	4.8 4,0	1 : 10,4 1 : 10,0	Eingespannt
78.	Brücke zu Avranches (La Manche-Eisenbahn)	Eis.	1905	33,6*	7,15	1 : 4,7	„
79.	Brücke Saint-Jean-la-Rivière über die Vésubie	Elektr. Lokal-bahn	1908	45,5	12,37	1 : 3,7	„
80.	Bormidabrücke zu Millesimo, Italien	Str.	1908	51,0	5,10	1 : 10,0	..
81.	Moselbrücke bei Novéant (Strombrücke)	„	1907/09	47,0 +40,0 +38,0	7,0 5,2 3,9	1 : 6,7 1 : 7,7 1 : 8,5	„
82.	Maaßbrücke in Bouvignes	„	1909	32,5 +2 × 41,0	3,9 3,4	1 : 8,3 1 : 12,0	„
83.	Kohlenwegbrücke über den Ems-Weser-Kanal	„	1910/11	47,7 (46,5)	(4,12)	(1 : 11,3)	Zapfengelenke
84.	Brücke Niederwöhren—Wieden-sahl über den Ems-Weser-Kanal	„	1910/11	52,3* (49.9)	(8,15)	(1 : 6,1)	„
							2. Brücken mit bis zur
85.	Innbrücke bei Juoz, Schweiz	Str.	1900/01	38,0	3,8	1 : 10,0	Bleiplattengelenke
86.	Thurbrücke bei Bilwill-Ober-büren, Schweiz	„	1903/04	2 × 35,0	4,0	1 : 8,8	„
87.	Rheinbrücke bei Tavanasa, Schweiz	„	1905	51,0	5,5	1 : 9,3	„
88.	Loirebrücke zu Imphy, Frankreich	„	1906/07	10 × 30,0	2,4	1 : 12,5	Eingespannt
89.	Brücke der Wiedergeburt über den Tiber in Rom	„	1909/11	100,0	10,0	1 : 10,0	„

| Bogenstärke | | | Nutzbare Brückenbreite | Bemerkung | Ausführung | Beschreibung (Abschn. F) bezw. Quelle |
Scheitel m	Kämpfer m	Bruchfuge m	m			
steifen Eiseneinlagen.						
Melan.						
0,23	0,92	—	1,90	—	—	S. 356
0,56	0,99	—	12,2	—	—	Eng.Record 1898. 16.April, Handbuch, 1. Aufl., III. Bd., 3. T., S. 71
0,56	0,99	—				
0.60	0,70	0,80	6,0	—	—	Nr. 33
0.70	0,90	—	7,4	—	B. Liebold & Co., A.-G., Holzminden	Nr. 35
0,50	0,65	0,70	10,0	—	Pittel & Brausewetter, Wien	Zeitschr. d. österr. Ing.- u. Arch.-V. 1903, S. 305
0.86	2,90	—	21,9	—	J. O. Heyworth, South Bend	Beton u. Eisen 1905, S.239
0.58	0,95	—	6,0	—	Pittel & Brausewetter, Wien	Melan u. Kluge, Einige neuere Bauausführungen, Berlin 1911
1,20	2,40	—	18,0	—	—	Hdb., 1.Aufl., III.Bd., 3. T., S. 76 Melan, Der Brückenbau, Wien 1911. S. 12
mit Rippengewölben.						
niedrigen Rippen.						
0,20 (0,54)	0,20 (0,91)	—	8,0	4 Rippen von 0.50 m Breite	—	Nr. 42
0,20 (0,44)	0,20 (0,80)	—		desgl.		
0,35 (0,35)	0,45 (0,85)	—	4,0	3 Rippen, 0,45 m breit, von $\frac{l}{4}$ ab Spiralbewehrung *außerdem 3 Balkenöffnungen		Nr. 44
0.45 (0.55)	0,55 (1,10)	—	3,50	2 Rippen, 0,52 m breit, Spiralbewehrung	M. M. Thorrand & Durandy. Nizza	Nr. 45
(0,60)	(1,00)	—	—	4 Rippen	G A. Porcheddu, Turin	S. 366
0,26 (0.88)	0,28 (1,35)	—	7,0	4 Rippen, 0,44 m breit. Die Flutbrücke mit Oeffnungen von 14,4, 13,0 u. 12.0 m ist durch einzelne Bogenträger überspannt	Ed. Züblin & Cie., Straßburg	Nr. 49
0,26 (0.86)	0,28 (1,30)	—				
0,26 (0,80)	0,28 (1,30)	—				
0,40 (0,94)	0,40 (0,94)	—	4,0	2 Rippen, 0,25 m breit desgl.	M. Prax, Liége	Nr. 48
0.18 (0,72)	0,18 (0,72)	—				
0,20 (0,75)	0,85 (0,85)	1,03 (1,03)	3,70	Im mittler. Teil 4 Rippen, 0,35 bezw. 0,40 m breit	Akt.-Ges. für Beton- und Monierbau, Berlin	Nr. 47
0.15 0.85)	0,15 (1,10)	(0,97)	7,80	*zwischen den Widerlagersohlen	Akt.-Ges. für Beton- und Monierbau, Berlin	Nr. 46
Fahrbahn reichenden Rippen.						
0,20	0,60	—	3,7	Bauweise Maillart	Froté, Westermann & Co., Zürich	Nr. 50
0,16	0,60	—	3,6		Maillart & Co., Zürich	Schweiz. Bauztg. 1904, 1. Okt.
0.18	0,50	—	3,2		Maillart & Co., Zürich	Nr. 51
—	—	—	6,0	—	Société de Fondations, Paris	S. 366
0.20	0,50	—	19,2	Gesamte Konstruktionsstärke 0,80 m	G. A. Porcheddu, Turin	Nr. 52

Nr.	Bauwerk	Verkehrs-weg	Baujahr	Spannweite m	Pfeilhöhe m	Pfeil-verhältnis	Lagerung
						IV. Eisenbetonbogenbrücken	
							(Bauwein
90.	Brücke über den Canal du Midi in Toulouse	Fußg.	1902	42,0 (36,06)	4,85 (2,33)	1:8,7 (1:15,5)	Eingespannt
91.	Mativa-Brücke über den Ourthe in Liége	Str.	1904/05	55,0 + 2 × 10,5	3,65	1:15,0	
92.	Brücke in Los Angeles, Kalifornien	„	1905/06	44,5	5,49	1:8,1	„
93.	Brücke über die Stura in Rossiglione, Italien	„	1906/07	36,0	3,60	1:10,0	„
94.	Kourabrücke bei Gori, Kaukasien	„	1907/08	50,0 + 2 × 41,0	5,00 4,10	1:10,0 1:10,0	„
95.	Pont Central über die Bienne in St. Chaude, Jura	„	1908/09	64,0 stromauf 65,7 stromab	5,38	1:11,9 1:12,2	„
96.	Brücke über den Astico bei Calvene, Italien	„	1908,09	34,5	2,0	1:17,2	„
						V. Eisenbetonbogenbrücken	
						1. Brücken mit obenliegender	
97.	Tagliamentobrücke b. Pinzano, Udine	Str.	1903	3 × 48,0	24,0	1:2,0	Eingespannt
98.	Loirebrücke bei Décize	„	1904/05	2 × 55,93	4,66	1:12	„
99.	Lake-Park-Brücke i. Milwaukee, Wis.	Fußg.	1905	36,0	5,5	1:6,5	„
100.	Brücke in Deurne-Merxem, Belgien	Str.	1905/06	3 × 44,0 + 2 × 22,0	6,8	1:6,5	„
101.	Zeiswoldbrücke in Orweil, O.	„	1906	32,0	3,45	1:9,3	„
102.	Brücke zu Venice, Kalifornien	„	1906	30,0 + 2 × 12,0	4,0	1:7,5	„
103.	Rhônebrücke bei Pyrimont	„	1907	5 × 51,5	7,6	1:6,8	„
104.	Brücke bei Lugano	„	1907	36,4	9,2	1:3,9	„
105.	Brücke über den Garamfluß bei Párkány-Nána, Ungarn	„	1907/08	8 × 40,0	4,0	1:10,0	„
106.	Temesbrücke in Orményes, Ungarn	„	1908	2 × 30,0	6,7	1:4,5	„
107.	Kleine Talbrücke bei Fogaras, Ungarn	Eis.	1908	33,6*	17,0	1:2,0	„
108.	Große Talbrücke bei Fogaras, Ungarn	„	1908	57,0*	21,4	1:2,7	„
109.	Brücke bei Rieden	Str.	1908	31,0	6,5	1:4,8	„
110.	Mississippibrücke in St. Paul	„	1908	33,53*	16,8	1:2,0	„
111.	Brücke über den Cannelon-Chico, Uruguay	„	1908,09	35,0	4,0	1:8,8	„
112.	Tiefengrabenbrücke der Linie Agonitz–Klaus	„	1908/09	40,0	18,0	1:2,2	„
113.	Neckarbrücke bei Tübingen	Eis.	1909	2 × 34,0 (28,0)	(2,55)	1:11,0	Eis. Wälzgelenke
114.	Brücke über den Vermilionfluß bei Wakemann, O.	Str.	1909	44,0 + 2 × 11,35*	9,9	1:4,4	Zapfengelenke

Bogenstärke Scheitel m	Kämpfer m	Bruchfuge m	Nutzbare Brückenbreite m	Bemerkung[1]	Ausführung	Beschreibung (Abschn. F) bezw. Quelle

mit Rippenplattenquerschnitt.
Hennebique.)

Bogenstärke Scheitel m	Kämpfer m	Bruchfuge m	Nutzbare Brückenbreite m	Bemerkung[1]	Ausführung	Beschreibung (Abschn. F) bezw. Quelle
0,95	2,50 (1,70)'	—	1,50—2,90 Mitte Enden	Die eingeklammerten Zahlen beziehen sich auf die mittlere Sehne mit dem Scheitelhalbmesser 79 m	—	Béton armé 1903, Sept., Génie Civil 1903
0,45	0,75	—	9,5	—	Société de Fondations, Paris	Béton armé 1905, Juni u. 1907, Jan., Beton u. Eisen 1906, S. 126
0,61	—	—	5,80	3 Bogenrippen 0,36 m breit	—	Nr. 54
0,50	0,65	—	5,60	—	G. A. Porcheddu, Turin	Béton armé 1908, Mai, Il Cemento 1908
0,30	0,30	—	7,7	—	A. Rotinoff, Tiflis	Béton armé 1909, Febr.
0,50	0,50	—	6,2—11,4 Mitte Enden	Windschief. Gewölbe 4 m breit Fahrbahnbreite von der Mitte nach den Enden zunehmend	Grangette frères, Le Coteau, Loire	Béton armé 1909, Febr.
—	—	—	—	—	G. A. Porcheddu, Turin	Béton armé 1909, Mai

mit einzelnen Hauptträgern.
(gestützter) Fahrbahn.

Bogenstärke Scheitel m	Kämpfer m	Bruchfuge m	Nutzbare Brückenbreite m	Bemerkung[1]	Ausführung	Beschreibung (Abschn. F) bezw. Quelle
2,0	3,0	—	5,0	$s=2$; durch je zwei Gitterträger (Melan) bewehrt	Odorico & Co., Mailand	Beton u. Eisen 1904, S. 186, Il Monitore technico. Milano 1903, 30. Dez.
0,50*	—	—	10,50	*einschl. Fahrbahn; $s=4$	Société de Fondations, Paris	Béton armé 1905, Juni u. 1906, Jan.
1,37	1,37	—	3,65	$s=2$; $b=0,3$	Newton Engineering Co., Milwaukee	S. 371
0,70	0,70	—	12,0	$s=6$; $b=0,35$	Boisée & Hargot, Anvers	S. 377
1,50	2,70	—	4,8	$s=2$, $b=0,6$	—	S. 381
0,70	1,00	—	4,90	$s=3$; $b=0.32$ äußere H. $b=0,60$ mittlerer H.	—	S. 371
0,60	1,00	—	3,6	$s=2$; $b=0,4$	La Grenobloise, Grenoble	Nr. 59
1,00	1,70	—	4,3	$s=2$; $b=0,7$	—	S. 374
0,77	1 20	—	6,0	$s=2$; $b=1,3$	G. A. Wayss & Co., Budapest	Nr. 63
0,55	0,85	—	6,0	$s=4$; $b=0,4$ am Widerlager $b=0,75$	Kovács & Polgar, Temesvar	Nr. 61
1,0	1,90	—	4,2	*außerdem 5 Balken-öffnungen. $s=2$; $b=0,5$	—	Nr. 62
1,35	3,20	—	4,2	*außerdem 9 Balken-öffnungen. $s=2$; $b=0,6$	M. Schiffer, Budapest	Nr. 62
0,60	1,00	—	3,8	$s=2$; $b=0.35$ bis 0,5	Gebrüder Rank, München	S. 374
0,91	2,13	—	12.2	*außerdem 4 Balken-öffnungen. $s=3$; $b=0,76$	F. J. Römer Construction Co., St. Paul	Eng. Record 1909, 3. April
—	—	··	7,50	$s=3$	Monteverde & Fabini, Montevideo	Béton armé 1910, Mai
1,20	2,10	—	3,75	$s=2$; $b=1.0$ bis 1,25	Wayss & Freytag, A.-G., und Meinong, Innsbruck	Nr. 64
1,06	1,20	1,33	5,3	$s=2$; $b=1,3$	Wayss & Freytag, A.-G., Neustadt a. d. H.	Beton u. Eisen 1911, S. 4 u 29. Jori u. Schaechterle. Neuere Bauausführungen I. Berlin 1911
—	—	—	5,5	$s=2$ °Stützweite d. Kragträger	—	Eng. News 1909, 18. Nov.

[1] s = Anzahl der Hauptträger, b = Breite der Hauptträger in m.

Nr.	Bauwerk	Ver-kehrs-weg	Baujahr	Spannweite m	Pfeilhöhe m	Pfeil-verhältnis	Lagerung
115.	Graftonbrücke in Auckland, Neuseeland, Australien	Str.	1907/10	97,54 (96,0)	(25,6)	(1:3,6)	Eis. Wälzgelenke
116.	Meadow-Straßenbrücke in Pittsburg, Pennsylvania	„	1909/10	63,70	14,06	1:4,6	Eingespannt
117.	Carnon-Brücke über den Canal du Midi bei Montpellier	„	1910	31,0	2,5	1:12,4	Federgelenke
118.	Brücke über den San-Luis-Rey bei Oceanside, Kalifornien	„	1910	2 × 32,6 +4 × 31,4	5,8 5,8	1:5,6 1:5,4	Betongelenke
119.	Charlesflußbrücke der Bostoner Hochbahn	Eis.	1910/11	5 × 37,29 (38,51) +4×29,97(31,19) + 38,2 (38,51)	(5,89) (5,89) (5,89)	(1:6,5) (1:5.3) (1:6,5)	Zapfengelenke

2. Brücken mit untenliegender

Nr.	Bauwerk	Ver-kehrs-weg	Baujahr	Spannweite m	Pfeilhöhe m	Pfeil-verhältnis	Lagerung
120.	Seillebrücke in Pettoncourt, Lothringen	Str.	1904	20,0	2,5	1:8,0	Eingespannt
121.	Schlitzbrücke in Bernhausen	„	1904	20,0	3,2	1:6,3	Pappfuge
122.	Brücke über den Hauptkanal bei Hohenauen	„	1905	20,0	3,43	1:5,8	Eingespannt
123.	Rhônebrücke bei Chippis, Schweiz	Eis.	1906	59,0	9,5	1:6,2	„
124.	Spreebrücke in Lübben, Nieder-Lausitz	Str.	1908	25,0	3,9	1:6,4	links eingespannt. rechts Betonpende
125.	Brücke b. Kaltenthal, Oberpfalz	„	1909	42,0*	rd. 8,7	1:4,8	Eingespannt
126.	Werlebrücke b. Salzuflen, Lippe	„	1909	28,0	4,8	1:5,8	Betongelenke*
127.	Brücke über den Var in La Mescla, Frankreich	Eis.	1909	60,0 (40,0*)	(4,2)	(1:9,5)	Eingespannt
128.	Niedernholzer Brücke über den Ems-Weser-Kanal	Str.	1909	47,2 (47,9)	(8,02)	(1:6,0)	Zapfengelenke
129.	Elbebrücke bei Arnau, Böhmen	„	1909/10	24,0	5,3	1:4,5	Eingespannt
130.	Werrabrücke bei Heringen, Thüringen	Eis.	1910	53,0	10,4	1:5,1	„
131.	Oppabrücke in Troppau, Österr.-Schlesien	Str.	1910/11	38,15	5,5	1:6,9	links frei aufliegend rechts Eisenbetonpendel
132.	Ausstellungsbrücke in Schweidnitz, Schlesien	„	1911	26,0	5,1	1:5,1	Gleitlager

Literatur.

a) Theorie.

Tolkmitt, G., Leitfaden für das Entwerfen und die Berechnung gewölbter Brücken. 2. Aufl. Bearbeitet von A. Laskus. Berlin 1902.

Müller-Breslau, H., Die graphische Statik der Baukonstruktionen. 3. Aufl. Leipzig 1901. Bd. I S. 176: Der vollwandige Bogen mit drei Gelenken.

Ders., Die graphische Statik der Baukonstruktionen. Leipzig 1908. Bd. II 2. Abt. S. 556: Der an beiden Enden eingespannte Bogen.

Ders., Die neueren Methoden der Festigkeitslehre. 3. Aufl. Leipzig 1904. S. 119: Der an beiden Enden eingespannte Stabzug.

Bogenstärke			Nutzbare Brücken- breite m	Bemerkung[1]	Ausführung	Beschreibung (Abschn. F) bezw. Quelle
Scheitel m	Kämpfer m	Bruch- fuge m				
1.68	3,05	1,83	11,0	$s=2$; $b=1,22$ i. Scheitel $b=1,4$ am Kämpfer	Ferro-Concrete Company of Australasia, Ltd.	Nr. 66
1.52	1,88	—	15,24	$s=3$; $b=1,14$ äußere H $b=1,52$ mittlerer H.	Friday Contracting Co., Pittsburg	Nr. 65
-	—	0.90	3,7	$z=2$; $b=0,5$	M. Clet, Lyon	S. 410, Génie Civil 1910, 27. Aug.
0,62	0,88	—	5,5	$s=2$; $b=0,40$ Aufstellung der fertigen Bogenteile mittels Krane	—	Arm. Beton 1911, S. 197. Eng. Record 1911, Nr. 12
1.37 1.37 1.37	1,83 1,83 1,83	—	9,45	$s=2$; $b=1,22$ * Zweigelenkbogen	Holbrook, Cabot & Rollins	Eng. Record 1910, 17. Dez.

(angehängter) Fahrbahn.

0,35	0,55	—	5,0	$a=5,0$; $b=0,5$	Ed. Züblin, Straßburg	S. 380
0.80	1,30	—	4,25	$a=4.25$; $b=0,81$. Scheitel $b=0,35$ am Kämpfer	Drenckhahn & Sudhop, Braunschweig	Nr. 70
0,85	1,50	—	9,1	$a=4.9$; $b=1,0$ i. Scheitel $=0,7$ am Kämpfer	Drenckhahn & Sudhop, Braunschweig	Beton u. Eisen 1908, S. 32 u. 75
1.48	2,60	—	8,5	$a=4,15$; $b=0,8$ bis 1,2	Froté, Westermann & Co., Zürich	Nr. 71
0,60	0,86	—	9,2	$a=6,0$; $b=0,6$	Akt.-Ges. für Beton- und Monierbau, Berlin	Nr. 72
1.20	2,25	—	7,6	*in Hochwasserhöhe; $a=4,5$; $b=0,65$ i. Scheitel $b=0,80$ am Kämpfer	Gebrüder Rank, München	Nr. 74
0,90	0,85	1,00	5,40	$a=2,8$; $b=0,4$ * Zweigelenkbogen	Strunk, Salzuflen	Nr. 73
—	—	—	4.2	* Mittlere Sehne, über welcher die Hauptträger ober- halb der Fahrbahn liegen	M. Danat, Nizza	Béton armé 1910, Mai
1,00	1,38	—	6,1	$a=6,1$; $b=0.8$ * Dreigelenkbogen	Akt.-Ges. für Beton- und Monierbau, Berlin	Nr. 75
0,70	1,20	—	3.5	$a=3,5$; $b=0,4$ Bauweise Melan	Pittel & Brausewetter, Wien	Melan u. Kluge, Neuere Brückenausführungen. 2. Aufl. Berlin 1911
1,60	2,50	—	4,4	$a=4,4$; $b=1,1$	Christiani & Nielsen, Hamburg	Beton u. Eisen 1911, S. 173
1,00	1,20	—	9.1	$a=5,5$; $b=0,65$	Ed. Ast & Co., Wien	Beton u. Eisen 1911, S. 198
0,5	1,30	—	6,0	$a=6,0$; $b=0,5$	Dittmar Wolfsohn & Co., Breslau	Zement und Beton 1911, 23. Juni, S. 309

[1] a = lichter Abstand der Hauptträger in m, b = Breite der Hauptträger in m.

Mehrtens, G. C., Vorlesungen über Ingenieur-Wissenschaften. 2. Aufl. Leipzig 1910. I. Teil 2. Bd. S. 175: Der Vollwandbogen mit drei Gelenken.

Melan, J., Handbuch der Ingenieur-Wissenschaften. 3. Aufl. Leipzig 1906. II. Bd. 5. Abt. S. 57: Der vollwandige Bogen.

Mörsch, E., Berechnung von eingespannten Gewölben. Schweizerische Bauzeitung Bd. XLVII Nr. 7 u. 8; auch Sonderabdruck. 2. Aufl. Zürich 1907. Ferner Beton-Kalender 1911, II. Teil S. 218.

Schönhöfer, R., Statische Untersuchung von Bogen- und Wölbtragwerken. 2. Aufl. Berlin 1911.

Ritter, M., Beiträge zur Theorie und Berechnung der vollwandigen Bogenträger ohne Scheitelgelenk. Berlin 1909.

Zimmermann, K., Der Dreigelenkbogen aus Stein, Beton oder Eisenbeton. Stuttgart u. Leipzig 1909.

Färber, R., Dreigelenkbogenbrücken und verwandte Ingenieurbauten. Stuttgart 1908.

Busemann, C., Untersuchung über die Kraftrichtung im schiefen Gewölbe. Berlin 1910.

Jirasek, F., Berechnung von eingespannten Gewölben. Deutsche Bauzeitung 1907, Zementbeilage S. 86.

Burghardt, A., Berechnung von eingespannten Gewölben. Beton u. Eisen 1910, S. 103.

Sor, S., Vereinfachte Berechnung von eingespannten Gewölben nach der Elastizitätstheorie. Beton u. Eisen 1909, S. 268 und 1911, S. 125.

Vlachos, Chr., Zeichnerisches Verfahren zur Ermittlung der Einflußlinien des eingespannten Bogens. Beton u. Eisen 1911, S. 38 u. 53.

Baumstark, F., Beitrag zur Berechnung eingespannter Bogen. Beton u. Eisen 1911, S. 60, 128 u. 153.

Engeßer, F., Über weitgespannte Wölbbrücken. Zeitschrift für Architektur und Ingenieurwesen 1907, Heft 5 S. 403.

b) Ausführung.

Werke.

Wayss, G. A., Das System Monier. Berlin 1887.

v. Leibbrand, K., Gewölbte Brücken. Fortschritte der Ingenieur-Wissenschaften. Leipzig 1897.

Christophe, P., Der Eisenbeton und seine Anwendung im Bauwesen. Berlin 1905.

Förster, M., Steinerne Brücken. Handbuch der Ingenieur-Wissenschaften. 4. Aufl. Leipzig 1904. III. Teil 1. Bd.

Melan, J., Der Brückenbau. II. Bd.: Steinerne Brücken und Brücken aus Betoneisen. Leipzig u. Wien 1911.

Büsing, F. W. und Schumann, C., Der Portlandsement und seine Anwendung im Bauwesen. 3. Aufl. Berlin 1905. S. 454 bis 489.

Kersten, C., Brücken in Eisenbeton. Teil II: Bogenbrücken. 2. Aufl. Berlin 1910.

Nowak, A., Der Eisenbetonbau bei den neuen von der k. k. Eisenbahnbaudirektion ausgeführten Bahnlinien Österreichs. Berlin 1907.

Ders, Die Eisenbetonbogenbrücken der Eisenbahnlinie Klaus—Agonitz. Berlin 1911.

Melan, J. und Kluge, K., Einige neuere Bauausführungen in Eisenbeton nach Bauweise Melan. 2. Aufl. Berlin 1911.

Jori und Schaechterle, Neuere Ausführungen in Eisenbeton. I. Bogenbrücken. Berlin 1911.

Gesteschi, Th., Die Brücke der Wiedergeburt in Rom. Berlin 1911.

Zeitschriften.

Beton u. Eisen. Berlin 1902 bis 1911.

Armierter Beton. Berlin 1909 bis 1911.

Zement und Beton. Berlin 1906, 1908, 1909, 1911,

Deutsche Bauzeitung. Berlin 1872, 1873, 1877, 1892, 1904 bis 1911.

Zentralblatt der Bauverwaltung. Berlin 1896, 1901, 1908, 1909.

Zeitschrift für Bauwesen. Berlin 1894, 1896, 1898, 1903, 1908.

Zeitschrift des österr. Ingenieur- und Architekten-Vereins. Wien 1893, 1896, 1898, 1903, 1904, 1909.

Wochenschrift des österr. Ingenieur- und Architekten-Vereins. Wien 1891.

Österr. Wochenschrift für den öffentlichen Baudienst. Wien 1904, 1908, 1911.

Technische Blätter des Deutschen polytechnischen Vereins in Böhmen. 37. Jahrg. Prag 1906.

Schweizerische Bauzeitung. Zürich 1891, 1893, 1899, 1904, 1906 bis 1909.

Bulletins Techniques de la Suisse Romande 1903.

Le Génie Civil. Paris 1896, 1903, 1904, 1908 bis 1910.

Annales des Ponts et Chaussées. Paris 1907, 1908.

Nouvelles Annales de la Construction. Paris 1910.

Le Béton armé. Paris 1908 bis 1910.

Le Ciment armé. Paris 1909.

Annales des Travaux Publics de Belgique. Brüssel 1907, 1909.

Engineering Record. New York 1901, 1902, 1906 bis 1911.

Engineering News. New York 1902, 1905 bis 1911.

Proceedings of the American Society of Civil Engineers. New York 1909, 1911.

Concrete Engineering. Cleveland 1907, 1910.

Concrete and Constructional Engineering. London 1911.

The Engineer. London 1910.

De Ingenieur. Haag 1907.

Ingeniören. Kopenhagen 1907.

III. Kapitel.
Die Anwendungen des Eisenbetons im Eisenbrückenbau.

Bearbeitet von **O. Colberg**, Regierungsbaumeister a. D., Dozent für das technische Vorlesungswesen zu Hamburg und Lehrer am Staatlichen Technikum daselbst.

———

Die Anwendungen des Eisenbetons im Eisenbrückenbau sind recht spät in die
Erscheinung getreten, aber heute durch ein wohlverstandenes Interesse der Eisenleute
zur Wahrung ihrer Konkurrenzfähigkeit allgemein. Der Grund für das so späte Auftreten dieser Kombination dürfte hauptsächlich darin zu suchen sein, daß beide Kon-
struktionsweisen sich unabhängig voneinander entwickelten und einander auf das heftigste
bekämpften. Berücksichtigt man weiterhin den zähen Widerstand, den selbst bis in die
neueste Zeit hervorragende Techniker in der Beamtenwelt gegenüber dem Eisenbetonbau leisten zu müssen glaubten, so darf das so späte Eintreten dieser Kombination
nicht wundernehmen. Die Entwicklung der gemeinschaftlichen Anwendungen beider
Bauweisen zeigt nun, daß man Schritt für Schritt in bedächtigster Weise zur Duldung
des Eisenbetons, jenes angeblich zweifelhaften Surrogats, überging, bis dessen immer
mehr hervortretende Vorteile auch die überzeugtesten Gegner bekehrte, nämlich die
Eisenkonstrukteure selbst. Die ewigen Klagen über Rostgefahr, die Unzulänglichkeit
gegen Rost schützender Farbanstriche, die häßlichen, jährlich immer wiederkehrenden
Beträge in den Wirtschaftsanschlägen der Verwaltungen für Nietrevisionen und Neu-
anstriche der eisernen Brücken und Hallen mußten anderseits auch die Beamtenwelt
überzeugen, daß der Ersatz mindestens von Teilen der Eisenkonstruktion durch den
Beton und Eisenbeton wohl eines Studiums würdig war.

In rechtzeitiger Erkenntnis, daß der Strom nicht mehr zu bannen war und daß er
anfing, sie selbst in Gefahr zu bringen, griffen einige hervorragende Hüttenwerke, u. a.
die Vereinigte Maschinenfabrik Augsburg und Maschinenbau-Gesellschaft Nürnberg A.-G.,
zunächst bei Hallenbauten an Stelle der Wellbleche und ähnlicher Eindeckungen des
Dachgerippes zur Verwendung von Betonkappen oder solchen in Eisenbeton oder Bimsbeton. Später sehen wir, wie ein ähnliches Prinzip allmählich auch bei den Brücken-
fahrbahnen zur Anwendung gelangte.

Abb. 1 stellt eine Straßenüberführung auf Bahnhof Neckargemünd dar,
bestehend in einer rein eisernen Tragkonstruktion mit Buckelplatten. An die Stelle
der hier bislang meist üblichen Verfüllung
der Fahrbahntafel mit der Kiesbettung trat
zunächst die Aufbringung einer Betondecke,
deren Oberfläche seitliches Gefälle sowie
eine wasserdichte Abdeckung erhielt. Mit
dieser Maßnahme war sofort ein Haupt-
übelstand der Buckelplattenkonstruktion beseitigt, nämlich die Schwierigkeit, die Entwässerung der Fahrbahntafel etwa durch

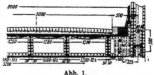

Abb. 1.

Sammelrinnen unter den an den Tiefpunkten der Buckelplatten anzubringenden Löchern
in wirklich vollkommen tropfsicherer Weise zu erreichen, indem man von letzterer Ent-
wässerungsart absah zugunsten einer Gefälleherstellung in der Betonoberfläche nach der

43*

Seite und je nach Bedarf auch nach der Längsrichtung der Brücke, um durch an den Tiefpunkten einbetonierte Gullys oder Sinkkasten die Wasserabführung in sonst üblicher einfacher Weise zu bewirken.   Der einzubringende Beton konnte, da ihm irgendwelche statischen Beanspruchungen nicht zufielen, sehr mager gemischt werden.

In der Bemessung der Mindeststärke über den Rändern der Buckelplatten sollte beim Stampfbeton nicht unter 6 cm gegangen werden, um nicht von Haus aus Vorbedingungen für Rissebildungen zu schaffen.   Als wasserdichte Abdeckung der Fahrbahntafel wurden Siebelsche Bleiasphaltisolierplatten verwendet.   Als Schutz gegen Zerstörung durch scharfkantige Steine wurde ein 5 cm starkes Sandbett über diesen Isolierplatten vorgesehen.

Als Vorteil dieser Fahrbahnausgestaltung gegenüber der rein in Eisen ausgeführten darf noch die Abminderung des Geräusches infolge Fahrverkehrs auf der Brücke genannt werden.

Mit dem Wegfall auch der Buckelbleche und Hänge- oder Tonnenbleche selbst zwischen den Trägern und Ersatz dieser Bauteile durch Stampfbeton war ein erster wesentlicher Schritt vorwärts getan.

A. Verbundkonstruktionen von Eisen und Stampfbeton.

Die ersten Ausführungen auf diesem Gebiete dürften im Bereiche der Königlich Bayerischen und darauf der Königlich Preußischen Staatseisenbahnverwaltungen bewirkt worden sein und erstreckten sich auf die Ausbetonierung der Zwischenräume zwischen walzeisernen Trägern, wobei die letzteren allein als eigentliche Tragkonstruktion wirkten.

Diese Bauweisen wurden sowohl in Bayern wie in Preußen sehr beliebt, so, daß zunächst die Königlich Bayrische Staatseisenbahnverwaltung dazu überging, schematische „Musterpläne für Überbauten von Weg-Unter- und -Überführungen im Bereich der Königlich Bayerischen Staatseisenbahnen" aufzustellen und zwar a) bis zur Stützweite von 10,5 m für Belastungen auf Hauptbahnen, b) bis zur Stützweite von 11 m für Belastungen auf Nebenbahnen und c) bis zur Stützweite von 11,5 m für Straßenverkehrslasten.   Bezüglich der so gearteten Brücken unter a) und b) sei auf das Kapitel „Eisenbahnbalkenbrücken", Handbuch, zweite Auflage, Band VII, verwiesen.

Die Musterpläne für c) Straßenbrücken mit Eisenbetonüberbau unterscheiden zunächst Brücken für α) Staats-Distriktsstraßen und β) Gemeindewege und und Ortsstraßen unter Berücksichtigung der für die beiden Brückengattungen bezüglichen behördlichen Belastungsgrundlagen.   Tabellen 1 u. 2 geben auszugsweise die für einige Spannweiten anzunehmenden Verhältnisse wieder.   Die prinzipielle Ausgestaltung dieser Brücken lehnt sich ebenfalls in der Hauptsache an die Einzelheiten unter a) an. Die Einführung der Spargewölbe erfolgt hier von der Stützweite von 5 m an.   Als kleinste Träger erscheinen D. N.-P. Nr. 22 bei Stützweite 3,4 m und als größte solche Nr. 55 bei Stützweite 11 m.   Auch bei diesen Brücken erhalten die Träger eine Wölbung, die bei der Stützweite 6,5 m mit 42 mm beginnend bis 132 mm bei Stützweite 11,5 m zunimmt.

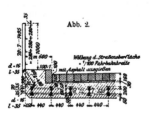

Abb. 2.

Im Gegensatz zu den kreisförmigen Spargewölben bei den Bahnbrücken sind bei den Straßenbrücken die Aussparungen als Korbbögen geformt, wodurch der Betonquerschnitt

beträchtlich vermindert wird. Abb. 2 gibt Einzelheiten einer Brücke für eine Neben-
straße von 3,5 m, Abb. 3 für 8,5 m Lichtweite.

Als wesentlichste Ab-
weichung dieser Straßen-
brücken über Gleisanlagen
von den Bahnbrücken wäre
anzuführen, daß die Träger
aus bekannten Gründen vollkommen, also auch unterhalb
der Unterflanschen, mit
Beton umhüllt werden.

Die Anwendung von
Stampfbeton zwischen walzeisernen Trägern hat auch
bei einigen Straßenbrücken
in Österreich Platz gegriffen.
Genannt seien beispiels-
weise die Brücke über den
Inundationsarm des Bei-
scheidbaches in Tersain
sowie diejenige über den
Schökelbach in Andritz, zu
welchen beiden die Pläne
im k. k. Ministerium des
Innern, Departement für
Straßen- und Brückenbau,
ausgearbeitet wurden und
über welche Einzelheiten im
Heft 50 der Österreichischen Wochenschrift für den öffentlichen Baudienst, Jahrg. 1907,
S. 77 zu finden sind.

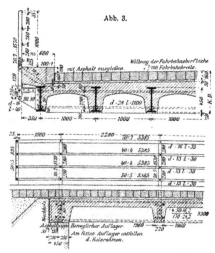

Abb. 3.

Tabelle 1.
Straßenbrücken mit Eisenbetonüberbau.
a) Staats- und Distriktsstraßen.

Licht-weite	Stütz-weite	D. N. Pr. Nummer	Träger-		Konstruktions-dicke = KD	Kon-struktions-höhe = KH	Gewicht in kg für		
			Abstand höch-stens	Wölbung auf Stützweite	b = Fahrbahn-breite		einen Träger	ein Stück Verbin-dungs-schraube	eine Lager-und Schleif-platte	ein-seitiges Ge-länder nach An-schluß
m	m		m	mm	mm	mm				
3,0	3,4	22	0,400	Beton ohne Aus-sparung	527 + 0,01·b	KD − 47	112	1,5	3,0	145
5,5	6,0	34	0,660		630 + 0,01·b	KD − 30	426	3,0	„	268
6,0	6,5	38	0,750	42	640 + 0,01·b	KD + 10	576	3,3	8,0	282
8,0	8,5	47½	0,920	72	735 + 0,01·b	KD + 10	1126	6,3	„	392
9,5	10,0	55	1,000	100	810 + 0,01·b	KD + 10	1714	6,8	„	460

Tabelle 2.
β) Gemeinde- und Ortsstraßen.

Licht-weite m	Stütz-weite m	D. N. Pr. Nummer	Träger-Abstand höchstens m	Träger-Wölbung auf : Stützweite mm	Konstruktions-dicke = KD, b = Fahrbahn-breite mm	Kon-struktions-höhe = KH mm	einen Träger	ein Stück Verbindungs-schraube	eine Lager- und Schleif-platte	ein-seitiges Ge-länder nach An-schluß
3,0	3,4	18	0,400	Beton ohne Aussparung	$487 + 0{,}01 \cdot b$	$KD - 47$	79	1,5	3,0	145
5,5	6,0	30	0,660		$590 + 0{,}01 \cdot b$	$KD - 30$	339	3,0	„	266
6,0	6,5	34	0,750	42	$600 + 0{,}01 \cdot b$	$KD + 10$	460	3,3	8,0	280
8,0	8,5	42½	0,940	72	$685 + 0{,}01 \cdot b$	$KD + 10$	912	6,5	„	382
11,0	11,5	55	1,200	132	$810 + 0{,}01 \cdot b$	$KD + 10$	1964	7,9	„	495

(Gewicht in kg für) — Spaltenüberschrift über den letzten vier Spalten.

B. Eisenbrücken mit Eisenbeton.

Während die bisher angeführten Beispiele sich lediglich auf Ausführungen erstreckten, bei denen der Beton keinen oder doch nur in untergeordnetem Maße statischen Ansprüchen zu genügen hatte, sondern mehr oder weniger als Füllmasse, als schützende Hülle gegen Rost und Rauchgasangriffe oder aber endlich als Versteifungskörper ohne nachweisbare statische Wirkung diente, sollen weiterhin Beispiele von Kombinationen der Eisenkonstruktionen mit Beton erläutert werden, bei denen dem letzteren die vollen statischen Wirkungen zugeteilt wurden.

Die Ausführungen bei den preußischen und bayerischen Staatsbahnen würden, wenn man ihre Querschnitte als Verbundkörper von Eisen und Beton etwa nach dem Verfahren von Professor Melan (Beton-Kalender 1907, II. Teil, S. 118, s. a. 1912, I. Teil, S. 273 u. ff.) hinsichtlich Druck und Zug allein berechnete, wohl zu wesentlich geringeren Beanspruchungen führen, doch scheitert die Berechnung solcher Querschnitte meist an der zu groß ausfallenden Haftspannung, so daß man dazu schreiten muß, die großen eisernen Trägerquerschnitte in eine größere Zahl kleinerer solcher oder gar in Stäbe oder Drähte aufzulösen. Einen sehr charakteristischen Übergang von den bayerischen und preußischen Bauweisen zu den reinen Eisenbetonkonstruktionen bildet die

I. Melansche Fahrbahntafel.

Auch hier haben wir es teilweise wieder mit Stampfbeton zwischen I-Trägern zu tun, doch erscheinen die letzteren nicht mehr als Balken auf zwei Stützen, sondern in Bogenform, und der auf Schalung aufgestampfte Zwischenbeton bildet im Verein mit ihnen Tonnengewölbe. Diese Tonnengewölbe stellen hierbei nicht die Hauptkonstruktion der Brücke dar, sondern sie treten an die Stelle einer Zwischenkonstruktion zur Tragung der Fahrbahntafel zwischen den Querträgern einer im übrigen nach beliebigem System ausgeführten, meist größeren eisernen Brücke.

Die Bogenzwickel dieser Gewölbe werden zwecks Herstellung einer oberen Abgleichung mit leichtem Füllbeton, als welcher zweckmäßig Schlackenbeton gewählt wurde, ausgestampft und auf das Ganze schließlich die eigentliche Fahrbahntafel in

Beton aufgebracht mit dem für die Entwässerung erforderlichen Seiten- oder auch Längsgefälle.

Professor Melan, der diese Fahrbahnkonstruktion insbesondere auch bei den Brückenbauten der internationalen Rheinregulierung in Vorarlberg (Österr. Allgem. Bauztg., Jahrg. 1900) einführte, berechnete den zwischen den gewölbten I-Trägern eingebrachten Beton, dessen Unterkante mit Trägerunterkante abschnitt, dessen Oberkante aber den Träger überdeckte, nicht als einfachen Balken auf zwei Stützen, sondern zog

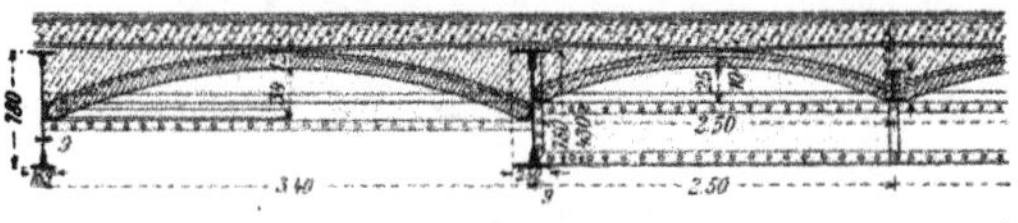

Abb. 4.

Abb. 5.

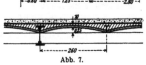

Abb. 6.   Abb. 7.   Abb. 8.

denselben in Verbindung mit dem I-Träger als reine Eisenbetongewölbekonstruktion in Rechnung. In den Abb. 4 bis 8 sind zeichnerische Einzelheiten zu den hierher gehörigen Teilen dieser Rheinbrücke dargestellt. Die Berechnungsweise des Gewölbes ist folgende: Stützweite 2,6 m; Gewölbestärke 0,10 m; Verstärkungsrippen I Nr. 8.

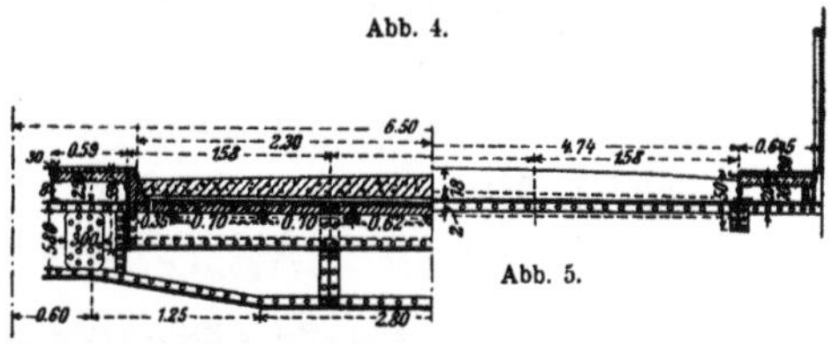

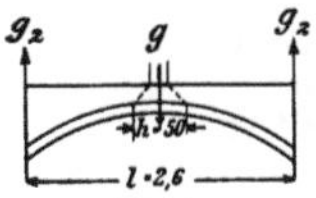

a) Bleibende Belastung für 1 m Breite:

Schotter in der Brückenmitte 18 cm
$$0,18 \cdot 1800 \cdot 2,6 = 842 \text{ kg}$$

Asphaltabdeckung 2 cm stark
$$0,02 \cdot 1200 \cdot 2,6 = 62 \quad_{\text{„}}$$

Betongewölbe $2,6 \cdot 1,025 = 2,66$ m
$$2,66 \cdot 0,10 \cdot 2400 = 638 \quad_{\text{„}}$$

Zwickelbeton (Schlackenbeton)
$$(0,25 \cdot 2,6 - 0,0642 \cdot 2,6^2) = 0,214 \text{ m}^3$$
$$0,214 \text{ m}^3 \cdot 1700 = 364 \quad_{\text{„}}$$

Zusammen 1906 kg.

Horizontalschub
$$Hg = \frac{1}{8} \cdot 1906 \cdot \frac{2,6}{0,25} = 2478 \text{ kg},$$

d. i. für einen Rippenabstand von 0,70 m $Hg \cdot 0,7 = 2478 \cdot 0,7 = 1734$ kg.

b) Verkehrslast, Raddruck von 3000 kg im Scheitel des Gewölbes wirkend. Verteilung auf 0,50 m Breite und 0,70 m Länge (Abb. 6 bis 8).
$$Hp = \frac{1}{128} \left[25 - 10 \cdot \left(\frac{0,5}{2,6} \right)^2 + \left(\frac{0,5}{2,6} \right)^4 \right] \cdot 3000 \frac{2,6}{0,25} = 6003 \text{ kg}.$$

Größtes Moment im Scheitel

$$M = \frac{1}{4}\,G\left(l - \frac{b}{2}\right) - Hp \cdot f = \frac{3000}{4} \cdot 2{,}35 - 6003 \cdot 0{,}25 = 261{,}7 \text{ kgm}.$$

$$Hg + Hp = 1734 + 6003 = 7737 \text{ kg}.$$

Für den Rippenabstand von $a = 70$ cm ist, wenn $n = 20$,

$$F = 10 \text{ cm} \cdot 70 \text{ cm} + 20 \cdot 8{,}96 \text{ cm}^2 = 879{,}2 \text{ cm}^2$$

$$J = \frac{1}{12} \cdot 70 \text{ cm} \cdot 10^3 + 20 \cdot 96{,}08 \text{ cm}^4 + 700 \cdot 0{,}21^2 + 20 \cdot 8{,}96 \cdot 0{,}79^2$$
$$= 7897 \text{ cm}^4;$$

sonach sind die größten Spannungen im Beton

$$\sigma_d = \frac{Hg + Hp}{F} + \frac{M}{J}\,e_1$$

$$\sigma_s = \frac{Hg + Hp}{F} - \frac{M}{J}\,e_2; \quad e_1 = 5{,}21; \quad e_2 = 4{,}79$$

$$\sigma_d = \frac{7737}{879} + \frac{26\,170}{7897} \cdot 5{,}21 = 26{,}1 \text{ kg/cm}^2 \text{ Druck}$$

$$\sigma_s = \frac{7737}{879} - \frac{26\,170}{7897} \cdot 4{,}79 = -7 \text{ kg/cm}^2 \text{ Zug}.$$

Der Nachweis über die in diesem Falle auftretende Haftspannung ist dabei nicht gebracht. Das Beispiel darf als typisch gelten, da ohne Berücksichtigung des Betonquerschnitts die Dimensionierung der I-Träger wesentlich größer ausgefallen wäre.

Bei derselben Brücke wurden auch die Fußsteige als Eisenbetonplatten ausgeführt nach Abb. 5.

Aus Abb. 9 bis 11 ist ein weiteres Beispiel der Melanschen Fahrbahntafel dargestellt, welches beim Bau der Erzherzog-Ludwig-Viktor-Brücke über die Salzach in Salzburg zur Anwendung gelangte. Bei dieser Brücke erfüllte das Melansche Konstruktionsprinzip zugleich zwei Zwecke nämlich außer als

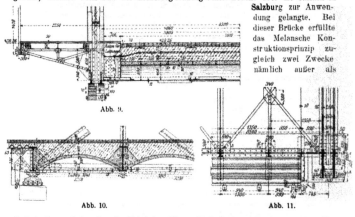

Abb. 9.

Abb. 10.   Abb. 11.

Zwischenkonstruktion für die Fahrbahntafel, auch denjenigen einer erwünschten Belastung des betreffenden Brückenteils aus Standsicherheitsrücksichten. Entsprechend dem erstgenannten Beispiel ist auch hier das Gewölbe aus I-Trägern und Zwischenbeton als Eisenbetonkonstruktionsteil aufgefaßt und demgemäß berechnet. Näheres hierüber findet sich im Jahrg. 1904 der Österr. Allgem. Bauztg., der wir diese Angaben und zeichnerischen Unterlagen verdanken.

2. Die Eisenbahnbrücke der Wabash Railroad.

Aus Abb. 12 u. 13 sind die Längen- und Querschnitte einer Eisenbahnbrücke ersichtlich. Zwischen zwei genieteten Hauptträgern sind als Querträger in Abständen von je 46 cm I-Träger von 38 cm Höhe ange-ordnet. Auf letzteren ruht eine Eisenbetonfahr-bahntafel mit einer Stärke von 13 cm entlang den Hauptträgern, die sich zwecks Entwässerung der Fahrbahn bis zu 10 cm in der Gleisachse ver-mindert. Als Verstärkung

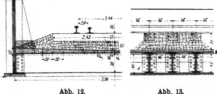

Abb. 12.   Abb. 13.

fanden in Abständen von je 20 cm Quadrateisen in Stärke von 12,7 mm mit Wulsten Verwendung, sogenannte Johnsoneisen (corrugated bars), welche direkt über die Oberflanschen der I-Träger verlegt wurden, während der Beton um 25 mm unter Trägeroberkante griff, so daß die Wulsteiseneinlagen um dieses Maß durch Beton nach unten umhüllt waren. An den Stellen, wo zwecks Versteifung der Hauptträger gegen die Querträger Zwickelbleche angeordnet wurden, zog man zwecks Rostschutzes derselben gegen Nässe im Schotterbett den Beton um diese Zwickelbleche herum bis über die Gleisschotterbettung in die Höhe, so daß die gesamte Schotterfahrbahn, einen wasserdichten Verputz der Betonoberflächen vorausgesetzt, in einen dichten Trog gefaßt wurde, der an den Tiefpunkten leicht entwässert werden konnte. Von einem Abbiegen der Eiseneinlagen, dem Sinne der Biegungsmomente über bezw. zwischen den I-Trägern folgend, hat man abgesehen, insofern die Einlagen an sich schon sehr reichlich bemessen sind und bei den geringen Spannweiten im Vergleich zur Stärke der Platte mit einer sehr kräftigen Gewölbewirkung gerechnet werden kann.

Ein ähnliches Beispiel sei hier kurz vorgeführt, nicht wegen seiner Vorzüge, sondern wegen seiner teilweise sehr verfehlten Anordnungen; es betrifft die

3. Brücke über den Whitewater-Fluß der Eisenbahnlinie Chicago—St. Louis.

In der in Eng. Record, Nr. 20 vom 16. Mai 1907 enthaltenen Beschreibung der Verbesserungen auf den Linien der Cleveland, Cincinnati, Chicago und St. Louis Railway ist der Verwendung des Eisenbetons und des Betons als Schutz der Eisenteile eine wichtige Rolle eingeräumt. Es befindet sich darunter auch eine Gitterbrücke, welche hinsichtlich der Einfachheit ihrer Fahrbahntafelkonstruktion als Muster gelten könnte, wenn nicht Mängel in anderer Hinsicht derselben anhafteten. Abb. 14 stellt den Querschnitt der Fahrbahntafel dar, welche in einer Stärke von 30 cm mit doppelter Bewehrung auf an die Hauptträger angenietete Winkeleisen aufgelagert ist. Die untere Bewehrung A ist mittels Bohrungen durch die Hauptträger durchgeführt, soweit sie nicht abwechselnd als Drähte B aufgebogen und über die Obergurte hinweggeführt wurde. Etwas bedenklich erscheint die Anordnung der äußeren Konsolen, welche zweckmäßig so weit hätten hinausgerückt werden müssen, daß sie nur noch sich selbst, allenfalls eine Menschenlast zu tragen brauchten, nicht aber noch der Wirkung der Druckverteilung im Schotterbett ausgesetzt waren. Hätte man den wagerechten Teil

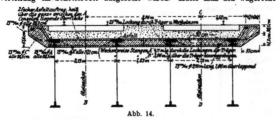

Abb. 14.

der Fahrbahntafel noch bis zu dem Punkte hinausgeschoben, wo die Schräge unter 45 ° von der unteren Außenkante der Schwelle die Oberkante der Fahrbahntafel traf, dann wäre eine sichere Einspannung dieses wagerechten Konsolteils im Zuge der oberen Bewehrung leicht zu gewährleisten, da die Drähte beiderseitig weit hinein-geführt werden konnten, also die Haftspannung derselben besser gesichert war. Ganz zu verwerfen aber ist die Unterbrechung der Betondecken über den Oberflanschen der Hauptträger durch Einschaltung von Asphaltgußstreifen, wodurch einesteils Vor-bedingungen für das Eindringen von Wasser geschaffen wurden, zum anderen aber die Haftspannung der oberen Bewehrungsdrähte eine unnötige Schwächung erfuhr, welche ganz besonders an den Außenkonsolen verhängnisvoll werden kann. Erwähnt sei noch, daß bei der getroffenen Anordnung in Rücksicht auf die Knappheit der Masse die An-bringung eines Geländers entfallen mußte.

4. Straßenüberführung bei km 134,254 + 90 der Schwarzwaldbahn in Baden,

zu der, soweit es sich um die Eisenbetonteile handelt, die Firma Meess u. Nees in Karlsruhe den Entwurf lieferte, welche auch deren Ausführung übernahm (Abb. 15 u. 16).

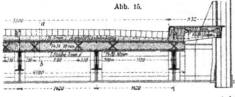

Abb. 15.

Die insgesamt 7,40 m breite Straßen-brücke, bestehend in einer gepflasterten Fahrbahn von 5,50 m Breite und zwei Geh-wegen von je 95 cm Breite, wird getragen von zwei eisernen

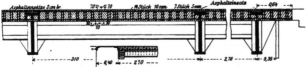

Abb. 16.

Gitterträgern und den zwischen diesen in Abständen von 3,10 m in der Mitte bezw. 2,70 m in den Nachbarfeldern voneinander entfernten vier Querträgern, welche wiederum ein System von fünf Zwischenträgern aufnehmen. Die Querträger haben durchweg gleiche Höhe, obwohl ihre Belastungsfelder verschieden sind. Dieser Unterschied fand Berücksichtigung in verschiedener Wahl der Stehblechstärken. Dasselbe gilt von den Zwischenträgern, die zwar durchweg 1,42 m voneinander entfernt liegen, aber zwischen den Querträgern des Mittelfeldes 3,10 m weit gespannt sind, gegenüber 2,70 m zwischen den Querträgern der Nachbarfelder. Die Fahrbahnplatte spannt sich somit durchlaufend über vier gleichweite Felder mit den Auflagern in den fünf Zwischenträgern, an den äußeren Längsträgern frei aufliegend. Hier schließen sich, gleichfalls in Eisenbeton, die Gehwegkonstruktionen an.

Die Berechnung der Fahrbahnplatte wurde für schweres Straßenfuhrwerk unter besonderer Berücksichtigung einer 20 t schweren Straßenwalze durchgeführt. Die Mindestplattenstärke betrug 16 cm, die jedoch zwecks Erzielung seitlichen Gefälles nach der Mitte zu bis auf 21 cm zunahm. Die daraus sich ergebende doppelte Bewehrung besteht in 14 Stäben von 10 mm Durchm. und 7 Stäben von 5 mm Durchm. auf 1 m Breite des Belastungsstreifens. Die 10 mm starken Hauptbewehrungsstäbe wurden an den Wendepunkten für gleichmäßig verteilte Last ab- bezw. aufgebogen. Als Verteilungsstäbe wurden sowohl oben wie unten Rundeisen von 5 mm Durchm. in Abständen von 13 cm voneinander verlegt. Da die Oberkante der Zwischenträger 13 cm tiefer als diejenige der Querträger liegt, ragen die Obergurte der letzteren um dieses Maß in den Beton hinein. Die Durchführung der Verteilungsstäbe und des Betons über diese Obergurte hinweg, die an sich wünschenswert gewesen wäre, verbot sich in Rücksicht auf die für das Seitengefälle der Fahrbahntafel um 5 cm abnehmende Plattenstärke, da an der hier nur 16 cm betragenden Stärke der Platte die erforderliche Betondeckung der Querträgerobergurtplatten nicht mehr vorhanden gewesen wäre. Man bildete daher diese Trennungsfugen als 2 cm starke Dehnungsfugen aus, indem man sie mit Asphalt ausgoß. Diese Anordnung erscheint bei den nicht sehr großen zusammenhängenden Flächenausmaßen nicht unbedingt geboten, sie ist an sich nicht empfehlenswert, da sie das Eindringen von Wasser im Falle der Undichtheit des Asphaltfilzbelages begünstigt. Die Fahrbahnplatte erhielt als obere Abdichtung einen Asphaltfilzplattenbelag, der an den Gehwegen entlang bis an die Bordkantenschutzeisen hochgezogen wurde.

Bei den Gehwegen hat man die Dehnungsfugen über den Querträgern beibehalten, wohl der Einheitlichkeit mit der Fahrbahntafel wegen, da ein Grund für die Unterbrechung der Gehwegplatte in ihrer Längsrichtung bei der geringen Längenausdehnung der Brücke von rd. 9 m nicht ersichtlich ist. Innerhalb dieser Dehnungsfugen bezw. der Außenabschlüsse hat man die Gehwegplatten kassettenartig ausgebildet. Die Plattenstärke beträgt 8 cm, die Bewehrung besteht in 20 Stäben von 5 mm Durchm. auf 1 lfd. m Gehwegplatte. Außerdem sind fünf Verteilungsstäbe auf die Breite der Platte vorgesehen. Es wäre zulässig und im Interesse der Gewichtsersparnis nicht unzweckmäßig gewesen, die Gehwegkonstruktion durch Einbetonierung der Hauptbewehrungsstäbe in die Fahrbahnplatte mit dieser in festen Verband zu bringen. Die Gehwege erhielten einen 2 cm starken Asphaltbelag. Die Bordkanten wurden gegen Beschädigungen durch anfahrendes Fuhrwerk durch Anbringung von Bordleisten in Winkeleisenform geschützt. Ein der vorstehenden Ausführung sehr ähnliches Beispiel bildet die Brückentafel der neuen Reichsstraßenbrücke über die Elbe bei Leitmeritz, ausgeführt durch die Firma E. Gaertner in Wien.

Als Eisenbetonplatten zwischen oder über I-Trägern sind nun in letzter Zeit eine sehr große Zahl Fahrbahnkonstruktionen ausgeführt worden. So finden sich in der Österr. Wochenschr. f. d. öff. Baudienst 1907, Heft 50 u. a. Einzelheiten über die Fahrbahnkonstruktionen der Brücke über den Pruth bei Czernowitz, desgl. über den Triestingbach bei Günseldorf, über den Gosaubach bei Gosaumühl und endlich eine Brücke über den Pößnitzbach bei km 60 der Triester Reichsstraße, sämtlich als Straßenbrücken, deren Entwürfe im Departement für Straßen- und Brückenbau des k. k. Ministeriums des Innern bezw. dem nachmaligen Ministerium für öffentliche Arbeiten in Wien entstanden sind. Von derselben Stelle rühren auch die der Schwarzwaldbahnbrücke sehr ähnlichenEntwürfe für die Ausgestaltung der Fahrbahntafel und Gehwegkonstruktionen beim Bau der Isarbrücke bei Scharnitz in Tirol her, welche im Jahre 1908 durch die Firma N. Rella u. Neffe, Wien, auf die Eisenkonstruktion aufgebracht wurden.

Selbst die Koenensche Voutenplatte hat ihren Weg auch zu den Brückentafelkonstruktionen gefunden, und zwar bei einer Straßenbrücke über den Blániefluß in Wlašim im Zuge der Beneschau-Iglauer Reichsstraße, entworfen im technischen Departement der k. k. Statthalterei in Prag (siehe Österr. Wochenschr. f. d. öff. Baudienst 1907, Heft 50).

5. Kanalbrücken im Zuge des Illinois und Mississippi-Kanals,

die in den Nr. 55 u. 56 des Jahrg. 1907 des Eng. Record ausführlich beschrieben und woraus Teile in den Abb. 17 bis 23 hier dargestellt sind. Kanalbrücke 9 dieses Kanals ist dadurch besonders bemerkenswert, daß sie einen Fluß überschneidet, der beträchtlichen Schwankungen in seiner Wasserführung unterworfen ist, so daß sogar mit der Möglichkeit gerechnet werden mußte, daß während einer Trockenlegung

Abb. 17.

des Kanals zwecks Reinigung desselben ein Hochwasser den Kanaltrog hochzuheben vermochte. Der Kanaltrog bei Brücke 9 ruht auf zwei Landwiderlagern und vier dazwischenliegenden Pfeilern aus Stampfbeton, letztere von je 23,72 m Länge in der Flußrichtung, 1,22 m oberer Breite, 1,83 m bis 2,44 m Sohlenbreite, je nach der Gründungstiefe, die zwischen 5,80 m und 9,14 m, von Pfeileroberkante gemessen, schwankt (Abb. 17). Das Pfeilermauerwerk reicht bis 61 cm über den Wasserspiegel des Kanals. Die Pfeiler sind unterstrom senkrecht abfallend und im Grundriß rechteckig ausgebildet (Abb. 18 u. 19), während sie nach oberstrom in einen zum Eisbrecher ausgebildeten geneigten Grat verlaufen. Diese Pfeiler nun besitzen zur Aufnahme des Kanaltroges in der Mitte eine Aussparung von 13,51 m Lichtweite und 3,35 m lichter Höhe. Der Pfeilerbeton ist entlang den Flächen, die den Trog umfassen, durch Stahleinlagen ver-

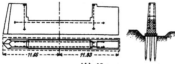

Abb. 18.

stärkt, und zwar durch zwei wagerechte Rundstäbe von 38 mm Durchm. in dem Unterteil und je zwei senkrechte in den beiden Aufbauten (Abb. 18). Die Landwiderlager haben die gleichen Aussparungen wie die Pfeiler, doch tritt an den Enden des Troges das Mauerwerk bis zur Innenflucht der Kanalwände hervor. Die Mittenentfernungen der Pfeiler voneinander sind 10,67 m, diejenigen der Pfeilermitten von Außenkantenauflager am Landwiderlager 10,06 m.

Abb. 19.

Der eigentliche Trog besteht aus einem System von stählernen Profilträgern als Haupttragkonstruktion und einer inneren Eisenbetonverkleidung über bezw. zwischen denselben. Ursprünglich war beabsichtigt, die Innenverkleidung aus Holz herzustellen, doch fand man bei

Abb. 20.

genauerer Untersuchung, daß eine Eisenbetonauskleidung den Anforderungen besser Rechnung trüge, zumal schon die Herstellungskosten geringer und die Unterhaltungskosten voraussichtlich fast gänzlich in Wegfall kämen. Der Entwurf für die innere Auskleidung stammt von dem Ingenieurassistenten L. L. Wheeler.

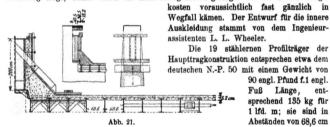

Abb. 21.

Die 19 stählernen Profilträger der Haupttragkonstruktion entsprechen etwa dem deutschen N.-P. 50 mit einem Gewicht von 90 engl. Pfund f.1 engl. Fuß Länge, entsprechend 135 kg für 1 lfd. m; sie sind in Abständen von 68,6 cm als Mittenentfernung voneinander verlegt und werden durch je vier 31,7 mm starke Rundeisen (Abb. 21) mittels Spannschlösser zusammen- bezw. durch übergeschobene eiserne Rohrstücke zwischen den Stegen in ihren vorgeschriebenen Entfernungen voneinander festgehalten. Die Seitenwangen des Troges lehnen sich beiderseits gegen je zwei stählerne I-Träger von ebenfalls 50 cm Höhe, in Mittenabständen von 2 m voneinander, die ihrer Beanspruchung gemäß, mit den Stegen wagerecht liegend, die Horizontalkräfte der Trogwandungen auf die Pfeiler bezw. Landwiderlager übertragen. Als senkrechte Verbindungsstützen dienen ⸢-Eisen von 30,5 cm Höhe bei nur 15 engl. Pfund f. 1 engl. Fuß, das ist 22,3 kg Gewicht für 1 m, welche die Wandflächen zwischen den Pfeilern bezw. Landwiderlagern in drei gleichweite Felder teilen. Die beiden Außenfelder erhielten noch Diagonalzugstäbe aus 31,7 mm-Rundeisen (Abb. 17).

Der Eisenbetonboden über den Bodenträgern hat eine Stärke von 15,2 cm, wovon zwei Drittel über Trägeroberkante liegen. Die Hauptbewehrung dieses Bodens besteht in 12,7 mm-Wulsteisen (Johnsoneisen) in Abständen von 15,2 cm voneinander rechtwinklig zu den Hauptträgern, außerdem aber wurden parallel zu letzteren als Sicherungen gegen Längsrisse zwischen jedem Hauptträgerpaar zwei ebensolche Eisen unter die Hauptbewehrungsstäbe gelegt. Diese Tieflage der Eisen weist darauf hin, daß diese nicht als Verteilungsstäbe, sondern als Schutz gegen Temperaturrisse dienten, da letztere hauptsächlich an den Untersichten der Bodenkonstruktion zutage treten konnten. Die Ecke mit den Seitenwänden des Troges wurde durch Ausbetonierung unter 45° versteift, so daß die Kathete des rechtwinkligen Querschnittsdreiecks 95 cm Länge besitzt.

Die Eisenbetonseitenwandungen des Troges sind 22,85 cm stark. Ihre Hauptbewehrung bilden in Abständen von 15,24 cm voneinander verlegte senkrechte 19 mm-Wulsteisen (Johnsoneisen), welche, dem Verlaufe der Momente entsprechend, zwischen den beiden Hauptträgern der Seitenwände abgebogen wurden. Ihre Länge beträgt 2,74 m, wovon etwa 60 cm auf die Überlappung der Bodenstäbe entfallen (Abb. 21). Als Verteilungs- und Schutzstäbe gegen Rissebildungen dienten beiderseitig je neun wagerechte Rundeisen von 12,7 mm und 13 desgl. von 19 mm.

Um zu verhindern, daß Fahrzeuge gegen die Seitenwandungen des Troges anfahren, wurden ohne Verbindung mit den Trogwandungen, also von Pfeiler zu Pfeiler bezw. Landwiderlager, beiderseitig je drei Kanthölzer, und zwar zwei von quadratischem Querschnitt mit 30,5 cm Seitenlänge und als außenliegendes, auswechselbares eine Bohle von 30,4 auf 15,2 cm Stärke miteinander verbolzt und an der Innenseite der Pfeiler bezw. Widerlageraufbauten befestigt. Gleichzeitig wurde noch eine um einige Zentimeter zurückstehende Streichbohle an der Oberkante der Trogwände selbst angebracht. Da der Kanalbetrieb auch für Benutzung von Zugtieren hergerichtet werden sollte, wurde auf einer Seite ein Treidelpfadsteg über die Pfeileraufbauten hinweggeführt, bestehend in I-Trägern mit darauf ruhender Holzabdeckung.

Wie bereits erwähnt, liegen einige der geschilderten, alle nach demselben System gebauten Kanalbrücken in einem Stromgebiet, in dem die Hochwasser bis über die Sohle der Kanaltröge steigen. Um bei etwaigem gleichzeitigen Leerstehen des Kanals zwecks Reinigung ein Emporheben des Troges zu verhindern, sind Bodenklappen angebracht, welche ein Einströmen des Wassers von unten in den Trog bewirken, und deren Mechanismus gleichzeitig selbsttätig an beiden Enden des Troges angebrachte Stauwände aufrichtet, um den Wasserzulauf auf den Brückentrog zu beschränken.

Über die Mischungsverhältnisse sei folgendes aus dem Bericht des Eng. Record hervorgehoben: Da die einzelnen Bauwerke sehr weit auseinander lagen, kamen verschiedene Materialien zur Verwendung. So wurde bei Kanalbrücke 4 bei Pfeilern und Widerlagern Naturzement von Utica verwendet und demzufolge das Mischungsverhältnis sehr fett, nämlich 1 Teil Naturzement : 2 Teilen Mississippi-Flußsand : 4 Teilen Kalksteingeschläge angenommen, welche mit der Smith-Mischmaschine[1]) (Beton-Kalender 1912, I, S. 233 u. ff.) gemischt wurden. Bei Kanalbrücke 9 dagegen kam fast ausschließlich Portlandzement zur Verwendung, und zwar im Verhältnis 1 Teil Zement : 3,5 Teilen Kiessand : 4,5 Teilen Steingeschläge, sowohl für die Gründungen als auch für die aufgehenden Pfeiler. Der Kiessand, aus dem Aushub gewonnen, enthielt hierbei bis 20 vH. feine Kieselsteine; der Schlägelschotter wurde zwecks Entfernung des Steinmehls gesiebt, wobei zugleich Stücke von über 2 Zoll Ringgröße ausgeschlossen wurden. Auch hier fand die Smith-Mischmaschine Verwendung. Die Zuführung der Betonmaterialien zur Mischmaschine erfolgte in eigens dazu erbauten Meßwagen mit Klappboden, in denen zu unterst der Sand, auf diesem der Zement und zu oberst der Schlägelschotter eingemessen wurden. Diese Wagen faßten jeweils eine Mischung von 20 Kubikfuß = 0,56 m³ Masse. Von den Vorschriften der Bauleitung seien noch folgende als beachtlich erwähnt: Magererer Mörtel zum Beton als 1 Teil Zement : 3 Teilen Sand ohne Kiesel durfte überhaupt nicht verwendet werden. Da, wo der in den Baugruben gebaggerte Kiessand in ungetrenntem Zustande mit einem Kieselsteingehalt von 55 vH. Verwendung finden konnte, sollte er im Verhältnis 1 : 5½ gemischt werden.

Alle Ansichtflächen wurden derart behandelt, daß Mörtel im Verhältnis 1 Teil Zement : 2 Teilen Mississippisand an die Schalung in Stärke von 4 cm vorgelegt wurde.

Bei Herstellung der Trogauskleidung der Kanalbrücke 9 fand das gleiche Mischungsverhältnis wie für die Pfeiler und Fundamente statt, jedoch unter Weglassung des Schlägelschotters. Der Beton des Troges bestand somit in einer Mischung von 1 Teil Portlandzement auf 3,5 Teile Kiessand.

Bei der Bestimmung des Eisenbetontroges als Wasserbehälter mußte auf die Ausbildung der Temperaturfugen besondere Sorgfalt verwendet werden, sofern man die Herstellung solcher überhaupt ins Auge faßte, was bei den längeren Kanalbrücken, wie diejenige Nr. 8, unumgänglich war. Die 50 cm hohen Bodenträger wurden an ihren Auflagern zu diesem Zweck auf eine Länge von durchschnittlich 1,20 m in eine 45 cm hohe Betonhülle eingebettet, über deren Mittellinie der wasserdichte Anschluß der Eisenbetonböden der beiden benachbarten Tröge derart erfolgte, daß man ein keilförmiges Brettchen während der Betonierungsarbeiten in die Trennungsfuge steckte, welches später entfernt und dessen Hohlraum mit Kohlenteerpech ausgegossen wurde. Auf diese Weise bildete jeder Trog zwischen seinen Pfeilern bezw. Widerlagern einen für sich abgeschlossenen Träger.

Der Arbeitsvorgang gestaltete sich folgendermaßen: Es wurde jeweils der Boden einschließlich der Eckversteifung an einem Tage, die beiden auf letztere aufzusetzenden Seitenwandungen an dem darauffolgenden Tage ausgeführt. Die Schalung für die Sohlenbetonierung bestand in zwischen die I-Träger parallel zu diesen eingelegte je zwei Längsdielen, die gegen die Unterflanschen der Träger abgesprießt wurden (Abb. 21, links). Als Außenschalung der Seitenwände dienten zweizöllige Dielen, welche in Abständen von je 1,22 m durch senkrecht stehende, zwischen die Hauptlängsträger verkeilte Rahmenhölzer gestützt wurden. Die Innenschalung der schrägen Eckversteifung wurde durch schräg auf hochkant gestellte und an die vorhin genannten senkrechten Pfosten angenagelte Dielen von 76 mm Stärke und 203 mm Breite gehalten, welche

---

[1]) Siehe „Handbuch für Eisenbetonbau". Zweite Aufl., II. Band, Berlin 1911, S. 116.

mittels durch den Beton hindurchreichender Drähte an der Boden- bezw. unteren Seitenschalung befestigt wurden (Abb. 22). Die Schalung selbst wurde mit fortlaufender
Betonierung unter diese Dielen geschoben. Sämtliche Eiseneinlagen der Sohle wurden
am Tage vor der Betonierung in richtige Lage verlegt und mittels Bindedrahts zu-
sammengebunden. Am selben Tage wurden auch die senkrechten Bewehrungsdrähte
der Seitenwandungen nach einer Schablone gebogen und an einem in Höhe des oberen
Randes der Seitenwände angebrachten Hilfsholze bis zur Beendigung der Betonierung

Abb. 22.

Abb. 23.

befestigt. Die wagerechten Verteilungsstäbe wurden erst mit fortschreitender Betonierung
verlegt. Beachtenswert ist das Verfahren, welches bei Betonierung der Sohle ein-
geschlagen wurde. Die Bodenbetonierung wurde nicht in der Richtung des Kanals
fortschreitend vorgenommen, sondern man begann durch eine Arbeiterkolonne in jedem
Trog für sich mit der Betonierung des Fußes der Eckversteifung einer Seite auf die
Stärke des Sohlenbetons, und zwar sofort jeweils auf die ganze Länge eines Troges.
Auf den so zuerst eingebrachten und gestampften frischen Beton legte man längs drei
7,5 cm starke Bohlen nebeneinander, ferner rechtwinklig über diese hinweg 5 cm starke
Rahmenhölzer, welche eine vierte Bohle als Lauf- und Fahrdiele trugen, von der aus

dieselbe Arbeiterkolonne den weiteren Beton für die Eckversteifung einbrachte, während eine zweite, kleinere Arbeiterkolonne die Betonierung der Sohle nach der Mitte zu fortsetzte. Hierbei verfuhr man so, daß man eine Bohle von 5 auf 10 cm Stärke auf hochkant jeweils über die Mitte eines Boden-I-Trägers vorlegte und den zwischen dieser und dem zuletzt von der Seite her eingebrachten Beton verbleibenden Feldstreifen von 68,6 cm Breite, entsprechend der Mittenentfernung der I-Träger voneinander, auf die ganze Länge des Troges ausbetonierte. Alsdann wurde die Bohle zwecks Wiederholung dieses Verfahrens über den nächsten Träger vorgelegt, der Betonabschluß aufgerauht, um mit dem nachfolgenden Beton sich innig zu verbinden (Abb. 22).

Sobald die erste Arbeiterkolonne die Aufbetonierung der Eckversteifung auf die Länge des Troges auf der einen Seite beendet hatte, wiederholte sich die gleiche Arbeit auf der gegenüberliegenden Seite des Troges. Eine dritte Kolonne setzte alsdann wiederum die Sohlenbetonierung auf dieser Seite nach der Mitte zu fort. Sobald auch die linke Eckversteifung beendet war, wurden alle drei Kolonnen zusammengenommen, um die Sohle fertig zu betonieren. Auf diese Weise wurde innerhalb der Sohle in sehr zweckmäßiger Weise erreicht, daß an keiner Stelle der frische Beton an bereits abgebundenen Beton zu liegen kam, wodurch einesteils eine erhöhte Gewähr für Wasserdichtigkeit der Sohle erzielt, außerdem aber an Material und Arbeit für Anschlämmen und Einbringen von fettem Verbindungsmörtel bzw. Aufspitzen von erhärtetem Beton gespart wurde.

Der Beton wurde lediglich auf seiner Oberfläche mit der Holzscheibe abgerieben ohne weitere Verwendung von Mörtel, da die Mischung des Betons an sich, 1 Teil Zement auf 3,5 Teile Kiessand, als wasserdicht erachtet wurde. Die Betonierungsarbeiten erfolgten zum Teil, z. B. bei Kanalbrücke 4, in der Mitte des Dezember bei Frostwetter bis zu 11 ° C. Kälte. Hierbei wurde das zum Beton zu verwendende Anmachewasser auf 55 ° C. erwärmt, indem man Auslaßdampf von der Mischmaschine in den auf dieser befindlichen Wassertrog einströmen ließ. Der eingebrachte Beton hatte alsdann eine Temperatur von etwa 20 bis 30 ° C. Nachdem der Beton eingebracht war, verlegte man hölzerne Dielen auf demselben, über denen Böcke zur Tragung einer zweiten Lage zölliger Holzdielen aufgestellt waren. Der zwischen beiden Lagen befindliche Hohlraum wurde hierauf auf die reichliche Dauer von 48 Stunden durch heiße Wasserdämpfe erwärmt. Der so behandelte Beton hat sich als durchaus gut erwiesen. Der Eng. Record macht am Schluß noch Angaben über die Höhe der Kosten der einzelnen Bauteile, von denen folgende Erwähnung finden mögen: Es stellte sich der Durchschnittspreis für 1 m³ Stampfbeton der Gründungen, Pfeiler und Widerlager an Material und Lohn (ausschl. Oberaufsicht und Wasserhaltung) auf 6,66 Dollar für 1 Kubikyard = 37 Mark für 1 m³ bei einer Gesamtmenge von 3612 Kubikyard = 2757 m³ Beton; hierzu traten noch als Kosten der Oberaufsicht 6990 Mark sowie für Wasserhaltung 7072 Mark. Ferner kosteten Material und Lohn für 1 m³ Eisenbeton der Trogauskleidung einschl. Schalung, aber ausschl. Lieferung der Eiseneinlagen selbst, 8,70 Dollar für 1 Kubikyard = 47,10 Mark für 1 m³ bei einer Gesamtmenge von 329 Kubikyard = 251 m³ Eisenbeton. Die Ankaufskosten der Bewehrungseinlagen beliefen sich auf 2,32 Cents für 1 engl. Pfund = 22 Pf. für 1 kg. Als ortsübliche Löhne galten hierbei: Bauführer . . . . 425,00 Mark monatlich

Maschinenführer	382,00	„	„
Pumpenführer und Heizer .	255,00	„	„
Zimmerleute	10,60	„	täglich
Tagelöhner	7,50	„	„
Wasserträgerjungen	2,55	„	„

6. Die Durchlässe im Zuge der neuen Lastenlinie des Stahl- und Eisenwerks Schoeller in Ternitz.

Unter diesen Durchlässen befinden sich drei in reiner Eisenbetonkonstruktion, während beim vierten die erforderliche Konstruktionshöhe für Ausführung in Eisenbeton nicht vorhanden war und man daher zu einem Verbundsystem nach Abb. 24 griff.

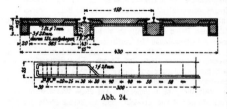

Für die größeren Verkehrslasten dienten als tragende Teile unter jedem Gleis zwei Träger Oe. N.-P. 35, zwischen denen auf einer Betonverfüllung die Schienen ruhen, während für die Ausbildung der Fußwegrandträger in Eisenbeton die Konstruktionshöhe gerade noch ausreichte. Da die Brücke auch einen Fußgängerverkehr ermöglichen sollte, wurden zwischen den Gleis- und Gehwegrandträgern Eisenbetonplatten vorgesehen. Der Entwurf und die Ausführung, welche im Sommer 1907 erfolgte, lagen in den Händen der Firma Diss u. Co. A.-G. in Wien. Da auf dieser Brücke nur Lasten befördert wurden, so konnte die harte, unelastische Auflagerung der Schienen direkt auf dem Beton unbedenklich Platz greifen. Ein ähnliches Beispiel, bei dem jedoch die Beförderung von Personen auf Schnellzügen besondere elastisch wirkende Maßnahmnn erforderte, bietet die

Abb. 24.

7. Hochlegungsbrücke der Chicago Burlington u. Quincy R. K. in Chicago.[1])

Hierbei fanden reine Eisenbetonkonstruktionen für Eisenbahnbetriebslasten wie auch Verbundkonstruktionen von eisernen Brücken mit Eisenbetonfahrbahntafeln verschiedentlich Anwendung. In Abb. 25a u. b ist der Querschnitt einer solchen Verbundkonstruktion zur Überkreuzung der Union Street dargestellt. Der Grundriß der Brücke, welche über die Gehwege der Straße in zwei Spannungen von 3 m, über die Fahrstraße in zwei von je 14 m führt, ist unregelmäßig, da der Gleisabstand von 3,81 bis 4,11 m wächst. Eine Ausnutzung der Betonquerschnitte in den Druckgurten wurde nicht berücksichtigt, indem daselbst zwei 60 cm hohe und 1,12 m voneinander entfernt liegende genietete Träger die Haupttragkonstruktion für je eine Schiene bilden, zwischen denen ein Eisenbetontrog das Schotterbett und die Schienen samt kurzen Schwellenrücken aufnimmt. Alle Maße erscheinen reichlich bemessen. Hervorgehoben sei, daß mit Rücksicht auf den Eisenbahnverkehr auf der Brücke die gesamte Eisenkonstruktion oberhalb durch Beton vollkommen überdeckt wurde, während unterwärts die Trägergurtungen zutage liegen. Die äußeren Gehwege wurden auch in ihren tragenden Teilen als reine Eisenbetonkonstruktionen ausgebildet. Die Enden der einzelnen Tragkonstruktionen wurden mit ihren Trägern über den Widerlagern bezw. Säulenreihen auf je drei einbetonierte Träger gelagert, welche zwecks gleichmäßiger Inanspruchnahme miteinander verschraubt wurden. Über beiden Endauflagern wurden die Träger mit den Auflagerschienen fest einbetoniert, während man über den Säulenreihen die Träger lose auflegte, um Temperaturstreckungen Spielraum zu lassen. Diese Anordnung der Einspannung beider Endauflager erscheint nicht nachahmenswert, es

---

[1]) Eng. Record vom 13. November 1909 S 549.

wäre vielmehr selbst angesichts der verhältnismäßig geringen Gesamtlänge der Brücke richtiger gewesen, nur ein Auflager unverrückbar fest anzuordnen, da bei Festlegung beider Endauflager der Wert der Säulenauflager als beweglicher Auflager hinfällig wird. Wie aus dem Querschnitt ersichtlich, sind die Schienen auf kurze Schwellenstücke und letztere auf Schlägelschotter gelagert, und zwar so, daß die Schiene nicht in die Mitte des Troges, sondern nach der Gleismitte zu verschoben wurde. Diese ungewöhnliche Anordnung ist beachtenswert, da sie der tatsächlichen Wirkungsweise der Radkränze

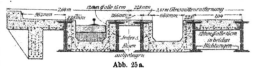

Abb. 25 a.

Abb. 25 b.

nach außen besser Rechnung trägt als bei einer Anordnung der Schiene in der Mitte des Troges bezw. des Schwellenstückes. Zwecks Festhaltung der Spurweite sind, die Schwellenstücke in die Tröge fest eingepaßt, eine Auswechslung der ersteren ist daher nur nach vorheriger Entfernung der Schiene möglich. Der zwischen den beiden inneren Trägern verbliebene Hohlraum wurde mit einer Eisenbetonplatte überdeckt welche auf angenieteten wagerechten Winkeleisen ruht.

Für die

8. Straßenbrücke über die Passer bei Meran

wurde seitens der Firma N. Rella u. Neffe in Wien die aus Abb. 26 a, b u. c ersichtliche leichte Gehwegkonstruktion entworfen und durchgeführt. Bei der Stützweite von rd. 2,40 m erwies sich eine Plattenbalkenkonstruktion als die billigste und zweckmäßigste, deren Unterzüge in Mittenabständen von 85 cm voneinander bei einer Höhe von 19 cm unter der 5 cm starken Platte angenommen wurden. Als Bewehrung dieser Unterzüge dienten je zwei 14 mm starke Rundeisen, deren eines in der Zugzone wagerecht durchgeführt wurde, während das andere vor den Auflagern unter 45° nach oben aufgebogen und am Auflager selbst senkrecht nach unten wieder abgebogen und an seinen unteren Enden durch das Auflagerwinkeleisen durchschießend durch eine aufgeschraubte Mutter mit diesem in festen Verband gebracht wurde. Die Bewehrung der Platte besteht in acht Stäben von 7 mm Durchmesser, welche durchweg geradlinig verlaufen, doch sind über den Unterzügen zur Aufnahme von Zugspannungen

44*

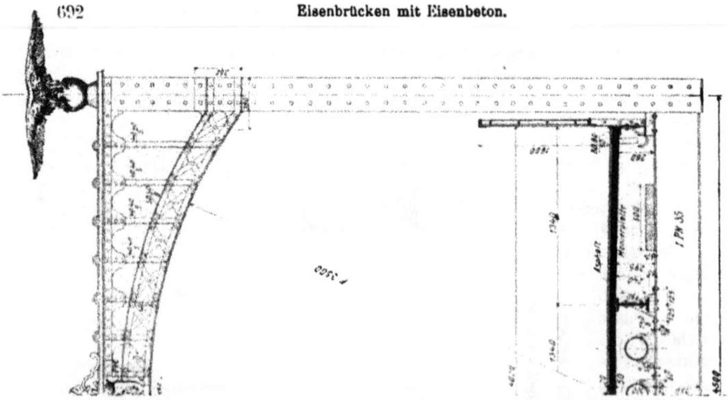

Abb. 28.

trapezförmige Eisen gleicher Stärke eingelegt,
um welche sich die oberen Enden der die
Bewehrungseisen der Unterzüge umschließenden
Bügel schlingen. Die Gehwegtafel besitzt von
der Mitte nach beiden Seiten
zu Gefälle in 1 : 100 und erhielt als oberen Abschluß eine

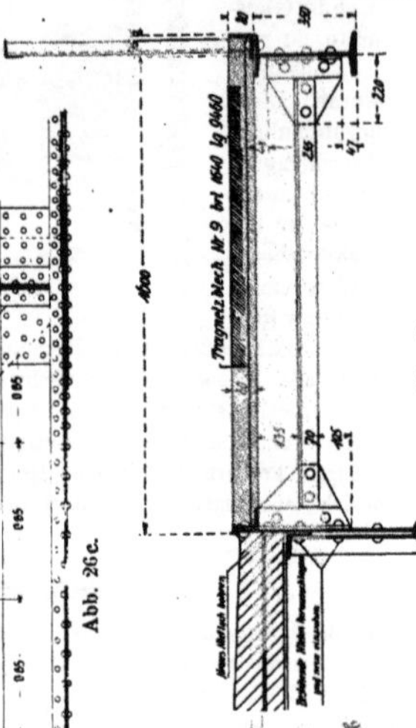

Abb. 27.

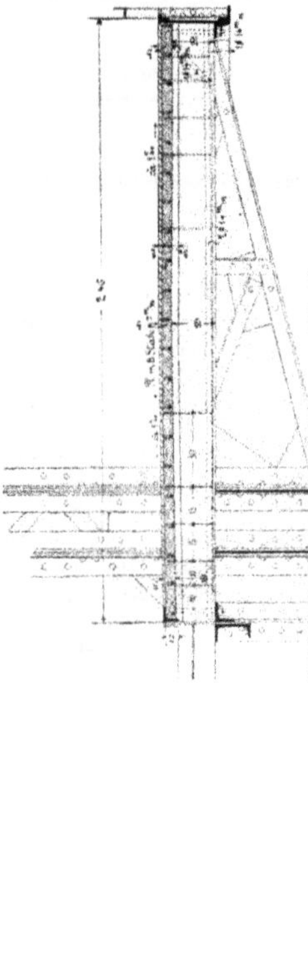

Abb. 26a.

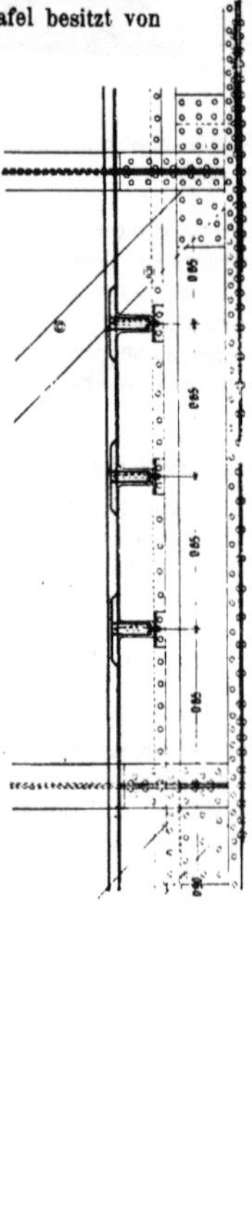

Abb. 26c.

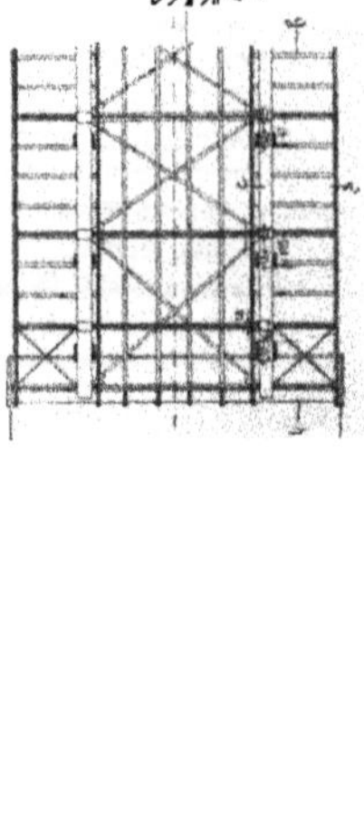

Abb. 26b.

2 cm starke abgewalzte Feinbetonschicht. In ähnlicher Weise wurden auch die Fußwég-
konstruktionen bei der eisernen Brücke über die Donau bei Tulln durch die obige
Firma durchgeführt. Selbst bei bereits bestehenden eisernen.Brücken hat man
sich vielfach nachträglich entschlossen, eine Auswechslung der hölzernen Geh-
wegtafeln oder auch der dieselben tragenden Teile vorzunehmen. So wurde auf
Vorschlag der Firma R. Ph.
Waagner, Biro u. Kurz in
Wien die Auswechslung
der Gehwegkonstruktion in
Eisenbeton bei der eisernen

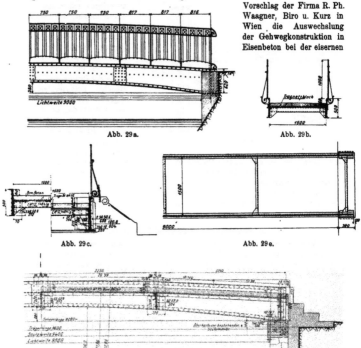

Abb. 29a.　　　　　　　　　　　　Abb. 29b.

Abb. 29c.　　　　　　　　　　　　Abb. 29e.

Abb. 29d.

Brücke über den Mödlingbach in der Stadtgemeinde Mödling bei Wien im Zuge der
Eisentorgasse nach Abb. 27, ebenso bei einem Gehsteg über den Westbahnhof in Wien
nach Abb. 28 und bei einem weiteren solchen in Wien-Neudorf nach Abb. 29a bis e
vorgenommen.

9. Straßenbrücke in Indianapolis.

Um zu zeigen, wie auch der Eisenbeton zu ornamentaler Behandlung von Außen-
sichtflächen verwendet wurde, sei in Abb. 30 der Querschnitt einer Fußwegkonstruktion

für eine Straßenbrücke in Indianapolis wiedergegeben, bei welcher im übrigen auch die gesamte Fahrbahntafel in Eisenbeton hergestellt wurde. Entgegen dem neuerdings immer mehr beobachteten Bestreben, die konstruktive Behandlung auch in

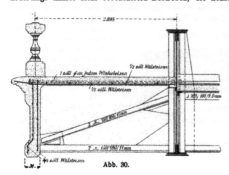

der Behandlung der Brücken-ansichtflächen zum Ausdruck zu bringen, indem man also davon absieht, die Verklei-dung der Sichtflächen zu be-nutzen, dem Beschauer den inneren konstruktiven Zu-sammenhang zu verschleiern, hat man im vorliegenden Falle der Brücke eine voll-ständige Betonverkleidung gegeben, deren Äußeres in keiner Weise dem Beschauer verrät, daß er tatsächlich eine in der Hauptsache rein eiserne Tragkonstruktion vor sich hat. Bedauerlicherweise

Abb. 30.

waren über diese Brücke weitere Unterlagen nicht zu erhalten, doch gibt der Quer-schnitt an sich schon in mancher Hinsicht je nach Geschmack mehr oder weniger Stoff zu weiteren Betrachtungen.

Als letztes Beispiel der Verbundkonstruktionen von Platten und Plattenbalken in Eisenbeton mit eisernen Brückenteilen diene noch die durch die Frankfurter Betonbau-Gesellschaft ausgeführte Fahrbahnkonstruktion der eisernen

10. Straßenbrücke in Obernhof bei Nassau.

Diese Konstruktion verdient aus dem Grunde besondere Beachtung, als bei derselben nicht eine einzige eiserne Querverbindung zwischen den schweren Differdinger (Grey-) Trägern von 60 cm Höhe und 30 cm Flanschenbreite besteht, indem man sich auch in dieser Beziehung ganz dem Eisenbeton anvertraute (Abb. 31a u. b). Die in Abständen von

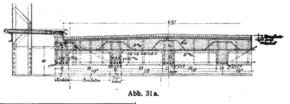

Abb. 31a.

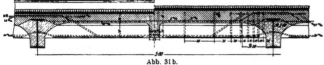

Abb. 31b.

5 zu 5 m voneinander liegenden Grey-Träger wurden zunächst durch fünf Hauptrippen in Eisenbeton mit Mittenentfernungen von 1,13 m miteinander verbunden. Die Bewehrung dieser 25 cm breiten und einschließlich der Platte 48 cm hohen Rippen besteht in je vier 24 mm-Rundeisen. Die Unterkante dieser Rippen liegt 20 cm über der Untersicht der I-Träger. In gleicher Höhe liegen auch die Unterkanten der rechtwinklig zu den Hauptrippen angeordneten Nebenrippen, deren je eine parallel zu den I-Trägern in der Mitte derselben angeordnet wurde. Hierdurch ergab sich eine das Auge äußerst befriedigende Untersicht dieser Fahrbahntafel als Kassettendecke, welche durch das Abfasen der Rippenkanten und Plattenanschlüsse noch erhöht wird. Um nun auch eine Verbindung auf Zug zwischen den I-Trägern zu schaffen, ließ man zwei der unteren Bewehrungsstäbe durch die Mitten der I-Trägerstege durchstoßen, während die anderen beiden Eisen zur Aufnahme von Zugspannungen in einiger Höhe über den I-Trägern in der Platte hinweggeführt wurden. Die Platte besitzt bei kreuzweiser Bewehrung eine Mindeststärke von 18 cm. Da, wo die Eisenbetonfahrbahnplatte direkt an die I-Träger stößt, vermitteln stark ausgerundete Vouten einen gefälligen Übergang bis zu den Trägerunterflanschen, und zwar wurden diese Vouten, da ihnen eine wesentliche statische Bedeutung nicht innewohnt, in Bimsbeton ausgebildet, was bei den nicht unbeträchtlichen Massen für die Gewichtsersparnis von Vorteil ist. Als wasserdichter Abschluß der Fahrbahntafel dient eine 1 cm starke Asphaltschicht, auf welcher ein 5 cm-Sandbett das 7 cm starke Kleinpflaster aufnahm.

Es ist bemerkenswert, daß die ersten Anwendungen von Eisenbetonverbundkonstruktionen mit eisernen Brücken nicht in Gestalt der einfacheren Platte, sondern in Gestalt von Eisenbetongewölbekonstruktionen auftraten. So finden wir bereits von dem Jahre 1891 her die von der Aktiengesellschaft für Beton- und Monierbau in Berlin ausgeführten Fahrbahnkonstruktionen der Brücke im Zuge der Straße Alt-Moabit über die Lehrter Bahn mit 4,40 m Spannweite, desgleichen derjenigen über die Ringbahn bei Halensee mit 3,75 m Spannweite und eine größere Anzahl in und um Berlin gelegener weiterer Beispiele, welche sich in der Hauptsache der Ausführungsweise nach Abb. 32 anpaßten und zum Teil schiefwinklige Grundrisse besaßen. Diese Verbund-

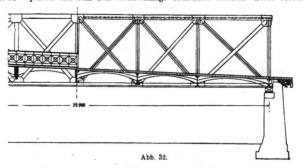

Abb. 32.

gewölbekonstruktionen haben sich durchweg vorzüglich bewährt, welcher Umstand in Rücksicht auf ihren immerhin siebzehnjährigen Bestand geeignet ist, als Gegenbeweis gegenüber der häufigen Behauptung von Gegnern des Eisenbetons zu dienen, daß selbst die älteren Ausführungen noch zu jungen Ursprungs seien, um über die Bewährung derselben ein Urteil abgeben zu können.

Einige sehr gediegene Ausführungen aus neuerer Zeit bilden die Fahrbahntafeln einiger Brücken der Wiener Stadtbahn. Insbesondere die Gewölbe der

11. Überführung des Landstraßer Gürtels über die Stadtbahn in Wien

sind in der Formgebung ihrer Querschnitte bemerkenswert, wie aus Abb. 33a u. b ersichtlich ist. Nur die stärkst beanspruchten Teile sind in Eisenbeton ausgeführt, während die

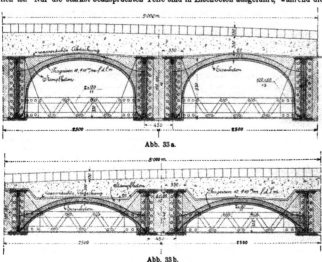

Abb. 33 a.

Abb. 33 b.

Gewölbezwickel mit Magerbeton ausgestampft wurden, ebenso wie die Zwischenräume zwischen den genieteten Hauptträgern. Zweckmäßig wäre noch die Umhüllung der die Hauptträger verbindenden Gitterträger mit Beton gewesen, da diese Teile dem Lokomotivrauch am stärksten ausgesetzt sind, indem letzterer sich in den Gewölben fängt und dort zu vollster Wirkung gelangen kann.

Bezüglich einiger weiterer österreichischer Ausführungen von Fahrbahngewölbekonstruktionen in Eisenbeton zwischen eisernen Haupttragkonstruktionen sei auf einen Artikel des k. k. Baurats Hermann verwiesen, der sich in Heft 50 des Jahrg. 1907 der Österr. Wochenschr. f. d. öff. Baudienst befindet.

In Nordamerika hat sich in allerletzter Zeit ein Verbundsystem vorteilhaft eingeführt, welches einen außerordentlich raschen Baufortgang gestattet, indem es vollkommen unabhängig ist von der für die Erhärtung des Betons erforderlichen Zeit bezw. von den hiermit zusammenhängenden Aufenthalten und sonstigen Nachteilen. Einen weiteren großen Vorteil bildet der Fortfall jeglicher hölzernen Schalung und somit auch der Abstützungen derselben, welche insbesondere in Rohrkanälen, Tunnelbauten usw. jeglichen Verkehr öfter auf Wochen mehr oder weniger unmöglich machen. Der wesentlichste Teil dieses Systems, genannt

12. „Ferroinclave"-Konstruktion,

ist eine Art Wellblech, dessen Querschnitt nicht die üblichen rundlichen Wellenformen, sondern schwalbenschwanzförmige Zähne mit einspringenden Winkeln zeigt (Abb. 34a).

Die einspringenden Winkel sind sowohl praktisch wie auch statisch nicht ohne Bedeutung, indem einmal der eingebrachte Mörtel an der Oberfläche äußerst fest

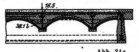

Abb. 34a.

Abb. 34b.

haftet, welcher Vorteil auch besonders für den Verputz der Untersicht ins Gewicht fällt, und indem anderseits gerade hierin ein höherer Sicherheitsgrad hinsichtlich Gleitwiderstandes des Verbundkörpers begründet ist. Diese Tonnenplatten werden genau wie sonst die hölzernen Tonnenschalungen gegen die Unterflanschen der Profilträger abgestützt und erhalten zunächst eine Überdeckung mit Mörtel in Mischung 1 Teil Zement auf 2 Teile Sand bis zur Deckstärke von etwa $1^1/_2$ cm über die Fläche der oberen Zähne. Auf diese Feinschicht wird alsdann der gewöhnliche Beton in der üblichen Mischung von $1 : 2^1/_2$ Sand : 5 Teilen Kies aufgebracht bis zur Erreichung der Fahrbahnoberkante. Auch die Untersicht dieser Gewölbeplatte erhält einen vollständigen Verputz in Mischung von 1 Teil Zement auf $^1/_2$ Teil hydraulischen Zement auf 3 Teile Sand. Dieser Verputz wird überall da, wo die Eisenteile einem Angriff von Rauchgasen entzogen werden sollen, auch um die Flanschen der Profilträger herumgeführt werden, zu welchem Zwecke eine Umwicklung derselben mit Drahtgeweben oder Streckmetall gute Dienste leisten würde. Abb. 34b stellt die Ausführung bei einem Tunnel für die Hudson-Gesellschaft in New York dar, über welche sich in den Eng. News vom 17. Oktober 1907, Vol. 58, Nr. 16, S. 412 Aufzeichnungen vorfinden, und von denen auch die Aufnahme während der Ausführung herrührt. Inhaber des Patents dieser Konstruktion ist die Brown Hoisting Machinery Co. in Cleveland, Ohio. Diese Gesellschaft hat ihr System auch bei kleineren Brückenbauten in Anwendung gebracht, worüber im Eng. Record vom 23. November 1907 Einzelheiten erschienen sind.

Ein anderes Gebiet der Verwendung des Eisenbetons im Eisenbrückenbau bilden die

C. Verstärkungen alter eiserner Brücken durch nachmalige Umhüllung mit Beton oder Eisenbeton.

Hier bietet sich ein weiteres Feld der gemeinschaftlichen Anwendung beider Bauweisen, welches deren wirtschaftliche Vorteile am schärfsten beleuchtet. Mag es sich nun um eiserne Brücken handeln, welche die im Laufe der Zeit gesteigerten Betriebslasten nicht mehr zu tragen vermögen, oder um solche, welche durch den Angriff von Lokomotivrauchgasen oder von Rost allmählich merkliche Querschnittsverminderungen erfahren haben, so bleibt meistens das Endergebnis dasselbe, die Brücke muß entweder vollkommen ersetzt oder hinreichend verstärkt werden. Bei den Eisenbahnbrücken besonders hat die Gewichtzunahme im Verein mit den beträchtlich gesteigerten Geschwindigkeiten der Betriebsmittel innerhalb der letzten 25 Jahre bereits zu zahllosen Brückenneukonstruktionen geführt, wobei bis vor kurzem wiederum meistens eine Eisenkonstruktion an die Stelle der früheren ebensolchen trat. Mit dem Ersatz durch die stärkere Eisenkonstruktion wurden zwar zunächst die Schäden und Gefahren der alten Konstruktion beseitigt, doch nicht gegen die Wiederkehr solcher hinreichende Vorsorge getroffen. Die in den letzten Jahren mehrfach vorgenommenen Rekonstruktionen alter eiserner Brücken durch Ummantelung der Tragteile derselben mit Beton oder Eisenbeton haben nun dermaßen gute Erfolge gezeitigt, daß zu erwarten steht, daß auf der betretenen Bahn rasch weiter fortgeschritten werden wird, wenn es gelungen sein wird, auch hier noch obwaltende falsche und unberechtigte Vorurteile gegen die Anwendungen der Kombination beider Bauweisen, wie des Eisenbetons überhaupt zu überwinden. Ein gediegenes Beispiel einer derartigen Rekonstruktion bildet der im Jahre 1900 vollzogene Umbau der Überführung der Rue Paul Bert in Périgueux über die Eisenbahnlinie Périgueux—Brive, welche in der Zeitschrift Le Béton armé, Organe des Con-

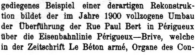

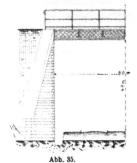

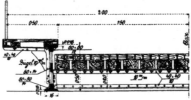

Abb. 35.   Abb. 36.

cessionnaires et Agents du Système Hennebique, März 1901, Nr. 34 u. 35 näher beschrieben ist. Die Lichtweite dieser Straßenüberführung über zwei Gleise (Abb. 35

bis 39) beträgt 8 m. Als Tragkonstruktion dienen zwei Hauptgitterträger im Abstande von 3,16 m voneinander und sieben 1,34 m weit voneinander entfernte Querträger aus Stahlblech und Winkeleisen. Auf letzteren ruhte ehedem ein Längsbohlenbelag mit Zwischenräumen, der seinerseits die dichtgeschlossene Holzbohlenfahrbahntafel von 3 m Breite aufnahm.

Außen an den Hauptträgern waren beiderseitig eiserne Konsolen ausgekragt, welche zwei Gehwege von je 50 cm Breite mit Holzbohlenbelag trugen. Infolge der Lage über den Haupteinfahrtsweichen der Stationsgleise waren die Eisenteile im Laufe der Jahre dermaßen stark an-

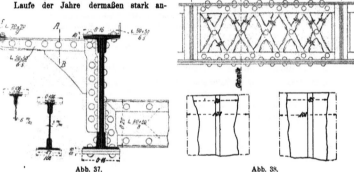

Abb. 37.   Abb. 38.

gefressen worden, daß einzelne derselben überhaupt ganz verschwunden waren, wie beispielsweise die unteren Gurtblechverstärkungen an den Hauptträgern. Auf Abb. 37 sind die Querschnittsverminderungen infolge Rauchgaszerstörung dargestellt, wobei die weiß dargestellten Querschnitts-teile die durch Rauch vernichteten und somit verschwundenen be-deuten.

Es bedarf kaum einer Er-wähnung, daß der Verkehr auf dieser Brücke gesperrt werden und letztere selbst vollkommen erneuert werden mußte. Die Firma Goquel in Bordeaux schlug vor, die eisernen Längs- und Querträger durch Eisenbeton zu verstärken, indem man zunächst die ganze vorhandene Konstruk-tion vollständig in Beton einhüllte und auf diese Weise den Ein-wirkungen von Rost und Rauch entzog (Abb. 39).

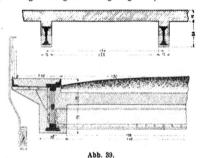

Abb. 39.

Um Druckflächenentwicklungen zu schaffen, erwies sich bei den Hauptträgern die Einbetonierung der Fußgängerkonsol-konstruktion und bei den Querträgern der Ersatz der alten hölzernen Fahrbahntafel durch eine Eisenbetonplattenbalkenkonstruktion günstig. Die alte Eisenkonstruktion, die ja hauptsächlich in der Zugzone noch gute Dienste leistete, wurde in der letzteren durch eingelegte Rundeisenstäbe verstärkt, welche mittels Flacheisenbügel nach System Hennebique mit dem eisernen Obergurt bei den Hauptträgern bezw. mit der Platte bei den Querträgern verbunden wurden. Hierbei kam die alte Eisenkonstruktion zur Aufhängung und Tragung der Schalung vorteilhaft zustatten. Der gesamte Umbau konnte für den geringen Preis von 2500 Fr. durch die Firma Goquel hergestellt werden.

Bei der Probebelastung zeigten sich an der der Sonne zu gelegenen Seite als größte Durchbiegung 1,4 mm, mithin ein ausgezeichnetes Ergebnis, welches besonders dadurch an Wert gewinnt, daß die Konstruktion nach Wiederentfernung der Last stets wieder auf ihre ursprüngliche Form zurückging, bleibende Veränderungen somit nicht auftraten.

Auf einen sinnverwandten Umbau, nämlich denjenigen der Montblanc-Brücke in Genf, über den in „Beton u. Eisen" 1905, Heft I, S. 16 interessante Einzelheiten wiedergegeben sind, sei an dieser Stelle besonders hingewiesen.

D. Verstärkungen neuer eiserner Brücken durch Eisenbeton.

1. Straßenbrücke über die Baltimore- u. Ohio Rd. im Zuge der Monroe-Straße in Brookland, Distrikt Columbia, U. S. A.[1])

Zwei stählerne 19,9 m weit gestützte Hauptgitterträger der Brücke fassen die 9,14 m breite Fahrbahntafel zwischen sich, während die Gehwegkonstruktionen nach

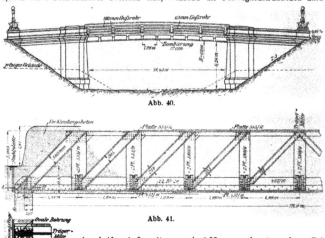

Abb. 40.

Abb. 41.

den beiden Außenseiten um je 1,98 m ausgekragt wurden. Bei den Hauptträgern fällt sofort die Absicht auf, den Wandgliedern möglichst nur Druckspannungen zuzuführen, da dieselben entgegengesetzte Neigung besitzen, als bei einer rein eisernen Brückenkonstruktion der Fall wäre. Die

[1]) Engineering News v. 29. Oktober 1908. S. 464.

stählerne Tragkonstruktion wurde zuerst vollständig aufgestellt und derart berechnet, daß sie einen Teil der Gesamtbelastung trägt, während sie zugleich zur Aufhängung der Schalungen und Formen für die Betonumhüllung dient, ein Lehrgerüst somit unnötig macht. Sämtliche Metallteile sind vollkommen in Beton eingehüllt. Die Fahrbahntafel wird von einer an der schwächsten Stelle 15 cm starken Eisenbetonplatte gebildet, die in Abständen von rd. 2 m voneinander auf 61 cm hohe stählerne Querträger gelagert ist. Die Gehwege werden von Eisenbetonkonsolen getragen, in deren Obergurt ein 38 mm-Rundeisen einbetoniert ist, dessen der Brückenmitte zugekehrtes Ende im Hauptträger verschraubt wurde, während an dem Gewinde des äußeren Endes ein Winkeleisen zwischen zwei Muttern gefaßt ist, gegen welches die beiden Winkeleisen des Untergurtes der Konsolkonstruktion sich stützen zur Erhöhung des Gleitwiderstandes dieser Winkeleisen.

Einzig und allein das gußeiserne Geländer ist ohne Betonumhüllung geblieben. Die Brücke war ursprünglich als Bogenbrücke gedacht, doch entschloß man sich zu

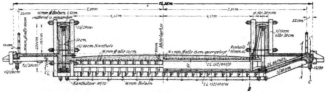

Schnitt durch den Fahrbahnquerträger.   Abb. 42.

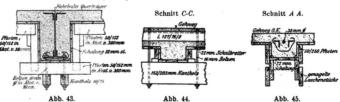

Abb. 43.   Abb. 44.   Abb. 45.

der Verbundkonstruktion mit Rücksicht auf den Vorteil der Vermeidung jeder das Durchfahrtprofil störenden Lehrgerüstbauten. Die Hauptträger der Brücke zeigen eine gelinde Wölbung des Untergurts. Als Verkehrslasten wurden angenommen 730 kg/m² für die Fahrbahn und 490 kg/m² für die Gehwege, außerdem auf der Fahrbahn eine Straßenwalze von 18 t und ein elektrischer Straßenbahnwagen von 30 t Gewicht. Der stählerne Aufbau war so berechnet, daß er alle Druck- und Zugspannungen „erster Linie" aufnahm, d. h. alle solchen, welche von dem Eigengewicht der Stahlkonstruktion der Schalungen und Formen, dem Beton der Querträger bis Unterkante Fahrbahntafel und dem frischen Beton der Hauptträgerumhüllungen herrührten. Hierbei wurde als Höchstspannung im Stahl für Zug und Druck 1125 kg/cm² errechnet und für zulässig erachtet. Die Belastungen „zweiter Linie" bildeten sodann die Gewichte der Fahrbahntafel und Gehwegplatten, die Asphaltierung und die Verkehrslasten. Bei voller Betriebsbelastung der Brücke stellte sich der Höchstdruck im Beton auf 35 kg/cm². Während nun in der

Regel bei Verbundkonstruktionen dieser Art unter Annahme von $n = 15$ die Inanspruchnahme des Stahles im Druckgurt sich nur auf $35 \times 15 = 525$ kg/cm² stellt, konnte im vorliegenden Falle das Stahlmaterial voll ausgenutzt werden, was sehr für die Zweckmäßigkeit und Wirtschaftlichkeit des Systems spricht. Um aber die Belastungen „erster Linie" auch wirklich den Hauptträgern zuzuführen, mußten die Querträger und Gehwegkragkonstruktionen und Platten vor den Hauptträgern betoniert werden. Bei der Berechnung der Hauptträger nahm man nicht den Vollquerschnitt derselben an, sondern löste die Träger in Obergurt, Untergurt und Wandglieder auf. Als Druckgurt zog man einen 61 cm hohen Streifen des zugleich 61 cm breiten Hauptträgeroberteils in Rechnung, somit etwas weniger als das obere Drittel dieses Trägers. Der Druckquerschnitt der Wandglieder wurde mit 46/51 cm bemessen. Die unteren Schalungen, welche dem Lokomotivrauch ausgesetzt waren, wurden zum Schutze des Betons erst nach 40 Tagen entfernt. Die Durchbiegung der Querträger nach Aufbringen der Fahrbahnbetonierung und des Umhüllungsbetons betrug 6,5 mm, ebenso groß war auch die Durchbiegung der Hauptträger nach Beendigung der Betonarbeiten. Diese Durchbiegungen sind verschwindend gering gegen diejenigen, die sich bei rein eisernen oder stählernen Konstruktionen unter sonst gleichen Verhältnissen ergeben haben würden. Als wertvolle Folge hieraus ergeben sich auch entsprechend geringere Schwankungen einer solchen Brückenkonstruktion. Die Kosten der Brücke beliefen sich auf 35 000 Dollar gleich rd. 148 000 Mark.

Schnitt B-B.

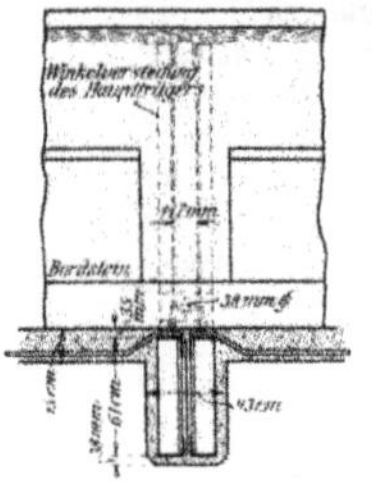

Geländerbefestigung.

Abb. 46.   Abb. 47.

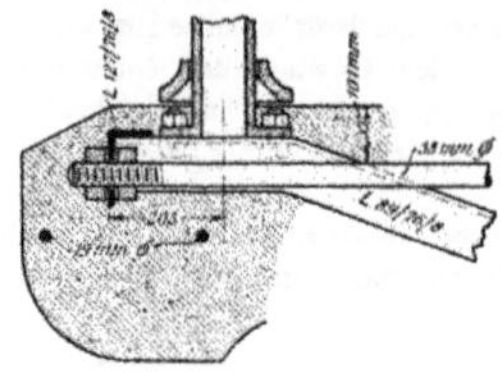

2. Straßenbrücke in Philadelphia, Pa., im Zuge der 42. Straße.[1]

Auf Grund schlechter Erfahrungen mit rein eisernen Brücken hat sich die Stadtgemeinde Philadelphia dazu entschlossen, sämtliche im Stadtbezirk liegenden eisernen Straßenbrücken über Eisenbahnlinien mit Eisenbetonfahrbahntafeln zu versehen und überdies die gesamte untere Eisenkonstruktion mit einer Betonhülle zu umgeben.

Die im Zuge der 42. Straße liegende Brücke über die Pennsylvania Rd. wurde als stählerne Bogenbrücke mit untenliegender Fahrbahn mit einer Spannweite von 79,86 m

Abb. 48.   [1] Eng.-News 1909, 20. Mai. S. 540.

von Mitte zu Mitte Auflager im Sommer 1909 erbaut (Abb. 48 bis 53). Die beiden Hauptbogenträger, deren Horizontalschub durch die Fahrbahntafelkonstruktion aufgehoben und an denen die letztere mittels senkrechter Hänger aufgehängt ist, besitzen eine Mittenentfernung von 11,43 m voneinander, eine größte Querschnittshöhe von 3,57 m über den Auflagern bezw. kleinste solche von 0,91 m im Scheitel. Sie werden durch zwei parallel im Abstande von 42 cm zueinander liegende Blechträger mit oberen und unteren Gurtblechen gebildet, welche außen Versteifungsrippen nach Abb. 51 erhielten und deren Zwischenraum vollständig mit Beton ausgestampft wurde. Zum Einbringen dieses Betons wurden in den oberen Gurtblechen Öffnungen von 13 cm l. W. vorgesehen, welche erst nach Beendigung der Ausbetonierung vom Widerlager nach dem Scheitel zu geschlossen wurden. Der im Mischungsverhältnis 1 : 3 : 6 eingebrachte Beton besaß Steine bis 22 mm als größtem Durchmesser. Derselbe wurde sehr naß angemacht, mittels eiserner Stößel durch die Öffnungen gestampft, wobei die Betonierung von beiden Auflagern her bis zum Scheitel ohne Unterbrechung durchgeführt wurde, um ein monolithisches Füllmaterial zu erzeugen. Zugspannungen wurden in diesem Bogen nicht zugelassen, die Drucklinie vielmehr auch bei den ungünstigsten Belastungen nur im inneren Drittel gehalten. Leider ist nicht aus der Beschreibung zu ersehen, ob der Betonquerschnitt rechnerisch bei der Berechnung des Bogenquerschnitts berücksichtigt wurde.

Die Fahrbahntafel wird von den im Abstande von 5,28 m von-

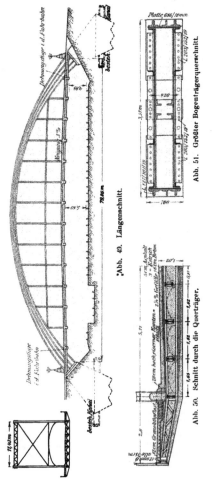

einander ausgeteilten genieteten Querträgern, den zwischen diesen in Abständen von 1,62 m voneinander angeordneten Zwischenträgern, Profil
38 cm, und endlich den zwischen
letzteren im Mischungsverhältnis 1:2:5
hergestellten Stampfbetonkappen getragen.

Gleichzeitig mit der Herstellung
dieser Betonkappen wurde aber auch
die gesamte eiserne Fahrbahnkonstruktion bis herauf zur Oberkante der Gehwege in Beton eingefüllt, wobei die
Mindeststärke dieses Schutzbetons zu
76 mm angenommen wurde. An den
Unterflanschen der Quer- und Zwischenträger, wo größere ebene Flächen ein
Haften des Betons zweifelhaft erscheinen ließen, wurden im Querschnitt

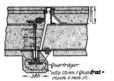

Abb. 52. Längenschnitt durch die
Auflagerdehnungsfuge.

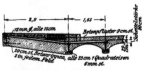

Abb. 53. Querschnitt zwischen den
Querträger.

quadratische 6 mm starke Drähte
in Abständen von 23 cm voneinander vorgesehen. Weitere Einzelheiten sind aus Abb. 52 u. 53
ersichtlich. Auffallend ist die Verwendung im Querschnitt quadratischer Drähte zur Umhüllung der
Unterflanschen, wie auch die
Mindeststärke des Füllbetons von
76 mm, da unter Verwendung

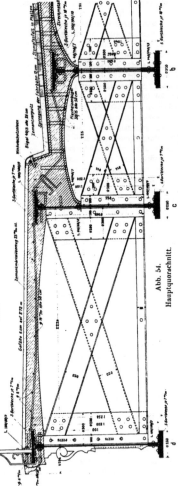

Abb. 54. Hauptquerschnitt.

von Streckmetall oder selbst einfacheren Drahtgeweben wesentlich schwächere Beton-stärken genügt hätten, die doch für das Gewicht in hohem Maße von Einfluß sind.

Ein weiteres Beispiel dieser Art, welches hinsichtlich der theoretischen wie auch der wirtschaftlichen Durcharbeitung ganz besondere Beachtung verdient, bildet die

3. Eiserne Straßenbrücke über den Kanal du Midi in der Verlängerung der Constantine-Straße in Toulouse.[1]

Für die Überbrückung des Kanals mit einer Straßenbrücke war eine Reihe von Entwürfen aufgestellt worden, unter denen derjenige einer eisernen Tragkonstruktion mit hochliegender Fahrbahn in Eisenbeton den Anforderungen bezüglich unteren lichten Durchfahrtprofils für die Kanalschiffahrt bzw. der Höhe der Fahrbahnoberkante gegen-über den beiderseitigen Straßenhöhen am besten zu entsprechen vermochte. Acht ge-nietete Stahlträger, unsymmetrisch mit oberen und unteren Gurtplatten, tragen oberhalb der Querverbände an ihrem Obergurt eine den letzteren umhüllende Fahrbahntafel in Eisenbeton nach Abb. 54.

Wie aus derselben ersichtlich, besitzen die Hauptträger veränderliche Höhe, und zwar an den Auflagern eine solche von 60 cm gegenüber 1 m in der Mitte der Brücke, während die außen liegenden Gehwegträger Höhen von 75 cm bzw. 1,15 m erhielten. Unter Berücksichtigung der Betontafel und des Stampfasphaltpflasters schwankten somit die Konstruktionshöhen der Träger unter dem Straßenkörper zwischen 0,75 und 1,20 m bezw. 0,90 und 1,35 m bei den Gehwegträgern, welche Höhen gegen-über der Stützweite von 30,25 m als außerordentlich gering anzusehen sind. Die Breite der Brücke beträgt 11,50 m, wovon 6,0 m auf die Straßenfahrbahn und zweimal 2,75 m auf die Gehwege entfallen. Bei der Berechnung der Konstruktion ist man folgendermaßen zu Werke gegangen: Das Eisengerippe allein berechnete man zunächst für das Eigen-gewicht des Eisens und der Betonfahrbahntafel, deren Betonquerschnitt ja vor seiner Einbringung bezw. Erhärtung auf das Widerstandsmoment des Brückenquerschnitts ohne Wirkung ist, weiter für eine gleichmäßig verteilte Auflast von 100 bis 150 kg für 1 m² und für einen Teil der Verkehrslast. Sobald der Beton eingebracht und genügend erhärtet ist, nimmt auch er teil an der Stabilität des Ganzen, und die neutrale Faser, welche bis dahin unter der halben Höhe der eisernen Träger lag, rückt merklich in die Höhe. Das Ganze nimmt sich somit wie eine Verbundkonstruktion aus, deren Eisenbetonteil man in der Entwicklung der Standsicherheitsberechnung aus- oder einschalten kann, je nach dem Stand des betreffenden Bauvorgangs. Die Wirtschaft-lichkeit dieses Systems leuchtet sofort ein, indem auf diese Weise schon während des Aufbaues alle später unnützen oder überflüssigen Konstruktionsteile entfallen, da das tote Gewicht stets ein den statischen Anforderungen entsprechendes Minimum dar-stellt und da weiterhin die Untergurte der eisernen Hauptträger zur Abstützung der hölzernen Einschalung der Fahrbahntafel benutzt werden können. Vor der Einbringung des Betons bildet somit die eiserne Tragkonstruktion etwa eine Art fliegender Rüstung, bei der die Flanschen der Untergurte für die Auflagerung von Arbeitsböden vorzüglich geeignet sind. Erst mit der vollständigen Erhärtung des Fahrbahntafelbetons aber sind die statischen Anforderungen bezüglich der Widerstandsmomente der einzelnen Brücken-querschnitte für die volle Betriebslast erfüllt, wobei der Beton in den Hauptquerschnitten der Brücke nur Druckspannungen ausgesetzt ist.

Der Erbauer der Brücke, Ingenieur Pendaries, faßt die Vorteile von Brücken nach seinem System gegenüber gewöhnlichen Eisenbetonbrücken in folgende Punkte zusammen:

[1] Ann. d. Ponts et Chauss. 1908, VI, S. 64.

a) Ausschaltung des Betons überall da, wo derselbe Zugspannungen und Scherspannungen ausgesetzt ist.

b) Anwendung des Betons demgegenüber überall da, wo er nur Druckspannungen
ausgesetzt ist und wo er infolgedessen sehr zweckmäßig zur Erhöhung der
Tragfähigkeit beiträgt.

c) Vollkommene Dichtheit der Fahrbahntafel, welche daher selbst den nicht in
Beton eingehüllten metallischen Teilen einen unbegrenzten Bestand sichert.

d) Vermeidung großer durchlaufender Verputzflächen, bei denen man fast regelmäßig
Risse beobachten kann, die den Sichtflächen der großen Eisenbetonkonstruktionen
häufig ein so unvorteilhaftes Aussehen verleihen.

e) Bedeutende Abminderung des Eigengewichts und Materialersparnis infolge Er-
satzes der schweren Betonträger, die bei reinen Eisenbetonbrücken das Haupt-
gerippe bilden, durch bedeutend leichtere genietete Metallträger.   In den großen
Eisenbetonträgern bilden bekanntlich die Bewehrungseisen und Bügel nur etwa
1 vH. des Querschnitts.

f) Vermeidung fester Untergerüste, da die Aufstellung der Schalrüstungen, nachdem nur zwei Hauptträger verlegt wurden, von einem auf den Trägerunterflanschen ruhenden Arbeitsboden aus erfolgen kann.

g) Möglichkeit, die Stärkebemessungen der Fahrbahntafel an allen Stellen dem
jeweils auftretenden größten Biegungsmoment der Hauptträger anzupassen, d. h.
nach den Auflagern zu abnehmen zu lassen, während man sonst bei Eisenbetonbalkenbrücken zumeist den gleichen Plattenbalkenquerschnitt auch für die
schwächer beanspruchten Teile beibehalten muß.

h) Umgehung der Schwierigkeit der Arbeitsunterbrechung, wie sie stets bei Be-
tonierungen von Balken- und Plattenbalkenbrücken in Eisenbeton auftreten, und
welche die Monolität des Ganzen oft in Frage stellen, indem an der An-
schlußstelle trotz aller Bügel sich noch Trennungen der alten von den frischen
Betonmaterialien zeigen.

Ein anscheinend wunder Punkt des Systems springt sofort in die Augen, die
Sicherung der Haftspannung der eisernen Obergurtkonstruktion gegenüber dem sie um-
hüllenden Beton. Bei der ersten Anwendung dieses Fahrbahntafelsystems bei einer
Brücke in Chambéry ist man diesem Punkte wirksam durch Anordnung von mit den
Obergurtplatten fest verschraubten ⌷-Eisen begegnet, an welche wiederum Rücken an
Rücken kleinere ⌷-Eisen angenietet waren.

Bei der Brücke in Toulouse jedoch hat man für denselben Zweck eiserne mit
Widerhaken versehene Dollen an einigen der Vernietungen von Stahlblech und Winkeleisen bezw. Gurtplatten angebracht, wie auch aus Abb. 54 hervorgeht. Die Anbringung
von Eckausrundungen ist in jedem Falle angezeigt, schon um die Übertragung der Druckspannungen im Obergurt vom Eisen auf den Beton der Platte allmählich zu gestalten. Bei
den Plattenfeldern unter der Fahrbahn ist noch die Einlage von mittels Flacheisenbügel
nach oben verhängten Streckmetalltafeln vorgesehen, während unter den Gehwegen nur
gekreuzte Rundeiseneinlagen angeordnet wurden. Die Berechnung dieses Verbundkörpers
erfolgte in der Weise, daß man zunächst den Betongurtschnitt in einen gedachten Eisenquerschnitt umrechnete, und zwar diese Umrechnung mit drei Werten von n, nämlich $n = 20$
bezw. 15 bezw. 10 durchführte. Wie aus den weiter unter folgenden Tabellen hervorgeht, sind die Höchstbeanspruchungswerte unter Anwendung der drei verschiedenen
Werte für n nicht so sehr unterschiedlich, als man von Haus aus geneigt wäre anzu-

nehmen. Als größte überhaupt ermittelte Druckspannungen erschienen allerdings Werte von über 60 kg/cm², für welche ein Mischungsverhältnis von 300 kg Zement auf 400 l Sand und 800 l ·Kiessteine als genügend erachtet wurde. Man scheint somit im Mutterlande des Eisenbetons weniger ängstlich mit dem Zementzusatz zu sein gegenüber anderen europäischen Staaten. Der Beton erhielt oberhalb einen Überzug von 15 mm Stärke in der Mischung von 1200 kg Zement auf 1 m² Sand. Die Breite der Betonplatte, welche von der Druckbeanspruchung rechnerisch in Mitleidenschaft gezogen werden sollte, wurde bei den 1,51 m voneinander entfernt liegenden Fahrbahnträgern auf 0,575 m beiderseitig der Lotachse der Träger, somit auf 1,15 m im ganzen angenommen, also etwa zu ³/₄ der Trägerentfernung voneinander.

Diese etwas willkürliche Annahme entspricht den Vorschriften der „Commission Française du béton armé", dieselbe ist somit im Gegensatz zu den deutschen und österreichischen Vorschriften unabhängig von der Spannweite der Träger. Der so ermittelte Betonquerschnitt F_b wurde zunächst auf einen gedachten Eisenquerschnitt F_{eb} umgerechnet nach der Formel

$$F_{eb} = \frac{1}{n} \cdot F_b \quad \ldots \ldots \ldots \ldots \ldots \quad 1)$$

Zur Ermittlung der neutralen Faser bestimmte man sodann den Schwerpunkt von F_{eb} und sodann denjenigen des Verbundkörpers, bestehend aus F_{eb} und dem rein eisernen Trägerquerschnitt. Bei der Bestimmung des Widerstandsmoments des Verbundkörpers kommen verschiedene zulässige Beanspruchungen in Frage, und zwar die zulässige Druckbeanspruchung des Betons, diejenige des Eisens und die zulässige Zugbeanspruchung des letzteren. Man bestimmt daher die partiellen Trägheitsmomente 1. des der Zugbeanspruchung allein unterworfenen Teiles des Eisenträgers J_{ez}, 2. des der Druckbeanspruchung allein unterworfenen Teiles desselben J_{ed} und 3. des Betonquerschnitts J_b. Nachdem aus diesen Berechnungen auch die Abstände e der äußersten Fasern der drei Teilquerschnitte von der neutralen Faser des Verbundkörperquerschnitts bekannt wurden, kann man leicht das Widerstandsvermögen dieser drei Elemente bestimmen, indem man zunächst für eins derselben die zulässige Inanspruchnahme, also etwa 1050 kg Zug für das Eisen, als bekannt einsetzt und die übrigen beiden Beanspruchungen mit Hilfe desselben ableitet. Die Summe $\Sigma \left(\sigma \cdot \frac{J}{l} \right)$ ergibt sodann das Gesamtwiderstandsvermögen des Verbundkörperquerschnitts, welche dem errechneten Biegungsmoment der äußeren Kräfte mindestens gleich sein muß. Unter Annahme der Erhaltung ebener Querschnitte und konstanter Elastizitätsziffern innerhalb der zulässigen Inanspruchnahme der Materialien lassen sich folgende Beziehungen aufstellen:

$$\frac{n \cdot \sigma_b}{\sigma_{ez}} = \frac{l_b}{l_{ez}} \quad \ldots \ldots \ldots \ldots \quad 2)$$

und

$$\frac{\sigma_{ed}}{\sigma_{ez}} = \frac{l_{ed}}{l_{ez}} \quad \ldots \ldots \ldots \ldots \quad 3)$$

Da nun von der Berechnung der neutralen Faser ·des Verbundquerschnitts her die Entfernungen l bekannt sind, so ergibt sich das Gesamtwiderstandsvermögen des Verbundquerschnitts zu

$$W = \Sigma \left(\sigma \cdot \frac{J}{l} \right) \quad \ldots \ldots \ldots \ldots \quad 4)$$

als Funktion eines der Werte der drei zulässigen Beanspruchungen.

45*

Ist beispielsweise gegeben $\sigma_{e\,s}$, so ist

$$W = \frac{\sigma_{e\,s}}{l_{e\,s}} \left(\frac{1}{n} J_b + J_{e\,d} + J_{e\,s} \right) ; \quad \ldots \ldots \ldots \text{5)}$$

ist dagegen σ_b gegeben, so ist

$$W = \frac{\sigma_b}{l_b} \left[n \left(J_{e\,s} + J_{e\,d} \right) + J_b \right]. \quad \ldots \ldots \ldots \text{6)}$$

In jedem Falle aber muß sein

$$W > M \quad \ldots \ldots \ldots \ldots \text{7)}$$

M ist hierbei das Maximalbiegungsmoment, zugleich also der Grenzwert für eine Funktion eines bekannten $\sigma_{e\,s}$ oder $\sigma_{e\,d}$. Diese Formeln sind zunächst unabhängig von der Größe von n, sie lassen sich übrigens ebenso für rein eiserne wie für Verbundkonstruktionen anwenden, gleichviel ob symmetrische Querschnitte vorhanden sind oder nicht. Die Gesamtwiderstandsgröße W setzt sich somit zusammen aus den drei Widerstandsgrößen $W_b = \left(\sigma \cdot \frac{J}{l} \right)_b$, d. i. für den Betonquerschnitt allein in bezug auf die neutrale Achse des Verbundkörperquerschnitts, ferner $W_{e\,d} = \left(\sigma \cdot \frac{J}{l} \right)_{e\,d}$, d. i. für den gedrückten Teil des Eisenquerschnitts, und endlich $W_{e\,s} = \left(\sigma \cdot \frac{J}{l} \right)_{e\,s}$, d. i. für den gezogenen Teil desselben.

	Verbundbalken unter der Fahrbahn						Verbundbalken unter den Gehwegen					
	In 5,75 m Entfernung vom Auflager			In der Mitte			In 5,75 m Entfernung vom Auflager			In der Mitte		
	$n=10$	$n=15$	$n=20$	$n=10$	$n=15$	$n=20$	$n=10$	$n=15$	$n=20$	$n=10$	$n=15$	$n=20$
	kg/cm²	kg/cm²	kg/cm²	kg/cm²	kg/cm²	kg/cm²	kg/cm²	kg/cm²	kg/cm²	kg/cm²	kg/cm²	kg/cm²
σ_b	56,36	50,89	43,13	64,90	53,53	45,93	41,75	34,54	29,81	46,50	39,12	34,28
$\sigma_{e\,d}$	331	540	643	490	630	733	269	360	430	334	446	536
$\sigma_{e\,s}$	1050	1050	1050	1050	1050	1050	1050	1050	1050	1050	1050	1050
	mkg	mkg	mkg	mkg	mkg	mkg	mkg	mkg	mkg	mkg	mkg	mkg
$W_b = \left(\sigma \cdot \frac{J}{l} \right)_b$	37 816	38 544	37 401	59 303	59 838	57 568	21 526	23 384	23 693	36 456	39 778	40 519
$W_{e\,d} = \left(\sigma \cdot \frac{J}{l} \right)_{e\,d}$	10 323	16 715	22 241	17 968	28 256	36 993	3 169	5 598	7 852	6 019	10 561	14 879
$W_{e\,s} = \left(\sigma \cdot \frac{J}{l} \right)_{e\,s}$	107 751	97 503	90 846	151 019	137 292	127 448	80 147	73 826	69 468	118 010	107 006	99 509
	mkg	mgk	mkg	mkg	mkg	mkg	mkg	mkg	mkg	mkg	mkg	mkg
somit $W = \Sigma \left(\sigma \cdot \frac{J}{l} \right)$	155 890	152 762	150 488	228 290	225 386	222 004	104 842	102 808	101 013	160 485	157 345	154 907

Die Zahlenwerte für diese drei Größen wurden nun für drei verschiedene Werte von n ermittelt. Da außerdem die Querschnitte von der Brückenmitte nach den Auflagern zu sich verjüngten und die Fahrbahnträger andere Querschnitte als die Gehwegträger erhielten, so wurden außer für die Brückenmitte auch für Querschnitte in Entfernungen von 1,75 m bezw. 3,75 m und 5,75 m vom Auflager her die Grenzwerte von σ_b, $\sigma_{e\,d}$ und $\sigma_{e\,s}$ sowie die Widerstandsgrößen der eben näher erläuterten drei Teilquerschnitte errechnet und einige dieser Werte auf nachstehender Tabelle zusammengestellt. Bei der Ermittlung der äußeren Kräfte wurden auf der Fahrbahn als Verkehrslasten zwei nebeneinander fahrende von je acht Pferden gezogene Wagen von je 16 t Gewicht bezw. auf den Gehwegen eine solche von 300 kg/m² angenommen. Unter diesen Belastungen ergab sich ein Maximalbiegungsmoment der ganzen Brücke von 1 490 625 kgm, wovon 871 875 kgm auf die Fahrbahnträger und 618 750 kgm auf die Gehwegträger entfielen. Bei der Ermittlung der inneren Kräfte wurden durchweg $\sigma_{e,z}$ = 1050 kg/cm² als bekannt angenommen und die übrigen σ_b und $\sigma_{e,d}$ daraus abgeleitet.

Unter der Fahrbahn befinden sich vier Verbundbalken, welche sich nur insofern voneinander unterscheiden, als die beiden mittleren um 15 cm größere Höhe besitzen. Man bestimmte jedoch das Widerstandsmoment eines ideellen Balkens als arithmetischen Mittels der beiden genannten Balkensorten und strebte durch geeignete Querverbände an, daß alle vier Balken der Fahrbahn jeweils gleichartig in Anspruch genommen würden. In gleicher Weise verfuhr man bei den Gehwegtragbalken, doch hat man den nach der Fahrbahn zu gelegenen Träger um ein geringes verstärkt. Wir werden auch gelegentlich der Ergebnisse der Probebelastung sehen, daß die beobachteten Durchbiegungen, von 1 oder 2 mm abgesehen, in der Brückenachse dieselben blieben wie bei den Randbalken. Die einzigen nennenswerten Abweichungen rührten von der ungleichmäßigen Sonnenbestrahlung her. Während des Vormittags und bis 3 Uhr nachmittags zeigten die der Sonne zugekehrten Balken um 1 oder 2 mm größere Durchbiegungen, während gegen 6 Uhr abends das Gegenteil beobachtet wurde.

Wie bereits erwähnt, stellt sich das Maximalbiegungsmoment in Brückenmitte unter der Fahrbahn auf 871 875 mkg, somit entfielen auf einen Verbundbalken unter der Fahrbahn $\frac{871\,875}{4} = 217\,969$ mkg, während das errechnete Widerstandsvermögen laut Tabelle für $n = 20$ 222 004 mkg betrug. Hieraus folgt, daß die angegebenen Grenzspannungen niemals ganz erreicht werden. Bei den Gehwegen war das errechnete Maximalbiegungsmoment $\frac{618\,750}{4} = 154\,687$ mkg für einen Balken, welcher Wert von dem den angewendeten Querschnitten entsprechenden Widerstandsvermögen ebenfalls in keinem der drei Fälle der Wahl von n erreicht wird. Aus nachstehenden Verhältniszahlen ersieht man, in welchem Grade die Widerstandsmomente der gewählten Querschnitte durch die Maximalbiegungsmomente in Anspruch genommen werden. Es stellt sich bei den Fahrbahnbalken:

$$1. \text{ für } n = 10; \quad \alpha_1 = \frac{217\,969}{228\,290} = 0{,}955$$

$$2. \quad \text{ } n = 15; \quad \alpha_2 = \frac{217\,969}{225\,386} = 0{,}967$$

$$3. \quad \text{ } n = 20; \quad \alpha_3 = \frac{217\,969}{222\,004} = 0{,}986$$

und bei den Gehwegbalken:

$$1. \text{ für } n = 10; \quad \beta_1 = \frac{154\,687}{160\,485} = 0{,}96$$

$$2. \quad \text{ } n = 15; \quad \beta_2 = \frac{154\,687}{157\,345} = 0{,}98$$

$$3. \quad \text{ } n = 20; \quad \beta_3 = \frac{154\,687}{154\,907} = 1.$$

Demzufolge ergeben sich für die drei verschiedenen Annahmen von n als tatsächliche Höchstbeanspruchungen:

	Bei den Fahrbahnbalken			Bei den Gehwegbalken		
	$n = 10$	$n = 15$	$n = 20$	$n = 10$	$n = 15$	$n = 20$
σ_b	61,98 kg/cm²	51,76 kg/cm²	45,28 kg/cm²	44,64 kg/cm²	38,34 kg/cm²	34,28 gk/cm²
σ_{ed}	468	609	722	320	437	536
σ_{es}	1002	1015	1085	1008	1029	**1050**

Aus dem Vergleich der Werte, die sich aus den verschiedenen Annahmen von n für die einzelnen Werte der Beanspruchungen bezw. Widerstandsmomente des Verbundkörpers ergeben, lassen sich folgende Schlüsse ziehen:

1. Das Widerstandsmoment ist um so größer, je kleiner n angenommen wird. Im vorliegenden Falle beträgt der größte Unterschied in den Werten der Widerstandsmomente nur 2,75 vH. Der hiervon rührende Fehler ist somit selbst im höchsten Falle weit geringer, als er nach den verschiedenen Berechnungsmethoden der einzelnen Staaten, allgemein gesprochen, sein würde.

2. Die Randbeanspruchungen des Betons fallen um so größer aus, je kleiner n gewählt wird. Hier beträgt die Abweichung 27 vH. Es findet somit offenbar eine um so günstigere Ausnutzung der Betonfahrbahntafel als Teil des Druckgurtes statt, je kleiner man n wählt.

3. Die Randbeanspruchungen der Metallteile, und zwar sowohl diejenigen auf Druck wie auf Zug, sind um so größer, je größer n gewählt wird. Die Abweichung beträgt allerdings nur 3 vH. bei der Zugspannung, dagegen 54 vH. bei der Druckbeanspruchung. Die letztere Feststellung besitzt aber nur untergeordnete Bedeutung insofern, als, wie wir später sehen werden, die Obergurtverstärkungen mittels Winkeleisen und Gurtplatten während der Bauausführung der Brücke bis zu der äußersten von Haus aus als zulässig angenommenen Beanspruchung ausgenutzt werden.

Das Gesamtwiderstandsvermögen W des Verbundbalkenquerschnitts setzt sich zusammen aus den Widerstandswerten des gezogenen Teiles W_{es} und demjenigen des gedrückten Teiles $W_d = W_b + W_{ed} = \left[\left(\sigma \frac{J}{l} \right)_b + \left(\sigma \frac{J}{l} \right)_{ed} \right]$. Wie nun aus der Tabelle auf S. 708 ersichtlich ist, ist der Einfluß von W_{es} bei weitem überwiegend gegenüber demjenigen von W_d, indem das Verhältnis $\dfrac{W_{es} - W_d}{W}$ zwischen 48 vH. (bei $n = 10$) und 15 vH. (bei $n = 20$) schwankt. Bei $n = 15$ beträgt der Wert für dasselbe 22 vH. Man könnte wohl in einzelnen Fällen dieses Mißverhältnis ausgleichen durch Wahl eines Querschnitts, bei dem W_d etwa den halben Wert von W übernimmt, doch ist hier gewisse Vorsicht geboten in der Annahme der Breite des Betonstreifens, welchen man für die Druckbeanspruchung in Rechnung ziehen will.

Die Berechnung der Beanspruchungen der Eisenteile während der Ausführung und bis zur Einbringung der Betonteile erfolgte unter Berücksichtigung einer gleichmäßig verteilten Last von 100 kg/m² für Verschalungen und den Arbeitsbetrieb neben dem Eigengewicht. Hiernach ergab sich als Biegungsmoment für den zwischen den Bordsteinen liegenden Teil 661 500 kgm bezw. für die außerhalb liegenden Teile 450 000 kgm. Bei der Eisenkonstruktion, wenn dieselbe hierbei allein statisch in Wirkung trat, würden unter diesen Biegungsmomenten bei dem Fahrbahnteil 1230 kg/cm², bei den Gehwegteilen 1250 kg/cm² Druck und im Zuggurt 820 bezw.

870 kg/cm² Zug aufgetreten sein. Diese Druckbeanspruchungen erschienen selbst als vorübergehende Spannungen als unzulässig. Man versuchte daher, sie durch Verminderung der Spannweite während dieses Bauvorgangs abzuschwächen, indem man unter der Brücke an beiden Widerlagern hölzerne Auflagerplatten unterzog, welche auf Holzgerüsten aufruhten, die über den Treidelpfaden unter der Brücke hergerichtet wurden. Auf diese Weise war es gelungen, die Spannweite der Hauptträger vorübergehend auf rd. 24 m herabzusetzen, so daß deren Druckbeanspruchungen im Obergurt sich auf 787 bezw. 800 kg/cm² abminderten. M. Pendaries schätzt die Ersparnisse an Kosten bei eisernen Balkenbrücken mit Eisenbetonfahrbahnkonstruktionen auf 30 bis 40 vH. und darüber in Rücksicht auf den Wegfall der vielen Quer- und Verbindungskonstruktionen, welche hinsichtlich des Widerstandsmoments der Hauptträgerquerschnitte nicht in Wirkung treten und daher nach dieser Seite eine Art toter Belastung bilden; beispielsweise kommen für die Hauptträgerwiderstandsmomente nicht in Frage: die Querträger, die Zwischenträger, die Buckelbleche oder Hängebleche oder etwa Ziegelgewölbe zur Bildung der Fahrbahntafel oder endlich Betonschichten über den Hängeblechen, nicht zuletzt auch hinsichtlich des Kostenpunktes die zahllosen Niete. Die Mehrzahl der genannten Teile sind lediglich Konstruktionen zur Übertragung der Verkehrslast von Hauptträger zu Hauptträger, die aber theoretisch für die Tragwirkung der letzteren außer Betracht bleiben und somit, von dieser Seite betrachtet, eine bedeutende und zweifellos nur mangelhaft ausgenutzte Beschwerung bilden.

Diese Behauptung soll an der Hand eines praktischen Beispiels bewiesen werden, und zwar einer eisernen Balkenbrücke von 21,5 m Spannweite und 8,30 m Breite. Die Haupttragkonstruktion bilden zwei Träger mit 8,30 m Achsenentfernung voneinander bei einer Höhe von 1,75 m, welche in ihrem Oberteil zugleich das Geländer bilden, während auf ihren Untergurtungen die Querträger in Entfernungen von 1,554 m voneinander aufruhen, deren Höhe in der Mitte 0,50 m, an den Auflagern 0,40 m beträgt. Die parallel zu den Hauptträgern laufenden Zwischenträger mit 1,40 m Mittenabstand voneinander tragen abermals walzeiserne Träger, auf welche unter gleichzeitigem Anschluß an die Querträger Blechplatten aufgenietet sind, um die eigentliche Fahrbahntafel zu bilden. Die Fahrbahn selbst besteht in einer 8 cm starken Betonschicht mit einem 12 cm starken Holzpflaster darüber. Die Fußsteige sind asphaltiert, und zwar liegt die Asphaltschicht auf einer Flachziegelschicht, die über kleinen ⊥-Eisen verlegt und mit einer dünnen Kalkmörtelschicht überzogen wurde. An der Hand der Berechnung dieser einzelnen Teile sei nun im Sinne unserer Betrachtungen die Unwirtschaftlichkeit dieser Ausführungsweise dargetan.

1. Ein Fahrbahntafelfeld:

Eigengewicht auf 1 m² Holzpflaster $0,12 \cdot 1000 = 120$ kg

Abb. 55.

$$\begin{aligned} \text{Beton } 0,08 \cdot 2400 &= 192 \text{ ,}\\ \text{Blech } 0,01 \cdot 7800 &= 78 \text{ ,}\\ \hline \text{zusammen } &390 \text{ kg}\\ \text{dafür } &400 \text{ ,} \end{aligned}$$

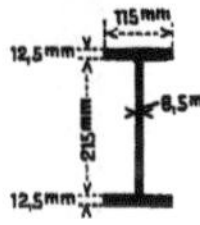

somit Eigengewicht der Fahrbahn für 1 lfd. m Querträger $\dfrac{1,554}{2} \cdot 400 = 310,8$ kg.

Hierzu tritt das Gewicht eines Walzträgers nebenstehenden Profils unter den Blechen der Fahrbahn mit $37,6 = 384,4$ kg·m. Als Auflast wurde ein Raddruck von 5500 kg gewählt und daraus ein Querschnitt nach Abb. 55 abgeleitet.

Abb. 56.

2. Zwischenträger: Stützweite $1 = 1,554$ m, Achsenentfernung 1,40 m Eigengewicht 585 kg/m, Einzellast 5500 kg. Hieraus wurde ein Querschnitt nach Abb. 56 ermittelt.

3. Querträger: Stützweite 8,30 m, Achsenentfernung 1,554 m, Eigengewicht 750 kg/m. Größte zu fordernde Belastung: 2 Wagen von 11 000 kg bezw. 6000 kg, daneben auf den Gehwegen eine gleichmäßig verteilte Last von 400 kg/m². Es ergab sich ein Querschnitt nach Abb. 57.

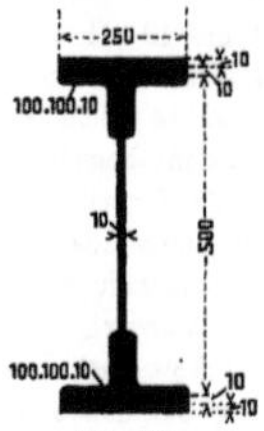

Wie ohne Weiteres einleuchtet, trägt keiner der bisher errechneten Teile irgendwie zur Erhöhung des Widerstandsmomentes der Hauptträger bei.

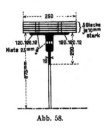

Abb. 57.

4. Hauptträger: Eigengewicht für 1 lfd. m Träger:

Stahlblech	164 kg	444 kg Gewicht
Winkeleisen	85 „	des Hauptträgers
Gurtplatten	195 „	allein
Fahrbahn und Zubehör	1660 „	2348 kg nicht
Kleine Walzträger	100 „	zum Hauptträger
Zwischenträger	118 „	gehörige
Querträger	470 „	Gewichte

zusammen 2792 kg
dafür 2800 „

von denen $\frac{2348}{2800}$ oder 84 vH. nicht vom Hauptträger herrühren.

Abb. 58.

Das größte Biegungsmoment wurde erzeugt durch zwei Wagenzüge von zusammen 16 t, welche von 8 Pferden gezogen wurden. Dieser Belastung entsprach ein Biegungsmoment von 182 375 kgm. Dasselbe Moment würde erzeugt durch eine gleichmäßig verteilte Last von 563 kg/m². Bei den Gehwegen würde unter einer gleichmäßig verteilten Last von 400 kg/m² ein Biegungsmoment von 284 284 kgm für die halbe Brücke, also für einen Hauptträger hervorgerufen. Aus diesem Biegungsmoment heraus ergab sich ein Hauptträgerquerschnitt nach Abb. 58. Aus alledem setzte sich das Gewicht der gesamten Tragkonstruktion zusammen wie folgt:

Kleine I-Walzeisenträger unter den Fußsteigen, 190 Stück	1 800 kg
Fahrbahntafelfelder, 50 Stück	3 000 „
Bleche unter der Fahrbahn	11 000 „
Zwischenträger, 60 Stück zu 80 kg	4 800 „
Querträger, 16 Stück mit insgesamt	21 000 „
Hauptträger mit Versteifungen und Füllgliedern	25 000 „
Sonstige Verbände und Niete	9 400 „

zusammen 76 000 kg.

Somit 76 000 kg auf eine bedeckte Fläche von $22,2 \cdot 8,30 = 184,26$ m² oder 420 kg/m². Das Gewicht der am Widerstandsmoment der Hauptträger nicht teilnehmenden Konstruktionsteile ist somit 51 000 kg gegenüber 76 000 kg Gesamtgewicht oder rund 67 vH.

Die bedeckte Fläche bei der Constantine-Brücke, deren Stützweite 31 m bei einer Breite von 12 m beträgt, ist demgegenüber 372 m². Das Gewicht des gesamten eingebauten Eisens beträgt indessen hier nur rd. 80 000 kg, somit 215 kg/m² bedeckte Fläche. Bei rein eisernen Konstruktionen zeigt sich somit, daß jedes einzelne Element der Quer- und Zwischenkonstruktionen, für sich betrachtet, nur gerade die Last zu tragen bezw. auf Nachbarteile zu vermitteln hat, welche auf dasselbe entfallen, ohne daß aber zugleich dem Hauptträger eine Vermehrung seines Widerstandsvermögens durch dasselbe erwüchse. Hierbei muß noch hervorgehoben werden, daß gerade diese nach dem Vorhergesagten mangelhaft ausgenutzten Teile unwirtschaftlich sind, da für dieselben nur sehr geringe Konstruktionshöhen zur Verfügung stehen gegenüber den Randträgern, deren Höhe meist beliebig hoch gewählt werden kann.

Die Herstellungskosten der Tragkonstruktion der Constantine-Brücke einschließlich der Asphaltierung, der Geländer und der architektonischen Herstellungen betragen noch nicht einmal 100 Francs für 1 m². Dieselben hätten sich sogar noch auf etwa 80 bis 85 Francs herabmindern lassen, wenn man den Hauptträgern eine größere Konstruktionshöhe, also etwa 1/15 oder selbst 1/20 der Spannweite, hätte geben können. Unter gewöhnlichen Verhältnissen stellt sich in Frankreich der Preis für eine Straßenbrückentragkonstruktion einschließlich einer Schotterfahrbahn, aber ohne besondere architektonische Ausbildung mit etwa 10 vH. Spielraum auf in nachstehender Tabelle zusammengestellte Kostenbeträge:

Spannweite	Balkenhöhe im Verhältnis zur Spannweite				
	1/20 Francs	1/15 Francs	1/20 Francs	1/25 Francs	1/30 Francs
10 bis 15 m	60	65	70	75	80
15 „ 20 „	65	70	75	80	85
20 „ 25 „	70	75	80	85	90
25 „ 30 „	75	80	85	90	95

Diese Preisverhältnisse gelten ungefähr auch für Gitterbalkenbrücken.

Anwendungen des Systems.

Das beschriebene System dürfte in vielen Fällen für Straßenbrücken höherer und niederer Ordnung mit Vorteil verwendet werden können, besonders da, wo die Wirtschaftlichkeit der Balkenbrücken in reiner Eisenbetonkonstruktion gegenüber dem Eisenbrückenbau ihre obere Grenze erreicht, d. i. bei Spannweiten von mehr als 21 m. Die Vorteile dieser Konstruktionsweise können nicht genug hervorgehoben werden für diejenigen Fälle, in denen man in der Konstruktionshöhe durch Hochwasser oder Höhenverhältnisse der anschließenden Straßen beschränkt ist. Der größte Wert des Systems aber liegt in der Möglichkeit, die rein eisernen Tragteile nur so stark anzulegen, daß sie während der Bauherstellung sich selbst und die Betonfahrbahntafel tragen, während erst die gemeinsame Wirkung des erhärteten Betons im Verband mit dieser Eisenkonstruktion befähigt ist, auch den Verkehrslasten Rechnung zu tragen.

Endlich sei auch an dieser Stelle auf die Möglichkeit verwiesen, eiserne Brücken, welche im Laufe der Jahre Spuren der Abnutzung oder Zerstörung zeigen, durch nachmalige Umhüllung mit Beton oder Eisenbeton wieder vollkommen gebrauchsfähig zu machen oder aber ihre Tragfähigkeit selbst hierdurch zu erhöhen. Wir verweisen hierzu auf die Beispiele auf S. 698 u. 718.

Auch auf dem Gebiete der Hängebrücken dürfte sich die Verbundkonstruktion für die Fahrbahntafeln Eingang verschaffen, da wo auf eine besondere Versteifung der letzteren Wert zu legen ist. In Frankreich wurden bereits eine Anzahl Straßenbrücken auf Grund dieses Prinzips entworfen und durchgeführt, so u. a. eine Straßenbrücke in Chambéry. Gelegentlich der Ausschreibung der Straßenbrücke über die Loire in Imphy-les-Forges wurde seitens des Ingenieurs Pendaries ein Entwurf für die 300 m lange Brücke in sechs Spannweiten von 40, 50, 60, 60, 50, 40 m vorgelegt, bei 6 m Brückenbreite zwischen den Geländern, wovon 4,50 m auf die Fahrbahn entfielen. Der Kostenvoranschlag für diese Brücke einschl. Gründungen schloß mit einem Betrag von 275 000 Francs ab. Der Zuschlag fiel jedoch auf einen anderen Entwurf in reiner Eisenkonstruktion, dessen Voranschlag die Höhe von 325 000 Francs erreichte, somit ein Mehr von 50 000 Francs oder 18 vH.

Die Probebelastungen wurden im September 1907 mittels ruhender und beweglicher Lasten durchgeführt. Als bewegliche Lasten wurden verwendet: ein einachsiger Wagen von 11 t Gewicht und zwei Karrenzüge von je 6 t Karrengewicht. Die ruhende Belastung erfolgte auf vier verschiedene Arten. Vor der Untersuchung auf bewegliche Lasten waren die Gehwege und die Rinnsteine mit je 400 kg/m² belastet worden, so daß noch ein Streifen von 4,50 m Breite in der Mitte der Fahrbahn für das Fuhrwerk verblieb. (Die Gehwege waren nur auf 300 kg/m² Nutzlast berechnet.) Diese ruhende Auflast allein erzeugte folgende Durchbiegungen: 1. beim Randträger oberstrom 24 mm (der Sonnenbestrahlung ausgesetzt); 2. beim Träger in der Mittelachse 12 mm; 3. beim Randträger unterstrom 20 mm. Am Tage dieser Beobachtungen (20. September) stieg die Temperatur von 17° auf 27°. Am Tage darauf, als die ganze Brückenfläche mit 400 kg/m² belastet war, wurde ein Steigen der Temperatur um 12° festgestellt, infolge deren der der Sonne zugekehrte Randträger sich um 7 mm durchbog, gegen 3 mm bei dem im Schatten liegenden Randbalken.

Auch hier trat somit die Spannung von 4 mm zwischen den Temperaturdurchbiegungen der beiden Randträger auf, wie am Tage vorher.

Während der Überfahrt des von sechs Pferden gezogenen 11 t-Wagens unter der gleichzeitigen vorgenannten ruhenden Belastung wurden folgende Durchbiegungen in Trägermitte beobachtet:

Beim Randträger oberstrom 2 mm, beim Mittelträger 3 mm, beim Randträger unterstrom 1 mm. Zugleich hatte man 9 Stück Manet-Apparate an den Unterflanschen der Träger und an der Oberfläche der Betonfahrbahntafel angebracht, und zwar am Mittelträger und beiden Randträgern, sowohl in der Mitte als auch in einer Entfernung des Viertels der Spannweite von den Auflagern her. Beim Mittelträger wurde aus den Dehnungen des Untergurts infolge der Überfahrt des 11 t-Wagens eine Zugbeanspruchung von 440 kg/cm² an der äußersten Eisenfaser bei Annahme eines Elastizitätsmoduls von $E_e = 2\,200\,000$ ermittelt, bei der Betonfahrbahntafel dagegen ein Höchstdruck von 22 kg/cm² bei Annahme von $n = 10$. Diese Werte verschieben die Lage der neutralen Faser des Verbundträgers um 57 mm, also um 5,8 vH. gegenüber der rechnerisch ermittelten Lage. Während der Überfahrt der beiden 6 t-Karrenzüge ergaben sich beim Randträger oberstrom 2 mm, beim Mittelträger 4 mm und beim Randträger unterstrom 2 mm Durchbiegung. Nach Beendigung der Beobachtungen mit beweglichen Lasten am Nachmittag des 20. September wurde die bis dahin nur über die Gehwege und Randsteine verbreitete Kiesschicht von 400 kg/m² bis 5.30 Uhr nachmittags über die ganze Brückenfläche ausgedehnt und bis zum 25. September 1 Uhr mittags liegen gelassen und in dieser Zeit folgende Beobachtungen bezüglich der ruhenden Höchstbelastung gemacht:

Am Mittelträger größte Durchbiegung 20 mm, kleinste 11 mm, am Randträger oberstrom (Sonnenseite) größte Durchbiegung 21 mm, kleinste 11 mm, am Randträger unterstrom größte Durchbiegung 20 mm, kleinste 13 mm. Die größte Abweichung während der Tagesstunden von 8 Uhr morgens bis 2 Uhr nachmittags betrug 4 mm bei 12° Temperaturunterschied, die kleinste ebensolche betrug 1 mm bei nur 4° Temperaturwechsel zwischen 8 Uhr morgens und 2 Uhr mittags. Die der Sonne zugekehrten bezw. im Schatten liegenden Randträger zeigten als größten Durchbiegungsunterschied 4 mm am Tage des größten Temperaturwechsels. Die zweite Beobachtungsreihe für ruhende Lasten erstreckte sich auf den Zustand nach Abb. 59, bei dem die volle Breite der Brücke aber nur von einem Auflager bis zur Brückenmitte mit 400 kg/m² belastet war. In der Zeit vom 26. September 3 Uhr nachmittags bis zum 27. September 11 Uhr vormittags wurde beobachtet als größte Durchbiegung 11 mm, als kleinste 5 mm bei einem Temperaturunterschied von 6,4°.

Weiterhin wurde die Brücke in der Zeit vom 27. September 11 Uhr vormittags bis 28. September 8 Uhr morgens nach Abb. 60 belastet.

Größte beobachtete Durchbiegungen: beim Randträger oberstrom 6 mm, beim Mittelträger 4 mm, beim Randträger unterstrom 12 mm.

Für den letzten Belastungsfall wählte man eine Lastverteilung

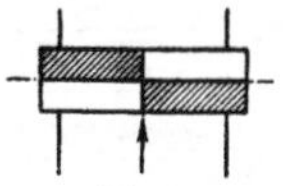

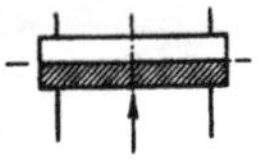

Abb. 59.   Abb. 60.   Abb. 61.

nach Abb. 61. Größte beobachtete Durchbiegung beim Randträger oberstrom 11 mm, beim Mittelträger 3 mm, beim Randträger unterstrom 2 mm.

Die bezüglichen Ablesungen wurden dreimal am Tage gemacht, und zwar am Morgen 8 Uhr, gegen 12 Uhr nachmittags und am Abend 6 Uhr. Nach Entfernung der Belastungsmassen gingen die Träger durchweg in ihre alte Lage zurück.

Die Beobachtungen, welche mit den Manet-Apparaten bezüglich der Dehnungsvorgänge an den Untergurten und an der Betontafel während der ruhenden Belastungen gemacht wurden, ergaben vollkommen widersprechende Werte, so daß irgend ein interessanter oder zutreffender Schluß aus denselben nicht gezogen werden konnte.

Eines der größten Bauwerke in Verbundkonstruktion ist endlich die in den Abb. 62 bis 64 dargestellte

4. Brücke bei Tréguier,

deren Entwurf von dem Ingenieur Harel de la Noü herrührt.[1]) Dieselbe stellt sich als ein Parabelträger dar, dessen Gesamtspannweite von 88 m durch eine Konsole von 8,5 m Ausladung und eine kombinierte Konstruktion erzielt wird, deren Mittelteil aus einem Dreigelenkbogen mit aufgehängter Fahrbahn besteht. Bei allen Konstruktionsgliedern ist Eisen und Eisenbeton in einer vollständig neuen Weise zu einem konstruktiven Ganzen verbunden worden, bei der Konsole durch Einbetonierung eines Gerippes von Walzprofilen. Die Kühnheit und das technische Gefühl des Konstrukteurs ist um so bewunderungswürdiger, als aus den gegebenen Berechnungen ersichtlich ist, daß sich derselbe nicht bewußt war, welche ungeheure Widerstandsfähigkeit gegen Druck gerade diese Kombination besitzt. Wir wissen heute aus den Arbeiten und Versuchen des Dr. F. v. Emperger, daß ein derartiger Betonkern die Druckfestigkeit solcher Streben wie in Abb. 64 im Verhältnis mit der Würfelfestigkeit des eingeschlossenen Beton-

[1]) Ann. d. Ponts et Chauss. 1907. IV, S. 31.

querschnitts vermehrt.[1]) Die Inanspruchnahmen des Bauwerks bewegen sich auf einer
sehr niedrigen Höhe, 400 bis 650 kg/cm². Seine Anordnung ist eine solche, daß
Temperaturspannungen nicht in Frage kommen, indem die einzelnen Teile gegeneinander verschiebbar angeordnet sind. Der Parabelträger ist auf den Kragarm an der
Stelle aufgelagert, wo sich in der Abb. 63 der Schnitt *AB* befindet, und zwar mittels

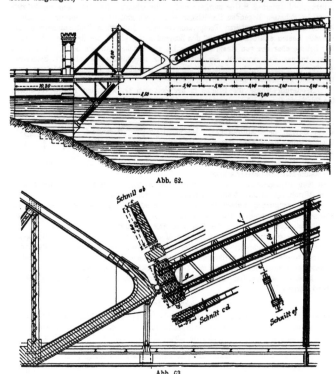

Abb. 62.

Abb. 63.

einer als Gegengewicht dienenden Konstruktion derartig, daß sich die resultierenden
Kräfte nur wenig von demselben entfernen. Die Montage des ganzen Bauwerks geschah
in der Weise, daß zuerst die beiden Konsolen hergestellt wurden, Hand in Hand mit
dem Bau der beiden Widerlager. Auf denselben wurde nun das eigentliche Tragwerk
erbaut, und zwar nur das Eisengerippe, welches durch provisorische Verbindung der

---

[1]) Forscherarbeiten auf dem Gebiete des Eisenbetons, Heft VI. Berlin 1906. Verlag von Wilh. Ernst & Sohn.

Gegengewichtkonstruktion und je einer Bogenhälfte es ermöglichte, die beiden Teile ohne nennenswerte Gerüstkonstruktion zusammenzuschieben. Es handelte sich im vorliegenden Falle um die Überbrückung eines steilen Felsenschlitzes, wo der dazwischenliegende Teil keine Möglichkeit zur Unterbringung von Fundamenten gegeben hat. Die Herstellung solcher weitgespannten Brücken an Örtlichkeiten, wo keine großen Geldquellen zur Verfügung standen, ist bisher immer an der Kostenfrage gescheitert. Der Autor weist mit Recht darauf hin, daß das vorgeschlagene System, das mit 700 kg Eisen für 1 lfd. m sein Auskommen findet, uns eine Möglichkeit dazu bietet. Es gereicht den französischen Ingenieuren zu hoher Ehre, daß sie diesen Versuch nicht nur unternommen haben, sondern daß sie in der Lage sind, sofort den Bau einer zweiten Brücke von noch größerer Spannweite, 165 m, derselben Art in Rance anzukündigen. Diese Erfolge verdankt das System der Kombination von Eisen und Eisenbeton in der durch die Abbildungen klar ersichtlichen Weise. Die Verstärkung des mittleren Bogens geschah ebenso wie in den anderen Fällen nachträg-

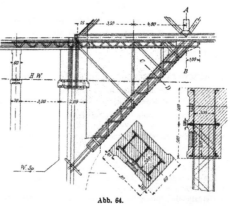

Abb. 64.

Abb. 65.

lich auf der fertig in Eisen hergestellten Brücke. Harel berechnet die Inanspruchnahme des Eisens folgendermaßen:

Der Eisenquerschnitt F_e vermehrt sich um $\dfrac{F_b}{10}$, indem der Rechnung ein Verhältnis der Elastizitätskoeffizienten $n = 10$ zugrunde gelegt wird. Wenn nun die Kon-

struktion so angeordnet ist, daß der Betonquerschnitt 33 mal größer ist als der Eisenquerschnitt, so ist die Inanspruchnahme

$$\sigma_e = \frac{P}{F_e + \frac{F_b}{10}} = \frac{P}{F_e(1+3{,}3)} = \frac{P}{4{,}3 \cdot F_e},$$

d. h. die Eisenspannung wird etwa auf 200 kg/cm², die Betonspannung auf 20 kg/cm²
reduziert. Wenn es auch naturgemäß nicht gleich möglich ist, für alle Einzelheiten
Musterhaftes herauszufinden, so ist doch das Gute an der Sache und ihre Entwicklungs-
fähigkeit augenfällig.

E. Stützwerke eiserner Brücken in Verbindung mit Eisenbeton.

1. Umwandlung der stählernen Gerüstpfeiler in Eisenbetonpfeiler bei der Brücke über den Missouri bei St. Charles, Mo., für die Wabash Ry.[1]

Die einzelnen Teile des Stützgerüstes innerhalb der Uferbrücke dieses Baues
hatten sich im Laufe der Zeit infolge der erhöhten Verkehrslasten als unzulänglich
erwiesen. Eine eingehende Untersuchung ergab, daß eine Umhüllung sämtlicher Glieder
mit Beton unter Zulage weiterer Bewehrungen und Umschnürungen weit billiger zum
Ziele führte als eine Neuherstellung in der erforderlichen Stärke in Stahl. Die stählerne
Ausführnng der eingleisigen Brücke stammt aus dem Jahre 1884 und bestand in Gerüstpfeilern aus sogenannten „Phönixsäulen", d. h. in Ständern, deren Röhrenquerschnitt aus
vier Quadranteisen zusammengesetzt wurde (Abb. 66). Zur inneren Längsverspannung
der Gerüstpfeilerköpfe sowie zur Längsverspannung der Pfeiler gegeneinander dienen
starke hölzerne Kappschwellen, die gleichzeitig die Träger der Querschwellen des
Gleises bilden. Dieselben haben Längen von 4,80 m. Die Brücke besitzt eine Gesamtlänge von rd. 2000 m einschl. der Gerüstpfeilerrampen, bei einer Höchsthöhe von
13,7 m. Als ursprüngliche Belastungen waren sogenannte Coopers E 25-Lokomotiven
angenommen, während der nunmehrige Umbau Lokomotiven vom Typ Coopers E 50, also
vermutlich vom doppelten Gewicht, berücksichtigt. Die Pläne rühren vom Chefingenieur
A. C. Cunningham her. Die Arbeit selbst wurde durch die W. P. Carmichael Co.,
Williamsport, Ind., ausgeführt, und zwar, da einigermaßen genaue Anhaltspunkte für
die Kalkulation bei dem eigenartigen Werk nicht gewonnen werden konnten, in Regie.
Die Ausführung dauerte von Mai bis August 1910. Die Gesamtkosten betrugen
rd. 70 000 Mark.

Die Umwandlung des stählernen Aufbaues in eine Eisenbetonkonstruktion bestand
zunächst in Umhüllung der 13,7 i. L. messenden vier Quadranteisenständer zu acht-
eckigen Säulen von 45,7 cm Durchm. gegenüberliegender Außenflächen unter gleichzeitiger Umschnürung mit Draht Nr. 6 mit 5,1 cm Steigung bei 40,6 cm Umschnürungs-
durchmesser (Abb. 67). Den Fuß der Säulen bildet ein rechteckiger Betonblock 67×67 cm,
der auch sowohl mit Umfassungsbügeln als mit Längseisen bewehrt ist, und zwar wie
bei den übrigen Ständern mit Wulsteisen, und in den die Umschnürung der Ständer
bis zur halben Höhe hinabreicht (Abb. 68 u. 69).

Die wagerechten Querverstrebungen, die ursprünglich ebenfalls mittels vier
Quadranteisen, aber mit 13,7 cm l. W. gebildet wurden, erhielten eine ähnliche Ummantelung derart, daß sie jetzt einen quadratischen Querschnitt mit 19 cm Seitenlänge
erhielten, verstärkt durch vier Längsbewehrungseisen mit entsprechender Bügel-
bewehrung (Abb. 70).

[1] Eng. News, 1910, Nov. S. 504.

Die Diagonalzugverspannungen, 30 mm Durchm. stark, wurden in ihrer ursprünglichen Gestalt, d. h. ohne Umhüllung, belassen. Eine Umhüllung derselben wäre auch angesichts der großen freien Länge bei dem geringen Querschnitt kaum zweckmäßig gewesen, wohl aber hätte sich vielleicht an der alten Konstruktion die Anbringung eiserner Eckversteifungen empfohlen mit nachfolgender Einbetonierung, um alsdann die in das neue Bauwerk organisch nicht recht hineinpassenden unumhüllten Zugstangen ganz entbehren zu können. Der Beton bestand aus 1 Teil

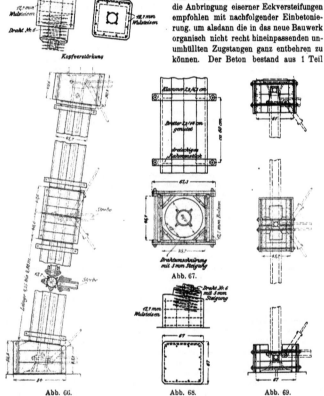

Kopfverstärkung

Abb. 66.   Abb. 67.   Abb. 68.   Abb. 69.

Zement und 3 Teilen Sand groben Kornes, somit aus Gußbeton, der naß angemacht wurde, um bei der großen Länge der Streben eine sorgsame Umhüllung jedes einzelnen Teiles zu gewährleisten. Auffallenderweise hat man die Farbanstriche vor der Umhüllung nicht entfernt, was unbedingt verurteilt werden muß, da hierdurch einesteils die

Haftfestigkeit bedeutend herabgesetzt wird und zum anderen chemische Zersetzungen des Betons nicht auszuschließen sind. Das Beispiel zeigt, wie eine ganze Reihe von Beispielen dieses Kapitels, daß selbst hervorragenden Ausführungen in Amerika oftmals überraschende konstruktive oder technologische Mängel in ihren Einzelheiten anhaften.

Für die Einschalung der Ständer (Abb. 67) wurden 22 mm starke und 14 cm breite Bretter verwendet, welche durch Klammern in Abständen von rd. 60 cm zusammengehalten wurden. Dieselben wurden in der ganzen Länge von Knotenpunkt zu Knotenpunkt,

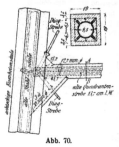

Abb. 70.

also jeweils 4,25 bis 4,88 m (Abb. 66), aufgestellt, wo sie an die besonderen Einschalungen für die Fuß- bezw. Kopfstücke der Knotenpunkte angeschlossen wurden. Naturgemäß wurde mit dem Verguß am Fuß begonnen, die Umschnürung aufgezogen und durch Stahlkeile in der richtigen Entfernung vom alten Kern gehalten und mit letzterem verankert. Wenn alsdann eine größere Anzahl von Einschalungen fertiggestellt war, erfolgte der Verguß von einer Fahrbühne aus, welche über den Querverbänden hergerichtet war. Für amerikanische Verhältnisse bezeichnend ist, daß der Beton nicht am Erdboden angemacht wurde, sondern auf dem auf der genannten Fahrbühne sich bewegenden Zug, bestehend aus Maschine, Geräte- wagen, Materialwagen, Mischmaschine und Flach- kippwagen. Von diesem Zug aus konnten etwa acht Säulen täglich verfüllt werden.

Etwa acht Jahre vorher hatte man die Hohlräume der Quadranteisenständer bereits mit Beton vergossen und hierdurch angeblich eine Erhöhung des Widerstandsmoments derselben um 10 vH. erzielt. Nachdem aber auch diese Verstärkungen für die nach- maligen Erhöhungen der Betriebslasten unzulänglich wurden, entschloß man sich im Jahre 1908 zu der vollständigen Eisenbetonverstärkung. Um sich nun zu ver- gewissern, ob die Erschütterungen infolge des Bahnbetriebs oder Witterungseinflüsse dem Umhüllungsbeton abträglich sein könnten, wurde zunächst ein Gerüstpfeiler, also eine Gruppe von vier Ständern, bereits anderthalb Jahre vorher der beschriebenen Verstärkung unterzogen. Nachdem sich dieselbe ein Jahr und besonders einen Winter hindurch gut bewährt hatte, unterzog man ein noch vorhandenes Probestück von gleichartigem Querschnitt wie die Hauptständer und von 8,23 m Länge einer Prüfung. Ein 1,52 m langes Stück wurde hiervon abgeschnitten und als reine Stahlsäule einer Knickbeanspruchung unterworfen. Das restliche Ende von somit 6,71 m Länge wurde in der für den Verstärkungsbau der Brücke geplanten Weise umschnürt und mit Beton umhüllt und darauf ebenfalls der Knickbeanspruchung unterzogen. Die beiden Ver- suche ergaben eine etwa doppelte Tragfähigkeit der so umhüllten Quadrantsäule gegen- über der rein stählernen, und man glaubt, daß die nunmehr fertig umgebaute Brücke befähigt sein wird, auch die schwersten Gattungen von Lokomotiven zu tragen. Auch wurde in dem betreffenden Bericht hervorgehoben, daß im Falle wirklicher Überlastung dieser Konstruktion die entsprechenden Anzeichen sich deutlich früher bemerkbar machen würden als bei einer rein stählernen Konstruktion, bei welcher ein Zusammenbruch ohne merkliche vorherige Anzeichen sofort erfolgen würde.

Leider läßt der Bericht genauere Einzelheiten, wie Verkehrslasten bezw. Be- lastungen der Säulen vermissen, auch fehlen genauere Angaben über den Querschnitt, insbesondere die Wandstärke der Haupttragsäulen, um rechnerische Erörterungen anstellen zu können. Auffallend ist, daß die Bewehrung der Rohrummantelung nur mittels Umschnürung, nicht aber gleichzeitig unter Einlage von Längseisen erfolgte, welche, obwohl von geringerem Einfluß auf die Erhöhung der Tragfähigkeit, schon aus Gründen der Sicherung der Lage der Umschnürungen erwünscht gewesen wäre.

Einen sehr beachtlichen Fortschritt im Sinne der vorstehenden Ausführungen bilden die jüngsten Versuche von v. Empergers mit umschnürten und einbetonierten guß- und flußeisernen Säulen über welche Genannter in einem Sonderdruck berichtet, betitelt: „Eine neue Verwendung des Gußeisens bei Säulen und Bogenbrücken".[1] Nachdem die Verwendung der gußeisernen Säule mit Rücksicht auf die Gefährlichkeit derselben bei Feuersbrünsten im Augenblick des Anspritzens in glühendem Zustande, infolge der dadurch hervorgerufenen einseitigen Abkühlung,

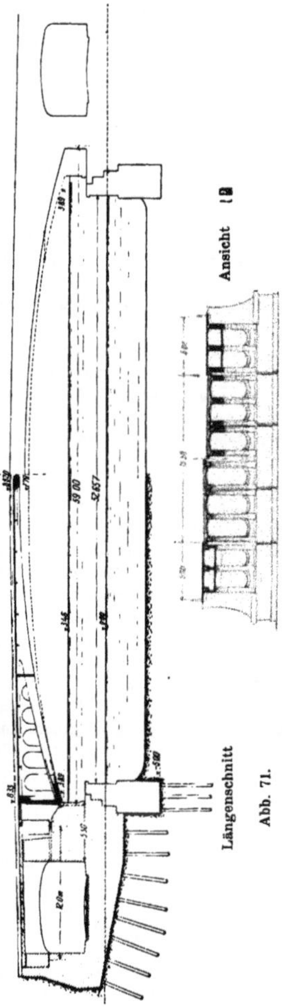

[1] v. Emperger, Eine neue Verwendung des Gußeisens bei Säulen und Bogenbrücken. Berlin 1911. Verlag von Wilh. Ernst u. Sohn.

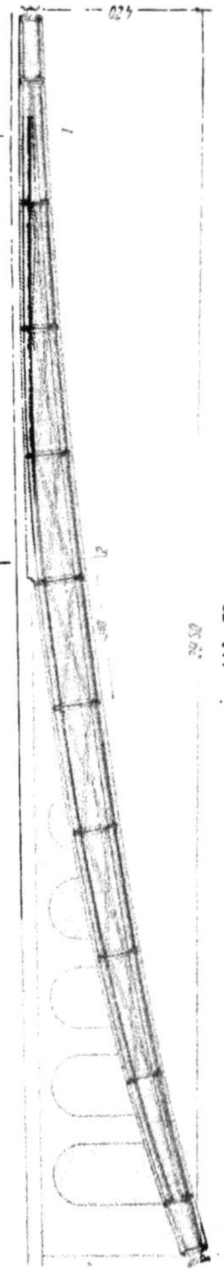

Längenschnitt

Abb. 71.

Ansicht

Querschnitt

Abb. 72.

immer mehr zurücktritt, sind die Versuche Empergers besonders wertvoll geworden, da sie den Weg zeigen, wie die guten Eigenschaften der Gußeisensäule, insbesondere deren hervorragende Wirtschaftlichkeit, nicht nur erhalten werden können, ohne deren Mängel mit in Kauf nehmen zu müssen, sondern dieses Baumaterial in organischer Verbindung mit umschnürtem Beton nach aus Empergers Versuchen hergeleiteten Grundsätzen ganz überraschende Eigenschaften bedeutender Tragfähigkeit zeigt.

Empergers Versuche umfassen eine Reihe von 25 Probekörpern, welche Druckbelastungen bis zum Bruch unterworfen wurden, und zwar 4 gußeiserne Röhren mit und ohne Einbetonierung unter gleichzeitiger Umschnürung, ferner 11 flußeiserne Röhrenstutzen mit und ohne Umschnürungsbetonhülle, gegenübergestellt Versuchen mit reinen Betonrohrstutzen und umschnürten solchen, endlich 10 Versuche mit gußeisernen Rohrstutzen, gegenübergestellt ähnlichen Vergleichskörpern wie zuvor. Emperger kommt auf Grund seiner Versuche, die als eine Art Ergänzung zu seinen früheren Versuchen (s. Forscherarbeiten auf dem Gebiete des Eisenbetons, Heft VIII und Beton u. Eisen 1907, S. 101 u. 1908, S. 149) zu betrachten sind, zu den Schlüssen, daß einesteils gußeiserne Säulen, mit sachgemäßem Umschnürungsbeton versehen, ohne wesentliche Mehrkosten auf das Zwei- bis Dreifache ihrer Tragfähigkeit, oder aber, daß der Gußeisenquerschnitt bei richtiger Umschnürung auf $^1/_3$ bis $^1/_4$ des unbewehrten Gußeisenquerschnitts bei gleicher Tragfähigkeit gebracht werden können, und daß mit dieser Umhüllung zugleich der schwächste Punkt der gußeisernen Säule, ihre Sprödigkeit und Bruchgefährlichkeit bei Feuersbrünsten, vollkommen entfällt, da dieselbe nach solcher Behandlung größere Formänderungen verträgt, ohne zu brechen. Anderseits zeigt Emperger, daß unrichtige Umschnürungen unter Umständen zu Abminderungen der Knick- und Druckfestigkeit führen können und gibt an der Hand von Berechnungen nach der Tetmajerschen Knickfestigkeitsformel den Hinweis für eine sachgemäße Umschnürung eiserner Säulen.

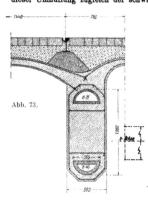

Abb. 73.

Als weiterer sehr beachtlicher Gewinn der Empergerschen Untersuchungen stellt sich schließlich der Entwurf des Genannten zum Umbau der Aspernbrücke dar, jener 60 m weit gespannten Straßenbrücke über den Donaukanal in Wien, einer derzeitig eisernen Hängebrücke, deren Ersatzbau in nächster Aussicht steht. Der Entwurf führt uns in einer Beziehung zurück in die Zeiten Darbys, in welchen gußeiserne Röhren die alleinige Möglichkeit zur Überspannung größerer Öffnungen boten. Gerade die Einfachheit dieser alten Konstruktionsweise ist es, die den Empergerschen Entwurf in rechtes Licht rückt, wenn man bedenkt, daß wohl die Vorteile der gußeisernen Konstruktion, verbessert durch die neuesten auf dem Gebiete der Gießerei gewonnenen Fortschritte erhalten bleiben, deren ursprüngliche Nachteile aber nicht nur vollkommen behoben sind, sondern dieses Material durch Umschnürung und Umhüllung mit Beton eine dreimal günstigere Ausnutzung gestattet.

Wie die Abb. 71 bis 74 zeigen, ist es möglich geworden, einen den verschiedenen Biegungs- bezw. Knickmomenten des Bogenschenkels Rechnung tragenden, also veränderlichen Querschnitt derart zu erzielen, daß bei im übrigen vollkommen gleicher Beschaffenheit der gußeisernen Halbkreisrohre diese lediglich dem erforderlichen Trägheitshalbmesser entsprechend auseinandergerückt werden, um an den Stellen, wo diese Momente abnehmen, wieder zusammengeführt und an ein Formstück einfachster Art angeschraubt zu werden. Ein leichter Querverband sorgt für die Festhaltung der notwendigen Abstände, worauf die Umschnürung und Einbetonierung vor sich gehen kann. Das so gegeneinander versteifte Röhrensystem ist auch befähigt, die Aufhängung des Schalgerüstes zu tragen, es kann sogar im Sinne der Ausführungen auf

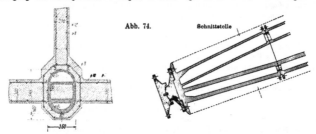

Abb. 74. Schnittstelle

S. 710 dieses Kapitels, letzter Absatz, das System zu einem ideal wirtschaftlichen ausgestaltet werden, da nichts entgegensteht, die Röhrenquerschnitte bezw. Abstände so zu bemessen, daß dieselben nur gerade befähigt sind, sich selbst, die Umschnürung, die Verschalungen und den noch nassen Beton zu tragen, während erst die Zusammenwirkung des voll erhärteten Betons mit dem Rohrquerschnitt den Betriebsbelastungen Rechnung tragen. Das Empergersche System eröffnet somit, ganz abgesehen von dem Wiederaufleben der billigen gußeisernen Säule, auch hervorragende Aussicht für eine im höchsten Maße wirtschaftliche Bauweise.

2. Die Rekonstruktion der Verankerungspfeiler der Poughkeepsie-Brücke.

Als ein Beispiel, wie der Eisenbeton auch in Verbindung mit alten Mauerwerkspfeilern zur Rekonstruktion dienen kann, sei zur Vervollständigung der im Vorhergehenden gegebenen Beschreibung von einbetonierten Eisenpfeilern auf eine solche verwiesen, welche einbetonierte Mauerwerkspfeiler aufweist. Diese Arbeit ist in „Beton u. Eisen“ 1908, Heft XVI, S. 385 vom Verfasser ausführlich beschrieben worden und sei noch darauf hier kurz hingewiesen, weil der hierzu verwendete I-Träger-Rost dem Umbau seinen besonderen Charakter verleiht.

Schlußbetrachtung.

Die Verschiedenheit der angeführten Beispiele zeigt, in welch mannigfaltiger Weise der Eisenbeton geeignet ist, den seitherigen Mängeln rein eiserner Konstruktionen abzuhelfen und den letzteren unter Umständen einen Bestand zu verleihen, der ihnen sonst selbst unter peinlichster Beobachtung aller kostspieligen Unterhaltungsmaßregeln niemals gesichert werden könnte. Die letzten Beispiele bezweckten weiterhin aber, die hervorragende Wirtschaftlichkeit der Verbundkonstruktionen beider Bauweisen gegenüber den entweder rein eisernen bezw. reinen Eisenbetonkonstruktionen darzutun, und

46*

enthalten von selbst den Hinweis, daß auf diesem Gebiete noch mancher weitere
Schritt vorwärts getan werden dürfte. Auf der anderen Seite wurden absichtlich auch
Beispiele vorgeführt, in deren Einzelheiten teilweise technische wie auch praktische
Fehler begangen wurden, wie beispielsweise die durch sonstige Verhältnisse nicht immer
bedingte Unterbrechung von rechts wegen durchlaufender Betonplatten und
Ausfüllung der betreffenden Fugen über den eisernen Obergurtungen mittels Asphalt-
verguß, ein Verfahren, vor welchem nicht genug gewarnt werden kann. Ist man einmal
gezwungen, mit Rücksicht auf zu große Dehnungsfelder oder auch zu große Tagesleistungen Trennungsfugen eintreten zu lassen, so lege man dieselben an die Stelle, wo
sie irgendwelchen Schaden nicht anrichten können, d. h. in erster Linie dahin, wo
Wasseransammlungen entweder ausgeschlossen sind oder aber diese Wasser durch
geeignete Abdichtungen, etwa mittels beiderseitig weit überlappender Asphaltfilzplatten
in mehrfachen Lagen übereinander, mit Sicherheit abgeführt werden können. Sollen
diese Fugen zugleich als Dehnungsfugen wirken, so klebe man diese Asphaltfilzplatte
über der Fuge selbst nicht auf, sondern erst in einem gewissen Abstand, etwa beiderseitig je eine Handbreit von der Fuge, und sorge durch Einlegen eines nach dem
Beton zu mit Asphaltanstrich versehenen Zinkblechstreifens von doppelter Handbreite
auf diesen Stellen über der Fuge, daß auch die Asphaltfilzplatte eine gewisse Streckung
vertragen könne, ohne zu zerreißen. Ein weiteres Zinkblech über den Asphaltfilzplatten
wird zweckmäßig letztere gegen Beschädigung durch scharfe Steine schützen. Ein
kurzer Hinweis sei ferner bezüglich der Behandlung der Eisenteile selbst gestattet.
Es ist selbstverständlich, daß alle Teile der eisernen Brückenkonstruktion, mit denen
der Beton in Berührung kommen soll, genau dieselben Oberflächeneigenschaften besitzen
müssen, wie die Eiseneinlagen bei reinen Eisenbetonkonstruktionen, daß also jegliche
Anstriche mittels rostschützender Farbe oder auch Grundierungen, Menniganstriche
daselbst vollkommen entfallen müssen, da sie entweder das Anhaften des Betons
verhindern oder aber denselben im Laufe der Zeit zerstören würden. Zum Schlusse
sei noch einer landläufigen Ungenauigkeit in der Bezeichnung der Sand-, Kies-
und Schottergattungen gedacht. Bei den meisten Beispielen sind die Beton-
mischungsverhältnisse einfach mit Zahlen wie 1 : 4, 1 : 6 oder 1 : 4 : 6, 1 : 2 : 3 usw.
angegeben. Diese Bezeichnungsweise eines Mischungsverhältnisses findet sich sehr
häufig in amtlichen Vorschriften, Verdingungsunterlagen u. a. m., daß es angezeigt erscheint, auf das Lückenhafte derselben hier etwas einzugehen. Da diese Angaben
aus den verschiedensten Teilen der Welt gesammelt wurden, unterliegt es keinem
Zweifel, daß bei den einzelnen Fällen teilweise grundverschiedene Baustoffe zur Verwendung gelangen. Unter dem Ausdruck „Schotter" versteht man in Deutschland
gemeinhin Schlägelschotter in Körnungen zwischen 25 und 60 cm Größe. Feinere
Körnungen werden entsprechend genauer bezeichnet als Feinschotter usw. In Österreich
demgegenüber pflegt man mit Schotter schlechthin das natürliche Gemisch von Sand
mit rundlichem Fluß- oder Grubengeschiebe zu bezeichnen, wofür man in Deutschland
die Bezeichnung Kies, wenn die Massen sandfrei, bezw. Kiessand, wenn Sand bei-
gemischt ist, anzuwenden pflegt. Unter den mittleren Ziffern sind wahrscheinlich meist
Anteile an Sand gemeint, während unter der dritten Ziffer ebensowohl Schlägelschotter
wie auch sandloser Kies oder aber Kiessand gemeint sein kann. Wenn wir beispielsweise die Mischungsverhältnisse 1 : 4 : 6 und 1 : 2 : 5 herausgreifen, so stellt unter der
wohl berechtigten Annahme, daß mit der zweiten Ziffer reine Sandteile genannt sind
(Körnungen von 0 bis 7 mm), die dritte Ziffer im ersten Falle das Anderthalbfache des
Rauminhalts an Sand, im zweiten Falle das Zweieinhalbfache dieses Rauminhalts dar.

Wenn nun unter der dritten Ziffer Schlägelschotteranteile verstanden sind, so ergäbe sich bei dem Verhältnis 1 Teil Zement, 2 Teile Sand : 5 Teilen Schlägelschotter eine für die Ausfüllung der Hohlräume in Schotter unzulängliche Menge an Mörtel, denn der normale Schlägelschotter von 25 bis 60 mm Korn besitzt durchschnittlich 40 vH. Hohlräume; erforderlich wären also bloß zur Ausfüllung derselben 2 Teile Mörtel. Dies würde aber eine absolut ideale Durchmischung und Einstampfung voraussetzen wie sie in Wirklichkeit kaum je erreicht werden wird. Solange vollends das heute übliche Submissionswesen und demzufolge die Neigung, dem billigsten Unternehmer den Zuschlag zu erteilen, bestehen bleibt, wird man diesem Ideal nur in den seltensten Fällen nahekommen, zumal gerade bei dieser einfachen Arbeit des Ausstampfens der Trägerzwischenräume auch minderwertige Unternehmerfirmen mit der Ausführung betraut werden können. Hierzu kommt ferner, daß in jedem Schotterbeton die Lagerung der Steine großenteils so erfolgt, daß Steinfläche sich an Steinfläche legt, ein Haften dieser beiden Steine aneinander ohne Zwischenlage von Mörtel somit nicht erfolgen kann. Aus diesen Gründen sollte bei Verwendung von normalem Schlägelschotter stets ein gewisser Überschuß an Mörtel vorhanden sein, als allein erforderlich wäre, um die Hohlräume auszufüllen. Das Verhältnis 1 Teil Zement, 2 Teile Sand : 5 Teilen Schotter wäre nur dann zu rechtfertigen, wenn in den 5 Teilen Schotter sich mindestens 35 vH. als Steinsplitter in den Größen von 7 bis 25 mm vorfänden.

Betrachtet man im Gegensatz hierzu das Mischungsverhältnis 1 : 4 : 6, und der Zufall wollte, daß abermals unter der Mittelziffer die Anteile an Sand 0 bis 7 mm, unter der dritten Ziffer aber diejenigen von Kiessand verstanden sind, so ergäbe sich folgendes Bild: Flußsand ist im allgemeinen ärmer an feinen Sandteilchen als Gruben-kiessand; angenommen sei ein mittlerer Kiessand von 60 vH. Sandgehalt, wie er am meisten vorkommt. Dann stünde ein Mörtel von 1 Teil Zement zu $4 + 0,6 \times 6 = 7,6$ Teilen Sand gegenüber einem Kiessteingehalt von 4,2 Teilen. Der Mörtel wäre somit nicht nur viel zu reichlich gegenüber dem Steinmaterial, sondern derselbe wäre an sich schon zu mager. Es ist daher unbedingt nötig, daß bei allen Angaben betreffs Mischungsverhältnisse die Begriffe klargestellt werden, auf welche die einzelnen Raumteilchen sich beziehen. Hierbei sollte man von Haus aus technologisch zunächst die Begriffe Mörtel und Steinzuschläge streng auseinanderhalten. Die Zusammensetzung des die Steine verkittenden Mörtels ist einer der wichtigsten Festigkeitsfaktoren des Betons. Je nach den auftretenden Beanspruchungen wähle man den Mörtel von Mischung 1 Teil Zement zu $1\frac{1}{2}$ Teilen Sand 0 bis 7 mm ab, bei sehr stark beanspruchten Betonteilen in geeigneten Abstufungen bis zur Mischung 1 Teil Zement zu 4 Teilen Sand bei schwach belastetem Beton. Bei den hierzu tretenden Zuschlägen an Steinmaterial sollte man abermals streng auseinanderhalten den sandfreien Kies, den Kiessand und den Schlägelschotter. Als Grundsatz gelte, daß der Beton alle Körnungen vom kleinsten bis zum zulässig größten in möglichst gleichen Mengen enthalten sollte. Hat man als Steinzuschlag sandfreien Kies zuzusetzen, so wähle man die Menge desselben etwa $2\frac{1}{2}$mal so groß als diejenige des Sandes im Mörtel, doch muß dieser Kieszusatz eben alle Körnungen von der des größten Sandkornes, also 7 mm, bis höchstens 60 mm für Stampfbeton enthalten. Erfüllt der Kies diese Bedingungen nicht, besitzt er beispielsweise nur Körner zwischen 35 und 60 mm, so ist feinkörniger Kies oder, wenn dieser nicht zu beschaffen, Schlägelschotter zwischen 7 und 35 mm zuzusetzen, derart, daß der im Verhältnis zum Sand $2\frac{1}{2}$fache Steinzuschlag zu $\frac{2}{3}$ aus dem groben, zu $\frac{1}{3}$ aus dem feineren Material besteht. Hat man nur Schlägelschotter als Steinzuschlag zur Verfügung, so sorge man für die richtige Zerkleinerung im Sinne des Vorstehenden. Wenn aber irgendwie angängig, verbinde man nie Sand direkt mit Schotter, sondern mische rundliche Kiessteine dazwischen. Hat man dagegen Kiessand in geeigneter Zusammensetzung mit Schlägelschotter zu verbinden, so wähle man den Schlägelschotterzusatz um etwa ein Drittel größer als die Mengen an Kiessand, doch ist es unerläßlich, durch Durchwerfproben vorher den Kiessand zu untersuchen, ob sein Sandgehalt im richtigen Verhältnis vorhanden ist. Unter den in Punkt 7 des preußischen Ministerialerlasses weiter angegebenen Mischungsverhältnissen verdient der Vorschlag, auf 9 Teile Zement 1 Teil Kalk zuzusetzen, besondere Beachtung. Dieser Zusatz kann selbst noch erhöht werden bis auf etwa 30 vH. des Zementgehalts, da der so entstehende Mörtel eine bedeutend höhere Elastizität besitzt, ohne irgendwie eine Gefahr hinsichtlich nachteiliger Wirkung auf die Eisenteile in sich zu schließen.

Literatur.

Annales des Ponts et Chaussées, Paris 1907 u. 1908.

Baugewerkszeitung, Berlin 1907.

Beton u. Eisen, Berlin 1905 u. 1908.

Le Béton armé, Paris 1901.

Engineering News, New-York 1907, 1908, 1909 u. 1910.

Engineering Record, New-York 1907 u. 1909.

Österreichische Wochenschrift für den öffentlichen Baudienst, Wien 1907.

Österreichische Allgemeine Bauzeitung, Wien 1900 u. 1904.

Zentralblatt der Bauverwaltung, Berlin 1907.

Le Ciment, Paris, April 1908, *Brücken System Pendaries.*

Forscherarbeiten auf dem Gebiete des Eisenbetons. Heft VI. Berlin 1906. Verl. v. Wilh. Ernst u. Sohn.

SACHVERZEICHNIS ZUM VI. BANDE.

Bearbeitet von Stadtbaurat a. D. E. Brugsch,
Professor an der Technischen Hochschule in Hannover.

Die Ziffern bedeuten die Seitenzahlen.

Aabybro, Straßenbrücke aus durchlaufenden Eisenbetonträgern über mehrere Öffnungen mit Eisenbetonstützen bei — (Dänemark) (Abb.) 23.

Abdeckung von Gelenkfugen und Ausbildung derselben 414.

Absenkungsvorrichtungen bei Lehrgerüsten 421.

Agonitz-Klaus, Eisenbahnbrücke über den Tiefengraben, eingespannter Eisenbetonbogenträger, Lichtweite 40 m, Schnitte, Beschreibung (Abb.) 631 u. f.

Alexisbad, Brücke über die Selke als Plattenbalken mit Fischbauchträgern nach Möller, Stützweite 15 m (Abb.) 18.

Altare (Italien), Straßenbrücke über die Bormida, bewehrter Betonbogen, Lichtweite 18 m, Schnitte, Bewehrungseinzelheiten 526.

Amélie-les-Bains (Ost-Pyrenäen), Straßenbrücke, Dreigelenkbogen aus bewehrtem Beton mit Federgelenken (Halbgelenken), Spannweite 44 m, Schnitte, Beschreibung (Abb.) 544.

Anklam, schiefe Fußgängerbrücke am Bahnhof —, durchlaufender Eisenbetonbalken mit Bewehrung aus Eisenfachwerkträger, 2 Öffnungen, Stützweiten 20 m, Schnitte, Beschreibung (Abb.) 297.

Annäherungen, verschiedene Annahmen derselben zur Vereinfachung der Berechnung von Platten 151.

Annahmen, zulässige — bei der vereinfachten Berechnung von Pfostenfachwerkträgern nach Vierendeel 246.

Arbeitszeit und Bauvorgang beim Bau der Munderkinger Donaubrücke in Württemberg, Gelenkbrücke aus unbewehrtem Beton, Spannweite 50 m 480.

— — bei Herstellung der Straßenbrücke über die Spree in Oberschöneweide bei Berlin, bewehrte Betonbogen, Lichtweite 19,5 m 531.

Architektonische Anforderungen Einfluß derselben auf die Wahl der Grundform von Eisenbetonbrücken 62.

— Ausgestaltung, vornehme — bei der Christinenbrücke in San Sebastian, eingespannter Betonbogen mit steifen Eiseneinlagen nach Ribera, Spannweite 24 m, 3 Öffnungen 570.

Asphaltfilzbelag als Mittel gegen Eindringen von Wasser in den Eisenbetonkörper bei wenig geneigten Flächen (Preisangabe) 55.

Asphaltfilzplattengelenke in der Betonbogenbrücke über die Westrach (Württemberg), Lichtweite 29 m 403.

Asphaltpappe als Mittel gegen Eindringen von Wasser in den Eisenbetonkörper (Preisangabe) 56.

Atlanta, Nelson Street-Viadukt, Straßenbrücke mit flachgewölbten Rippenplattenbogen aus Eisenbeton, Lichtweiten 6 bis 22,5 m, Schnitte, Beschreibung (Abb.) 611.

Atmosphärische Einflüsse, Behandlung der Außenflächen von Eisenbetonbauten durch Putz zum Schutz gegen dieselben 8.

—, Berücksichtigung derselben bei der Entwurfsbearbeitung von Brücken 47.

Auflagerdrücke, Bestimmung der größten — für einen durchlaufenden Träger auf 4 starren Stützen gleichen Abstandes unter Anwendung von Einflußlinien, ausführliches Rechnungsbeispiel 209 u. f.

— und Momente für den Kragträger bei einer Einzellast auf dem Kragarm 176.

—, negative, Anordnung zur Vermeidung derselben beim durchgehenden Eisenbetonbalken, 293.

— und Querkräfte, Bestimmung derselben bei durchlaufenden Trägern 192.

—, Querkräfte und Momente bei Einzellasten für den Träger auf 2 Stützen 165 u. f.

Auflagerfuge, Höhe derselben in bezug auf die Hochwasserordinate 268.

Auflagerquader aus Eisenbeton für vollwandigen Eisenbetonbalken (Abb.) 322.

Auflager- und Querkräfte, Bestimmung derselben für den Eisenbetondreigelenkbogen einer Vollbahnbrücke, Stützweite 24,4 m, Zahlenbeispiel 468.

Ausblick, freier, für Fußgänger bei Tragwänden mit versenkter Fahrbahn 36.

Ausdehnungsfugen, Anordnung derselben bei einer Bogenbrücke aus unbewehrtem Beton 495.
— einer Hochbahn mit Vollspurgleis von 566 m Länge aus Eisenbetonbogenbalkenträgern auf Turmpfeilern und Pendeljochen (Abb.) 643.
—, Überdeckung derselben (Abb.) 414.
Ausdehnungskoeffizient des Betons 56.
Ausdehnungsvorrichtung bei einer Bogenbrücke, Landanschluß und Entwässerung, pendelnder Endpfosten (Abb.) 411.
— mit federnder Eisenbetonwand am Landanschluß (Abb.) 412.
— beim Pfeileranschluß der Fahrbahn (Abb.) 414.
— bei der Walnut Lane-Brücke in Philadelphia 413.
Ausführung, Beschreibung derselben bei einer Eisenbetonbogenbrücke mit Rippenplattenquerschnitt (Abb.) 368.
— des Hauptgewölbes der Walnut Lane-Brücke in Philadelphia, Spannweite 71 m, Beschreibung derselben 418.
— und Theorie für Bogenbrücken aus Beton und Eisenbeton, Literaturangaben 672 u. f.
— — von Eisenbetonbalkenbrücken, Literaturangaben 330.
Ausführungsarten der Eisengerippe (Abb.) 112.
Ausführungsformen durchlaufender Träger über mehrere Öffnungen (Abb.) 19.
Ausführungsweisen von Betonbogenbrücken 415.
Auskragung, Abstützung derselben bei Lehrgerüsten 110, 112.
— der Fahrbahntafel über die Randträger zur Ersparung an Widerlager- und Pfeilerbreite bei Eisenbetonbrücken 78.
— — desgl. von Rippenplatten, wirtschaftliche Vorteile derselben 78.
— der Gehwege bei einer Straßenbrücke (Abb.) 506.

Auskragung über die Randträger von Rippenplatten bei Brücken, theoretische Ermittlung ihres zweckmäßigsten Maßes 78 u. f.
— der Rippenplatte, wirtschaftliche Vorteile 69.
—, Verhältnis ihres Maßes zum Balkenabstand bei Rippenplatten für Brücken 79.
Ausrundung des Neigungswinkels in der Brückenmitte 50.
— der Querschnittsbegrenzung der Versteinung in der Fahrbahnmitte 52
Ausrüsten, Mindestalter des Betons bei demselben nach den Österreichischen Vorschriften 116.
Ausrüstung, Art derselben beim Dreigelenkbogen 421.
— Maße für Gewölbescheiteleinsenkungen während des Betonierens und des Ablassens bei verschiedenen Brücken von 33 bis 79 m Lichtweite 422.
— — der Scheitelsenkungen bei derselben für die Straßenbrücke über die Neutra bei Neuhäusel (Ungarn), Eisenbetonbogenbrücke mit steifen Eiseneinlagen nach Bauweise Wünsch, Lichtweiten 17 m, 6 Öffnungen 554.
— und Maß der Senkung beim Neubau der Schlitzstraßenbrücke mit versenkter Fahrbahn in Bernhausen, Eisenbetonbogenträger mit Zugband, Lichtweite 20 m 645.
Ausrüstungszeit nach erfolgter Betonierung beim Bau einer Eisenbahnbrücke Dreigelenkbogen aus bewehrtem Beton, Lichtweite 24 m 540.
Ausweichstellen, Anordnung derselben bei sehr langen Brücken 51
Außenflächen des Betons, Behandlung derselben 116.
— bei vollwandigen Tragwerken mit versenkter Fahrbahn (Abb.) 35.
Avranches, Eisenbahnbrücke, Rippengewölbe aus Eisenbeton, Lichtweite 33,6 m, Schnitte, Einzelheiten der Bogeneinspannung, Beschreibung (Abb.) 581.

Bach, Ergebnisse der Bruchversuche desselben mit Sandsteingelenken 387.
— — der Versuche zur Feststellung der Belastung, bei welcher Gußblei in Scheibenoder Zylinderform ausweicht 401.
— — desgl. desselben mit Granitgelenksteinen zur Feststellung ihrer Festigkeit und Berechnungsannahmen 386.
— Versuche desselben zur Feststellung der Druckfestigkeit von Buntsandstein bei Bruchbelastung 384.
— — desgl. und des Verhaltens von Granit bei Bruchbelastung von Granitbogelenken 384 u. f.
Bahnhof Bochum-Nord, Straßenüberführung aus Kragträgergruppen von 12,4, 16 und 26 m Stützweiten (Abb.) 27.
— Viviez der Orléansbahn, Gangsteg aus durchlaufenden Eisenbetonträgern über mehrere Öffnungen (Abb.) 24.
Bahnitz, Havelschleusenbrücke, durchgehender Eisenbetonbalken, 3 Öffnungen, Stützweiten 4 und 14,6 m, Schnitte, Beschreibung (Abb.) 293.
Balken, Begriff derselben 10.
— auf 4 Stützen mit gleichförmiger, voller Belastung, Einfluß elastischer Stützensenkungen auf die Beanspruchung desselben 156.
—, Biegungs- und Scherfestigkeit desselben 4.
— und Bogen, Unterschied der Wirkungsweise ihrer inneren Kräfte 3.
— —, Vergleich des Größenverhältnisses für das Biegungsmoment bei beiden 3.
—, Erklärung desselben und Wirkungsweise seiner Belastungen 2.
—, Mittelwert der Eisenbewehrung für dieselben 81.
—, Unterschied desselben vom Rahmenträger 4.
Balkenabstand, statisch und wirtschaftlich günstigste Anordnung desselben (Beispiel für eine Brücke von 16,55 m Lichtweite) 90.

Balkenbreiten für Rippenplatten, Übersicht bei ausgeführten Brücken 76.

—, ihre Bestimmung für den einfachen Träger (Beispiel für eine Brücke von 16,55 m Lichtweite) 91.

Balkenbrücken, Ausführung derselben, Einrüstung eines Gangsteges (Abb.) 108.

—, Berechnung der schiefen Zugkräfte am Auflager 263.

—, Bestimmung der Ausrundungslänge der Eiseneinlagen am Auflager und des zugehörigen Krümmungshalbmessers 264.

—, einheitliche Bezeichnungen für die statische Berechnung 119.

—, Einteilung derselben nach der Gestaltung des Brückenquerschnitts 10.

—, — nach ihrer Zweckbestimmung 9.

— aus Eisenbeton, Wirkungsweise der Platten 150.

—, Feststellung der Wirtschaftlichkeit verschiedener Lösungen, gezeigt an einem Beispiel für eine Brücke von 16,55 m Lichtweite 93, 94.

—, Spannungswerte des einfach und doppelt bewehrten Balkens, Beispiel 262.

—, behördliche Vorschriften für die Berechnungsweise der inneren Spannungen 261.

Balkenhöhe, ihre statische und wirtschaftliche Bemessung für den einfachen Träger bei unbeschränkter Bauhöhe (Beispiel für eine Brücke von 16,55 m Lichtweite) 90, 93.

Balkenschlankheit, ihre Grenzwerte $(l : h)$ bei Rippenplatten 76.

Barkhausen, Berechnung von Wälzgelenken mit Beispiel 397.

Baugrund, bei unsicherem — Anordnung vierseitiger Rahmen 12.

—, Verwendung von Platten bei Unsicherheit desselben 12.

Bauhöhe, Anordnung eines Durchlasses mit Zwischenwand bei beschränkter — 13.

Bauhöhe, Ausnutzung der verfügbaren — bei der Aufstellung von Eisenbetonbrücken unter Aufrechterhaltung des Eisenbahnbetriebes 49.

— bei Eisenbetonbrücken 61.

— —, Einschränkung derselben durch Anordnung der Gangbahnen außerhalb der Hauptträger 61.

—, beschränkte, Lehrgerüste bei derselben unter Anwendung von eisernen I - Trägern (Promenadenweg über Eisenbahngleise in Oberhausen) (Abb.) 111.

—, Verminderung derselben bei Kragträgern auf 2 Stützen mit verschütteten Seitenarmen 26.

—, Verwendung von Platten bei beschränkter Bauhöhe 12.

Bauplatz, Anordnung der einzelnen Anlagen für die Ausführung (Abb.) 517.

Bauschinger, Versuche desselben zur Feststellung der Druckfestigkeit von Sandstein bei Bruchbelastung 383.

Baustoffe, Mittelwerte von Einheitsgewichten derselben bei Eisenbetonbrücken 121.

Bauunternehmungen, erforderliche Eigenschaften derselben bei Ausführung von Eisenbetonbrücken 7.

Bauvorgang und Arbeitszeit beim Bau einer Gelenkbrücke aus unbewehrtem Beton 480.

— — bei Herstellung eines bewehrten Betonbogens, Lichtweite 19,5 m 531.

— und Bauzeit einer Straßenbrücke, Ausnutzung der Schalung und Rüstung, Eisenbetonbalken, Lichtweite 11 m 268.

— beim Einbringen der Gußstahlgelenke für den Dreigelenkbogen aus unbewehrtem Beton 490.

— bei Herstellung einer Eisenbetonbogenbrücke mit steifen Eiseneinlagen nach Bauweise Wünsch, Lichtweiten 17 m, 6 Öffnungen 553.

Bauvorgang beim Neubau einer Kanalbrücke, Eisentrog mit Eisenbetonauskleidung auf Eisenbetonpfeilern (Abb.) 687.

— — einer Straßenbrücke mit versenkter Fahrbahn, Eisenbetondreigelenkbogen, Stützweite 47,9 m 660.

— bei Eisenbetondreigelenkbogen mit steifen Flußeiseneinlagen nach Bauweise Melan, Lichtweite 42,2 m 557.

— bei einer Straßenbrücke mit versenkter Fahrbahn, Eisenbetonbogenträger mit Zugband, Spannweite 28 m 654.

— — über die Schwarza in Payerbach, eingespannter Betonbogen mit steifen Eiseneinlagen und Scheitelgelenk nach Bauweise Melan, Lichtweite 26 m 560.

— für die Umwandlung von stählernen Gerüstpfeilern in Eisenbetonpfeiler 720.

Bauzustände für die Abnahme von Eisenbetonbauten zur Prüfung ihrer sachgemäßen Ausführung 8.

Bayonne (Nordamerika), Kragträgersteg von 25 m Stützweite und 4,75 m beiderseitiger Ausladung (Abb.) 26.

Beanspruchung des Baugrundes einer gewölbten Betonbrücke nach dem Berechnungsbeispiel, Lichtweite 18,7 m 431.

— des Betons einer Betonbogenbrücke ohne Eiseneinlagen Spannweiten 25 und 28 m 341.

— — bei einer Eisenbetonbogenbrücke für eine Straßenbrücke, Spannweite 34 m 347.

— $\sigma = \alpha E \cdot t^0$ beim Betonstab infolge Temperaturerhöhung 56.

— des Gewölbes einer Betonbrücke bei einseitiger und voller Belastung nach dem Berechnungsbeispiel, Lichtweite 18,7 m 430.

— von Platten bei Eisenbetonbalkenbrücken, Einfluß der Versteinungsstärke auf dieselbe 137.

Beanspruchung, zulässige, Versuchsergebnisse zur Feststellung derselben und der Grenzen der Verwendbarkeit für Betongelenke 389 u. f.

Beanspruchungen, rechnungsmäßige, der Baustoffe einer Eisenbahnbrücke, Rippengewölbe aus Eisenbeton 582.

— — aller Bauteile eines Dreigelenkbogens aus unbewehrtem Beton, Stützweite 43 m 483.

— —, der Baustoffe einer Hochbahn, Eisenbetonbogenbalkenträger auf Turmpfeilern und Pendeljochen 644.

— — desgl. eines Eisenbetondreigelenkbogens mit steifen Flußeiseneinlagen nach Bauweise Melan, Lichtweite 42,2 m 558, 559.

— — desgl. eines Betonbogens mit steifen Eiseneinlagen nach Melan, Lichtweite 21 m 570.

— — desgl. einzelner Hauptträger aus Eisenbetonbogen, Lichtweiten 51,5 u. 24 m 622, 620.

— —, einzelner Bauwerkteile eines Dreigelenkbogens aus unbewehrtem Beton, Spannweiten 30 und 34 m 505.

— — des unbewehrten Betons einer Bogenbrücke 494.

— — desgl. beim Dreigelenkbogen von Eisenbahnbrücken 486.

— —, des Betons infolge Belastung und Wärmeänderungen, gelenkloser Betonbogen mit steifen Eiseneinlagen nach Melan, Spannweite 28,75 m 568.

— — desgl. eines Dreigelenkbogens aus bewehrtem Beton mit Stahlgelenken, Spannweite 70 m 525.

— —, der Bogenränder infolge Eigenlast, Verkehrs und Wärme, eingespanntes Gewölbe ohne Gelenke, Lichtweite 79 m 534.

— —, von Eisenbahnbrücken Eisenbetonbogenbrücken mit einzelnen Hauptträgern, Spannweiten 33,6 und 56 m 627.

— — desgl., eingespannter Eisenbetonbogen, Lichtweite 40 m 633.

Beanspruchungen, rechnungsmäßige, eines unbewehrten Gewölbebetons, Spannweite 58,1 m 497.

— im Betondreigelenkbogen nach der Berechnung mittels Stützlinien, Lichtweiten 18 und 22 m 458.

— des Betons nach der Berechnung eines Eisenbetondreigelenkbogens mittels Einflußlinien, Stützweite 24,4 m, Zahlenbeispiel 466, 467.

— —, Berechnung derselben für Eisengerippe und seine Verankerung, eingespannter Betonbogen mit steifen Eiseneinlagen und Scheitelgelenk nach Bauweise Melan, Lichtweite 26 m 561.

— der Baustoffe einer Eisenbetonbogenbrücke nach Bauweise Melan mit Einlagen aus Fachwerkträgern 358.

— —, zulässige, der Baustoffe bei den Eisenbetonbogenbrücken nach Bauweise Luten 351.

— — —, Berechnung von Trägheitsmomenten der Verbundkörper aus denselben 707.

— —, für Stahl und Beton bei einer neuen, durch Betonumhüllung verstärkten eisernen Straßenbrücke 701.

— —, der Stahlgelenke eines Dreigelenkbogens, Stützweite 57 m 488.

— — desgl. des Hauptdreigelenkbogens der Eisenbahnbrücken über die Iller bei Kempten, Spannweiten 21,5 und 64,5 m 487.

Beeringen, eines Pfostenfachwerkbrücke in — von Vierendeel (Abb.) 37.

Beispiel zur Ermittlung der Spannungswerte der doppelt bewehrten Balkenbrücke 263.

— für die Wahl der Abmessungen bei einer Brücke von 16,55 m lichter Weite über einen nicht schiffbaren Fluß (Abb.) 89 u. f.

Békès Csaba (Ungarn), Straßenbrücke über die Staatsbahn mit 11 Öffnungen, durchlaufender Eisenbetonbalken auf Zwischenpfeilersäulen, Stützweiten

6 bis 10 m, Schnitte, Beschreibung (Abb.) 280.

Belastungsannahmen für die Berechnung eines Betondreigelenkbogens, Zahlenbeispiel 456, 460, 488, 505, 588, 590, 659.

— — einer Bogenbrücke aus unbewehrtem Beton (Straßenbrücke), Spannweite 58,1 m 497.

— — von Bogenbrücken aus Eisenbeton 422 u. f., 439, 452, 528, 567, 569, 578, 597, 606, 612, 618, 620, 622, 627, 629, 652, 652, 655.

— — von Eisenbahnbrücken, Eisenbetonbogenträger 616, 627, 644, 648.

— einer Straßenbrücke mit versenkter Fahrbahn, vollwandiger Eisenbetonbalken 321.

— — desgl. mit versenkter Fahrbahn, durchlaufender Eisenbetonbalken 277, 279, 290, 291, 326.

— einer Eisenbetonbalkenauslegerbrücke 303.

— mit versenkter Fahrbahn, Eisenbetonpfostenfachwerk 324.

— von dreiseitigen Eisenbetonrahmenträgern 311.

— für die statische Berechnung von Straßenbrücken aus Eisenbeton 134.

— und Berechnung der Verbundbalken für eine eiserne Straßenbrücke, genietete Hauptträger mit vom Eisenbeton der Fahrbahntafel umhüllten Obergurt, Stützweite 30 m 709.

— und Berechnungsgang bei einer neuen, durch Betonumhüllung verstärkten eisernen Straßenbrücke, Hauptgitterträger von 19,9 m Stützweite 701, 702.

Belastungsbreite für den Balken bei Rippenplatten 77.

Belastungsfläche, Bestimmung der reduzierten — bei der Gewölbeberechnung 423.

— zur Feststellung der Streifengewichte von Gewölben 423.

Belastungsgleichwert zur Ermittlung des größten Biegungsmoments für die Berechnung der Plattenstärke eines einfachen Trägers (Beispiel für eine Brücke von 16,55 m Lichtweite) 92.

— der Verkehrslast bei der Berechnung einer gewölbten Betonbrücke für normalspuriges Vollbahnanschlußgleis 434.

— für Einzellasten bei Balken größerer Stützweite unter Angabe von Lastenzügen bei Stützweiten von 0 bis 30 m 142 u. f.

— —, Beispiel für die Berechnung derselben bei Trägern von 15 m Stützweite 146.

— für Platten von Eisenbetonbrücken kleiner Stützweiten unter Berücksichtigung der Lastverteilung 141.

Belastungsprobe, unerwartete, beim Betonieren von durchlaufenden Eisenbetonbalken 289.

— und Ergebnisse derselben für eine Straßenbrücke in Verbundkonstruktion 714.

— eines Gangsteges eingespannter Eisenbetonbogenbalkenträger mit anschließenden Treppenläufen, Lichtweite 29 m 318.

— beim Neubau einer Straßenbrücke, dreiseitiger Eisenbetonrahmenträger mit ungleich hohen Pfosten, Lichtweite 12,2 m 313.

— —, Rippengewölben aus Eisenbeton, 578, 581, 601, 602, 608.

— und Maß der Durchbiegung eines flachgespannten Dreigelenkbogens aus Beton mit steifen Eiseneinlagen nach Möller, Spannweite 16 m 574.

— und Maß der Senkungen einer schiefen Eisenbahnbrücke mit versenkter Fahrbahn, eingespannter Eisenbetonbogenträger, Lichtweite 59 m 649.

— — von Eisenbetonbogenbrücken mit einzelnen Hauptträgern, Spannweiten 33,6 und 56 m 627, 629.

Belastungsprobe und Maß der Senkungen einer Straßenbrücke mit zweigleisiger elektrischer Bahn, Eisenbetonbogenbalkenträger auf Pfahljochen aus Eisenbeton 642.

— —, von Rippenplattenbogen aus Eisenbeton 611, 617.

— — einer schiefen Fußgängerbrücke, durchlaufender Eisenbetonbalken mit Bewehrung aus Eisenfachwerkträger 297.

— — einer Straßenbrücke, Betonbogen mit zwei Strompfeilern als Joche aufgerammten Eisenbetonpfählen und Reibungswiderlagern nach Möller 641.

— desgl. eines eingespannten Betonbogens mit steifen Eiseneinlagen und Scheitelgelenk nach Bauweise Melan, Lichtweite 26 m 562.

— desgl. mit versenkter Fahrbahn, durchlaufender Eisenbetonbalken 327.

— bei durch Umhüllen mit Beton verstärkten eisernen Straßenbrücke 700.

— mit Sandsäcken und Dampfwalzen bei einer Straßenbrücke, Dreigelenkbogen aus bewehrtem Beton mit Federgelenken (Halbgelenken) 546.

Berechnung der Bogenbrücken, Belastungsannahmen 422 u. f.

— der gelenklosen Bogenbrücken mittels Seilecks als Stützlinie 426.

— einer gewölbten Betonbrücke für normalspuriges Vollbahnanschlußgleis, Berechnungsbeispiel, Spannweiten 30 und 20 m 432 u. f.

— für eine Wegeüberführung als Beispiel, Lichtweite 18,7 m 428.

— des Eisenbetondreigelenkbogens einer Vollbahnbrücke mittels Einflußlinien, Stützweite 24,4 m 460 u. f.

— des gelenklosen Eisenbetongewölbes nach der Elastizitätstheorie 459 u. f.

— eiserner Fachwerke, Vergleich derselben mit der Theorie der Berechnung von Fachwerken aus Eisenbeton 36.

Berechnung, statische, Abrundung der Zahlenstellen bei den Ergebnissen und Anschreiben größerer Zahlen 120.

— —, Angabe der Maßstäbe für die Zahlenrechnung 120.

— —, einheitliche Bezeichnungen bei Balkenbrücken 119.

— —, Eigengewicht und Nutzlast bei Brücken 121.

— —, Einteilung des Stoffes durch abschnittsweise Gliederung 119.

— —, ständige Last, Verkehrslast und sonstige äußere Kräfte bei Brücken 121.

— —, Unterschied zwischen statischer Begründung und Festigkeitsnachweis 118.

— —, Vorschläge für die Übersichtlichkeit der Zahlenausdrücke 120.

— von Gewölben, Berücksichtigung des Erddrucks 423.

— —, desgl. des Wasserdrucks 424.

— —, Bestimmung der reduzierten Belastungsflächen 423.

— der Lagerstühle von Zapfengelenken, Beispiel 407.

— der Pfeiler und Widerlager beim Betondreigelenkbogen einer Straßenbrücke 458 u. f.

— der Spannungen im Eisengerippe und seiner Verankerung einer Straßenbrücke, eingespannter Betonbogen mit steifen Eiseneinlagen und Scheitelgelenk nach Bauweise Melan, Lichtweite 26 m 562.

— einer Straßenbrücke als Betondreigelenkbogen mittels Stützlinien, Zahlenbeispiel 455 u. f.

— der Wälzgelenke aus Eisen 405.

— — nach Köpke, Barkhausen und Hertz 395 u. f.

— der Widerlager bei dem Eisenbetondreigelenkbogen einer Vollbahnbrücke, Zahlenbeispiel 474 u. f.

— des Zapfens für das Zapfengelenk 406.

Berechnungsannahmen für Granitgelenksteine, Ergebnisse der Versuche von Bach zur Feststellung derselben 386.

Berechnungsgang, Angabe desselben für eine eiserne Straßenbrücke, genietete Hauptträger mit vom Eisenbeton der Fahrbahntafel umhülltem Obergurt, Stützweite 30 m, 705 u. f.

Bernhausen, Straßenbrücke über die Schlitz mit versenkter Fahrbahn, Eisenbetonbogenträger mit Zugband, Lichtweite 20 m, Schnitte, Bewehrungseinzelheiten, Beschreibung (Abb.) 644.

Beschreibung des Bogenbalkens 5.
— des Bogens mit Zugband 5.
— ausgeführter Balkenbrücken aus Eisenbeton 264 u. f.
— ausgeführter Betonbogenbrücken ohne Eiseneinlagen 479 u. f.
— ausgeführter Eisenbetonbogenbrücken mit versenkter Fahrbahn 644 u. f.
— — mit voll durchgehenden Gewölben und schlaffen Eiseneinlagen 522 u. f.
— — mit steifen Eiseneinlagen 552 u. f.
— von ausgeführten Brücken aus Eisenbetonbogenbalkenträgern 315 u. f.
— — als Rahmenträger aus Eisenbeton 306 u. f.
— von ausgeführten Eisenbetontragwerken mit versenkter Fahrbahn 319 u. f.

Beton zur Abdeckung von Buckelplatten, Mindeststärke, wasserdichte Abdeckung mit Schutzschicht (Abb.) 675.
—, Behandlung der Außenflächen 116.
—, allgemeine Betrachtungen über die Mischungsverhältnisse und Bestandteile desselben 724.
—, Bestimmung der Einbetonierungslänge für die Eiseneinlagen zu Federgelenken auf Grund der Haftspannungen des Betons 410.
— für Betonwälzgelenke, Mischungsverhältnisse des Betons 394.
—, Druckproben mit Würfeln bei Verwendung von Quarzit und Dolomit 391.

Beton, Einbringen desselben zur Umhüllung und Verstärkung der fertig in Eisen hergestellten Brücke 717.
—, Erhöhung der Druckfestigkeit im umschnürten — 43.
—, magerer, zur Oberflächenabschrägung bei Plattendurchlässen mit 2 Öffnungen (Abb.) 13.
—, Mischungsverhältnisse und Druckfestigkeit desselben für Gewölbe, Pfeiler, Fundamente und Gelenke bei Beton- und Eisenbetonbogenbrücken 420.
—, Schwindmaße desselben nach Versuchen von Dyckerhoff u. Widmann 58.
—, umschnürter, Feststellung seiner Dehnbarkeit durch Bruchprobe einer Modellbrücke von 20 m Stützweite nach Considère (Abb.) 43.
—, — Nachteile bei Herstellung desselben 44.
— —, als Problem der Knotenverbindungen nach Considère 42.
— —, Vorzüge desselben 42.
— —, Umhüllung mit demselben zur Verstärkung einer eisernen Straßenbrücke, Hauptgitterträgern, Schnitte, Beschreibung (Abb.) 699, (Abb.) 700.
—, Wärmeänderungen, Spielraum derselben bei Bogenberechnungen 420.
—, Wärmeausdehnungskoeffizient desselben 56.
—, Wärmeleitung desselben 57.
—, Mindestalter desselben beim Ausrüsten nach den österreichischen Vorschriften 116.
— — für seine Probebelastung 116.
—, Zuschlagstoffe desselben im Brückenbau 420.

Betonansichtflächen, Belebung derselben durch Vorsatzbeton 67.

Betonbauten, Abstand der Trennungsfugen bei denselben 58.
—, Trennungsfugen zum Ausgleich der Längenänderungen bei denselben, welche durch Temperaturschwankungen und

Schwinden des Betons beim Erhärten bewirkt sind 57 u. f.

Betonbogenbrücke, Berechnung einer Straßenbrücke als Dreigelenkbogen mittels Stützlinien, Lichtweiten 18 und 22 m, Zahlenbeispiel 455 u. f.
— ohne Eiseneinlagen, Art des Stampfens der Betonschichten 343.
— — mit 3 Gelenken für eine Straßenbrücke, Beschreibung der Ausführung (Abb.) 343.
— — für eine Straßenbrücke, Betonierungsvorgang (Abb.) 340, 343.
— — mit Spargewölben für eine Straßenbrücke (Abb.) 340, 341.
— —, Spannweite 21 m zwischen verlorenen Widerlagern (Abb.) 339.
— — mit Wälzgelenken aus Granit und Spargewölben für eine Straßenbrücke (Abb.) 341.
— —, Beschreibung ausgeführter Brücken 479 u. f.
— —, allgemeine Betrachtungen über die Wahl von Gelenken 338.
— —, Reihenfolge der Betonierung bei der Herstellung der Gewölbe mit Rücksicht auf Formänderungen des Lehrgerüstes 342.
— —, Ausführungsweisen 415.
— —, Bleiplattengelenke zwischen Schotterbetonquadern, Lichtweiten 20 und 21 m, Beschreibung der Ausführung (Abb.) 402.
— —, erste, aus Roman- und Portlandzement 331.
— —, Zusammenstellung von Bauwerken unter Angabe von Verkehrsart, Baujahr, Spannweiten, Pfeilhöhen, Lagerung, Bogenstärke, nutzbarer Brückenbreite, ausführendem Unternehmer, Literatur und Bauweisen ohne Eiseneinlagen 663.
— — desgl. mit voll durchgehenden Gewölben und schlaffen Eiseneinlagen 665 u. f.
— — desgl. mit steifen Eiseneinlagen 669.

Betonbrücke mit Bleigelenken, schiefe — Spannweite 19 m 401.

—, Mischungsverhältnisse und Druckfestigkeit des Betons für Gewölbe, Pfeiler, Fundamente und Gelenke 420.

—, gewölbte, für das normalspurige Vollbahnanschlußgleis Berechnungsbeispiel, Spannweiten 30 und 20 m 432 u. f.

— —, für eine Wegeüberführung, Berechnung derselben als Beispiel, Lichtweite 18,7 m 428.

— — mit Asphaltfilzplattengelenken, Lichtweite 29 m 403.

Betondreigelenkbogen, Berechnungsbeispiel, Wahl der Gewölbeform 456.

Betongelenke, Ermittlung der Zugspannungen beim Auftreten der ersten Risse in denselben durch Bruchversuche 391.

— mit Eiseneinlagen, Zweck und Anordnung der letzteren (Abb.) 394.

—, Versuchsergebnisse zur Feststellung ihrer zulässigen Beanspruchung und der Grenzen ihrer Verwendbarkeit 389 u. f.

Betongewölbe, Ausführung derselben durch Einstampfen des Betons oder durch Versetzen von Betonquadern 341.

— mit Betonwälzgelenken für eine viergleisige Eisenbahnbrücke, Lichtweite bis zu 31 m (Abb.) 393.

—, Mischungsverhältnisse des Betons bei bewehrten und unbewehrten Gewölben 337.

—, umgekehrtes, gegen Auftrieb des Grundwassers 12.

—, Wahl der wirtschaftlichsten Bogenform 338.

Betonieren, Maße von Gewölbescheiteleinsenkungen während desselben und des Ablassens bei verschiedenen Brücken von 33 bis 79 m Lichtweite 422.

Betonierung, Darstellung derselben für Hauptträger, eingespannter Bogenträger aus Eisenbeton, Spannweite 63,7 m 636.

—, Reihenfolge derselben bei der Herstellung von Betongewölben mit Rücksicht auf

Formänderungen des Lehrgerüstes 342.

Betonierungsabschnitte und Tagesleistungen für gewölbte Straßenbrücken (Abb.) 116, 343, 415, 416, 418, 419, 518, 600.

Betonierungsarbeiten, Ausführung derselben bei Frost 689.

— bei Frost unter Verwendung von heizbaren Schuppen 8.

—, Grundsätze derselben 8.

Betonierungsblöcke, Angabe derselben beim Neubau einer Straßenbrücke, Eisenbetondreigelenkbogenträger, Spannweite 97,5 m 637.

Betonkern, Erhöhung seiner Druckfestigkeit bei Druckstreben aus einbetonierten Walzträgern 715.

Betonklotz, voller, zur Belastung der Kragarme, Eisenbetonbalkenkragträger mit verschütteten Endöffnungen, Stützweite 31 m 305.

— an den Widerlagern als Gegengewicht bei einem Gangsteg, eingespannter Eisenbetonbogenbalkenträger mit anschließenden Treppenläufen, Lichtweite 29 m 316.

Betonkörper als Unterstützung von Winkelstützmauern zur Sicherheit gegen Gleiten 29.

Betonplatte, gemeinsame, als Fundament für Widerlager bei unzuverlässigem Baugrund 12.

— mit Walzeisenträgern, Bulbeisen und Eisenbahnschienen 14.

Betonquerschnitt, Umrechnung desselben auf Eisenquerschnitt 707.

Betonstraßenbrücke in Holzminden aus Portlandzement vom Jahre 1877, Spannweite 7 m, Beschreibung (Abb.) 332.

Betonüberwölbung eines Kanals, Federgelenk (Scheitel- und Kämpfergelenk), Stützweite 27 m 410.

Betonumhüllung für Brückenverstärkungen, Literaturangaben 726.

Betonumhüllungen, Darstellung derselben für die Umwandlung stählerner Gerüstpfeiler in Eisenbetonpfeiler 719.

Betonumhüllungen, Sicherung der Haftspannungen bei Eisenkonstruktionen mit denselben zur Übertragung von Druckspannungen im Eisengurt auf Beton 706.

Betonverbrauch bei Herstellung einer Straßenbrücke, Eisenbeton - Dreigelenkbogenträger, Spannweite 97,5 m 639.

Betonverkleidung einer eisernen Straßenbrücke mit Eisenbetonfahrbahntafel (Abb.) 694.

Betonwälzgelenke von Betongewölben für 4 gleisige Eisenbahnbrücken, Lichtweiten bis zu 31 m (Abb.) 393.

—, Herstellung und Versetzen derselben 394.

—, Mischungsverhältnisse des Betons 394.

Betonwiderlager, Mischungsverhältnisse des Betons mit und ohne Eiseneinlagen 338.

Bewegungsfugen, Zweck derselben und Ursachen der Bewegung des Überbaues von Brücken 410.

Bewehrung mit Monolitheisen, Einzelheiten derselben bei einer Straßenbrücke, eingespannter Eisenbetonbogen, Spannweite 63,7 m (Abb.) 635.

Bewehrungseinzelheiten einer Bachüberdeckung aus Eisenbetonbalken (Abb.) 266.

— für durchlaufende Eisenbetonbalken 281, 283, 284, 285, 287, 288, 289 297, 298.

— des Dreigelenkbogens einer Eisenbahnbrücke (Abb.) 540.

— für durchlaufende Eisenbetonbogenbalkenträger (Abb.) 315.

— für Eisenbetonbalkenauslegerbrücke 301, 304.

— von Eisenbahnbrücken auch mit versenkter Fahrbahn, eingespannter Eisenbetonbogenträger (Abb.) 634, 647.

— für Eisenbetonbalkenbrücken auch von sehr geringer Bauhöhe 267, 269, 270, 273, 276.

— für eingespannte Eisenbetonbogengewölbe ohne Gelenke 535.

— eines Gangsteges von architektonischer Wirkung, eingespannter Eisenbetonbogenbalkenträger mit anschließenden Treppenläufen 317.

Bewehrungseinzelheiten einer Straßenbrücke mit versenkter Fahrbahn, vollwandiger Eisenbetonbalken (Abb.) 322.

— —, Eisenbeton-Dreigelenkbogenträger, Spannweite 97,5 m 637.

— — mit versenkter Fahrbahn, durchlaufender Eisenbetonbalken mit überkragenden Enden (Abb.) 328.

— für Rippendreigelenkbogen aus Eisenbeton 591.

— einer Straßenbrücke, Eisenbeton-Balkenkragträger, mit Zwischenpfeilern auf eingerammten Eisenbetonpfählen (Abb.) 302.

— — für eine Zufahrtstraße zum Güterbahnhof bei schwierigsten Grundriß- und Höhenverhältnissen, Brücke mit Eisenbetonbalken von verschiedener Höhe, Lichtweite 9 m 278.

— einer Straßenunterführung unter 8 Gleisen, Eisenbahnbrücke aus Betonbogen mit schlaffen und steifen Eiseneinlagen (Abb.) 577.

— — in Neigung 1:12 auf vorhandenen Pfeilern einer alten Brücke unter Vergrößerung der Fahrbahnbreite von 5 auf 10 m, Eisenbetonbalkenbrücke 274.

— einer Straßenbrücke mit versenkter Fahrbahn, Eisenbetondreigelenkbogen, Stützweite 47,9 m (Abb.) 659.

— —, eingespannten Rippenbogen (Abb.) 597.

— — mit versenkter Fahrbahn, Eisenbetonbogenträger mit Zugband 646.

— einer Staatsbahnbrücke, dreiseitiger Rahmenträger aus Eisenbeton, Pfosten hinter der Wandplatte, Lichtweite 13,9 m 307.

— einer Straßenbrücke, Dreigelenkbogen aus bewehrtem Beton mit Federgelenken (Halbgelenken) Spannweite 44 m (Abb.) 545.

Bewehrungseinzelheiten einer Straßenbrücke mit versenkter Fahrbahn, vollwandiger Eisenbetonbalken 319.

— — desgl., Eisenbetonbogenträger mit Zugband (Abb.) 653.

— — desgl., Eisenbeton-Dreieckfachwerkträger nach Visintini 326.

— —, einzelne Hauptträger aus Eisenbetonbogen (Abb.) 624.

— — mit eingespannten Eisenbetonbogenträgern, Lichtweite 40 m 630.

— — mit versenkter Fahrbahn, Eisenbetonbogenträger mit Zugband und überkragenden Enden, Benutzung der alten Holzbrückenwiderlager, Lichtweite 25 m 651, 652.

— — über Staatsbahngleise in Neigung 1:21, dreiseitiger Rahmenträger aus Eisenbeton, Lichtweite 10 m, beschränkte Bauhöhe (Abb.) 310.

— —, Eisenbetonbogen mit einzelnen Hauptträgern, Fahrbahn oben 626.

— einer schiefen Straßenüberführung mit versenkter Fahrbahn, Eisenbetonpfostenfachwerk 324, 325.

— einer Straßenüberführung, durchlaufender Eisenbetonbalken auf Mittelstützen als Pendelsäulen mit Quaderwälzgelenken 292.

— einer Überdeckung ohne Unterbrechung einer vorhandenen Eisenbetonfuttermauer, eingespannter Eisenbetonbogenbalkenträger, Lichtweite 14 m 319.

— — von Staatsbahngleisen, dreiseitiger Rahmenträger aus Eisenbeton, Lichtweite 9,9 m 308.

— der Überwölbung eines Kanals, Dreigelenkbogen mit Federgelenken (Halbgelenken), Stützweite 27 m (Abb.) 543.

— zur Verwendung von steifen und Rundeiseneinlagen bei Rippenplattenbogen aus Eisenbeton (Abb.) 616.

— einer schiefen Wegbrücke auf vorhandenen Feldsteinwiderlagern mit versenkter

Fahrbahn, vollwandiger Eisenbetonbalken 321.

Bewehrungseinzelheiten einer schiefen Wegüberführung über die Eisenbahn, einzelne Hauptträger aus Eisenbetonbogen, Spannweite 24 m (Abb.) 620.

— einer Wegbrücke mit versenkter Fahrbahn, Eisenbetonbalken mit durchbrochenen Tragwänden (Abb.) 323.

— einer Straßenbrücke aus starr mit den Betonwiderlagern verbundenen Eisenbetonbalken (Abb.) 272.

Bewehrungsnetz für flachgespannten Dreigelenkbogen aus Beton mit steifen Eiseneinlagen nach Möller 572.

Bewehrungspläne einer Straßenbrücke, Rippengewölbe aus Eisenbeton (Abb.) 579, 580.

Biegungsmoment beim Balken und Bogen, Vergleich seines Größenverhältnisses bei beiden 3.

—, negatives, Berücksichtigung desselben bei der Ausbildung durchlaufender Eisenbetonträger über mehrere Öffnungen 24.

Biegungs- und Scherfestigkeit beim Balken 4.

Big Four-Bahn (Nordamerika), Straßenbrücke aus durchlaufenden Eisenbetonbögen über mehrere Öffnungen mit Eisenbetonstützen (Abb.) 23.

Blackburn (England), Straßenbrücke, dreiseitiger Eisenbetonrahmenträger mit ungleich hohen Pfosten, Lichtweite 12,2 m, Schnitte, Beschreibung (Abb.) 312.

Bleieinlage, Verhalten derselben bei den Versuchen von Bach und Föppl zur Feststellung der Bruchfestigkeit von Granit für Gewölbegelenke 386.

Bleigelenke für eine schiefe Betonbrücke 401.

Bleiplatten, Siebelsche, als Mittel gegen Eindringen von Wasser in den Eisenbetonkörper (Preisangabe) 56.

Bleiplattengelenk für Eisenbahnbrücken, Betongewölbe (Abb.) 402.

Bleiplattengelenk, Ergebnisse der Versuche von Bach zur Feststellung der Belastung, bei welcher Gußblei in Scheiben- oder Zylinderform ausweicht 401.
— aus Hartblei im Eisenbetongewölbe (Abb.) 402.
— zwischen Schotterbetonquadern für eine Straßenbrücke aus Beton, Beschreibung der Ausführung (Abb.) 402.
Boberullersdorf, Straßenbrücke über den Bober bei —, Bogenbrücke aus unbewehrtem Beton ohne Gelenke, Spannweite 58,1 m, Beschreibung, Schnitte, Einzelheiten (Abb.) 497.
Bochum-Nord, Straßenüberführung am Bahnhof aus Kragträgergruppen von 12,4, 16 und 26 m Stützweiten (Abb.) 27.
— — über Bahnhof —, durchlaufender Eisenbetonbalken, 6 Öffnungen, Stützweite der Hauptöffnung 26 m, Schnitte, Einzelheiten, Beschreibung (Abb.) 297.
Bodenverhältnisse, Anordnung eines Durchlasses mit Zwischenwand bei Schwierigkeit derselben 13.
Bogen, Betrachtungen über Mittellinie und Stützlinie bei demselben 3.
—, Erklärung desselben und Wirkungsweise seiner Belastungen 2.
—, Stützlinie desselben 3.
— mit Zugband, Beschreibung desselben 5.
Bogenbalken, Beschreibung desselben 5.
— und Bogenbrücke, konstruktive Unterschiede derselben 31.
—, Einfluß des Erddrucks auf Schild-, Fuß- und Hakenplatte ihrer Widerlager 31.
—, Grundformen derselben (Abb.) 31.
—, Kennzeichen derselben 30.
—, Unterschied derselben in statischer Hinsicht von einer Bogenbrücke 30.
—, wagerechte Lagerfugen im Widerlager derselben 31.
— — Stützkräfte derselben 31.

Bogenbalkenbrücke, Anordnung derselben zur Erzielung einer Kostenersparnis beim Widerlager 32.
—, Fußgängerbrücke am Dutzendteich in Nürnberg (Abb.) 32.
—, Scheitelstärke derselben im Vergleich mit Balkenbrücken 32.
Bogenbalkenträger, Begriff derselben 11.
— aus Eisenbeton, Beschreibung von ausgeführten Brücken 315 u. f.
—, Ermittlung der durch Bogen- und Balkenwirkung zu übertragenden Lastanteile 259.
— — des Maximalmomentes infolge Eigengewichts unter Berücksichtigung der größeren Trägerhöhe am Auflager 260.
— — des wagerechten Schubes und der Normalpressung im Scheitel 258.
— seiner Spannungen als Balken und Bogen und Vergleich derselben mit seinen Spannungen als reiner Balken oder Bogenträger 260.
—, Kennzeichen derselben 256
—, angenähertes Verfahren zur Berechnung derselben, als Beispiel Nachrechnung eines Fußgängersteges von 20 m Lichtweite 257.
—, Wirkung der Reibungskraft als wagerechte Kraft im Zweifelsfalle 261.
Bogenbrücken, Belastungsannahmen für die statische Berechnung 422 u. f.
— aus Eisenbeton, Gliederung des Überbaues bei verschiedenen Spannweiten 337.
— —, Vorteile derselben 337.
—, Erweiterung der Ausführungsmöglichkeit weitgespannter — durch Anwendung von Eisenbetonbalken 6.
—, gelenklose, Berechnung mittels Seilecks als Stützlinie 426.
— —, Wärmeeinfluß 426.
—, Grundformen derselben (Abb.) 31.
—, Stützlinien für Normal- und Vollbelastung, Minimalstützlinie 427.

Bogenbrücken, Unterschied derselben in statischer Hinsicht von einer Balkenbrücke 30.
Bogeneinspannung einer Eisenbahnbrücke, Rippengewölbe aus Eisenbeton, Einzelheiten (Abb.) 582.
Bogenform, Bestimmung derselben bei der Bogenbrücke aus unbewehrtem Beton 494.
— — beim Dreigelenkbogen 454, 488, 539, 589.
— — bei einer Straßenbrücke, eingespannte Rippengewölbe aus Eisenbeton 598.
Bogenträger, eingespanster für eine Kanalbrücke, Lichtweite 21 m (Abb.) 33.
— zwischen Treppenläufen auf Zwischenstützen für einen Gangsteg (Abb.) 33.
Bordkante auf Brücken, aus Kantenschutzeisen 52.
Borek-Blazowa, Brücke in — mit Fachwerkträgern als Hauptbalken, Lichtweite 15 m (Abb.) 17.
Borek (Posen), schiefe Wegbrücke auf vorhandenen Feldsteinwiderlagern mit versenkter Fahrbahn, vollwandiger Eisenbetonbalken, Lichtweite 10,6 m, Schnitte, Beschreibung (Abb.) 321.
Böschungen, Einfluß ihrer Neigung auf die Wahl von Brückenöffnungen, Stützen und Widerlager 23.
Böschungswinkel, natürlicher, Größe desselben für trockene und nasse Dammerde 424.
Bournemouth (England), Tuktonstraßenbrücke mit 2 gleisiger elektrischer Bahn, Eisenbetonbogenbalkenträger auf Pfahljochen mit versenkter Fahrbahn, 12 Öffnungen, Stützweiten 7,8 bis 12,5 m, Schnitte, Beschreibung (Abb.) 641.
Bouvignes, Straßenbrücke über die Maas, Rippenbogen aus Eisenbeton, Spannweiten 32,5 und 41 m, 3 Öffnungen, Schnitte, Beschreibung (Abb.) 592.
Braunschweig, Fußgängersteg über Gleise am Nordbahnhof als Plattenbalken mit Fisch-

bauchträgern nach Möller (Abb.) 19.

Breitenau (Kgr. Sachsen), Plattenbrücke mit Visintiniträger, 4,5 m l. W. 13.

Bremen, Fußgängerweg auf der Industrieausstellung in —1890, Eisenbetongewölbe, Spannweite 40 m, allgemeine Anordnung (Abb.) 334.

Brems- und Reibungskräfte, Berechnung derselben 148

Bruchbelastung für Granit zur Feststellung seiner Druckfestigkeit und seines Verhaltens bei Gewölbegelenken nach Versuchen von Bach und Föppl 384 u. f.

— für Sandstein zur Feststellung seiner Druckfestigkeit nach Versuchen von Bauschinger und Bach 383.

Bruchgefährlichkeit und Sprödigkeit, Verminderung derselben bei gußeisernen Säulen durch Umschnürungsbeton 722.

Bruchversuche von Bach mit Sandsteingelenken, Ergebnisse derselben 387.

Brücke von 16,55 m lichter Weite über einen nicht schiffbaren Fluß als Beispiel für die Wahl der Abmessungen (Abb.) 89 u. f.

—, Angabe von verschiedenen Belastungen durch Menschengedränge 127.

—, schiefe, Anordnung der Zwischenstützen als Pendelstützen 106.

—, Anwendung und Vorteile von Verbundkonstruktionen auch bezüglich der Kostenfrage bei denselben 713, 717.

—, Belastungsannahmen für die statische Berechnung von Straßenbrücken 134.

—, Belastungsgleichwerte für Einzellasten bei Balken größerer Stützweite unter Angabe von Lastenzügen bei Stützweiten von 0 bis 30 m 142 u. f., Beispiel 146.

— — für Platten kleiner Stützweiten unter Berücksichtigung der Lastverteilung 141.

—, Berechnung der Brems- und Reibungskräfte 148.

— — der Fliehkraft 150.

Brücke, Berechnung des Geländerdrucks 148.

— — des Winddrucks 147.

—, gewölbte, Begriff der weitgespannten Segmentbogen 338.

— —, Bezeichnung derselben 338.

—, Bildung von Lastenzügen für Hauptträger 138 u. f.

—, Breite und Länge der Verteilung von Radlasten auf die Plattenbalken 136.

—, Dampfwalzen nach behördlichen Vorschriften, übersichtliche Zusammenstellung ihrer Maße und Gewichte 131.

—, Druckgurtbreite des Rippenplattenbalkens 77.

—, Eigengewicht und Nutzlast für die statische Berechnung der Brücken 121.

—, Einfluß der Versteinungsstärke auf die Beanspruchung von Platten 137.

—, bewegliche, Ersatz derselben bei Kreuzungen von untergeordneten Verkehrswegen 49.

— mit versenkter Fahrbahn, Ausführung der Eisengerippe (Fachwerkbrücke bei Sabarat, Ariège, Spannweite 20 m) (Abb.) 113.

— —, vollwandigen und durchbrochenen Trägern, tabellarische Angabe der Grundbedingungen, Grundmaße, Grundverhältnisse, des Betoninhalts, des Schalungsverhältnisses, der Bewehrung, des ausführenden Unternehmers und der Literatur 86.

—, Gewichte von Straßenfahrzeugen (Lastfuhrwerke, Dampfwalzen, Straßenbahnwagen) als ungünstigste Belastung ihrer Fahrbahn 128.

— — der Fahrbahn aus verschiedenen Pflasterungen 122.

— — der Gangbahn aus verschiedenen Belägen 122.

— — der Geländer 123.

— — der Schneebelastung 146.

— — der verschiedenen Oberflächendichtungen der Eisenbetontafel 122.

—, Größe der Reibungswiderstände bei den beweglichen Lagern 150.

Brücke, Größe der Verkehrslasten nach Angaben staatlicher und städtischer Verwaltungen 126.

—, Grundsätze für die Entwurfsbearbeitung 47.

—, Holzpflaster auf denselben, seine Abmessungen 54.

—, ständige Last, Verkehrslast und sonstige äußere Kräfte für die statische Berechnung der Brücken 121.

—, Lastwagen nach den Vorschriften staatlicher und städtischer Behörden, übersichtliche Zusammenstellung ihrer Maße und Gewichte 199 u. f.

—, Maße und Gewichte für Droschke, Omnibus, Autodroschke, Kastenwagen, Wasserwagen, Möbelwagen, Tafelwagen in Dresden 133.

—, Schalungsverhältnis für dieselben, Angabe der abgewickelten Schalungsfläche auf 1 m² Grundrißfläche der Brücke 81.

—, Stampfasphaltpflaster auf denselben, seine Abmessungen 54.

— und Stege, Unterschied derselben von Überdeckungen 10.

—, Stoßwirkungen der Verkehrslast 135.

—, Straßenbr. am Bahnhof Bochum Nord, Anordnung eines Standgerüstes beim Lehrgerüst zur Holzersparnis (Abb.) 110.

—, Straßenbahnwagen, übersichtliche Zusammenstellung ihrer Maße und Gewichte 132.

— mit einfachen, durchlaufenden, vollwandigen und durchbrochenen Trägern, Übersicht über die Mittelwerte der Grundgrößen 88.

—, schmale und weitgespannte, aus Tragwerken mit versenkter Fahrbahn 34.

—, Übersicht über Belastungen der Fahrbahn und Gangbahn mit Menschengedränge nach Vorschrift staatlicher und städtischer Behörden 128.

— und Überdeckungen, Unterschied derselben 77.

Brücke, Ursachen der Bewegung des Überbaues und Zweck der Bewegungsfugen 410.

—, Widerlager derselben, allgemeine Angaben über ihre Ausbildung 95.

— — Ausbildung der Lagerfläche und der Kammermauer 95.

Brückenabschluß für durchlaufende Eisenbetonbalken auf vollwandigen Betonpfeilern und Eisenbetonrahmen 296.

Brückenbahn, Abmessungen für den Querschnitt derselben bei Straßenbrücken 51.

—, lichte Breite derselben 51.

—, Längsgefälle derselben bei chaussierten, gepflasterten oder asphaltierten Straßen 50.

—, Versteinung derselben mit Rücksicht auf Dauerhaftigkeit und Wasserdurchlässigkeit 52.

Brückenbau, geschichtliche Entwicklung desselben 1.

—, Grundformen desselben 2.

Brückenbücher, Notwendigkeit ihrer Anlage und Angaben in denselben 9.

Brückenentwurf, Grundgrößen für denselben bei Rippenplatten 73.

Brückengrundriß, Einfluß desselben im Wettbewerb auf Aussichten für Eisenbeton oder Eisen 48.

Brückenkonstruktionen aus Beton, Anordnung und Ausführung von Trennungsfugen 724.

Brückenlasten, Überleitung derselben nach dem Widerlager 101.

Brückenmitte, Ausrundung des Neigungswinkels in derselben 50.

Brückenoberfläche, Entwässerung derselben nach den Widerlagern zu 54.

Brückenöffnungen und Steigungsverhältnisse, Berücksichtigung derselben bei der Bemessung von Trägerhöhen 24.

—, Stützen und Widerlager, Wahl derselben mit Rücksicht auf das anschließende Erdreich 23, 96.

Brückenschmuck durch Brüstungen und Geländer (Abb.) 67 u. f.

Brückenverstärkung durch Betonumhüllung, Literaturangaben 726.

Brüstungen und Geländer als Brückenschmuck (Abb.) 67 u. f.

— in Eisenbeton aus · festen Säulen mit dazwischen eingeschobenen Platten 60.

— —, Trennungsfugen bei denselben 60.

Buchelsdorf (Österr.-Schlesien), Franzensstraßenbrücke mit versenkter Fahrbahn, vollwandiger Eisenbetonbalken, Schnitte, Beschreibung (Abb.) 321.

Buckelplatten, Abdeckung derselben mit Beton, Mindeststärke desselben, wasserdichte Abdeckung mit Schutzschicht 675.

Bügel, Anordnung und Formen derselben (Abb.) 116.

Buhlen, Talbrücke bei — im Zuge der Eisenbahnstrecke Wildungen—Corbach und im Bogen von 700 m Halbmesser, gelenklose, unbewehrte Betonbogen, Lichtweite 19,5 m, Schnitte, Beschreibung (Abb.) 502 u. f.

Bulbeisen als Einlagen in Betonplatten 14.

Campine-Kanal (Belgien), Kragträgerbrücke über denselben aus Eisenbeton mit überstehenden Enden (Abb.) 25.

Châtellerault, Straßenbrücke über die Vienne, Rippengewölbe aus Eisenbeton, Lichtweiten 40 und 50 m, 3 Öffnungen, Ansichten, Beschreibung (Abb.) 577.

Chaussierung als Versteinung über der Brückentafel, Stärke derselben 53.

China, Brücke aus Eisenbetonträgern über mehrere Öffnungen über den Pei-Lien-King in Putung (Abb.) 21.

Chippis, schiefe Eisenbahnbrücke mit versenkter Fahrbahn über die Rhône, eingespannter Eisenbetonbogenträger, Lichtweite 59 m, Schnitte, Bewehrungs-

einzelheiten, Beschreibung (Abb.) 646.

Cleveland, Straßenbrücke über den Rockyfluß, Betonbogen ohne Gelenke, Lichtweiten 13,4 u. 85,3 m, Schnitte, Einzelheiten, Beschreibung (Abb.) 518 u. f.

Cöln-Olper Provinzialstraße, Unterführung derselben unter dem Rangierbahnhof Kalk-Nord, Betonbogenbrücke ohne Eiseneinlagen, Spannweite 21 m zwischen verlorenen Widerlagern (Abb.) 339.

Compressol-Verfahren für die Fundierung von Widerlagern auf Pfeilergruppen 593, 606.

Considère, Bruchprobe einer Modellbrücke von 20 m Stützweite zur Feststellung der Dehnbarkeit umschnürten Betons (Abb.) 43.

—, Problem der Knotenverbindungen in dem umschnürten Beton 42.

Coßmannsdorf (Sachsen), Weißeritzbrücke, Eisenbetonbalken, Stützweite 17,5 m, Schnitte, Einzelheiten, Beschreibung (Abb.) 271.

— (Dresden), schiefe Weißeritzstraßenbrücke am Gute Heilsberg mit versenkter Fahrbahn, vollwandiger Eisenbetonbalken, Stützweite 15 m, Schnitte, Beschreibung (Abb.) 320.

Dammerde, trockene und nasse —, Größe des natürlichen Böschungswinkels derselben 424.

Dammschüttung, Eisenbetonträger auf 2 Stützen mit überkragenden Enden zur Überführung einer Straße 25.

Dampfpfluglokomotive von 23 t Dienstgewicht für die Berechnung von Straßenbrücken 589.

Dampfwalzen nach behördlichen Vorschriften, übersichtliche Zusammenstellung ihrer Maße und Gewichte 131.

Danville, Eisenbahnbrücke der St. Louis-Eisenbahn, Bogen aus bewehrtem Beton nach Johnson, Lichtweiten 24 und 30,5 m, Schnitte, Beschreibung (Abb.) 546.

Dehnbarkeit des umschnürten Betons, festgestellt durch Bruchprobe einer Modellbrücke von 20 m Stützweite nach Considère (Abb.) 43.

Dennhausen, Straßenbrücke über die Fulda, Dreigelenkbogen aus Beton mit Betongelenken, Spannweite 36 m, Schnitte, Beschreibung (Abb.) 511 u. f.

Dennheritz, Wegüberführung über Staatsbahngleise, dreiseitiger Rahmenträger aus Eisenbeton, Beschreibung 308.

Dichtung durch Asphaltfilzbelag als Mittel gegen Eindringen von Wasser in den Eisenbetonkörper bei wenig geneigten Flächen (Preisangabe) 55.

— durch Asphaltpappe desgl. (Preisangabe) 56.

— durch Goudronanstrich (Preisangabe) 55.

— durch Jutegewebe mit Goudronanstrich bei senkrechten Flächen (Preisangabe) 55.

— durch Siebelsche Bleiplatten desgl. (Preisangabe) 56.

— der Trennungsfugen zum Abhalten von Feuchtigkeit 59.

Dichtungsmaterial, Schutz desselben gegen Beschädigung durch das Überfüllungs- oder Hinterpackungsmaterial 56.

Döbeln, Überdeckung von Staatsbahngleisen für die Roßweiner Straße, dreiseitiger Rahmenträger aus Eisenbeton, Lichtweite 9,9 m, Schnitte, Beschreibung (Abb.) 308.

Doppelpfeiler einer schiefen Brücke, durchlaufender Eisenbetonbalken 289.

Dreieckfachwerke aus Eisenbeton 37.

Dreieckfachwerkträger aus Eisenbeton, Systemlinien 40.

Dreigelenkbogen, Art der Ausrüstung 421.

—, Berechnung der Eisenbetongewölbe als — 454 u. f.

— — mittels Stützlinien, Zahlenbeispiel 455 u. f.

Dreigelenkbogen, Berechnung derselben mit Hilfe von Einflußlinien bei Eisenbetongelenkbrücken 460.

—, Bestimmung der Bogenform und der Gewölbestärke 454.

— aus Beton, Berechnungsbeispiel, Wahl der Gewölbeform 456.

— aus Eisenbeton, Berechnung einer Vollbahnbrücke mittels Einflußlinien, Stützweite 24,4 m 460 u. f.

— —, Ermittlung der Senkung des Mittelgelenkes infolge Verkehrslast, Eigengewichtes, Wärmeänderung, Austrocknen des Bogens und Zusammenpressung des Baugrundes und Lehrgerüstes, Stützweite 24,4 m, Zahlenbeispiel 472.

—, Umwandlung derselben in eingespannte Bogen nach Setzung des Bauwerks, Beschreibung 529.

Dresden-A., viergleisige Eisenbahnbrücke über die Elbe aus Betongewölben mit Betonwälzgelenken, Lichtweiten bis zu 31 m (Abb.) 393.

—, Friedrich-August-Brücke, Dreigelenkbogen aus unbewehrtem Beton mit Wälzgelenken aus Eisenbeton, Lichtweiten 17,6 bis 39,3 m, Schnitte, Beschreibung 507 u. f.

Druck- und Zugkräfte, Beziehungen zwischen denselben innerhalb der Gelenksteine, Versuchsergebnisse zur Feststellung ihrer Verkürzungen und Querdehnungen 388.

Druckbeanspruchungen in Wälzgelenken, Berechnung nach Köpke, Barkhausen und Hertz, vergleichende Zusammenstellung 400.

Druckfestigkeit, Erhöhung derselben, klargelegt durch das Beispiel der Sandtöpfe 43.

— — im umschnürten Beton 43.

— für Granitgelenksteine, Ergebnisse der Versuche von Bach zur Feststellung derselben 386.

— und Verhalten von Granit bei Bruchbelastung von Gewölbegelenken nach Ver-

suchen von Bach und Föppl 384 u. f.

Druckfestigkeit und Mischungsverhältnisse des Betons für Gewölbe, Pfeiler, Fundamente und Gelenke bei Beton- und Eisenbetonbogenbrücken 420.

— von Sandstein bei Bruchbelastung nach Versuchen von Bauschinger und Bach 383.

— für Sandsteingelenke, Ergebnisse der Versuche von Bach zur Feststellung derselben 387.

Druckgurtbreite des Balkens für Rippenplatten bei Brücken 77.

Drucklinie, Verlauf derselben am Kämpfer außerhalb des Gewölbes bei einem flachgespannten Dreigelenkbetonbogen mit steifen Eiseneinlagen nach Möller 572.

Druckproben mit Würfeln aus Beton bei Verwendung von Quarzit und Dolomit 391.

Durchbiegung, Berechnung derselben beim Eisenbetonbalken 118.

Durchflußprofil, Berücksichtigung desselben bei Wahl von Brückenpfeilerstärken 22.

—, Feststellung desselben 48.

Durchlaß mit Zwischenwand bei großer Spannweite 13.

Durchlässe, gewölbte, Begriff derselben 338.

Durchlaufender Eisenbetonträger über mehrere Öffnungen mit Eisenbetonstützen für Gangstege mit anschließenden Treppenarmen 24.

— Träger, Begriff desselben 11.

— —, Berechnung desselben 183 u. f.

— — Bestimmung der Momente für die unbelasteten Öffnungen 191.

— — desgl. einer Öffnung infolge einer Einzellast, einer gleichförmig voll und streckenweise verteilten Belastung 188 u. f.

— — Bestimmung der Querkräfte und Auflagerdrücke 192.

— —, Ermittlung des Einflusses der Zusatzmomente für fest eingespannte Mittelstützen auf die Trägermomente bezw. des Einspannungsgrades 230.

Durchlaufender Träger, zeichnerisches und rechnerisches Verfahren zur Bestimmung der Festpunkte 186.
— — mit versenkter Fahrbahn bei der Staatsbahnbrücke in Nymwegen (Holland) 34.
— — über mehrere Öffnungen mit eingespannter Mittelstütze, Berechnung ihres größten Zusatzmomentes 224, 225, 227.
— — über 2, 3 und mehr als 3 Öffnungen, tabellarische Angabe der Grundbedingungen, Grundmaße, Grundverhältnisse, des Betoninhalts, des Schalungsverhältnisses, der Bewehrung, des ausführenden Unternehmers und der Literatur 34.
— — über mehrere gleiche und ungleiche Öffnungen, Zahlenwerte der Stützweiten bei gegebenen gleichförmig verteilten Belastungen und überflüssiger Verankerung 197.
— — auf 3 und 4 elastisch senkbaren Stützen gleichen Abstandes als Platte, Größe der Stützendrücke desselben 155.
— — auf 3 Stützen, Größe der Auflagerdrücke bei gleichförmig verteilter Belastung 193.
— — auf 4 Stützen mit gleich großen Endfeldern, Bestimmung der günstigsten Stützweiten aus den größten Momenten bei gleichförmig verteilter Belastung 198.
— — desgl., Bestimmung des Festpunktabstandes bei verschiedenen Trägheitsmomenten 187.
— — desgl. gleichen Abstandes, Größe der Auflagerdrücke bei gleichförmig verteilter Belastung 194.
— — auf 4 starren Stützen gleichen Abstandes, Rechnungsbeispiel unter Anwendung von Einflußlinien zur Bestimmung der größten Momente, Querkräfte und Auflagerdrücke 209 u. f.
— — auf 5 Stützen (Landungssteg) mit fest eingespanntem und frei überkragendem Ende, ausführliches Rechnungsbeispiel für gleichförmig verteilte Belastung 200 u. f.
Durchlaufender Träger über mehrere Öffnungen, Gefährdung derselben durch Veränderung der Stützenhöhenlage 19.
— — desgl. aus Eisenbeton mit Eisenbetonstützen (Abb.) 23.
— — desgl., Ausführungsformen derselben (Abb.) 19.
— — desgl., Vergleich ihrer Stützung auf Pendelstützen mit Einspannung an den Pfeilern 20.
— — desgl., ihr Endfeld als Rahmen ausgebildet 20.
— — desgl., Ausführung ihrer Gründung 19.
— — desgl., Wahl der Feldweiten und Lagerungsarten zur Verminderung der Biegungsmomente 20.
— — desgl., Verbindung derselben mit Pfeiler und Widerlagern 20.
— — desgl., Fugen in der Brückentafel mit Rücksicht auf Einwirkung von Wärme und Kälte 19.
— — mit unendlich vielen fest verbundenen, eingespannten Mittelstützen, Zusatzmomente derselben 227.
— — über mehrere Stützen, Vorteile derselben im Vergleich mit einfachen Balken auf 2 Stützen 19.
— — auf starren Stützen gleichen Abstandes, Zahlenwerte für die Stützendrücke bei gleichförmig und ungleichförmig verteilten Lasten sowie Einzellasten 196.
— — desgl., Zahlenwerte für die Momente bei gleichförmig verteilter Belastung und wandernder Einzellast 194 u. f.
— — auf unendlich vielen Stützen mit gleich langen inneren Feldern, Bestimmung der günstigsten Endfelderstützweite aus den Momenten 200.
— — mit fest verbundenen Zwischenstützen und voller Einspannung der Stützenfüße, Berechnung der Zusatzmomente nach Ostenfeld 222 u. f.
Düsseldorf, Königsbrücke, flachgespannter Dreigelenk-Betonbogen mit steifen Eiseneinlagen nach Möller, Spannweite 16 m, Schnitte, Einzelheiten der Gelenke, Beschreibung (Abb.) 572.

Eckversteifung bei den Rahmenbrücken der sächsischen Staatseisenbahnen 29.
Eigengewicht, Verminderung desselben bei einfachen Trägern auf zwei Stützen durch Öffnungen in der Trägerwand 16.
—, Verringerung desselben bei vollwandigen Tragwerken mit versenkter Fahrbahn durch Nischen an den Außenflächen 35.
— von Eisenbetonbalkenbrücken, Ermittlung desselben 123.
— des Eisenbetonkörpers bei Brückentafeln 81.
Eigenschaften, welche für Bauunternehmungen bei Ausführung von Eisenbetonbrücken erforderlich sind 7.
Einbauen und Herstellung von Visintinitrӓgern 45.
Einflußlinien, Anwendung derselben zur Bestimmung der größten Momente, Querkräfte und Auflagerdrücke für einen durchlaufenden Träger auf vier starren Stützen gleichen Abstandes, ausführliches Rechnungsbeispiel 209 u. f.
— für die Berechnung eines Eisenbeton-Dreigelenkbogens einer Vollbahnbrücke, Stützweite 24,4 m 460 u. f.
— — paralleler Vierendeelträger 247.
— für die Kernpunktmomente zur Untersuchung von Widerlagerquerschnitten beim Dreigelenkbogen 475.
Einheitsgewichte, Mittelwerte derselben für die Baustoffe von Eisenbetonbrücken 121.
Einrüstung, Anordnung derselben bei einer Straßenüberführung über zwei Betriebsgleise 50.
Einsenkungsmaße, Größe derselben vor und nach dem

47*

Ausrüsten eines Dreigelenkbogens aus unbewehrtem Beton, Stützweite 57 m 490.

Einspannung der Trägerenden und Lastverteilung, Einfluß derselben auf die Größe der Momente einer Platte als Balken auf zwei Stützen 158.

—, erzielt durch starre Verbindung der Widerlager mit Balken (Abb.) 28

Einspannungsgrad, Ermittlung desselben bezw. des Einflusses der Zusatzmomente für fest eingespannte Mittelstützen durchlaufender Träger auf die Trägermomente 230.

— — bei einer dreiseitigen Rahmenbrücke mit gelenkiger Lagerung 240.

— der Rahmenträger mit und ohne Fußgelenke bei verschiedenen Trägheitsmomenten, Höhen und Längen für Balken und Pfosten zur raschen überschläglichen Bestimmung der Momentenverteilung, Beispiel 241 u. f.

Einspannungsmoment beim Bogenträger 33.

Einzellasten, Belastungsgleichwerte für dieselben bei Balken größerer Stützweite unter Angabe von Lastenzügen bei Stützweiten von 0 bis 30 m 142 u. f.

— —, Beispiel ihrer Berechnung bei Trägern von 15 m Stützweite 146.

—, Verteilungswinkel derselben infolge der Überschüttung bei Gewölbeberechnungen 425.

Eisbrecher aus Eisenbeton (Abb.) 98, 99.

Eisen, fertig in — hergestellte Brücke, verstärkt durch Betonumhüllung 717.

Eisenaufwand für Straßenbrücke mit Rippenplattenbogen aus Eisenbeton 610, 613.

— bei einer schiefen Fußgängerbrücke, durchlaufender Eisenbetonbalken mit Bewehrung aus Eisenfachwerkträger, Stützweiten 20 m 297.

— bei Straßenbrücken, gelenklose Betonbogen mit schlaffen und steifen Eiseneinlagen 568, 575.

Eisenaufwand für eine Straßenbrücke, Eisenbeton-Dreigelenkbogenträger 639.

—, Gewicht desselben bei einer schiefen Straßenbrücke, Betonbogen mit steifen Eiseneinlagen nach Melan 569.

—, Werte desselben bei Eisenbetonbauten 81.

Eisenbahngleise, Anordnung der Lehrgerüste bei der Überbrückung derselben, Beispiele, Darstellung von Einzelheiten 110 u. f.

—, Lichtraumprofil für Brücken über denselben auf freier Strecke 49.

Eisenbahnschienen als Einlagen bei Eisenbetonbogenbrücken 360.

— — in Betonplatten 14.

Eisenbedarf für Eisenbetondreigelenkbogen mit steifen Flußeiseneinlagen nach Bauweise Melan, Lichtweite 42,2 m 556.

Eisenbeton, seine Anwendung im Eisenbrückenbau, allgemeine Betrachtungen 675.

—, Dreieckfachwerkträger aus demselben, Systemlinien 40.

—, Einfluß klimatischer Verhältnisse auf die ungeteilte Länge eines Brückenkörpers aus demselben 58.

—, Eisbrecher aus demselben (Abb.) 98, 99.

— oder Eisen, Einfluß des Brückengrundrisses auf Aussichten für dieselben im Wettbewerb 48.

— bei Eisenbrücken, Melansche Fahrbahntafel, Bogen zwischen I-Trägern, Berechnungsweise der Gewölbe 678 u. f.

— als Ersatz von Eisenkonstruktionen bei unregelmäßigem Grundriß zur Vermeidung statisch verwickelter Trägeranordnungen 16.

—, Fachwerkträger aus —, allgemeine Gesichtspunkte ihrer statischen Berechnung 17.

— — für eine Straßenbrücke als nicht nachahmenswertes Beispiel (Abb.) 42.

Eisenbeton für Lehrgerüste bei ungünstigen Wasserverhältnissen, Rippengewölbe aus Eisenbeton, Spannweite 100 m 607.

—, Pendelwände aus demselben, Ausbildung der Gelenke (Abb.) 105.

—, Pfähle aus demselben mit biegungsfester, auskragender Eisenbetonschwelle zur Auflagerung der Balken (Abb.) 100.

—, Wälzgelenksteine aus demselben (Abb.) 105.

—, schmale Zwischenstütze aus demselben, Ausbildung ihres Kopfes für die Auflagerung zweier Trägerenden (Abb.) 107.

—, Zwischenstützen aus demselben in Form einzelner, gleichzeitig mit dem Tragwerk hergestellter Säulen (Abb.) 97, 98.

— — mit ausgemauerten Zwischenräumen 98.

Eisenbetonauskleidung d. Eisentroges einer Kanalbrücke, Schnitte, Einzelheiten, Beschreibung (Abb.) 685.

Eisenbetonbalken, Auffassung der inneren Kraftwirkung 3.

—, Berechnung der Durchbiegung desselben 118.

—, Eckausrundung (Voute) der Untergurtlinie an den Stützpunkten 65.

— als Ersatz beim Umbau, Verwendung vorhandener Pfeiler und Widerlager 19.

—, Grundmaße desselben bei Rippenplatten 73.

— als Hilfsmittel zur Erweiterung der Ausführungsmöglichkeit weit gespannter Bogenbrücken 6.

—, Linienführung ihrer oberen und unteren Begrenzung bei Brücken 63, 64.

Eisenbetonbalkenbrücken, Beschreibung ausgeführter — 264 u. f.

—, Ermittlung des Eigengewichts 123.

—, Verteilung der Brückengewichte auf die einzelnen Hauptträger, Beispiel für vier Rechnungsfälle 123 u. f.

Eisenbetonbauten, Bauzustände für die Abnahme derselben zur Prüfung ihrer sachgemäßen Ausführung 8.

—, Werte für den Aufwand an Eisen 81.

Eisenbetonbogen für Straßenbrücken, Spannweiten 9 m und 39 m (Abb.) 335.

Eisenbetonbogenbrücken, Ausdehnungsvorrichtung beim Pfeileranschluß der Fahrbahn (Abb.) 414.

—, Anordnung der Eisennetze und Ausführung der Gewölbe 344.

— Ausführungsweisen 415.

— — Johnson 349.

— — v. Emperger, Spannweite 15 m, Granitverblendung (Abb.) 359.

— — von Emperger mit Einlagen aus eisernen Bogenrippen 349, 359.

— — Kahn 353.

— — Luten für eine Straßenbrücke mit Sohle aus Eisenbeton, Spannweite 20 m, Längenschnitt, Herstellung der Sohle (Abb.) 353.

— — desgl., Bogenform und Stärkeverhältnisse nach Erfahrungsformeln 351.

— — Melan (Abb.) 358.

— — desgl. mit Walzträgerbewehrung, Schnitte, Kosten (Abb.) 356.

— — desgl., Ausbildung von Gelenken 355.

— — desgl. mit Einlagen aus Fachwerkträgern, Schnitte und Einzelheiten, Kosten (Abb.) 357.

— — Möller mit Einlagen aus Gitterträgern von ungleichen Gurtquerschnitten 360.

— — desgl., Versuche mit einem Probegewölbe 360.

— — Ribera, Ausführungszeit (Abb.) 359.

— — desgl. mit Eisengerüstbewehrung 359.

— — Thacher (Abb.) 350.

— — desgl., Bewehrungseinzelheiten 350.

— — Wünsch mit steifen Eiseneinlagen, Schnitte und Einzelheiten (Abb.) 354.

Eisenbetonbogenbrücken, dreiarmige, nach Bauweise Thacher 351.

—, Berechnung der Stirnmauern beim Dreigelenkbogen 477.

— — einer Vollbahnbrücke als Dreigelenkbogen mittels Einflußlinien, Stützweite 24,4 m 460 u. f.

— — der Widerlager bei dem Dreigelenkbogen für eine Vollbahnbrücke, Zahlenbeispiel 474 u. f.

—, Beschreibung der Ausführung des Hauptgewölbes, Spannweite 71 m 418.

— — der Gewölbe-Ausführung, Spannweite 79 m 419.

— — ausgeführter — mit voll durchgehenden Gewölben und schlaffen Eiseneinlagen 522 u. f.

— — der Bauweise Monier 345.

—, Betonierungsfolge bei Dreigelenkbogen 415, 416.

— mit oberer und unterer Bewehrung sowie radialen Bügeln, Bogenöffnung 34 m, Längen- und Querschnitte (Abb.) 347.

— — für eine Straßenbrücke mit monumentaler Architektur, Ansicht und Längenschnitt (Abb.) 346.

— mit 2 Bogenrippen nach Hennebique für einen Fußsteig, Lichtweite 42 m, Längen- und Querschnitte (Abb.) 368.

— mit 4 Bogenträgern unter der Fahrbahn auf einzelnen Stützen mit gemeinschaftlichem Fundament für eine Straßenbrücke, Spannweite 10,4 m (Abb.) 377.

—, Dreigelenkbogen einer Vollbahnbrücke, Berechnung der Beton- und Eisenbeanspruchungen, der Schub- und Haftspannungen, Stützweite 24,4 m, Zahlenbeispiel 466, 467, 470.

— mit Einlagen aus Eisenbahnschienen für eine Fußwegüberführung, Spannweite 21,9 m, Ansicht, Schnitte und Einzelheiten, Kosten (Abb.) 361.

— — für eine Straßenbrücke, Spannweite 16,5 m, Längenschnitt und Grundriß (Abb.) 360.

Eisenbetonbogenbrücken mit nur unterer Einlage für eine Straßenbrücke, Spannweite 14 m, Längen- und Querschnitt (Abb.) 345.

— mit schlaffen Einlagen 344.

— und steifen Eiseneinlagen, Lichtweite 8 m, Ausführung unter Freilassung des Raumes unter dem Gewölbe von Gerüsten, Längen- und Querschnitte (Abb.) 362.

— mit unterer Eiseneinlage und oberer bis ⅛ der Spannweite für eine Straßenbrücke zwischen Widerlagern aus Bruchsteinmauerwerk auf Pfahlrost, Längen- und Querschnitt, Spannweite 16 m (Abb.) 345.

—, Ermittlung der Senkung des Mittelgelenkes eines Dreigelenkbogens infolge Verkehrslast, Eigengewichtes, Wärmeänderung, Austrocknen des Bogens und Zusammenpressung des Baugrundes und Lehrgerüstes, Stützweite 24,4 m, Zahlenbeispiel 472.

— für eine Fußwegüberführung (Abb.) 348.

— mit 2 über der Fahrbahn liegenden Bogenträgern ohne Hängepfosten, Spannweite 32 m, Längen- und Querschnitte (Abb.) 381.

— — mit Zugband als Ersatz einer alten Holzbrücke für Landfuhrwerk, Lichtweite 17 m, Längen- und Querschnitte, Anschluß des Zugbandes (Abb.) 380.

— für eine Zufahrtbrücke mit großer Pfeilhöhe (Abb.) 347.

—, Ausdehnungsvorrichtung mit federnder Eisenbetonwand am Landanschluß (Abb.) 412.

— mit einzelnen Hauptträgern unter der Fahrbahn aus eingespannten Bogen für eine Fußgängerbrücke, Spannweite 36 m, Schnitte (Abb.) 372.

— — desgl. und vollen Längswänden über denselben für eine Straßenbrücke, Lichtweiten 12 und 30 m, Längen- und Querschnitte (Abb.) 371

Eisenbetonbogenbrücken mit großer Pfeilhöhe und Überbau aus durchbrochenen Querwänden mit Fahrbahnplatte, Lichtweite 37,6 m (Abb.) 347.

— mit 2 Hauptträgern und Pfosten aus Eisenbeton unter der Fahrbahn für eine Straßenbrücke, Schnitte (Abb.) 373, 374, 376.

— mit 3 Hauptträgern unter der Fahrbahn für eine Straßenbrücke (Abb.) 376.

— mit 6 Hauptträgern unter der Fahrbahn, Pfosten und Pfostenfachwerk aus Eisenbeton, 3 mittlere Bogen und 2 einhüftige Außenöffnungen bei Gesamtlänge von 176 m für eine Straßenbrücke, Längen- und Querschnitte (Abb.) 377.

— mit zwei über der Fahrbahn liegenden eingespannten Bogenträgern mit Zugband für eine Straßenbrücke, Lichtweite 20 m, Schnitte, Bewehrungseinzelheiten (Abb.) 380.

— mit Rippengewölben bis zur Fahrbahnplatte für eine Straßenbrücke, Lichtweite 30 m, Pfeiler und Widerlager aus Eisenbeton, Gründung auf Caisson aus Eisenbeton, Längen- und Querschnitte (Abb.) 366.

— mit Rippenplattenquerschnitt für eine Straßenbrücke, mit voller Unteransicht, Spannweite 21,9 m, Beschreibung der Ausführung, Längen- und Querschnitte (Abb.) 368.

— — nach Hennebique für eine Straßenbrücke, Spannweite 23,7 m, Längen- und Querschnitte (Abb.) 368.

— mit steifen Eiseneinlagen, Beschreibung ausgeführter Brücken 552 u. f.

— — nach Bauweise Wünsch 354.

— mit unteren Rippen für eine Straßenbrücke (Abb.) 365, 366.

—, Landanschluß, Ausdehnungsvorrichtung u. Entwässerung, pendelnder Endpfosten (Abb.) 411.

Eisenbetonbogenbrücken mit untenliegender Fahrbahn, allgemeine Anordnung und Begriff derselben 378.

— mit versenkter Fahrbahn, Beschreibung ausgeführter Bauwerke dieser Art 644 u. f.

—, Federgelenke (Halbgelenke), Beschreibung derselben 409.

—, Gliederung des Überbaues bei verschiedenen Spannweiten 337.

— mit einzelnen Hauptträgern unter der Fahrbahn, Begriff derselben 370.

— mit zwei Hauptträgern unter der Fahrbahn für Talbrücken, Spannweiten 33,6 und 57 m (Abb.) 375.

—, Mischungsverhältnisse und Druckfestigkeit des Betons für Gewölbe, Pfeiler, Fundamente und Gelenke 420.

— mit Rippengewölben, Vorzüge derselben 364.

—, zulässige Spannweiten derselben bei Anwendung von Wälzgelenken 383.

—, Übertragung der Windkräfte auf die Hauptpfeiler 413.

—, Vorteile derselben 337.

—, Zapfengelenke derselben 405 u. f.

— — unter Angabe von Verkehrsart, Baujahr, Spannweiten, Pfeilhöhen, Lagerung, Bogenstärke, nutzbarer Breite, ausführendem Unternehmer, Literatur und Bauweise mit Rippengewölben 669.

—, desgl. mit einzelnen Hauptträgern und obenliegender Fahrbahn 671.

— — desgl. mit einzelnen Hauptträgern und versenkter Fahrbahn 672.

— — desgl. mit Rippenplattenquerschnitt 671.

—, Zweck der Gelenke 382.

Eisenbetonbrücke über die Elster in Meilitz (Abb.) 66.

—, allgemeine Betrachtungen über ihre Bau- und Unterhaltungskosten 8.

—, allgemeine Gesichtspunkte für die Wahl ihrer Grundformen 61.

Eisenbetonbrücke, Anordnung der Einrüstung bei einer Straßenüberführung über 2 Betriebsgleise 50.

— — von Zwischenstützen bei denselben 62.

—, Bauhöhe bei denselben 61.

—, Behandlung der den atmosphärischen Einflüssen ausgesetzten Außenflächen durch Putz 8.

—, Eigenschaften der Bauunternehmungen für die einwandfreie Ausführung derselben 7.

—, Einfluß von architektonischen Anforderungen auf die Wahl ihrer Grundform 62.

—, Einschränkung der Bauhöhe bei denselben durch Anordnung der Gangbahnen außerhalb der Hauptträger 61.

— über Eisenbahngleisen, Anordnung von Rauchschutztafeln bei denselben 72.

—, Erfüllung der Symmetrie bei der Wahl ihrer Grundform 65.

—, Ersparnis an Widerlager- und Pfeilerbreite durch Auskragung der Fahrbahntafel über die Randträger 78.

—, Forderungen, die bei ihrer Herstellung unbedingt erfüllt sein müssen, um ihre Vorzüge gegenüber Eisenbrücken zur Geltung zu bringen 7.

— bis zu 10 m, Lagerausbildung 102.

—, Massengrößen derselben für die Kostenermittlung 74.

—, Mittelwerte von Einheitsgewichten der für dieselben verwendeten Baustoffe 121.

—, Notwendigkeit der Anlage von Brückenbüchern und Angaben in denselben 9.

— aus Pfostenfachwerken, konstruktive Vorteile derselben 38.

—, Prüfung derselben durch Probebelastungen 116 u. f.

—, Unterhaltungsmaßnahmen bei denselben 8.

—, Vergleich derselben mit eisernen Brücken mit Betonumhüllungen, Vorteile der letzteren nach Ingenieur Pendaries 705.

Eisenbetonbrücke, Vor- und
Nachteile derselben im Vergleich mit Eisenbrücken 7.
—, Wertvergleichung derselben
mit steinernen und eisernen
Brücken auch hinsichtlich der
statischen Berechnung 5.
Eisenbetonbrückenträger für
Fußwegüberführung auf Bahnhof Höhr (Abb.) 21.
—, Nachteile ihrer Auflagerung
auf breiten Pfeilerköpfen 20.
— auf vorhandenen Pfeilern als
Ersatz eines ungenügenden
eisernen Überbaues (Abb.) 20.
— auf schmalen Pfeilern mit
Gelenkfugen (Abb.) 20.
— als durchlaufende Träger über
eine größere Anzahl von Öffnungen (Abb.) 21, 22.
Eisenbetonbrüstungen aus festen
Säulen mit dazwischen eingeschobenen Platten 60.
—, Trennungsfugen bei denselben 60.
Eisenbeton - Fahrbahngewölbekonstruktionen zwischen eisernen Haupttragkonstruktionen
696.
Eisenbeton - Fahrbahntafel bei
eisernen Brücken 681, 682.
Eisenbetonfußwegträger und
Eisenkonstruktion aus I-Trägern mit Betonverfüllung bei
Durchlässen 690, 691.
Eisenbetongehwegtafel als Ersatz
hölzerner Gehwegtafeln bei
eisernen Brücken, Schnitte,
Beschreibung, Beispiele (Abb.)
693.
Eisenbetongehwegträger und genietete Eisenträger mit Eisenbetontrog unter Schienen und
Bettung 690.
Eisenbetongeländer, als ein sich
selbst tragender Fachwerkträger 581.
Eisenbetongewölbe, Anfänge
ihrer Herstellung 334.
—, Berechnung desselben als
eingespannter gelenkloser
Bogen nach der Elastizitätstheorie 439 u. f., 448 u. f.
— — derselben als Dreigelenkbogen 454 u. f.
—, Bestimmung der Momente
aus den Ergebnissen der Berechnung desselben als ein-

gespannter und als Dreigelenkbogen, Beispiel 453.
Eisenbetongewölbe, Dorfbrücke
im Schloßpark zu Chazelet
als ältestes Bauwerk dieser
Art aus dem Jahre 1875
(Abb.) 694.
— für einen Fußgängerweg auf
der Industrieausstellung in
Bremen 1890, Spannweite
40 m, allgemeine Anordnung
(Abb.) 334.
— mit Hart-Bleiplattengelenken
402.
— Zapfengelenk derselben bei
einer Eisenbahnbrücke 406.
Eisenbetongewölbe - Konstruk-
tionen bei eisernen Brücken,
Bewährung derselben (Abb.)
695.
Eisenbetonkörper, Eigengewicht
desselben bei Brückentafeln 81.
Eisenbetonpfähle, eingerammte,
zur Gründung der Landpfeiler
einer Straßenbrücke, einge-
spannte Rippengewölbe aus
Eisenbeton 601.
— für Zwischenstützen (Abb.) 99.
Eisenbetonpfeiler einer Kanal-
brücke, Schnitte, Ansichten,
Beschreibung (Abb.) 684.
—, Umwandlung von stählernen
Gerüstpfeilern in —, Schnitte,
Einzelheiten, Beschreibung
(Abb.) 718.
Eisenbetonplatte zur Druckverteilung auf Fahrbahntafel aus
engliegenden Visintiniträgern
46.
Eisenbetonquerschnitt, Berechnung des Trägheitsmoments,
Zahlenbeispiel 461.
Eisenbetonstützen für durchlaufende Träger über mehrere
Öffnungen (Abb.) 22.
Eisenbetontafel, Gewichte der
verschiedenen Oberflächendichtungen 122.
Eisenbetonträger, Anordnung
der Lager im Brückenquer-
schnitt 104.
— — schwebender Stützpunkte
bei Kragbrücken (Abb.) 105.
—, durchlaufende, Ausbildung
der Gelenke ihrer Zwischenstützen als Pendelstützen
(Abb.) 105.

Eisenbetonträger, Bemessung
der Trägerhöhen mit Rücksicht
auf Brückenöffnungen und
Steigungsverhältnisse 24.
— zwischen Differdinger Trägern
als Querverbindung bei einer
Straßenbrücke 694.
—, dreiteiliges Gleitlager für
dieselben (Abb.) 103.
— — Rollenkipplager für dieselben (Abb.) 103.
— — Rollenlager für dieselben
(Abb.) 103.
—, zweiteiliges Kipplager für
dieselben (Abb.) 103.
—, Kugellager für dieselben
(Abb.) 103.
— Lagerausbildung bei denselben, Berechnung der Rollen
104.
— —, Bestimmung der Grundflächengröße 104.
— — desgl. der Plattenstärke 104.
— mit eisernen Lagern, Spaltbrücke zur Überdeckung der
Trennungsfuge 59.
— über mehrere Öffnungen auf
mit den Trägerrippen fest verbundenen Eisenbetonstützen
für eine Kanalbrücke (Abb.) 22.
— auf 2 Stützen mit überstehenden Enden für eine Straßenüberführung auf geschüttetem
Damm (Abb.) 25.
— als durchlaufende Träger
über mehrere Öffnungen, Ausbildung derselben an den
Stützen 24.
Eisenbetonträgerwände, ihre
Ausbildung mit Rücksicht
auf negative Stützenmomente
(Abb.) 20.
Eisenbetontragwerke mit versenkter Fahrbahn, Beschreibung von ausgeführten
Brücken 319 u. f.
Eisenbetonüberbau für Brücken
nach Bauweisen der baye-
rischen Staatsbahnen 676.
— für österreichische Straßenbrücken, Tabellen 677.
Eisenbetonzwischenpfeiler,
schmale, Auflagerung von
Trägern auf denselben durch
gabelförmige Gestaltung einzelner Trägerenden (Abb.) 101.
Eisenbewehrung, Mittelwert derselben für Balken 81.

Eisenbrücken, Melansche Fahrbahntafel bei denselben aus Eisenbeton, Bogen zwischen I-Trägern, Berechnungsweise der Gewölbe 678 u. f.

—, Vergleich derselben mit Eisenbetonbrücken auch hinsichtlich der statischen Berechnung 5.

—, Vorteile derselben im Vergleich mit Eisenbetonbrücken 6.

Eisenbrückenbau, Anwendung des Eisenbetons in demselben, allgemeine Betrachtungen 675.

Eiseneinlagen, Anordnung derselben bei Vermeidung von Zugstabverbindungen 313.

— bei Balkenbrücken, Bestimmung ihrer Ausrundungslänge am Auflager und des zugehörigen Krümmungshalbmessers 264.

—, Bestimmung derselben nach dem Berechnungsbeispiel für eine gewölbte Betonbrücke 431.

—, Merkmale der Betonbogenbrücken ohne und mit denselben 336 u. f.

Eisengerippe, Ausbildung der Endhaken, kürzeste Hakenlänge 115.

—, Ausführung desselben bei Brücken mit versenkter Fahrbahn 113.

—, Ausführungsarten desselben 112, 561, 567.

Eisenkonstruktion aus I-Trägern mit Betonverfüllung und Eisenbetonfußwegträger bei Durchlässen 690.

Eisenquerschnitt, Umrechnung von Betonquerschnitt auf Eisenquerschnitt 707.

Eisenstäbe im Zuggurt, Verbindung derselben bei größeren Stützweiten 114.

Eisenteile, Berechnung ihrer Beanspruchung vor Einbringung des Betonteile bei einer eisernen Straßenbrücke mit vom Eisenbeton der Fahrbahntafel umhülltem Obergurt 710.

—, Behandlung derselben bei Eisenbetonkonstruktionen 724.

Eisenträger, genietete, mit Eisenbetontrog unter Schienen und Bettung, Eisenbetonträger für Gehwege 690.

Eisentrog einer Kanalbrücke mit Eisenbetonauskleidung, Schnitte, Einzelheiten, Beschreibung (Abb.) 685.

Eiserne Balkenbrücke von 21,5 m Spannweite als Rechnungsbeispiel für den Nachweis des Gewichtes der an der Hauptträgerbeanspruchung nicht teilnehmenden Konstruktionsteile 711.

Eiserne Brücken mit Betonumhüllungen, Vorteile derselben im Vergleich mit gewöhnlichen Eisenbetonbrücken nach Ingenieur Pendaries 705.

—, Verstärkung derselben durch Umhüllung mit Beton oder Eisenbeton, allgemeine Bemerkungen 698.

Eiserne Haupttragkonstruktionen mit Eisenbeton-Fahrbahn-Gewölbekonstruktionen 696.

— Straßenbrücke mit Eisenbetonfahrbahntafel und Betonverkleidung (Abb.) 694.

Elastische Stützensenkungen, Einfluß derselben auf die Beanspruchung eines gleichförmig vollbelasteten Balkens auf 4 Stützen 156.

— — auf die Berechnung von Platten 152 u. f.

—, Maße für dieselben, bei welchen das Moment der durchlaufenden Platte gleich demjenigen der frei aufliegenden wird 157.

Elastisches Verhalten des Trägerbaustoffs, Voraussetzungen für dasselbe bei der Berechnung 184.

Elastizitätsgleichungen für den beiderseitig eingespannten Bogen 448.

Elastizitätsmodul „E" des Pirnaer Sandsteins 396.

Elastizitätstheorie, Berechnung des beiderseitig eingespannten Bogens, Bestimmung der Einflußfläche für den Horizontalschub, Beispiel 448 u. f., 450.

— — des gelenklosen Eisenbetonbogens 439 u. f.

Elastizitätstheorie, Untersuchung eines Eisenbetongewölbes nach Mörsch, Berechnung der Momente 442 u. f.

— — deegl., Bestimmung der Beanspruchungen 446.

— — eines Gewölbes nach Mörsch, Einflußlinien der 3 statisch unbestimmten Größen V, H und M 440.

Elbing-Tiegenhof, Straßenbrücke, Eisenbetonbalken-Kragträger mit Spalt für hohe Schiffsmasten, 3 Öffnungen, Lichtweite 6,75 m 299.

Elsen, Straßenbrücke, Betonbogen ohne Gelenke, Spannweite 46 m 513 u. f.

Emperger, v., Bauweise — für Eisenbetonbogenbrücken mit Einlagen aus eisernen Bogenrippen 359.

—, Entwurf zum Umbau der Straßenbrücke über den Donaukanal in Wien unter Anwendung von Röhren in Umschnürungsbeton, Spannweite 60 m 722.

—, Versuche mit einbetonierten guß- und flußeisernen Säulen 721.

Ems-Weser-Kanal, Niedernholzer Straßenbrücke mit versenkter Fahrbahn, Eisenbetondreigelenkbogen, Stützweite 47,9 m 656.

—, Straßenbrücke über denselben, Rippendreigelenkbogen aus Eisenbeton, Stützweite 49,9 m (Abb.) 587.

—, Überführung des Kohlenweges, desgl., Spannweite 46,5 m (Abb.) 590.

Endfelder für Eisenbetonträger über 4 Stützen als Podest und Treppenlauf ausgebildet 24.

Endhaken, Ausbildung derselben, kürzeste Hakenlänge 115.

—, Werte der kürzesten, ausführbaren Hakenlänge von Eisenstäben verschiedenen Durchmessers nach Dyckerhoff u. Widmann 115.

—, halbkreisförmige Umbiegung des Stabendes nach Considère 115.

Endpfeiler, gelenkartige Gestaltung desselben bei Eisenbetonbalkenkragträgern, 8 Öffnungen, 302.

Endwiderlager, Ersparung derselben durch Anordnung von Eisenbetonträgern auf zwei Stützen mit überstehenden Enden 25.

Entladevorrichtung einer Hochbahn zur Gasanstalt mit Vollspurgleis, Eisenbetonbogenbalkenträger auf Turmpfeilern und Pendeljochen, Schnitte (Abb.) 644.

Entwässerung von Dehnungsfugen bei einer Eisenbetonbogenbrücke 412.
— Eisenbetontafel einer Bachüberdeckung 264.
— der Fahrbahntafel einer Straßenbrücke, Betonbogen ohne Gelenke, Einzelheiten (Abb.) 516.
— der Oberfläche von Plattenbrücken 13.

Entwurfsbearbeitung von Brükken, Berücksichtigung atmosphärischer Einflüsse bei derselben 47.
— —, Grundsätze für dieselbe 47.

Erddruck, Berücksichtigung desselben bei Gewölbeberechnungen 423.
—, Ermittlung des wagerechten Schubes und der Momente für eine dreiseitige Rahmenbrücke bei gelenkiger Lagerung infolge desselben 234 u. f.
—, Wirkung desselben auf Schild-, Fuß- und Hakenplatte von Bogenbalkenwiderlagern 31.

Erdgewicht, günstige Wirkung desselben bei Rahmenbrücken zur Erhöhung der Einspannung 30.

Erdmannsdorf (Sachsen), Straßenbrücke aus Visintiniträgern von 13 m Stützweite (Abb.) 46.

Erhärtungsdauer für Beton bei einem Dreigelenkbogen vor dem Ablassen der Lehrgerüste 487.

Ersparnis bei Ausführung in Eisenbeton gegenüber einer solchen in Eisen 277.

Ersparnis an Holz bei Lehrgerüsten durch Anordnung eines Standgerüstes 110.

Fabrikmäßig hergestellte Balken und Träger, ihre Verwendbarkeit bei kleineren Stützweiten 14.

Fachwerkbrücken aus Eisenbeton, allgemeine Besprechung ihrer konstruktiven Durchbildung 37.
— —, zuverlässige Ausbildung der Knotenverbindungen 44.
—, eiserne, allgemeine Besprechung ihrer konstruktiven Durchbildung 36.

Fachwerkträger, Begriff derselben 11.
— mit nicht bewehrten Druckpfosten und bewehrten Zugstreben von 22 m Stützweite (Abb.) 46.
— aus Eisenbeton, allgemeine Gesichtspunkte ihrer statischen Berechnung 17.
— für eine Straßenbrücke als nicht nachahmenswertes Beispiel, 27 m Stützweite (Abb.) 42.
— als Hauptbalken nach Hennebique bei einer Brücke von 15 m Lichtweite 17.

Fahrbahn, Ausbildung derselben für das Ausweichen von Wagen bei schmalen Straßenbrücken 622.
—, Eisenbetontragwerke mit versenkter —, Beschreibung von ausgeführten Brücken 319 u. f., 534, 84.
—, untenliegende, bei Eisenbetonbogenbrücken, allgemeine Anordnung und Begriff derartiger Brücken 378.
—, versenkte, Brücken mit derselben sowie mit vollwandigen und durchbrochenen Trägern, tabellarische Angabe der Grundbedingungen, Grundmaße, Grundverhältnisse, des Betoninhalts, des Schalungsverhältnisses, der Bewehrung, des ausführenden Unternehmers und der Literatur 86.
— —, Ausführung der Eisengerippe bei Brücken mit derselben 113.

Fahrbahntafel, Abschluß derselben am Widerlager bei Straßenbrücken, durchlaufender Eisenbetonbalken auf Zwischenpfeilersäulen 270, 280.
—, Bewehrungsplan derselben bei einem Rippengewölbe aus Eisenbeton (Abb) 579, 285.
— aus Eisenbeton bei eisernen Brücken 681, 682.
— aus engliegenden Visintiniträgern mit druckverteilender Eisenbetonplatte 46.
—, Konstruktion derselben bei Dreigelenkbögen aus unbewehrtem Beton 489, 505, 604.
— aus Stampfbetonkappen zwischen eisernen Quer- und Zwischenträgern einer Straßenbrücke aus stählernen Bogenträgern mit versenkter Fahrbahn, Betonumhüllung der unteren Eisenkonstruktion 704.
— — desgl. bei eingespanntem Bogen aus Eisenbeton 516, 596.
— aus I-Trägern mit Betongewölben bei einer Straßenbrücke 519, 494, 496.
— einer schiefen Straßenbrücke Eisenbetonbogen mit Rippenplattenquerschnitt 610.

Fahrstraße, Mindestbreite derselben 51.
— bei Eisenbetonbogenbrücken, Beschreibung derselben 409.

Federgelenk, Bestimmung der Einbetonierungslänge für die Eiseneinlagen zu demselben aufGrund der Haftspannungen des Betons 410.
— (Scheitel- und Kämpfergelenk) für eine Betonüberwölbung 410.
— aus Vierkanteisen, Lichtweite 31 m 410.
— für eine 44 m weit gespannte Straßenbrücke 410.

Felsöseseb (Ungarn), Oltbrücke, durchlaufender Eisenbetonbalken, Stützweiten 16,5 und 22 m, Schnitte, Beschreibung (Abb.) 295.

Ferrania (Italien), Bormidabrücke, Straßenbrücke mit durchlaufenden Eisenbetonbalken, Lichtweiten 8 u. 12 m, Schnitte, Beschreibung (Abb.) 283.

Ferroinclave-Konstruktion unter Anwendung von Wellblechen für Eisenbetongehweg - Gewölbe zwischen Eisenträgern, Beispiele, Beschreibung, Schnitte (Abb.) 697.

Festpunkt, Bestimmung seines Abstandes für den durchlaufenden Träger auf 4 Stützen bei verschiedenen Trägheitsmomenten 187.

—, zeichnerisches und rechnerisches Verfahren zur Bestimmung desselben beim durchlaufenden Träger 186.

Fischbauchträger nach Möller 18.

Flächengliederung zur Erfüllung architektonischer Forderungen bei der Wahl von Grundformen für Eisenbetonbrücken 66.

Flächenreibung, Verminderung derselben durch Anordnung eiserner Gleitplatten bei der Lagerausbildung 102.

Fliehkraft, Berechnung derselben 150.

Flügelanordnung zum Abschluß des Erdreichs bei Brückenwiderlagern 96.

Flügelquerschnitt einer Straßenbrücke, dreiseitiger Rahmenträger aus Eisenbeton, Lichtweite 10 m 310.

Flußeiserne Säulen, Versuche Empergers mit einbetonierten — 721.

Fogaras - Kronstadt, Eisenbahnbrücken —, Eisenbetonbogenbrücken mit einzelnen Hauptträgern, Spannweiten 33,6 m und 56 m 627 u. f.

Föppl, Versuche desselben zur Feststellung der Druckfestigkeit und des Verhaltens von Granit bei Bruchbelastung von Gewölbegelenken 384 u. f.

Forderungen, die bei Herstellung von Eisenbetonbrücken erfüllt sein müssen, um ihre Vorzüge gegenüber Eisenbrücken zur Geltung zu bringen 7.

Forst i. d. L., Landstraßenbrücke in Sacrow, Eisenbetonbalkenkragträger, 8 Öffnungen, Stützweiten 14,7 und 17,2 m, mit Zwischenpfeilern auf eingerammten Eisenbetonpfählen,

Schnitte, Beschreibung (Abb.) 301.

Frandsen, Berechnung von Pfostenfachwerk - Parallelträgern 248.

Franzensbrücke in Buchelsdorf aus vollwandigen Tragwerken mit versenkter Fahrbahn, Lichtweite 19,5 m (Abb.) 85.

Frost, Ausführung von Betonierungsarbeiten bei demselben unter Verwendung von heizbaren Schuppen 8.

—, Wirkung desselben beim Betonieren 295.

Fugen in der Brückentafel durchlaufender Träger mit Rücksicht auf Einwirkung von Wärme und Kälte 19.

Fundierung einer Straßenbrücke, Rippenbogen aus Eisenbeton, Kasten aus Eisenbetonwänden auf Fels, Bauvorgang 592.

— — desgl. Widerlager auf Pfeilergruppen nach dem Compressol-Verfahren 593.

— aus durchlaufenden Eisenbetonträgern mit Treppenläufern (Abb.) 24.

Fußgängersteg, Befestigung desselben mit Asphalt oder Zementplatten 54.

— über Gleise als Plattenbalken mit Fischbauchträgern nach Möller (Abb.) 19.

Fußwegauskragungen auf Konsolen aus Eisenbeton (Abb) 22.

Fußwegüberführung aus Eisenbetonträgern über mehrere Öffnungen (Abb.) 21.

— Ersatz der Rampen bei derselben durch Treppenanlagen 51.

Galizien, Straßenbrücke in Trembowla, einzelne Hauptträger aus Eisenbetonbogen, Lichtweite 21,8 m, 2 Öffnungen, Schnitte, Einzelheiten, Beschreibung (Abb.) 623.

Gangbahn, Mindestbreite derselben 51.

—, Quergefälle derselben auf Brücken 52.

— auf Bogenträgern zwischen Treppenläufen auf Zwischenstützen 33.

Gangsteg aus Eisenbeton 24, 41, 98.

— Einrüstung desselben (Abb.) 108.

—, tabellarische Angabe der Grundbedingungen, Grundmaße, Grundverhältnisse, des Betoninhalts, des Schalungsverhältnisses, der Bewehrung, des ausführenden Unternehmers und der Literatur 82.

— mit anschließenden Treppenarmen aus durchlaufenden Eisenbetonträgern über mehrere Öffnungen mit Eisenbetonstützen 24.

Garz, Havelschleusenstraßenbrücke mit versenkter Fahrbahn, durchlaufender Eisenbetonbalken auf 2 Stützen mit überkragenden Enden über 3 Öffnungen, Stützweiten 4,2 m und 13,96 m, Schnitte, Beschreibung (Abb.) 327.

Geländer für Brücken, Gewichte derselben 123.

— oder Brüstungen, Anordnung und Abstände der Hauptpfosten 71.

— —, Befestigung eiserner Hauptpfosten 71.

—, Höhe derselben 71.

— —, Stoßleiste als untere Begrenzung desselben 71.

— und Brüstungen als Brückenschmuck (Abb.) 67.

— aus Eisenbeton als ein sich selbst tragender Fachwerkträger 581.

Geländerdruck, Berechnung desselben 148.

Geländerpfosten, Befestigung derselben 71.

Gelenke, Anordnung und Konstruktion derselben bei dem Dreigelenkbogen aus unbewehrtem 489.

—, erste Anwendung derselben im Gewölbebau 332.

— aus Asphaltfilzplatten in der Betonbogenbrücke 403.

—, Ausbildung der Gelenkfugen und Abdeckung derselben 414.

—, Beschreibung des Bauvorgangs für das Einbringen der Gußstahlgelenke beim Dreigelenkbogen aus unbewehrtem Beton 490.

Gelenke, Betonwälzgelenke, Herstellung und Versetzen derselben 394.
— —, Mischungsverhältnisse des Betons 394.
— — mit Eiseneinlagen, Zweck und Anordnung der letzteren 394.
— — in Betongewölben für Eisenbahnbrücken 393, 402, 487.
—, Bleiplattengelenk einer brücke, Rippendreigelenkbogen aus Eisenbeton 604.
— — für Pendeljoche einer Hochbahn zur Gasanstalt mit Vollspurgleis 643.
— aus Bleiplatten, Ergebnisse der Versuche von Bach zur Feststellung der Belastung, bei welcher Gußblei in Scheiben- oder Zylinderform ausweicht 401.
— — zwischen Schotterbetonquadern für Bogenbrücken aus Beton 402.
—, Einzelheiten derselben beim Rippendreigelenkbogen aus Eisenbeton 588.
— — bei einem flach gespannten Dreigelenkbogen aus Beton mit steifen Eiseneinlagen nach Möller (Abb.) 573.
— für Eisen- und Betonbogen von Dreigelenkbogen, Einzelheiten 556.
— aus Granit und Sandstein, Ergebnisse der Bruchversuche von Bach 386.
— aus Hartbleiplatten im Eisenbetongewölbe 402.
—, Kämpfergelenke aus Eisenbeton für einen Rippendreigelenkbogen aus Eisenbeton (Abb.) 592.
— eines Eisenbeton-Balkenkragträgers über 8 Öffnungen 803.
—, Mittelgelenk eines Dreigelenkbogens aus Eisenbeton, Ermittlung seiner Senkung infolge Verkehrslast, Eigengewichtes, Wärmeänderung, Austrocknen des Bogens, Zusammenpressung des Baugrundes und Lehrgerüstes, Zahlenbeispiel 472.
— aus Sandstein nach Köpke Abb.) 312.

Gelenke, Stahlgußbolzengelenke für Eisenbeton-Dreigelenkbogen 658, 660.
— einer Straßenbrücke, bewehrte Betonbogen, Lichtweite 19,5 m, Einzelheiten (Abb.) 529.
—, Wälzgelenke, Begriff derselben und zulässige Spannweiten von Betonbrücken bei ihrer Anwendung 383.
— —, Berechnung derselben nach Köpke, Barkhausen und Hertz 395 u. f.
— — desgl. ihrer Druckbeanspruchung nach Köpke, Barkhausen und Hertz, vergleichende Zusammenstellung 400.
— — aus Granit (Abb.) 393.
— — aus Eisen, Berechnung derselben 405.
— — aus Stahlguß, Vorzüge derselben 403.
— — desgl. zwischen bewehrten Betonquadern für Dreigelenkbogen (Abb.) 404.
— — desgl. zwischen gußeisernen Stühlen (Abb.) 404.
— — aus Stahlplatten auf flußeisernen Stühlen für Betonbogenbrücke (Abb.) 403, 404.
—, Beispiel für die Berechnung desselben nach Köpke 397.
— — aus 2 Stahlgußstücken (Abb.) 404.
—, stählerne Wälzgelenke für Eisenbeton-Dreigelenkbogenträger, Spannweite 97,5 m 639.
—, Zweck derselben bei Eisenbetonbogenbrücken 382.

Gelenklose Bogenbrücken, Berechnung derselben mittels Seilecks als Stützlinie 426.
— Eisenbetonbogen, Berechnung derselben nach der Elastizitätstheorie 439 u. f.

Gelenkquader, Wälzgelenkquader für Pendelsäulen beim durchlaufenden Eisenbetonbalken (Abb.) 293.

Gelenksteine aus Beton, Mischungsverhältnisse der letzteren 513.
—, Beziehungen zwischen Druck- und Zugkräften innerhalb derselben, Versuche zur Feststellung ihrer Verkürzungen und Querdehnungen 388.

Genf, Straßenbrücke über die Rhône, Dreigelenkbogen aus unbewehrtem Beton, Lichtweite 40 m, Schnitte und Einzelheiten, Beschreibung (Abb.) 485.

Genua, schiefe Straßenbrücke über den Polcevera-Wildbach, Betonbogen mit steifen Eiseneinlagen nach Melan, Lichtweite 21 m, 5 Öffnungen, Schnitte, Bewehrungseinzelheiten, Beschreibung (Abb.) 568.

Gewichte der Brücken, Verteilung derselben auf die einzelnen Hauptträger von Eisenbetonbalkenbrücken, Beispiel für 4 Rechnungsfälle 123 u. f.
— von Menschengedränge bei Belastung der Fahrbahn und Gangbahn von Brücken nach Vorschrift staatlicher und städtischer Behörden 128.
— der Gangbahnen für Brücken aus verschiedenen Belägen 122.
— der Geländer für Brücken 123.
— der verschiedenen Oberflächendichtungen der Eisenbetontafel 122.

Gewichte der Schneebelastung 146.
— — Pflasterungen für die Fahrbahn von Brücken 122.
— von Straßenfahrzeugen (Lastfuhrwerke, Dampfwalzen, Straßenbahnwagen) als ungünstigste Belastung der Brückenfahrbahn 128.
— und Maße für Droschke, Omnibus, Autodroschke, Kastenwagen, Wasserwagen, Möbelwagen, Tafelwagen in Dresden 133
— — von Dampfwalzen nach behördlichen Vorschriften, Zusammenstellung 131.
— — von Lastwagen nach den Vorschriften staatlicher und städtischer Behörden, Zusammenstellung 129 u. f.
— — von Straßenbahnwagen, Zusammenstellung 132.

Gewölbe, Berechnungsweise derselben bei der Melanschen Fahrbahntafel bei Eisenbrücken mit Eisenbeton, Bogen zwischen I-Trägern 678 u. f.

Gewölbe, Beschreibung seiner Ausführung 418.

—, Verhalten des Granits für Gelenke bei denselben nach Versuchen von Bach und Föppl, Druckfestigkeit 384 u. f.

Gewölbeabmessungen von eingespannten Rippenbogen einer Straßenbrücke, Lichtweiten 12 bis 47 m, 6 Öffnungen 596.

Gewölbeausführung der Gmündertobelbrücke, Beschreibung derselben, Spannweite 79 m 419.

Gewölbeberechnungen, Annahme der Verkehrsbelastung 425.

—, Berücksichtigung des Erddrucks 423.

— — des Wasserdrucks 424.

—, Bestimmung der reduzierten Belastungsflächen 423.

—, Spielraum der Wärmeänderungen für Beton 426.

—, Verteilungswinkel der Einzellasten infolge der Überschüttung 425.

Gewölberücken, Entwässerung und wasserdichte Abdeckung desselben für eine Eisenbahnbrücke, Dreigelenkbogen aus bewehrtem Beton 541.

Gewölbescheitel-Einsenkungen, Maße derselben während des Betonierens und des Ablassens bei verschiedenen Brücken von 33 bis 79 m Lichtweite 422.

Gewölbestärke, Bestimmung derselben beim Dreigelenkbogen 454.

— beim Dreigelenkgewölbe 339.

— bei gelenklosen Gewölben 339.

Gitter zum Verschließen von Öffnungen eines Eisenbetonbalkens mit durchbrochenen Tragwänden und versenkter Fahrbahn (Abb.) 323.

Gleiten, Sicherheit gegen dasselbe beim Brückenwiderlager durch Betonkörper als Unterstützung von Winkelstützmauern 29.

Gleitlager, dreiteiliges, für Eisenbetonträger (Abb.) 103.

Gmündertobelbrücke bei Teufen (Schweiz), eingespanntes Eisenbetonbogengewölbe ohne Gelenke, Lichtweite 79m, Schnitte,

Bewehrungseinzelheiten, Beschreibung (Abb.) 533 u. f.

Goudron als Dichtungsmittel gegen Eindringen von Wasser in den Eisenbetonkörper (Preisangabe) 55.

Granit, Druckfestigkeit und Verhalten desselben bei Bruchbelastung von Gewölbegelenken nach Versuchen von Bach und Föppl 384 u. f.

Granitgelenksteine, Ergebnisse der Versuche mit denselben von Bach zur Feststellung ihrer Festigkeit und Berechnungsannahmen 386.

Granitwälzgelenke der Brücke über die Eyach bei Imnau, Lichtweite 30 m (Abb.) 393.

Grenzen der Verwendbarkeit von Betongelenken, Ergebnisse der Versuche zur Feststellung derselben und der zulässigen Beanspruchung 389 u. f.

Grundformen im Brückenbau 2.

— der Eisenbetonbrücken, allgemeine Gesichtspunkte für die Wahl derselben 61.

Grundgrößen für den Brückenentwurf bei Rippenplatten 73.

—, Übersicht über die Mittelwerte derselben bei Brücken mit einfachen, durchlaufenden, vollwandigen und durchbrochenen Trägern 88.

Grundmaße, Beziehungen derselben zueinander bei Rippenplatten 73.

— für den Entwurf von Eisenbetonbalken bei Rippenplatten 73.

— für Rippenplatten, vergleichende Betrachtung derselben mit ausgeführten Beispielen 74.

Grundsätze, allgemeine, zur Bestimmung der günstigsten Länge für die Auskragung der Kragträger bei gegebener Stützenanordnung 178 u. f.

— für Betonierungsarbeiten 8.

— für die Entwurfsbearbeitung von Brücken 47.

Gründung bei Anordnung durchlaufender Träger über mehrere Öffnungen 19.

— der Pfeiler bei einer Straßenbrücke, Eisenbetonbalken-

kragträger mit Spalt für hohe Schiffmasten, 3 Öffnungen, Lichtweite 6,75 m 300.

Grünwald, Straßenbrücke über die Isar bei —, Dreigelenkbogen aus Eisenbeton mit Stahlgelenken, Spannweite 70 m 524 u. f.

Gußeiserne Säulen, Versuche Empergers mit einbetonierten — 721.

Guttau (Sachsen), Straßenbrücke über die Eisenbahnlinie Weißenberg—Ratibor, Eisenbetonbalken, Stützweite 10 m, Schnitte, Beschreibung (Abb.) 269.

Haft- und Schubspannungen in den Querschnitten eines Eisenbetondreigelenkbogens für eine Vollbahnbrücke nach der Berechnung mittels Einflußlinien, Stützweite 24,4 m, Zahlenbeispiel 470.

Haftspannung, Sicherung derselben bei Eisenkonstruktionen mit Betonumhüllung zur Übertragung von Druckspannungen im Eisengurt auf Beton 706.

Hakenverbindung der Eisenstäbe im Zuggurt bei größeren Stützweiten (Abb.) 114.

Halbgelenke (Federgelenke) bei Eisenbetonbogenbrücken, Beschreibung derselben 409.

Halbmesser zur Ausrundung des Neigungswinkels in der Brückenmitte 50.

Halicz, Galizien, Molodiabrücke, durchlaufender Eisenbetonbalken auf Säulen über 3 Öffnungen, Stützweite 12 m 281.

Halle, Fußwegüberführung zur Bahnhof —, durchlaufender Eisenbetonbalken auf 7 Stützen, Stützweiten 9 m, Schnitte, Beschreibung (Abb.) 285.

Hauptpfosten, eiserne, für Geländer oder Brüstungen, Befestigung derselben 71.

Hauptträger, Anwendung eines einzigen bei einem Gangsteg, dreiseitiger Eisenbetonrahmenträger, Lichtweite 13,5 m (Abb.) 312.

Hauptträger von Eisenbetonbalkenbrücken, Bildung von
Lastenzügen für dieselben
138 u. f.

Heerens, Illinois, Straßenbrücke
über die Bahn, durchlaufender
Eisenbetonbalken auf Eisenbetonpfeilern, 5 Öffnungen,
Stützweiten 6,1 bis 9,8 m,
Schnitte, Beschreibung (Abb.)
280.

Hennebique, Ausbildung der
Hauptbalken einer Brücke als
Fachwerkträger, Lichtweite
15 m (Abb.) 17.

—, Eisenbetonbogenbrücke mit
Rippenplattenquerschnitt 368.

—, Paris, Ersatz einer Brücke
durch Eisenbetonträger auf
vorhandenen Pfeilern (Abb.)20.

Hertz, Berechnung von Wälzgelenken mit Beispiel 398.

Herzberg, Straßenüberführung
auf Bahnhof —, symmetrischer
Eisenbetonbalken-Kragträger,
4 Öffnungen, Stützweiten 8,4
und 19,5 m, Schnitte, Einzelheiten, Beschreibung (Abb.)
300.

Höhr, Fußwegüberführung auf
Bahnhof — aus Eisenbeton-
trägern über mehrere Öff-
nungen (Abb.) 21.

— — desgl., durchlaufender
Eisenbetonbalken auf Zwi-
schenstützen aus vollen Beton-
wänden, 4 Öffnungen, Stützweite 11 m, Schnitte, Be-
schreibung (Abb.) 286.

Holzpflaster auf Brücken, Abmessungen desselben 54.

Horizontalschub, Berechnung
der Einflußfläche für denselben
beim eingespannten Bogen
nach der Elastizitätstheorie,
Beispiel 450.

Hotzenplotz, Wegbrücke mit
versenkter Fahrbahn, Eisenbetonbalken mit durchbrochenen Tragwänden, Stützweite
23,6 m, Schnitte, Beschreibung
(Abb.) 323.

Innsbruck, Straßenbrücke über
die Sill, Rippengewölbe aus
Eisenbeton, Spannweite 27 m,
Schnitte, Bewehrungsplan, Beschreibung (Abb.) 579.

Inundationsviadukt der Ybbs-
brücke bei Kemmelbach mit
Pfostenfachwerkträgern aus
Eisenbeton (Abb.) 39.

Inzigkofen, Straßenbrücke über
die Donau bei —, Dreigelenk-
bogen aus unbewehrtem
Beton, Stützweite 43 m,
Längenschnitt, Beschreibung
(Abb.) 482.

Jacksonville-Brücke, Straßenbr.
über eine Küstenbahn, Eisenbetonbogen nach Bauweisen
Thacher und Melan, Licht-
weiten 10,5 bis 21 m, Schnitte,
Beschreibung (Abb.) 550.

Johnson, Bauweise — für Eisenbetonbogenbrücken 349.

—, Professor, Versuche desselben
zur Feststellung von Be-
lastungen durch Menschen-
gedränge 127.

Juoz, Straßenbrücke über den
Inn, Rippendreigelenkbogen
aus Eisenbeton mit Bleiplattengelenken, Spannweite 38 m,
Schnitte, Beschreibung (Abb.)
601.

Jutegewebe mit Goudronanstrich
als Mittel gegen Eindringen
von Wasser in den Eisen-
betonkörper bei senkrechten
Flächen (Preisangabe) 55.

Jütland, Straßenbrücke über den
Gudena, Betonbogen mit
2 Strompfeilern als Joche auf
gerammten Eisenbetonpfählen
und Reibungswiderlagern nach
Möller, Schnitte, Beschreibung,
Spannweite 12,5 m (Abb.) 640.

Kahn, Bauweise — für Eisenbetonbogenbrücken 353.

Kalifornien, Straßenbrücke bei
Los Angeles, Eisenbetonbogen
mit Rippenplattenquerschnitt,
Spannweite 44,5 m (Abb.) 610.

Kaltenthal (Oberpfalz), Straßenbrücke mit versenkter Fahrbahn über die Pfreimd, gelenkloser Eisenbetonbogen, Lichtweite 42 m, Schnitte, Beschreibung (Abb.) 654.

Kammermauer, Ausbildung derselben bei Brückenwider-
lagern 96.

Kämpfergelenk aus Sandstein
nach Köpke (Abb.) 392.

Kanal unter der Gangbahn für
die Unterbringung von Rohr-
und Kabelleitungen bei Rippenplatten 72.

Kanalbrücke, Eisentrog mit
Eisenbetonauskleidung auf
Eisenbetonpfeilern 685.

— aus Eisenbetonträgern über
mehrere Öffnungen auf mit
den Trägerrippen fest verbundenen Eisenbetonstützen
(Abb.) 22.

Kantenschutzeisen zur Herstellung der Bordkante auf
Brücken 52.

Kassel, Straßenbrücke über die
Fulda in —, Betonbogen ohne
Gelenke, Lichtweite 57,5 m,
Schnitte, Beschreibung 509 u. f.

Kattowitz, Ersatz einer Brücke
durch Eisenbetonträger auf
vorhandenen Pfeilern (Abb.) 20.

Kémend (Ungarn), Granbrücke,
durchlaufender Eisenbetonbalken, 3 Öffnungen, Stützweiten 24 und 30 m, Schnitte,
Beschreibung (Abb.) 294.

Kempten, Eisenbahnbrücken
über die Iller bei — im Algäu,
Dreigelenkbogen aus unbe-
wehrtem Beton, Längenschnitt,
Einzelheiten der Gelenke des
Hauptbogens, Spannweiten
21,5 und 64,5 m, Beschreibung
(Abb.) 486.

Kesselwagen, Gewicht desselben
für die Berechnung von
Straßenbrücken 309.

Kiel, Straßenbrücke über den
kleinen Kiel aus Eisenbetonkragträgern auf 2 Stützen
mit überstehenden Enden
und verschütteten Seitenarmen
(Abb.) 26.

Kieritzsch, Straßenüberführung
auf Bahnhof —, durchlaufender Eisenbetonbalken auf
Mittelstützen als Pendel-
säulen mit Quaderwälzgelenken, Stützweite 16,6 m,
Schnitte, Einzelheiten, Beschreibung (Abb.) 291.

Kiew I, Karawajeffsche Brücke,
Straßenbrücke über 4 Gleise,
durchlaufender Eisenbetonbalken auf Säulen über 4 Öff-

nungen, Stützweiten 8 und
12 m, ohne besondere End-
widerlager, Schnitte, Beschreibung (Abb.) 282.
Kipplager einer Straßenbrücke
in Neigung 1 : 12 auf vorhandenen Pfeilern einer alten
Brücke, Eisenbetonbalken-
brücke 275.
—, zweiteiliges, für Eisenbetonträger (Abb.) 103.
Klimatische Verhältnisse, Einfluß derselben auf die ungeteilte Länge eines Brückenkörpers aus Eisenbeton 58.
Knickbeanspruchung, Prüfung
derselben durch Versuche mit
reinen und mit Beton umhüllten
Stahlsäulen 720.
Knickgefahr, Sicherung gegen
dieselbe bei Eisenbetonbogenträgern mit Zugband und versenkter Fahrbahn 645.
Knotenverbindungen, Problem
derselben in dem umschnürten
Beton nach Considère 42.
—, zuverlässige Ausbildung derselben bei Fachwerkbrücken
aus Eisenbeton 44.
Konsolen aus Eisenbeton zur
Unterstützung von Fußweg-
auskragungen (Abb.) 22.
Konstruktion der Rippenplatte
mit obenliegender Fahrbahn
68 u. f.
Kopenhagen, Hochbahn zur
Valby-Gasanstalt mit Vollspurgleis, Länge 566 m, Eisenbetonbogenbalkenträger auf Turmpfeilern und Pendeljochen,
Schnitte, Einzelheiten, Beschreibung (Abb.) 642.
Köpke, Berechnung von Wälzgelenken 395.
Kosten für Bau und Unterhaltung von Eisenbetonbrücken,
allgemeine Betrachtungen 8.
— einer neuen, durch Betonumhüllung verstärkten eisernen Straßenbrücke, Haupt-
gitterträger von 19,9 m, Stützweite 702.
— für 1 m³ unbewehrten Beton
beim Dreigelenkbogen der
Wallstraßenbrücke in Ulm,
Stützweite 57 m 491.
— für 1 m³ Brückenbahnfläche
bei einer Bogenbrücke aus

unbewehrtem Beton (Straßenbrücke) 482, 484, 497, 502, 509.
Kosten für 1 m³ Fahrbahn einer
Straßenbrücke mit versenkter
Fahrbahn, gelenkloser Eisenbetonbogen 656.
— — überbauter Fläche eines
eingespannten Eisenbeton-
bogengewölbes 518, 538.
— Nutzfläche einer Straßenbrücke mit versenkter Fahrbahn, Eisenbeton-Bogenträger
mit Zugband 646.
— einer Eisenbahnbrücke, parabelförmiges Rippengewölbe
aus Eisenbeton mit Spiralbewehrung, Spannweite 45,5 m
585.
— einer Straßenbrücke, Eisenbeton-Dreigelenkbogenträger,
639, 526, 546.
— einer Straßenbrücke, Eisenbetonbogen nach Bauweisen
Thacher und Melan 550, 551.
— einer Kanalbrücke, Eisentrog
mit Eisenbetonauskleidung auf
Eisenbetonpfeilern 689.
— eines Eisenbetondreigelenkbogens mit steifen Flußeiseneinlagen nach Bauweise Melan,
Lichtweite 42,2 m 559.
— einer Straßenbrücke, Eisenbetonbogen mit Rippenplattenquerschnitt, Lichtweiten 24,3
bis 24,5 m, 3 Öffnungen 610.
— —, einzelne Hauptträger aus
Eisenbetonbogen 619, 623.
— — Rippenbogen aus Eisenbeton 602, 604, 608, 579.
— einer Talbrücke, gelenkloser
Betonbogen mit steifen Eiseneinlagen nach Melan 568.
— — über den Polcevera-Wildbach, Betonbogen mit steifen
Eiseneinlagen nach Melan,
Lichtweite 21 m, 5 Öffnungen
570.
— — über die Temes in Örményes
(Ungarn), Eisenbetonbogenbrücke mit einzelnen Hauptträgern, Fahrbahn oben, Lichtweite 80 m 627.
— der Überwölbung aus Eisenbeton nach Bauweise Johnson
350.
— der Umwandlung von stählernen Gerüstpfeilern in Eisenbetonpfeiler 718.

Kosten der Verstärkung einer
eisernen Straßenbrücke aus
2 Hauptgitterträgern von 8 m
Lichtweite durch Umhüllen
mit Beton 700.
Kostenersparnisse bei eisernen
Balkenbrücken mit Eisen-
betonfahrbahnkonstruktionen
(Verbundkörpern) nach Ingenieur Pendaries 711. ·
— beim Widerlager durch Anordnung einer Bogenbalkenbrücke 32.
Kräfte, innere, beim Balken und
Bogen, Unterschiede ihrer Wirkungsweise 3.
Kraftwirkung, Auffassung der
inneren — beim Eisenbetonbalken 3.
Kragträger, Anordnung derselben bei 3 symmetrischen Feldern, Bestimmung der Krag-
armlängen aus dem größten
Biegungsmoment 182.
—, verschiedene Anordnungen
derselben mit eingehängten
einfachen Trägern 176.
—, Ausbildung von Eisenbetonträgern als solche 25.
— aus Eisenbeton auf 2 Stützen
mit überstehenden Enden und
verschütteten Seitenarmen
(Abb.) 26.
— mit überstehenden Enden,
Begriff derselben 11.
— über 2 Felder, Bestimmung
der Kragarmlänge aus dem
größten Biegungsmoment 182.
— mit beiderseitigen Kragarmen gleicher Länge, Be-
stimmung derselben aus dem
größten Biegungsmoment 181.
— mit einseitigem Kragarm,
Bestimmung seiner Länge aus
dem größten Biegungsmoment
180.
— —, Momente und Querkräfte
bei gleichförmiger Belastung
des Kragarmes 177.
— — desgl. bei gleichförmiger
Belastung des ganzen Trägers
177.
— —, Länge desselben, bei
welcher eine Stützenveranke-
rung nicht nötig wird 180.
—, günstigste Länge der Auskragung bei gegebener Stützen-

anordnung, allgemeine Grundsätze 178 u. f.

Kragträger, Momente und Auflagerdrücke bei einer Einzellast auf dem Kragarm 176.

— von 25 m Stützweite und 4,75 m beiderseitiger Ausladung 26.

— für eine Übergangsbrücke von 13 m Stützweite und 6,5 m Ausladung mit versenkter Brückentafel, Eisenbetondach und 10,5 m hohen Pfeilern (Abb.) 27.

Kragträgerbrücke aus Eisenbeton mit überstehenden Enden mit Mittelöffnung von 29 m Spannweite und beiderseitigen Kragarmen von 12 m (Abb.) 26.

Kragträgergruppen von 12,4, 16 und 26 m Stützweite für eine Straßenüberführung (Abb.) 27.

Krozna in Mähren, Wegbrücke aus Trägern mit durchbrochenen Mittelfeldern und vollwandigen Endfeldern, Stützweite 22 m (Abb.) 17.

Kugellager für Eisenbetonträger (Abb.) 103.

Lager, Größe der Reibungswiderstände bei den beweglichen Brückenlagern 150.

Lageranordnung im Brückenquerschnitt bei Eisenbetonträgern 104.

Lagerausbildung für Eisenbetonbrücken bis zu 10 m 102.

— Berechnung der Rollen 104.

— —, Bestimmung der Grundflächengröße 104.

— · — desgl. der Plattenstärke 104.

— als Kipplager mit zylindrischen oder kugelförmigen Berührungsflächen (Abb.) 102.

— als Rollen- oder Stelzenlager (Abb.) 103.

— unter Verwendung eiserner Gleitplatten zur Verminderung der Flächenreibung 102.

— auf den Widerlagern, Überleitung der Brückenlasten nach denselben 101.

Lagerfläche, Ausbildung derselben bei Brückenwiderlagern 95.

Lagerfugen, stehende, in den Widerlagern von Bogenbalken 31.

—, wagerechte, in den Widerlagern von Bogenbalken 31.

Lagerstühle, Berechnung derselben für das Zapfengelenk, Beispiel 407.

Landanschluß, Entwässerung und Ausdehnungsvorrichtung bei pendelnden Endpfosten (Abb.) 412.

Landesbut, Fußgängerbrücke, dreiseitiger Eisenbeton - Rahmenträger mit anschließenden Treppenläufen, Lichtweite 20 m, Schnitte, Beschreibung (Abb.) 313.

Landungsteg auf Eisenbetonpfählen mit biegungsfester, auskragender Eisenbetonschwelle zur Auflagerung der Balken (Abb.) 100.

— als durchlaufender Träger auf 5 Stützen mit fest eingespanntem und frei überkragendem Ende, ausführliches Rechnungsbeispiel für gleichförmig verteilte Belastung 200 u. f.

Larg - Brücke in Brünighofen, Pfostenfachwerkbrücke aus Eisenbeton mit sehr weiten Öffnungen, 17 m Stützweite (Abb) 40.

Lastanteile, Ermittlung der durch Bogen- und Balkenwirkung zu übertragenden — bei Bogenbalkenträgern 259.

Lastenzüge für Hauptträger von Eisenbetonbalkenbrücken, Bildung derselben 138 u. f.

Lastverteilung und Einspannung der Trägerenden, Einfluß derselben auf die Größe der Momente einer Platte als Balken auf 2 Stützen 158.

Lastwagen nach den Vorschriften staatlicher und städtischer Behörden, übersichtliche Zusammenstellung ihrer Maße und Gewichte 129 u. f.

Lausanne, Montbrillant-Straßenbrücke, Eisenbetonbalkenbrücke über die Bahngleise in Neigung 1 : 12 auf vorhandenen Pfeilern einer alten Brücke unter Vergrößerung der Fahr-

bahnbreite von 5 auf 10 m, Schnitte, Einzelheiten, Beschreibung (Abb.) 273.

Lausanne, Straßenbrücke (Talbrücke) Montbenon - Chauderon, gelenkloser Betonbogen mit steifen Eiseneinlagen nach Melan, 6 Öffnungen, Spannweite 28,75 m, Schnitte, Einzelheiten, Beschreibung (Abb.) 564 u. f.

Lehrgerüst, Anordnung desselben für eingespannte Eisenbetonbogenträger, Lichtweite 40 m 631.

— — eines Standgerüstes zur Holzersparnis (Abb.) 110.

— aus Eisenbeton bei ungünstigen Wasserverhältnissen, Spannweite 100 m 607.

—, Ausrüsten des Dreigelenkbogens aus unbewehrtem Beton, Beschreibung 490.

—, eisernes, einer Straßenbrücke, Betonbogen ohne Gelenke für eine Lichtweite von 85,3 m, Einzelheiten, Beschreibung (Abb.) 520.

—, Gründe für die Anwendung eines eisernen und freitragenden — als Dreigelenkbogen 521.

—, schematische Darstellung desselben für den unbewehrten Gewölbebetonbogen ohne Gelenke 499, 503..

— und Betonierungsfolge bei Bogenbrücken 416, 417, 419, 637.

—, Auskungsvorrichtungen bei denselben 421.

—, Anordnung von Sprengwerken bei denselben, Forderungen für deren Standsicherheit (Abb.) 109.

— — desgl. unter Verwendung von Hartholzklötzen oder Blechen an den Endpunkten der Pfosten und Streben (Abb.) 108.

— — von Überhöhungen bei denselben 112.

—, Anwendung von eisernen I-Trägern bei beschränkter Bauhöhe (Abb.) 111.

—, Abstützung der Auskragungen bei denselben 110.

—, Erhärtungsdauer für Beton vor dem Ablassen derselben bei einem Dreigelenkbogen 487.

Lehrgerüst, Schalungsausführung einer Brücke 112.
— bei Überbrückungen von Eisenbahngleisen, Beispiele, Darstellung von Einzelheiten 110 u. f.
Lehrgerüstausbildung bei einer schiefen Straßenbrücke mit versenkter Fahrbahn, vollwandiger Eisenbetonbalken 320.
Leipzig, Pleißenüberdeckung mit Fischbauchträgern nach Möller (Abb.) 18.
Leitungsrohre, Befestigung derselben an Rippenplatten 72.
Lichtraum, freizuhaltender, Einfluß desselben auf den Brückengrundriß 48.
Lichtraumprofil für Brücken über Eisenbahngleisen 49.
—, Feststellung desselben bei Flüssen 48.
— — bei Überbrückung von öffentlichen Straßen unter Berücksichtigung elektrischer Straßenbahnen 49.
Linienführung der unteren und oberen Begrenzung von Eisenbetonbalken 63, 64.
Literatur, Angabe derselben über Theorie und Ausführung von Bogenbrücken aus Beton und Eisenbeton 672 u. f.
— über Theorie und Ausführung von Eisenbetonbalkenbrücken, Angaben derselben 380.
Literaturangaben für Brückenverstärkungen durch Betonumhüllung 726.
Loriant, Gangsteg in — auf Bogenträgern zwischen Treppenläufen auf Zwischenstützen (Abb.) 33.
Lübben, Straßenbrücke über die Spree, mit versenkter Fahrbahn, Eisenbetonbogenträger mit Zugband und überkragenden Enden, Benutzung der alten Holzbrückenwiderlager, Lichtweite 25 m, Schnitte, Bewehrungseinzelheiten, Beschreibung (Abb.) 649 u. f.
Luten, Bauweise — für Eisenbetonbogenbrücken, Bogenform und Stärkeverhältnisse nach Erfahrungsformeln 351.

Mailand, Gangsteg über den Naviglio Grande aus durchbrochenen Tragwerken mit senkrecht zu den Gurtungen stehenden Zugstreben, Lichtweite 14,5 m (Abb.) 41.
Mann, Berechnung von Pfostenfachwerkträgern mit parallelen und gebrochenen Gurtungen 250.
Marcus, Berechnung von Pfostenfachwerkträgern für alle Trägerformen und Belastungsfälle 249.
Markersbach (Sachsen), Staatsstraßenbrücke, dreiseitiger Rahmenträger aus Eisenbeton, Pfosten hinter der Wandplatte, Schnitte, Beschreibung, Lichtweite 13,9 m (Abb.) 306
Maße und Gewichte von Dampfwalzen, Lastwagen nach behördlichen Vorschriften, Zusammenstellung 129 u. f., 131.
— — für Droschke, Omnibus, Autodroschke, Kastenwagen, Wasserwagen, Möbelwagen, Tafelwagen in Dresden 133.
— — von Straßenbahnwagen, Zusammenstellung 132
Massengrößen zur Kostenermittlung von Eisenbetonbrücken 74.
Massengruppierung (Rhythmus) zur Erfüllung architektonischer Forderungen bei der Wahl von Grundformen für Eisenbetonbrücken 65.
Maximalmoment für Kragträger mit einseitigem Kragarm bei gleichförmiger Belastung des ganzen Trägers 178.
— — mit beiderseitigen Kragarmen bei gleichförmiger Belastung des inneren Trägerteiles 178.
Meerane (Sachsen), Straßenüberführung in Neigung 1:21, dreiseitiger Rahmenträger aus Eisenbeton, Lichtweite 10 m, beschränkte Bauhöhe, Schnitte, Beschreibung (Abb) 309.
Meilitz (Sachsen-Weimar), Elsterbrücke, durchlaufender Eisenbetonbalken, 4 Öffnungen, Stützweiten 18.5 und 22 m, Schnitte, Beschreibung (Abb.) 290.

Meiningen, Straßenbrücke über die Werra, gelenkloser Betonbogen mitsteifen Eiseneinlagen nach Melan, Spannweite 40 m. Schnitte, Beschreibung (Abb.) 563.
Melan, Bauweise — für Eisenbetonbogenbrücken, Ausbildung von Gelenken 355.
— sche Fahrbahntafel aus Eisenbeton bei Eisenbrücken. Bogen zwischen I-Trägern. Berechnungsweise der Gewölbe 678 u. f.
Menschengedränge, Angabe von verschiedenen Belastungen durch dasselbe bei Brücken 127.
—, Übersicht über Belastungen durch dasselbe der Fahrbahn und Gangbahn von Brücken nach Vorschrift staatlicher und städtischer Behörden 128.
— —, Versuche des Professors Johnson zur Feststellung von Belastungen durch dasselbe 127.
Merkmale der Betonbogenbrücken ohne und mit Eiseneinlagen 336 u. f.
Merseburg, Fußgängerbrücke über die Saale, Eisenbetonbogenbrücke, Spannweite 31,2 m, Schnitte, Bewehrungseinzelheiten, Beschreibung (Abb.) 531.
Mexiko, Kanalbrücke aus Eisenbetonträgern über mehrere Öffnungen 22.
Minimalstützlinie bei gelenklosen Bogenbrücken 427.
Mischungsverhältnisse des Betons, allgemeine Betrachtung über dieselben und seine Bestandteile 724.
— — desgl. über Hohlräume und Mörtel 725.
— — in Betonwälzgelenken 394.
— — für Bogenbrücken aus Beton mit und ohne Eiseneinlagen, Stützweiten 10 bis 100 m 337, 489, 497, 499, 500, 506, 509, 511, 514, 516, 518, 526, 530, 537, 550, 551, 553, 557, 563, 568, 570, 577, 589, 602, 608, 613, 621, 627, 629, 636, 639, 652, 660.

Mischungsverhältnisse des Betons einer Eisenbahnbrücke, bewehrte Betonbogen nach Johnson, Spannweiten 21,2 und 48,8 m 549.
— — einer Eisenbahntalbrücke, gelenklose Bogen aus unbewehrtem Beton, Lichtweite 19,5 m 508.
— — für den Gelenkstein eines Dreigelenkbogens 513.
— — der Gewölbe und Widerlager bei Eisenbetonbögen für Fußgängerbrücken 356, 361.
— — einer Kanalbrücke, Eisentrog mit Eisenbetonauskleidung auf Eisenbetonpfeilern 687.
— — einer Straßenbrücke, Eisenbetonbalken, Lichtweite 11 m 268.
— — desgl. über den Bober bei Boberullersdorf 499.
— — desgl. über Bahngleise bei Ausbildung von Eisenbetonfahrbahntafeln und Betonumhüllung der unteren Eisenkonstruktion 703.
— — bei der Überwölbung aus Eisenbeton nach Bauweise Johnson, Lichtweite 5,7 m 350.
— — der Widerlager und Tragkonstruktion bei der Eisenbetonbogenbrücke mit unteren Rippen für eine Straßenbrücke, Lichtweite 34 m 365.
— — bei Eisenbahnbrücken, Dreigelenkbogen, Spannweiten 21,5 und 64,5 m 487.
— des Gußbetons für die Umwandlung von stählernen Gerüstpfeilern in Eisenbetonpfeiler 719.
— und Druckfestigkeit des Betons für Eisenbahnbrücke, Dreigelenkbogen aus bewehrtem Beton, Lichtweite 24 m 468, 539, 540.
— — für Gewölbe, Pfeiler, Fundamente und Gelenke bei Beton- und Eisenbetonbogenbrücken 420.
Mittellinie und Stützlinie beim Bogen 4.
Mittelwerte der Grundgrößen für Brücken mit einfachen, durchlaufenden, vollwandigen und durchbrochenen Trägern 88.

Modellbrücke von 20 m Stützweite zur Feststellung der Dehnbarkeit des umschnürten Betons durch Bruchprobe nach Considère (Abb.) 43.
Mödling, Straßenüberführung im Haltepunkt — aus Eisenbetonbogen, von 1890, 3 Öffnungen, Spannweite 9 m (Abb.) 335.
Möller, Bauweise — für Eisenbetonbogenbrücken mit Einlagen aus Gitterträgern von ungleichen Gurtquerschnitten 360.
— Plattenbalken nach System — 17.
— — mit Fischbauchträgern nach — (Abb.) 18, 19.
Moment, Ermittlung des größten — infolge Eigengewichts beim Bogenbalkenträger unter Berücksichtigung der größeren Trägerhöhe am Auflager 260.
— — derselben und des wagerechten Schubes für eine dreiseitige Rahmenbrücke bei gelenkiger Lagerung infolge Erddrucks 234 u. f.
—, Größe desselben in der Mitte eines End- und mittleren Feldes bei einer Platte als durchlaufender Träger auf mehreren Stützen infolge Eigengewichts und Verkehrslast 160.
— und Auflagerdrücke für den Kragträger bei einer Einzellast auf dem Kragarm 176.
— infolge gleichförmig verteilter Belastung, zeichnerische Darstellung ihres Verlaufs bei einer Platte als durchlaufender Träger auf mehreren Stützen 159.
— infolge gleichmäßig verteilter Belastung für die allseitig eingespannte Platte nach Föppl, Considère, Abeles, nach Vorschriften der Stadt Düsseldorf und den österreichischen Vorschriften 161.
—, Berechnung derselben für den eingespannten Bogen nach der Elastizitätstheorie, Beispiel 450.
— bei der Untersuchung eines Eisenbetongewölbes auf Grund der Elastizitätstheorie nach Mörsch, Beispiel 442 u. f.

Moment, Bestimmung der größten — für einen durchlaufenden Träger auf 4 starren Stützen gleichen Abstandes unter Anwendung von Einflußlinien, ausführliches Rechnungsbeispiel 209 u. f.
— — derselben für eine Öffnung eines durchlaufenden Trägers infolge einer Einzellast, einer gleichförmig voll und streckenweise verteilten Belastung 188 u. f.
— — aus den Ergebnissen der Berechnung eines Eisenbetonbogens als eingespannter und als Dreigelenkbogen, Beispiel 453.
— — für die unbelasteten Öffnungen durchlaufender Träger 191.
—, Kernpunktmomente, Bestimmung derselben für die Berechnung eines Eisenbetondreigelenkbogens mittels Einflußlinien, Stützweite 24,4 m, Zahlenbeispiel 462 u. f.
—, Einflußlinien für dieselben zur Untersuchung von Widerlagerquerschnitten beim Dreigelenkbogen 475.
— einer dreiseitigen Rahmenbrücke bei gelenkiger Lagerung 234.
—, Rechnungsbeispiel für die Ermittlung derselben und des wagerechten Horizontalschubes einer dreiseitigen Rahmenbrücke mit gelenkiger Lagerung infolge Verkehrslast, Erddrucks und Eigengewichts 236 u. f.
— für den Träger auf 2 Stützen bei Lastübertragung durch Querträger 174.
— — desgl. bei zwei über den Träger wandernden Einzellasten 167.
— — desgl., größtes derselben bei mehreren über den Träger wandernden Einzellasten 168.
—, Querkräfte und Auflagerdrücke bei Einzellasten für den Träger auf 2 Stützen 165 u. f.
— und Querkräfte für den Träger auf 2 Stützen bei gleichförmig verteilter Belastung 169 u. f.

Moment und Querkräfte für den Träger bei Einzellasten und anschließender gleichförmig verteilter Belastung 172 u. f.
—, Zahlenwerte derselben für den durchlaufenden Träger auf starren Stützen gleichen Abstandes bei gleichförmig verteilter Belastung und wandernder Einzellast 194 u. f.
—, Zusatzmoment, Berechnung des größten — für die eingespannte Mittelstütze eines durchlaufenden Trägers über 2 Öffnungen sowie des zugehörigen Stützendrucks 224.
— — desgl. desselben für die mit einem durchlaufenden Träger über 2 Öffnungen fest verbundene, eingespannte Mittelstütze und des Stützendrucks 227 u. f.
— — desgl. derselben für den durchlaufenden Träger mit fest verbundenen Zwischenstützen und voller Einspannung der Stützenfüße nach Ostenfeld 222 u. f.
— und Stützendrucke der mit einem durchlaufenden Träger über 3 und 4 Öffnungen fest verbundenen, eingespannten Mittelstützen 225 u. f.
— — der mit einem durchlaufenden Träger über unendlich viele Stützen fest verbundenen, eingespannten Mittelstützen 227.
Monier, Bauweise — für Eisenbetonbogenbrücken, Beschreibung derselben 845.
Mörsch, Berechnung einer Wegeüberführung als eingespannter, elastischer Eisenbetonbogen nach —, Lichtweite 15,7 m 439 u. f.
Moulineaux-Eisenbahn in Paris, rahmenartige Überdeckung derselben von 16 m Spannweite und 316 m Länge (Abb.) 30.
Moulins bei Metz, Kanalbrücke in — mit eingespanntem Bogenträger, Lichtweite 21 m 33.
Müller-Breslau, Anwendung der Elastizitätstheorie bei der Berechnung von eingespannten Bögen 448.

Munderkingen, Straßenbrücke über die Donau bei — in Württemberg, Gelenkbrücke aus Beton ohne Eiseneinlagen, Spannweite 50 m, Ansicht, Längen- und Querschnitt, Beschreibung (Abb.) 479.

Nachteile bei Herstellung umschnürten Betons 44.
Neudorf (Österr.-Schlesien), Wegbrücke mit versenkter Fahrbahn, Eisenbetonbalken mit durchbrochenen Tragwänden, Stützweite 20 m, Schnitte, Beschreibung (Abb.) 323.
Neuhäusel (Ungarn), Straßenbrücke über die Neutra, Eisenbetonbogenbrücke mit steifen Eiseneinlagen nach Bauweise Wünsch, Lichtweiten 17 m, 6 Öffnungen, Schnitte, Einzelheiten der Bewehrung, Beschreibung (Abb.) 552.
Neu-Seeland, Grafton-Straßenbrücke in Auckland, Eisenbeton-Dreigelenkbogenträger, Spannweite 97,5 m, Schnitte, Einzelheiten, Beschreibung (Abb.) 636 u. f.
Neustadt, Straßenbrücke über den Aischfluß, Eisenbetonbalken, Lichtweite 11 m, Schnitte, Einzelheiten, Beschreibung (Abb.) 266.
New Haven, Straßenbrücke über die Bahngleise in der Fair Street, gelenklose Betonbogen mit schlaffen und steifen Eiseneinlagen, Gesamtlänge 45 m bei 4 Öffnungen, Schnitte, Beschreibung (Abb.) 574.
New York, Straßenbrücke über den Hudson bei Sandy Hill, einzelne Hauptträger aus Eisenbetonbogen, Spannweiten 18,28 m, 15 Öffnungen, Schnitte, Beschreibung (Abb.) 617.
Niedersedlitz bei Dresden, Lockwitzbachbrücke für eine Fabrikzufahrtstraße, Eisenbetonbalkenbrücke, Lichtweite 8 m, beschränkte Bauhöhe, Schnitte, Beschreibung (Abb.) 275.
— — für eine Zufahrtstraße zum Güterbahnhof bei schwierigsten Grundriß- und Höhen-

verhältnissen, Brücke mit Eisenbetonbalken von verschiedener Höhe, Lichtweite 9 m, Schnitte, Beschreibung (Abb.) 277.
Normalpressung im Scheitel der Bogenbalkenträger, Ermittlung derselben auf Grund des wagerechten Schubes 259.
Novéant, Straßenbrücke über die Mosel, eingespannte Rippenbogen aus Eisenbeton, Lichtweiten 12 bis 47 m, 6 Öffnungen, Schnitte, Bewehrungseinzelheiten, Betonierungsabschnitte, Beschreibung (Abb.) 593 u. f.
Nürnberg, Fußgängerbrücke am Dutzendteich als Bogenbalkenbrücke (Abb.) 32.
Nymwegen, Straßenbrücke mit versenkter Fahrbahn über die Bahngleise, durchlaufender Eisenbetonbalken über 3 Öffnungen, Lichtweiten 4 und 10 m, Schnitte, Beschreibung (Abb.) 326.

Oberhausen, Überführung der Mühlheimer Chaussee aus Eisenbetonträgern 20.
Oberhausen-West, schiefe Promenadenwegüberführung über die Bahngleise, durchlaufende Eisenbetonbalken auf 4 Stützen, Stützweiten 11,4 und 20,7 m, Schnitte, Beschreibung (Abb.) 289.
Oberschöneweide bei Berlin, Straßenbrücke über die Spree in —, bewehrte Betonbogen, Lichtweite 19,5 m, Schnitte, Beschreibung (Abb.) 527 u. f.
Ohio, Straßenbrücke über den Doverkanal, Eisenbetonbogenbrücke nach Thacherbauweise, Lichtweiten 21,4 und 32,5 m, 4 Öffnungen, Schnitte, Beschreibung (Abb.) 549.
Örményes (Ungarn), Straßenbrücke über die Temes, Eisenbetonbogenbrücke mit einzelnen Hauptträgern, Fahrbahn oben, Lichtweite 30 m, Schnitte, Beschreibung (Abb.) 625.

Ostenfeld, Berechnung der Zusatzmomente für den durchlaufenden Träger mit fest verbundenen Zwischenstützen und voller Einspannung der Stützenfüße 222 u. f.

— — von Pfostenfachwerkträgern mit gebrochenen Gurtungen 248.

Otting, schiefe Wegüberführung über die Eisenbahn, einzelne Hauptträger aus Eisenbetonbogen, Spannweite 24 m, Schnitte, Bewehrungseinzelheiten, Beschreibung (Abb.) 619.

Painesville, Ohio, Eisenbahnbrücke über den Grand River, Bogen aus bewehrtem Beton nach Johnson, Spannweiten 21,2 u. 48,8 m, Schnitte, Einzelheiten, Beschreibung (Abb.) 547.

Parallelträger als Pfostenfachwerk, vereinfachte Berechnung desselben nach Vierendeel 246.

Paris, Überdeckung am Quai Débilly ohne Unterbrechung einer vorhandenen Eisenbetonfuttermauer, eingespannter Eisenbetonbogenbalkenträger, Lichtweite 14 m, Schnitte, Beschreibung (Abb.) 318.

—, Überwölbung des Kanals Saint-Martin in —, Dreigelenkbogen aus bewehrtem Beton mit Federgelenken (Halbgelenken), Stützweite 27 m, Schnitte, Einzelheiten, Beschreibung (Abb.) 542 u. f.

Párkány-Nana (Ungarn), Straßenbrücke über den Garamfluß, 3 Öffnungen mit je 2 eingespannten Eisenbetonbogenträgern, Lichtweite 40 m, Schnitte, Bewehrungseinzelheiten, Beschreibung(Abb.)629.

Payerbach, schiefe Straßenbrücke über die Schwarza, eingespannter Eisenbetonbogen mit Scheitelgelenk nach Bauweise Melan, Lichtweite 26 m, Schnitte, Einzelheiten der steifen Eiseneinlagen, Beschreibung 560.

Peine, Fusebrücke, Eisenbetonbalkenbrücke von sehr geringer Bauhöhe, Lichtweite

9,5 m, Schnitte, Beschreibung (Abb.) 272.

Pendeljoche mit Bleiplattengelenken einer Hochbahn zu einer Gasanstalt, Vollspurgleis, Eisenbeton-Bogenbalkenträger auf Turmpfeilern und Pendeljochen (Abb.) 643.

Pendelstützen, Vergleich der Stützung durchlaufender Träger über mehrere Öffnungen auf denselben mit Einspannung an den Pfeilern 20.

— für Zwischenstützen schiefer Brücken 106.

Pendelwände aus Eisenbeton, Ausbildung der Gelenke 105.

Peru, Wayne Street-Brücke mit 7 Öffnungen, Eisenbetonbogen nach Bauweise Luten, Lichtweiten 22,6 bis 30,0 m, Schnitte, Beschreibung (Abb.) 551.

Pezza Vercellese (Italien), Wegbrücke, Eisenbetonbalken, Stützweite 11,7 m, Schnitte, Beschreibung (Abb.) 268.

Pfeiler, gemauerte, als Zwischenstützen mit Auskragung der Pfeilerköpfe für die Auflagerung der Balken 97, 98.

—, Verbindung derselben mit durchlaufenden Trägern über mehrere Öffnungen 20.

—, Verwendung alter — beim Umbau zur Lagerung von Eisenbetonbalken 19.

— und Widerlager, Begriff derselben bei Gewölben 338.

— —, Berechnung derselben beim Betondreigelenkbogen einer Straßenbrücke 458 u. f.

Pfeilerwände, Auflösung derselben in einzelne Stützen (Abb.) 20.

Pfeilhöhen von eingespannten Rippenbogen aus Eisenbeton 595.

Pflaster in Beton, Mindeststärke desselben auf Brücken 54.

Pflasterungen, verschiedene, für die Fahrbahn von Brücken, Gewichte derselben 122.

Pfosten einer Rahmenbrücke von 11 m Lichtweite als Winkelstützmauern aus Eisenbeton 29.

Pfostenfachwerke aus Eisenbeton 37.

Pfostenfachwerke, konstruktive Vorteile derselben für Eisenbetonbrücken 38.[

Pfostenfachwerkbrücke aus Eisenbeton (Abb.) 39 u. f.

— — mit sehr weiten Öffnungen (Abb.) 40.

—, eiserne, über den Kanal in Beeringen von Vierendeel (Abb.) 37.

—, theoretische Erörterung derselben 37 u. f.

Pfostenfachwerk - Parallelträger, Berechnung derselben nach Frandsen 247.

—, vereinfachte Berechnung desselben nach Vierendeel 246.

—, Ermittlung der Pfostenscherspannungen infolge der Querkräfte nach Podolsky 252.

— — der Gurthauptspannungen nach Podolsky 251.

— — der Pfostenhauptspannungen nach Podolsky 251.

— — Zusatzspannungen der Pfosten und Gurte nach Podolsky 253.

Pfostenfachwerkträger, Berechnung derselben für alle Trägerformen und Belastungsfälle nach Marcus 249.

—, allgemeiner Gedankengang zur Berechnung derselben 245.

— aus Eisenbeton, Ausbildung derselben entsprechend den Querkräften 39.

— mit gebrochenem Gurt, Ermittlung der Gurthauptspannungen nach Podolsky 254.

— — deagl. der Pfostenhauptspannungen nach Podolsky 254.

— — deagl. der Zusatzspannungen der Gurte und Pfosten nach Podolsky 255.

— mit parallelen und gebrochenen Gurtungen, Berechnung derselben nach Mann 250.

— mit gebrochenen Gurtungen, Berechnung derselben nach Ostenfeld 248.

— —, vereinfachte Berechnung derselben nach Vierendeel 247.

—, die statisch bestimmten Hauptnetze nach Vierendeel, Ostenfeld, Marcus und Mann 250.

48*

Pfostenfachwerkträger, Untersuchung derselben mittels Einflußlinien nach Podolsky 256.

—, angenähertes Verfahren zur Berechnung derselben nach Podolsky 251.

—, vereinfachtes Verfahren zur Berechnung derselben von Vierendeel 245.

—, Erläuterung ihres Wesens durch den Begriff der Scheiben und ihrer Verbindung mittels Gelenke 244.

Philadelphia, Straßenbrücke über den Wissahickon Creek im Zuge des Walnut Lane, Bogenbrücke aus unbewehrtem Beton, Spannweite 16,2 und 71 m, Gesamtanordnung, Schnitte, Einzelheiten, Beschreibung (Abb.) 492 u. f.

Pittsburg, Meadow - Straßenbrücke, eingespannter Eisenbetonbogen, Spannweite 63,7 m, Schnitte, Einzelheiten, Beschreibung (Abb.) 634.

Platte als Balken auf 2 Stützen, Einfluß der Lastverteilung und der Einspannung der Trägerenden auf die Größe ihrer Momente 158.

—, Berechnung derselben als Träger auf 2 starren Stützen 157.

— — desgl. auf mehreren starren Stützen 158.

—, Einfluß der elastischen Stützensenkungen auf die Berechnung derselben 152 u. f.

— auf mehreren Stützen, Maße für die elastische Stützensenkung, bei welcher das Moment der durchlaufenden Platte gleich demjenigen der freiaufliegenden wird 157.

— als durchlaufender Träger auf mehreren Stützen, Darstellung des Verlaufs der Momente infolge gleichförmig verteilter Belastung 159.

— — desgl., Größe des Moments in der Mitte eines End- und mittleren Feldes infolge Eigengewichts und Verkehrslast 160.

— — auf 3 und 4 elastisch senkbaren Stützen gleichen Abstandes, Größe der Stützendrücke 155.

Platte, allseitig eingespannte, Momente infolge gleichmäßig verteilter Belastung nach Föppl, Considère, Abeles, nach Vorschriften der Stadt Düsseldorf und den österreichischen Vorschriften 161.

Platten, Anwendung derselben für Durchlässe (Abb.) 12.

—, verschiedene Annahmen von Annäherungen zur Vereinfachung ihrer Berechnung 151.

—, Begriff derselben 10.

— von Eisenbetonbrücken kleiner Stützweiten, zeichnerische Darstellung ihrer Belastungsgleichwerte unter Berücksichtigung der Lastverteilung 141.

—, Trägerhöhenbestimmung 11.

— mit ebener Unterfläche aus hohlen Siegwartbalken 13.

— aus fachwerkartigen Visintiniträgern 13.

—, Wirkungsweise derselben bei Balkenbrücken aus Eisenbeton 150.

Plattenbalken, Begriff desselben 10.

— mit Fischbauchträgern nach Möller (Abb.) 17, 18.

Plattenbrücke mit Visintiniträger 13 u. 14.

—, Oberfläche derselben 13.

Plattenstärke, ihre statische und wirtschaftliche Bemessung für den einfachen Träger (Beispiel für eine Brücke von 16,55 m Lichtweite) 90, 93.

— eines einfachen Trägers, Berechnung derselben unter Ermittlung des größten Biegungsmomentes auf Grund eines Belastungsgleichwerts. (Beispiel für eine Brücke von 16,55 m Lichtweite) 92.

—, Verminderung derselben durch Herstellung dreiseitiger Rahmen 12.

Plauen i. V., Verbreiterung der alten gewölbten, schiefen, mit zwei Öffnungen gebauten Pausaer Straßenbrücke über die Bahngleise, mit einer Öffnung, dreiseitiger Eisenbetonrahmenträger, Lichtweite 23,5 m, Schnitte, Beschreibung (Abb.) 314.

Plawniowitz (Oberschlesien), Klodnitzbrücke, durchlaufender Eisenbetonbalken auf Pfeilern und Widerlagern aus Eisenbeton, 3 Öffnungen, Stützweiten 9,65 und 15,5 m, Schnitte, Beschreibung (Abb.) 286.

Podest, Anordnung desselben bei Treppen für Brückenanlagen 51.

— als Endfeld für Eisenbetonträger über 4 Stützen 24.

Podolsky, angenähertes Verfahren zur Berechnung von Pfostenfachwerkträgern 251.

Probebelastung, Ausführung derselben und Maße der Einsenkung bei Betongewölben mit Eiseneinlagen, Spannweite 17 bis 45 m 555, 601, 611.

—, Prüfung von Eisenbetonbrücken durch dieselben 116 u. f.

Probelast, Mindestalter des Betons für seine Belastung durch dieselbe 116.

Putung in China, Brücke über den Pei-Lien-King aus Eisenbetonträgern über mehrere Öffnungen (Abb.) 21.

Putz als Schutzmittel für die Außenflächen von Eisenbetonbauten gegen atmosphärische Einflüsse 8.

Pyrimont, Straßenbrücke über die Rhône, einzelne Hauptträger aus Eisenbetonbogen, Lichtweite 51,5 m, Schnitte, Beschreibung (Abb.) 612.

Quergefälle der Gangbahnen auf Brücken 52.

— der Straßenoberfläche auf Brücken 52.

Querkräfte, besondere Berücksichtigung derselben beim weitgespannten Balken 4.

—, Auflagerdrücke und Momente bei Einzellasten für den Träger auf 2 Stützen 165 u. f.

— —, Bestimmung derselben bei durchlaufenden Trägern 192.

— und Auflagerkräfte, Bestimmung derselben für den Eisenbetondreigelenkbogen einer

Vollbahnbrücke, Zahlenbeispiel 468.

Querkräfte, Bestimmung der größten — für einen durchlaufenden Träger auf 4 starren Stützen gleichen Abstandes unter Anwendung von Einflußlinien, ausführliches Rechnungsbeispiel 209 u. f.

— und Momente für den Träger auf 2 Stützen bei Einzellasten und anschließender gleichförmig verteilter Belastung 172 u. f.

— — desgl.' bei gleichförmig verteilter Belastung 169 u. f.

Querschnitt der Brückenbahn, Abmessungen desselben bei Straßenbrücken 51.

Querschnittsformen, verschiedene, von Rippenplatten, vergleichsweise Besprechung derselben 70.

Querträger aus Eisenbeton-Dreieckfachwerkträgern von 5 m Länge nach Visintini bei einer Straßenbrücke mit versenkter Fahrbahn 325.

—, lastverteilende, bei Tragbalken, Berechnung derselben mit Beispiel 162 u. f.

— —, Zahl derselben bei Rippenplatten für Brücken 80.

Radlasten, Breite und Länge ihrer Verteilung auf die Plattenbalken von Eisenbetonbrücken 136.

Raevels Kragträgerbrücke aus Eisenbeton mit überstehenden Enden (Abb.) 25.

Rahmen als Ausbildung des Endfeldes durchlaufender Träger über mehrere Öffnungen 20.

—, dreiseitige, zur Verminderung von Plattenstärken und Versteifung der Widerlager 12.

—, Vergleich seiner Stütz- und Mittellinie mit derjenigen beim Bogen 4.

—, vierseitige, gegen Einwirkung wagerechter Kräfte auf Widerlager bei schlüpfriger Bodenfuge 13.

— —, mit fester Verbindung von Grundplatte und Platte mit Widerlagern 12.

Rahmenartige Überdeckung von 16 m Spannweite und 316 m Länge (Abb.) 30.

Rahmenbrücke, dreiseitige, mit gelenkiger Lagerung, Ermittlung des Einspannungsgrades 240.

— — desgl., Rechnungsbeispiel für die Ermittlung des wagerechten Schubes und der Momente infolge Verkehrslast, Erddrucks und Eigengewichts 236 u. f.

— —, Ermittlung der Momente und des wagerechten Schubes bei gelenkiger Lagerung infolge Erddrucks 234.

—, Biegungsmomente einer dreiseitigen — bei gelenkiger Lagerung 234.

—, Oberflächenabschrägung für Entwässerung (Abb.) 13.

— der Kgl. Sächsischen Staatseisenbahnen (Abb.) 29.

—, schiefe, aus Balken und damit starr verbundenen Eisenbetonwiderlagern (Abb.) 28.

— zur Überführung einer Straße (Abb.) 29.

Rahmendurchlaß, Lichtweite 4,5 m, Schnitte, Beschreibung (Abb.) 311.

Rahmenträger, allgemeine Angaben über zwei-, drei- und vierseitige Rahmen sowie über die rahmenartige Ausbildung der Endpfosten eines durchlaufenden Trägers und deren Berechnung 232.

— Begriff derselben 11.

— aus Eisenbeton für Brücken, Beschreibung ausgeführter Beispiele 306 u. f.

— mit und ohne Fußgelenke, Einspannungsgrad bei verschiedenen Trägheitsmomenten, Höhen und Längen für Balken und Pfosten zur raschen, überschläglichen Bestimmung der Momentenverteilung, Beispiel 241.

— als Übergangsform von Bogen und Balken 4.

—, Unterschied desselben vom Balken 4.

Rampen bei Fußwegüberführungen, Ersatz derselben durch Treppenanlagen 51.

Randausbildung von Rippenplatten 69 u. f.

Ranigsdorf, Gangsteg mit einem einzigen Hauptträger, dreiseitiger Eisenbetonrahmenträger, Lichtweite 13,5 m, Schnitte, Beschreibung (Abb.) 312.

Rauchschutztafel für Eisenbetonbrücken über Eisenbahngleisen 72.

Rechnungsbeispiel, ausführliches, zur Berechnung eines durchlaufenden Trägers auf 4 starren Stützen gleichen Abstandes unter Anwendung von Einflußlinien zur Bestimmung der größten Momente, Querkräfte und Auflagerdrücke 209 u. f.

— — desgl. auf 5 Stützen mit fest eingespanntem und frei überkragendem Ende für gleichförmig verteilte Belastung 200 u. f.

— für die Ermittlung der Momente und des wagerechten Schubes einer dreiseitigen Rahmenbrücke mit gelenkiger Lagerung infolge Eigengewichts, Verkehrslast und Erddrucks 236 u. f.

Rechnungsgang für die statische Berechnung einer Straßenbrücke, eingespannte Rippengewölbe aus Eisenbeton 598.

Reibungskraft, Wirkung derselben als wagerechte Kraft im Zweifelfalle bei Bogenbalkenträgern 261.·

Reibungswiderstände, Größe derselben bei beweglichen Brückenlagern 150.

— — für verschiedene Arten von Straßenpflaster und Straßenbahngleise 149.

Reichenau, Straßenbrücke mit versenkter Fahrbahn, vollwandiger Eisenbetonbalken, Stützweite 11,4 m, Schnitte, Beschreibung (Abb.) 319.

Rekonstruktion von Brückenverankerungspfeilern 723.

Ribera, Bauweise — für Eisenbetonbogenbrücken mit Eisengerüstbewehrung 359.

Rippen, Anordnung derselben bei den Rahmenbrücken der SächsischenStaatseisenbahnen 29.
— für Plattenbalken als fischbauchartige Träger mit Zuggurt aus Flacheisen und Betondruckgurt nach Möller (Abb.) 18.
Rippenbalken als durchlaufende Träger über mehrere Öffnungen, Gefährdung derselben durch Veränderung der Stützenhöhenlage 19.
— — über mehrere Stützen, Vorteile derselben im Vergleich mit einfachen Balken auf 2 Stützen 19.
Rippenplatte, Ausbildung ihres Randes 69.
— mit Auskragung, wirtschaftliche Vorteile derselben 69.
—, Belastungsbreite für den Balken 77.
— mit obenliegender Fahrbahn, konstruktive Durchbildung derselben 68 u. f.
— mit durchbrochener Trägerwand (Abb.) 16.
—, Übersicht ihrer Balkenbreiten bei ausgeführten Brücken 76.
—, gegenseitiger Abstand der Balken 77.
—, Abstand des Lagerdruckmittelpunktes von der Vorderkante der Mauer 75.
—, Balkenabstand vom Brückenrande (Auskragung) 77.
— — als Stützweite der Platten und Querträger 77.
—, Befestigung von Leitungsrohren an denselben 72.
—, Begriff derselben 10.
—, vergleichsweise Besprechung ihrer verschiedenen Querschnittsformen 70.
—, Beziehungen ihrer Grundmaße zueinander 73.
—, Druckgurtbreite des Balkens bei Brücken 77.
—, Einfluß des Lagerdrucks auf die Standfestigkeit der Widerlager 75.
—, theoretische Ermittlung des zweckmäßigsten Maßes der Auskragung über die Randträger derselben bei Brücken 78 u. f.

Rippenplatte, Grenzwerte für die Balkenschlankheit ($l : h$) 76.
—, Grundmaße derselben für den Brückenentwurf 73.
—, die in Rechnung zu stellende Stützweite derselben 75.
—, Stärke derselben bei Brücken 80.
—, Übersicht ihrer Trägerhöben bei ausgeführten Brücken 76.
—, vergleichende Übersicht ihrer Grundmaße mit ausgeführten Beispielen 74.
—, Verhältnis des Maßes für die Auskragung zum Balkenabstand bei Brücken 79.
—, wirtschaftliche Vorteile der Auskragung der Fahrbahntafel über die Randträger derselben 78.
—, Zahl der Balken 77.
— — der lastverteilenden Querträger bei denselben für Brücken 80.
Rippenplattenbalken, geringste Breite des Schalungskastens für die Herstellung derselben 76.
Rohr- und Kabelleitungen, Kanal zur Unterbringung derselben unter der Gangbahn bei Rippenplatten 72.
Rollenkipplager, dreiteiliges, für Eisenbetonträger (Abb.) 103.
Rollenlager mit Ablaßvorrichtung für eisernes Lehrgerüst, Lichtweite 85,8 m (Abb.) 521.
— für Kragträger auf 2 Stützen aus Eisenbeton 25.
Rom, Straßenbrücke (Brücke der Wiedergeburt) über den Tiber, Rippenbogen aus Eisenbeton, Spannweite 100 m, Schnitte, Beschreibung (Abb.) 605 u. f.
Rotterdam, Gangsteg über die Lusthofstraße von architektonischer Wirkung, eingespannter Eisenbetonbogenbalkenträger mit anschließenden Treppenläufen, Lichtweite 29m, Schnitte, Beschreibung (Abb.) 315 u. f.
—, Hochbahn für 2gleisige elektrische Bahn, Rippenplattenbogen aus Eisenbeton, Spannweiten 8 bis 21,6 m, Schnitte, Einzelheiten, Beschreibung 614 u. f.

Rüstung, Ausnutzung derselben 268.
— zum Neubau einer schiefen Fußgängerbrücke, durchlaufender Eisenbetonbalken mit Bewehrung aus Eisenfachwerkträger 297.
— als Sprengwerk (Abb.) 270.

Sächsische Staatseisenbahnen, Ausbildung der Rahmenbrücken derselben 30.
Saint - Jean - la - Rivière (Alpes-Maritimes), Eisenbahnbrücke, parabelförmiges Rippengewölbe aus Eisenbeton mit Spiralbewehrung, Spannweite 45,5 m, Schnitte, Bewehrungseinzelheiten, Beschreibung (Abb.) 583.
Salzuflen, Straßenbrücke mit versenkter Fahrbahn über die Werle, Eisenbetonbogenträger mit Zugband, Spannweite 28 m, Schnitte, Bewehrungseinzelheiten, Beschreibung (Abb.) 652.
Sandstein und Sandsteingelenke, Druckfestigkeit derselben bei Bruchbelastung nach Versuchen von Bauschinger und Bach 383, 387.
—, Kämpfergelenk aus — nach Köpke (Abb.) 392.
—, Pirnaer, Elastizitätsmodul „E^m" desselben 396.
Sandtöpfe als Beispiel für Erhöhung der Druckfestigkeit 43.
San Sebastian, Christinenbrücke mit vornehmer architektonischer Ausbildung, eingespannter Betonbogen mit steifen Eiseneinlagen nach Ribera, Spannweite 24 m, 3 Öffnungen, Schnitte, Bewehrungseinzelheiten, Beschreibung (Abb.) 570.
Sauvage, Straßenbrücke über die Mosel in —, Dreigelenkbogen aus unbewehrtem Beton, Spannweiten 30 und 34 m Schnitte, Einzelheiten, Beschreibung (Abb.) 504 u. f.
Schalung, Ersparnis derselben an der Baustelle durch Anwendung hohler Siegwartbalken oder fachwerkartiger Visintiniträger 13.

Schalungsausführung beim Lehrgerüst (Abb.) 112.

Schalungskasten für die Herstellung von Rippenplattenbalken, geringste Breite desselben 76.

Schalungsverhältnis, Angabe der abgewickelten Schalungsfläche auf 1 m² Grundrißfläche der Brücke 81.

Scheiben, Begriff derselben und ihrer Verbindung mittels Gelenke zur Erläuterung des Wesens der Pfostenfachwerkträger 244.

Scheitelsenkungen bei Gelenkbrücken aus unbewehrtem Beton während verschiedener Abschnitte der Bauausführung 481, 484, 485.

Scheitelstärke, Vergleich derselben bei Balken- und Bogenbalkenbrücken 32.

—, ihr Verhältnis zur Lichtweite beim eingespannten Bogenträger 33.

Scherfestigkeit und Biegungsfestigkeit beim Balken 4.

Schild-, Fuß- und Hakenplatte von Bogenbalkenwiderlagern unter dem Einfluß des Erddrucks 31.

Schneebelastung, Gewicht derselben 146.

Schnittgerinne auf Brücken 52.

Schraubenmuttern zur Verbindung von Eisenstäben im Zuggurt bei größeren Stützweiten (Abb.) 114.

Schub, Ermittlung des wagerechten — sowie der Momente für eine dreiseitige Rahmenbrücke bei gelenkiger Lagerung infolge Erddrucks 234 u. f.

—, Rechnungsbeispiel für die Ermittlung des wagerechten — und der Momente einer dreiseitigen Rahmenbrücke mit gelenkiger Lagerung infolge Eigengewichts, Verkehrslast und Erddrucks 236 u. f.

Schub- und Haftspannungen in den Querschnitten eines Eisenbetondreigelenkbogens für eine Vollbahnbrücke nach der Berechnung mittels Einflußlinien, Stützweite 24,4 m, Zahlenbeispiel 470.

Schuppen, heizbare, als Hilfsmittel für Betonierungsarbeiten bei Frost 8.

Schutzdecke, Wahl ihrer Stärke bei Eisenbetonbrücken 53.

Schweich, Straßenbrücke über die Mosel, Korbbogen aus unbewehrtem Beton, Schnitte, Beschreibung, Lichtweite 46 m (Abb.) 499 u. f.

Schweißung zur Verbindung von Eisenstäben im Zuggurt bei größeren Stützweiten 114.

Schwindmaße des Betons nach Versuchen von Dyckerhoff u. Widmann 58.

Schwindrisse, Vermeidung derselben bei Betonbauten durch Trennungsfugen 58.

Siegwartbalken, hohle, zur Herstellung von Platten mit ebener Unterfläche 13.

Silkeborg, Straßenüberführung aus durchlaufenden Eisenbetonträgern über mehrere Öffnungen mit Eisenbetonstützen (Abb.) 23.

Soissons, schiefe Straßenbrücke über die Aisne, Eisenbetonbogen mit Rippenplattenquerschnitt, Lichtweiten 24,3 bis 24,5 m, 3 Öffnungen, Schnitte, Beschreibung (Abb.) 609.

Spaltbrücke bei Eisenbetonträgern mit eisernen Lagern zur Überdeckung der Trennungsfuge 14.

Spannstangen bei Sprengwerken für Lehrgerüste 109.

Spannungen, Ermittlung derselben im Bogenbalkenträger als Balken und Bogen und Vergleich derselben mit seinen Spannungen als reiner Balken oder Bogenträger 260.

—, innere, behördliche Vorschriften für die Berechnungsweisen derselben bei Balkenbrücken 261.

Spannungswerte der einfach und doppelt bewehrten Balkenbrücke, Beispiel 263.

Sprengwerke, Anwendung derselben bei Lehrgerüsten 108, 270.

— — desgl., Forderungen für deren Standsicherheit 109.

Sprödigkeit und Bruchgefährlichkeit, Verminderung derselben bei gußeisernen Säulen durch Umschnürungsbeton 722.

Stahlgußwälzgelenke, Vorzüge derselben 403.

Stampf - Asphaltpflaster auf Brücken, Abmessungen desselben 54.

Stampfen der Betonschichten, Art desselben bei der Ausführung von Betonbogenbrücken ohne Eiseneinlagen 343.

Stampfrichtung bei Herstellung von Visintiniträgern 13.

Ständerfachwerk, Anwendung und Herstellung desselben bei größeren Stützweiten 44.

Standgerüst, Anordnung desselben bei Lehrgerüsten zur Holzersparnis (Abb.) 110.

Statische Berechnung, Belastungsannahmen für dieselbe bei Straßenbrücken aus Eisenbeton 134.

Steg in Bayonne, Kragträger von 25 m Stützweite und 4,75 m beiderseitiger Ausladung (Abb.) 26.

—, gelochte, bei Bulbeisen als Betoneinlagen 14.

Steigungs - Verhältnisse und Brückenöffnungen, Berücksichtigung derselben bei der Bemessung von Trägerhöhen 24.

Steinbrücken, Vergleich derselben mit Eisenbetonbrücken 5.

Steinpflaster als Versteinung über der Brückentafel, Stärke desselben 53.

Steyr, Schwimmschulbrücke, Eisenbeton - Dreigelenkbogen mit steifen Flußeiseneinlagen nach Bauweise Melan, Lichtweite 42,2 m, Schnitte, Einzelheiten, Beschreibung (Abb.) 555 u. f.

Stirnmauern, Berechnung derselben beim Dreigelenkbogen aus Eisenbeton, Zahlenbeispiel 477.

Stoßleiste als untere Begrenzung der Geländer oder Brüstungen 71.

Straßenbahnwagen, übersichtliche Zusammenstellung ihrer Maße und Gewichte 132.

Straßenbrücke als Rahmenbrücke (Abb.) 29.
— aus durchlaufenden Eisenbetonträgern über mehrere Öffnungen mit Eisenbetonstützen (Abb.) 23.
— aus Eisenbeton, Belastungsannahmen für ihre statische Berechnung 134.
— aus Visintiniträgern, Herstellung und Einbauen derselben 45, 46, 47.
— in Hainsberg, Wälzgelenkstein aus Eisenbeton (Abb.) 105.
— in Reichenau aus vollwandigen Tragwerken mit versenkter Fahrbahn (Abb.) 35.
— über Bahngleise, Ausbildung von Eisenbetonfahrbahntafeln und Betonumhüllung der unteren Eisenkonstruktion, Schnitte, Beschreibung (Abb.) 702.
— über den kleinen Kiel in Kiel aus Eisenbetonkragträgern auf 2 Stützen mit überstehenden Enden und verschütteten Seitenarmen (Abb.) 26.
— über den Oglio (Bergamo) mit Fachwerkträgern aus Eisenbeton als nicht nachahmenswertes Beispiel, 27 m Stützweite (Abb.) 42.
— über den Vierbach (Hessen) in Beton mit Einlagen aus Bulbeisen mit gelochten Stegen (Abb.) 14.
— über die Bahnlinie Paris—Orléans, durchlaufender Träger über mehrere Öffnungen aus Eisenbeton mit Eisenbetonstützen (Abb.) 24.
— über die Big Four-Bahn (Nordamerika) aus durchlaufenden Eisenbetonträgern über mehrere Öffnungen mit Eisenbetonstützen (Abb.) 23.
— über die Desna in Tschernigow (Rußland) aus Visintiniträgern von 17 m Länge (Abb.) 45.
— über die eingleisige Lokalbahn Korneuburg—Ernstbrunn aus 3 einfachen Trägern auf Betonpfeilern und Widerlagern, Stützweiten 5,45 bis 6,90 m. (Abb.) 15.

Straßenbrücke, leichte, schwere, besonders schwere, tabellarische Angabe der Grundbedingungen, Grundmaße, Grundverhältnisse, des Betoninhaltes, des Schalungsverhältnisses, der Bewehrung, des ausführenden Unternehmers und der Literatur 82.
Straßenfahrzeuge, Gewichte derselben von 12,4, 16 und 26 m Belastung der Brückenfahrbahn 128.
Straßenoberfläche, Quergefälle derselben auf Brücken 52.
Straßenpflaster und Straßenbahngleise, Größe der Reibungswiderstände für verschiedene Arten derselben 149.
Straßenüberführung am Bahnhof Bochum-Nord, Kragträgergruppen von 12,4, 16 und 26 m Stützweiten (Abb.) 27.
— aus durchlaufenden Eisenbetonträgern über mehrere Öffnungen mit Eisenbetonstützen (Abb.) 23.
— über die Kraichgaubahn bei Bretten (Baden) aus vollwandigen Tragwerken mit versenkter Fahrbahn (Abb.) 35.
Straußpfähle, Anwendung derselben für die Gründung der Säulen unter durchlaufenden Eisenbetonbalken 283.
Streben, Anordnung derselben bei durchbrochenen Tragwerken aus Eisenbeton 41.
Strebenfachwerk, Herstellung desselben bei größeren Stützweiten 44.
Streifengewichte von Gewölben, Belastungsflächen zur Feststellung derselben 423.
Stubenrauchbrücke über die Spree in Oberschöneweide bei Berlin, bewehrte Betonbogen, Lichtweite 19,5 m, Schnitte, Beschreibung (Abb.) 527 u. f.
Stützen, Widerlager und Brücköffnungen, Wahl derselben mit Rücksicht auf die anschließenden Böschungsneigungen 23.
Stützendrücke, Größe derselben bei Platten als durchlaufender Träger auf 3 und 4 elastisch senkbaren Stützen gleichen Abstandes 155.

Stützendrücke, Zahlenwerte derselben für den durchlaufenden Träger auf starren Stützen gleichen Abstandes bei gleichförmig und ungleichförmig verteilten Lasten sowie Einzellasten 196.
Stützenmomente, Berücksichtigung der negativen — bei Ausbildung von Eisenbetonträgerwänden (Abb.) 20.
Stützensenkungen, elastische, Einfluß derselben auf die Berechnung von Platten 152 u. f.
— — desgl. auf die Beanspruchung eines gleichförmig vollbelasteten Balkens auf 4 Stützen 156.
— —, Maße für dieselben, bei welchen das Moment der durchlaufenden Platte gleich demjenigen der frei aufliegenden wird 157.
Stützkräfte, wagerechte, bei Bogenbalken 31.
Stützlinie des Bogens 3.
— bei gelenklosen Bogenbrücken, Minimalstützlinie 427.
— — für Normalbelastung und Vollbelastung 427.
—, Berechnung einer Straßenbrücke als Betondreigelenkbogen mittels Stützlinien, Zahlenbeispiel 455 u. f.
— und Mittellinie beim Bogen 3.
— — beim Rahmen, Vergleich derselben mit derjenigen beim Bogen 4.
Stützpunkte von Trägern, Erklärung derselben 74.
Stützweite, die der Berechnung von Rippenplatten zugrunde zu legen ist 75.
—, ihre Bestimmung aus der Lichtweite (Beispiel für eine Brücke von 16,55 m Lichtweite) 89.
—, Verhältnis derselben zur Pfostenhöhe bei Rahmenbrücken 30.
Symmetrie, Erfüllung derselben bei der Wahl von Grundformen für Eisenbetonbrücken 65.
Systemlinien für Dreieckfachwerkträger aus Eisenbeton 41.

Tagesleistungen beim Betonieren und Betonierungsfolge 289, 415, 416.

Talbrücken, Begriff derselben 338.

Tarbes (Hochpyrenäen), Echezbrücke, durchlaufender Eisenbetonbogenbalkenträger über 3 Öffnungen, Lichtweite 12,9 m, Schnitte, Beschreibung (Abb.) 315.

Taulow (Jütland), schiefe Straßenüberführung mit versenkter Fahrbahn über die Bahngleise, Eisenbeton - Pfostenfachwerk, Lichtweite 18 m, Schnitte, Beschreibung (Abb.) 324.

Tavanasa, Straßenbrücke über den Rhein, Rippendreigelenkbogen aus Eisenbeton mit Bleiplattengelenken, Spannweite 51 m, Schnitte, Einzelheiten der Bewehrung und Gelenke, Beschreibung (Abb.) 602.

Temesvar (Ungarn), Mühlplatzbrücke über den Bejakanal, Eisenbetonbalken - Kragträger mit verschütteten Endöffnungen, Schnitte, Beschreibung, Stützweite 31 m (Abb.) 304.

Temperaturänderungen, Scheitelsenkungen infolge derselben während verschiedener Bauabschnitte und Vorrichtungen zur Feststellung derselben 481, 484.

Temperaturerhöhung, Beanspruchung eines Betonstabes infolge derselben $\sigma = \alpha E t$. 56.

Temperaturfugen, Ausbildung derselben bei der Eisenbetonauskleidung des Eisentroges einer Kanalbrücke 687.

Texas, Brücke aus durchlaufenden Eisenbetonbrückenträgern über eine größere Anzahl von Öffnungen (Abb.) 22.

Thacher, Bauweise — für Eisenbetonbogenbrücken, Bewehrungseinzelheiten 350.

Theorie und Ausführung für Bogenbrücken aus Beton und Eisenbeton, Literaturangaben 672 u. f.

— — von Eisenbetonbalkenbrücken, Literaturangaben 330.

Theoretische Ermittlung des zweckmäßigsten Maßes für die Auskragung über die Randträger von Rippenplatten bei Brücken 78 u. f.

Topletz (Ungarn), Csernabrücke, Eisenbetonbalkenauslegerträger, 3 Öffnungen, Stützweiten 9 und 23 m, Schnitte, Beschreibung (Abb.) 308.

Toulouse, eiserne Straßenbrücke über den Canal du Midi, genietete Hauptträger mit vom Eisenbeton der Fahrbahntafel umhülltem Obergurt, Stützweite 30 m, Schnitt, Beschreibung (Abb.) 705.

Tragbalken, Berechnung der lastverteilenden Querträger, mit Beispiel 162 u. f.

Träger, durchbrochene, Begriff derselben 11.

—, durchlaufende, Begriff desselben 11.

—, mit fest verbundenen Zwischenstützen und voller Einspannung der Stützenfüße, Berechnung der Zusatzmomente 222 u. f., 225 u. f., 227 u. f.

— — über 2 Öffnungen mit eingespannter Mittelstütze, Berechnung ihres größten Zusatzmoments und des zugehörigen Stützendrucks 224.

— — auf 3 Stützen. Größe der Auflagerdrücke bei gleichförmig verteilter Belastung 193.

— — auf 4 Stützen, Bestimmung der günstigsten Stützenweiten aus dem größten Momenten bei gleichförmig verteilter Belastung 198.

— — desgl., Bestimmung des Festpunktabstandes bei verschiedenen Trägheitsmomenten 187.

— — auf 5 Stützen (Landungssteg) mit fest eingespanntem und frei überkragendem Ende, ausführliches Rechnungsbeispiel für gleichförmig verteilte Belastung 200 u. f.

— — mit unendlich vielen fest verbundenen, eingespannten Mittelstützen, Zusatzmomente derselben 227.

— — auf unendlich vielen Stützen mit gleichlangen inneren Feldern, Bestimmung der günstigsten Endfelderstützweite aus den Momenten 200.

Träger, durchlaufender, Berechnung desselben 183 u. f.

— —, Bestimmung der Momente für die unbelasteten Öffnungen 191.

— — desgl. der Momente einer Öffnung infolge einer Einzellast, einer gleichförmig voll und streckenweise verteilten Belastung 188 u. f.

— —, Bestimmung der Querkräfte und Auflagerdrücke 192.

— —, Ermittlung des Einflusses der Zusatzmomente für fest eingespannte Mittelstützen auf die Trägermomente bezw. des Einspannungsgrades 230.

— —, zeichnerisches und rechnerisches Verfahren zur Bestimmung der Festpunkte 186.

— —, auf starren Stützen gleichen Abstandes, Zahlenwerte für die Stützendrücke bei gleichförmig und ungleichförmig verteilten Lasten sowie Einzellasten 196.

— — desgl., Zahlenwerte für die Momente bei gleichförmig verteilter Belastung und wandernder Einzellast 194 u. f.

— — über 2 ungleiche Öffnungen, Zahlenwerte der Stützweiten bei gegebenen gleichförmig verteilten Belastungen und überflüssiger Verankerung 197.

— — auf 4 Stützen gleichen Abstandes, Größe der Auflagerdrücke bei gleichförmig verteilter Belastung 194.

— — desgl. mit gleich großen Endfeldern, Zahlenwerte der Stützweiten bei gegebenen, gleichförmig verteilten Belastungen und überflüssiger Verankerung 197.

—, einfacher, Begriff desselben 11.

— —, als statisch bestimmte Träger gelagert 15.

— — mit Öffnungen in der Trägerwand zur Verminderung ihres Eigengewichts 16.

— — auf 2 Stützen für Überdeckungen von Bahnlinien und Flußläufen 15.

Träger, einfacher, durchlaufende, vollwandige und durchbrochene für Brücken, Übersicht über die Mittelwerte ihrer Grundgrößen 88.

—, 3 einfache, auf Betonpfeilern und Widerlagern für eine Straßenbrücke 15.

— auf 2 Stützen, Momente und Querkräfte bei gleichförmig verteilter Belastung 169 u. f.

— —, Berechnung der Querkräfte, der Auflagerdrücke und Momente bei Einzellasten 165 u. f.

— —, Momente bei Lastübertragung durch Querträger 174.

— — desgl. und Querkräfte bei Einzellasten und anschließender, gleichförmig verteilter Belastung 172 u. f.

— desgl. bei zwei über den Träger wandernden Einzellasten 167.

— —, größtes Moment bei mehreren über den Träger wandernden Einzellasten 168.

— auf 4 starren Stützen gleichen Abstandes, Rechnungsbeispiel unter Anwendung von Einflußlinien zur Bestimmung der größten Momente, Querkräfte und Auflagerdrücke 209 u. f.

— rechnerisches und zeichnerisches Verfahren zur Bestimmung der Festpunkte beim durchlaufenden — 186.

—, vollwandige, Begriff derselben 11.

— — und durchbrochene für Brücken mit versenkter Fahrbahn, tabellarische Angabe der Grundbedingungen, Grundmaße, Grundverhältnisse, des Betoninhalts, des Schalungsverhältnisses, der Bewehrung, des ausführenden Unternehmers und der Literatur 86.

—, Voraussetzungen für das elastische Verhalten seines Baustoffs bei der Berechnung 184.

Trägerhöhe bei Eisenbetonbrücken, Begrenzung derselben durch Scher- und Druckkräfte 6.

Trägerhöhe für Rippenplattenbrücken, Übersicht bei ausgeführten Brücken 76.

Trägerhöhenbestimmung bei Platten 11.

Trägerstützpunkte, Erklärung derselben 74.

Trägerwahl mit Rücksicht auf den Winkel zwischen Brückenachse und Widerlager 48.

Trägerwand, durchbrochene, mit senkrechten Stegen unter Rippenplatte (Abb.) 16.

— mit durchbrochenen Mittelfeldern und vollwandigen Endfeldern (Abb.) 17.

Trägheitsmomente, Berechnung derselben aus den zulässigen Beanspruchungen bei Verbundkörpern 707.

— — für den Eisenbetonquerschnitt, Zahlenbeispiel 461.

— — desgl., Ersatz des Eisenquerschnitts durch Betonquerschnitt 598.

Tragrippen mit Fortsetzung in den Rippen der Widerlagswände von Rahmenbrücken 29.

Tragwerke, durchbrochene, aus Eisenbeton, Anordnung der Streben bei denselben 41.

— —, mit senkrecht zu den Gurtungen stehenden Zugstreben 41.

—, Unterscheidung derselben nach Art ihrer Stützung 11.

— mit versenkter Fahrbahn, Begriff derselben 10, 34.

— — desgl. und nach der Mitte zu ansteigender Trägerhöhe 35.

—, vollwandige, mit versenkter Fahrbahn 35.

Trennungsfugen, Abstand derselben bei Betonbauten 58.

—, Anordnung derselben bei Durchlässen von mehr als 20 m Länge 59.

—, — und Ausführung derselben bei Brückenkonstruktionen aus Beton 724.

— zum Ausgleich der Längenänderungen bei Betonbauten, welche durch Temperaturschwankungen und Schwinden des Betons beim Erhärten bewirkt sind 57 u. f.

—, Dichtung derselben zum Abhalten von Feuchtigkeit 59.

Trennungsfugen bei Eisenbetonbrüstungen 60.

—, Überdeckung derselben durch eine Spaltbrücke bei Eisenbetonträgern mit eisernen Lagern 59.

—, Wahl der Stellen ihrer Anordnung bei Eisenbetonbauten 59.

Treppen, Steigungsverhältnisse derselben bei Brückenanlagen 51.

Treppenanlage an Stelle von Rampen bei Fußwegüberführungen 51.

Treppenlauf als Endfeld für Eisenbetonträger über 4 Stützen 24.

Tschernigow (Rußland), Straßenbrücke über die Desna aus Visintiniträgern von 17 m Länge (Abb.) 45.

Tunis, Béjabrücke in —, Pfostenfachwerkbrücke aus Eisenbeton, 40 m Stützweite (Abb.) 40.

Überdeckung der Touvre in der Nationalgießerei zu Ruelle (Abb.) 60.

— der Wientallinie der Wiener Stadtbahn, Stützweite 8,5 bis 11,5 m 16.

—, Begriff derselben 10.

— und Brücken, Unterschied derselben 77.

—, Herstellung derselben durch Anwendung von Visintiniträgern 44.

Übergangsbrücke auf Zeche Julia, in Herne (Westfalen), Kragträger von 13 m Stützweite und 6,5 m Ausladung mit versenkter Brückentafel, Eisenbetondach und 10,5 m hohen Pfeilern (Abb.) 267.

Überhöhungen, Anordnung derselben bei Lehrgerüsten 112.

Überwölbung aus Eisenbeton nach Bauweise Johnson 349.

— des Gerberbaches in Schaffhausen als erste Betonbogenbrücke aus Portlandzement (Abb.) 331.

—, Begriff derselben 338.

Ulm, Wallstraßenbrücke, Dreigelenkbogen aus unbewehrtem Beton, Schnitte, Einzelheiten der Gelenke, Stützweite 57 m, Beschreibung (Abb.) 488.

Umschnürungsbeton als Mittel zur Verminderung der Sprödigkeit und Bruchgefährlichkeit bei gußeisernen Säulen 722.

— mit Röhren, Anwendung desselben in Empergers Entwurf zum Umbau der Straßenbrücke über den Donaukanal in Wien, Spannweite 60 m 722.

Unterhaltungsmaßnahmen bei Eisenbetonbrücken 8.

Unterschiede, konstruktive, bei Bogenbalken und Bogenbrücken 31.

Unwirtschaftlichkeit, Nachweis derselben bei reinen Eisenkonstruktionen im Vergleich mit Verbundkonstruktionen an der Hand von praktischen Beispielen 711 u. f.

Verbundbalken, Belastungsannahmen und Berechnung derselben bei einer eisernen Straßenbrücke, genietete Hauptträger mit vom Eisenbeton der Fahrbahntafel umhülltem Obergurt, Stützweite 30 m 709.

Verbundkonstruktion, Anwendung und Vorteile des Systems auch bezügl. der Kostenfrage bei Brücken 713, 717.

—, Belastungsprobe und Ergebnisse derselben für eine Straßenbrücke in Verbundkonstruktion 714.

—, Brücke bei Tréguier, Paraboldreigelenkbogen von 88 m Spannweite auf Konsolen von 8,5 m Ausladung aus — mit versenkter Fahrbahn, Schnitte, Beschreibung (Abb.) 715 u. f.

—, Nachweis der Unwirtschaftlichkeit von reinen Eisenkonstruktionen im Vergleich mit denselben an der Hand von praktischen Beispielen 711 u. f.

Verbundkörper, Berechnung von Trägheitsmomenten derselben aus den zulässigen Beanspruchungen 707.

Verbundkörper-Querschnitte, Widerstandsgrößen derselben, Tabelle 708, 710.

Verkehrsbelastung, Annahme derselben bei Gewölbeberechnungen für Straßenbrücken 341, 347, 358, 425.

—, — für Eisenbahnbrücken 434.

—, Stoßwirkungen derselben bei Eisenbetonbalkenbrücken 135.

— bei Brücken nach Angaben staatlicher und städtischer Verwaltungen 126.

Vernachlässigungen, zulässige, bei der vereinfachten Berechnung von Pfostenfachwerkträgern nach Vierendeel 246.

Verstärkung einer neuen eisernen Straßenbrücke durch Betonumhüllung, Hauptgitterträger von 19,9 m Stützweite, Schnitte, Beschreibung (Abb.) 700.

— einer eisernen Straßenbrücke aus 2 Hauptgitterträgern von 8 m Lichtweite durch Umhüllung mit Beton, Schnitte, Beschreibung (Abb.) 699.

Versteinung der Brückenbahn mit Rücksicht auf Dauerhaftigkeit und Wasserdurchlässigkeit 52.

— aus Chaussierung, Stärke derselben über der Brückentafel 53.

— aus Steinpflaster, Stärke derselben über der Brückentafel 53.

Versteinungsstärke, Einfluß derselben auf die Beanspruchung von Platten bei Eisenbetonbalkenbrücken 137.

—, Wahl derselben 53.

Versuchsergebnisse zur Feststellung der Verkürzungen und Querdehnungen von Gelenksteinen, Beziehungen zwischen Druck- und Zugkräften innerhalb derselben 388.

Verteilungsbreite und -länge von Radlasten für Plattenbalken von Eisenbetonbrücken 136.

— der Verkehrslasten bei der Berechnung eines Eisenbetondreigelenkbogens mittels Einflußlinien, Stützweite 24,4 m, Zahlenbeispiel 464.

Verwendbarkeit von fabrikmäßig hergestellten Balken und Trägern für Brücken von kleineren Stützweiten 14.

Vierendeel, eiserne Pfostenfachwerkbrücke über den Kanal in Beeringen (Abb.) 37.

—, vereinfachtes Verfahren desselben zur Berechnung von Pfostenfachwerkträgern 245.

Vilsbiburg (Niederbayern), Vilsbrücke, dreiseitiger Eisenbetonrahmenträger, Lichtweite 21,5 m, Schnitte, Beschreibung (Abb.) 311.

Vilssöhl (Niederbayern), Straßenbrücke über das Altwasser der Vils, durchlaufender Eisenbetonbalken auf 3 Pfeilerstützen, Stützweite 15,8 m, Schnitte, Beschreibung (Abb.) 284.

Visintiniträger, Anwendung derselben zur Herstellung von Überdeckungen 44.

— bei Straßenbrücken 13, 45, 47, 100.

—, fachwerkartige, zur Herstellung von Platten mit ebener Unterfläche 13.

—, engliegende, zur Herstellung der Fahrbahntafel mit druckverteilender Eisenbetonplatte 46.

—, Herstellen und Einbauen derselben 45.

—, Stampfrichtung bei Herstellung derselben 13.

—, Vorteile derselben 44.

Viviez, Bahnhof der Orléansbahn, Gangsteg aus durchlaufenden Eisenbetonträgern über mehrere Öffnungen auf Eisenbetonstützen (Abb.) 24.

Vollendungszeit einer Eisenbahnbrücke, parabelförmiges Rippengewölbe aus Eisenbeton mit Spiralbewehrung, Spannweite 45,5 m 585.

— für den Bau einer Eisenbahntalbrücke aus gelenklosen, unbewehrten Betonbogen, Lichtweite 19,5 m 504.

— der Kohlenwegbrücke über den Ems-Weser-Kanal, Rippendreigelenkbogen aus Eisenbeton, Spannweite 46,5 m 592.

— von Straßenbrücken, Eisenbetonbogenträger 526, 554, 557, 562, 602, 627, 639, 645.

— —, Eisenbetonbalken 268, 291, 293, 295.

Vollendungszeit der Straßenbrücke über den Hudson bei Sandy Hill, einzelne Hauptträger aus Eisenbetonbogen, Spannweiten 18,28 m, 15 Öffnungen 619.

— der schiefen Wegüberführung über die Eisenbahn bei Otting, einzelne Hauptträger aus Eisenbetonbogen, Spannweite 24 m 621.

Vorsatzbeton zur Belebung von Betonansichtflächen 67.

Vorteile der Visintiniträger 44.

Voute, Eckausrundung der Untergurtlinie eines Eisenbetonbalkens an den Stützpunkten 65.

Waldegg (Niederösterreich), Straßenbrücke aus Visintiniträgern (Abb.) 47.

Walzeisenträger als Einlagen in Betonplatten 14.

Wälzgelenk, Beispiel für die Berechnung desselben nach Köpke 397.

—, Berechnung derselben nach Köpke, Barkhausen und Hertz 395 u. f.

— — ihrer Druckbeanspruchung nach Köpke, Barkhausen und Hertz, vergleichende Zusammenstellung 400.

Wälzgelenkstein aus Eisenbeton bei der Straßenbrücke in Hainsberg (Abb.) 105.

Walzprofile, Einbetonieren derselben bei Druckstreben, Erhöhung der Druckfestigkeit des Betonkernes 715.

Wärmeänderungen, Beanspruchung des Betons durch dieselben bei einem gelenklosen Betonbogen mit steifen Eiseneinlagen nach Melan, Spannweite 28,75 m 568.

—, Spielraum derselben für Beton bei Gewölbeberechnungen 426.

Wärmeeinfluß bei gelenklosen Bogenbrücken 426.

Wärmeleitung des Betons 57.

Washington, Straßenbrücke über den Piney Creek, Parabelbogen aus unbewehrtem Beton unter Berücksichtigung einer späteren Verbreiterung,

Lichtweite 38,1 m, Schnitte, Beschreibung (Abb.) 491.

Washington, Straßenbrücke über den Rock Creek in —, Betonbogen ohne Gelenke, Lichtweiten 45,75 m, Schnitte, Beschreibung (Abb.) 515 u. f.

Wasserabfluß; Weiterführung desselben hinter den Widerlagern 54.

Wasserdichte Abdeckung der Bogen aus bewehrtem Beton nach Johnson bei einer Eisenbahnbrücke 549.

— — des Gewölberückens bei einer Eisenbahnbrücke, Dreigelenkbogen aus bewehrtem Beton 541.

Wasserdruck, Berücksichtigung desselben bei Gewölbeberechnungen 424.

Wasserliesch, Wegüberführung der Moselbahn bei —, Eisenbetonbogenbrücke mit schlaffen und steifen Eiseneinlagen, Lichtweite 8 m, Ausführung unter Freilassung des Raumes unter dem Gewölbe von Gerüsten, Längen- und Querschnitte (Abb.) 362

Wassersäcke, Vermeidung derselben bei den Endwiderlagern der Sächsischen Staatseisenbahnen (Abb.) 29.

Wegbrücke bei Krozna in Mähren aus Trägern mit durchbrochenen Mittelfeldern und vollwandigen Endpfeilern, Stützweite 22 m (Abb.) 17.

—, schiefe, über die Popråd in Ungarn, 11 m Lichtweite, Rahmenbrücke aus Balken und damit starr verbundenen Eisenbetonwiderlagern (Abb.) 28.

Wegüberführung bei Taulow in Jütland, Linienführung des Eisenbetonbalkens (Abb.) 63.

Wellblech für Eisenbetonghegweggewölbe zwischen Eisenträgern (Ferroinclave - Konstruktion), Beispiele, Beschreibung, Schnitte (Abb.) 697.

Wernigerode a. Harz, Zilligerbachbrücke, Straßenbrücke aus starr mit den Betonwiderlagern verbundenen Eisenbetonbalken, Lichtweite 7 m, Schnitte, Beschreibung (Abb.) 271.

Widerlager, Ausbildung der Lager und Überleitung der Brückenlasten nach demselben 101.

—, Baustoff derselben bei Verwendung von Eisenbetonplatten 12.

—, Berechnung derselben bei dem Eisenbetondreigelenkbogen für eine Vollbahnbrücke, Stützweite 24,4 m, Zahlenbeispiel 474 u. f.

— aus Beton mit und ohne Eiseneinlagen, Mischungsverhältnisse desselben 338.

—, Bewehrungsplan desselben bei einer Straßenbrücke, Rippengewölbe aus Eisenbeton, Spannweite 27 m (Abb.) 580.

— von Bogenbalken mit wagerechten und stehenden Lagerfugen 81.

— —, Einwirkung des Erddrucks auf Schild-, Fuß- und Hakenplatte derselben 31.

— der Brücken, allgemeine Angaben über ihre Ausbildung 95.

— —, Anordnung der Flügel zum Abschluß des Erdreichs 96.

— —, Ausbildung der Lagerfläche und der Kammermauer 95.

— —, Breite derselben 96.

—, Einfluß des Lagerdruckes bei Rippenplatten auf die Standfestigkeit derselben 75.

— auf gemeinsamer Eisenbetonplatte zur gleichmäßigen Druckverteilung 12.

—, Kostenersparnis bei demselben durch Anordnung einer Bogenbalkenbrücke 32.

—, Reibungswiderlager nach Möller, Ausführung und Wirkungsweise desselben bei einer Straßenbrücke 640.

— einer Straßenbrücke, Dreigelenkbogen aus unbewehrtem Beton, Einzelheiten, Lichtweite 40 m (Abb.) 485.

— (Landpfeiler) einer Straßenbrücke, eingespannte Rippengewölbe aus Eisenbeton, Lichtweiten 12 bis 47 m, 6 Öffnungen 601.

—, Stützen und Brückenöffnungen, Wahl derselben mit Rücksicht auf die anschließenden Böschungsneigungen 23.

Widerlager, Verbindung derselben mit durchlaufenden Trägern über mehrere Öffnungen 20.

—, starre Verbindung derselben mit Balken zur Erzielung der Einspannung (Abb.) 28.

—, Verwendung alter — beim Umbau zur Lagerung von Eisenbetonbalken 49.

—, verlorene, Begriff derselben bei Gewölben 338.

—, Weiterführung des Wasserabflusses hinter denselben 54.

— und Pfeiler, Begriff derselben bei Gewölben 338.

— —, Berechnung derselben beim Betondreigelenkbogen einer Straßenbrücke, Lichtweiten 18 und 22 m 458 u. f.

Widerlageranschluß der Csernabrücke bei Topletz (Ungarn), Eisenbetonbalken - Auslegerbrücke, 3 Öffnungen, Stützweiten 9 und 23 m (Abb.) 304.

Widerlager- und Pfeilerbreite, Ersparung an derselben durch Auskragung der Fahrbahntafel über die Randträger bei Eisenbetonbrücken 78.

Widerlagermauerwerk, bestehendes, Benutzung desselben für die Verbreiterung einer alten gewölbten, schiefen Straßenbrücke mit 2 Öffnungen, dreiseitiger Eisenbetonrahmenträger 314.

Widerlagerquerschnitte, Untersuchung derselben mittels Einflußlinien für die Kernpunktmomente beim Dreigelenkbogen 475.

Widerlagersenkungen, Einfluß derselben auf statisch bestimmt gelagerte einfache Träger 15.

Widerlagswände, Rippen derselben als Fortsetzung der Tragrippen von Rahmenbrücken 29.

Widerstandsgrößen von Verbundkörper - Querschnitten, Tabelle 708, 710.

Wien, Straßenbrücke über den Donaukanal, Empergers Entwurf zum Umbau derselben unter Anwendung von Röhren

in Umschnürungsbeton, Spannweite 60 m 722.

Wiener Stadtbahn, Einwölbung derselben aus Betonbogen mit schlaffen Eiseneinlagen, Lichtweiten 10 und 14,3 m, Schnitte, Beschreibung (Abb.) 522, 523.

— —, Überbrückung derselben aus Betonbogen mit schlaffen Eiseneinlagen, Lichtweiten 11,4 und 20,25 m, Schnitte, Beschreibung (Abb.) 522.

Wientallinie der Wiener Stadtbahn, Überdeckung derselben, Stützweite 8,5 bis 11,5 m (Abb.) 15.

Wildegg (Schweiz), Eisenbetonbogen für die Straßenbrücke von 1890, Spannweite 39 m 335.

Wilmersdorf bei Berlin, Eisenbahnbrücke über die Prinzregentenstraße in —, Dreigelenkbogen aus bewehrtem Beton, Lichtweite 24 m, Schnitte, Bewehrungseinzelheiten, Beschreibung (Abb.) 538 u. f.

Winddruck, Berechnung desselben 147.

Windkräfte, Übertragung derselben auf die Hauptpfeiler bei Eisenbetonbogenbrücken 413.

Windverstrebung bei einer Fußgängerbrücke, Eisenbetonbogenbrücke, Spannweite 51.2 m 533.

Winkel zwischen Brückenachse und Widerlager, Einfluß desselben auf Wahl der Träger 48.

Winkelstützmauern aus Eisenbeton als Pfosten einer schiefen Rahmenbrücke von 11 m Lichtweite (Abb.) 28.

Winnipeg, schiefe Unterführung der Mainstraße unter 8 Gleisen der Canadian - Eisenbahn, welche von einer Eisenbetonbrücke getragen werden, Lichtweiten 3,5 bis 7 m, 5 Öffnungen, Betonbogen mit schlaffen und steifen Eiseneinlagen, Schnitte, Ansichten, Beschreibung (Abb.) 575.

Wirkungsweise der Belastungen beim Balken, Seil und Bogen 2.

Wirtschaftlichkeit, Feststellung derselben bei verschiedenen

Lösungen für Balkenbrücken, gezeigt an einem Beispiel für eine Brücke von 16,55 m Lichtweite 93, 94.

Wirtschaftlichste Bogenform bei Betongewölben 338.

Wolding bei Linz (Oberösterreich), Straßenbrücke mit versenkter Fahrbahn, Eisenbetondreieckfachwerkträger nach Visintini, Lichtweite 16 m, Schnitte, Beschreibung (Abb.) 325.

Wolfurt (Tirol), schiefe Achbrücke, durchlaufender Eisenbetonbalken über 3 und 4 Stützen, 7 Öffnungen, Lichtweiten 15,6 m, Schnitte, Beschreibung (Abb.) 287.

Wünsch, Bauweise —, für Eisenbetonbogenbrücken mit steifen Eiseneinlagen 354.

Würzburg, Quellenbachüberdeckung am Bahnhofsplatz, bewehrte Betonbalken auf vorhandenen Ufermauern aus Muschelkalkstein, Stützweite 13,44 m, Schnitte, Bewehrungseinzelheiten, Beschreibung (Abb.) 265.

Ybbsbrücke bei Kemmelbach, Inundationsviadukt mit Pfostenfachwerkträgern aus Eisenbeton (Abb.) 39.

Zapfengelenk aus Flußstahl einer Straßenbrücke mit Betongewölben nach Melan 406.

—, Berechnung der Lagerstühle, Beispiel 407.

— — des Zapfens 406.

— der Donaubrücke bei Inzigkofen (Abb.) 406.

— der Eisenbetongewölbe einer Eisenbahnbrücke 406.

— einer Straßenbrücke aus Betonbogen (Abb.) 406.

—, Beschreibung derselben 405.

Zeche Julia in Herne (Westfalen), Übergangsbrücke als Kragträger von 13 m Stützweite und 6,5 m Ausladung mit versenkter Brückentafel, Eisenbetondach und 10,5 m hohen Pfeilern (Abb.) 267.

Zeichnerische Darstellung der Belastungsgleichwerte für Einzellasten bei Balken größerer Stützweite unter Angabe von Lastenzügen bei Stützweiten von 0 bis 30 m 142 u. f.

, — — desgl. für Platten von Eisenbetonbrücken kleiner Stützweiten unter Berücksichtigung der Lastverteilung 141.

— — der Einflußlinien für die Kernpunktmomente, Querkräfte und Auflagerkräfte zur Berechnung eines Eisenbetondreigelenkbogens, Zahlenbeispiel, Stützweite 24,4 m 464, 468.

— — des Verlaufs der Momente infolge gleichförmig verteilter Belastung bei einer Platte als durchlaufender Träger auf mehreren Stützen 159.

—,Untersuchung einer gewölbten Betonbrücke für normalspuriges Vollbahnanschlußgleis, Spannweiten 30 und 20 m 433.

— — desgl. für eine Wegeüberführung für einseitige und volle Belastung, Lichtweite 18,7 m 428.

Zeichnerische Untersuchung der Widerlager bei dem Eisenbeton - Dreigelenkbogen einer Vollbahnbrücke, Stützweite 24,4 m, Zahlenbeispiel 474 u. f.

— — des unbewehrten Gewölbebetonbogens ohne Gelenke bei einer Straßenbrücke über den Bober, Spannweite 58,1 m (Abb.) 499.

— — mittels Stützlinien einer Straßenbrücke, Betondreigelenkbogen, Lichtweiten 18 und 22 m, Zahlenbeispiel 456.

Zeichnerisches und rechnerisches Verfahren zur Bestimmung der Festpunkte beim durchlaufenden Träger 186.

Zementmörtelputz als Mittel gegen das Eindringen von Wasser in den Eisenbetonkörper 55.

Zuggurt, Stoßverbindung der Eisenstäbe bei größeren Stützweiten (Hakenverbindung, Schweißung, Schraubenmuttern) 114.

Zugkräfte, schiefe, am Auflager der Balkenbrücken, Berechnung derselben 263.

Zugspannungen, Ermittlung derselben in Betongelenken beim Auftreten der ersten Risse durch Bruchversuche 391.

Zwischenstützen, allgemeine Angaben über ihre Ausbildung 97.

— als Pendelstützen bei durchlaufenden Eisenbetonträgern, Ausbildung der Gelenke (Abb.) 105.

— — bei schiefen Brücken 106.

— — bei Eisenbetonbrücken 62.

— aus Eisenbeton in Form einzelner, gleichzeitig mit dem Tragwerk hergestellter Säulen 97, 98.

— — mit ausgemauerten Zwischenräumen 98.

— aus Eisenbetonpfählen bei einer 77 m langen Brücke 99.

— aus gemauerten Pfeilern mit Auskragung der Pfeilerköpfe für die Auflagerung der Balken 97, 98.

—, schmale, aus Eisenbeton, Ausbildung ihres Kopfes für die Auflagerung zweier Trägerenden (Abb.) 107.

Buchdruckerei Gebrüder Ernst. Berlin SW 68.

Verlag von WILHELM ERNST & SOHN, BERLIN W66
Wilhelmstraße 90.

Handbuch für Eisenbetonbau.

Nachfolgendes sachlich geordnetes Schlagwortverzeichnis soll jedem Interessenten unter Angabe des entsprechenden Bandes bekannt geben, welche Kapitel in dem Werke behandelt werden und in welchem Bande dieselben zu finden sind.

☛ *Bei Bestellung ist genau Auflage, Band und Teil anzugeben.* ☚

	Aufl.	Band	Teil		Aufl.	Band	Teil
Abluft-, Dunst- und Rauchschläuche	1.	IV	2	Eisenbahnbalkenbrücken	2.	VII	
Aquädukte	2.	V		Eisenbetonbestimmungen	1.	IV	3
Architektur der Brücken	2.	VI		Eisenbetondecken	1.	IV	1
Architektur der Eisenbetonbauten		I		Eisenbetongewölbe (Theorie)	1.	I	
Ergänzungsbd.				Eisenbetongewölbe (Kuppelgewölbe)	1.	IV	1
Aufstiegschichte	2.	V		Eisenbetonmaste	2.	VII	
Aufzüge	2.	II		Eisenbetonpfähle	2.	III	
Ausfüllung der Oberflächenporen	2.	V		Eisenbetonschwellen	2.	VII	
Ausgestaltung der Eisenbetonbauten				Eisenbewahrung	2.	II	
Ergänzungsbd.		I		Eisenbrücken mit Eisenbeton	2.	VI	
Ausrüstung der Schalungen	2.	II		Eiskeller	1.	IV	2
Ausstellungshallen	1.	IV	2	Elektrolytische Zerstörungen des Eisens			
Auswurftrichter (Bergbau)	2.	VII		im Beton	1.	IV	1
				Erker	1.	IV	2
Badeanstalten	2.	V					
Badewannen	2.	V		Fabrikgebäude	1.	IV	2
Bahndurchlässe	2.	VII		Festhallen	1.	IV	2
Bahnsteige	2.	VII		Feuersicherheit	1.	IV	1
Bahnsteighallen	2.	VII		Feuersicherheit im Geschäftshausbau	1.	IV	2
dgl.	1.	IV	1	Flachgründungen	2.	III	
Balkenbrücken	2.	VI	1	Flugstaubkanäle	2.	VII	
Balkendächer	1.	IV	1	Flüssigkeitsbehälter	2.	V	
Balkone und Erker	1.	IV	1	Freibauten verschiedener Art			
Baugrundbelastung	2.	III		*Ergänzungsbd.*			
Baustoffe	2.	II		Freifallmischer	2.	II	
Bauten im Bergwerksterrain	2.	III		Freistehende Mauern	2.	III	
Bauunfälle	1.	II	3	Frost, Sicherung gegen	2.	II	
Bauunfälle (Talsperren)	2.	II		Fußwegunterführungen	2.	VII	
Bauwinden	2.	II		Fundierungen	1.	IV	2
Behälter (Gas-, Teer-, Oel-)	2.	V		Futterbarren	1.	IV	2
Behandlung sichtbarer Oberflächen und				Futtermauern	2.	III	
Zierwerk		I					
Ergänzungsbd.				Galerien für Theater	1.	IV	1
Belastung der Dächer	1.	IV	1	Gangstege	2.	V	
Belastungsannahmen bei Brücken	2.	VI		Gasbehälter	2.	V	
Beleuchtungsverhältnisse	1.	IV	2	Gefäßbauten		I	
Berechnung der Säulen	1.	II		*Ergänzungsbd.*			
Bergbau	2.	VII		Geldschränke	2.	VI	2
Bestimmungen (Uebersicht)	1.	IV	3	Gelenke	2.	VI	
Betonbogenbrücken	2.	VI		Gerüstung bei Bogen	2.	II	
Betonierungsregeln	2.	II		Geschäftshäuser	1.	IV	2
Betonmischmaschinen	2.	II		Geschichte des Eisenbetons	1.	I	
Bindemittel (Baustoffe)	2.	II		Gesimse	1.	IV	1
Blendmauern	2.	III		Gestaltung, künstlerische *Ergänzungsbd.*			
Blitzschutz	1.	IV	2	Getreidespeicher	1.	IV	2
Bogen und Gewölbe *Ergänzungsbd.*				Gewächshaus	1.	IV	1
Bogenbrücken und Ueberwölbungen	2.	VI		Gewölbe (Kuppelgewölbe)	1.	IV	1
Bogendächer	1.	IV	1	Gewölbe (Theorie u. Versuche)	1.	II	
Bollwerke	2.	IV		Glasbetonsteine	2.	II	
Boote in Eisenbeton	2.	IV		Globelmastern	2.	III	1
Brücken	2.	VI		Glasbausteine	1.	IV	1
Brücken, u. zwar Eisenbahnbalkenbrücken	2.	VII		Großräumige Silos	1.	IV	2
Brücken (Architektur) *Ergänzungsbd.*		I		Gründungen	2.	III	
Brunnengründungen	2.	III		dgl.	1.	IV	2
Buhnen	2.	IV					
Bureauhäuser	1.	IV	2	Hafendämme	2.	IV	
				Hallenbauten	2.	II	
Chargenmischer	2.	II		dgl.	1.	IV	1
Chemische Einwirkung verschiedener				dgl.	1.	IV	2
Flüssigkeiten	2.	V		Handmischung *Ergänzungsbd.*			
				Hellings	2.	IV	
Dachbauten	1.	IV	1	Hochbahnen (Kohlenhochbahnen)	2.	VII	
Dachkonstruktionen (Fabrikbauten)	1.	IV	2	Hochbehälter	2.	V	
Dachrinnen	1.	IV	1	Hochbehälter (Kragbauten an)	1.	IV	1
Dalben	2.	IV		Hohlkörpergründungen	2.	III	
Dammbauten	2.	IV		Holländer	2.	V	
Dammröhren	2.	IV					
Decken	1.	IV	1	Innerer Ausbau	1.	IV	1
Deckendurchbildung (Geschäftshäuser)	1.	IV	2	Industriebauten	1.	IV	2
dgl.		I					
Ergänzungsbd.				Kabeltürme	2.	VII	
Dichten von Flüssigkeitsbehältern	2.	V		Kaimauern	2.	IV	
Drehscheiben	2.	VII		Kanalbrücken	2.	IV	
Dreiecksfachwerkträger	2.	VI		Kanalleitungen	2.	V	
Dächer	1.	IV	1	Kassettendecken		I	
Druckfestigkeit des Eisenbetons	2.	V		Kassettendecken *Ergänzungsbd.*			
Durchlässe	2.	VII		Kassettendecken (Geschäftshäuser)	1.	IV	2
Durchlässe	2.	V		Kastengründungen	2.	III	
				Kellerräume	2.	II	
Einbringen des Betons	2.	II		Kellerräume (Geschäftshaus)	2.	II	
Einfriedigungen	1.	IV	2	Keller, Wasserdichte	2.	III	
Einfriedigungsmauern	2.	III		Kirchen, Synagogen	1.	IV	1
Eisen als Baustoff	2.	II		Kirchen	1.	IV	

Lightning Source UK Ltd.
Milton Keynes UK
UKHW02n0933221018
330967UK00007B/376/P

—